普通高等教育"十五"国家级规划教材

基础有机化学

（第三版）上册

邢其毅　　裴伟伟

徐瑞秋　　裴　坚

高等教育出版社

内容提要

本书是普通高等教育"十五"国家级规划教材。也是高等教育百门精品课程教材建设计划的精品项目。

本书是在 1993 年出版的《基础有机化学》(第二版)的基础上修订而成的。全书共 27 章,分上下两册,上册 13 章,下册 14 章。与第二版相比,在书的框架结构和内容上有较大的变动。全书分为基础知识和专章两部分。在基础知识部分,体系上将采用按官能团分章和按基本反应机理分章相结合的编排方式。在内容上,命名、四大光谱分别单独设章,立体化学将包括构象和构型两部分,脂肪族亲核取代反应和 β-消除反应合并为一章,羟醛缩合和酯缩合并为一章。其它按官能团和重点反应相结合的方法分章,以便更加强调知识的完整性和连贯性;更加合理处理个性和共性的关系及更加注意各知识点之间的关联。专章部分将介绍有机化学和相关学科发展的新成就。基础知识部分每章末附有习题、复习本章的指导提纲和英汉对照词汇。

本书可作为综合性大学化学专业的教材,也可供其他院校有关专业和对有机化学有兴趣的读者选用。

图书在版编目(CIP)数据

基础有机化学. 上册 / 邢其毅等. —3 版. —北京:
高等教育出版社,2005.6(2009 重印)
ISBN 978 - 7 - 04 - 016637 - 8

Ⅰ.基... Ⅱ.邢... Ⅲ.有机化学 - 高等学校 -
教材 Ⅳ.O62

中国版本图书馆 CIP 数据核字(2005)第 025523 号

出版发行	高等教育出版社	购书热线	010 - 58581118	
社　　址	北京市西城区德外大街 4 号	免费咨询	800 - 810 - 0598	
邮政编码	100120	网　　址	http://www.hep.edu.cn	
总　　机	010 - 58581000		http://www.hep.com.cn	
		网上订购	http://www.landraco.com	
			http://www.landraco.com.cn	
经　　销	蓝色畅想图书发行有限公司	畅想教育	http://www.widedu.com	
印　　刷	高等教育出版社印刷厂			
		版　　次	1980 年 9 月第 1 版	
			2005 年 6 月第 3 版	
开　　本	787×1092　1/16			
印　　张	38.5	印　　次	2009 年 11 月第 11 次印刷	
字　　数	950 000	定　　价	47.30 元	

第三版前言

本书的第一版于 1980 年出版，第二版于 1993 年出版。第二版出版后，作为北京大学化学与分子工程学院本科生的教材和研究生准备入学考试的参考书，已使用了 11 年之久。在此期间，有机化学无论在理论、方法学和前沿领域的应用方面都已取得了极大的进展。而化学教学在方法和技术上也有了前所未有的改革和变化。正是为了适应新的教学形势的需要，邢其毅教授决定编写《基础有机化学》第三版。遗憾的是，在作出编写决定后不久，著名的有机化学教育家邢其毅教授因病医治无效，不幸逝世。为了实现邢其毅教授生前的愿望，编写小组召开了工作会议，确立了教材要与时代的发展同步前进的原则，明确了第三版的编写目标：要科学地反映学科的核心知识内容和基本特点，要符合学习对象的认知规律，要有利于全面培养学生的科学素质和创新能力，要加强基础知识和前沿领域的密切结合。

本教材第三版是在第二版的基础上，以与当前化学教学的要求和学科发展的方向相一致为宗旨来编写的。第三版具有以下特点：

1. 全书的框架结构更趋于合理。第三版在框架结构上作了较大的调整。全书分为基础和专章两部分。基础部分采用相关知识点独立设章，以及按官能团分章和按基本反应机理分章相结合的编排方式。目的在于更好地体现知识的完整性和连贯性。采用相关知识适当集中的方法，不仅使每章内容各有重点，且具备相对的完整性和独立性。读者既可以按序学习全书，也可以根据需要，取某些章节单独学习。

2. 教材内容的选择和安排上更符合认知规律。有机化学的内容十分丰富，与工农业生产和生活的关系十分密切，应用也十分广泛。合理地取材和由浅入深、循序渐进地安排各知识点，提高教材的可读性、可讲授性和方便学生自学，将有利于学生顺利地步入有机化学世界并对此产生浓厚的兴趣。

3. 开设学科前沿领域的窗口。在基础教材中设立专章，介绍有机化学学科发展的新成就和新反应，使学生考虑问题的起点更高，视野更开阔，对学科的了解更全面。这将利于提高学生的素质和培养他们的创新意识。在最后一章将简单介绍用计算机查阅文献的方法，帮助学生建立更广阔的学习通道。

4. 在章末增加了"复习本章的指导提纲"，引导学生复习和总结。在章末还增加"英汉对照词汇"，鼓励和方便学生阅读英文杂志和书籍。在书末还向读者推荐了一些参考书，有兴趣的学生可通过阅读这些书来了解国内外有机化学教材的情况和学习更深入的知识。

5. 本书的习题体现本课程的教学要求，与正文内容的知识点相匹配。习题答案参见与本书配套的习题集。

第三版教材的编写由裴伟伟（第 1～10 章、第 12～16 章、第 20～23 章）和裴坚（第 11 章、第 17～19 章、第 24～27 章）共同完成。全书的策划、统一整理和定稿由裴伟伟负责。

作者在撰写本书的过程中，得到了高等教育出版社"高等教育百门精品课程教材建设计划"

的资助。也得到了北京大学教务处和化学院领导的关心和帮助。北京大学唐恢同教授精心地审阅了全部书稿，并提出很好的改进意见。高等教育出版社岳延陆编审从本书的策划、编写到出版自始至终给予了高度的重视、关心和支持。责任编辑秦凤英的高度责任心和丰富的经验为本书的顺利出版作出了重要贡献。本书的部分核磁共振图谱是由北京大学潘景歧、吕木坚提供的，大部分红外图谱是由翁诗甫提供的。我们的学生焦雷和梁勇为本书结构式的录入和编排付出了辛勤的劳动。在此，作者一并向他们致以最诚挚、最衷心的感谢。作者也向所有关心此书的北京大学有机化学研究所的老师们表示感谢。

　　作者恳切地希望此书能给读者带来一些方便和益处，但由于编者水平所限，书中的疏漏和错误之处在所难免，敬请读者批评指正，以便有机会再版时得以更正

编　者

2005 年 1 月于北京

第一版前言

 1977年教育部在武昌召开了一次高等学校理科化学教材会议。会议上，大家一致认为应该鼓励各有关的学校根据教师个人不同的教学经验和对这门学科的不同认识，编写不同风格不同特点的教材。根据这个精神，北京大学化学系把编写本书的任务交给了我们。因为时间很仓促，我们的水平又有限，因此本书无论在选材或编排方面，都可能存在着不少问题，甚至有错误的地方。但是作者认为，如果一本书要到它完美无缺时，才出版问世，那本书就永远也写不成了。我们只是根据自己的一点教学经验，先写这一本，算是一种尝试，听听同行和学生们的意见。假若这本小书能起到抛砖引玉的作用，那就算达到编写本书的目的了。

 任何一本基础学科的教材，在作者看来，主要是从大量的材料中，不断地筛选，根据自己的教学经验编写而成。以有机化学而论，材料特别丰富，取舍是一件很不容易的工作。现有的教科书体系，都是经过百年的教学经验，不断地筛选，删去旧的，加进新的，逐渐形成的。目前编写的许多教科书，表面上看来很不相同，但这些不同主要表现在编写和介绍的方法上，就其内容而言，基本上是大同小异的。有机化学的基本资料是由结构、反应和合成三部分组成的，不少书就是按照这样三部分编写的。实际上，反应和合成是一个问题的两个方面，因此本书通过分析典型例题阐明了较复杂化合物的合成途径，而一些简单化合物的合成则是通过反应来阐述的。也有些作者认为按有机化合物反应机制分类是比较严格的，所以首先对各类化合物的结构和性能作一简短的介绍，然后着重讨论各类机制不同的反应。作者根据以往的经验，觉得过于集中讨论某一反应，学生会觉得非常枯燥，而把结构、反应、合成三者结合起来同时学习，可以使学生得到比较有系统的知识，同时也可避免在阅读或听课时，引起一些不必要的疑问。例如在讨论某一类型的化合物时，可以结合它的结构推引出反应发生的内在原因，然后再介绍这一反应在合成上的应用。这样学习，学生会感到比较生动，也比较多样化一点。因此本书是按化合物分类的方式编写的。我们认为，不应该为了强调理论上的阐述，把许多重要的工业制备都删略，因为有机工业制备也是基础有机知识的一部分，所以我们在有关的章节内加入了有关这方面的一些资料，但做得还很不够。这样做，不仅是为了多样化，同时也表达了作者对待这门科学的一种看法。作者认为应该比较全面地对待一门基础科学，任何过分的偏废都是不合适的，教学效果也是不好的。

 对于初学的人，不应过于集中地介绍某一概念，而应当根据需要有步骤地循序渐进。因此本书中有些内容，做了必要的重复。例如光谱、立体概念、构象等就是根据这个精神，分别在几处作了讨论。作者认为这种重复对于学习是有帮助的。

 现在许多教科书在每一章后都作了简短的总结，这对学习是非常必要的。但是作者认为这步工作应当根据学生自己的理解，用自己的语言，作出自己的总结。因此作者把这一重要任务交给了读者。每章后的习题，实质上也是一种总结，这些题目，有的是作者查阅文献编写的，有的是从其它教科书中取得的，这里就不一一声明了。

　　在本书编写过程中，裴伟伟同志担任了大部分缮写工作，并提了一些有益的建议，刘瑞雯同志担任了许多插图的描绘工作。作者特在此向他们致谢。

作　者

1980 年 4 月于北大

第二版前言

本书自 1980 年出版后,在北京大学化学系作为教材及研究生准备入学考试的参考资料,已使用了十二年之久。在此期间,有机化学无论在理论上、方法上均取得了很大的进展。作者及高等教育出版社均感到本书有修改再版的必要。

第二版编写的精神与第一版一致,把结构、反应和合成结合起来,循序渐进地加以叙述。篇幅大致相同。在某些内容与章节的安排上与第一版有所不同,如将第一、二、三章合并,内容作了精简;将芳核的亲电取代一章合并到芳香烃一章中,一起讨论。在材料选择上也有所取舍,如将有机合成新方法——相转移催化及偶极非质子溶剂的使用和合成高分子两章删掉,必要的内容保留,分散在有关章节中叙述。过渡金属化合物取得了很大的进展,但第一版资料较多,初学者学时感到困难,本版作了大量的压缩。波谱分析的进步促进了结构测定的迅速发展,为有机分子世界增加了许多新的内容,红外、核磁、紫外、质谱是结构测定中最常用的方法,故本版对此介绍较为详尽,核磁共振中增加了碳谱的内容,二维核磁共振是非常重要的,但限于篇幅,未能讨论。元素有机方面增加了有机硅及有机硼的内容。为了能在学生查阅手册及阅读有关专业书籍时提供一些方便,简单地介绍了各类有机化合物的英文命名。构象及立体化学全部改写,立体化学的基本概念贯穿于全书之中,可以看作是本书的一个重点。有机合成是有机学科的重要组成部分,第二版选择了新的示例,略为介绍了逆向合成的推理方法,以加强学生在合成设计方面的训练。

为便于学生及时自我检查所学知识,第二版在正文各内容层次中增加了习题;章末增加了少数最基本的易得的中文参考书目,有兴趣的学生可通过阅读参考书来开阔视野、深入学习。

自第一版出版后,我们陆续收到广大读者的来信,对本书提出了许多批评和建议,如有个别地方内容重复、取材不当、印刷上及文字上的错误等,在此谨向他们表示衷心的感谢,作者在本版内,竭尽所能,力图改正,但恐力不从心,有负大家的期望,深信读者会一如既往,不断给我们提出宝贵意见,使本书在下一版中得到进一步的改善。本书在编写和使用过程中,北京大学化学系有机教研室的同事们和历届化学系的学生提出了许多建设性的宝贵意见,对本书的修改是十分有益的,在此,也向他们表示衷心的感谢。

作 者
1992 年 5 月于北大

目 录

第 1 章

绪　论

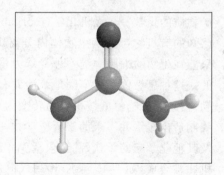

有机化学(organic chemistry)是研究碳化合物(carbon compound)的化学。

1.1　有机化学和有机化合物的特性

有机化学是一门非常重要的科学,它和人类生活有着极为密切的关系。人体本身的变化就是一连串非常复杂、彼此制约、彼此协调的有机物质的变化过程,人们对有机物(organic matter)的认识逐渐由浅入深,把它变成一门重要的科学。最初,有机物是指由动植物有机体得到的物质,例如糖(sugar)、染料(dye)、酒(alcoholic drink)和醋(vinegar)等。据我国《周礼》记载,当时已设专司管理染色、制酒和制醋工作;周王时代已知用胶;汉朝时代发明造纸,在《神农本草经》中载有几百种重要药物(medicine),其中大部分是植物,这是世界上最早的一部药典。人类使用有机物质虽已有很长的历史,但这些物质都是不纯的,对纯物质的认识和取得是比较近代的事。在1769—1785 年间,取得了许多有机酸(organic acid),如从葡萄汁内取得酒石酸(tartaric acid),从柠檬汁内取得柠檬酸(citric acid),由尿内取得尿酸(uric acid),从酸牛奶内取得乳酸(lactic acid)。1773 年由尿内析离了尿素(urea),1805 年由鸦片中取得第一个生物碱(alkaloid)——吗啡(morphine)。

虽然人们制得了不少纯的有机物质,但关于它们的内部组成及结构分析问题,却长期没有得到解决。这是由于一种错误的燃素学说统治了当时化学界的思想,认为燃烧的起因是由于物质中含有一种不可捉摸的燃素引起的。Lavoisier A(拉瓦锡)首次弄清了燃烧的概念(1772—1777),认识到燃烧时,物质和空气中的一种物质——氧结合。他继而研究了分析有机物的方法,将有机物放在一个用水银密封的装有氧或空气的玻璃钟罩内进行燃烧,发现所有的有机物质燃烧后,都给出二氧化碳(carbon dioxide)和水(water),它们必然都含有碳(carbon)及氢(hydrogen);有些有机物在没有空气的情况下,也可进行燃烧,而产物也是水和二氧化碳,因此这些有机物含有碳、氢、氧(oxygen);有些有机物燃烧时还产生氮(nitrogen),所以那时认为大部分有机物的组分是碳、氢、氧、氮等。

有机物和无机物除在组成上有区别外,在性质上也有很大差别。例如,有机物比较不稳定,加热后即行分解,这与矿物和动植物的区别相像。因此化学家把有机物与无机物决然地划分开。享有盛名的化学家 Berzelius J(柏则里)首先引用了有机化学这个名字(1806 年),以区别于其它矿物质的化学——无机化学(inorganic chemistry)。当时把这两门化学分开的另一原因是那时已知的有机物都是从生物体内分离出来的,尚未能从实验室内合成,因此 Berzelius 认为有机物只能在生物的细胞中受一种特殊力量——生活力——的作用才会产生出来,人工合成是不可能的。这种思想曾一度牢固地统治着有机化学界,阻碍了有机化学的发展。1828 年 Wöhler F(魏勒)发现无机物氰酸铵很容易转变为尿素,他把这重要的发现告诉了 Berzelius:"我应当告诉您,我制造出尿素并不求助于肾或动物——无论是人或犬。"这个重要发现,并未马上得到 Berzelius 及其他化学家的承认,甚至包括 Wöhler 本人,因为氰酸铵尚未能从无机物制备。直到更多的有机物被合成,如 1845 年 Kolbe H(柯尔柏)合成了醋酸,1854 年 Berthelot M(柏赛罗)合成了油脂等,"生活力"学说才彻底被否定了。从此有机化学进入了合成的时代,1850—1900 年期间,成千上万的药品、染料是以煤焦油(coal tar)中得到的化合物为原料进行合成的。有机合成(organic synthesis)的迅速发展,使人们清楚知道,在有机物与无机物之间,并没有一个明确的界线,但在组成及性质上确实存在着某些不同之处。从组成上讲,元素周期表(periodic table of chemical element)中所有元素都能互相结合,形成无机物,而在有机物中,只发现为数有限的几种元素,所有的有机物都含碳,多数含氢,其次含氧、氮、卤素(halogen)、硫(sulfur)、磷(phosphorus)等,因此 Gmelin L(葛美林)于 1848 年对有机化学的定义是研究碳的化学,即有机化学仅是化学中的一章。那么为什么有机化学要与无机化学分为两个学科来研究呢? 一个原因是有机物数目非常庞大,据目前统计有几千万种以上,这个数目还在不断增长,而其它 100 多种元素形成的无机物只有几万种,把这样庞大的一章作为一个独立的学科来研究是完全必要的。另一个原因是碳原子的结构特征使有机物具有与无机物不同的性能:如① 分子组成复杂;② 容易燃烧;③ 熔点低,一般在 400 ℃以下;④ 难溶于水;⑤ 反应速率比较慢;⑥ 副反应较多等等。由于以上理由,有机化学就独立成为一门学科。

1.2　结构概念和结构理论

1822 年 Wöhler F 和 Liebig J von(李比息,1831)先后分别发现了异氰酸银和雷酸银,分析证明这两种化合物均由 Ag,N,C,O 各一个原子组成,但物理、化学性质完全不同。后来 Berzelius 经过仔细研究,证明这种现象在有机化学中是普遍存在的。他把这种分子式相同而结构不同的现象,称为同分异构现象(isomerism)(简称异构现象)。把两个或两个以上具有相同组成的物质,称为同分异构体(isomer)。他还解释,异构体的不同是因分子中各个原子结合的方式不同而产生的,这种不同的结合称为结构(structure)。自从发现这个现象后,有机化学面临一个问题,就是如何测定这些结构,经过不断的探索与思考,逐渐建立了正确的结构概念。

1.2.1　Kekulé A(凯库勒)及 Couper A(古柏尔)的两个重要基本规则 (1857)

1. 碳原子是四价的

无论在简单的或复杂的化合物里,碳原子和其它原子的数目总保持着一定的比例。例如

CH_4, $CHCl_3$, CO_2, Kekulé 认为每一种原子都有一定的化合力, 并把这种力叫做 atomicity, 按意译应为"原子化合力"或"原子力", 后来人们称为价(valence)。碳是四价的, 氢、氯是一价的, 氧是二价的。若用一条短线代表一价, 则 CH_3Cl 可用下面四个式子表示:

$$
\begin{array}{cccc}
\text{H} & \text{H} & \text{H} & \text{Cl} \\
| & | & | & | \\
\text{H—C—Cl} & \text{H—C—H} & \text{Cl—C—H} & \text{H—C—H} \\
| & | & | & | \\
\text{H} & \text{Cl} & \text{H} & \text{H} \\
\text{(i)} & \text{(ii)} & \text{(iii)} & \text{(iv)}
\end{array}
$$

事实上 CH_3Cl 只有一个化合物, 因此他们还注意到碳原子的四个价键是相等的。

2. 碳原子自相结合成键

在有机化学发展史上, 类型学说占有重要地位。它的创始人 Gerhardt C(热拉尔, 1853)认为有机化合物(organic compound)是按照四种类型——氢型、盐酸型、水型和氨型——中一个氢被一个有机基团取代衍生出来的, 例如它们被乙基取代:

$$
\begin{array}{cccc}
\text{H} & \text{H} & \text{H} & \text{H} \\
& & & \text{H} \rangle\text{N} \\
\text{H} & \text{Cl} & \text{H} & \text{H} \\
\text{氢型} & \text{盐酸型} & \text{水型} & \text{氨型}
\end{array}
$$

$$
\begin{array}{cccc}
\text{C}_2\text{H}_5 & \text{C}_2\text{H}_5 & \text{C}_2\text{H}_5 & \text{C}_2\text{H}_5 \\
& & \rangle\text{O} & \text{H} \rangle\text{N} \\
\text{H} & \text{Cl} & \text{H} & \text{H} \\
\text{乙烷} & \text{氯乙烷} & \text{乙醇} & \text{乙胺}
\end{array}
$$

这个学说在建立有机化合物体系过程中, 起了很大的推动作用, 把当时杂乱无章的各种化合物, 归纳到一个体系之内, 并按照这个学说预言很多新化合物, 在后来一一被发现。Kekulé 在此基础上提出了新的类型即甲烷类型, 他把其它的碳氢化合物也放在这一类型之内, 如乙烷就是甲基甲烷:

$$
\begin{array}{cc}
\text{H} & \text{H} \\
\text{H} & \text{H} \\
\text{H} \rangle\text{C} & \text{H} \rangle\text{C} \\
\text{H} & \text{CH}_3
\end{array}
$$

$$
\begin{array}{cc}
\text{甲烷} & \text{乙烷(甲基甲烷)}
\end{array}
$$

这一类型说明碳与碳之间也可以用一价自相结合成为一个碳链, 例如两个或三个碳原子自相结合成键后, 还剩下没有用去的价键均与氢结合, 就得到 C_2H_6, C_3H_8。

$$
\begin{array}{cc}
\begin{array}{c}
\text{H H} \\
| \ | \\
\text{H—C—C—H} \\
| \ | \\
\text{H H}
\end{array}
&
\begin{array}{c}
\text{H H H} \\
| \ | \ | \\
\text{H—C—C—C—H} \\
| \ | \ | \\
\text{H H H}
\end{array}
\end{array}
$$

上面两个式子, 代表着分子中原子的种类、数目和排列的次序, 称为构造式(constitutional formula)。构造式中每一条线代表一个价键,称为键。如果两个原子各用一个价键结合,这种键称为单键(single bond);在有些化合物中,还可用两个价键或三个价键彼此自相结合,这种键称为双键(double bond)或三键(triple bond);碳原子还可以结合成为环:

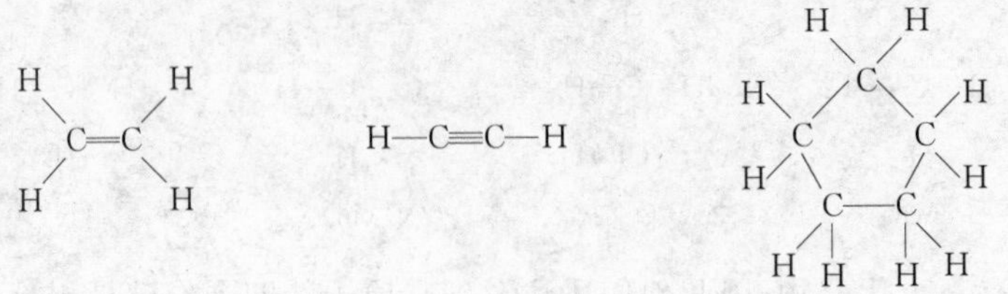

双键　　　　　　　　　　三键　　　　　　　　　　环

不难看出,Kekulé 和 Couper 所推导出来的两个基本规则,具有特殊的重要意义,不但解决了多年来认为不可能解决的分子中各原子结合的问题,也阐明了异构现象问题,从而为数目众多的有机化合物设立了一个合理的体系。例如,C_4H_{10} 按上面两个基本规则,只能有两种排列方式:

左式四个碳原子相连成一直线,称为直链,右式三个碳原子形成链,中间的碳原子与另一个碳原子相连,形成分支的链,称为叉链(branched chain)(或支链),这是两个异构体,是碳架异构(carbon skeleton isomer)。C_4H_{10} 写不出第三个式子,实验也证明没有第三个异构体存在。经过千百个化合物的考验,这两个基本规则在绝大多数场合下使用而无错误。因此,Kekulé 和 Couper 在有机化学上的功绩是不可磨灭的。

习题 1—1　写出 C_7H_{14},C_7H_{16} 的链形碳架异构体。

　　Gerhardt 和 Kekulé 当时对结构的看法认为分子是由各个原子结合起来的一个"建筑物",原子好像木架和砖石等,不仅它们彼此连接有一定的次序,而且"建筑物"有一定的式样和形象,这是一种建筑观点的分子结构,虽然这种观点是正确的,但在当时这样的结构是难以测定的,因此,他们认为这种"建筑物"的结构,是反应时的一种工具,无法用化学反应测定。一直到百年以后,X 射线衍射技术取得了高度的发展,才达到了间接为分子照相的阶段,这个观点才得到证实。

1.2.2　Butlerov A(布特列洛夫,1861)的化学结构理论

　　19 世纪中期,结构不可知论在化学界还十分流行。但在原子价的概念提出以后,Butlerov 意识到:既然每一种原子都有一定的原子价,而原子又是以原子价彼此连接的,那么化合物分子的结构就应该是有序的。1861 年,Butlerov 首次提出了化学结构(chemical structure)的概念。他指出:分子不是原子的简单堆积,而是通过复杂的化学结合力按一定的顺序排列起来的,这种

原子之间的相互关系及结合方式,就是该化合物的化学结构。化学结构不仅是分子中各原子的机械位置的一个图案,而且还反映了分子中各原子的一定的化学关系。因此从分子的化学性质(chemical property)可以确定化学结构,反过来,从化学结构可以了解和预测分子的化学性质。在很长一段时间里,人们运用化学性能去测定分子的化学结构。由于新技术的不断发展,对结构的认识日益加深,现在无论是化学结构,还是分子建筑形象,都逐渐为人们所掌握。

Kekulé 等原始的经典结构理论仅仅提出了分子中各种原子的原子价、数目、种类和关系等问题,由于当时的科学水平,未涉及整个分子的立体形象。随着资料的积累,无法用原始的结构理论解释的事实逐渐增多。例如,按照原始结构理论,分子是在一个平面上,二氯甲烷中两个氢原子和两个氯原子排列关系不同,可以有两个异构体(i)与(ii),但实践证明二氯甲烷只有一个,并无异构体:

$$
\begin{array}{cc}
\begin{array}{c}
\text{Cl} \\
| \\
\text{H--C--Cl} \\
| \\
\text{H}
\end{array}
&
\begin{array}{c}
\text{Cl} \\
| \\
\text{H--C--H} \\
| \\
\text{Cl}
\end{array}
\\
(i) & (ii)
\end{array}
$$

为要解释这个问题,van't Hoff J H(范霍夫)及 Lebel J A(勒贝尔)总结了前人所得到的一些事实,首次提出了碳原子的立体概念。特别是前者,很具体地为碳原子制作了一个正四面体(tetrahedron)的模型,他把碳原子用一个正四面体表示,碳原子在四面体的中心,它的四个价键伸向四面体的各个顶点,如图 1-1 所示:

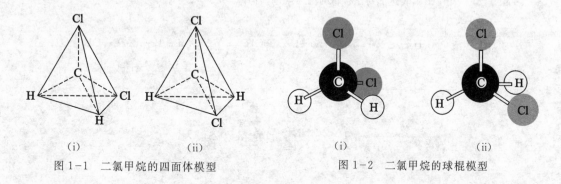

图 1-1　二氯甲烷的四面体模型　　　图 1-2　二氯甲烷的球棍模型

因此研究一个有机分子就不仅仅局限在阐明分子中各原子的数目和彼此的关系,还要进一步了解分子的空间几何形象,这就为研究所有的分子开辟了一个新的领域,即立体化学(stereochemistry)。

为了易于了解分子的立体形象,现在已制作出各种模型,以适应不同的要求。其中最普遍使用的一种就是球棍模型(ball-stick model),就是用不同颜色的小球代表不同的原子,如黑色球代表碳原子,红色球代表氢原子等等。在球上以一定的角度打孔。碳原子就按正四面体 109.5°的角度打四个孔,氢、氯等就打一个孔,然后再在碳原子上插入四根等长的棍,棍的另一端与其它的原子相连。按照这种方法作模型,二氯甲烷的模型就如图 1-2 所示。

不难看出,二氯甲烷只能有一种空间排列的形式,只要把式(ii)转一转,就变为与式(i)完全相同的模型了。立体模型的概念,不仅说明有机分子必须具有一定的立体形象,还预言了许多新型异构体。van't Hoff 本人根据自己制作的模型就提出了一类特殊的异构现象,有的是在几十年以后在实验室内发现的。从这个模型不难看出,当一个碳上连接四个不同的基团,分子就可以有两种不同的排列方式:

它们的关系是实物与镜像的关系,是左手与右手的关系,它们不能重合,是一对异构体。这是由于碳原子和四个不同基团相连,产生在空间的不同排列而引起的立体异构现象(stereo–isomerism),这种异构体是立体异构体(stereomer),将在立体化学一章中进一步讨论。

上式中实线表示的键在纸面上,虚线表示的键在纸面后,楔形线表示的键在纸面前,这样绘出的伞形立体投影式,简称伞形式(umbrella formula)。

碳原子的四面体模型完全是由有机化学的实践及推理而得出来的结论,它成功地解释了许多以前不理解的现象。在这个模型提出多年以后,由于 X 射线衍射分析方法的进步,准确地测定了碳原子的立体结构,完全证实了这个模型的正确性。正四面体是碳原子的一个间接照片。碳原子是有机化合物的基础,由于这个原因,现在有一份世界上最有名的有机化学杂志,就叫做"四面体"(Tetrahedron)。

习题 1-2 用伞形式表达下列化合物的两个立体异构体。

(i) $CH_3CH_2-\overset{\overset{\displaystyle H}{|}}{\underset{\underset{\displaystyle Br}{|}}{C}}-CH_3$ 　　(ii) $HO-\overset{\overset{\displaystyle CH_3}{|}}{\underset{\underset{\displaystyle CH_2I}{|}}{C}}-COOH$ 　　(iii) $Br-\overset{\overset{\displaystyle Cl}{|}}{\underset{\underset{\displaystyle H}{|}}{C}}-\overset{\overset{\displaystyle CH_3}{|}}{\underset{\underset{\displaystyle CH_3}{|}}{C}}-OH$

1.3 化 学 键

在学习化学键以前,首先简单地介绍一下原子轨道(atomic orbital)和原子的电子构型(electronic configuration of atom)。

1.3.1 原子轨道

电子具有波粒二象性,故原子中电子的运动,服从量子力学的规律。量子力学的一个重要原则不确定性原理(uncertainty principle)指出:不可能把一个电子的位置和能量同时准确地测定出来,这是由电子同时具有微粒及波性双重性质所决定的。人们只能描述电子在某一位置出现的概率,即高概率区域内找到电子的机会,总比在低概率区域内找到电子的机会要多。

可以把电子的概率分布看作是一团带负电荷的"云",称为电子云(electron atmosphere)。

那么,在高概率的区域内,云层较厚,在低概率的区域内,云层较薄。云的形状反映了电子的运动状态。

量子力学认为:原子中每个稳态电子的运动状态都可以用一个单电子的波函数 $\phi(x,y,z)$ 来描述,ϕ 称为原子轨道,因此电子云的形状也可以表达为轨道的形状。波函数 ϕ^2 的物理意义是在原子核周围的小体积之内电子出现的概率。ϕ^2 越大,在小体积之内出现的概率也就越大。假如计算很多很多这种距离不同的小体积之内电子云出现的概率,用密度不同的点来表示计算数值的大小,并把这些点放在与之相对应的这些小体积之内,就得到了电子云的图案。例如能量最低的 1s 轨道,是以原子核为中心的球体,其方便的表示方法是界面法,即在界面内电子云出现

1s 轨道　　2s 轨道

图 1-3　s 轨道(界面图)

的概率最大,如占总概率的 90% 或 95% 等。图 1-3 所示为 s 轨道。

2s 轨道与 1s 轨道一样,是球形对称的,但比 1s 轨道大,能量较 1s 轨道高。2s 轨道有一个球面节,在图 1-3 中用虚线表示。节的两侧波函数符号不同,分别用深灰色与浅灰色(或用"+"与"-"号,这"+""-"并不表示正电荷或负电荷)表示,是表示波函数 ϕ 的符号,任何轨道被节分为两部分时,在节的两侧波函数符号是相反的。

2p 轨道有三个能量相同的 p_x, p_y, p_z 轨道,彼此互相垂直,分别在 x, y, z 轴上,呈哑铃形的立体形状,由两瓣组成,原子核在两瓣中间,能量较 2s 轨道高,图 1-4 为这三个轨道示意图。哑铃形轨道的坐标为零处,是原子核所在地。每个轨道有一个节面,如 $2p_y$ 轨道围绕 y 轴呈轴对称,xz 平面为节面,用虚线表示。在节面上面的一瓣用深灰色表示,节面下面一瓣用浅灰色表示。

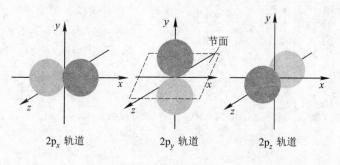

$2p_x$ 轨道　　　　$2p_y$ 轨道　　　　$2p_z$ 轨道

图 1-4　2p 轨道

1.3.2　原子的电子构型

原子核外电子的排布有一定规律,可总结如下:

(1) 每个轨道最多只能容纳两个电子,且自旋相反配对,这是 Pauli(保里)不相容原理(exclusion principle)。

(2) 电子尽可能占据能量最低的轨道,即能量最低原理(principle of lowest energy)。原子

轨道离核愈近,受核的静电吸引力愈大,能量也愈低,故轨道能级顺序是 1s＜2s＜2p＜3s＜3p＜4s。

（3）有几个简并轨道（能量相等的轨道）而又无足够的电子填充时,必须在几个简并轨道逐一地各填充一个自旋平行的电子后,才能容纳第二个电子,这称为 Hund（洪特）规则（Hund rule）。

表 1-1 列出周期表中第一、二周期前 10 个元素的电子排布及电子构型,其中 C,H,O,N 是有机物中最常见的元素。此外第三周期的硅（silicium）、磷、硫、氯（chloro）以及溴（bromo）、碘（iodo）等也是有机物中常见的元素。各电子层的轨道内完全充满电子后,原子的电子构型才是稳定的,例如 He,Ne 为惰性气体。具有电子不充满的构型是不稳定的,因此原子必须进行反应使电子充满轨道,使电子配对成键,以达到稳定的电子构型,使原子结合成为稳定的分子。

碳原子位于周期表的第二周期第ⅣA族,有两个特点:① 它有四个价电子,必须失去或接受四个电子才能达到惰性气体 He 或 Ne 的构型;② 它是第ⅣA族中最小的原子,外层电子少,带正电的原子核对这些电子的控制较强一些。这两个特点使碳原子在所有化学元素中表现出十分特殊的性质,能够形成一个庞大的碳化合物体系。

表 1-1　第一、第二周期元素基态（能量最低态）的电子排布及电子构型

电子排布						电子构型（圆括弧右上角为电子数）
	1s					
H	↑					$(1s)^1$
He	↑↓	2s				$(1s)^2$
Li	↑↓	↑				$(1s)^2(2s)^1$
Be	↑↓	↑↓	2p			$(1s)^2(2s)^2$
B	↑↓	↑↓	↑			$(1s)^2(2s)^2(2p)^1$
C	↑↓	↑↓	↑	↑		$(1s)^2(2s)^2(2p)^2$
N	↑↓	↑↓	↑	↑	↑	$(1s)^2(2s)^2(2p)^3$
O	↑↓	↑↓	↑↓	↑	↑	$(1s)^2(2s)^2(2p)^4$
F	↑↓	↑↓	↑↓	↑↓	↑	$(1s)^2(2s)^2(2p)^5$
Ne	↑↓	↑↓	↑↓	↑↓	↑↓	$(1s)^2(2s)^2(2p)^6$

1.3.3　化学键

将分子中的原子结合在一起的作用力称为化学键（chemical bond）。典型的化学键有三种:离子键（ion bond）、共价键（covalent bond）和金属键（metallic bond）。

1. 离子键

带电状态的原子或原子团称为离子（ion）。由原子或分子失去电子而形成的离子称为正离子或阳离子（cation,positive ion）。由原子或分子得到电子而形成的离子称为负离子或阴离子（anion,negative ion）。依靠正、负离子间的静电引力而形成的化学键称为离子键（ion bond）,又称为电价键（electrovalent bond）。例如:在氯化钠晶体中,Na⁺ 和 Cl⁻ 之间的化学键即为离子键。

离子键无方向性和饱和性。其强度与正、负离子的电价的乘积成正比,与正、负离子间的距离成反比。

2. 金属键

金属原子最外层的价电子很容易脱离原子核的束缚,然后自由地在由正离子产生的势场中运动,这些自由电子与正离子互相吸引,使原子紧密堆积起来,形成金属晶体。这种使金属原子结合成金属晶体的化学键称之为金属键(metallic bond)。金属键无方向性和饱和性。

3. 共价键 Lewis 电子结构式

两个或多个原子通过共用电子对而产生的一种化学键称为共价键(covalent bond)。共价键的概念是 Lewis G N(路易斯)于 1916 年首先提出的。他指出原子的电子可以配对成键(共价键),以使原子能够形成一种稳定的惰性气体的电子构型。例如:

$$H\cdot + \cdot \ddot{\underset{\cdot\cdot}{F}}: \longrightarrow H:\ddot{\underset{\cdot\cdot}{F}}: \quad 即 \quad H\!-\!F$$

$$4H\cdot + \cdot \dot{\underset{\cdot}{C}}\cdot \longrightarrow H:\!\!\overset{H}{\underset{H}{C}}\!\!:H \quad 即 \quad H\!-\!\!\overset{\displaystyle H}{\underset{\displaystyle H}{\overset{|}{\underset{|}{C}}}}\!\!-\!H$$

在上述式子中,氢外层具有两电子的惰性气体氦(helium)的构型,氟(fluoro)、碳外层具有八电子氖(neon)的构型,这通称为"八隅规则"(octet rule)。这种用共价结合的外层电子(价电子)表示的电子结构式称为 Lewis 结构式(Lewis structure formula)。通常两个原子间的一对电子表示共价单键,两对电子表示双键,三对电子表示三键。孤电子对也用黑点表示。为了方便,Lewis 结构也可以用一短线表示一对成键电子(bonding electron)。

共价键可以分为双原子共价键和多原子共价键。由两个原子共用若干电子对形成的共价键称为双原子共价键。大多数共价键属于这一类。但也有共有一个电子或三个电子的双原子共价键,例如氢分子离子($H\cdot H^+$)是单电子共价键,氧气分子为三电子共价键。由多个原子共用若干电子的共价键为多原子共价键,例如 1,3-丁二烯的 π 键即为四个原子共用四个 π 电子的共价键。

大多数双原子共价键的共用电子对是由两个原子共同提供的,但也有共用电子对由一个原子提供的情况,这样的共价键称为共价配键或配价键(coordinate bond)。用 A→B 表示,A 是电子提供者,B 是电子接受者。

共价键具有方向性和饱和性。

习题 1-3 写出下列分子或离子的一个或几个可能的 Lewis 结构式,如有孤电子对,请用黑点标明。

(i) HNO_3 (ii) CH_4 (iii) $C_2H_5^+$ (iv) $HC\equiv C^-$ (v) $H_2C\!=\!O$ (vi) $CH_3\!-\!\overset{+}{C}\!=\!O$
(vii) CH_3COO^-

习题 1-4 根据八隅规则,在下列结构式上用黑点标明所有的孤电子对。

(i) H_2SO_4 (ii) O_3 (iii) HN_3 (iv) CH_2N_2

1.3.4 价键理论

现代化学键理论是建立在量子力学基础上的,处理分子中的化学键的理论主要有三种。价键理论是最早发展起来的一种。原子的电子构型虽然解释了原子价的饱和性,但是并没有解释是什么力量使原子结合在一起的。以氢分子为例。为什么两个氢原子共用一对电子比两个各带着一个电子的孤立的氢原子要稳定得多? Heitler W(海特勒)及 London F(伦敦)首次成功地解决了这个问题。他们认为在两个氢原子各带着一个电子从无穷远的距离彼此趋近达到一定距离以后,每一个氢原子核开始吸引另一氢原子核的电子,就发生所谓的交换作用。这种交换作用并不是由原来的一个原子核和另一个原子核完全交换一个电子,而仅仅是量子力学在运算时所采用的一种假设,这种关系可表示如下:

$$(i)\ H_A \cdot 1\quad 2 \cdot H_B \qquad\qquad (ii)\ H_A \cdot 2\quad 1 \cdot H_B$$

式(i)中,电子 1 完全属于 H_A,电子 2 完全属于 H_B,交换后的另一极端,如式(ii)所示,电子 2 完全属于 H_A,而电子 1 完全属于 H_B,这两个极端情况实际上都是不存在的,真正的情况是这两个极端的叠加。通过这一模型计算的结果,说明当两个氢原子核达到一定的距离时,由于电子的交换,总的能量要比两个分开的氢原子的能量低,从而形成一个稳定的共价键。这个键具有一定的距离[键长(bond lengtn)]和一定的能量[解离能,键能(bond energy)],其计算结果和实验结果非常接近,因此这成为处理共价键第一个成功的方法,这种方法称为价键法(valence bond method)。由于这种方法认为两个原子是各出一个电子成键的,所以又称为电子配对法。

当两个氢原子互相趋近时,如果它们所带的两个电子是自旋反平行的,那么两个原子接近的过程中互相吸引,而且能量较低,此时,吸引力总是大于排斥力,直到两个氢原子核间的距离缩小到一定距离即吸引力等于排斥力时,电子在两个核中间的区域内受核的吸引,体系的能量降低到最低值。上述吸引力使两个原子结合起来形成共价键,这就是共价键的一种近似的处理方法。

将量子力学对氢分子共价键的讨论定性地推广到其它双原子或多原子分子的共价键,通过近似方法的计算,也可以得到与实验很接近的结果,近似法中的一种,即价键理论(valence-bond theory),其主要内容如下:

(1) 如两个原子各有一个未成对电子且自旋反平行,就可偶合配对,成为一个共价键。如原子各有两个或三个未成对电子,可以形成双键或三键。因此原子的未成对电子数就是它的原子的价数。

(2) 如果一个原子的未成对电子已经配对,就不能再与其它原子的未成对电子配对,这就是共价键的饱和性。所以一个具有 n 个未成对电子的原子 A 可以和 n 个只具有一个未成对电子的原子 B 结合形成 AB_n。

(3) 电子云重叠愈多,形成的键愈强,即共价键的键能与原子轨道重叠程度成正比。因此要尽可能在电子云密度最大的地方重叠,这就是共价键的方向性。例如 1s 轨道与 $2p_x$ 轨道在 x 轴方向有最大的重叠,可以成键。如图 1-5(i)轨道有最大的重叠,(ii)不是最大的重叠:这种沿键轴方向电子云重叠而形成的轨道,电子云分布沿键轴呈圆柱形对称,称 σ 轨道,生成的键称 σ 键(σ-bond),例如 s—s,s—p_x,p_x—p_x 均为 σ 键。两个原子的 p 轨道平行,侧面电子云有最大的重

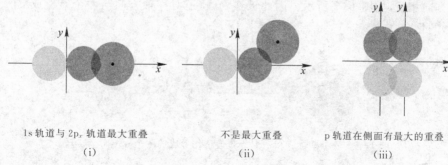

1s 轨道与 2p$_z$ 轨道最大重叠　　　不是最大重叠　　　p 轨道在侧面有最大的重叠
　　　　　(i)　　　　　　　　　　　　(ii)　　　　　　　　　(iii)

图 1-5　2p 轨道与 1s 轨道及 2p 轨道之间的重叠

叠,形成的轨道称 π 轨道,生成的键称 π 键(π bond),如图 1-5(iii)所示。π 键电子云密度在两个原子键轴平面的上方和下方较高,键轴周围较低,π 键的键能小于 σ 键。

(4) 能量相近的原子轨道可进行杂化,组成能量相等的杂化轨道(hybridized orbital),这样可使成键能力更强,体系能量降低,成键后可达到最稳定的分子状态。例如碳原子外层 $(2s)^2(2p_x)^1(2p_y)^1$ 四个电子,其中(2s)中一个电子跃迁到($2p_z$)轨道中,然后四个轨道杂化:

$$(2s)^2(2p_x)^1(2p_y)^1 \xrightarrow{\text{跃迁}} (2s)^1(2p_x)^1(2p_y)^1(2p_z)^1 \xrightarrow{\text{杂化}} (sp^3)^4$$

杂化后形成四个能量相等的杂化轨道,称 sp^3 杂化轨道,其立体形状如图 1-6 所示。2p 轨道有两瓣,波函数符号不同,与 2s 轨道杂化后,波函数符号相同的一瓣增大了,不同的一瓣缩小了,因此每一个杂化轨道绝大部分电子云集中在轨道的一个方向,在杂化轨道的另一个方向电子云较少,这样,一个轨道的方向性就加强了,可以与另一个轨道形成一个更强的键。为了使杂化轨道彼此达到最大的距离及最小的干扰,碳原子的四个 sp^3 轨道在空间采取一定的排列方式,就是以碳原子为中心,四个轨道分别指向正四面体的每一个顶点,有一定方向性,轨道彼此间保持着一定的角度,按计算应该是 109.5°,这与 van't Hoff 的计算是一致的,具体化合物可以稍有出入。

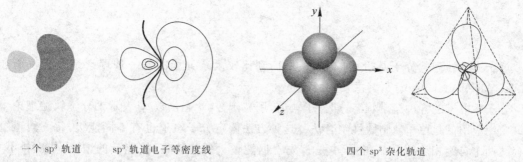

一个 sp^3 轨道　　　sp^3 轨道电子等密度线　　　　　　四个 sp^3 杂化轨道
图 1-6　一个 s 轨道与三个 p 轨道形成四个 sp^3 杂化轨道

除了 sp^3 杂化外,还可以有 sp^2 杂化及 sp 杂化。例如铍(Be)(beryllium)的电子构型为 $(1s)^2(2s)^2$,没有未成对电子,但铍可以与两个氯形成二氯化铍($BeCl_2$),这说明铍是二价的。这是因为一个 2s 电子激发到 2p 轨道上,杂化形成两个能量相当的 sp 杂化轨道,每个轨道具有 1/2s 成分与 1/2p 成分。为了使两个轨道具有最大的距离和最小的干扰,两个轨道处在同一条直

线上,但其方向相反,如图 1-7 所示。因此铍在 sp 轨道对称轴方向与两个氯形成 Cl—Be—Cl,
是个直线形的化合物。

图 1-7　一个 s 轨道和一个 p 轨道杂化形成的两个 sp 杂化轨道

又如硼(B)的电子构型为 $(1s)^2(2s)^2(2p)^1$,只有一个未成对电子,但它能与三个氟原子结合
形成三氟化硼,说明硼是三价的。这是因为有一个 2s
电子激发到 2p 轨道上,然后由一个 2s 轨道与两个 2p
轨道杂化,形成三个能量相当的 sp^2 杂化轨道,每个
sp^2 杂化轨道具有 1/3s 成分与 2/3p 成分。为了使三
个轨道具有最大的距离和最小的干扰,三个轨道具有
平面三角形的结构,如图 1-8 所示。硼的三个杂化轨
道与三个氟原子成键,形成三氟化硼分子,三个 B—F
键在同一平面上,键角为 120°。

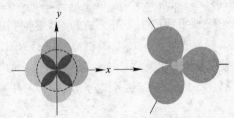

图 1-8　一个 s 轨道与两个 p 轨道杂化
形成三个 sp^2 杂化轨道

价键理论是在总结了很多化合物的性质、反应,
同时又运用了量子力学对原子及分子的研究成果上发展起来的,在认识化合物的结构与性能关
系上起了指导作用,对问题的说明比较形象,容易明了并易于接受,因此价键理论发展较早,现在
仍在使用。但此理论的局限性在于它只能用来表示两个原子相互作用而形成的共价键,即分子
中的价电子是被定域在一定的化学键的两个原子核区域内运动(电子定域)(localization),因此
对单键、双键交替出现的多原子分子形成的共价键(共轭双键)就无法形象地表示,出现的现象也
无法解释,后来发展起来的分子轨道理论,对这些问题有比较满意的解释。

1.3.5　分子轨道理论

量子力学处理氢分子共价键的方法,推广到比较复杂分子的另一种理论是分子轨道理论
(molecular orbital theory),其主要内容如下:

分子中电子的各种运动状态,即分子轨道,用波函数(状态函数)ψ 表示。分子轨道理论中目
前最广泛应用的是原子轨道线性组合法。这种方法假定分子轨道也有不同能级,每一轨道也只
能容纳两个自旋相反的电子,电子也是首先占据能量最低的轨道,按能量的增高,依次排上去。
按照分子轨道理论,原子轨道的数目与形成的分子轨道数目是相等的,例如两个原子轨道组成两
个分子轨道,其中一个分子轨道是由两个原子轨道的波函数相加组成,另一个分子轨道是由两个
原子轨道的波函数相减组成:

$$\psi_1 = \phi_1 + \phi_2 \qquad \psi_2 = \phi_1 - \phi_2$$

ψ_1 与 ψ_2 分别表示两个分子轨道的波函数,ϕ_1 与 ϕ_2 分别表示两个原子轨道的波函数。

在分子轨道 ψ_1 中，两个原子轨道的波函数的符号相同，亦即波相相同，它们之间的作用犹如波峰与波峰相遇相互加强一样，见图 1-9：

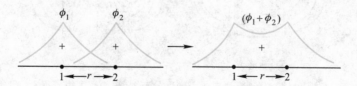

图 1-9 波相相同的波（或波函数）之间的相互作用

在分子轨道 ψ_2 中，两个原子轨道的波函数符号不同，亦即波相不同，它们之间的作用犹如波峰与波谷相遇相互减弱一样，波峰与波谷相遇处出现节点（见图 1-10）。

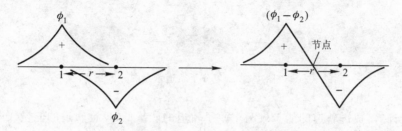

图 1-10 波相不同的波（或波函数）之间的相互作用

两个分子轨道波函数的平方，即为分子轨道电子云密度分布，如图 1-11 所示。

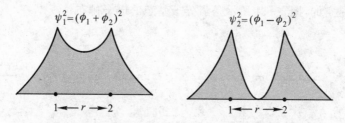

图 1-11 分子轨道的电子云密度分布（对键轴的）图

从图 1-11 可以看出，分子轨道 ψ_1 在核间的电子云密度很大，这种轨道称为成键轨道（bonding orbital）。分子轨道 ψ_2 在核间的电子云密度很小，这种轨道称为反键轨道（antibonding orbital）。成键轨道和反键轨道的电子云密度分布亦可用等密度线表示，如图 1-12 所示。

图 1-12 为截面图，沿键轴旋转一周，即得立体图。图中数字是 ψ^2 数值，由外往里，数字逐渐增大，电子云密度亦逐渐增大。反键轨道在中间有一节面，节面两侧波函数符号相反，在节面上电子云密度为零。

成键轨道与反键轨道对于键轴均呈圆柱形对称，因此它们所形成的键是 σ 键，成键轨道用 σ 表示，反键轨道用 σ^* 表示。例如氢分子是由两个氢原子（图 1-13）的 1s 轨道组成一个成键轨道

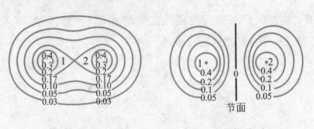

图 1-12 分子轨道电子云密度分布图(用等密度线表示)

(用 σ_{1s} 表示)和一个反键轨道(用 σ_{1s}^* 表示)。

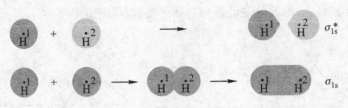

图 1-13 氢分子轨道示意图

根据理论计算,成键轨道的能量较两个原子轨道的能量低,反键轨道的能量较两个原子轨道的能量高。可以这样来理解,成键轨道电子云在核与核的中间密度较大,对核有吸引力,使两个核接近而降低了能量,而反键轨道的电子云在核与核的中间很少,主要在核的外侧对核吸引,使两核远离,同时两个核又有排斥作用,因而能量增加。分子中的电子排布时,根据 Pauli 原理及能量最低原理,应占据能量较低的分子轨道,例如氢分子中两个 1s 电子,占据成键轨道且自旋反平行,而反键轨道是空的,图 1-14 所示是氢分子基态的电子排布。

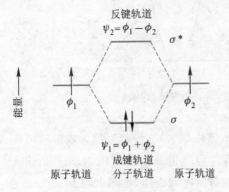

图 1-14 氢分子基态的电子排布

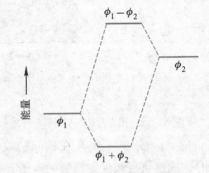

图 1-15 两个能量相差较大的原子轨道
组成分子轨道

因此,分子轨道理论认为:电子从原子轨道进入成键的分子轨道,形成化学键,从而使体系的能量降低,形成了稳定的分子。能量降低愈多,形成的分子愈稳定。

　　原子轨道组成分子轨道还必须具备能量相近、电子云最大重叠以及对称性相同三个条件。

　　(1) 所谓能量相近就是指组成分子轨道的两个原子轨道的能量比较接近,这样,才能有效地成键,如图 1-14 所示。如氢原子与氟原子组成氟化氢分子,氢原子的 1s 轨道与氟原子的哪一个轨道能量相近? 氟原子的电子构型为 $(1s)^2(2s)^2(2p)^5$。由于氟的核电荷比氢的核电荷多,氟原子的核对 1s 电子和 2s 电子的吸引力比氢原子核对 1s 电子的吸引力大得多,因此氟原子的 1s 电子和 2s 电子的能量很低,氟原子的 2p 电子与氢原子的 1s 电子能量相近,可以成键。为什么两个原子轨道必须能量相近才能成键? 因为根据量子力学计算,两个能量相差很大的原子轨道组成分子轨道时,将得到如图 1-15 所示的轨道。成键轨道 $\phi_1 + \phi_2$ 的能量与原子轨道 ϕ_1 的能量很接近,也就是在成键过程中能量降低很少,故不能形成稳定的分子轨道。

　　(2) 两个原子轨道在重叠时还必须有一定的方向,以便使重叠最大,最有效,组成的键最强。例如一个原子的 1s 与另一个原子的 $2p_x$ 如果能量相近,可以在 x 键轴方向有最大的重叠,而在其它方向就不能有效地成键。

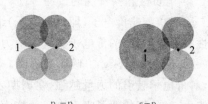

$$p_y-p_y \qquad s-p_y$$

图 1-16　2p 轨道与 2p 轨道及 2p 轨道与 1s 轨道的重叠情况

　　(3) 要有效地成键,还有一个条件就是对称性相同。原子轨道在不同的区域波函数有不同的符号,符号相同的重叠,能有效地成键,符号不同的,不能有效地成键,如图 1-16 所示。p_y 与 p_y 轨道符号相同,能有效地成键组成分子轨道;而 s 轨道与 p_y 轨道虽有部分重叠,但因其中一部分符号相同,一部分符号不同,两部分正好互相抵消,不能有效地成键。

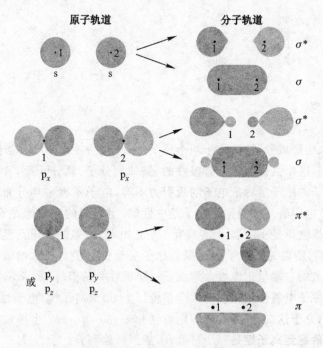

图 1-17　原子轨道形成分子轨道示意图

图 1-17 列举几种典型的分子轨道。

π 键的成键轨道用 π 表示,反键轨道用 π* 表示。

与价键理论不同的是,分子轨道理论认为在有些多原子分子中,共价键的电子不局限在两个原子核区域内运动,即电子可以离域(delocalization),这样有些用价键理论难以解释的问题,用分子轨道理论可以解释。但在解释定位效应等方面价键理论又比分子轨道理论方便。因此这两种理论目前都在使用,并互为补充。

1.3.6　共价键的极性　分子的偶极矩

1. 电负性和共价键的极性

原子核与非价电子(即内层电子)组成的一个实体称为原子实(atomic kernel)。原子实是正电性的,它对外层的价电子具有吸引力。这种原子实对价电子的吸引能力就是一个原子的电负性(electro negativity)。吸引力越大,电负性越强。一般地讲,原子实越小,或具有的正电荷越多,对价电子吸引的力量越强,在周期表同一周期中,越往右边的原子,吸引电子的能力越强,同一族中,越往下的原子吸引电子的能力越弱。表 1-2 是一些常见原子的电负性值。

表 1-2　某些常见原子的电负性值

H								
2.2								
Li	Be			B	C	N	O	F
1.0	1.5			2.0	2.5	3.1	3.5	4.0
Na	Mg			Al	Si	P	S	Cl
0.9	1.2			1.5	1.7	2.1	2.4	3.2
K	Ca	Cu	Zn		Ge	As	Se	Br
0.8	1.0	1.9	1.6		2.0	2.2	2.5	3.0
		Ag	Cd		Sn	Sb		I
		1.9	1.7		1.7	1.8		2.7
			Hg		Pb	Bi		
			1.9		1.6	1.7		

当两个相同的原子形成分子时,由于两个原子实对电子的吸引力是相同的,键内电量平均地分布在两个原子实间,这个共价键是没有极性的,例如氢分子、氯分子等。两个不同的原子形成分子时,由于两种原子的原子实对价电子的吸引力不等,电子不再平均分布,结果分子内产生一个正电中心和一个负电中心。虽然整个分子是中性的,但形成的共价键是有极性的。例如氢与氯形成的分子,氢的核电荷是正 1,原子实具有 1 个正电荷,而氯的核电荷是正 17,原子实具有 7 个(17-10=7)正电荷,所以氯的原子实比氢的原子实对价电子有较大的吸引力。因此,分子中氯的一端呈负电性,氢的一端呈正电性。形成了一个极性共价键(polar covalent bond)。

一般说来,两种原子电负性相差在 1.7 个单位以上,形成离子键;电负性相差在 0～0.6 个单位之间,形成共价键;介于这二者之间的,即电负性相差在 0.6～1.7 个单位之间的,则形成极性共价键。但是,由共价键到离子键是一个过渡,不能严格地划分。

氟原子是周期表中第ⅦA 族里最小的原子,因此它是电负性最强的,当它和氢结合成氟化氢时,形成一个很强的共价键(键能 564.8 kJ·mol⁻¹,电负性是与键能相联系的)。由于氟的电负性强,电子云集中在氟的一边,所以这个共价键带有很强的极性,是个极性共价键,因此氟化氢是个极性分子。一般键的极性用 $\delta+$ 或 $\delta-$ 标在有关原子上来表示,$\delta+$ 表示具有部分正电荷,$\delta-$ 表示具有部分负电荷,例如:

$$\overset{\delta+}{H}-\overset{\delta-}{F}$$

2. 偶极矩和分子的极性

在分子中,由于原子电负性不同,电荷分布不很均匀,某部分正电荷多些,另部分负电荷多些,正电中心与负电中心不能重合。例如在二氯甲烷分子中,正电中心与负电中心各在空间某一点处:

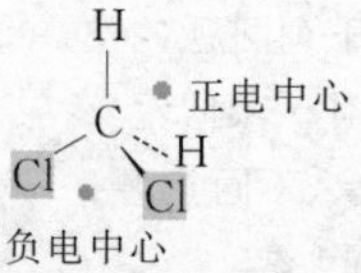

这种在空间具有两个大小相等、符号相反的电荷的分子,构成了一个偶极,正电中心或负电中心上的电荷值 q 与两个电荷中心之间的距离 d 的乘积,称为偶极矩(dipole moment),用 μ 表示:

$$\mu=q\times d$$

偶极矩的单位为 C·m(库仑·米),以前曾用 D 表示[英文 Debye(德拜)的第一个字母],1 D $=3.3336\times10^{-30}$ C·m。偶极矩是有方向性的,用 ⟶ 表示,箭头所示方向是从正电荷到负电荷的方向。偶极矩的大小大体上可以表示有机分子极性强弱。偶极矩的数值,可以容易地通过一些方法测定。

下面列举卤代甲烷在气相的偶极矩,其方向为 $\overset{\longrightarrow}{CH_3-X}$:

	CH_3F	CH_3Cl	CH_3Br	CH_3I
$\mu/10^{-30}$ C·m	6.07	6.47	5.79	5.47

氟原子比氯原子的电负性大,但正负电荷中心之间的距离 C—F 比 C—Cl 短,因此 CH_3F 的偶极矩反而比 CH_3Cl 的偶极矩小。

习题 1-5　下列化合物中,哪些是离子化合物? 哪些是极性化合物? 哪些是非极性化合物?
NaCl, Cl_2, CH_4, CH_3Cl,CH_3OH,CH_3CH_3,LiBr

1.3.7　共价键的键长　键角　键能

1. 键长

形成共价键的两原子核间的平衡距离称为共价键的键长(length of covalent bond)。同核双原子分子的键长即是两个原子的共价半径之和。X 射线衍射法、电子衍射法、光谱法等都可以用于测定键长。表1-3列出了有机化合物中一些常见的共价键的键长。

表1-3　一些共价键的键长(单位:pm)

化合物	键	键长	化合物	键	键长	化合物	键	键长	化合物	键	键长
甲烷	C—H	109	烷烃	C—C	154	三甲胺	C—N	147	氟甲烷	C—F	142
乙烯	C—H	107	烯烃	C=C	134	尿素	C—N	137	氯甲烷	C—Cl	177
乙炔	C—H	105	炔烃	C≡C	120	乙腈	C≡N	115	溴甲烷	C—Br	194
苯	C—H	108	乙腈	C—C	149	甲醚	C—O	144	碘甲烷	C—I	213
硫脲	C=S	164	丙烯	C—C	150	甲醛	C=O	121	氯乙烯	C—Cl	169

表中的数据表明:键型和成键的杂化轨道发生变化时,共价键的键长也会随之变化。

习题 1-6　结合表1-3中的数据回答下列问题:

(i) 甲烷、乙烯、乙炔中的C—H键键长为什么不同?

(ii) 乙烷、乙烯、乙炔中的碳碳键键长为什么不同?

(iii) 卤甲烷中的碳卤键的键长为什么不同?

2. 键角

分子内同一原子形成的两个化学键之间的夹角称为键角(bond angle)。键角常以度数表示。例如:水分子呈弯曲形,它的键角为104.5°,氨分子呈三角锥形,其键角为107.3°,甲烷分子呈正四面体型,其键角为109.5°。因为化学键之间有键角,所以共价键具有方向性。表1-4列出了一些烃类化合物的键角。

表1-4　键　角

化合物	角	键角	化合物	角	键角
甲烷	∠HCH	109°28′	丙二烯	∠CCC	180°
乙烯	∠HCC	122°±2	苯	∠CCH	120°
	∠HCH	116°±2	环己烷	∠CCC	109°28′
乙炔	∠HCC	180°			

习题 1-7　结合表1-4的数据回答下列问题:

(i) 哪些化合物分子中的原子都在同一平面中?

(ii) 哪些化合物分子中的原子都在一条直线上?

(iii) 哪些化合物分子中的原子处在两个相互垂直的平面中?

(iv) 哪些化合物分子中的碳原子都是sp^3杂化轨道?

3. 键解离能和平均键能

断裂或形成分子中某一个键所消耗或放出的能量称为键解离能(bond dissociation energy)。标准状况下,双原子分子的键解离能就是它的键能,它是该化学键强度的一种量度。对于多原子分子,由于每一根键的键解离能并不总是相等的,因此平时所说的键能实际上是指这类键的平均键能。例如:甲烷分子中四个C—H键的键解离能是不同的。

第一个 C—H 键解离能为 439.3 kJ·mol^{-1},第二、第三个 C—H 键解离能均为 442 kJ·mol^{-1},第四个 C—H 键解离能为 338.6 kJ·mol^{-1}。而 C—H 键的平均键能为 $(439.3+442\times2+338.6)$ kJ·mol^{-1}/4$=415.5$ kJ·mol^{-1}。显然用键解离能比用平均键能更精确一些。表 1-5 列出了一些常见键的键解离能。

表 1-5　一些常见键的键解离能(单位:kJ·mol^{-1})

	H	F	Cl	Br	I	OH	NH$_2$	Me	CN
甲基	439.3	460.2	355.6	297.1	238.5	389.1	355.6	376.6	510.5
乙基	410.0	451.9	334.7	284.5	221.8	382.8	343.1	359.8	493.7
正丙基	410.0	447.7	338.9	284.5	221.8	384.9	343.1	361.9	489.5
异丙基	397.5	445.6	338.9	284.5	223.1	389.1	343.1	359.8	485.3
二级丁基	389.1	460.2	338.9	280.3	217.6	389.1	343.1	354.5	
苯基	464.4	527.2	401.7	336.8	272.0	464.4	426.8	426.8	548.1
苯甲基	368.2		301.2	242.7	200.8	338.9	297.1	318.0	
烯丙基	359.8		284.5	225.9	171.5	326.4		309.6	
乙酰基	359.8	497.9	338.9	276.1	205.0	447.7		338.9	
乙氧基	435.1					184.1		347.3	
乙烯基	460.2		376.6	326.4				418.4	543.9
氢	436.0	568.2	431.8	366.1	298.3	498.0	447.7	419.3	523.0

表 1-6 列出了一些常见共价键的平均键能。

表 1-6　常见共价键的平均键能(单位:kJ·mol^{-1})

	H	C	N	O	F	Si	S	Cl	Br	I
H	435.1	414.2	389.1	464.4	564.8	318.0	347.3	431.0	364.0	297.1
C		347.3	305.4	359.8	485.3	301.2	372.0	339.0	284.5	217.6
N			163.2	221.8	272.0			192.5		
O				196.6	188.3	451.9		217.6	200.8	234.3
F					154.8	564.8				
Si						221.8		380.7	309.6	234.3
S							251.0	225.2	217.6	
Cl								242.7		
Br									192.5	
I										150.6

习题 1-8 将下列各组化合物按键解离能(只考虑下划线的键)由大到小排列成序。

(i) CH$_3$CH$_2$ CH$_2$—H　　　　〔苯基〕—H　　　　(CH$_3$)$_2$ CH—H　　　　CH$_3$ CH—H (含 =O)

CH$_3$CH$_2$ O—H　　　CH$_2$ =CHCH$_2$—H　　　CH$_3$CH$_2$ CH—H (含 CH$_3$)　　　CH$_2$ =CH—H

(ii) (CH$_3$)$_2$ CH—Br　　　(CH$_3$)$_2$ CH—OH　　　(CH$_3$)$_2$ CH—CN　　　(CH$_3$)$_2$ CH—NH$_2$

(iii) CH$_2$ =CH—H　　　CH$_3$ C—F (含 =O)　　　〔苯基〕—Cl　　　CH$_3$—Br　　　CH$_3$ CH$_2$—I

$$\underset{\text{O}}{CH_3\overset{\text{O}}{\underset{\|}{C}}-OH} \qquad \bigcirc\!-NH_2 \qquad CH_3\underline{CH_2-CH_3} \qquad CH_2\!=\!CHCH_2-OH$$

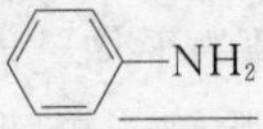

1.4　酸碱的概念

近代的酸碱理论是从 19 世纪后期开始的。先后提出的有酸碱电离理论、酸碱溶剂论、酸碱质子论、酸碱电子论和软硬酸碱理论。现简单介绍如下：

1.4.1　酸碱的电离理论

酸碱电离理论(ionization theory of acid and base)是由 Arrhenius S(阿累尼乌斯,1859—1927)于 1889 年提出的。该理论的要点是："凡在水溶液中能电离并释放出 H^+ 的物质叫酸,能电离并释放 HO^- 的物质叫碱。"该理论的缺点是将酸碱局限在能在水溶液中分别生成 H^+ 和 HO^- 的物质。对于非水体系中的酸碱性及对不含 H^+ 和 HO^- 成分的物质的酸碱性则无能为力了。

1.4.2　酸碱的溶剂理论

酸碱的溶剂理论(solvent theory of acid and base)是由 Franklin(富兰克林)于 1905 年提出的,该理论的要点是："能生成和溶剂相同的正离子者为酸,能生成与溶剂相同的负离子者为碱。"该理论比酸碱电离理论的适用范围宽广了,但它的缺点是只能应用于能电离的溶剂中。无法解释在不电离的溶剂中的酸碱或无溶剂的酸碱体系。

1.4.3　酸碱的质子理论

酸碱的质子理论(proton theory of acid and base)是分别由丹麦化学家 Brönsted(勃朗斯特)和英国化学家 Lowry(劳里)同时于 1923 年提出的,又称为 Brönsted-Lowry 质子理论。该理论的基本要点是：酸是质子的给予体(给体),碱是质子的接受体(受体)：

$$\underset{\text{酸}}{HCl} \Longrightarrow H^+ + \underset{\text{共轭碱}}{Cl^-} \qquad\qquad \underset{\text{碱}}{NH_3} + H^+ \Longrightarrow \underset{\text{共轭酸}}{NH_4^+}$$

一个酸释放质子后产生的酸根,即为该酸的共轭碱(conjugate base),一个碱与质子结合后形成的质子化物,即为该碱的共轭酸(conjugate acid),如

$$\underset{\text{酸}}{CH_3COOH} + \underset{\text{碱}}{H_2O} \Longrightarrow \underset{\text{碱的共轭酸}}{H_3O^+} + \underset{\text{酸的共轭碱}}{CH_3COO^-}$$

$$H_2O + CH_3NH_2 \Longrightarrow CH_3\overset{+}{N}H_3 + HO^-$$

$$H_2SO_4 \; + \; CH_3OH \Longrightarrow CH_3\overset{+}{O}H_2 \; + \; HSO_4^-$$

酸的强度,可以在很多溶剂中测定,但最常用的是在水溶液中,通过酸的解离常数 K_a 来测定:

$$HA + H_2O \Longrightarrow A^- + H_3O^+$$

$$K_a = \frac{[A^-][H_3O^+]}{[HA]}$$

酸性强度可用 pK_a 表示,pK_a 定义为 $-\lg K_a$,即 $pK_a = -\lg K_a$,$K_a > 1$,则 $pK_a < 0$,为强酸;$K_a < 10^{-4}$,则 $pK_a > 4$ 为弱酸。

碱的强度可以类似地由碱的解离常数 K_b 来测定:

$$B^- + H_2O \Longrightarrow BH + OH^-$$

$$K_b = \frac{[BH][OH^-]}{[B^-]}$$

碱的强度可用 pK_b 表示,pK_b 定义为 $-\lg K_b$,即 $pK_b = -\lg K_b$。也可将上述平衡写成该碱的共轭酸 BH 的解离平衡:

$$BH + H_2O \Longrightarrow B^- + H_3O^+$$

$$K_a = \frac{[B^-][H_3O^+]}{[BH]} \qquad pK_a = -\lg K_a$$

若已知 K_a,K_b 可由水的解离常数及 K_a 求得,因为上述 K_a 与 K_b 的乘积为水的解离常数 K_w:

$$K_a \cdot K_b = K_w = 1.0 \times 10^{-14}$$

故

$$pK_a + pK_b = 14$$

下列反应式平衡很大程度向右偏移:

$$HCl + CH_3COO^- \Longrightarrow CH_3COOH + Cl^-$$

因为 HCl 是强酸,CH_3COO^- 是弱酸 CH_3COOH 的共轭碱,强酸将质子转移形成弱酸。如用氯负离子处理乙酸,基本上不发生反应。这样,通过平衡位置的测量,可以确定酸和碱的相对强度,如表 1-7、表 1-8 所列出的是常见的无机酸及有机酸的 pK_a,其中有机酸是按酸的强度递降次序排列的。碳原子上的氢,酸性很弱,称氢碳酸,如 CH_4,$pK_a \approx 49$,是最弱的酸。

表 1-7 **无机酸的酸性**(25℃)

分子式	pK_a	分子式	pK_a
HI	-5.2	$(HO)_3PO$	$2.15(pK_{a2}=7.2, pK_{a3}=12.38)$
HBr	-4.7	$(HO)_2SO_2$	$\approx -5.2(pK_{a2}=1.99)$
HCl	-2.2	$(HO)_2SO$	$1.8(pK_{a2}=7.2)$
HF	3.18	H_2O	15.74
HOBr	8.6	HCN	9.22
HOCl	7.53	NH_3(液)	34
$HONO_2$	-1.3	NH_4^+	9.24
HONO	3.23	$CO_2(H_2O)$	$6.35(pK_{a2}=10.4)$

表 1-8　有机酸的酸性（25℃）

分子式	pK_a	分子式	pK_a
CH_3SO_3H	≈-1.2	$CH_2(CN)_2$	11.2
CF_3COOH	0.2	CF_3CH_2OH	12.4
2,4,6-三硝基苯酚（O_2N-, NO_2, OH, NO_2 取代苯）	0.25	$CH_2(COOC_2H_5)_2$	13.3
		$(CH_3SO_2)_2CH_2$	14
$(C_6H_5)_2\overset{+}{N}H_2$	0.8	CH_3OH	15.5
		$(CH_3)_2CHCHO$	15.5
O_2N-C_6H_4-$\overset{+}{N}H_3$	1.00	C_2H_5OH	15.9
		环戊二烯	16.0
O_2N-C_6H_4-$COOH$	3.42	$C_6H_5COCH_3$	16
		$(CH_3)_3COH$	18
$CH_2(NO_2)_2$	3.57	CH_3COCH_3	20
2-硝基-4-硝基苯酚（O_2N-, NO_2, OH）	4.09	茚	20
$C_6H_5\overset{+}{N}H_3$	4.60	芴	23
CH_3COOH	4.74	$CH_3SO_2CH_3$	23
$(CH_3CO)_3CH$	5.85	$CH_3COOC_2H_5$	24.5
O_2N-C_6H_4-OH	7.15	$HC\equiv CH$	≈25
		CH_3CN	≈25
C_6H_5SH	7.8	$(C_6H_5)_3CH$	31.5
$(CH_3CO)_2CH_2$	9	$(C_6H_5)_2CH_2$	34
$(CH_3)_3\overset{+}{N}H$	9.79	$C_2H_5NH_2$	≈35
C_6H_5OH	10.00	$C_6H_5CH_3$	41
CH_3NO_2	10.21	C_6H_5-H	43
CH_3CH_2SH	10.60	$H_2C=CH_2$	44
$CH_3\overset{+}{N}H_3$	10.62	CH_4	≈49
$(CH_3)_2\overset{+}{N}H_2$	10.73	环己烷	≈52
$CH_3COCH_2COOC_2H_5$	11		

　　酸碱的质子理论扩大了酸碱的范围，它把所有显示碱性的物质都包含在内，应用十分方便。它的缺点是那些不交换 H^+ 而又具有酸性的物质不能包含在内。

1.4.4　酸碱的电子理论

　　酸碱电子理论（electron theory of acid and base）是美国化学家 Lewis G N（路易斯，1875—1946）于 1923 年提出的。它的基本要点是：酸是电子的接受体，碱是电子的给予体。酸碱反应是酸从碱接受一对电子，形成配价键，得到一个加合物。例如下式中三氟化硼中硼的外层电子只有

六个,可以接受电子,作受体,三氟化硼为酸;氨的氮上有一对孤电子,作给体,氨为碱:

$$H_3N + BF_3 \longrightarrow H_3\overset{+}{N}-\overset{-}{B}F_3$$

碱　　　酸　　　酸碱加合物

实际上,Lewis 酸是亲电试剂(electrophilic reagent),Lewis 碱是亲核试剂(nucleophilic reagent)。

作为 Lewis 酸,具有下列几种类型:可以接受电子的分子如 BF_3,$AlCl_3$,$SnCl_4$,$ZnCl_2$,$FeCl_3$ 等;金属离子如 Li^+,Ag^+,Cu^{2+} 等,正离子如 R^+,$R-\overset{+}{C}=O$,Br^+,$\overset{+}{N}O_2$,H^+ 等。

作为 Lewis 碱,主要有下列几种类型:具有未共享电子对原子的化合物,如 $\overset{..}{N}H_3$,$R\overset{..}{N}H_2$,$R\overset{..}{O}H$,$R\overset{..}{O}R$,$RCH=O:$,$R_2C=O:$,$R\overset{..}{S}H$ 等,负离子如 X^-,HO^-,RO^-,HS^-,R^- 等;另外还有烯或芳香化合物等。

Lewis 碱与 Brönsted 碱两者没有多大区别,而 Lewis 酸却比 Brönsted 酸范围广泛,并把质子也作为酸。按 Brönsted 定义,把产生质子的分子或离子(如 HCl,$^+NH_4$)称为酸,而按 Lewis 定义却把它们作为酸碱加合物。

1.4.5　软硬酸碱概念

1963 年,Pearson R G(皮尔逊)在前人工作的基础上提出了软硬酸碱的概念(theory of hard and soft acid and base)。它将体积小、正电荷数高、可极化性低的中心原子称做硬酸,体积大、正电荷数低、可极化性高的中心原子称做软酸。将电负性高、极化性低、难被氧化的配位原子称为硬碱,反之为软碱。并提出"硬亲硬、软亲软"的经验规则。软硬酸碱理论只是一个定性的概念,但能说明许多化学现象。

习题 1-9　按酸碱的质子论,下列化合物哪些为酸?哪些为碱?哪些既能为酸,又能为碱?
　　HI　NH_2OH　SO_4^{2-}　H_2O　HCO_3^-　NH_4^+　$HClO_4$　HS^-　I^-　CN^-

习题 1-10　按酸碱的电子论,在下列方程中,哪个反应物是酸?哪个反应物是碱?

(i) $HO^- + H^+ \longrightarrow H_2O$

(ii) $^-CN + H_2O \longrightarrow HCN + HO^-$

(iii) $(CH_3)_3N + HNO_3 \longrightarrow (CH_3)_3\overset{+}{N}H + NO_3^-$

(iv) $COCl_2 + AlCl_3 \longrightarrow {}^+COCl + AlCl_4^-$

(v) $C_2H_5OC_2H_5 + BF_3 \longrightarrow (C_2H_5)_2O \longrightarrow BF_3$

(vi) $CaO + SO_3 \longrightarrow CaSO_4$

习题 1-11　下面是 10 位诺贝尔化学奖获得者。请问:他们各是哪国科学家?分别于哪一年获诺贝尔化学奖? 获奖的原因是什么?

(i) Emil Fischer　　　　　　(ii) victor Grignard

(iii) A Dolf Windaus　　　　(iv) Sir Walter Haworth

(v) Sir Robert Robinson　　(vi) Otto Diels

(vii) Giulio Natta　　　　　(viii) Luis Federico Leloir

(ix) Roald Hoffmann   (x) Alan G Mac Diarmid

习题 1-12   下列 12 个有机化合物,哪些互为同分异构体?

(i) $CH_3CH_2CH_2CH_2CHO$

(ii) $\underset{\underset{CH_3}{|}}{CH_3C}=CHCH_2OH$

(iii) $CH_3CH_2OCH(CH_3)_2$

(iv) 环戊酮

(v) $\underset{H}{\overset{CH_3}{|}}C=\underset{CH_3}{\overset{CHO}{|}}C$

(vi) 四氢吡喃

(vii) $CH_3-\underset{\underset{CH_3}{|}}{\overset{\overset{CH_3}{|}}{C}}-CH_2OH$

(viii) $CH_3CH-CHCH_2CH_3$ (环氧)

(ix) $CH_2=CH-\underset{\overset{|}{CHO}}{C}=CH_2$

(x) 呋喃CH_2

(xi) $\underset{CH_3CH_2}{}\overset{CH_3}{\underset{CH_2OH}{C}}H$

(xii) $\underset{CH_3CH_2}{}\overset{CH_3}{\underset{H}{C}}CH_2OH$

习题 1-13

(i) 根据表 1-3,推测下面化合物分子中各碳氢键和各碳碳键的键长数据(近似值)。

(ii) 根据表 1-4,推测下面化合物分子中各键角的数据(从左至右排列)(近似值)。

(iii) 根据表 1-5,推测下面化合物分子中各碳氢键和各碳碳键的键解离能数据。(近似值)。

$$HC\equiv C-H_2C-\underset{H}{\overset{}{C}}=\underset{CH_2CH_3}{\overset{}{C}}$$

习题 1-14   回答下列问题:

(i) 在下列反应中,液 NH_3 是酸还是碱? 为什么?

$$2NH_3 \rightleftharpoons NH_4^+ + NH_2^-$$

(ii) 为什么 NH_3 的碱性比 H_2O 强?

(iii) 为什么下列四种溶剂都可以看做是 Lewis 碱性溶剂?

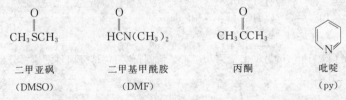

二甲亚砜　　　　二甲基甲酰胺　　　　丙酮　　　　吡啶

(DMSO)　　　　(DMF)　　　　　　　　　　　(py)

(iv) 在下列反应中,哪个反应物是 Lewis 酸? 哪个反应物是 Lewis 碱? 试分析该反应易于发生的原因。

$$I_2 + I^- \longrightarrow I_3^-$$

复习本章的指导提纲

基本知识点

有机化学发展简史；有机化合物的结构特征和特性；结构理论的要点；原子核外电子的排布规律；化学键的分类及依据；价键理论的要点；分子轨道理论的要点；键的极性和分子的极性；共价键的性质；近代酸碱理论的发展。

基本概念

同分异构体，同分异构现象；原子轨道，电子云，原子的电子构型，分子轨道；Pauli 不相容原理，能量最低原理，Hund 规则；化学键，离子键，金属键，共价键，配价键；Lewis 结构式；八隅规则；键长，键角，键解离能，平均键能；价键法，分子轨道法；定域，离域，成键轨道，反键轨道；原子实；电负性；偶极矩；酸碱电离理论，酸碱溶剂理论，酸碱质子理论，酸碱电子理论，软硬酸碱概念。

英汉对照词汇

alcoholic drink （酒）

alkaloid （生物碱）

anion （阴离子）

antibonding orbital （反键轨道）

atomicity （原子价）

atomic kernel （原子实）

atomic orbital （原子轨道）

Arrhenius S （阿累尼乌斯）

ball-stick model （球棍模型）

Berthelot M （柏赛罗）

beryllium （铍）

Berzelius J （柏则里）

σ bond （σ 键）

π bond （π 键）

bond angle （键角）

bond dissociation energy （键解离能）

bond energy （键能）

bonding electron （成键电子）

bonding orbital （成键轨道）

bond length （键长）

branched chain （支链）

bromo （溴）

Brönsted-Lowry proton theory （勃朗斯特－劳里质子理论或 Brönsted acid-base theory 勃朗斯特酸碱理论）

Butlerov A （布特列洛夫）

carbon （碳）

carbon dioxide （二氧化碳）

carbon compound （碳化合物）

carbon skeleton isomer （碳架异构体）

cation （阳离子）

chemical bond （化学键）

chemical valence （化合价）

chemical property （化学性质）

chemical structure （化学结构）

chloro （氯）

citric acid （柠檬酸）

coal tar （煤焦油）

conjugate acid　（共轭酸）

conjugate base　（共轭碱）

constitutional formula　（构造式）

coordinate bond　（配价键或配位键）

Couper A　（古柏尔）

covalent bond　（共价键）

delocalization　（离域）

dipole moment　（偶极矩）

double bond　（双键）

dye　（染料）

electronegativity　（电负性）

electron atmosphere　（电子云）

electronic configuration of atom　（原子的电子构型）

electron theory of acid and base　（酸碱电子理论）

electrophilic reagent　（亲电试剂）

electrovalent bond　（电价键）

fluoro　（氟）

Franklin　（富兰克林）

Gerhardt C　（热拉尔）

Gmelin L　（葛美林）

halogen　（卤素）

Heitler W　（海特勒）

helium　（氦）

Hund rule　（洪特规则）

hybridized orbital　（杂化轨道）

hydrogen　（氢）

inorganic chemistry　（无机化学）

iodo　（碘）

ion　（离子）

ion bond　（离子键）

ionization theory of acid and base　（酸碱电离理论）

isomer　（同分异构体）

isomerism　（同分异构现象）

Kekulé A　（凯库勒）

Kolbe H　（柯尔伯）

lactic acid　（乳酸）

Lavoisier A　（拉瓦锡）

Lebel J A　（勒贝尔）

length of covalent bond　（共价键的键长）

Lewis acid-base theory　（路易斯酸碱理论）

Lewis G N　（路易斯）

Lewis structure formula　（路易斯结构式）

Liebig J von　（李比息）

localization　（定域）

London F　（伦敦）

medicine　（药物）

metallic bond　（金属键）

molecular orbital theory　（分子轨道理论）

morphine　（吗啡）

neon　（氖）

nitrogen　（氮）

nucleophilic regeant　（亲核试剂）

octet rule　（八隅规则）

organic acid　（有机酸）

organic chemistry　（有机化学）

organic compound　（有机化合物）

organic matter　（有机物）

organic synthesis　（有机合成）

oxygen　（氧）

Pauli exclusion principle　（保里不相容原理）

Pearson R G　（皮尔逊）

periodic table of chemical element　（元素周期表）

phosphorus　（磷）

polar covalent bond　（极性共价键）

principle of lowest energy　（能量最低原理）

proton theory of acid and base　（酸碱质子理论）

silicium　（硅）

single bond　（单键）

solvent theory of acid and base　（酸碱溶剂理论）

stereochemistry　（立体化学）

stereo-isomerism　（立体异构现象）

stereomer　（立体异构体）

structure　（结构）

sugar　（糖）

sulfur　（硫）

tartaric acid　（酒石酸）

tetrahedron　（正四面体）

theory of hard and soft acid and base　（软硬酸碱理论）

triple bond　（三键）

umbrella formula　（伞形式）

uncertainty principle　（不确定性原理）

urea　（尿素）

uric acid　（尿酸）

valence　（价）

valence-bond method （价键法）

valence-bond theory （价键理论）

van't Hoff J H （范霍夫）

vinegar （醋）

water （水）

Wöhler F （魏勒）

第 2 章

有机化合物的分类
表示方式　命名

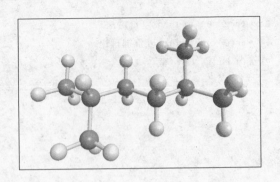

有机化合物是指除一氧化碳、二氧化碳、碳酸盐等少数简单含碳化合物以外的含碳化合物。目前数目已达几千万种以上。

2.1　有机化合物的分类

有机化合物的分类方法主要有两种。一种是按碳架分类，另一种是按官能团（function group）分类。

按碳架分类，各类化合物的关系如下所示：

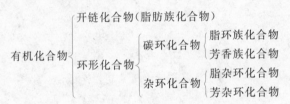

碳原子互相连接成链状的化合物称为开链化合物（aliphatic compound）。因这类化合物最初是从动物脂肪中获取的，所以也称为脂肪族化合物。例如：

$$CH_3CH_2CHCH_3$$
$$\qquad\quad |$$
$$\qquad\quad CH_3$$

$$CH_2{=}CH{-}CH{=}CH_2$$

$$CH_2{-}CH{-}CH_2$$
$$\ \ |\qquad |\qquad |$$
$$\ \ OH\ \ OH\ \ OH$$

$$CH_3(CH_2)_{14}COOH$$

2-甲基丁烷　　　　　　1,3-丁二烯　　　　1,2,3-丙三醇（甘油）　　　十六碳酸（软脂酸）

碳原子互相连接成环的化合物称为碳环化合物（carbocyclic compound）。它分成两类，与脂肪族化合物性质类似的一类碳环化合物称为脂环族化合物（alicyclic compound），另一类碳环化合物大都含有一个或几个单双键交替出现的六元环——苯环，这种特殊的结构决定了它们具有一种特殊的性质——芳香性（aromaticity），因此这类碳环化合物称为芳香族化合物（aromatic compound）。环内有杂原子（非碳原子）的环形化合物称为杂环化合物（heterocyclic compound）。也分为两类，具有脂肪族性质特征的称为脂杂环化合物（aliphatic heterocyclic compound），具有芳香特性的称为芳杂环化合物（aromatic heterocyclic compound）。因为前者常常与脂肪族化合物合在一起学习，所以平时说的杂环化合物实际指的是芳杂环化合物。碳环化合物和杂环化合物合称环形化合物。下面是几个代表性的化合物：

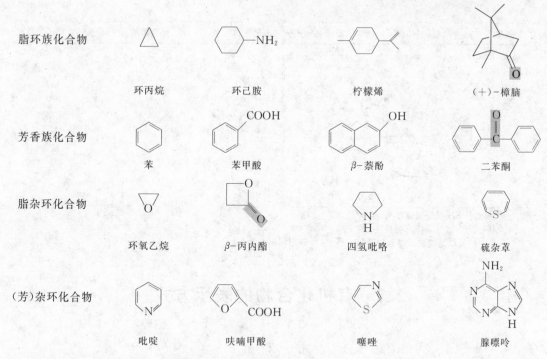

脂环族化合物

环丙烷　　　　　　环己胺　　　　　　　柠檬烯　　　　　　（+）-樟脑

芳香族化合物

苯　　　　　　苯甲酸　　　　　　β-萘酚　　　　　　二苯酮

脂杂环化合物

环氧乙烷　　　　　β-丙内酯　　　　　　四氢吡咯　　　　　　硫杂草

（芳）杂环化合物

吡啶　　　　　　呋喃甲酸　　　　　　噻唑　　　　　　腺嘌呤

由碳和氢两种原子组成的有机化合物称为烃（hydrocarbon）。

烃分子中的一个或几个氢原子被其它元素的原子或原子团取代后的生成物称为烃的衍生物（derivative）。各类烃的衍生物都具有自己特有的化学性质，这些特有的化学性质主要是由取代氢原子的原子或原子团所决定的，在化学上将这种决定化合物化学特性的原子或原子团称为官能团。有机化合物按官能团分类的情况见表 2-1。

表 2-1　一些常见的类化合物及其官能团

化合物类名	官能团结构	官能团名称	化合物类名	官能团结构	官能团名称
烯烃 alkene	C=C	碳碳双键 double bond	醚 ether	—C—O—C—	醚基 ether group
炔烃 alkyne	—C≡C—	碳碳三键 triple bond	过氧化物 peroxide	—O—O—	过氧基 peroxy group
卤代烃 halohydrocabron	—X(F,Cl,Br,I)	卤原子 halogen atom	醛 aldehyde	$\overset{O}{\underset{}{\parallel}}$—C—H	醛基 aldehyde group
醇 alcohol	—OH[*1]	羟基 hydroxy	酮 ketone	—C— (C=O)	羰基 carbonyl
酚 phenol	—OH[*2]	羟基 hydroxy	磺酸 sulfonic acid	—SO₃H	磺（酸）基 sulfo
硫醇 thio-alcohol	—SH[*1]	巯基 mercapto	羧酸 carboxylic acid	—COOH	羧基 carboxy
硫酚 thio-phenol	—SH[*2]	巯基 mercapto	酰卤 acyl halide	—C—X (C=O)	酰卤基 acyl halide group

续表

化合物类名	官能团结构	官能团名称	化合物类名	官能团结构	官能团名称
酸酐 acid anhydride	O O ‖ ‖ —C—O—C—	酸酐基 acid anhydride group	亚胺 imine	C=N—R[*3]	亚氨基 imino
酯 ester	O ‖ —C—OR	酯基 ester group	硝基化合物 nitro compound	—NO₂	硝基 nitro
酰胺 amide	O R₁[*3] ‖ | —C—N R₂	酰氨基 amide group	亚硝基化合物 nitroso compound	—NO	亚硝基 nitroso
胺 amine	R₁[*3] | —N R₂	氨基 amino	腈 nitrile	—C≡N	氰基 cyano

*1 —OH 或—SH 与烃基直接相连。
*2 —OH 或—SH 与芳环直接相连。
*3 R,R₁,R₂ 可以是氢也可以是烃基,R₁ 与 R₂ 可以相同也可以不同。

2.2　有机化合物的表示方式

2.2.1　有机化合物构造式的表示方式

分子中原子的连接次序和键合性质叫做构造。表示分子构造的化学式叫做构造式(constitution formula)。表示构造式的方法有四种,现结合下面两个化合物作具体说明。

表 2-2　有机化合物构造式的表示方式

化合物名称	路易斯结构式	蛛网式	结构简式	键线式
1-戊烯-4-炔	H H H H ∶ ∶ ∶ ∶ H∶C∶∶C∶C∶C∶∶∶C∶H ∶ H	H H H | | | H—C=C—C—C≡C—H | H	CH₂=CH—CH₂—C≡CH 或 CH₂=CHCH₂C≡CH	
2-戊醇	H H H H H ∶ ∶ ∶ ∶ ∶ H∶C∶C∶C∶C∶C∶H ∶ ∶ ∶ ∶O∶ H H ∶ H	H H H H H | | | | | H—C—C—C—C—C—H | | | | O | H H H | H	CH₃—CH₂—CH₂—CH—CH₃ | OH 或 CH₃CH₂CH₂CHCH₃ | OH	

用价电子(即共价结合的外层电子)表示的电子结构式称为路易斯结构式(Lewis structure formula)。在路易斯结构式中,用黑点表示电子,两个原子之间的一对电子表示共价单键,两个原子之间的两对或三对电子表示共价双键或共价三键。只属于一个原子的一对电子称为孤电子对。将路易斯结构式中一对共价电子改成一条短线,就得到了蛛网式(cobweb formula),因其形似蛛网而得名。为了简化构造式的书写,常常将碳与氢之间的键线省略,或者将碳氢单键和碳碳单键的键线均省略,这两种表达方式统称为结构简式(skeleton symbol)。还有一种表达方式是

只用键线来表示碳架,两根单键之间或一根双键和一根单键之间的夹角为 120°,一根单键和一根三键之间的夹角为 180°,而分子中的碳氢键、碳原子及与碳原子相连的氢原子均省略,而其它杂原子及与杂原子相连的氢原子须保留。用这种方式表示的结构式为键线式(bond-line formula)。在上述表示式中,结构简式和键线式应用较广泛,键线式最为简便。

习题 2−1 将下列化合物由键线式改写成结构简式。

(i)

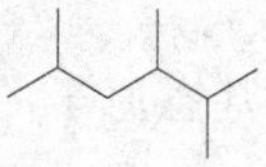

(ii)

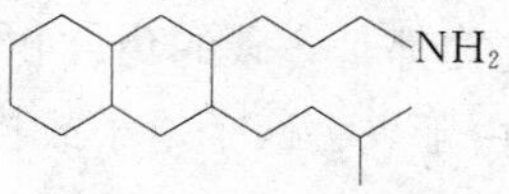

(iii)

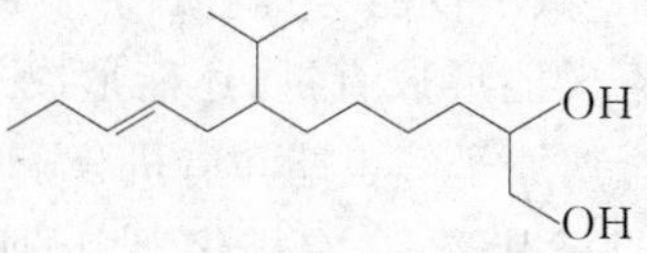

(iv)

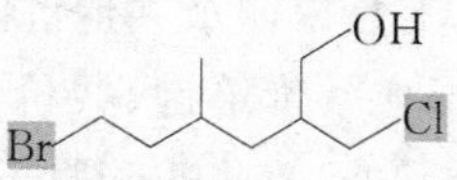

(v)

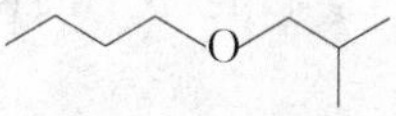

(vi)

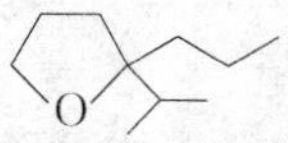

(vii)

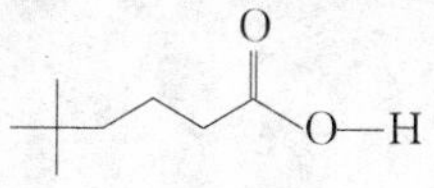

(viii)

(ix)

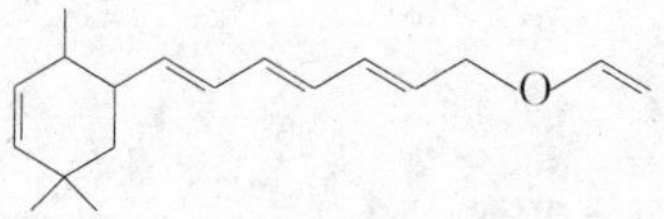

(x)

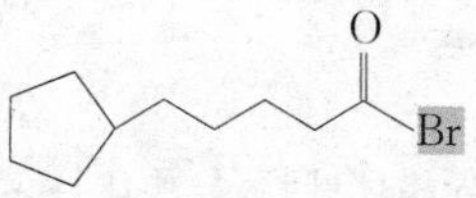

2.2.2 有机化合物立体结构的表示方式

分子的结构除了指分子的构造外,还包括原子在空间的排列方式,即它们的立体结构。为此,先作如下规定:处于纸面上的键用实线表示,伸向纸面里面的键用虚线表示。伸向纸面外面的键用锲形线表示。例如(S)−(+)−乳酸的立体结构可表示如下:

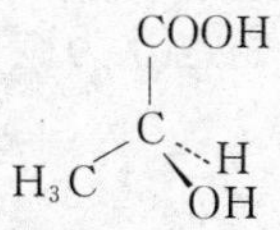

$$\text{H}_3\text{C}-\overset{\displaystyle \text{COOH}}{\underset{\displaystyle \text{OH}}{\text{C}}}-\text{H}$$

该结构式表示:碳氢键伸向纸面里面,碳氧键伸向纸面外面。

表示立体结构式的方法还有好几种,将在有关章节再一一介绍(参见 3.2.1/2 和 3.6.2/1)。

2.3 有机化合物的同分异构体

1822 年 Wöhler 发现了一结构式为 AgNCO,化学性质比较稳定的化合物,叫异氰酸银(silver isocyanate)。1823 年 Liebig 发现了一种组成与异氰酸银相同的化合物，但其化学性质非常不稳定，遇热或受撞击就会发生爆炸。当时化学界围绕"分析结果是否有误"、"定组成定律是否有问题"展开了激烈的争论。后来证明 Liebig 发现的化合物与异氰酸银虽然具有相同的组分，但它们分子中各原子的连接次序不同。后者的结构式为 AgONC，它是不同于异氰酸银的另一种化合物，命名为雷酸银（silver fulminate）。人们将这种具有相同分子式而具有不同结构的现象称为同分异构现象（isomerism）。而将分子式相同、结构不同的化合物称为同分异构体（isomer），也称为结构异构体（structural isomer）。

有机化合物都是含碳的化合物。碳位于周期表第二周期第ⅣA 族，它的基态原子的外围电子是 $2s^2 2p^2$，由于失去四个电子或接受四个电子成为惰性气体电子结构很难实现，因此碳在形成有机物时，基本上是以四个共价键的形式和其它原子成键的。碳不仅能与其它原子形成共价键，碳碳之间也能形成共价单键、共价双键和共价三键。它们不仅能形成直链，还能形成叉链和环链，纵横交叉。另外，一些非碳原子如卤素、氧、硫、氮、磷及金属原子等也能在有机分子中占据不同的位置，形成性质各异的化合物。因此，有机化合物的数目极其繁多，有机化学中的同分异构现象也极为普遍。

有机化学中的同分异构体，可以划分成各种类别，它们之间的关系如下所示：

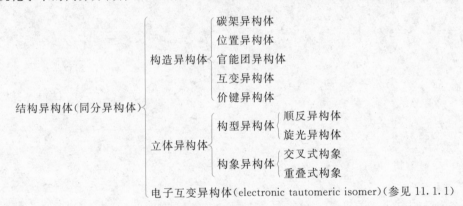

同分异构体是所有异构体的总称。它分为构造异构体和立体异构体两大类。前者是指因分子中原子的连接次序不同或者键合性质不同引起的异构体，可分为五种。因碳架不同产生的异构体称为碳架异构体（carbon skeleton isomer）。例如可以写出两种不同碳架的丁烷，它们互为碳架异构体，可以写出三种不同碳架的戊烷，它们也互为碳架异构体。

C_4H_{10}　　$CH_3CH_2CH_2CH_3$　　$\underset{\text{异丁烷}}{\overset{\displaystyle CH_3}{CH_3CHCH_3}}$

　　　　　　　(正)丁烷

C_5H_{12}　　$CH_3CH_2CH_2CH_2CH_3$　　$\underset{\text{异戊烷}}{\overset{\displaystyle CH_3}{CH_3CHCH_2CH_3}}$　　$\underset{\text{新戊烷}}{\overset{\displaystyle CH_3}{\underset{\displaystyle CH_3}{CH_3CCH_3}}}$

　　　　　　　(正)戊烷

官能团在碳链或碳环上的位置不同而产生的异构体称为位置异构体。例如含三个碳的醇，羟基可以连在端基碳上,也可以连在中间碳上,这两种化合物互为位置异构体(position isomer)。

$$C_3H_8O \qquad CH_3CH_2CH_2OH \qquad CH_3CHCH_3$$
$$\qquad\qquad\qquad\qquad\qquad\qquad\qquad | $$
$$\qquad\qquad\qquad\qquad\qquad\qquad\qquad OH$$

正丙醇   异丙醇

因分子中所含官能团的种类不同所产生的异构体称为官能团异构体(functional group iso-mer)。例如满足分子式 C_2H_6O 的化合物可以含有醚键(醚的官能团),也可以含有羟基(醇的官能团),这两种化合物互为官能团异构体。

$$C_2H_6O \qquad CH_3CH_2OH \qquad CH_3OCH_3$$

乙醇   甲醚

因分子中某一原子在两个位置迅速移动而产生的官能团异构体称为互变异构体(tautomer-ic isomer)。例如:丙酮和 1-丙烯-2-醇可以通过氢原子在氧上和 α-碳上的迅速移动而互相转变,所以它们是一对互变异构体。

$$C_3H_6O$$

丙酮   1-丙烯-2-醇

一对互变异构体虽然可以互相转换,但常常以较稳定的一种异构体为其主要的存在形式。互变异构体是一种特殊的官能团异构体。

因分子中某些价键的分布发生了改变,与此同时也改变了分子的几何形状,从而引起的异构体称为价键异构体(valence bond isomer)。例如苯在某波长光波的照射下可以转变为棱晶烷,在另一波长光波的照射下可以转变为杜瓦苯。它们的价键分布和几何形状都不同,所以棱晶烷和杜瓦苯都是苯的价键异构体。

棱晶烷

杜瓦苯

同分异构体中的另一大类是立体异构体(stereo-isomer)。分子中原子或原子团互相连接次序相同,但空间排列不同而引起的异构体称为立体异构体,有两类立体异构体。因键长、键角、分子内有双键、有环等原因引起的立体异构体称为构型异构体(configuration stereo-isomer)。一般来讲,构型异构体之间不能或很难互相转换。仅由于单键的旋转而引起的立体异构体称为构象异构体(conformational stereo-isomer),有时也称为旋转异构体(rotamer)。由于旋转的角度可以是任意的,单键旋转 $360°$ 可以产生无数个构象异构体,通常以稳定的有限几种构象来代表它们。在书写同分异构体时,可以不写构象异构体。

构型异构体又分为两类。其中因双键或成环碳原子的单键不能自由旋转而引起的异构体称为几何异构体(geometric isomer),也称为顺反异构体(*cis-trans* isomer)。例如:顺-2-丁烯和反-2-丁烯是一对几何异构体。顺-1,4-二甲基环己烷和反-1,4-二甲基环己烷也是一对几何异构体。

顺-2-丁烯　　　　　反-2-丁烯　　　　　顺-1,4-二甲基　　　反-1,4-二甲基
　　　　　　　　　　　　　　　　　　　环己烷　　　　　　环己烷

将因分子中没有反轴对称性而引起的具有不同旋光性能的立体异构体称为旋光异构体(optical isomer)。(参见 3.5.2)。

习题 2-2 写出分子式为 C_6H_{14} 的所有的构造异构体。
习题 2-3 写出分子式为 $C_4H_{10}O$ 的所有的构造异构体。

有机化合物的命名

有机化合物种类繁多,数目庞大,即使同一分子式,也有不同的异构体,若没有一个完整的命名(nomenclature)方法来区分各个化合物,在文献中会造成极大的混乱,因此认真学习每一类化合物的命名是有机化学的一项重要内容。现在书籍、期刊中经常使用普通命名法和国际纯粹与应用化学联合会(International Union of Pure and Applied Chemistry)命名法,后者简称IUPAC命名法(IUPAC 是由世界各国化学会或科学院为会员单位组成的学术机构,成立于 1919 年)。对于有些名称很长的复杂化合物,命名时常用俗名。要查阅检索工具书如化学文摘(Chemical Abstract,简称 CA)的化学物质索引、手册等,采用 CA 的系统命名法。现在电子计算机在信息科学中应用日趋广泛,因此对命名要求更加系统,在系统名称下又给这些化合物编了注册号,以便于输入电子计算机进行检索。我国的命名法是中国化学会结合 IUPAC 的命名原则和我国文字特点而制订的,在 1960 年修订了《有机化学物质的系统命名原则》,在 1980 年又加以补充,出版了《有机化学命名原则》增订本。本书除介绍中文命名外,英文命名也加以简单介绍,以便于查阅外文资料及手册。本章介绍烃及各类官能团化合物的普通命名法及 IUPAC 命名法,杂环化合物和天然产物的命名见相关各章。

2.4 烷烃的命名

碳碳间、碳氢间均以单键相连的烃称为烷烃(alkane),无环的烷烃称为链烷烃,有环的烷烃称为环烷烃(cyclic hydrocarbon)。烷烃是有机化合物的母体化合物,所以首先学习烷烃的命名。

2.4.1　链烷烃的命名

1. 系统命名法

（1）直链烷烃的命名　直链烷烃（n-alkane）的名称用"碳原子数＋烷"来表示。当碳原子数为 1～10 时，依次用天干——甲、乙、丙、丁、戊、己、庚、辛、壬、癸——表示。碳原子数超过 10 时，用数字表示。例如，六个碳的直链烷烃称为己烷。十四个碳的直链烷烃称为十四烷。烷烃的英文名称是 alkane，词尾用 ane。表 2-3 列出了一些正烷烃的中英文名称。

表 2-3　一些正烷烃的名称

构造式	中文名	英文名	构造式	中文名	英文名
CH_4	甲烷	methane	$CH_3(CH_2)_{16}CH_3$	（正）十八烷	n-octadecane
CH_3CH_3	乙烷	ethane	$CH_3(CH_2)_{17}CH_3$	（正）十九烷	n-nonadecane
$CH_3CH_2CH_3$	丙烷	propane	$CH_3(CH_2)_{18}CH_3$	（正）二十烷	n-icosane
$CH_3(CH_2)_2CH_3$	（正）丁烷	n-butane	$CH_3(CH_2)_{19}CH_3$	（正）二十一烷	n-henicosane
$CH_3(CH_2)_3CH_3$	（正）戊烷	n-pentane	$CH_3(CH_2)_{20}CH_3$	（正）二十二烷	n-docosane
$CH_3(CH_2)_4CH_3$	（正）己烷	n-hexane	$CH_3(CH_2)_{28}CH_3$	（正）三十烷	n-triacontane
$CH_3(CH_2)_5CH_3$	（正）庚烷	n-heptane	$CH_3(CH_2)_{29}CH_3$	（正）三十一烷	n-hentriacontane
$CH_3(CH_2)_6CH_3$	（正）辛烷	n-octane	$CH_3(CH_2)_{30}CH_3$	（正）三十二烷	n-dotriacontane
$CH_3(CH_2)_7CH_3$	（正）壬烷	n-nonane	$CH_3(CH_2)_{38}CH_3$	（正）四十烷	n-tetracontane
$CH_3(CH_2)_8CH_3$	（正）癸烷	n-decane	$CH_3(CH_2)_{48}CH_3$	（正）五十烷	n-pentacontane
$CH_3(CH_2)_9CH_3$	（正）十一烷	n-undecane	$CH_3(CH_2)_{58}CH_3$	（正）六十烷	n-hexacontane
$CH_3(CH_2)_{10}CH_3$	（正）十二烷	n-dodecane	$CH_3(CH_2)_{68}CH_3$	（正）七十烷	n-heptacontane
$CH_3(CH_2)_{11}CH_3$	（正）十三烷	n-tridecane	$CH_3(CH_2)_{78}CH_3$	（正）八十烷	n-octacontane
$CH_3(CH_2)_{12}CH_3$	（正）十四烷	n-tetradecane	$CH_3(CH_2)_{88}CH_3$	（正）九十烷	n-nonacontane
$CH_3(CH_2)_{13}CH_3$	（正）十五烷	n-pentadecane	$CH_3(CH_2)_{98}CH_3$	（正）一百烷	n-hectane
$CH_3(CH_2)_{14}CH_3$	（正）十六烷	n-hexadecane	$CH_3(CH_2)_{132}CH_3$	（正）一百三十四烷	n-tetratriacontane hectane
$CH_3(CH_2)_{15}CH_3$	（正）十七烷	n-heptadecane			

以上 20 个碳以内的烷烃要比较熟悉，以后经常要用。烷烃的英文名称变化是有规律的，认真阅读上表即可看出。表中的正（n-）表示直链烷烃，正（n-）可以省略。

（2）支链烷烃的命名　有分支的烷烃称为支链烷烃（branched-chain alkane）

（i）碳原子的级　下面化合物中含有四种不同的碳原子：

①　　①
CH₃　CH₃　H
①　　④　③　②　①
CH₃—C—C—C—CH₃
｜　｜　｜
CH₃　H　H
①

① 与一个碳相连,是一级碳原子,用 1°C 表示(或称伯碳,primary carbon),1°C 上的氢称为一级氢,用 1°H 表示。

② 与两个碳相连,是二级碳原子,用 2°C 表示(或称仲碳,secondary carbon),2°C 上的氢称为二级氢,用 2°H 表示。

③ 与三个碳相连,是三级碳原子,用 3°C 表示(或称叔碳,tertiary carbon),3°C 上的氢称为三级氢,用 3°H 表示。

④ 与四个碳相连,是四级碳原子,用 4°C 表示(或称季碳,quaternary carbon)。

习题 2-4　下列构造式中有几个一级碳原子? 几个二级碳原子? 几个三级碳原子? 几个四级碳原子?

$$
CH_3- \!\!\bigcirc\!\!-\overset{\overset{\displaystyle CH_3}{|}}{\underset{\underset{\displaystyle CH_3}{|}}{C}}-CH_2-\overset{\overset{\displaystyle CH_3}{|}}{\underset{\underset{\displaystyle CH_3}{|}}{CH}}
$$

(ii) 烷基的名称　烷烃去掉一个氢原子后剩下的部分称为烷基。英文名称为 alkyl,即将烷烃的词尾 -ane 改为 -yl。烷基可以用普通命名法命名,也可以用系统命名法命名。表 2-4 列出了一些常见烷基的名称。

表 2-4　一些常见烷基的名称

烷烃	相应的烷基	普通命名法 中文名称(英文名称)	IUPAC 命名法 中文名称(英文名称)
甲烷 CH_4	CH_3-	甲基(methyl,缩写 Me)	甲基(methyl,缩写 Me)
乙烷 CH_3CH_3	CH_3CH_2-	乙基(ethyl,缩写 Et)	乙基(ethyl,缩写 Et)
丙烷 $CH_3CH_2CH_3$	$CH_3CH_2CH_2-$	(正)丙基(n-propyl,缩写 n-Pr)	丙基(propyl,缩写 Pr)
	$CH_3\overset{1}{C}H\overset{2}{C}H_3$	异丙基(isopropyl,缩写 i-Pr)	1-甲基乙基 (1-methylethyl)
(正)丁烷 $CH_3(CH_2)_2CH_3$	$CH_3CH_2CH_2CH_2-$	(正)丁基(n-butyl,缩写 n-Bu)	丁基(butyl,缩写 Bu)
	$\overset{3}{C}H_3\overset{2}{C}H_2\overset{1}{C}HCH_3$	二级丁基或仲丁基(sec-butyl,缩写 s-Bu)	1-甲(基)丙基 (1-methylpropyl)
异丁烷 $CH_3\underset{\underset{\displaystyle CH_3}{|}}{C}HCH_3$	$\overset{3}{C}H_3\overset{2}{C}H\overset{1}{C}H_2-$ $\underset{\displaystyle |}{CH_3}$	异丁基(isobutyl,缩写 i-Bu)	2-甲基丙基 (2-methylpropyl)
	$CH_3\overset{2}{\underset{\underset{\displaystyle CH_3}{|}}{C}}\overset{1}{C}H_3$	三级丁基或叔丁基($tert$-butyl,缩写 t-Bu)	1,1-二甲基乙基 (1,1-dimethylethyl)
(正)戊烷 $CH_3(CH_2)_3CH_3$	$CH_3CH_2CH_2CH_2CH_2-$	(正)戊基(n-pentyl 或 n-amyl)	戊基(n-pentyl)
	$\overset{4}{C}H_3\overset{3}{C}H_2\overset{2}{C}H_2\overset{1}{C}HCH_3$		1-甲基丁基 (1-methylbutyl)
	$\overset{3}{C}H_3\overset{2}{C}H_2\overset{1}{C}HCH_2CH_3$		1-乙基丙基 (1-ethylpropyl)

烷烃	相应的烷基	普通命名法 中文名称(英文名称)	IUPAC 命名法 中文名称(英文名称)
	$\overset{4}{C}H_3\overset{3}{C}HC\overset{2}{H_2}\overset{1}{C}H_2-$ $\quad\quad\underset{CH_3}{\vert}$	异戊基(iso-pentyl)	3-甲基丁基 (3-methylbutyl)
	$\overset{3}{C}H_3\overset{2}{C}H\overset{1}{C}HCH_3$ $\quad\quad\underset{CH_3}{\vert}$	—	1,2-二甲基丙基 (1,2-dimethylpropyl)
异戊烷 $CH_3CHCH_2CH_3$ $\quad\underset{CH_3}{\vert}$	$\overset{1}{C}H_3\overset{2}{C}C\overset{3}{H_2}CH_3$ $\quad\quad\underset{CH_3}{\vert}$	三级戊基或叔戊基($tert$-pentyl)	1,1-二甲基丙基 (1,1-dimethylpropyl)
	$-\overset{1}{C}H_2\overset{2}{C}HC\overset{3}{H_2}\overset{4}{C}H_3$ $\quad\quad\underset{CH_3}{\vert}$	—	2-甲基丁基 (2-methylbutyl)
新戊烷 $\quad\underset{CH_3}{\overset{CH_3}{\vert}}$ CH_3CCH_3 $\quad\underset{CH_3}{\vert}$	$\quad\quad\overset{CH_3}{\vert}$ $\overset{3}{C}H_3\overset{2}{C}C\overset{1}{H_2}-$ $\quad\quad\underset{CH_3}{\vert}$	新戊基(neopentyl)	2,2-二甲基丙基 (2,2-dimethylpropyl)

*1 括号中的正字可以省略。

*2 在英文命名时,正用 $n-$,异用 $iso-$ 或 $i-$,新用 neo,二级用词头 $sec-$(或 $s-$),三级用词头 $tert-$(或 $t-$)表示,后面有一短横线。

从表 2-4 中可以看出:甲烷、乙烷分子中只有一种氢,只能产生一种甲基和一种乙基。丙烷分子中有两种不同的氢,可以产生两种丙基。丁烷有两种异构体,每种异构体分子中都有两种不同的氢原子,所以能产生四种丁基。戊烷有三种异构体,一共可产生八种戊基。命名时,用什么方法来区分碳原子数相同但结构不同的烷基? 普通命名法通过词头来区分它们。词头正(n)表示该烷基是一条直链。异(iso)表示链的端基有 $\underset{CH_3}{\overset{CH_3}{\diagdown}}CH-$ 结构,而链的其它部位无支链。新表示链的端基有 $CH_3\underset{CH_3}{\overset{CH_3}{\vert}}CCH_2-$ 的结构,而链的其它部位无支链。此外还可以用二级、三级等词头来表明失去氢原子的碳为二级碳和三级碳。显然烷基的普通命名只适用于简单的烷基。烷基的系统命名法适用于各种情况,它的命名方法是:将失去氢原子的碳定位为 1,从它出发,选一个最长的链为烷基的主链,从 1 位碳开始,依次编号,不在烷基主链上的基团均作为主链的取代基处理。写名称时,将主链上的取代基的编号和名称写在主链名称前面。例如:下面的烷基从 1 号碳出发,有三个编号的方向,选碳原子数最多的方向编号,该碳链为烷基的主链,称为丁基(butyl),在该主链的 1 位碳上有两个取代基:甲基、乙基。所以该烷基的名称为 1-甲基-1-乙基丁基。

$$\overset{4}{C}H_3\overset{3}{C}H_2\overset{2}{C}H_2\overset{1}{C}\underset{\underset{CH_2CH_3}{\vert}}{\overset{\overset{CH_3}{\vert}}{}}-$$

(iii) 顺序规则　有机化合物中的各种基团可以按一定的规则来排列先后次序,这个规则称为顺序规则(Cahn-Ingold-Prelog sequence),其主要内容如下:

① 将单原子取代基按原子序数(atomic number)大小排列,原子序数大的顺序在前,原子序数小的顺序在后,有机化合物中常见的元素顺序如下:

$$I>Br>Cl>S>P>F>O>N>C>D>H$$

在同位素(isotope)中质量高的顺序在前。

② 如果两个多原子基团的第一个原子相同,则比较与它相连的其它原子,比较时,按原子序数排列,先比较最大的,仍相同,再顺序比较居中的、最小的。如—CH_2Cl 与—CHF_2,第一个均为碳原子,再按顺序比较与碳相连的其它原子,在—CH_2Cl 中为—$C(Cl,H,H)$,在—CHF_2 中为—$C(F,F,H)$,Cl 比 F 在前,故—CH_2Cl 在前。如果有些基团仍相同,则沿取代链逐次相比。

③ 含有双键或三键的基团,可认为连有两个或三个相同的原子,例如下列基团排列顺序为

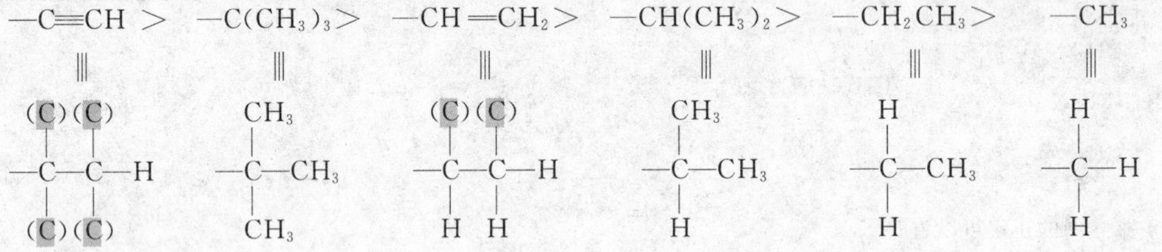

$$-C\equiv CH > -C(CH_3)_3 > -CH=CH_2 > -CH(CH_3)_2 > -CH_2CH_3 > -CH_3$$

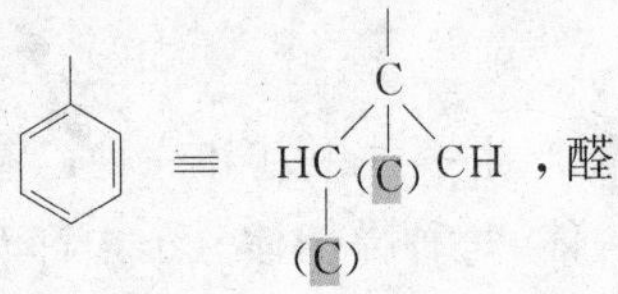

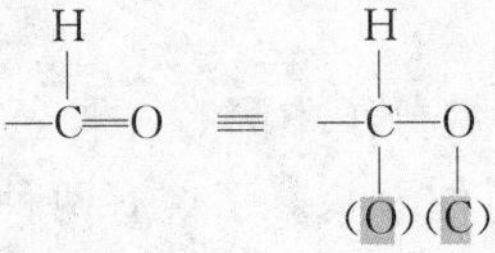

此外如苯基,醛基 —CHO,氰基 —C≡N 等等。

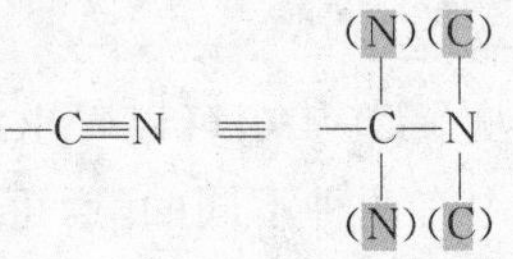

④ 若参与比较顺序的原子的键不到 4 个,则可以补充适量的原子序数为零的假想原子,假想原子的排序放在最后。例如:$CH_3CH_2NHCH_3$ 中,N 上只有三个基团,则它的第四个基团为一个原子序数为 0 的假想原子,四个基团的排序为:$CH_3CH_2->CH_3->H->$假想原子。

习题 2-5　将下列基团按顺序规则由大到小的顺序排列:

—CH_2CH_3　—$CH_2CH_2CH_3$　—CH_2OH　—CH_2NH_2　—$\overset{\overset{O}{\|}}{C}OCH_3$

—CCl_3　—CH_2Br　—SCH_3　—$CHDCH_3$　—CH_2CHDCH_3

(iv) 名称的基本格式　有机化合物系统命名的基本格式如下所示:

构型	+	取代基	+	母体
		取代基位置号+个数+名称		官能团位置号+名称
$R-S$;$D-L$;$Z-E$;顺反		(有多个取代基时,中文按顺序规则确定次序,小的在前;英文按英文字母顺序排列)		(没有官能团时不涉及位置号)

例如：下面化合物的系统名称：

$$CH_3-CH_2-\overset{\overset{H}{|}}{C}\cdots\overset{CH_3}{\nearrow}\cdots\overset{\overset{H}{|}}{C}-CH_2-CH_3$$

$$\underset{构型}{\underline{(3R,4S)}} \quad \underset{\substack{取代基\\位置号}}{\underline{-3,4-}} \quad \underset{\substack{取代基\\个数}}{\underline{二}} \quad \underset{\substack{取代基\\名称}}{\underline{甲基}} \quad \underset{\substack{母体\\名称}}{\underline{己烷}}$$

（v）命名原则和命名步骤　命名时,首先要确定主链。命名烷烃时,确定主链的原则是：首先考虑链的长短,长的优先。若有两条或多条等长的最长链时,则根据侧链的数目来确定主链,多的优先。若仍无法分出哪条链为主链,则依次考虑下面的原则,侧链位次小的优先,各侧链碳原子数多的优先,侧分支少的优先。主链确定后,要根据最低系列原则（lowest series principle）对主链进行编号。最低系列原则的内容是：使取代基的号码尽可能小,若有多个取代基,逐个比较,直至比出高低为止。最后,根据有机化合物名称的基本格式写出全名。下面是几个实例：

实例一：

$$\overset{\overset{1\ \ \ 2\ \ \ 3\ \ \ \ 4\ \ \ 5\ \ \ 6}{6\ \ \ 5\ \ \ 4\ \ \ \ 3\ \ \ 2\ \ \ 1}}{\underset{\underset{CH_3\ \ H_3C\ \ \ CH_3}{|\ \ \ \ \ \ |\ \ \ \ \ \ |}}{CH_3CHCH_2CHCHCH_3}}\qquad \overset{2,4,5}{\underset{2,3,5^*}{}}$$

选六碳链为主链。主链有两种编号方向,第一行编号,取代基的位号为 2,4,5;第二行编号,取代基的位号为 2,3,5（位号用阿拉伯数字 1,2,3,⋯表示）。根据最低系列原则,用第二行编号。该化合物的中文名称为 2,3,5-三甲基己烷。英文名称为 2,3,5-trimethylhexane。在名称中,2,3,5 分别为三个甲基的位号。"三"是甲基的数目。（在中文名称中,取代基个数用中文数字一、二、三……来表示。在英文名称中,一、二、三、四、五、六数字相应用词头 mono、di、tri、tetra、penta、hexa 表示。）

实例二：

$$\begin{array}{c}\overset{1\ \ \ \ 2\ \ \ \ \ 3\ \ \ \ \ 4\ \ \ \ \ 5\ \ \ \ \ 6\ \ \ \ \ 7\ \ \ 8}{CH_3CH_2CH_2CH-CH-CH-CHCH_3}\qquad\overset{4,5,6,7}{\underset{2,3,4,5^*}{}}\\ \underset{1\ \ \ \ \ \ 2\ \ \ \ \ 3\ \ \ \ \ |4\ \ \ \ \ |5\ \ \ \ |\ \ \ \ |}{}\\ \underset{CH_3\ \ 6CH_2\ \ CH_3\ \ CH_3}{}\\ \underset{7CH_2}{|}\\ \underset{8CH_3}{|}\end{array}$$

本化合物有两根 8 碳的最长链,因此通过比较侧链数来确定主链。横向长链有四个侧链,弯曲的长链只有两个侧链,多的优先,所以选横向长链为主链。主链有两种编号方向,第一行取代基的位号是 4,5,6,7,第二行取代基的位号是 2,3,4,5,根据最低系列原则,选第二行编号。该化合物的中文名称是 2,3,5-三甲基-4-丙基辛烷。英文名称是 2,3,5-trimethyl-4-n-propyloctane。注意本化合物中有两种取代基。当一个化合物有两种或两种以上的取代基时,中文按顺序规则确定次序,顺序规则中小的基团放在前面。所以甲基放在丙基的前面。英文命名按英文字母的顺序排列。methyl 中的 m 在英文字母顺序中比 propyl 中的 p 靠前,所以 methyl 放在 propyl 的前面。注意在比较英文字母顺序时,iso（异）、neo（新）要参与比较,而 i-（异）、n-（正）、sec（二级）、*tert*（三级）、*cis*（顺）、*trans*（反）、di（二个）、tri（三个），tetra（四个）等不参与比较。

实例三：

$$
\begin{array}{c}
\overset{1}{\underset{7}{\text{CH}_3}}\overset{2}{\underset{6}{\text{CH}_2}}-\overset{3}{\underset{5}{\text{CH}}}-\overset{4}{\underset{4}{\text{CH}}}-\overset{5}{\underset{3}{\text{CH}_2}}-\overset{6}{\underset{2}{\text{CH}}}-\overset{7}{\underset{1}{\text{CH}_3}} \quad \begin{matrix}3,4,6\\2,4,5\,*\end{matrix}\\
\text{H}_3\text{C} \quad \overset{3}{\text{CH}_2} \quad \text{CH}_3\\
\overset{2}{\text{CH}}-\text{CH}_3\\
\overset{1}{\text{CH}_3}
\end{array}
$$

本化合物有两根七碳的最长链,侧链数均为三个,所以根据侧链的位次来决定主链。横向长链的侧链位次为2,4,5,弯曲长链的侧链位次为2,4,6,小的优先,所以横向长链为主链。根据最低系列原则,取主链的第二行编号。本化合物的中文名称为2,5-二甲基-4-异丁基庚烷或2,5-二甲基-4-(2-甲丙基)庚烷。括号中的"2"是取代烷基上的编号。英文名称是4-isobutyl-2,5-dimethylheptane 或 2,5-dimethyl-4-(2-methylpropyl)heptane。

实例四：

$$
\begin{array}{c}
\text{CH}_3 \quad\quad \text{CH}_3 \quad\quad\quad \text{CH}_3 \quad \text{CH}_2\text{CH}_3\\
\overset{13}{\text{CH}_3}\overset{12}{\text{CH}_2}\overset{11}{\text{CH}}\overset{10}{\text{CH}}\overset{9}{\text{CH}}\overset{8}{\text{CH}_2}\overset{7}{\text{CH}}\overset{6}{\text{CH}_2}\overset{5}{\text{CH}}\overset{4}{\text{CH}_2}\overset{3}{\text{CH}}\overset{2}{\text{CH}}\overset{1}{\text{CH}_3}\\
\text{CH}_2\text{CH}\text{CH}_2\text{CH}\text{CH}_2\text{CH}_3\\
\overset{8}{\quad}\overset{9}{\quad}\overset{10}{\quad}\overset{11}{\quad}\overset{12}{\quad}\overset{13}{\quad}\\
\text{CH}_3 \quad\quad \text{CH}_3
\end{array}
$$

本化合物有两个等长的最长链,侧链数均为5,侧链位次均为3,5,7,9,11。而侧链的碳原子数由少到多排列时,一个主链为1,1,1,2,8,另一个主链为1,1,1,1,9。逐项比较,根据多的优先的原则确定主链。本化合物的中文名称为3,5,9-三甲基-11-乙基-7-(2,4-二甲基己基)十三烷。英文名称为7-(2,4-dimethylhexyl)-3-ethyl-5,9,11-trimethyltridecane。

实例五：

$$
\begin{array}{c}
\text{CH}_3\\
|\\
\text{CH}_2\\
\overset{11}{\text{CH}_3}\overset{10}{\text{CH}_2}\overset{9}{\text{CH}_2}\overset{8}{\text{CH}}-\overset{7}{\text{CH}}\overset{6}{\text{CH}_2}\overset{5}{\text{CH}_2}\overset{4}{\text{CH}_2}\overset{3}{\text{CH}_2}\overset{2}{\text{CH}_2}\overset{1}{\text{CH}_3}\\
\text{CH}_3\text{CH}_2\text{CH}_2\text{CH}\text{CH}\text{CH}_3\\
\text{CH}_3
\end{array}
$$

本化合物有两根等长的最长链,两根长链均有两个侧链,侧链位次均为4,5,侧链的碳原子数均为3,7。最后根据侧分支少的优先的原则来确定主链。化合物的中文名称是4-丙基-5-(1-异丙基丁基)十一烷。其英文名称是5-(1-isopropyl butyl)-4-propylundecane。

2. 普通命名法

普通命名法对直链烷烃的命名与系统命名相同。命名有支链的烷烃时,用正表示无分支,用

异表示端基有 $\begin{matrix} CH_3 \\ | \\ CH_3 \end{matrix}\!\!CH\!\!-$ 结构,用新表示端基有 $\begin{matrix} CH_3 \\ | \\ CH_3-C-CH_2- \\ | \\ CH_3 \end{matrix}$ 结构,这与烷基的普通命名法

相同。例如戊烷的三个同分异构体的普通命名如下:

(正)戊烷 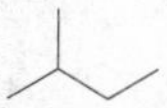 异戊烷  新戊烷

普通命名法中,工业上常用的异辛烷是一个特例,不符合上述规定。

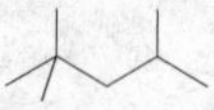

系统命名:2,2,4-三甲基戊烷

普通命名:异辛烷

用正、异、新可以区别烷烃中具有五个碳原子以下的同分异构体,但命名多于五个碳原子的烷烃时就有困难了。如六个碳原子的化合物有五个同分异构体,除用正、异、新表示其中的三个化合物外,尚有两个无法加以区别,故此命名法只适用于简单的化合物。

3. 衍生物命名法

烷烃的衍生物命名法以甲烷为母体,其它部分则作为甲烷的取代基来命名。例如:

$$CH_3CH_2-\overset{\overset{\displaystyle CH_3}{|}}{\underset{\underset{\displaystyle CH_3}{|}}{C}}-CH_2CH_2CH_3$$

二甲基,正丙基,异丙基甲烷

在衍生物命名法中,为了方便,一般总是选连有烷基最多的碳原子作为甲烷的碳原子。

4. 俗名

通常是根据来源来命名。例如甲烷产生于池沼里腐烂的植物,所以称为沼气(marsh gas)。

习题 2-6 请写出下列化合物的中、英文系统名称。

(i)

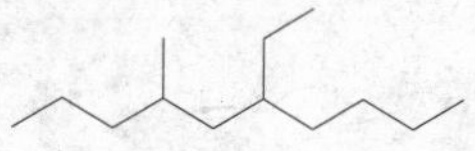

(ii)

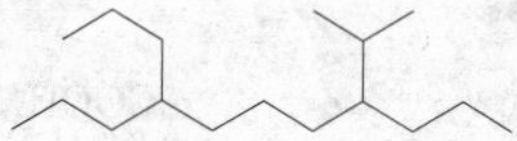

(iii)

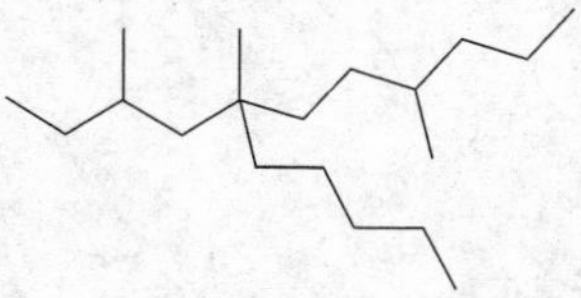

(iv)

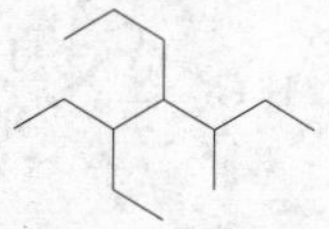

(v)

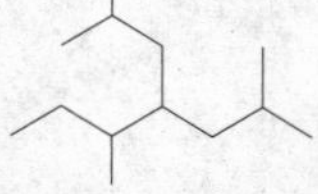

(vi)

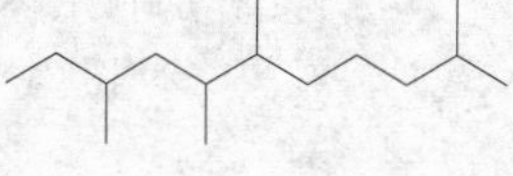

习题 2-7 用 IUPAC 命名法(中英文)命名下列化合物,并指出 1°,2°,3°,4°碳原子,如有丙基、异丙基、正丁基、二级丁基、异丁基、三级丁基请圈出。

(i)

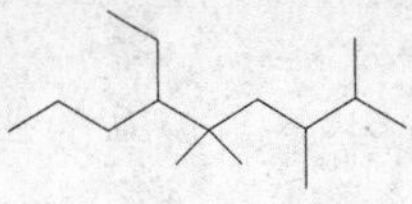

(ii)

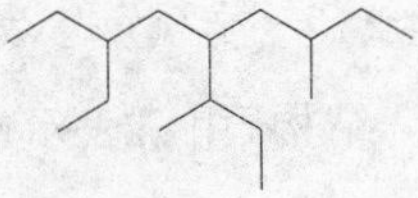

(iii)

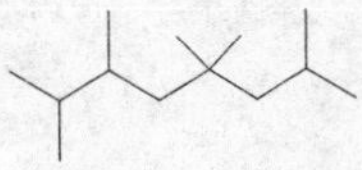

(iv)

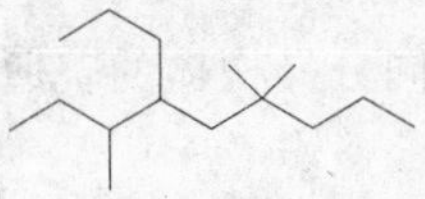

(v)

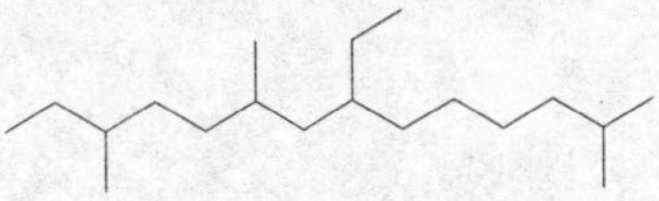

(vi)

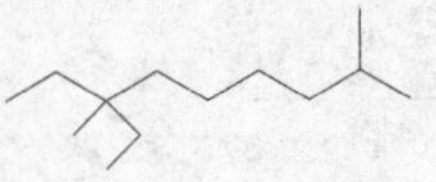

2.4.2　单环烷烃的命名

1. R-S 构型的确定

人的左、右手互为镜影但不能重叠,手的这种性质称为手性(chirality)。当一个碳原子与四个不同的基团相连时,可以产生两种不同的立体结构,这两种不同的立体结构互为镜影但不能重叠,即具有手性,因此与四个不同基团相连的碳原子称为手性碳原子(chiral carbon atom)。为了区别因手性而引起的两种不同的立体结构,称其中一种立体结构的手性碳为 R 构型,而另一种立体结构的手性碳为 S 型。并规定用如下的方法来确定手性碳的构型:将与手性碳原子相连的四个基团按顺序规则排列大小,将最小的基团放在离眼睛最远的地方,其它三个基团按由大到小的方向旋转,旋转方向是顺时针的,手性碳为 R 构型(拉丁文 rectus 的字首);旋转方向是逆时针的,手性碳为 S 构型(拉丁文 sinister 的字首)。

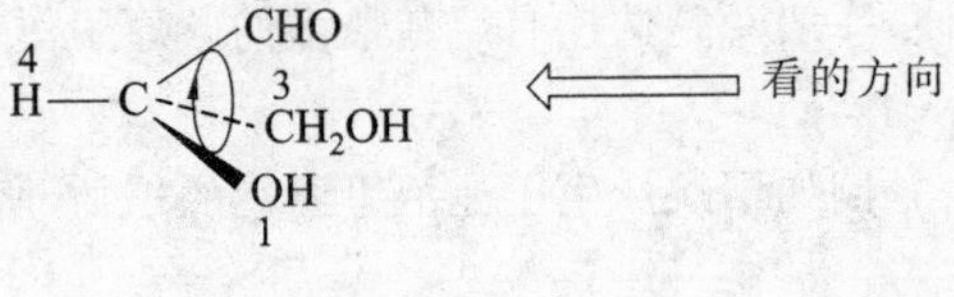

例如:

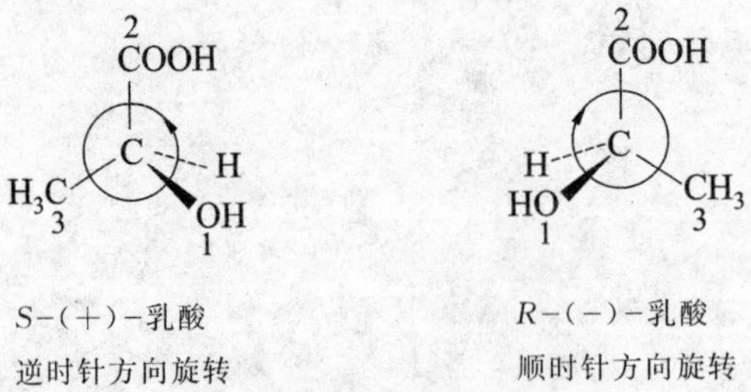

S-(＋)-乳酸　　　　　　　　　R-(－)-乳酸
逆时针方向旋转　　　　　　　顺时针方向旋转

图 2-1　R-S 构型的确定

2. 环状化合物顺反构型的确定

由于成环碳原子的单键不能自由旋转,因此当环上带有两个或多个基团时,就会产生两种或多种立体异构体。一种异构体的两个取代基团在环的同侧称为顺式构型(*cis* configuration)。另一种异构体的两个取代基在环的异侧,称为反式构型(*trans* configuration)。例如:

(反)-1,4-二甲基环己烷　　　　　(顺)-1,4-二甲基环己烷

3. 单环烷烃的命名

只有一个环的环烷烃称为单环烷烃(monocyclic alkane)。环上没有取代基的环烷烃命名时只需在相应的烷烃前加环,英文名称只需在相应的英文名称前加 cyclo。例如:

环丙烷　　　　　环丁烷　　　　　环戊烷　　　　　环己烷

cyclopropane　　cyclobutane　　cyclopentane　　cyclohexane

环上有取代基的单环烷烃命名分两种情况。环上的取代基比较复杂时,应将链作为母体,将环作为取代基,按链烷烃的命名原则和命名方法来命名。例如:

$$\overset{6}{C}H_3\overset{5}{C}H_2\overset{4}{C}HCH_2\overset{2}{C}HCH_3$$

中文名称:2-甲基-4-环己基己烷

英文名称:4-cyclohexyl-2-methylhexane

而当环上的取代基比较简单时,通常将环作为母体来命名。例如:

中文名称:乙基环己烷

英文名称:ethylcyclohexane

当环上有两个或多个取代基时,要对母体环进行编号,编号仍遵守最低系列原则。例如:

中文名称:1,4-二甲基-2-乙基环己烷

英文名称:2-ethyl-1,4-dimethylcyclohexane

但由于环没有端基,有时会出现有几种编号方式都符合最低系列原则的情况。例如:

(i)　　　　　　　　(ii)　　　　　　　　(iii)

上面列出了同一个化合物的三种编号方式,它们都符合最低系列原则。也即应用最低系列原则无法确定哪一种编号优先。在这种情况下,中文命名时,应让顺序规则中较小的基团位次尽可能小。所以应取(i)的编号,化合物的名称是 1,3-二甲基-5-乙基环己烷。英文命名时,按英文文字

母顺序,让字母排在前面的基团位次尽可能小。所以应取(iii)的编号,化合物的名称是1-ethyl-3,5-dimethylcyclohexane。

当环上带有两个或两个以上取代基时,如分子有反轴对称性,构型用顺反表示,分子没有反轴对称性,构型用 R-S 表示。例如:

顺-1,2-二甲基环丙烷
cis-1,2-dimethylcyclopropane

(1S,2S)-1,2-二甲基环丙烷
(1S,2S)-1,2-dimethylcyclopropane

(1R,2R)-1,2-二甲基环丙烷
(1R,2R)-1,2-dimethylcyclopropane

(1S,3S)-1-甲基-1-
乙基-3-氯-3-溴环己烷

(1S,3S)-1-bromo-1-chloro-3-
ethyl-3-methylcyclohexane

环上带有三个或更多基团时,若用顺、反表示构型,要选用一个参照基团,通常选用1位的基团为参照基团,用 r-1 表示,放在名称的最前面。例如:

中文名称:r-1,顺-1,3-二甲基-反-5-乙基环己烷
英文名称:r-1,1-ethyl-*trans*-1,*trans*-3-dimethyl cyclohexane

习题 2-8 写出下列化合物的中英文名称。

(i)

(ii)

(iii)

(iv)

(v)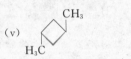

(vi)

(vii)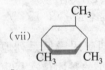

(viii)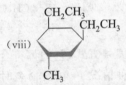

习题 2-9 当分子中有大环和小环时,常以大环作为母体,小环作取代基,根据这一原则写出下列化合

物的中、英文名称。

(i)　　　　　　　　(ii)　　　　　　　　(iii)

习题 2-10　若分子是两个相同的环连接在一起形成的，可以用联（bi）+ 环烷烃的名称来命名，根据这一原则，写出下列化合物的中、英文名称。

(i)　　　　　(ii)　　　　　(iii)　

2.4.3　桥环烷烃的命名

　　桥环烷烃（bridged hydrocarbon）是指共用两个或两个以上碳原子的多环烷烃，共用的碳原子称为桥头碳（bridgehead carbon），两个桥头碳之间可以是碳链，也可以是一个键，称为桥。将桥环烃变为链形化合物时，要断裂碳链，根据断碳链的次数确定环数。如需断两次的桥环烃称为二环（bicyclo），断三次的称三环（tricyclo）等等，然后将桥头碳之间的碳原子数（不包括桥头碳）由多到少顺序列在方括弧内，数字之间在右下角用圆点隔开，最后写上包括桥头碳在内的桥环烃碳原子总数的烷烃的名称。如桥环烃上有取代基，则列在整个名称的前面，桥环烃的编号是从第一个桥头碳开始，从最长的桥编到第二个桥头碳，再沿次长的桥回到第一个桥头碳，再按桥渐短的次序将其余的桥编号，如编号可以选择，则使取代基的位号尽可能最小：

二环[1.1.0]丁烷　　　二环[3.2.1]辛烷　　　2,7,7-三甲基二环[2.2.1]庚烷　　　三环[2.2.1.0^{2,6}]庚烷
bicyclo[1.1.0]butane　bicyclo[3.2.1]octane　2,7,7-trimethylbicyclo[2.2.1]　tricyclo[2.2.1.0^{2,6}]heptane
　　　　　　　　　　　　　　　　　　　heptane

如上式三环烃中，在 2,6 位中间无碳原子，因此用零表示，在零的右上角标明位号，位号中间用逗号隔开。

　　对于一些结构复杂的桥环烃化合物，常用俗名。

立方烷　　　　　　　金刚烷
cubane　　　　　　　adamantane

2.4.4　螺环烷烃的命名

螺环烷烃(spirocyclic hydrocarbon)是指单环之间共用一个碳原子的多环烷烃,共用的碳原子称为螺原子(spiro atom)。螺环的编号是从与端螺原子相连的小环上的碳开始顺序编号,由第一个环顺序编到第二个环,命名时先写词头螺,再在方括弧内按编号顺序写出除螺原子外的环碳原子数,数字之间用圆点隔开,最后写出包括螺原子在内的碳原子数的烷烃名称,如有取代基,在编号时应使取代基位号最小,取代基位号及名称列在整个名称的最前面:

螺[4.5]癸烷　　　　　　　螺[5.5]十一烷　　　　　　4−甲基螺[2.4]庚烷
spiro[4.5]decane　　　　　spiro[5.5]undecane　　　4−methylspiro[2.4]heptane

螺[5.5]十一烷分子对称,可合并命名,称为螺[二环己烷](spirobicyclohexane)。

习题 2−11　用中英文命名下列化合物:

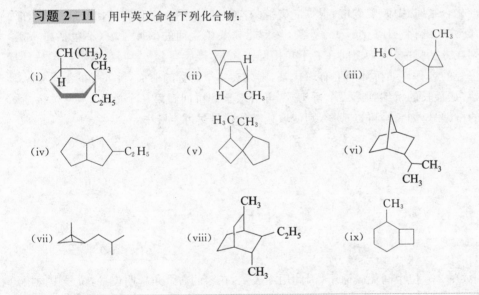

2.5　烯烃和炔烃的命名

2.5.1　烯基、亚基和炔基的命名

1. 烯基

烯烃去掉一个氢原子,称为某烯基(−enyl)。烯基的编号从带有自由价(free valence)的碳原

子开始,烯基的英文名称用词尾"enyl"代替基的词尾"yl"。下面是四种烯基的普通命名法和IUPAC命名法。

$$CH_2{=}CH{-} \qquad CH_3CH{=}CH{-} \qquad CH_2{=}CHCH_2{-} \qquad CH_2{=}\overset{\overset{\displaystyle CH_3}{|}}{C}{-}$$

普通命名法:

乙烯基	丙烯基	烯丙基	异丙烯基
vinyl	propenyl	allyl	isopropenyl

IUPAC命名法:

乙烯基	1-丙烯基	2-丙烯基	1-甲基乙烯基
ethenyl	1-propenyl	2-propenyl	1-methylethenyl

2. 亚基

有两个自由价的基称为亚基(—ylidene 或—ylene)。有两种类型。$R_2C{=}$型亚基英文命名用词尾"ylidene"代替基的词尾"yl"。例如:

$$H_2C{=} \qquad CH_3CH{=} \qquad (CH_3)_2C{=}$$

亚甲基	亚乙基	亚异丙基
methylidene	ethylidene	isopropylidene

$-(CH_2)_n-(n{=}1,2,3,\cdots)$型亚基英文用词尾"ylene"代替基的词尾"yl"。中文命名要在名称前标上两个自由价原子的相对位置。例如:

$$-CH_2- \qquad -CH_2CH_2- \qquad -CH_2CH_2CH_2-$$

亚甲基	1,2-亚乙基	1,3-亚丙基
methylene	ethylene	trimethylene

以上两种亚基的名称在普通命名法和IUPAC命名法中均适用。

3. 炔基

炔烃去掉一个氢原子即得炔基,词尾用 ynyl 代替相应烷基的词尾 yl,如

$$HC{\equiv}C{-} \qquad H_3CC{\equiv}C{-} \qquad HC{\equiv}CCH_2{-}$$

系统命名法

乙炔基	1-丙炔基	2-丙炔基
ethynyl	1-propynyl	2-propynyl

普通命名法

	丙炔基	炔丙基

2.5.2 烯烃和炔烃的系统命名

1. 单烯烃和单炔烃的系统命名

单烯烃的系统命名可按下列步骤进行:

(1) 先找出含双键的最长碳链,把它作为主链,并按主链中所含碳原子数把该化合物命名为某烯。如主链含有四个碳原子,即叫做丁烯。十个碳以上用汉字数字,再加上碳字,如十二碳烯。

(2) 从主链靠近双键的一端开始,依次将主链的碳原子编号,使双键的碳原子编号较小。

(3) 把双键碳原子的最小编号写在烯的名称的前面。取代基所在碳原子的编号写在取代基之前,取代基也写在某烯之前。

(4) 若分子中两个双键碳原子均与不同的基团相连，这时会产生两个立体异构体，可以采用 $Z-E$ 构型来标示这两个立体异构体。即按顺序规则，两个双键碳原子上的两个顺序在前的原子（或基团）同在双键一侧的为 Z 构型(Z configuration)（德文，Zusammen，在一起的意思），在两侧的为 E 构型(E configuration)（德文，Entgegen，相反的意思）。

$Z-2-$丁烯 　　　　　　　$E-2-$丁烯

在采用 $Z-E$ 标示双键构型以前，曾采用顺、反来标示双键的构型，规定连在两个双键碳原子上的相同或相似的基团处于双键同侧称为顺，处在双键异侧称为反。由于该法在判断相似基团时会出现一些混淆，现在大都采用 $Z-E$ 构型标示。

(5) 按名称格式写出全名。英文命名时将某烷的词尾 ane 改为 ene，即为某烯的名称。

分析两个实例：

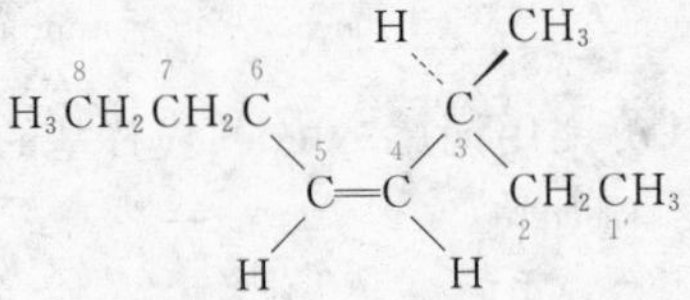

分子中只有一个官能团：碳碳双键。选含碳碳双键的最长链为主链。由于双键处于链的中间，因此无论从左向右编号还是从右向左编号，双键的位置号均为 4。在无法根据官能团的位置号来确定编号方向时，应让取代基的位号尽可能小，所以采用自右向左的编号方式。本化合物的 C-3 是手性碳，其构型为 S，分子中的碳碳双键为 Z 构型。因此本化合物的中文名称是($3S,4Z$)-3-甲基-4-辛烯。英文名称是($3S,4Z$)-3-methyl-4-octene。ene 是烯烃名称的词尾。

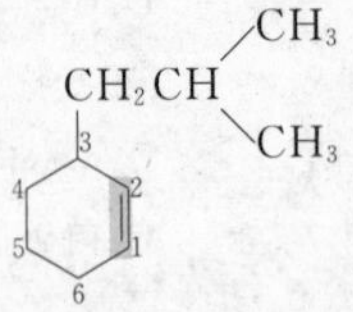

该化合物的双键在环中，所以母体是环己烯。编号时，首先要使官能团的位号尽可能小，所以环中，主官能团的位号为 1。其次，要使取代基的位置号也尽可能小，因此，本题按逆时针方向编号。分子中的 C-3 为手性碳，但因结构式中未明确标明构型，所以命名时不涉及。本化合物的中文名称是 3-(2-甲基丙基)环己烯或 3-异丁基环己烯。其英文名称为 3-(2-methylpropyl) cyclohexene 或 3-isobutyl cyclohexene。

下面再看几个命名的实例：

$CH_3CH_2CH=CH_2$ $CH_3CH=CHCH_3$

1-丁烯   2-丁烯   3,3-二甲基-1-戊烯   3-(二级丁基)环戊烯

1-butene   2-butene   3,3-dimethyl-1-pentene   3-(sec-butyl)cyclopentene

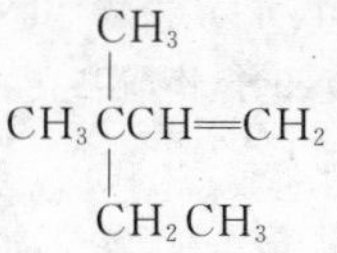

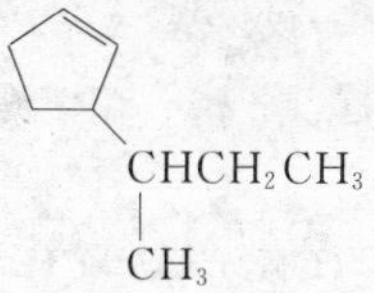

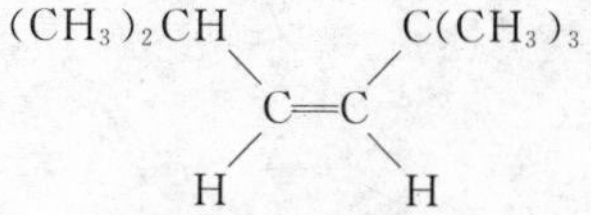

(Z)-或顺-2,2,5-三甲基-3-己烯   (5R,2E)-5-甲基-3-丙基-2-庚烯   (Z)-或反-1,2-二氯-1-溴乙烯

(Z)-或 cis-2,2,5-trimethyl-3-hexene   (5R,2E)-5-methyl-3-propyl-2-heptene   (Z)-或 trans-1-bromo-1,2-dichloroethylene

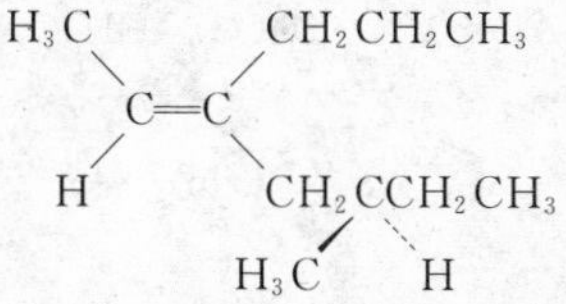

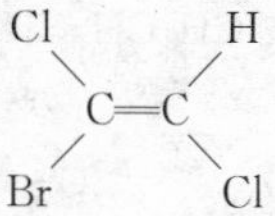

从上面的命名中可以看到,顺、反与 $Z-E$ 在命名时并不完全一致,即顺型不一定是 Z 构型,反型也不一定是 E 构型。

单炔烃的系统命名方法与单烯烃相同,但不存在确定 $Z-E$ 构型的问题。炔的英文名称是将相应烷烃中的词尾 ane 改为 yne。

$CH\equiv CH$ $CH_3CH_2C\equiv CCH_3$ $CH_3CHCHCH_2C\equiv CCH_3$

乙炔   2-戊炔   5-甲基-6-氯-2-庚炔

ethyne   2-pentyne   6-chloro-5-methyl-2-heptyne

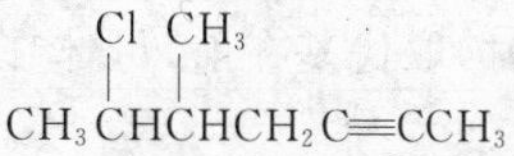

习题 2-12 用 IUPAC 命名下列化合物(用中英文)。

(i) 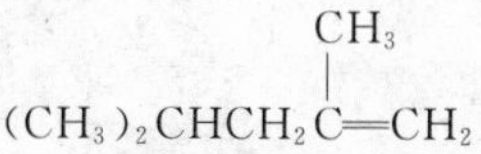 $(CH_3)_2CHCH_2C=CH_2$

(ii)

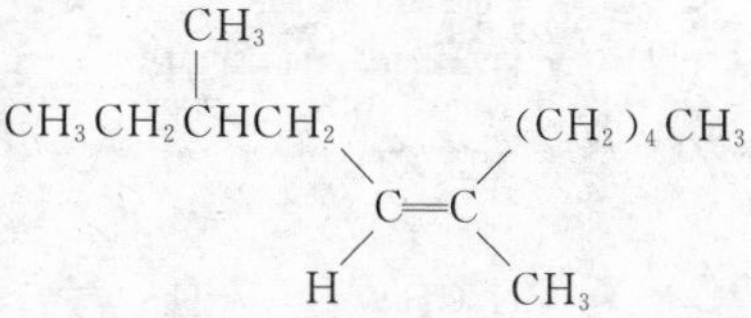

(iii)

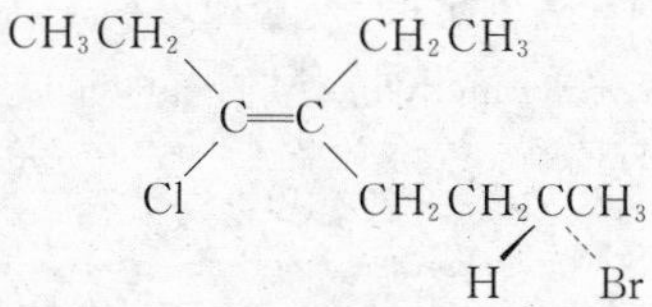

(iv)

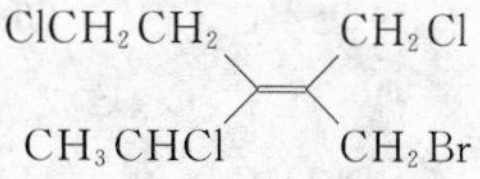

(v) $CH_2=CHCH_2I$

(vi)

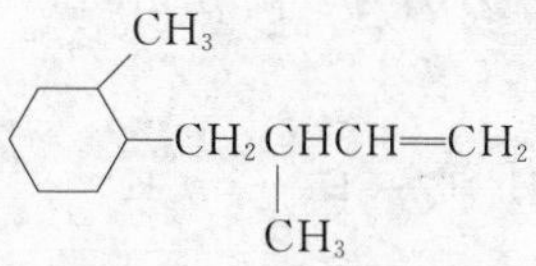

习题 2-13 写出下列化合物或基的构造式:

(i) (E)-2-氯-3-碘-2-丁烯   (ii) 4-甲基-4-氯-2-己烯

(iii) 亚甲基环戊烷   (iv) 异丁烯基

(v) 2-戊烯基　　　　　　　　　　　　(vi) 2-戊基-3-丁烯基

习题 2-14　用中英文命名下列化合物或基：

(i)　$(CH_3)_3CC\equiv CH$

(ii)　
$$
\begin{array}{ccc}
Cl & CH_3\,Br & H \\
| & | & | \\
CH_3C & -C\equiv C- & CCH_2CH_3
\end{array}
$$

(iii)　
$$
\begin{array}{c}
CH_3 \\
C_2H_5 \diagdown \\
H \diagup C-C\equiv C-CH_2CH_3
\end{array}
$$

(iv)　
$$
\begin{array}{c}
H \quad CH_3 \\
(CH_3)_2CHCH_2C\equiv C-C-CH_2CH_3
\end{array}
$$

(v)　$CH_3CH_2CH_2CH_2C\equiv CH$

(vi)　$CH_3C\equiv CCH_2CH_2-$

(vii)　
$$
\begin{array}{c}
Cl \\
Br \diagdown \\
H_3C \diagup C-C\equiv C-CH_2CH_2-
\end{array}
$$

(viii)　
$$\bigcirc\!-C\equiv C-\!\bigcirc$$

---

2. 多烯烃或多炔烃的系统命名

多烯烃的系统命名按下列步骤进行。

（1）取含双键最多的最长碳链作为主链，称为某几烯，这是该化合物的母体名称。主链碳原子的编号，从离双键较近的一端开始，双键的位置由小到大排列，写在母体名称前，并用一短线相连。

（2）取代基的位置由与它连接的主链上的碳原子的位次确定，写在取代基的名称前，用一短线与取代基的名称相连。

（3）写名称时，取代基在前，母体在后，如果是顺、反异构体，则要在整个名称前标明双键的 Z-E 构型。

二烯烃的英文名称以 adiene 为词尾，代替相应烷烃的词尾 ane。

例如：

$CH_2=C=CHCH_3$ 　　　　1,2-丁二烯（1,2-butadiene）

$CH_2=CH-CH=CH_2$ 　　　1,3-丁二烯（1,3-butadiene）

$$
\begin{array}{c}
CH_2=C-CH=CH_2 \\
| \\
CH_3
\end{array}
$$
2-甲基-1,3-丁二烯（2-methyl-1,3-butadiene）

$$
\begin{array}{c}
\overset{7}{CH_3}\overset{6}{CH_2} \qquad\qquad H \\
\underset{5}{C}=\underset{4}{C} \qquad CH_3 \\
E \qquad\quad | \\
H \qquad\quad \underset{3}{C}=\underset{2}{C}\ \overset{1}{\ } \\
H_3C \quad Z \quad H
\end{array}
$$
(2Z,4E)-3-甲基-2,4-庚二烯
[(2Z,4E)-3-methyl-2,4-heptadiene]

多炔烃的系统命名方法与多烯烃相同。二炔烃的英文名称以 adiyne 为词尾，代替相应烷烃的词尾 ane。

$$
\begin{array}{c}
CH\equiv C-CH-C\equiv CH \\
| \\
CH_3
\end{array}
$$
3-甲基-1,4-戊二炔
(3-methyl-1,4-pentadiyne)

3. 烯炔的系统命名

若分子中同时含有双键与三键，可用烯炔作词尾，英文名称用 enyne 代替烷中的 ane，给双

键、三键以尽可能低的编号,如果位号有选择时,使双键位号比三键小,书写时先烯后炔:

$$CH_3CH{=}CHC{\equiv}CH \qquad HC{\equiv}CCH_2CH{=}CH_2$$

(结构图)

3-戊烯-1-炔	1-戊烯-4-炔	(S)-7-甲基环辛烯-3-炔
3-penten-1-yne	1-penten-4-yne	(S)-7-methylcycloocten-3-yne

一烯一炔(enyne)、二烯一炔(dienyne)、三烯一炔(trienyne)、一烯二炔(enediyne)、二烯(diene)、二炔(diyne)的英文名称则用括号中的词尾代替相应烷烃中的 ane,但烷烃名称很多是由词头与词尾 ane 组合而成,如 buta(四),penta(五),hexa(六),hepta(七),octa(八),nona(九),deca(十)等与 ane 加在一起,就有两个 a 连在一起,故删去一个 a。在下列名称中,nona 的 a 仍保留,其它化合物的命名也类似。

$$CH{\equiv}CCH_2CH{=}CHCH_2CH_2CH{=}CH_2$$

4,8-壬二烯-1-炔

4,8-nonadien-1-yne

习题 2-15 写出分子式符合 C_6H_{10} 的所有共轭二烯烃的同分异构体,及这些同分异构体的中英文系统名称。

习题 2-16 写出下列二烯烃的构造式,它们分别是哪种类型的二烯烃?

(i) 2-甲基-1,4-辛二烯   (ii) (2Z,4Z)-2,4-己二烯

(iii) 1,2-戊二烯   (iv) 3,5-癸二烯

习题 2-17 应用 IUPAC 规则,写出下列化合物的中英文系统名称。

(结构图 (i)(ii)(iii)(iv))

注:根据顺序规则,在同样条件下,基团列出顺序,R 与 S,R 优先;Z 与 E,Z 优先;顺与反,顺优先。

习题 2-18 应用 IUPAC 规则,用中英文命名下列化合物:

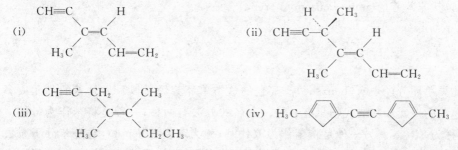

2.5.3　烯烃和炔烃的其它命名法

1. 烯烃的普通命名法

烯烃的普通命名法和烷烃的普通命名法类似，用正、异等词头来区别不同的碳架。该法只适用于简单烯烃。例如：

$$CH_2{=}CH_2 \qquad CH_3CH{=}CH_2 \qquad \underset{CH_3\,\text{—}\,C\,=\,CH_2}{\overset{CH_3}{|}}$$

乙烯　　　　　　　丙烯　　　　　　　异丁烯

ethylene　　　　　propylene　　　　　isobutylene

英文命名时将烷中的词尾 ane 改成 ylene 就可。

2. 烯烃的俗名

某些复杂的天然产物，含有多个共轭双键（conjugated double bond），如胡萝卜素及维生素 A 等，这些化合物一般都用俗名命名。如：

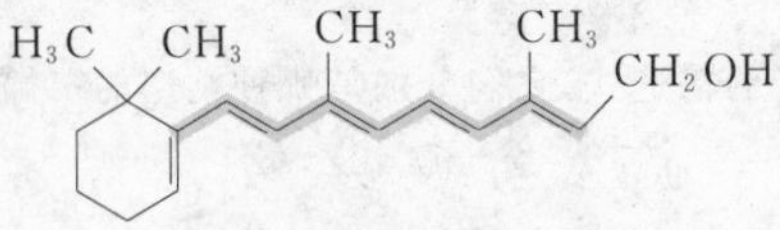

维生素 A

3. 炔烃的衍生物命名

简单的炔烃可作为乙炔（acetylene）的衍生物来命名。例如：

$$HC{\equiv}CH \qquad CH_3CH_2C{\equiv}CH \qquad CH_3C{\equiv}CCH_3$$

乙炔　　　　　　　乙基乙炔　　　　　　二甲基乙炔

acetylene（俗名）　　ethylacetylene　　　dimethylacetylene

2.6　芳香烃的命名

具有芳香性（参见 11.2.1）的烃称为芳香烃（arene）。一般是指分子中含有苯环的化合物。广义的芳烃，应包括非苯芳烃（non-benzenoid arene）。

2.6.1　含苯基的单环芳烃的命名

最简单的此类单环芳烃是苯（benzene）。其它的这类单环芳烃可以看做是苯的一元或多元烃基的取代物。苯的一元烃基取代物只有一种。命名的方法有两种，一种是将苯作为母体，烃基作为取代基，称为××苯。另一种是将苯作为取代基，称为苯基（phenyl），它是苯分子减去一个氢原子后剩下的基团，可简写成 Ph—，苯环以外的部分作为母体，称为苯（基）××。例如：

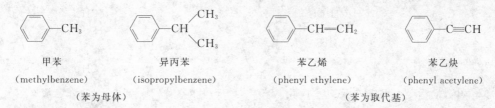

甲苯　　　　　　　异丙苯　　　　　　　苯乙烯　　　　　　　苯乙炔
（methylbenzene）　（isopropylbenzene）　（phenyl ethylene）　（phenyl acetylene）
（苯为母体）　　　　　　　　　　　　　　　（苯为取代基）

　　苯的二元烃基取代物有三种异构体,它们是由于取代基团在苯环上的相对位置的不同而引起的,命名时用邻或 o(ortho)表示两个取代基处于邻位,用间或 m(meta)表示两个取代基团处于中间相隔一个碳原子的两个碳上,用对或 p(para)表示两个取代基团处于对角位置,邻、间、对也可用 1,2−,1,3−,1,4−表示。例如:

邻二甲苯(o−二甲苯)　　间二甲苯(m−二甲苯)　　对二甲苯(p−二甲苯)
1,2−二甲苯　　　　　　　1,3−二甲苯　　　　　　　1,4−二甲苯
o−dimethylbenzene　　　m−dimethylbenzene　　　p−dimethylbenzene

邻甲基乙苯　　　　　　　间甲基丙苯　　　　　　　对甲基异丙苯
o−methylethylbenzene　m−methylpropylbenzene　p−methylisopropylbenzene

若苯环上有三个相同的取代基,常用"连"(英文用"vicinal",简写"vic")为词头,表示三个基团处在 1,2,3 位。用"偏"(英文用"unsymmetrical",简写"unsym")为词头,表示三个基团处在 1,2,4 位。用"均"(英文用"symmetrical",简写"syn")为词头,表示三个基团处在 1,3,5 位。例如:

1,2,3−三甲苯　　　　　　1,2,4−三甲苯　　　　　　1,3,5−三甲苯
（连三甲苯）　　　　　　　（偏三甲苯）　　　　　　　（均三甲苯）

1,2,3−
或 vic } trimethylbenzene　　　1,2,4−
或 unsym } trimethylbenzene　　　1,3,5−
或 sym } trimethylbenzene

当苯环上有两个或多个取代基时,苯环上的编号应符合最低系列原则。而当应用最低系列原则无法确定哪一种编号优先时,与单环烷烃的情况一样,中文命名时应让顺序规则中较小的基团位次尽可能小,英文命名时,应按英文字母顺序,让字母排在前面的基团位次尽可能小。例如:

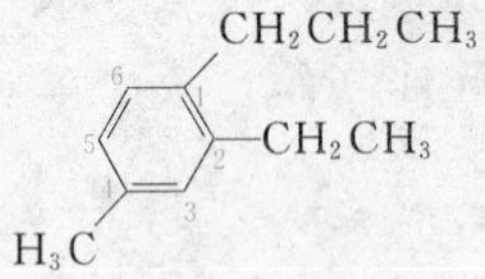

中文名称　4-甲基-2-乙基-1-丙基苯　　　中文名称　1-甲基-3,5-二乙基苯

英文名称　2-ethyl-4-methyl-1-propylbenzene　英文名称　1,3-diethyl-5-methylbenzene

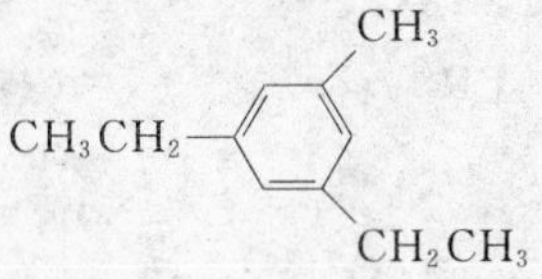

除苯外,下面六个芳香烃的俗名也可作为母体化合物的名称。

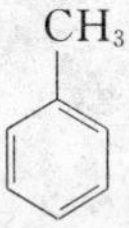

甲苯　　　o-二甲苯　　　　　　　　　　　　莱　　　　　　　　　　　　　　苯乙烯

toluene　　o-xylene 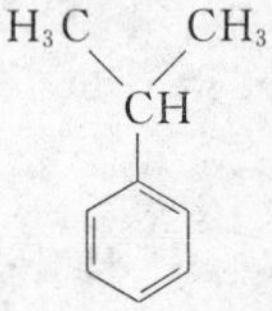　　　枯烯(异丙苯)　　mesitylene　　　　　　　　　　styrene

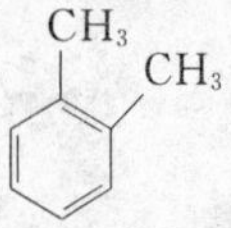

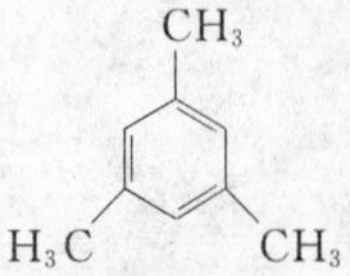

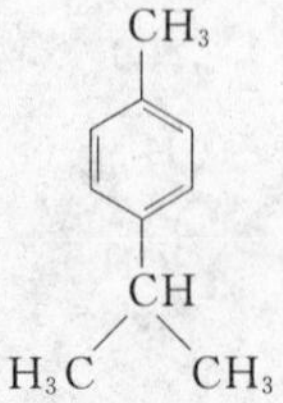

　　　　　　　　　　　　　cumene　　　　　　　　　　　　　　繖花烃

　　　　　　　　　　　　　　　　　　　　　　　　　　　　　　cymene

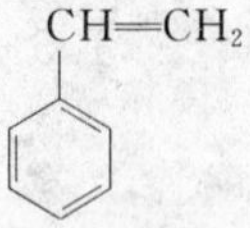

而其它芳烃化合物可看做是它们的衍生物。例如:

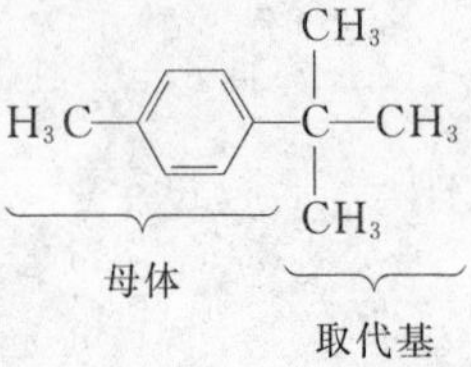

对三级丁基甲苯

p-tert-butyltoluene

母体　　　取代基

2.6.2　多环芳烃的命名

分子中含有多个苯环的烃称为多环芳烃(polycyclic arene)。主要有多苯代脂烃(multi-phenyl alicyclic hydrocarbon)、联苯(biphenyl)和稠合多环芳烃(fused polycyclic arene)。

1. 多苯代脂烃的命名

链烃分子中的氢被两个或多个苯基取代的化合物称为多苯代脂烃。命名时,一般是将苯基作为取代基,链烃作为母体。例如:

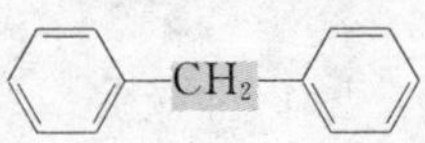

二苯甲烷　　　　　　　三苯甲烷　　　　　　　　1,2-二苯基乙烷

diphenylmethane　　　triphenylmethane　　　　1,2-diphenylethane

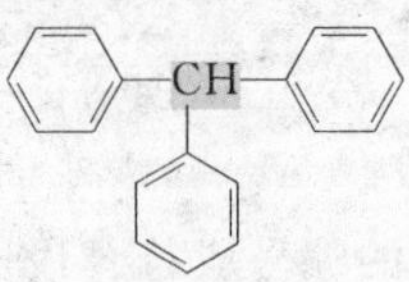

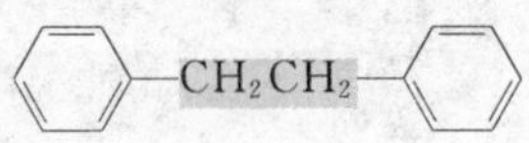

2. 联苯型化合物的命名

两个或多个苯环以单键直接相连的化合物称为联苯型化合物。例如:

二联苯（简称联苯）　　　　　　　　　　三联苯
biphenyl　　　　　　　　　　　　　　p－terphenyl

联苯类化合物的编号总是从苯环和单键的直接连接处开始,第二个苯环上的号码分别加上一撇"'",第三个苯环上的号码分别加上两撇"''",其它依次类推。苯环上如有取代基,编号的方向应使取代基位置尽可能小,命名时以联苯为母体。例如：

3,3'－二甲基联苯　　　　　　　　　4'－甲基－3－乙基联苯
3,3'－dimethylbiphenyl　　　　　　3－ethyl－4'－methylbiphenyl

　　3. 稠环芳烃的命名

　　两个或多个苯环共用两个邻位碳原子的化合物称为稠环芳烃。最简单最重要的稠环芳烃是萘、蒽、菲。

萘　　　　　　　　　　蒽　　　　　　　　　　菲
naphthalene　　　　　anthracene　　　　　phenanthrene

萘、蒽、菲的编号都是固定的,如上所示。

　　萘分子的1,4,5,8位是等同的位置,称为α位,2,3,6,7位也是等同的位置,称为β位。蒽分子的1,4,5,8位等同,也称为α位,2,3,6,7位等同,也称为β位,9,10位等同,称为γ位。菲有五对等同的位置,它们分别是：1,8，2,7，3,6，4,5 和 9,10。取代稠环芳烃的名称格式与有机化合物名称的基本格式一致。例如：

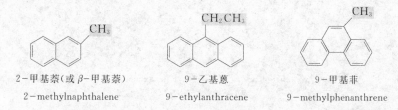

2－甲基萘（或β－甲基萘）　　　9－乙基蒽　　　　　　9－甲基菲
2－methylnaphthalene　　　　9－ethylanthracene　　9－methylphenanthrene

　　IUPAC 有 35 个国际通用的稠环烃可作为命名中的母体,它们的结构、英文名称及固定编号列于表2－5中。

表 2－5　**35 个国际通用的稠环烃**

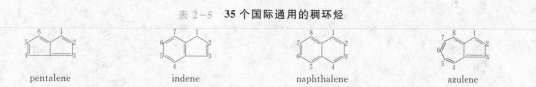

pentalene　　　　　　　indene　　　　　　　naphthalene　　　　　　azulene

续表

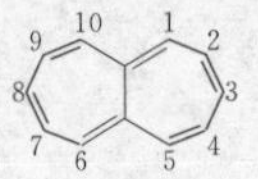

heptalene

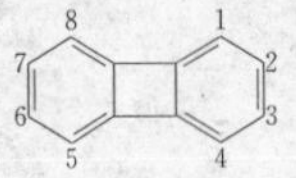

biphenylene

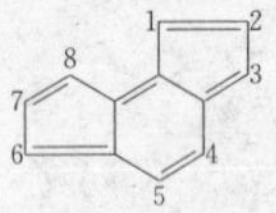

as−indacene

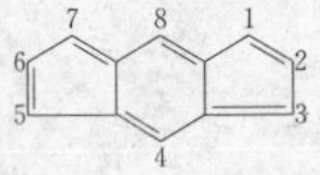

s−indacene

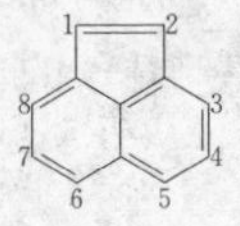

acenaphthylene

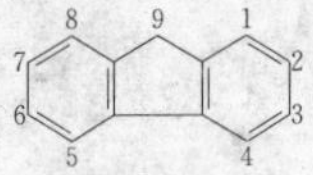

fluorene

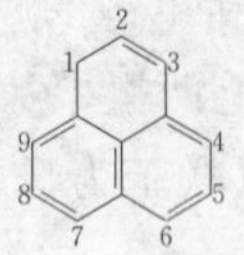

phenalene

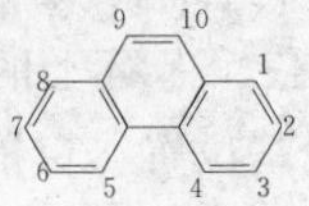

phenanthrene

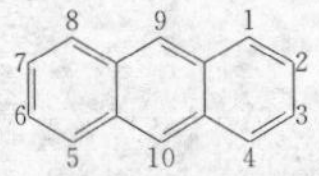

anthracene

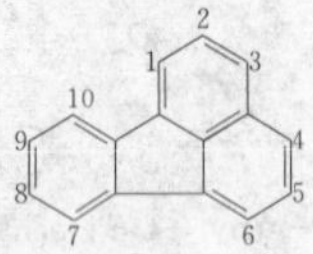

fluoranthene

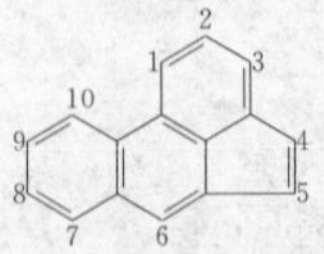

acephenanthrylene

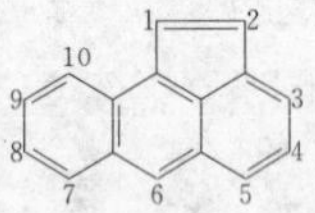

aceanthrylene

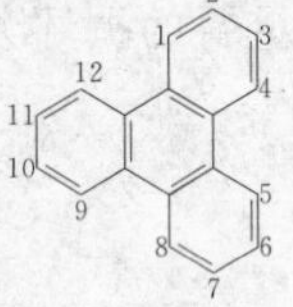

triphenylene

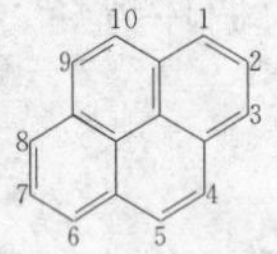

pyrene

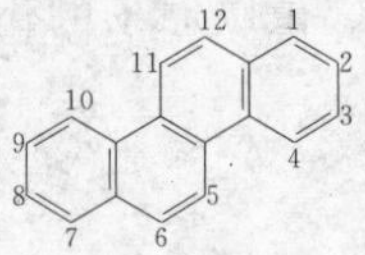

chrysene

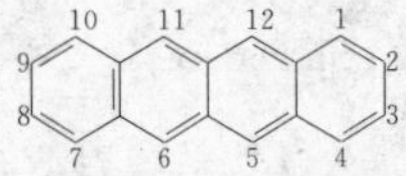

naphthacene(AS)
tetracene(IUPA)

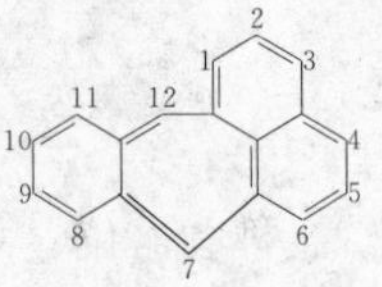

pleiadene

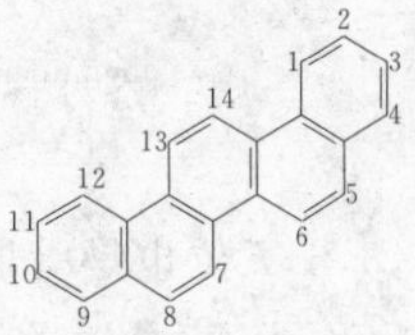

picene

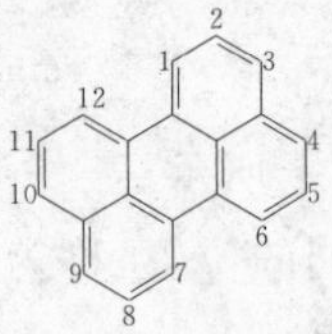

perylene

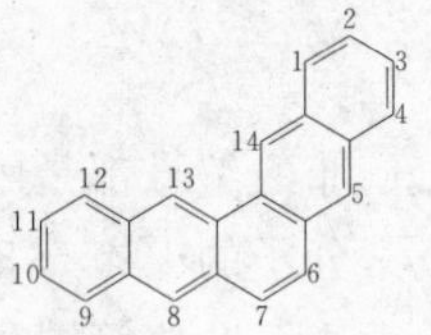

pentaphene

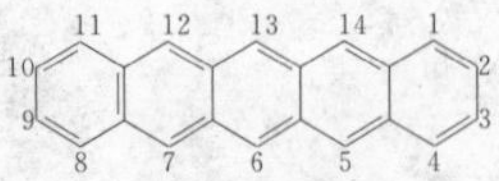

pentacene

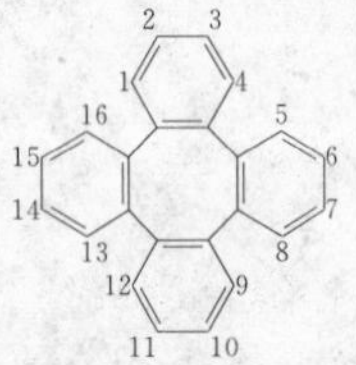

tetraphenylene

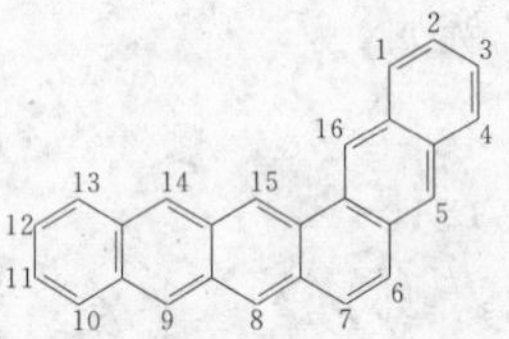

hexaphene

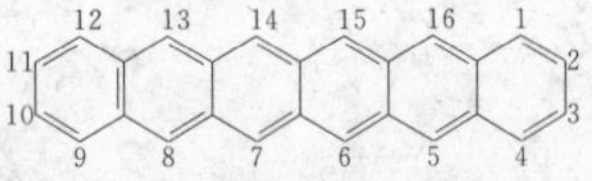

hexacene

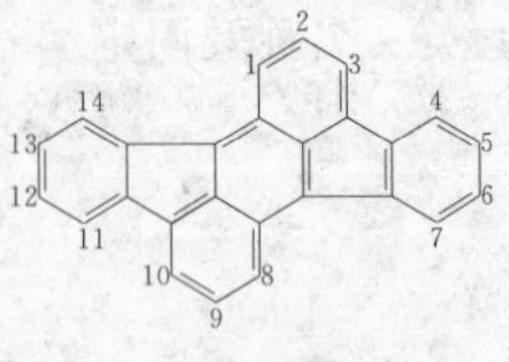

rubicene

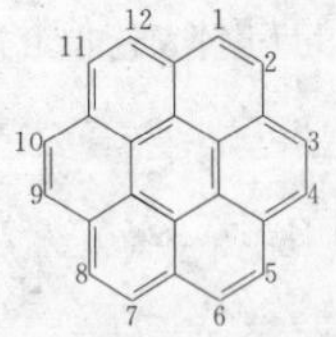

coronene

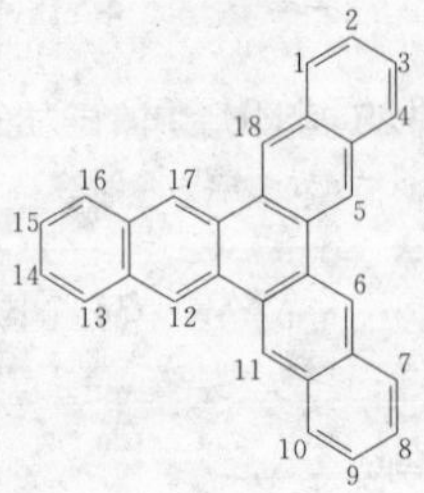

trinaphthylene

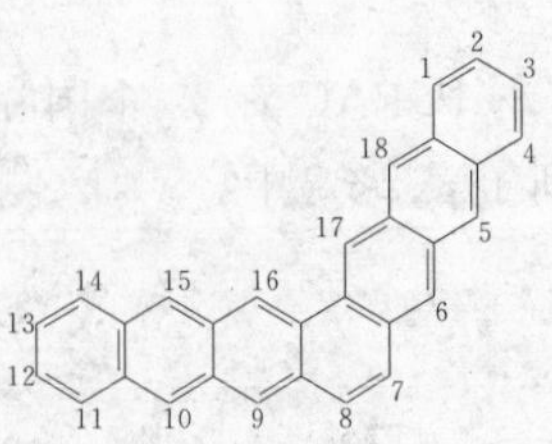

heptaphene

续表

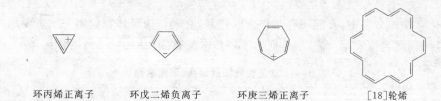

heptacene   pyranthrene   ovalene

2.6.3 非苯芳烃

分子中没有苯环而又具有芳香性的环烃称为非苯芳烃。单环非苯芳烃的结构一般符合 Hückel 规则(参见 11.17)。即它们都是含有 $4n+2$ 个 π 电子的单环平面共轭多烯。例如:

环丙烯正离子   环戊二烯负离子   环庚三烯正离子   [18]轮烯

常见的单环非苯芳烃化合物可按前面讲过的一般原则来命名。轮烯(annulene)是一类单双键交替出现的环状烃类化合物。命名时将成环的碳原子数放在方括号内,括号后面写上轮烯即可。也可以不写括号,用一短线将数字和轮烯相连。例如上面第四个化合物可称为[18]轮烯或 18-轮烯。轮烯也可以根据碳氢的数目来命名。18-轮烯含有十八个碳,九个双键,所以也可以称为环十八碳九烯。

习题 2-19 写出下列化合物的中英文名称。

(i) ⬡—CH₂CH₂CH₃

(ii) CH₃—⬡—CH(CH₃)—C(CH₃)=CH(H)

(iii) H₃C—⬡—C(CH₃)₃

(iv) 邻-甲基-(CH₂CH(CH₃)₂)苯

(v) ⬡ CH₃ / (CH₃)₂CH / CH₂CH₃

(vi) CH≡C—⬡(CH₃)—CH=CH₂

习题 2-20 写出下列化合物的构造式和中文名称。

(i) 1-phenylhexane

(ii) 4-isopropyl-o-xylene

(iii) 2-tertbutylmesitylene

(iv) 3-ethyl-4-benzylheptane

(v) 2,3-diethyl-1-*p*-methylphenyl-1-octene 　　　(vi) 3-phenyl-1-butyne

习题 2-21　写出下列化合物的构造式。

(i) 对乙基三级丁苯 　　　　　　　　　　　(ii) 间甲苯乙炔

(iii) 4-邻乙烯基苯-2-己烯 　　　　　　　　(iv) 3-甲基-5-对异丙基苯基-1-戊烯

2.7　烃衍生物的系统命名

烃分子中的氢被官能团取代后的化合物称为烃的衍生物。下面介绍烃衍生物的系统命名。

2.7.1　常见官能团的词头、词尾名称

在有机化合物的命名中,官能团有时作为取代基,有时作为母体官能团。前者要用词头名称表示,后者要用词尾名称表示。表 2-6 列出了一些常见官能团的词头、词尾名称。

表 2-6　常见官能团的词头、词尾名称

基　　团	词头名称		词尾名称	
	中　文	英　文	中　文	英　文
—COOH	羧基	carboxy	酸	—carboxylic acid（或—oicacid）
—SO$_3$H	磺酸基	sulfo	磺酸	—sulfonic acid
—COOR	烃氧羰基	R-oxycarbonyl	酯	R…carboxylate（或 R…oate）
—COX	卤甲酰基	halo carbonyl	酰卤	—carbonyl halide（或—oyl halide）
—CONH$_2$	氨基甲酰基	carbamoyl	酰胺	—carboxamide（或—amide）
$\overset{O}{\overset{\|}{-C}}-O-\overset{O}{\overset{\|}{C}}-$			酸酐	—anhydride
—CN	氰基	cyano	腈	—carbonitrile（或—nitrile）
—CHO	甲酰基	formyl	醛	—carbaldehyde（或—al）
	氧代	oxo(不包括碳)		
$\diagdown$C=O $\diagup$	氧代	oxo(不包括碳)	酮	—one
—OH	羟基	hydroxy	醇	—ol
—OH	羟基	hydroxy	酚	—ol
—NH$_2$	氨基	amino	胺	—amine
—OR	烃氧基	R-oxy	醚	—ether
—R	烃基	alkyl		
—X(X=F,Cl,Br,I)	卤代	halo(fluoro,chloro,bromo,iodo)		
—NO$_2$	硝基	nitro		
—NO	亚硝基	nitroso		

2.7.2 单官能团化合物的系统命名

只含有一个官能团的化合物称为单官能团化合物。单官能团化合物的系统命名有两种情况。一种情况是将官能团作为取代基,仍以烷烃为母体,按烷烃的命名原则来命名。当官能团是卤素(halogen)、硝基(nitro)、亚硝基(nitroso)时,采用这种方法来命名。例如:

$$H_3C \quad H$$
$$Br{-}CH_2CH_2CCH_2CH_3$$

(S)-3-甲基-1-溴戊烷

(S)-1-bromo-3-methylpentane

$$Br \quad H \; H_3C \qquad H$$
$$CH_3CH_2C{-}CH_2{-}CCH_2CH_3$$

(3S,5R)-3-甲基-5-溴庚烷

(3R,5S)-3-bromo-5-methylheptane

NO₂

CH₃

(1S,3R)-1-甲基-3-硝基环己烷

(1S,3R)-1-methyl-3-nitrocyclohexane

ON——CH₂Cl

反-1-氯甲基-4-亚硝基环己烷

trans-1-chloromethyl-4-nitrosocyclohexane

若官能团是醚键,也可以采用这种方式来命名:取较长的烃基作为母体,把余下的碳数较少的烷氧(RO—)作取代基,如有不饱和烃基存在时,选不饱和程度较大的烃基作为母体;例如

$(CH_3)_2CHOCH_2CH_2CH_3$ $\qquad CH_3OCH_2CH_2OCH_3$

1-(1-甲乙氧基)丙烷 $\qquad\qquad$ 1,2-二甲氧基乙烷 $\qquad$ 环戊氧基苯

1-(1-methylethoxy)propane $\quad$ 1,2-dimethoxyethane $\quad$ cyclopentyloxybenzene

烷氧基的英文名称在相应烷基名称后面加词尾"氧基"即"oxy",低于5个碳的烷氧基的英文名称将烷基中英文词尾"yl"省略。

另一种情况是将含官能团的最长链作为母体化合物的主链,根据主链的碳原子数称为某 A(A=醇、醛、酮、酸、酰卤、酰胺、腈等)。从靠近官能团的一端开始,依次给主链碳原子编号。在写出全名时,把官能团所在的碳原子的号数写在某之前,并在某 A 与数字之间画一短线,支链的位置和名称写在某 A 的前面,并分别用短线隔开。英文命名是用各类化合物的特征词尾代替烷烃词尾 ane 中的 e。胺的英文名称为相应基的名称加上 amine。醚的英文名称为相应基的名称加上 ether。各类化合物的特征词尾见表 2-7。

表 2-7　各类化合物英文名称词尾变化

丙烷	propane	丙酰氯	propanoyl chloride
丙醇	propanol	丙酸酐	propanoic anhydride
丙醛	propanal	丙酰胺	propanamide
丙酮	propanone	丙酸酯	propanate
丙腈	propanonitrile	丙胺	propylamine
丙酸	propanoic acid	丙醚	dipropyl ether

分析一个实例：

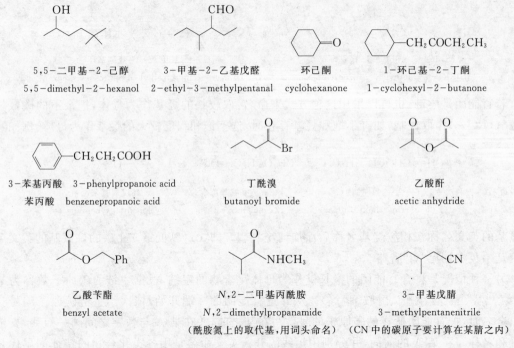

该化合物的分子中只有一个官能团：酮羰基。所以选含羰基的最长链为主链。主链编号时，要让羰基的位置号尽可能小，所以从右向左编。C-4 为手性碳，按顺序规则确定其构型为 R。最后按有机化合物名称的基本格式："(构型)-取代基的位置号-取代基名称-官能团的位置号-母体名称"写出全名。该化合物的中文名称是(4R)-4-甲基-2-己酮。英文名称是(4R)-4-methyl-2-hexanone。hexanone 中的 one 是酮的特征词尾。

下面再列出若干官能团化合物的命名实例。

5,5-二甲基-2-己醇
5,5-dimethyl-2-hexanol

3-甲基-2-乙基戊醛
2-ethyl-3-methylpentanal

环己酮
cyclohexanone

1-环己基-2-丁酮
1-cyclohexyl-2-butanone

3-苯基丙酸 3-phenylpropanoic acid
苯丙酸 benzenepropanoic acid

丁酰溴
butanoyl bromide

乙酸酐
acetic anhydride

乙酸苄酯
benzyl acetate

N,2-二甲基丙酰胺
N,2-dimethylpropanamide

3-甲基戊腈
3-methylpentanenitrile

(酰胺氮上的取代基，用词头命名)　(CN 中的碳原子要计算在某腈之内)

当一个环与一个带末端官能团的链相连，而此链中又无杂原子和重键时，在 IUPAC 系统命名中可用连接命名法，即将两者的名称连接起来为此化合物的名称。如下面的环己甲醇是把 cyclohexane 与 methanol 连接起来，作为它的英文名称。又如环己烷羧酸是将 cyclohexane 和 carboxylic acid 连接起来作为英文名称。

环己甲醇
cyclohexanemethanol

环己烷羧酸
cyclohexanecarboxylic acid

酸酐可以看做两分子羧酸失去一分子水后的生成物，两分子羧酸是相同的，为单酐，命名时在羧酸名称后加"酐"字，并把羧酸的"酸"字去掉；如两分子羧酸是不同的，为混酐，命名时把简单的酸放在前面，复杂的酸放在后面，再加"酐"字并把"酸"字去掉；二元酸分子内失水形成环状酸酐,命名时在二元酸的名称后加"酐"字。

酸酐的英文名称是在羧酸的基本名称(去掉 acid)后面隔开加 anhydride,混酐中羧酸名称按英文字母顺序先后列出。

例如：

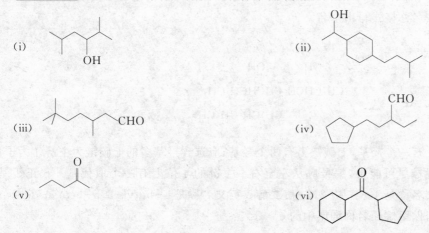

乙酸酐	乙丙酐	丁二酸酐
acetic anhydride	acetic propanoic anhydride	butanedioic anhydride

酯可看做羧酸的羧基氢原子被烃基取代的产物,命名时把羧酸名称放在前面,烃基名称放在后面,再加一个"酯"字。分子内的羟基和羧基失水,形成内酯(lactone),用"内酯"两字代替"酸"字,并标明羟基的位次。酯的英文名称是将羧酸的词尾"ic acid"改为"ate",然后将烃基名称放在它前面,并隔开。内酯的 IUPAC 命名是将碳数相同的烷烃名称去掉字尾"e",加上"olide"。

例如：

乙酸苯甲酯	3-甲基-4-丁内酯
benzyl acetate	3-methyl-4-butanolide

但须注意,羧酸盐与酯的英文名称类似,只要把金属元素的名称,写在羧酸的名称前面,即为有机盐的名称。例如：

$$CH_3COO^- Na^+$$

乙酸钠
sodium acetate

习题 2-22 用 IUPAC 命名法命名下列化合物(用中英文)。

(i)

(ii)

(iii)

(iv)

(v)

(vi)

（vii）

（viii）

（ix）

（x）

（xi）

（xii）

（xiii）

（xiv）

习题 2-23 写出下列化合物的键线式和英文名称。

（i）3-甲基-3-戊醇

（ii）2,2-二甲基-3-异丙基己醛

（iii）2-甲基-3-辛酮

（iv）环丙基甲酸

（v）2,3-二乙基戊酸

（vi）乙酸环己酯

（vii）三乙胺

（viii）丁酰溴

（ix）甲丁酐

（x）N,2-二甲基戊酰胺

2.7.3 含多个相同官能团化合物的系统命名

分子中含有两个或多个相同官能团时，命名应选官能团最多的长链为主链，然后根据主链的碳原子数称为某 n 醇（或某 n 醛、某 n 酮、某 n 酸等），n 是主链上官能团的数目，用中文数字表达。例如七碳链的二元醇称为庚二醇。英文命名时，用 di 表示二，tri 表示三，di、tri 插在特征词尾前。例如二醇（-diol）、三醇（-triol）、二醛（-dial）、二酮（-dione）、三酮（-trione）、二酸（-dioic acid）、二酰（-dioyl）、二酰胺（diamide）、二腈（dinitrile）等。编号时要使主链上所有官能团的位置号尽可能小。最后按名称格式写出全名。

分析两个例子：

$$
\begin{array}{c}
\overset{\text{OH}}{|}\quad\overset{\text{OH}}{|} \\
\underset{1\ \ 2\ \ \ 3}{\text{CH}_3\text{CHCH}_2}\ \underset{4}{\text{CH}}\underset{5\ 6\ \ \ 7}{\text{CHCH}_2\text{CH}_3} \\
\underset{5\quad 6\quad 7\quad 8}{\text{CH}_2\text{CH}_2\text{CH}_2\text{CH}_3}
\end{array}
$$

该化合物的八碳链上有一个羟基，七碳链上有两个羟基，应选含羟基多的七碳链为主链。为了使主链上官能团的位置号尽可能小，编号应从左至右。主链的 4 位上有一个取代基——正丁基。所以该化合物的中文名称是 4-丁基-2,5-庚二醇。英文名称是 4-butyl-2,5-heptanediol。命名时，为了便于发音，保留烷烃名称词尾中的 e。

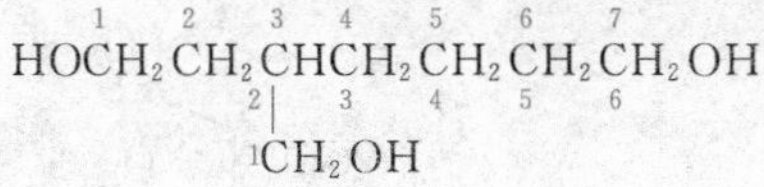

$$\overset{1}{HOCH_2}\overset{2}{CH_2}\overset{3}{CH}\overset{4}{CH}\overset{5}{CH_2}\overset{6}{CH_2}\overset{7}{CH_2OH}$$

$$\underset{\overset{|}{CH_2OH}}{\overset{2\ 3\ 4\ 5\ 6}{}}$$

该化合物中的七碳链和六碳链均有两个羟基,所以应选长的七碳链为主链。由于从左至右和从右至左两种编号中,主官能团的位置号相同,所以要让取代基——羟甲基(hydroxymethyl)位置号尽可能小。本化合物的中文名称是 3-羟甲基-1,7-庚二醇。英文名称是 3-hydroxymethyl-1,7-heptanediol。

下面再举几个实例:

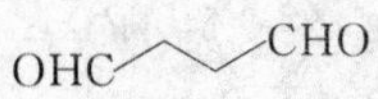

丁二醛

butanedial

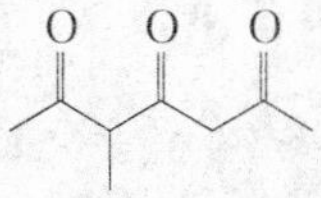

3-甲基-2,4,6-庚三酮

3-methyl-2,4,6-heptanetrione

戊二酸

pentanedioic acid

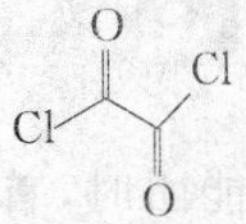

乙二酰二氯

ethanedioyl dichloride

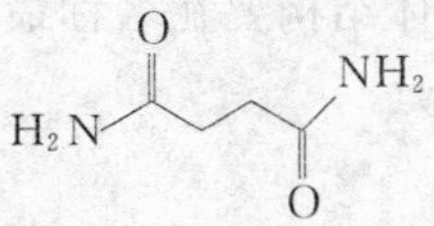

丁二酰胺

butanediamide

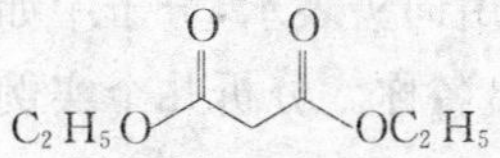

丙二酸二乙酯

diethyl propanedioate

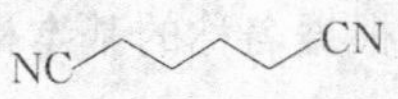

己二腈

hexanedinitrile

如果羧基直接连在脂环和芳环上,或一个碳链上有三个以上的羧基,也可以在烃的名称后直接加上羧酸(carboxylic acid)、二羧酸(dicarboxylic acid)、三羧酸(tricarboxylic acid)。醛有时也这样命名。例如:

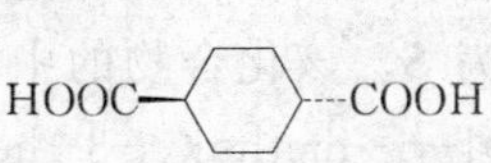

反环己烷-1,4-二羧酸

trans-1,4-cyclohexanedicarboxylic acid

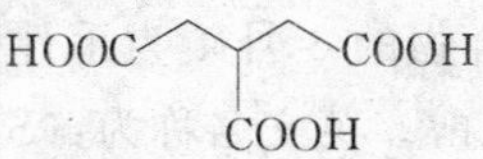

丙烷-1,2,3-三羧酸

propane-1,2,3-tricarboxylic acid

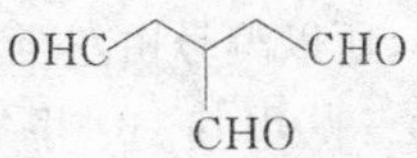

丙烷-1,2,3-三醛

propane-1,2,3-tricarboxaldehyde

习题 2-24 用 IUPAC 命名法命名下列化合物(中英文)。

(i)

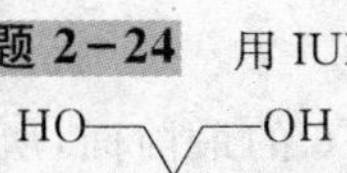

(ii)

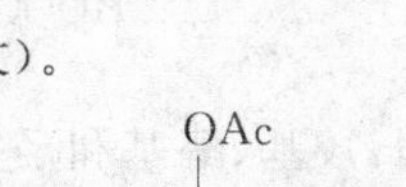

(iii)

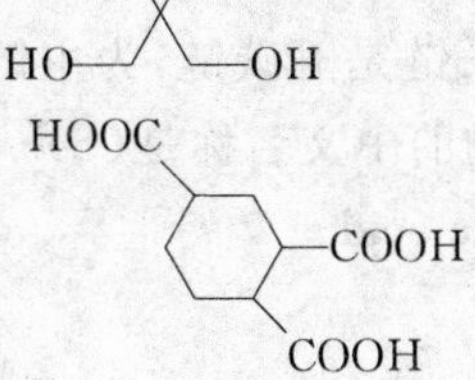

(iv)

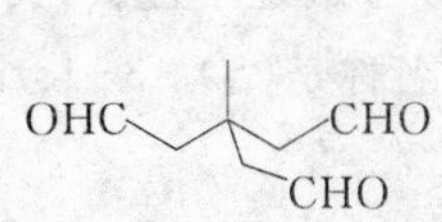

(v)

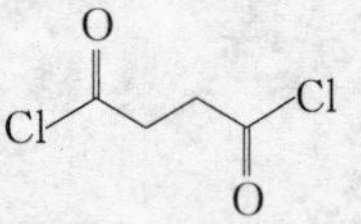

(vi)

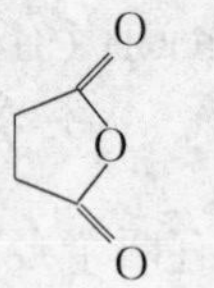

(vii)

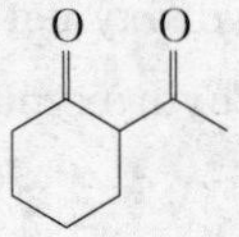

(viii)

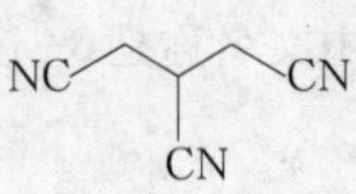

(ix)

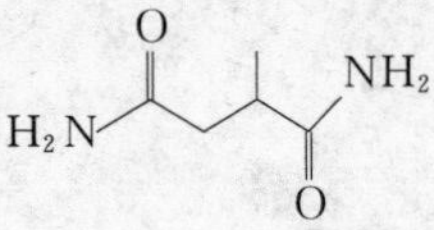

(x)

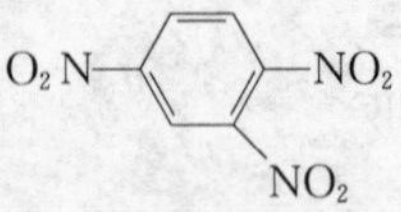

2.7.4 含多种官能团化合物的系统命名

   当分子中含有多种官能团时,首先要确定一个主官能团,确定主官能团的方法是查看表 2-6,表中排在前面的官能团总是主官能团。然后,选含有主官能团及尽可能含较多官能团的最长碳链为主链。主链编号的原则是要让主官能团的位次尽可能小。命名时,根据主官能团确定母体的名称,其它官能团作为取代基用词头表示,分子中如涉及立体结构要在名称最前面表明其构型。然后根据名称的基本格式写出名称。分析几个实例:

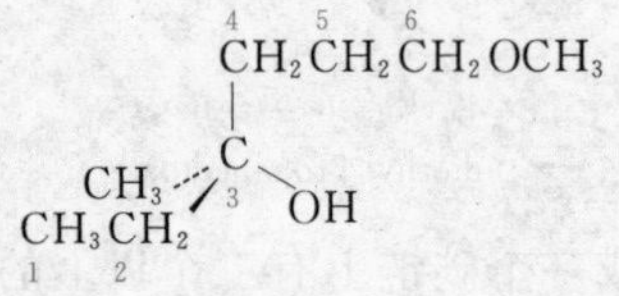

上述分子中含有羟基和醚基两种官能团。在表 2-6 中,羟基排在醚基的前面,所以羟基是主官能团,应选含羟基的最长链为主链。该主链有两个编号的方向,从左向右编,与羟基相连的碳位号较小,所以编号由左至右。该化合物的 3 号碳为手性碳,其构型为 S。该化合物的中文名称为:(S)-3-甲基-6-甲氧基-3-己醇。英文名称为:(S)-3-methyl-6-methoxy-3-hexanol。

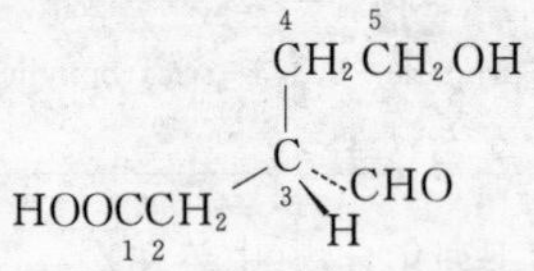

上述分子中有三个官能团:羧基、醛基和羟基。羧基(—COOH)排在表 2-6 的最前面,所以羧基是主官能团,羟基(—OH)、醛基(CHO)为取代基。含有羧基的最长链是五碳链,为主链。羧基的编号为 1。主链中的 3 号碳是手性碳,其构型是 S。所以本化合物的中文名称是(S)-3-甲酰基-5-羟基戊酸。英文名称是(S)-3-formyl-5-hydroxypentanoic acid。

$$CH_3CH_2\overset{\overset{\displaystyle O}{\|}}{C}CH_2CHO$$
$$\underset{5}{\quad}\underset{4}{\quad}\underset{3}{\quad}\underset{2}{\quad}\underset{1}{\quad}$$

上述分子中有两个官能团,醛基是主官能团。醛的编号总是从醛基开始。酮羰基的氧与链中的 3 号碳相连,用 3-氧代表示,英文的氧代用 oxo 表示。本化合物的中文名称是 3-氧代戊醛。英文的名称是 3-oxopentanal。

$$HO\underset{1}{\quad}\underset{2}{\quad}\underset{3}{\quad}OCH_3$$
$$OH$$

上述分子中有两个羟基一个醚键,母体化合物应为醇。醚的甲氧基作为取代基。该化合物的中文名称是 3-甲氧基-1,2-丙二醇。英文名称是 3-methoxy-1,2-propanediol。在这类多羟基化合物中,n-甲氧基也可以写成 n-O-甲基,所以此化合物也可称为 1-O-甲基丙三醇(1-O-methyl-1,2,3-propanetriol)。

下面再举几个实例:

OHC—C≡C—CHO

丁炔二醛
butynedial

3-烯丙基-2,4-戊二酮
3-allyl-2,4-pentanedione

2-氧代环己烷甲醛
2-oxocyclohexanecarboxaldehyde

3-(3,3-二甲基环己基)丙醛
3-(3,3-dimethylcyclohexyl)propanal

5-羟基-3-氯戊酸
3-chloro-5-hydroxypentanoic acid

4-乙基-6-溴-4-己烯酸
6-bromo-4-ethyl-4-hexenoic acid

4-(氯甲酰)苯甲酸
4-(chlorocarbonyl)benzoic acid

4-乙酰氨基-1-萘羧酸
4-(acetamino)-1-naphthalene carboxylic acid

$N,N,3$-三甲基戊酰胺
$N,N,3$-trimethylpentamide

2-氰基丁酸
2-cyanobutanoic acid

习题 2-25 在分子式为 $C_6H_{10}O_3$ 的构造异构体中任选 15 个,写出它们的结构简式,并用中英文系统命名法命名之。

2.7.5 环氧化合物和冠醚的命名

1. 环氧化合物的命名

当一个氧原子和碳链上两个相邻的或非相邻的碳原子相连接而形成环形体系时,称为环氧化合物。命名时用环氧(epoxy)作词头,写在母体烃名之前。最简单的环氧化合物是环氧乙烷。除环氧乙烷外,其它环氧化合物命名时还须用数字标明环氧的位置,并用一短线与环氧相连。例如:

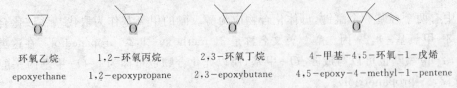

环氧乙烷   1,2-环氧丙烷   2,3-环氧丁烷   4-甲基-4,5-环氧-1-戊烯

epoxyethane   1,2-epoxypropane   2,3-epoxybutane   4,5-epoxy-4-methyl-1-pentene

五元和六元的环氧化合物习惯于按杂环体系来命名。例如1,4-环氧丁烷更习惯于称为四氢呋喃,因为它可以看做是杂环化合物呋喃加上四个氢原子后形成的。

呋喃   四氢呋喃

furan   tetrahydrofuran(THF)

有的环氧化合物也可以按杂环的系统命名法来命名。例如:

上面的化合物可以看做是环己烷的1,4-位两个碳原子被氧顶替了,所以称为1,4-二氧杂环己烷(1,4-dioxacyclohexane)。在杂环化合物(heterocyclic compound)的命名中,氧杂(oxa)等于噁,氮杂(azo)等于吖,硫杂(thia)等于噻。因此上面的化合物也叫做二噁烷(dioxane)。

2. 冠醚的命名

含有多个氧的大环醚,因其结构很像王冠,称为冠醚(crown ether)。命名时用"冠"表示冠醚,在"冠"字前面写出环中的总原子数(碳和氧),并用一短线隔开,在"冠"字后表示环中的氧原子数,也用一短线隔开,就得全名:

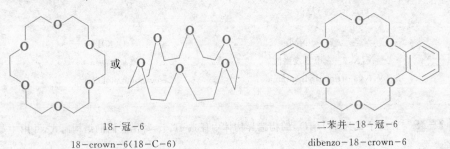

18-冠-6   二苯并-18-冠-6

18-crown-6(18-C-6)   dibenzo-18-crown-6

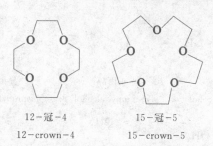

12-冠-4   15-冠-5
12-crown-4   15-crown-5

习题 2-26 写出下列化合物的结构简式：

(i) 5-甲基-1,3-环氧-2-氯庚烷

(ii) 5-乙基-3,4-环氧-1-庚烯-6-炔

(iii) 苯并-15-冠-5

(iv) 1,2-epoxy-1,2,3,4-tetrahydronaphthalene

(v) 1,3-epoxy-2-methylpentane

2.8 烃衍生物的普通命名法

一些简单有机化合物常用普通命名法命名。下面略作介绍。

2.8.1 卤代烷的普通命名法

卤代烷的普通命名法用相应的烷为母体，称为卤（代）某烷，或看做是烷基的卤化物。例如：

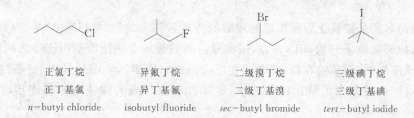

正氯丁烷   异氟丁烷   二级溴丁烷   三级碘丁烷

正丁基氯   异丁基氟   二级丁基溴   三级丁基碘

n-butyl chloride   isobutyl fluoride   *sec*-butyl bromide   *tert*-butyl iodide

英文名称是在基团名称之后，加上氟化物（fluoride）、氯化物（chloride）、溴化物（bromide）或碘化物（iodide）。

有些多卤代烷给以特别的名称，如 $CHCl_3$ 称氯仿（chloroform），CHI_3 称碘仿（iodoform）。

2.8.2 醇的普通命名法

醇的普通命名法按烷基的普通名称命名，即在烷基后面加一个醇字，英文加 alcohol：

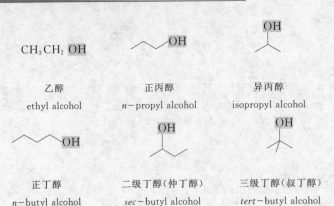

乙醇
ethyl alcohol

正丙醇
n-propyl alcohol

异丙醇
isopropyl alcohol

正丁醇
n-butyl alcohol

二级丁醇(仲丁醇)
sec-butyl alcohol

三级丁醇(叔丁醇)
$tert$-butyl alcohol

2.8.3　醚的普通命名法

简单醚的普通命名法是在相同的烃基名称前写上"二"字,然后写上醚,习惯上"二"字也可以省略不写;混合醚的普通命名法是按顺序规则将两个烃基分别列出,然后写上醚字,下列名称中括号中的基字可以省略:

$$CH_3 \; O \; CH_3 \qquad CH_3 \; O \; CH_2CH_3 \qquad CH_2=CHCH_2 \; O \; C\equiv CH$$

二甲(基)醚或甲醚　　　　甲(基)乙(基)醚　　　　烯丙(基)乙炔(基)醚
dimethyl ether　　　　　ethyl methyl ether　　　　allyl ethynyl ether

醚的英文名称为 ether,混合醚中烃基列出顺序按烃基中第一个字母的顺序排列。

2.8.4　醛和酮的普通命名法

醛的普通命名法是按氧化后所生成的羧酸的普通名称来命名,将相应的"酸"改成"醛"字,碳链可以从醛基相邻碳原子开始,用 $\alpha, \beta, \gamma, \cdots$ 编号。酮的普通命法按羰基所连接的两个烃基的名称来命名,按顺序规则,简单的在前,复杂的在后,然后加"甲酮",下面括号中的"基"字或"甲"字可以省去,但对于比较复杂的基团的"基"字,则不能省去。酮的羰基与苯环连接时,则称为酰基苯。

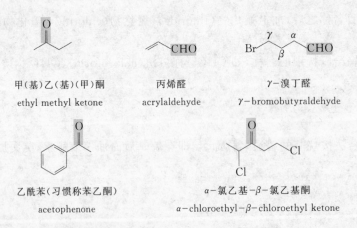

甲(基)乙(基)(甲)酮
ethyl methyl ketone

丙烯醛
acrylaldehyde

γ-溴丁醛
γ-bromobutyraldehyde

乙酰苯(习惯称苯乙酮)
acetophenone

α-氯乙基-β-氯乙基酮
α-chloroethyl-β-chloroethyl ketone

醛的英文名称是将相应羧酸中基本词尾"ic acid"去掉,然后加 aldehyde。酮用 ketone(C═O)做母体,两个烃基按第一个字母的字母顺序排列,先后列出,在书写时均隔开。酮与苯基相连时,称为酰(基)苯,将羧酸词尾"ic acid"去掉(成为酰基的名称)后加"-ophenone"。

2.8.5 羧酸的普通命名法

羧酸的普通命名法是选含有羧基的最长的碳链为主链,取代基的位置从羧基邻接的碳原子开始,用希腊字表示,依次为 $\alpha,\beta,\gamma,\delta,\varepsilon$ 等,最末端碳原子可用 ω 表示,然后按命名的基本格式写出名称。

β-甲基戊酸(β-甲基缬草酸)
β-methylvaleric acid

γ-环己基丁酸(γ-环己基酪酸)
γ-cyclohexylbutyric acid

最常见的酸,也可由它的来源来命名。如甲酸最初是由蚂蚁蒸馏得到的,称为蚁酸。乙酸最初由食用的醋中得到,称为醋酸。软脂酸、硬脂酸、油酸(oleic acid)等是由油脂水解得到的,是根据它们的性状分别加以命名的。表 2-8 列出了一些常见酸的普通名称。

表 2-8 一些常见羧酸的普通名称

化合物	普通名称	化合物	普通名称
HCOOH	蚁酸(formic acid)	HOOCCOOH	草酸(oxalic acid)
CH_3COOH	醋酸(acetic acid)	$HOOCCH_2COOH$	丙二酸(malonic acid)
CH_3CH_2COOH	初油酸(propionic acid)	$HOOC(CH_2)_2COOH$	琥珀酸(succinic acid)
$CH_3(CH_2)_2COOH$	酪酸(butyric acid)	$HOOC(CH_2)_3COOH$	胶酸(glutaric acid)
$CH_3(CH_2)_3COOH$	缬草酸(valeric acid)	$HOOC(CH_2)_4COOH$	肥酸(adipic acid)
$CH_3(CH_2)_{14}COOH$	软脂酸(palmitic acid)	马来酸结构式	马来酸(maleic acid)或缩苹果酸
$CH_3(CH_2)_{16}COOH$	硬脂酸(stearic acid)	富马酸结构式	富马酸(fumaric acid)
苯甲酸结构式 —COOH	苯甲酸(benzoic acid)	间苯二甲酸结构式	间苯二甲酸(m-phthalic acid)
CH_3—苯环—COOH	对甲基苯甲酸(p-methylbenzoic acid)		

2.8.6 羧酸衍生物的普通命名法

将羧酸普通名称的词尾作相应的变化即可得到羧酸衍生物的普通名称。词尾的变化规律以乙酸为例予以说明(见画线部分)。

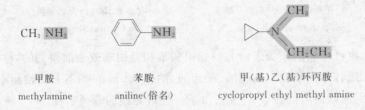

CH₃COH	CH₃CCl	CH₃COCCH₃	CH₃COCH₂CH₃	CH₃CNH₂
乙酸	乙酰氯	乙酸酐	乙酸乙酯	乙酰胺
acetic acid	acetyl chloride	acetic anhydride	ethyl acetate	acetamide

内酯的英文命名是将"olactone"代替"ic acid",脂肪酸与多元醇形成的酯,也有将醇的名称放在后面来称呼的。

2.8.7 胺的普通命名法

胺的普通命名法可将氨基作为母体官能团,把它所含烃基的名称和数目写在前面,按简单到复杂先后列出,后面加上胺字。例如:

CH₃NH₂   甲胺 methylamine

苯胺 aniline(俗名)

甲(基)乙(基)环丙胺 cyclopropyl ethyl methyl amine

英文名称是把 amine 写在烃基名称后面,烃基按字母顺序依次列出。

习题 2-27 用普通命名法命名下列化合物(用中英文)。

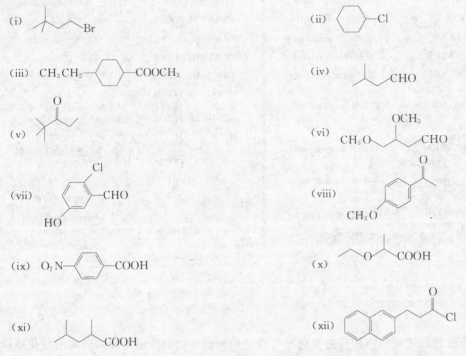

(i)   —Br

(ii)   —Cl

(iii) CH₃CH₂— —COOCH₃

(iv)   —CHO

(v)   (O)

(vi) CH₃O— —CHO (OCH₃)

(vii) Cl —CHO HO—

(viii) CH₃O— —

(ix) O₂N— —COOH

(x) —COOH

(xi) —COOH

(xii) —Cl

（xiii）

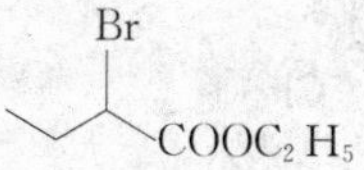

（xiv）

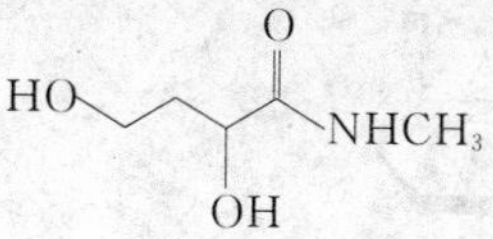

（xv） 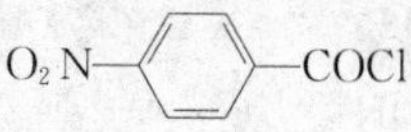　O_2N——$COCl$

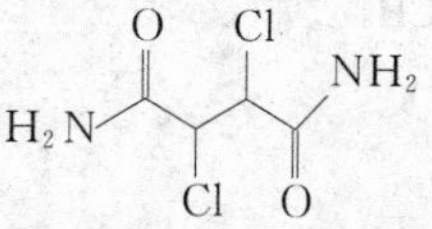

（xvi）

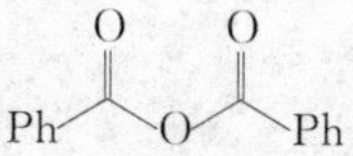

（xvii）　Ph——C(=O)—O—C(=O)——Ph

（xviii）　CH_3OOC——$COOCH_3$

（xix） 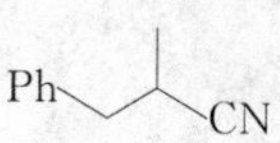　Ph——CH(CH_3)—CH_2—CN

（xx）

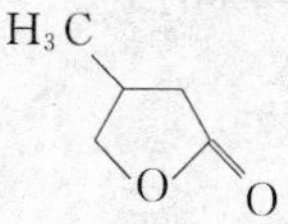

（xxi）　$(C_2H_5)_2NH$

（xxii）

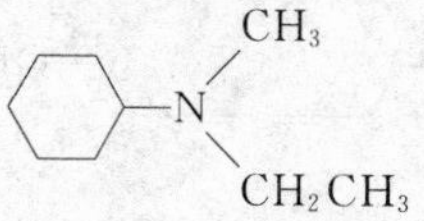

习题 2-28　用键线式写出分子式为 $C_4H_{10}O$ 的所有同分异构体的结构式,并用普通命名法命名这些化合物(用中英文)。

习题 2-29　用键线式写出分子式为 C_4H_9Cl 的所有同分异构体,并用普通命名法命名这些化合物(用中英文)。

习题 2-30　写出分子式为 C_4H_6O 且不含累积双键的所有同分异构体的结构简式,并用系统命名法命名这些化合物(用中英文)。

习题 2-31　写出符合下列要求的同分异构体,并用系统命名法命名这些化合物(用中英文)。
（i）分子式为 C_7H_{10}　　　　（ii）链形结构　　　　（iii）分子中只能有一个双键

习题 2-32　写出分子式为 C_9H_{12} 的所有芳香烃的结构简式,并用系统命名法命名这些化合物(用中英文)。

习题 2-33　写出顺-1,2-二甲基环己烷的结构简式,在它的同分异构体中,属于单环化合物的异构体有几种? 写出它们的结构简式,并用中英文系统命名法命名这些化合物。

习题 2-34　用 IUPAC 命名法命名下列化合物。

(i)

(ii)

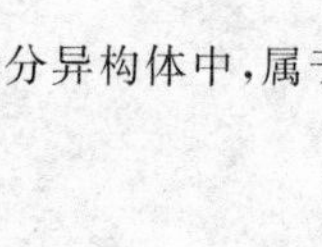

(iii)

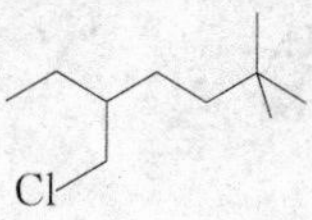

(iv)

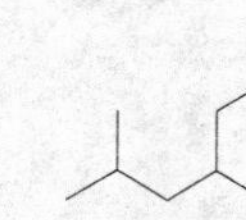

(v) 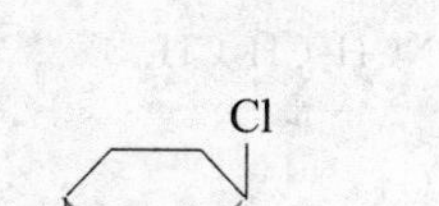　CH_3CH_2—C(CH_3)($CH(CH_3)_2$)—CH_2Cl

(vi)

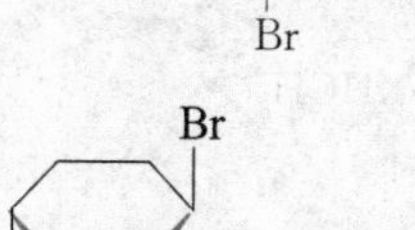

（vii）

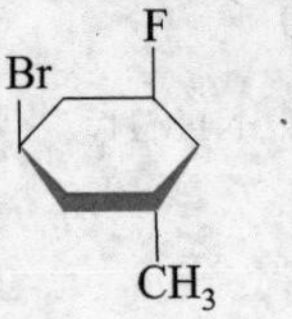

（viii）

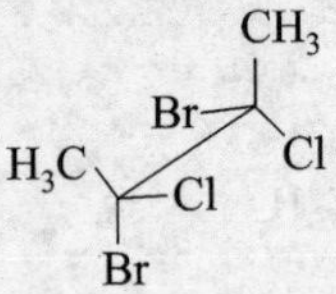

（ix）

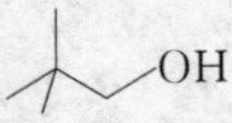

（x）

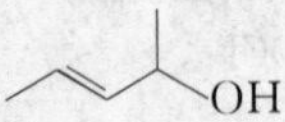

（xi）

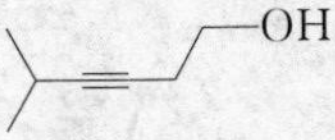

（xii）

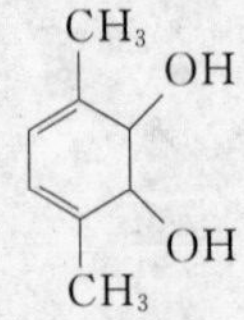

（xiii）

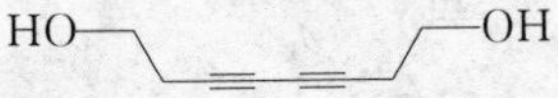

（xiv）

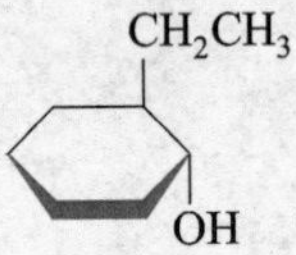

（xv）  Ph―CHO

（xvi） 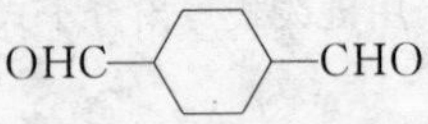 OHC―CHO

（xvii） OHC―

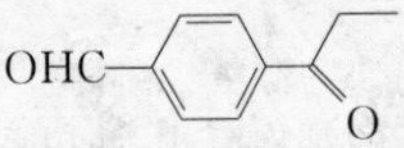

（xviii）

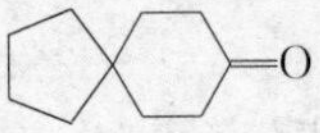

（xix）

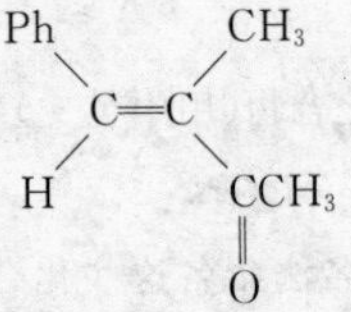

（xx）

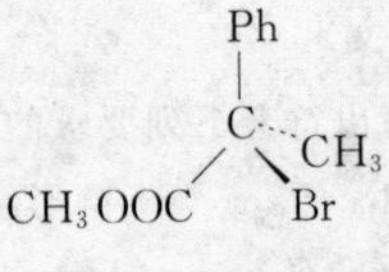

（xxi）

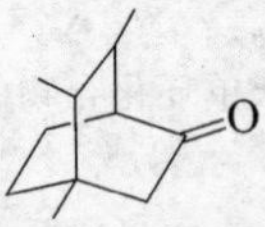

（xxii）

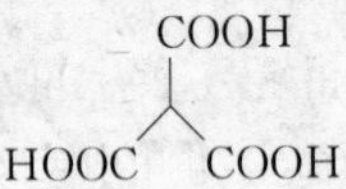

（xxiii）

（xxiv）

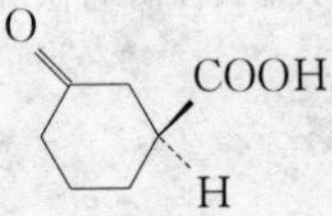

（xxv）

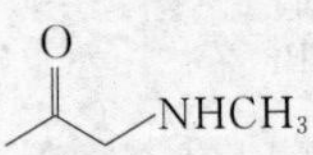

（xxvi）

（xxvii）

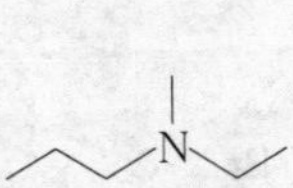

（xxviii）

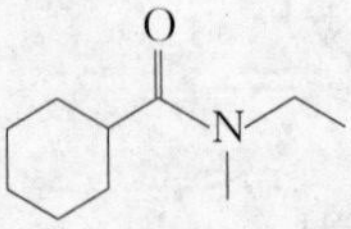

（xxix）

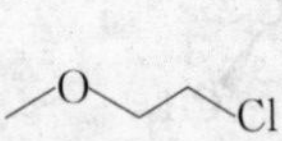

（xxx）

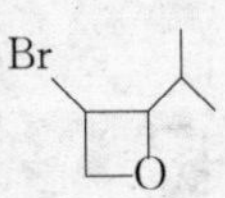

（xxxi）

习题 2-35　写出下列化合物的结构式。

(i) (*R*)-2-甲基-4-溴壬烷

(ii) (2*R*,3*R*)-2-氯-3-碘戊烷

(iii) (4*S*,5*R*)-4-乙基-5-异丙基-1-氯癸烷

(iv) (1*S*,3*S*)-1,3-二氯环己烷

(v) (3*S*,4*R*)-3-甲基-4-羟基戊醛

(vi) (3*R*)-3-甲基-4-氧代戊酸

(vii) α-甲基顺丁烯二酸酐

(viii) (*R*)-β-甲基丁内酯

(ix) N-乙基丁二酰亚胺

(x) (1*S*,4*R*)-4-甲酰基-3-氧代环己-1-甲酸

习题 2-36　写出下列化合物的结构式,并用中文命名。

(i) (*S*)-1-chloro-3-methylhexane

(ii) (3*R*,5*S*)-3-bromo-5-methylheptane

(iii) *trans*-1-chloro-4-chloromethylcyclohexane

(iv) (2*R*,3*S*)-2-chloro-3-ethylhexane

(v) ethyl -2-methylidene valerate

(vi) acetonitrile

(vii) *N*-methyl-*N*′-vinylbutanediamide

(viii) propenenitrile

(ix) heptanedioyl dichloride

(x) glycol diacetate

(xi) monoethyl oxalate

(xii) 3-benzoyloxypropionic acid

(xiii) 1-methoxy-4-(1-propenyl)benzene

(xiv) 1,2,3-triethoxypropane

(xv) 1-ethoxy-4-methoxybenzene

(xvi) 1-ethoxymethyl-4-methoxynaphthalene

复习本章的指导提纲

基本知识点

　　有机化合物的类名、各类有机物的定义和特征官能团;同分异构体的分类关系,各类异构体的定义;构造式的四种表达方式,立体结构的基本表达方式;IUPAC,CCS 命名法的基本要点,普通命名法的基本内容;有机化合物名称的基本格式;各类有机物、基、亚基、炔基英文名称的特征词尾;常见官能团的词头、词尾名称;在普通命名中各种词头的含义;顺序规则的基本内容;确定 *R*-*S* 构型、*Z*-*E* 构型、顺反构型的原则。

基本概念

　　一级、二级、三级、四级碳原子,一级、二级、三级氢原子,最低系列原则,顺序规则,手性,手性碳原子,*R*-*S* 构型,顺、反构型,*Z*-*E* 构型。

英汉对照词汇

acetic acid　（乙酸）

acetylene　（乙炔）

acid anhydride　（酸酐）

acid anhydride group　（酸酐基）

acyclic hydrocarbon　（开链烃或链烃）

acyl halide　（酰卤）

acyl halide group　（酰卤基）

adamantane　（金刚烷）

alcohol　（醇）

aldehyde　（醛）

aldehyde group　（醛基）

alicyclic hydrocarbon of polybenzene　（多苯代脂环烃）

alicyclic compound　（脂环化合物）

aliphatic heterocyclic compound　（脂杂环化合物）

aliphatic compound　（开链化合物或脂肪族化合物）

alkane　（烷烃）

alkene　（烯烃）

alkyl　（烷基）

alkyne　（炔烃）

amide　（酰胺）

amide group　（酰氨基）

amine　（胺）

amino　（氨基）

annulene　（轮烯）

anthracene　（蒽）

atomic number　（原子序数）

arene（芳烃）

aromaticity　（芳香性）

aromatic compound　（芳香族化合物）

aromatic heterocyclic compound　（芳杂环化合物）

azo　（氮杂，吖）

benzene　（苯）

bicyclo　（二环）

biphenyl　（联苯）

bond−line formula　（键线式）

branched−chain alkane　（支链烷烃）

bridged hydrocarbon　（桥环烃）

bridgehead carbon　（桥头碳）

buta　（四）

cubane　（立方烷）

cabon skeleton isomer　（碳架异构体）

Cahn−Ingold−Prelog sequence　（顺序规则）

carbocyclic compound　（碳环化合物）

carbonyl　（羰基）

carboxyl　（羧基）

carboxylic acid　（羧酸）

chemical abstract　（简称 CA）　（化学文摘）

chiral carbon atom　（手性碳原子）

chirality　（手性）

chloride　（氯化物）

chloroform　（氯仿）

cis configuration　（顺式构型）

cis−trans isomer　（顺反异构体）

cobweb formula　（蛛网式）

comformational stereo-isomer　（构象异构体）

configuration stereo-isomer　（构型异构体）

conjugated double bond　（共轭双键）

constitution formula　（构造式）

crown ether　（冠醚）

cumene　（枯烯）

cyano　（氰基）

cyclic hydrocarbon　（环烷烃）

cymene　（撒花烃）

deca　（十）

derivative nomenclature method　（衍生物命名法）

derivative of hydrocarbon　（烃的衍生物）

di　（二）

dial　（二醛）

diamide　（二酰胺）

dicarboxylic acid　（二羧酸）

dinitrile　（二腈）

dioic acid　（二酸）

diol　（二醇）

dioxane　（二噁烷）

dione　（二酮）

dioyl　（二酰）

E configuration　（*E* 构型）

electronic tautomeric isomer　（电子互变异构体）

enantiomer　（旋光异构体）

−enyl　（烯基）

epoxy compound　（环氧化合物）

ester group　（酯基）

ester　（酯）

ether group　（醚基）

ether　（醚）

fluoride　（氟化物）

formic acid　（蚁酸或甲酸）

formyl　（甲酰基）

free valence　（自由价）

fulminating silver　（雷酸银）

functional group　（官能团）

functional group isomer　（官能团异构体）

fused polycyclic arene　（稠合多环芳烃）

geometric isomer　（几何异构体）

halo carbonyl　（卤甲酰基）

halogen atom　（卤原子）

halohydrocarbon　（卤代烃）

hepta　（七）

heterocyclic compound　（杂环化合物）

hexa　（六）

hydrocarbon　（烃）

hydroxy　（羟基）

hydroxymethyl　（羟甲基）

Hückel rule　（休克尔规则）

imine　（亚胺）

imino　（亚氨基）

International Union of Pure and Applied Chemistry
　（简称 IUPAC）　（国际纯粹与应用化学联合会）

iodide　（碘化物）

iodoform　（碘仿）

iso　（简写 *i*）　（异）

isomerism　（同分异构现象）

isomer　（同分异构体）

isotope　（同位素）

ketone　（酮）

lactide　（交酯）

lactone　（内酯）

Lewis structure formula　（路易斯构造式）

lowest series principle　（最低系列原则）

marsh gas　（沼气）

mercapto　（巯基）

mesitylene　（䓝）

meta 简称 *m*−　（间）

monocyclic alkane　（单环烷烃）

multiphenyl alicyclic hydrocabon　（多苯代脂烃）

n−alkane　（直链烷烃）

naphthalene　（萘）

neo 简写 n　（新）

nitrile　（腈）

nitro　（硝基）

nitro compound　（硝基化合物）

nitroso　（亚硝基）

nitroso compound　（亚硝基化合物）

nona　（九）

non−benzenoid arene　（非苯芳烃）

octa　（八）

oleic acid　（油酸）

ortho 简写 *o*−　（邻）

oxa　（氧，䓬）

oxo　（氧代）

palmitic acid　（软脂酸）

para 简写 *p*　（对）

penta　（五）

peroxides　（过氧化合物）

peroxy group　（过氧基）

phenanthrene　（菲）

phenol　（酚）

phenyl　（苯基）

polycyclic arene　（多环芳烃）

position isomer　（位置异构体）

primary carbon　（一级碳或伯碳原子）

quaternary carbon　（四级碳原子或季碳原子）

rotamer　（旋转异构体）

R−oxy　（烃氧基）

R−oxycarbonyl　（烃氧羰基）

sec 简写 *s*−　（二级）

secondary carbon　（二级碳原子或仲碳原子）

silver isocyanate　（异氰酸银）

silver fulminate （雷酸银）

skeleton symbol （结构简式）

spiro atom （螺原子）

spiro hydrocarbon （螺环烃）

stearic acid （硬脂酸）

stereoisomer （立体异构体）

structural isomer （结构异构体）

styrene （苯乙烯）

sulfo （磺酸基）

sulfonic acid （磺酸）

symmetrical 简写 sym （均）

tautomeric isomer （互变异构体）

tert 缩写 *t*- （三级）

tertiary carbon （三级碳原子或叔碳原子）

tetrahydrofuran （四氢呋喃）

thia （硫杂、噻）

thio-alcohol （硫醇）

thio-phenol （硫酚）

toluene （甲苯）

tri （三）

tricarboxylic acid （三羧酸）

tricyclo （三环）

triol （三醇）

trione （三酮）

unsymmetrical 简写 unsym （偏）

valence bond isomer （价键异构体）

vicinal 简写 vic （连）

xylene （二甲苯）

-ylidene 或 -ylene （亚基）

-ylidyne （炔基）

Z configuration （*Z* 构型）

第 **3** 章

立 体 化 学

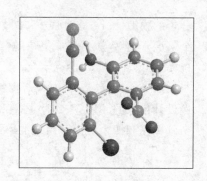

立体化学(stereochemistry)是研究分子的立体结构、反应的立体性及其相关规律和应用的科学。分子的立体结构是指分子内原子所处的空间位置及这种结构的立体形象,研究分子的立体结构及这种结构和分子物理性质之间的关系属于静态立体化学的范畴。反应的立体性是指分子的立体形象对化学反应的方向、难易程度和对产物立体结构的影响等。它们都属于动态立体化学的范畴。动态立体化学在有机合成中占有十分重要的地位。本章主要学习静态立体化学的内容。动态立体化学将分散在各章的反应中讲。

3.1 轨道的杂化和碳原子价键的方向性

碳原子位于周期表第二周期第ⅣA族。基态时,它的电子层结构为 $1s^2 2s^2 2p_x^1 2p_y^1 2p_z^0$,即只有两个未成对的 p 电子。按共价键理论(covalent bond theory)来看,碳只能形成两个共价单键。但在有机化合物中,碳总是四价,并且有三种不同类型的价键取向。下面结合三个典型的分子来阐明轨道的杂化(hybridization of orbital)和碳原子价键取向的关系。

3.1.1 甲烷 sp^3 杂化 σ 键

甲烷是最简单的烷烃。分子式为 CH_4,甲烷分子的立体形象是正四面体构型(tetrahedral configuration)。碳原子位于正四面体的中心,四个氢原子位于正四面体的四个顶点,四个 C—H 键的键长均相等,为 109.1 pm。任两个 C—H 键之间的夹角均为 $109°28'$。图 3-1 所示是甲烷

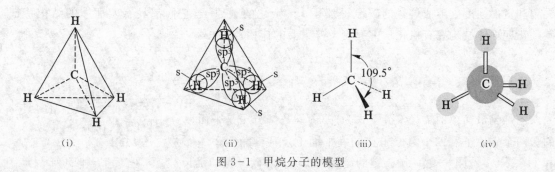

图 3-1 甲烷分子的模型

分子的模型。(i)是碳原子和四个氢原子结合的模型;(ii)代表碳原子的四个 sp³ 杂化轨道和四个氢原子的 1s 轨道形成甲烷的情形;(iii)是一个简单的表示方法——伞形式;(iv)是甲烷的球棍模型。

图 3-2 所示是 Stuart(斯陶特)模型,它是按照各种原子半径和键与键之间的长度及角度比例设计出来的。图 3-2(i)是饱和碳原子按照一定的角度切去了四面,(ii)是氢原子,(iii)是一个碳原子和四个氢原子组成的甲烷模型。

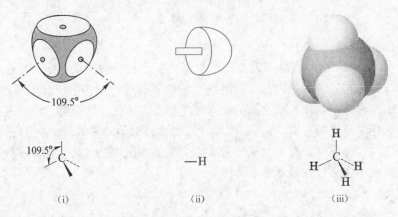

(i)   (ii)   (iii)

图 3-2 碳原子、氢原子及甲烷分子的 Stuart 模型

甲烷分子中的碳原子为什么具有性质完全相同的四个共价键? 杂化轨道理论(hybridized orbital theory)认为:当碳原子与其它原子结合时,核外电子的排布及轨道的形状均发生了变化,首先是一个 2s 电子激发后跃迁到 2p 轨道上,使碳原子具有 4 个未成对的电子(即 $2s^1 2p_x^1 2p_y^1 2p_z^1$),然后由一个 2s 轨道和三个 2p 轨道混合起来重新组合成 4 个性质相同的轨道,称为 sp³ 杂化轨道,它们分别指向四面体的四个顶角。每个 sp³ 杂化轨道上具有一个未成对的电子,与氢原子 1s 上未成对的电子沿轨道对称轴方向互相重叠成键,形成四个等同的 C—H 共价键,这就是甲烷分子。

在化学上,将两个轨道沿着对称轴方向重叠形成的键叫 σ 键(σ bond)。所以甲烷的四个碳氢键都是 σ 键。σ 键的特点是① 比较牢固。这是因为形成 σ 键时电子云达到了最大的重叠,而且通过轴向重叠形成的键,电子云集中在两个原子核之间,核对它们的吸引力较大,因此键牢固。② σ 键能围绕对称轴自由旋转。这是因为旋转不会影响电子云的重叠程度,因而不会影响轴间夹角和键的强度。形成烷烃的碳原子都是 sp³ 杂化的碳原子,它们都具有四面体的结构特征。碳的正四面体结构在有机化学中起着十分重要的作用。

3.1.2 乙烯 sp² 杂化 π 键

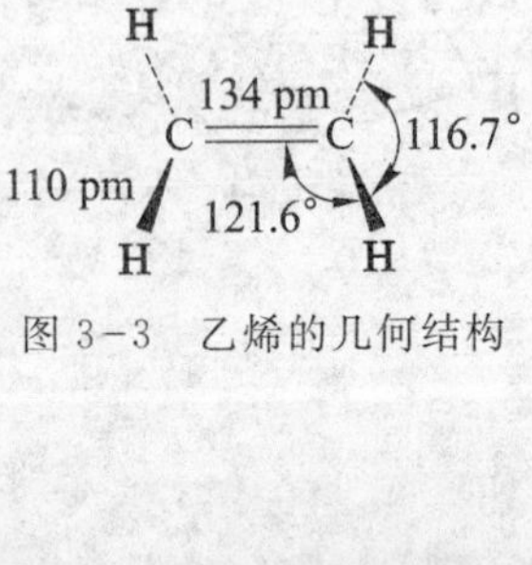

乙烯是最简单的烯烃。分子式为 C_2H_4。乙烯分子是平面型的。两个碳原子和四个氢原子在同一平面上。其键角为 121.6° 和 116.7°(参看图 3-3)。碳碳键的键长为 134 pm,碳氢键的键长

图 3-3 乙烯的几何结构

为 110 pm。乙烯分子的立体形象如图 3-4 所示。

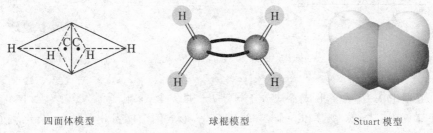

四面体模型　　　　　　　球棍模型　　　　　　　Stuart 模型

图 3-4　乙烯的立体模型示意图

杂化轨道理论认为:在乙烯分子中,碳原子的 1 个 2s 电子激发跃迁到 2p 轨道上后,两个碳原子都只用一个 2s 轨道和两个 2p 轨道进行杂化,形成三个 sp^2 杂化轨道。这三个 sp^2 杂化轨道位于同一平面。每个碳原子各用两个 sp^2 杂化轨道和两个氢原子的 1s 轨道形成碳氢 σ 键,各用一个 sp^2 杂化轨道彼此重叠形成碳碳 σ 键,五个 σ 键处在同一平面上,这就是乙烯分子呈平面结构的原因。由于碳碳 σ 键和碳氢 σ 键的不等同性,碳氢 σ 键之间的键角与碳碳、碳氢 σ 键之间的键角略有差别,但都接近 $120°$。两个碳原子各剩下一个 p 轨道,这两个 p 轨道垂直于 σ 键所在的平面,且互相平行,因此这两个 p 轨道可以通过侧面重叠成键,这样就产生了含有碳碳双键的乙烯分子。侧面重叠形成的键称为 π 键(π bond)。乙烯分子的碳碳双键是由一个 σ 键和一个 π 键形成的。(π 键的形成过程如图 3-5 及图 3-6 所示。)

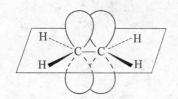

图 3-5　两个 p 轨道最大限度地重叠

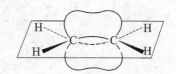

图 3-6　两个 p 轨道重叠形成 π 键

π 键的特点是:① 容易断裂。这是因为 π 键是通过侧面重叠形成的,重叠程度小于 σ 键,所以较易断裂。② 不能绕轴自由旋转。这是因为旋转会使两个 p 轨道离开平行状态,从而破坏 p 轨道电子云的重叠。

3.1.3　乙炔 sp 杂化　正交的 π 键

乙炔是最简单的炔烃。分子式为 C_2H_2。乙炔是一个线形分子,即两个碳和两个氢均在同一直线上。碳碳三键的键长比双键还短,为 120 pm。碳氢键的键长为 106 pm,如图 3-7 所示。

乙炔分子的立体形象如图 3-8 所示。

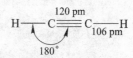

图 3-7　乙炔的几何结构

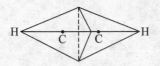 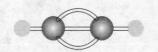 

图 3-8　乙炔的模型

杂化轨道理论认为：为了形成乙炔分子，碳原子的一个 2s 电子激发并跃迁到 2p 轨道上后，两个碳原子都只用一个 2s 轨道和一个 2p 轨道杂化，形成两个能量相等的 sp 杂化轨道。由于两个 sp 杂化轨道的对称轴在同一直线上，而每个碳原子都用一个 sp 杂化轨道和一个氢原子的 1s 轨道形成碳氢 σ 键，再各用一个 sp 杂化轨道彼此重叠形成碳碳 σ 键，因此乙炔分子中的四个原子都处在同一直线上。同一个碳原子上的两个 p 轨道上的电子云互相垂直，也与碳碳 σ 键的对称轴垂直。两个相邻碳原子的 p 轨道两两平行，侧面重叠形成两个互相垂直的 π 键。乙炔分子中的三键就是由一个 σ 键和两个互相垂直的 π 键所组成。

碳碳 σ 键的电子云集中于两个碳原子间的中心处，但中心处 π 电子云密度最低，π 电子云位于 σ 键轴的上下和前后部位，如图 3-9(i)；当 π 轨道重叠后，其电子云形成一个以 σ 键为对称轴的圆柱体形状，如图 3-9(ii)。

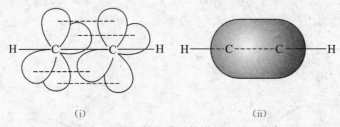

(i)   (ii)

图 3-9　乙炔 π 键的分子轨道及电子云分布

有机化合物的碳架就是以碳碳单键、碳碳双键、碳碳三键为基本结构单元构建而成的。

习题 3-1　请用球棍模型画出下列化合物的立体结构。

(i) $(CH_3)_4C$　　　　　　　　　　(ii) $(CH_3)_2C=C(CH_3)_2$

(iii) $CH_3C\equiv CCH_3$　　　　　　　(iv) $(CH_3)_2C=CH-C\equiv C-CH=C(CH_3)_2$

构象、构象异构体

3.2   链烷烃的构象

由于单键可以"自由"旋转,使分子中的原子或基团在空间产生不同的排列,这种特定的排列形式称为构象(conformation)。由单键旋转而产生的异构体称为构象异构体(conformation isomer)或旋转异构体(rotamer)。

3.2.1   乙烷的构象

1. 乙烷的构象

当乙烷分子以碳碳 σ 键为轴进行旋转时,两个相邻碳上的其它键(在乙烷中,是 C—H 键)会交叉成一定的角度(ϕ),这个角度称为两面角。

单键旋转一周,可以产生无数个构象异构体。将两面角为 0°的构象称为重叠型(eclipsed)构象。两面角为 60°的构象称为交叉型(staggered)构象。两面角在 0~60°之间的构象称为扭曲型(skewed)构象。重叠型构象和交叉型构象是构象异构体的两种极端情况,也称之为极限(limit)构象。它们的球棍模型和 Stuart 模型如图 3−10 所示。

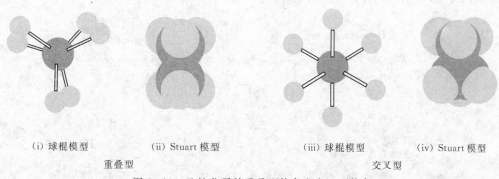

(i) 球棍模型   (ii) Stuart 模型   (iii) 球棍模型   (iv) Stuart 模型
重叠型   交叉型

图 3−10   乙烷分子的重叠型构象和交叉型构象

乙烷分子中,C—C 键长为 154 pm,C—H 键长为 110.7 pm,C—C—H 键角为 109.3°。在乙烷的重叠型构象中,两个碳原子上的氢原子彼此是重叠着的。根据计算,它们之间的距离为 229 pm,而氢原子的 von der Waals(范德华)半径为 120 pm(参见表 3−1),两个氢核之间距离小于两个氢原子 von der Waals 半径之和,因此有排斥力(图 3-11),这种排斥力是不直接相连的原子间的作用力,因此称为非键连的相互作用,分子处于这种构象,从能量上考虑是最不稳定的。

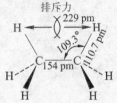

图 3-11 乙烷分子中的非键连的相互作用——氢与氢之间的排斥力

在乙烷的交叉型构象中,两个碳原子上的氢离得最远,根据计算,两个氢核之间的距离约为 250 pm,从能量上看,分子处于这种构象是最稳定的。乙烷分子其它构象的能量介于重叠型与交叉型之间。分子在可能的条件下,总是倾向于以能量最低的稳定形式存在。一旦偏离稳定形式,非稳定构象就具有恢复成稳定构象的力量,称之为扭转张力(torsion strain)。这种张力来源于 von der Waals 斥力。

乙烷的重叠型构象与交叉型构象虽存在能差,但能差不大。只需 12.1 kJ·mol^{-1},就由一个稳定的交叉型构象变成不稳定的重叠型构象,这种分子旋转时所必需的最低能量,称为转动能垒(barriers to rotation)。因为转动能垒不大,而在室温,分子间的碰撞就可产生能量≈84 kJ·mol^{-1},足以使分子"自由"旋转,因此不能分离这些构象异构体。

表 3-1 是有机化学中常见的一些原子或基团的 von der Waals 半径。

表 3-1　一些原子或基团的 von der Waals 半径

原子或基团	von der Waals 半径/pm	原子或基团	von der Waals 半径/pm
H	120	S	185
CH$_2$	200	F	135
CH$_3$	200	Cl	180
N	150	Br	195
P	190	I	215
O	140		

2. 乙烷构象的表示方法

乙烷的构象,可用下列几种透视图来表示:

重叠型

	(i)	(i)′	(i)″
	伞形式	锯架式	Newman 式

交叉型

	(ii)	(ii)′	(ii)″
	伞形式	锯架式	Newman 式

伞形式(umbrella)是眼睛垂直于 C—C 键轴方向看,实线表示键在纸面上,虚线表示键伸向纸面

后方,楔形线表示键伸向纸面前方;锯架式(saw frame)是从 C—C 键轴斜 45°方向看,每个碳原子上的其它三根键夹角均为 120°。Newman(纽曼)式是从 C—C 键的轴线上看。在 Newman 式中,如(ii)″,前面的碳原子(C-1)用 ⅄ 表示,后面的碳原子(C-2)用 ⅄ 表示。在重叠型中,(i)″中 C-2 上的氢与 C-1 上的氢是重叠着的,应该看不到,但为了表示出来,稍偏一个角度。

以上几种构象的表示方法,以后经常要用,要能熟练地从一种表示方法转为另一种表示方法,也需要熟练地在重叠型与交叉型之间互相转换。

3. 乙烷的构象势能关系图

以单键的旋转角度为横坐标,以各种构象的势能为纵坐标。如果将单键旋转 360°,就可以画出一条构象的势能(potential energy)曲线。由势能曲线与坐标共同组成的图为构象的势能关系图。图 3-12 是乙烷分子各种构象的势能关系图。

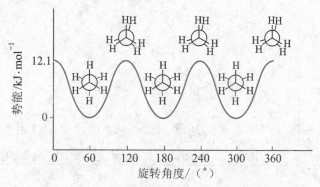

图 3-12　乙烷各种构象的势能关系图

图中曲线上的任何一点代表一种构象及其势能,位于曲线中最低的一点,即谷底势能最低,它所代表的构象最稳定,因此称与势能曲线谷底相对应的构象为稳定构象(stable conformation)。显然交叉型构象都是稳定构象。任何分子在稳定的构象中呆的时间最长,只要稍微离开谷底一点就意味着势能的升高,分子就变得不稳定一些。位于曲线中最高的一点,即峰顶的势能最高,它所代表的构象最不稳定。显然重叠型构象是最不稳定的构象。

如果将温度逐步降低,分子“自由”旋转逐渐困难,最后不能“自由”旋转,用 X 射线衍射分析方法及核磁共振方法测定表明,乙烷分子在低温时的优势构象,是最稳定的交叉型构象。

3.2.2　丙烷的构象

丙烷只有两种极限构象(参见 3.2.1),一种是重叠型构象,另一种是交叉型构象。两种构象的能差为 13.3 kJ·mol^{-1}。

交叉型　　　　　　　　　　重叠型

习题 3-2 请用伞形式、锯架式和 Newman 式画出丙烷的极限构象。

3.2.3 正丁烷的构象 构象分布

如果将正丁烷分子中的 C(2)—C(3) 键旋转 360°,同样可以得到无数个构象异构体。按照前面画势能关系图的方法,同样也可以得到一张正丁烷的构象势能关系图。如图 3-13 所示:

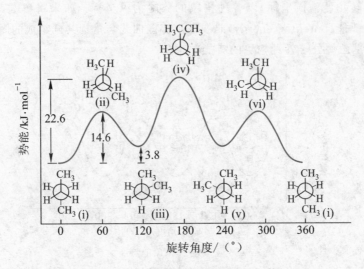

图 3-13　正丁烷各种构象的势能关系图

从图中可以看出,正丁烷沿 C(2)—C(3) 键轴旋转时,有四种极限构象。两种是重叠型,其中两个大基团重叠在一起的称为全重叠型构象(iv),能量最高。一个大基团与一个小基团重叠的称为部分重叠型构象(ii 或 vi)。能量比全重叠型低。两种是交叉型,其中两个大基团处于对位的称为对交叉型(i),能量最低,两个大基团处于邻位的称为邻交叉型(gauche conformation)(iii 或 v),能量高于对交叉型构象。能量最低的稳定构象称为优势构象。正丁烷的对交叉构象即是它的优势构象。在极限构象中,(ii)和(vi)、(iii)和(v)具有实物和镜像的关系,称它们为构象对映体(conformation enantisomer)。正丁烷的构象异构体的转动能垒为 22.6 kJ·mol^{-1},在室温下,分子间的碰撞足以提供这些能量,因此这些构象异构体可以互相转化而不能分离。构象的转换可以达到一种动态平衡。在平衡状态,各种构象在整个构象中所占的比例是不同的,将平衡状态时各构象所占的比例称为构象分布。如正丁烷的构象分布为

约 15%　　　　　　　　　约 70%　　　　　　　　　约 15%

上述数据说明:分子总是倾向于以稳定的构象形式存在。

如果正丁烷中每两个相邻碳原子的其它键都取交叉型构象,则正丁烷的整体构象如下:

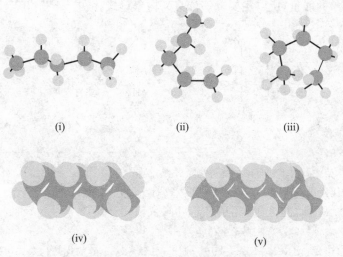

上面是最稳定的正丁烷的构象,四个碳原子在一个平面上,相邻碳原子上的氢原子都处于最远的交叉型位置。

3.2.4 其它链烷烃的构象

在学习了乙烷、丙烷及丁烷的构象后,可以对其它链形烷烃的构象,用类似的方法进行分析,图3-14所示是五个碳、六个碳及七个碳的烷烃的模型,由于碳原子可"自由"旋转,其分子有多种构象,(i)、(ii)、(iii)是用球棍模型表示五个碳饱和烃的不同构象,(iv)、(v)是六个、七个碳的烷烃直链形构象的 Stuart 模型:

(i)   (ii)   (iii)

(iv)   (v)

图 3-14 五、六、七个碳的烷烃的模型

从模型可以看出,所谓的直链实际上是碳原子处于一上一下位置成锯齿形的:

无论是用 Stuart 模型还是用球棍模型,都可以看出,只要把它们转成锯齿形,即所谓的直链形[图3-14(i)及(iv)、(v)],两个相邻碳原子上的氢是相反的,成为交叉构象,即两个氢原子伸在纸前,两个氢原子伸在纸后。假若要使氢彼此相对着,即成为重叠构象,就必须折叠起来,如模型(iii)所示。这样,五个碳原子的碳链必成为一个环状,碳碳链头尾两个氢原子距离很近。模型(ii)是一个没有规则的碳链,有的氢成交叉型,有的成重叠型。分子的构象对于一个分子的物理性质、化学性质有很大的影响。直链分子间彼此的排列和叉链分子间彼此的排列就有所不同,譬

如两条直链可以很容易地以一定的形象排列,而两条叉链排列起来就比较困难。

显然,前者两条链可以排列得紧一些,而后者由于一个甲基伸出链外,这两条链不能排列得很紧,分子之间松一些。一条拉直了的橡皮丝与未拉直的相比,无论在外观上或性能上都很不相同。在拉的过程中,排列无规则的分子就变为排列有规则的分子了。

3.2.5 乙烷衍生物的构象分布

在构象分布中,大多数有机分子都以对位交叉构象为主要的存在形式。如 1,2-二氯乙烷,对位交叉构象约占 70%,1,2-二溴乙烷对位交叉构象约占 85%,1,2-二苯乙烷,对位交叉构象约占 90% 以上。但在乙二醇和 2-氯乙醇分子中,由于邻位交叉构象可以形成分子内氢键,而氢键的形成会降低构象的能量,所以主要以邻位交叉构象形式存在。

乙二醇   2-氯乙醇

习题 3-3 用锯架式画出下列分子的优势构象式:
(i) 异丁烷   (ii) 新戊烷   (iii) 3-甲基戊烷   (iv) 2,4-二甲基己烷

习题 3-4 用 Newman 式画出下列分子的优势构象式:
(i) 2-氟乙醇   (ii) 2-羟基乙醛

习题 3-5 用伞形式画出 (2R,3S)-3-甲基-1,4-二氯-2-丁醇的优势构象式(只考虑 C_2—C_3 键的旋转)。

习题 3-6 画出以异丁烷分子中某根 C—C 键为轴旋转 360° 时各种构象的势能关系图。

3.3 环烷烃的构象

3.3.1 Baeyer 张力学说

自 1883 年合成三元和四元碳环化合物后,人们发现:小环化合物比较容易开环,而五元、六

元环系则是稳定的。为了解释各种环的稳定性，1885 年，德国化学家 Baeyer A(拜耳)提出了张力学说(strain theory)。该学说认为：所有环型化合物都具有平面型结构(plane structure)。因此可以用公式偏转角＝(109°28′－正多边形的内角)/2 来计算不同碳环化合物中 C—C—C 键角与 sp³ 杂化轨道的正常键角 109°28′ 的偏离程度。三元至八元的环烷烃的 C—C—C 键角及每根 C—C 键的偏转程度如下所示：

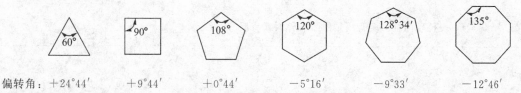

偏转角：　+24°44′　　　+9°44′　　　+0°44′　　　−5°16′　　　−9°33′　　　−12°46′

上面的数值为每根键屈挠的角度，正表示键向内屈挠，负表示键向外屈挠。键的屈挠，意味着化合物的内部产生了张力，因为这种张力是由于键角的屈挠引起的，故叫做角张力(angle strain)，又称为"Baeyer 张力"。Baeyer 认为：偏转角越大，角张力就越大。从能量来讲，张力大的结构能量较高，比较不稳定。这就是 Baeyer 张力学说。

　　按照 Baeyer 的张力学说，五元环最稳定，从六元环起，随着环的逐渐增大，化合物的稳定性应逐渐降低。但后来合成的大环化合物都是稳定的。燃烧热数据表明：从环丙烷至环戊烷，每个 CH₂ 的燃烧热逐渐降低，说明环越小越不稳定。但从环戊烷起，各种环烷烃的每个 CH₂ 的燃烧热几乎是一个常数。这些事实说明：大环化合物是稳定的。Baeyer 张力学说与事实不符。

　　现在已经清楚：除三元环和芳香型环系具有平面型结构外，其它环系都不具有真正的平面型结构，因此 Baeyer 张力学说的正确性是存在问题的。但 Baeyer 提出的当分子内的键角由于某种原因偏离正常键角时会产生张力的现象，却是经常存在的。现在仍将这种张力称为角张力。

3.3.2　环丙烷的构象

　　环丙烷的三个碳原子必须在同一平面上，所以碳原子核连线之间的夹角应为 60°。若环碳原子以 sp³ 的形式杂化，则分子轨道之间的正常角度应为 109°28′。因此在形成环丙烷时，可以有两种选择：一种是保持正常轨道 109°，轨道彼此间电子的排斥最小(正四面体)，但这样就会使两个轨道重叠得非常不好。另一种是不管轨道间的电子排斥，而使轨道的轴和碳原子之间的轴在同一条线上，以达到最大的重叠。而实际上测得环丙烷分子的 C—C—C 键角为 105°30′，H—C—H 的键角为 115°，C—C 键长和 C—H 键长分别是 151.0 pm 和 108.9 pm。这说明，为了

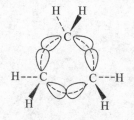

图 3-15　具有张力的环丙烷的轨道结构　　　　　　图 3-16　环丙烷的几何结构

使分子的能量达到最适合的程度,实际上,环丙烷中的价键是这两种成键方式协调的一个结果,也就是既大略地保持原来轨道间的角度,又达到一定程度重叠而形成一个弯曲的键或称为香蕉键(banana bond,图3-15)。因此环丙烷的碳碳单键比一般碳碳单键的键长(154 pm)要短。由于三个碳原子形成了环,所以六个氢原子都形成重叠型,并且是均等的。图3-16是环丙烷的几何结构。

习题 3-7　请分析:环丙烷内能升高是由哪几种因素造成的?

3.3.3　环丁烷的构象

　　研究表明:环丁烷分子中的四个碳原子不在同一平面内,C(1)C(2)C(4)所在的平面与C(2)C(3)C(4)所在的平面之间的夹角约为35°,形成环丁烷的折叠型构象(puckered conformation),在此构象中 C—H 键之间的扭转角约为25°。两个折叠型构象可以通过环的翻转互变(图3-17)。它们之间的能垒约为6.3 kJ·mol⁻¹。势能曲线图的峰顶为平面构象,由于折叠构象和平面构象的能量差较小,所以在构象分布中,平面构象也占一定的份额。

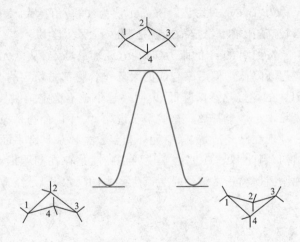

图3-17　环丁烷构象的转换

3.3.4　环戊烷的构象

　　环戊烷的碳原子如在同一平面上,所有的氢都成重叠型,扭转张力很大。为了减少这种张力,也形成一微微折叠的环。有信封型和半椅型两种折叠的环系。在信封型构象(envelope conformation)中,四个碳原子处在同一平面中,另一个碳原子在该平面上方约 50 pm 处。在半椅型构象(half-chair conformation)中,三个碳原子在同一平面内,另外两个碳原子一个在平面的上方,另一个则在平面的下方。两种构象不断地互相转换,碳原子在平面内外的互相关系也在不断地轮换。下面的图示分别表示平面的和折叠的环戊烷体系。

平面型　　　　　　　　　　　　　　信封型　　　　　　半椅型

3.3.5 环己烷的构象

　　早在1890年,Sachse H(沙赫斯)通过研究认为,根据正四面体的模型,六个碳原子的环可以不在同一平面上,同时还保持着正四面体的正常角度,但由于叙述得不清楚,图又画得不好,所以没有引起当时化学家们的注意。1918年Mohr E(莫尔)重新研究了这个问题,正式提出了非平面无张力环的学说。他认为:环己烷的六个碳原子不在同一平面上,而是形成了椅型(chair form)和船型(boat form)两种折叠的环系。在这两个环系中,碳原子可以保持sp^3的正常键角。下面是两种折叠环系的分子模型图。

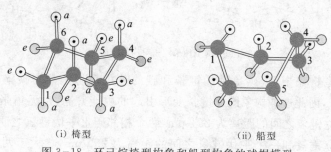

　　　　　　(i) 椅型　　　　　　　　　　(ii) 船型

图3-18　环己烷椅型构象和船型构象的球棍模型

1. 椅型构象

环己烷的椅型构象可以用锯架式和Newman式表达如下:

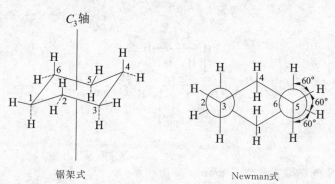

　　　　　　锯架式　　　　　　　　　　Newman式

　　这是一个非常对称的结构,因为形似一把椅子而得名。环中的碳原子处在一上一下的位置。向下的三个碳原子[C(1)C(3)C(5)]组成的平面和向上的三个碳原子[C(2)C(4)C(6)]组成的平面互相平行,两个平面的间距为50 pm。分子中存在一个C_3对称轴,C_3轴通过分子的中心并垂直于上述的两个平面。

　　椅型环己烷的氢原子可以分为两组:一组是六个C—H键与分子的对称轴大致是垂直的,都伸出环外,这叫做平键(或称平伏键)或e键(e是equatorial的字首,赤道的意思),三个e键略往上伸,三个e键略向下伸;另六个C—H键都是与轴平行的,这叫做直键(或称直立键)或a键(a是axial的字首,轴的意思),三个伸在环的下面,三个伸在环的上面。由于成环的碳链是封闭的,所以虽然成环的碳碳键仍然可以旋转,但旋转的程度会受到其它碳碳键的制约,所以在环平面上方的 C—H 键不可能转到环平面的下方来,同样在环下方的 C—H 键也不可能转到环平面的上方去。但一个椅型构象可以通过碳碳键的旋转变成另一个椅型构象,这时原来构象中向上的直键将转为向上的平键,向下的直键也转为向下的平键。原来向上的平键则转为向上的直键,向下的平键则转为向下的直键。这一对椅型构象互称为构象转换体。它们的转换速度常数为 $k=10^4 \sim 10^5 \text{ s}^{-1}$。按一级动力学方程 $-\text{d}c/\text{d}t=kc$ 计算,$t_{1/2}=1/k \times 0.69$,$t_{1/10}=1/k \times 2.3$,即反应物种的寿命与 k 成倒数关系。这两种构象,其中一种构象滞留的时间在 10^{-4} s 至 10^{-5} s 量级(微秒级)。

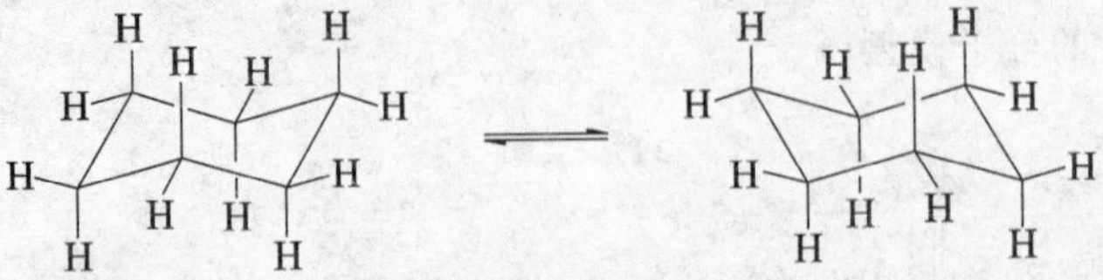

环己烷椅型构象的一对构象转换体

　　在环己烷的椅型构象中,碳碳单键的键长和碳的键角都与正常的碳碳单键的键长及碳的 sp^3 杂化的键角相符,因此这种构象既无键长变形引起的内能升高,也无角张力。由于构象中两个向上(或向下)直立键氢之间的距离为 251 pm,两个相邻碳上平伏键氢之间的距离为 249 pm,而相邻碳上一个直立键氢和一个平伏键氢之间的距离为 250 pm,均大于两个氢原子的半径之和。所以氢原子之间没有排斥力,不会使体系的内能升高。但环中任意两个邻碳原子的构象都是邻交叉构象,整个分子有 6 个邻交叉构象。以对位交叉构象为比较对象,每个邻位交叉构象约使体系的内能升高 $3.8 \text{ kJ} \cdot \text{mol}^{-1}$,则环己烷椅型构象的内能大约是 $22.8 \text{ kJ} \cdot \text{mol}^{-1}$。椅型构象是环己烷的优势构象。

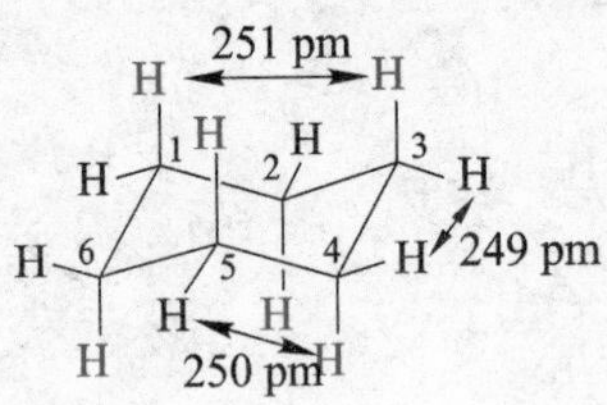

2. 船型构象

环己烷船型构象的锯架式和 Newman 式如下所示:

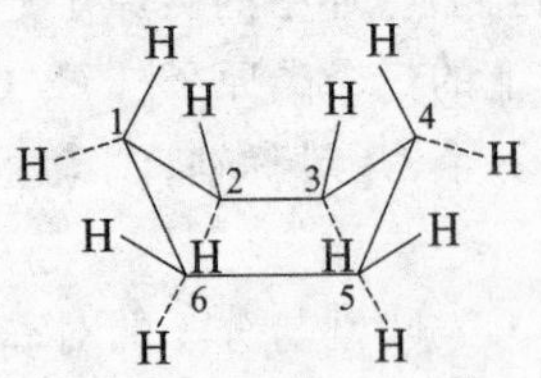

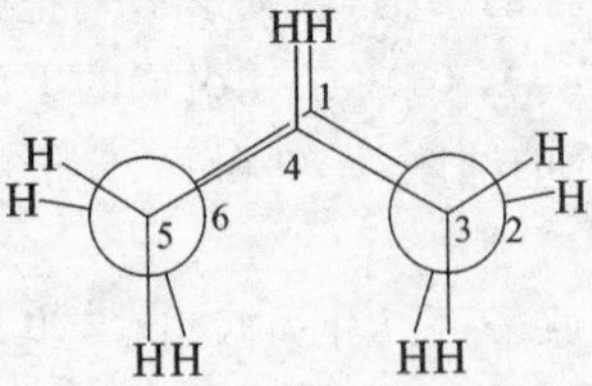

　　船型构象中的 C(2)、C(3)、C(5)、C(6)处在同一平面,好像是一个船底。C(1)和 C(4)都处在平面的上方,一个可看做为船头,另一个则看做为船尾。船头、船尾向内的 C—H 键的氢原子之间的距离为 183 pm,小于氢原子 von der Waals 半径之和 240 pm,故这两个氢原子间有排斥

力。环己烷船型构象可视为有四个正丁烷的邻交叉构象即 C(5)C(6)C(1)C(2)，C(6)C(1)C(2)C(3)，C(2)C(3)C(4)C(5)，C(3)C(4)C(5)C(6)，与两个重叠型构象即 C(1)C(2)C(3)C(4)，C(4)C(5)C(6)C(1)，正丁烷全重叠型比对交叉型不稳定 $22.6 \ kJ \cdot mol^{-1}$，因此船型构象不稳定共 $(4 \times 3.8 \ kJ \cdot mol^{-1}) + (2 \times 22.6 \ kJ \cdot mol^{-1}) = 60.4 \ kJ \cdot mol^{-1}$。如果忽略"船头""船尾"两个氢的相互作用，则可以估算椅型比船型稳定 $60.4 \ kJ \cdot mol^{-1} - 22.8 \ kJ \cdot mol^{-1} = 37.6 \ kJ \cdot mol^{-1}$。而根据计算，椅型与船型的能量差为 $28.9 \ kJ \cdot mol^{-1}$，与估计的值有些误差。

3. 环己烷各种构象的势能关系图

椅型构象和船型构象只是环己烷的两个典型构象，实际上随着碳碳单键的旋转，环己烷也可以产生无数个构象异构体。图 3-19 是环己烷各种构象的势能关系图。

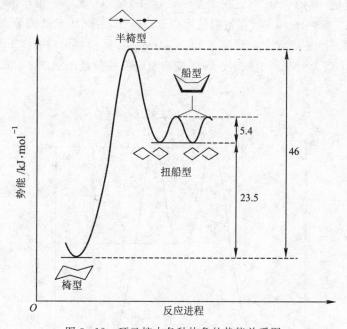

图 3-19　环己烷中各种构象的势能关系图

从图中可以看出：环己烷有两个稳定构象，一个是椅型构象，另一个是扭船型构象(skew boat conformation)。假如把船型构象船底的两对碳原子稍微转一转，使 C(3)，C(6) 转下去，C(2)，C(5) 重新转上来，这时我们可以看到，C(1)，C(4) 上的氢原子离得远一点了，而 C(3)，C(6) 上的氢原子离得近一点了。当这两对氢原子的距离相等时停止转动，原来成重叠型的 2,3 及 5,6 两对碳原子就变为不是完全重叠型了。在整个分子中，每对碳原子的构象既不是全重叠，也不是全交叉，相当于一个低能量的构象，这叫做扭船型或扭曲型(twist form)：

船型　　　　　　　　　　　　　　　　　　　　　　扭船型

扭船型构象的所有两面角都是 30°, 所有的对边都是交叉的。扭船型比椅型不稳定 23.5 kJ·mol⁻¹。由稳定的椅型构象转变为扭船型、船型构象, 要经过一个势能最高的不稳定的半椅型构象。把椅型构象中的 C(3) 转上去, C(2) 转下来, 使 C(1)C(2)C(3)C(4) 在一个平面上, 即得半椅型:

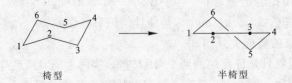

椅型　　　　　　　　半椅型

半椅型比椅型不稳定 46 kJ·mol⁻¹, 比扭船型不稳定 22.5 kJ·mol⁻¹。由于由一个椅型构象变为另一个椅型构象只需 46 kJ·mol⁻¹, 在室温就可以越过这个能垒, 因此试图分离这些构象异构体, 失败是可以理解的。由于椅型比船型稳定 28.9 kJ·mol⁻¹, 比扭船型稳定 23.5 kJ·mol⁻¹, 这个能量的差别, 使平衡体系大大有利于椅型。环己烷构象转换的势能图如图 3-20。

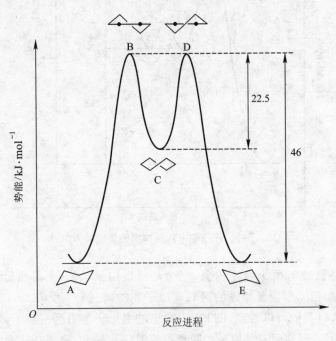

图 3-20　环己烷环转换的势能图

3.3.6　取代环己烷的构象

1. 一取代环己烷的构象

一取代环己烷可以有两种椅型构象。一种椅型构象取代基占据直键, 另一种椅型构象取代基占据平键。以 1-甲基环己烷为例来予以说明:

（i）5%　　　　　　　　　（ii）95%

$CH_3C^1C^6C^5$
邻交叉型
（i）′

$CH_3C^1C^6C^5$
对交叉型
（ii）′

$CH_3C^1C^2C^3$
邻交叉型
（i）″

$CH_3C^1C^2C^3$
对交叉型
（ii）″

先看甲基取直键的（i），根据计算，环己烷中 1，3 位两直键的氢原子与氢原子核间距离为 250 pm，与两个氢原子的 von der Waals 半径相当，因此不存在相互的排斥力。但在甲基占直键的环己烷中，甲基的 von der Waals 半径较大，甲基与 C(3)、C(5)的氢有相互作用力（排斥力）。这种作用称为 1，3-二直键的相互作用，也是非键连的互相作用。这种作用，也可以看做是直键甲基与 C(3)、C(5)有两个邻交叉型的相互作用。再看甲基占平键的环己烷（ii），甲基与 C(3)、C(5)均为对交叉型。按正丁烷的构象，对交叉型比邻交叉型稳定 3.8 kJ·mol^{-1}，则平键甲基环己烷比直键甲基环己烷稳定 $2\times3.8=7.6$ kJ·mol^{-1}。在构象转换时，平衡有利于平键甲基环己烷，为优势构象。这两种构象的构象分布可用 Boltzmann 平衡分布公式 $n_h/n_l=e^{-\Delta E/RT}$ 来估算。式中 ΔE 是两种构象的势能差，R 是摩尔气体常数，为 8.31×10^{-3} kJ·mol^{-1}·K^{-1}，T 为热力学温度，$K=[n_h]/[n_l]$。$[n_h]$是指能量高的构象的浓度，$[n_l]$是指能量低的构象的浓度，一些常见基团的一取代环己烷直键取代与平键取代构象的势能差列于表 3-2。

表 3-2　常见基团的一取代环己烷直键取代与平键取代构象的势能差（25℃）

取 代 基	势能差（直键⇌平键）/kJ·mol^{-1}	取 代 基	势能差（直键⇌平键）/kJ·mol^{-1}
—CH$_3$	7.1	—I	1.7
—CH$_2$CH$_3$	7.5	—OH*	～3.3
—CH(CH$_3$)$_2$	8.8	—OCH$_3$	2.9
—C(CH$_3$)$_3$	＞18.4	—C$_6$H$_5$	13.0
—F	0.8	—CN	0.8
—Cl	1.7	—COOH	5.0
—Br	1.7	—NH$_2$*	～6.3

*　其值可受溶剂的影响，特别是氢键。

下面应用表中数据来求乙基环己烷的构象分布。

从表 3-2 知—CH_2CH_3 的势能差＝-7.5 kJ·mol^{-1}。$\dfrac{-\Delta E}{RT}=\dfrac{7.5 \text{ kJ·mol}^{-1}}{8.31\times10^{-3} \text{ kJ·mol}^{-1}\cdot K^{-1}\times298 \text{ K}}=3.03$

$n_h/n_l=e^{-\Delta E/RT}=0.048$，则平键构象的浓度为 95.4％，而直键构象的浓度为 4.6 ％。

习题 3-8　写出下列化合物椅型构象的一对构象转换体，计算直键取代与平键取代的平衡常数 K 及百分含量（25℃）。

(i) 乙基环己烷　　　(ii) 溴代环己烷　　　(iii) 环己醇

---

2. 二取代环己烷的构象

用构象来分析一个化合物的物理性质及化学性质，称为构象分析。现在用构象分析的方法，分析二取代环己烷的稳定性。

(1) 顺-1,2-二甲基环己烷　(i) 有一个直键取代甲基（7.1 kJ·mol^{-1}），还有 $CH_3C(1)C(2)CH_3$ 邻交叉型的相互作用（3.8 kJ·mol^{-1}）。(ii) 与(i)是对映体，因此稳定性相同。

(2) 反-1,2-二甲基环己烷　(iii) 有两个直键取代甲基（2×7.1 kJ·mol^{-1}）；(iv) 有 $CH_3C(1)C(2)CH_3$ 邻交叉型的相互作用（3.8 kJ·mol^{-1}）。(iv) 比(iii)稳定（2×7.1 kJ·mol^{-1}－3.8 kJ·mol^{-1}＝10.4 kJ·mol^{-1}），平衡有利于(iv)，(iv)为优势构象。

比较顺-和反-1,2-二甲基环己烷构象的势能：(iii)＞(ii)≈(i)＞(iv)，势能差：10.4 kJ·mol^{-1}＞7.1 kJ·mol^{-1}≈7.1 kJ·mol^{-1}＞0 kJ·mol^{-1}，因此稳定性：(iv)＞(ii)≈(i)＞(iii)。

(3) 反-1-甲基-4-异丙基环己烷　(v) 中直键取代甲基（7.1 kJ·mol^{-1}），直键取代异丙基（8.8 kJ·mol^{-1}）；(vi) 中两个基团均为平键取代。(vi) 比(v)稳定 8.8 kJ·mol^{-1}＋7.1 kJ·mol^{-1}＝

15.9 kJ·mol^{-1}，平衡有利于(vi)，(vi)为优势构象。

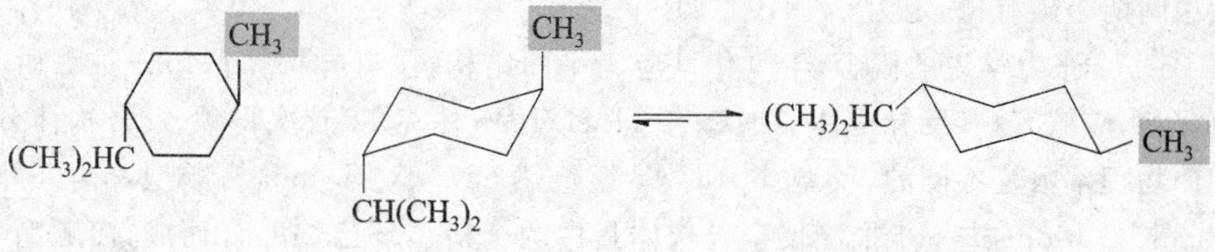

(v)　　　　　　　　　　　(vi)

(4) 顺-1-甲基-4-氯环己烷：(vii) 中直键取代甲基(7.1 kJ·mol^{-1})；(viii) 中直键取代氯(1.7 kJ·mol^{-1})。(viii) 比(vii) 稳定 7.1 kJ·mol^{-1}-1.7 kJ·mol^{-1}=5.4 kJ·mol^{-1}，平衡有利于(viii)，(viii)为优势构象。

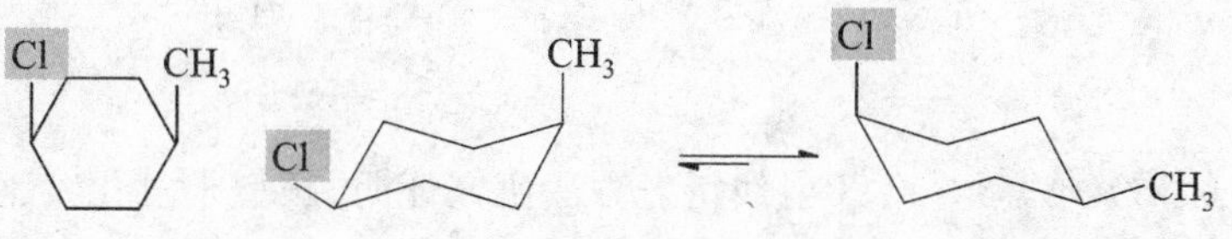

(vii)　　　　　　　　　(viii)

习题 3-9　写出下列化合物椅型构象的一对构象转换体，并指出哪一个是优势构象，计算它们的势能差。

(i) 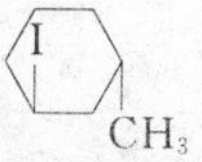　　　　　(ii) 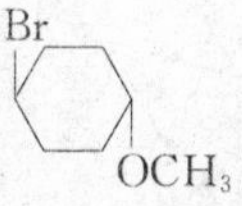　　　　　(iii) 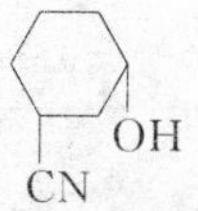　　　　　(iv)

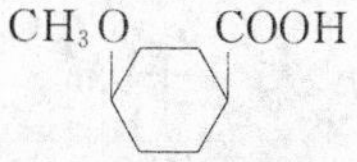

大的基团如—C(CH$_3$)$_3$ 要尽量避免占直键，在顺-1,4-二(三级丁基)环己烷中，两个都是大的基团，只能一个占平键，另一个占直键，但是这样造成的张力太大，就不得不迫使环本身发生扭转，变成扭船型构象，这样两个大的基团都可占据近似的平键，如下式所示：

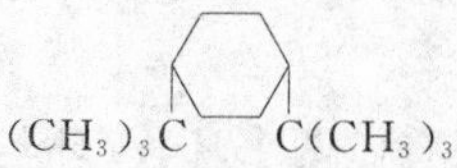

顺-1,4-二(三级丁基)环己烷 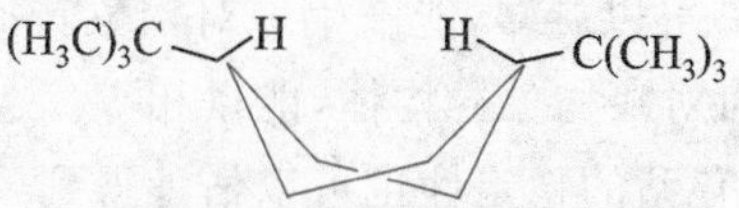　　　扭船型顺-1,4-二(三级丁基)环己烷

3.3.7　十氢化萘的构象

两个环己烷通过共用两个相邻的碳原子并合起来，称为十氢化萘(可视其为萘与十个氢结合，而得名)。

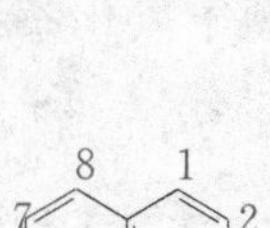

萘 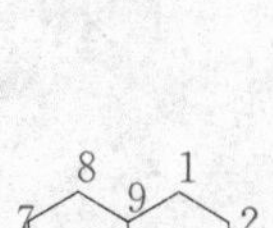　　　　　十氢化萘

十氢化萘的碳原子的位号也是由萘的位号引用过来的。萘的中间两个碳上没有氢,故没有位号,十氢化萘中间两个碳有氢,定为 C-9,C-10。

根据 Baeyer 张力学说的概念,十氢化萘应为平面结构,没有异构体;Mohr 推测由非平面组成的十氢化萘,应该有顺、反异构体。1925 年 Hückel W(休克尔)首次将顺、反异构体分离出来,测出它们的物理常数是不同的,反型:bp187℃,燃烧热 6277.3 kJ·mol⁻¹;顺型:bp196℃,燃烧热 6286 kJ·mol⁻¹。Mohr 进一步推测反型异构体是由两个椅型环己烷并合而成,而顺型异构体是由两个船型环己烷并合而成,如下所示:

反型　　　　　　　　　顺型

1946 年,Hassel O(哈赛尔)用 X 射线衍射方法研究证明,顺型十氢化萘不是由两个不稳定的船型环并合,而是由两个椅型环并合起来的:

顺十氢化萘的构象转换体

在反十氢化萘中,C-9,C-10 的键已被固定,不能自由旋转,所以没有构象转换体;而在顺十氢化萘中,C-9,C-10 可以旋转,能产生一对构象转换体,如上式所示。(i)和(ii)有实物与镜像的关系,它们又是一对对映构象异构体,能量相等。

顺和反十氢化萘的稳定性也可以估计得到,把十氢化萘看做两个环,A 环与 B 环,C-1,C-4 看做是 B 环取代基,C-5,C-8 看做是 A 环取代基。在反十氢化萘中,这些取代基均占平键。在顺型(i)中,C-4 对 B 环是平键,但 C-1 对 B 环是直键,C-1 分别与 C-5,C-7 上的氢有 1,3-两直键的相互作用,也即 C(1)C(9)C(10)C(5),C(1)C(9)C(8)C(7)是邻交叉型;C-8 对 A 环是平键,但 C-5 对 A 环是直键,C-5 分别与 C-1,C-3 上的氢有 1,3-两直键的相互作用,即 C(5)C(10)C(9)C(1),C(5)C(10)C(4)C(3)是邻交叉型;其中 C(1)C(9)C(10)C(5)是重复的,故只存在三个邻交叉型的相互作用。反十氢化萘比顺十氢化萘稳定 $3×3.8$ kJ·mol⁻¹$=11.4$ kJ·mol⁻¹。而实验所测反型比顺型稳定:

$$6\,286 \text{ kJ·mol}^{-1}-6\,277.3 \text{ kJ·mol}^{-1}=8.7 \text{ kJ·mol}^{-1}$$

估计值与实验值还是比较接近的。

顺、反十氢化萘平面式的表示方法,用楔形键或黑点表示氢在纸面前面,虚线或未标黑点表示氢在纸面后面。

顺十氢化萘　　　　　　　　　　　　　反十氢化萘

其它取代基也可用楔形键与虚线表示其构型。

习题 3-10　画出下列化合物的优势构象：

(i)　　　　　(ii)　　　　　(iii)　　　　　(iv)

习题 3-11　比较下列两个化合物的稳定性(提示:计算甲基对两个环的作用,再考虑顺和反十氢化萘的稳定性。

(i)　　　　　(ii)

3.3.8　中环化合物的构象

　　中环与小环、普通环有一个主要的区别,就是当环增大时,距离远的(往往是环系对面的)碳原子上的氢彼此接近,发生 von der Waals 力的干扰。如环癸烷的三种不同张力协调的结果可以形成一个或几个能量最适宜的构象。例如增加角张力而减少 von der Waals 张力。图 3-21 是一个可能的构象,图中的虚线表示这种远程氢原子的干扰排斥。

　　从上图可以看出,中环化合物的构象问题是非常复杂的。由于 von der Waals 力的排斥,给合成这类化合物造成了很大的困难。目前已知最难合成的环系就是 9 元到 11 元环系。在 Stuart 模型上,可以很容易看出分子中氢原子的"拥挤"情况。

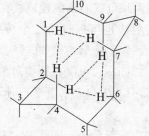

图 3-21　环癸烷分子中远距离氢的排斥

　　当环再增大时,分子就变得松动了,基本上形成没有张力的环。最理想的构象是形成两条两头被封起来的平行的长链。

旋光异构体

3.4　旋　光　性

3.4.1　平面偏振光

普通的光线含有各种波长的光,并且是在各个不同的平面上振动的,图3-22(i)代表一束光线朝着我们的眼睛直射过来,它包含有在各个平面上(如 $A,B,C,D,\cdots$)振动的光线,假若使光线通过一个电气石制的棱镜,又叫 Nicol(尼可尔)棱镜,一部分射线就被阻挡不能通过,这是因为这种棱镜具有一种特殊的性质,只有和棱镜的晶轴平行振动的射线才能全部通过。假若这个棱镜的晶轴是直立的,那么只在这个垂直平面上振动的射线才可通过,这种通过棱镜后产生的只能在一个平面振动的光叫做平面偏振光(plane polarized light)。图3-22(ii)表示凡在虚线平面上振动的光线都将被全部地或者部分地阻挡。图3-22(iii)表示通过棱镜的光线是仅含有在箭头所示平面上振动的偏振光。

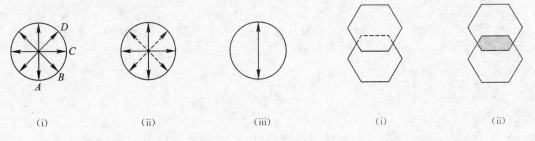

| (i) | (ii) | (iii) | (i) | (ii) |

图3-22　普通光与平面偏振光示意图　　　　　图3-23　两个棱镜轴平行或垂直时的情况

用两块电气石制的棱镜放在眼睛和一个光源之间,若两个棱镜的轴彼此平行,则通过第一个棱镜的射线也可通过第二个棱镜,我们看到的是透明的[图3-23(i)],若两个棱镜的轴互相垂直,通过第一个棱镜的射线就不能通过第二个棱镜,此时看到两镜相交处是不透明的[图3-23(ii)]。电气石棱镜对于光的作用可以用一本书和一把刀作一个粗浅的比喻。一本合上的书,只有刀口和书页平行时,才能够插进书内。

3.4.2　旋光仪　旋光物质　旋光度

检查旋光性的仪器叫做旋光仪(图3-24)。普通的旋光仪主要部分是一个两端装有电气石棱镜的长管子,一端的棱镜轴是固定的,这个棱镜叫起偏器,另一端是一个可以旋转的棱镜,叫检偏器。检偏器和一个刻有180°的圆盘相连,普通零点是在圆盘的右面中部。固定棱镜的外端放一个光源,通常是用一个钠光灯。若两个棱镜的轴是平行的,即圆盘的刻度正指零度,光可通过两个棱镜。长管中间可放入一根装满要测定旋光性物质溶液的玻璃管。管中如装入水或乙醇,光仍照旧通过,这表示水和乙醇对平面偏振光不起作用。如放入乳酸某光活性异构体溶液,则偏振光不能通过。这表示该乳酸溶液可将通过第一棱镜出来的平面偏振光向左或向右旋转若干度。这种能使平面偏振光旋转一定角度的物质称为旋光性物质。因为通过乳酸溶液的偏振光的振动平面和第二棱镜的轴不再平行,所以不能通过第二棱镜。为使光线通过,需

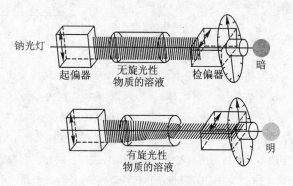

图 3-24　旋光仪装置

将第二棱镜旋转一个角度,该角度和方向就代表该乳酸溶液的旋光度,从观察者的方向看,第二棱镜向左旋的叫左旋光性,向右旋的叫右旋光性。旋光度用符号 α_λ^t 表示,t 为测定时的温度,λ 为光的波长。

3.4.3　比旋光度　分子比旋光度

影响旋光度的因素是很多的,除分子本身的结构外,旋光度的大小还和管内所放物质的浓度、温度、旋光管的长度、光波的长短及溶剂的性质(若为溶液)等有关。如果能把结构以外的影响因素都固定,则此时测出的旋光度就可以成为一个旋光物质所特有的常数。为此提出了比旋光度(specific rotation)的物理量。比旋光度用 $[\alpha]_\lambda^t$ 表示,它是指某纯净液态物质在管长 l 为 1 dm(=10 cm),密度 ρ 为 1 g·cm^{-3},温度为 t,波长为 λ 时的旋光度 α_λ^t。

$$[\alpha]_\lambda^t = \frac{\alpha_\lambda^t}{l \times \rho}$$

因为多数情况下,比旋光度是用一个物质的溶液来测定的,所以比旋光度也可以用下式求得。

$$[\alpha]_\lambda^t = \frac{\alpha_\lambda^t}{l \times \rho_B}$$

ρ_B 代表溶液的质量浓度,即在 100 mL 溶液里所含溶质的质量。在一定的条件下,某一具有旋光性的物质,其比旋光度是一个常数。普通的钠光灯(D 线波长为 586 900 pm 与 589 000 pm)是常用的光源。标准的光源是汞绿线(波长为 546 100 pm)。所测的旋光度,向右旋用"+"号来表示,向左旋用"−"号来表示。由于溶剂会和光活性物质发生溶剂化,这时偏振光是和被溶剂包围起来的分子作用,而溶剂化又对外界的影响和分子的结构非常敏感,因此当被测物质用不同溶剂配制溶液时,α 的读数也不同。所以在表示比旋光度时,要标明所用的溶剂。例如若在 20℃用钠光源的旋光仪测得葡萄糖水溶液的比旋光度为右旋 52.5°,则可表示为 $[\alpha]_D^{20} = +52.5°$(水)。

有的文献采用分子比旋光度 $[m]_\lambda^t$ 来表示物质的旋光性质。分子比旋光度与比旋光度的换

算公式如下:

$$[m]_\lambda^i = \frac{[\alpha]_\lambda^i \times 相对分子质量}{100}$$

发现光活性异构体的小史:

学习到这一阶段,让我们回顾一下光活性异构体的发现,不是没有益处的。

偏光是在 1808 年由 Malus E(马露)首次发现的,随后 Biot I B(拜奥特)发现有些石英的结晶将偏光右旋,有些将偏光左旋。他进一步又发现某些有机化合物(液体或溶液)也具有旋转偏光的作用。当时就推想这和物质组成的不对称性有关。由于有机物质在溶液中也有偏光作用,Pasteur L(巴斯德)在 1848 年提出光活性是由于分子的不对称结构所引起的。Pasteur L 进一步研究酒石酸盐,并首次将消旋酒石酸盐拆分为左旋体和右旋体。

到 1870 年,Butlerov 也注意到:不是所有异构现象都可用结构理论来解释。他说:"异构体的数目比真正所期望的数目要多。"例如乳酸,除左旋、右旋两种,还有用化学合成方法得到的第三种乳酸,它没有旋光性,换言之,不是光活性的,所以称为消旋乳酸。用化学方法,无论用降解还是合成,都证明这三种乳酸是同一结构的物质。

直到 1874 年,van't Hoff 和 Le Bel 这两个青年物理化学家才提出碳的四价是指向正四面体的顶点。从而得出不对称碳原子的概念。van't Hoff 更进一步作出预言,某些分子如丙二烯衍生物即使没有不对称碳原子,也应有旋光异构体存在。这个预言,在 60 年以后才为实验所证实,尽管他们两人建立了立体化学的基础,但在他们提出这个理论以后的初期,遭到了当时的德国权威化学家 Kolbe 的极强烈反对。他对这两个青年化学家极尽诬蔑之能事,但是无情的事实终于把 Kolbe 驳斥得体无完肤。四面体的碳原子结构已不再是一个推想,今天完全可以通过 X 射线衍射法拿到它的"真实照片",这就等于可以间接地看到它的图像!

3.5 手性和分子结构的对称因素

3.5.1 手性 手性分子

人的左、右手互为实物与镜像,但彼此不能重合,手的这种特征在其它物质中也广泛存在,因此人们将一种物质不能与其镜像重合的特征称为手性(chirality)或手征性。具有这种特征的分子称为手性分子,手性分子都具有旋光性。不具有手征性的分子称为非手性分子,无旋光性。

3.5.2 判别手性分子的依据

根据实物与其镜像能否重合来判断一个复杂分子是否具有手性是极其不方便的。由于分子的手性是由于分子内缺少对称因素(symmetry factor)引起的,因此方便的方法是通过判断分子的对称因素来确定其是否具有手性。分子的手性与对称因素之间的关系阐明如下。

能把分子切成实体和镜像两部分的平面称为分子的对称面。用希腊字母 σ 表示。反映是对称面的对称操作。例如下列分子均有对称面(symmetric plane),有对称面的分子都是非手性分子。

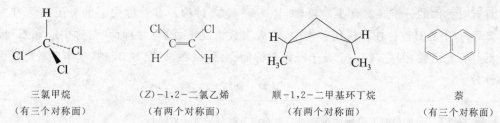

三氯甲烷	(Z)-1,2-二氯乙烯	顺-1,2-二甲基环丁烷	萘
(有三个对称面)	(有两个对称面)	(有两个对称面)	(有三个对称面)

如果分子中有一点,所有通过这个点画的直线都以等距离达到相同的基团,此点称为对称中心(symmetric center)。对称中心用 i 来表示。一个分子只可能有一个对称中心。倒反是对称中心的对称操作。例如:下面的分子就具有对称中心。有对称中心的分子也是非手性分子。

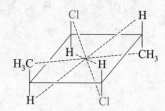

许多物体或分子还有一种叫做对称轴(symmetric axle)的对称因素。这种轴是通过物体或分子的一条直线,以这条线为旋转轴旋转一定的角度,得到的物体或分子的形象和原来物体或分子的形象无法区别。一般用 C_n 代表这种对称轴,n 表示轴的级,称 n 重对称轴。旋转是对称轴的对称操作。以这一直线为轴旋转的度数为 $2\pi/n$。球体有一个 C_∞ 简单对称轴,转任何一个度数都得到和原来无法区分的实体。水分子有一个二重对称轴,即绕 C_2 轴转动 $180°(2\pi/n=180°$,$n=2)$,分子的形象与未转动前的形象完全重合,氨分子有一个三重对称轴,即绕 C_3 轴转 $120°$,分子的形象与未转动前的形象完全重合。对称轴不作为判别分子手性的依据。

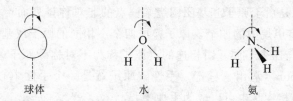

分子围绕一个轴旋转一定角度$(2\pi/n)$后,再用垂直此轴的平面作为镜面,进行一次反映,若所得镜影与原来的分子重合,则此轴称为倒反轴或简称反轴,用 S_n 表示。n 表示它的级,称为 n 重反轴。反轴与旋转、反射两个对称操作相关。例如,下面式子中,化合物(i)就有一个反轴 S_2。将(i)旋转 $180°(2\pi/2)$,即得(ii),然后用垂直于旋转轴的镜面反射得(iii),镜像(iii)和(i)是可重合的相同的分子。具有反轴的分子不是手性分子。

球体   水   氨

具有对称面的分子必然有 1 阶反轴,皆 S_1 = 镜面对称。有对称中心的分子必然有 2 阶反轴。皆 S_2 = 中心对称。在有机化合物中,绝大多数情况下,没有对称面、对称中心和 S_4 反轴的分子都具有光活性,因此,若一个分子既无对称面、对称中心,又无 S_4 反轴,基本上就可以断定它是手性分子。

习题 3-12 　　请通过判断分子的对称因素来确定下列分子是否有手性:

(i) 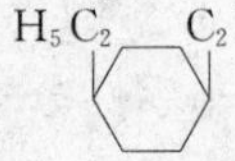 ... (ii)  ... (iii) 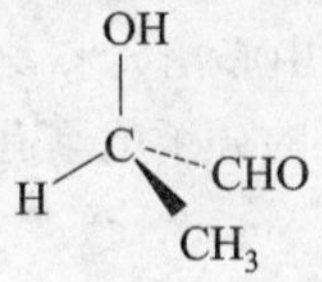 ... (iv) 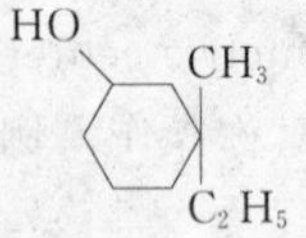 ...

(v) 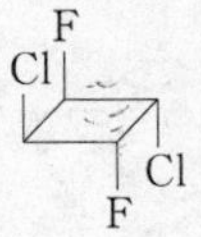 ... (vi) 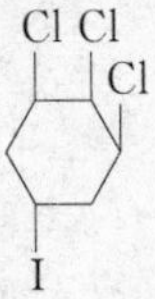 ... (vii) 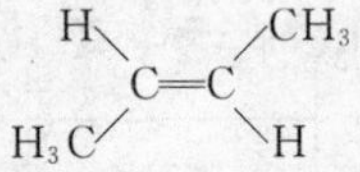 ... (viii) CH_2=CH—CH=$C(CH_3)_2$

3.6　含手性中心的手性分子

3.6.1　手性中心和手性碳原子

如果分子中的手性是由于原子和基团围绕某一点的非对称排列而产生的,这个点就是手性中心(chiral center)。将甲烷中的四个氢原子换成四个不相同的原子或基团,即可以得到一个有旋光性的物质,因此将与四个不同基团相连的碳原子称为不对称碳原子(asymmetric carbon)或手性碳原子(chiral carbon),常用 * 标记。手性碳原子就是一个手性中心。其它原子当它与四个不相同的原子或基团相连时也可以成为手性中心。

3.6.2　含一个手性碳原子的化合物

1. Fischer 投影式

乳酸是含有一个手性碳原子分子的经典代表。它的结构简式如下所示。

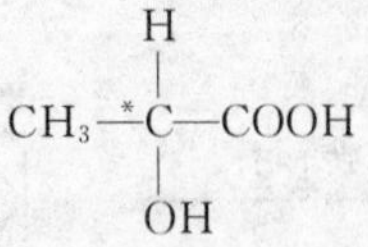

$$CH_3-\overset{\overset{\displaystyle H}{|}}{\underset{\underset{\displaystyle OH}{|}}{C}}-COOH$$

假如用黑球代表碳原子,用ⓐⓑ©ⓓ四个小球分别代表 CH_3,H,OH 和 COOH,用棍表示手性碳原子的四根键,则图 3-25 中的(i)(ii)都代表乳酸。

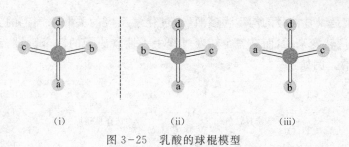

图 3-25 乳酸的球棍模型

(i)和(ii)具有镜像和实体的关系,并且不能重合,所以是一对光活性异构体,(i)和(iii)彼此可以重合,所以是相同的分子。(i)和(iii)中将 d 放在后面,前面三个基团由 a 经 b 到 c 都是反时针的。而(ii)则是顺时针的。

上述球棍模型反映的事实说明,与手性碳原子相连的四个基团在空间具有两种并且只有两种不同的排列次序,因此(i)和(ii)代表了具有不同构型的乳酸分子。而且与手性碳原子相连的四个不同基团,不能随意改变位置。因为任何两个基团对调了位置,则分子构型就变得和原来相反,即由左手性变为右手性,或右手性变为左手性。

显然用球棍模型来表示立体构型是清晰的,但并不方便。而 Fischer E(费歇尔)最早建议的投影式即 Fischer 投影式(Fischer projection)至今还是表达立体构型最常用的一种方法。画 Fischer 投影式要符合如下规定:① 碳链要尽量放在垂直方向上,氧化态高的在上面,氧化态低的在下面。其它基团放在水平方向上。② 垂直方向碳链应伸向纸面后方,水平方向基团应伸向纸面前方。③ 将分子结构投影到纸面上,用横线与竖线的交叉点表示碳原子。例如 $R-(-)-$乳酸可以按下面的过程画出 Fischer 投影式。

| 球棍式 | 楔形式 | 立体透视式 | 一般投影式 | Fischer 投影式 |

Fischer 投影式不能在平面上旋转 90°,也不能离开纸面翻转 180°。Fischer 投影式中的基团两两交换的次数不能为奇数次。

2. 相对构型和绝对构型

在有机化学发展早期,就知道有左旋、右旋两种甘油醛,但这两种甘油醛分别与甘油醛的哪一种空间排列相对应是不清楚的。于是人们指定右旋甘油醛为 D 构型(D 是拉丁文 Dexcro 的第一个字母)、左旋甘油醛为 L 构型(L 是拉丁文 Leavo 的第一个字母)。它们的 Fischer 投影式任意性地指定如下:

D-(+)-甘油醛   L-(-)-甘油醛

其它化合物的构型是以甘油醛的构型为参照,通过化学反应的关联来确定的。若某化合物是由D-甘油醛通过反应转变来的,而在整个转变过程中手性碳原子的四个键没有变化,则生成的化合物也是D构型的。例如:

$$\text{D-(+)-甘油醛} \quad \xrightarrow[\text{选择性氧化}]{[O]} \quad \text{D-(-)-甘油酸} \quad \xrightarrow[\text{选择性还原}]{[H]} \quad \text{D-(-)-乳酸}$$

这种以甘油醛的构型为参照标准而确定的构型称为相对构型(relative configuration)。相对构型以 D-L 构型标记法标记。

能真实反映空间排列情况的构型称为绝对构型(absolute configuration)。绝对构型是根据手性碳原子上四个不同的原子或基团在"顺序规则"中的先后次序来确定的,用 R-S 构型标记法标记。(确定 R、S 构型的方法请参见 2.4.2/1)。例如甘油醛绝对构型的标记如下。

$(R)-(+)-甘油醛 \qquad (S)-(-)-甘油醛$

3. 对映体和外消旋体

含有一个手性碳原子的物质都可以写出两种也只能写出两种构型,它们代表两种不同的分子,互为实体和镜像,但不能重合。这种互为实体和镜像又不能重合的分子互称为对映体(enantiomer)。对映体的内能是相同的。它们在非手性环境中的性质基本上也是相同的。例如熔点、沸点相同,在非手性溶剂中的溶解度及与非手性试剂反应的速率都相同等。但在手性环境中,它们的性质是不相同的。例如与手性试剂的反应或在手性催化剂、手性溶剂中的反应速率则不相同。生物体内的酶和各种底物都是有手性的,所以对映体的生理活性往往有很大的差异。左旋尼古丁的毒性比右旋尼古丁的毒性大很多;左旋氯霉素有疗效,而右旋氯霉素就没有疗效。左旋香芹酮的香气与其对映体的香气也不相同。对映体在生物体内的代谢速率也是不相同的,将青霉素放在含有外消旋酒石酸的培养液中生长,溶液慢慢由旋光度为 0 变成了左旋光的,这说明右旋酒石酸被慢慢消耗掉了。一对对映体的旋光能力相等,但旋光方向相反。即若一个能使平面偏振光向左旋转 A 度,则另一个可使之向右旋转 A 度。例如(S)-(+)-乳酸和(R)-(-)-乳酸就是一对对映体。

$(S)-(+)-乳酸$	$(R)-(-)-乳酸$	$(\pm)-乳酸$
mp 53℃	mp 53℃	mp 18℃
$[\alpha]_D^{15}=+3.82°$	$[\alpha]_D^{15}=-3.82°$	$[\alpha]_D^{15}=0$
$pK_a=3.79(25℃)$	$pK_a=3.83(25℃)$	$pK_a=3.86(25℃)$

将一对对映体等量混合,可以得到一个旋光度为零的组成物,称之为外消旋体(racemate)。

外消旋体可以用符号(±)或(*dl*)来表示。由于左旋体和右旋体分子之间亲和关系不同,所以外消旋体的物理性质如熔点、溶解度等与纯净的左旋体和纯净的右旋体之间是不相同的。外消旋体还可以进一步细分为:

(1) 外消旋化合物　　当左旋体分子和右旋体分子互相之间有较大亲和力时,两种分子将有可能在晶胞中配对,而形成计量学上的化合物晶体,这样的外消旋体称为"外消旋化合物"(racemic compound)。它们的熔点多数高于纯旋光体,而溶解度多数低于纯旋光体。

(2) 外消旋混合物　　当纯旋光体分子本身之间的亲和力大于对映体的亲和力时,左旋体和右旋体将有可能分别地形成晶体,这样的外消旋体称之为外消旋混合物(racemic mixture)。它们的熔点常常低于纯旋光体,而溶解度则高于纯旋光体。

(3) 外消旋固体溶液　　当一个纯旋光体分子对其构型相同的分子和对构型相反的分子的亲和力比较接近时,则两种构型分子的排列是混乱的,这样的外消旋体称为外消旋固体溶液(racemic solid solution)。它们的熔点、溶解度和纯旋光体比较接近。

4. 潜非对称性和潜不对称碳原子

丙酸是一个对称的分子。若将丙酸 α 碳上的一个氢原子用羟基取代,则丙酸分子就转变成了不对称分子乳酸。在下面丙酸的 Fischer 投影式中,左边的氢被羟基取代得(*S*)-(+)-乳酸,而右边的氢被羟基取代得(*R*)-(−)-乳酸。

一个对称的分子(例如丙酸)经一个原子或基团被取代后失去了其对称性,而变成了一个非对称的分子,那么原来的对称分子称为"潜非对称分子"或称为"原手性分子"。分子所具有的这种性质称为"潜非对称性"或"原手性"(prochirality)。发生变化的碳原子称为"潜不对称碳原子"或"原手性碳原子"。

3.6.3　含两个或多个手性碳原子的化合物

1. 旋光异构体的数目

一般地讲,分子中的不对称碳原子越多,旋光异构体的数目就越多。若分子中只有一个手性碳原子,则会有 *R* 构型和 *S* 构型两种旋光异构体。若分子中有两个不相同的手性碳原子,则可以产生 *RR*,*RS*,*SR*,*SS* 四种旋光异构体。按照同样的思路进行推理,光活性异构体的数目可按下式计算:

$$光活性异构体数目 = 2^n \qquad n = 不相同的不对称碳原子数$$

2. 非对映体

现在,结合下面的实例来说明光活性异构体之间的关系。2,3-二氯戊烷有两个不相同的不对称碳原子,可以写出四个光活性异构体,它们的 Fischer 投影式表示如下:

$$
\begin{array}{cccc}
\mathrm{CH_3} & \mathrm{CH_3} & \mathrm{CH_3} & \mathrm{CH_3} \\
\mathrm{H-\!\!\!-Cl} & \mathrm{Cl-\!\!\!-H} & \mathrm{H-\!\!\!-Cl} & \mathrm{Cl-\!\!\!-H} \\
\mathrm{Cl-\!\!\!-H} & \mathrm{H-\!\!\!-Cl} & \mathrm{H-\!\!\!-Cl} & \mathrm{Cl-\!\!\!-H} \\
\mathrm{C_2H_5} & \mathrm{C_2H_5} & \mathrm{C_2H_5} & \mathrm{C_2H_5} \\
(\mathrm{i}) & (\mathrm{ii}) & (\mathrm{iii}) & (\mathrm{iv})
\end{array}
$$

上面的(i)和(ii)互为实物和镜像,是一对彼此不能重合的对映体。(iii)和(iv)是另一对对映体。(i)与(iii)、(iv)之间和(ii)与(iii)、(iv)之间不存在对映体的关系,将这种不呈镜像关系的旋光异构体称为非对映体(diastereomer)。它们不仅旋光能力不同,许多物理、化学性质也不相同。从上例可以看出两个光活性异构体彼此不能同时既是对映体又是非对映体的关系。一个旋光性化合物如条件许可,除一个对映体外,它可能有多个非对映体。

习题 3-13　写出下列四式的关系,并标明分子中不对称碳原子的构型:

$$
\begin{array}{cc}
\mathrm{CH_3} & \mathrm{H} \\
\mathrm{Cl-\!\!\!-H} & \mathrm{Cl-\!\!\!-CH_3} \\
\mathrm{H_3C-\!\!\!-OH} & \mathrm{HO-\!\!\!-C_2H_5} \\
\mathrm{C_2H_5} & \mathrm{CH_3} \\
(\mathrm{A}) & (\mathrm{B})
\end{array}
$$

(C)　(D)

习题 3-14　写出$(2S,3R)$-3-氯-2-溴戊烷的 Fischer 投影式,并写出其优势构象的锯架式、伞形式、Newman 式。

习题 3-15　下面的分子中有几个手性碳原子? 每个手性碳原子的构型是什么? 该分子有几个旋光异构体? 其中有几对对映体? 每一个化合物有几个非对映体?

$$
\begin{array}{c}
\mathrm{CHO} \\
\mathrm{H-\!\!\!-OH} \\
\mathrm{H-\!\!\!-OH} \\
\mathrm{H-\!\!\!-OH} \\
\mathrm{COOH}
\end{array}
$$

习题 3-16　在含有两个不对称碳原子的分子的 Fischer 投影式中,两个不对称碳原子的相同基团在同一侧,称为赤式,在异侧称为苏式。请写出 $\mathrm{HO-\!\!\!\!\!\!\!\!\!\!\overset{\overset{\displaystyle OH}{|}}{}\!\!\!\!\!\!\!\!\!\!\underset{\underset{\displaystyle OH}{|}}{}-CHO}$ 的所有旋光异构体的 Fischer 投影式及其系统命名。并指出哪些旋光异构体互为对映体,哪些为非对映体,哪些是赤式,哪些是苏式?

2,3-二氯戊烷没有平面对称及中心对称因素,也没有 S_4 反轴,因此它是一个手性分子。现在还须进一步从构象分析上了解这个分子。上面四个 Fischer 投影式都代表能量高的不稳定重叠构象式。如把(i)和(iii)分别写成锯架式和 Newman 式,则得(v)及(vi):

(i) ≡　≡

(iii) ≡　≡

(v)　(vi)

显然这代表两个劣势构象,如将(v)的 C-2 旋转 60°和(vi)的 C-2 旋转 180°,则得两个稳定的交叉构象(vii)和(viii),构象异构体(viii)从能量上讲是最有利的,因为分子中两个最大的基团成对交叉型。在室温下,各种可能的构象都在不停地变换着,到目前为止,还没有分离出来各种构象异构体,但可以肯定,在晶体的状态下,分子是以稳定的构象式存在的。

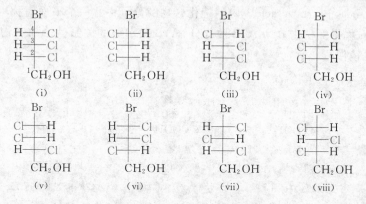

(vii)　　　　　　　　　　　　(viii)

3. 差向异构体

两个含多个不对称碳原子的异构体,如果只有一个不对称碳原子的构型不同,则这两个旋光异构体称为差向异构体(epimer)。如果构型不同的不对称碳原子在链端,称为端基差向异构体

(anomer)。其它情况,分别根据碳原子的位置编号称为 C_n 差向异构体。例如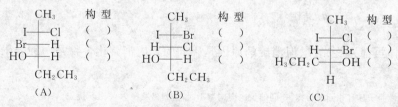

分子中有三个不相同的不对称碳原子,即有 8 个光活性异构体,成为四对对映体。它们的 Fischer 投影式如下所示。

	Br				Br				Br				Br	
H—	4	—Cl		Cl—		—H		Cl—		—H		H—		—Cl
H—	3	—Cl		Cl—		—H		Cl—		—H		Cl—		—H
H—	2	—Cl		Cl—		—H		H—		—Cl		H—		—Cl
	1 CH$_2$OH				CH$_2$OH				CH$_2$OH				CH$_2$OH	
	(i)				(ii)				(iii)				(iv)	

	Br			Br			Br			Br	
Cl—		—H	H—		—Cl	H—		—Cl	Cl—		—H
H—		—Cl	H—		—Cl	Cl—		—H	Cl—		—H
H—		—Cl	H—		—Cl	H—		—Cl	Cl—		—H
	CH$_2$OH			CH$_2$OH			CH$_2$OH			CH$_2$OH	
	(v)			(vi)			(vii)			(viii)	

在上面 8 个式子中,(i)和(ii)、(iii)和(iv)、(v)和(vi)、(vii)和(viii)是四对对映体。(i)和(iii)、(ii)和(iv)是端基差向异构体。(i)和(vii)、(ii)和(viii)是 C_3 差向异构体。(i)和(vi)、(ii)和(v)是 C_2 差向异构体。

习题 3-17　指出下列分子中不对称碳原子的构型,并指出(A),(B),(C),(D),(E)之间的关系。

	CH$_3$	构 型		CH$_3$	构 型		CH$_3$	构 型
I—	—Cl	( )	I—	—Br	( )	I—	—Cl	( )
Br—	—H	( )	H—	—Cl	( )	H—	—Br	( )
HO—	—H	( )	HO—	—H	( )	H$_3$CH$_2$C—	—OH	( )
	CH$_2$CH$_3$			CH$_2$CH$_3$			H	
	(A)			(B)			(C)	

```
  CH₂CH₃  构型                Cl          构型
H——Cl  (  )          H——CH₂CH₃  (  )
H——Br  (  )          Br——H      (  )
H₃C——OH  (  )         H₃C——I     (  )
    I                    OH
  (D)                    (E)
```

3.6.4　含两个或多个相同(相像)手性碳原子的化合物

1. 内消旋体

当一个分子含有取代相同的不对称碳原子时,光活性异构体的数目及性质就和上面的情形不同了。酒石酸是这一类型分子最典型的代表。Pasteur 就是因研究这个化合物而开创了这门科学。

酒石酸的分子里含有两个相同的不对称碳原子,它们都连有相同的四个彼此不同的基团。这样的分子可有三种构型组合:第一种是两个不对称碳原子均为 R 构型;第二种是两个不对称碳原子均为 S 构型;第三种是一个不对称碳原子为 R 构型,另一个不对称碳原子为 S 构型。这三种结构,第一种和第二种是一对对映异构体,它们是下面的式(i)和式(ii);第三种结构内的两个不对称碳原子的旋光性恰好相反,所以整个分子没有旋光性,把它叫做内消旋体(mesomer),如式(iii)所示。内消旋这一名词不太确切,因为它本来就没有光活性,但沿用已久,因此不作更改。英文名称为 meso-tartaric acid。内消旋化合物的分子中有一个平面对称因素,如内消旋酒石酸(iii)可用一对称平面把它分为 A、B 两部分,A、B 两部分的关系就恰如实物和镜像一样。A 表示实物,B 就是镜像。

```
   ¹COOH                 COOH                 COOH
 H—²—OH              HO——H              H——OH   A
HO—³—H               H——OH              H——OH   B
   ⁴COOH                COOH                 COOH
   (i)                  (ii)                 (iii)
 右旋酒石酸             左旋酒石酸            内消旋酒石酸
(2R,3R)-(+)-酒石酸   (2S,3S)-(−)-酒石酸   (2R,3S)①-酒石酸
```

表 3-3 列出左旋体、右旋体、外消旋体及内消旋体酒石酸的物理性质。

表 3-3　　酒石酸的物理性质

酒石酸	mp/℃	$[\alpha]_D^{25}$(20%水溶液)	溶解度/$g \cdot (120\ g\ 水)^{-1}$	pK_{a1}	pK_{a2}
(+)-	170	+12°	139	2.93	4.23
(−)-	170	−12°	139	2.93	4.23
(±)-	206	无光活性	20.6	2.96	4.24
meso-	140	无光活性	125	3.11	4.80

内消旋化合物和外消旋体虽都无旋光性,但消旋的原因是不同的。内消旋化合物是一种分子,不

---

① 根据顺序规则,两个手性原子具有相同的结构,相同的位次而构型不同时,列出顺序为 R 比 S 优先。

能分离成具有旋光性的化合物[如式(iii)内消旋酒石酸]。外消旋体是一对对映异构体,如(i)右旋酒石酸和等量(ii)左旋酒石酸混在一起的外消旋体,可以把它分离成两种旋光性相反的化合物。从理论上讲,凡含有两个相同取代的不对称碳原子的化合物,都有三种立体异构体,即一对对映体和一个内消旋体。所以,当分子中含有相同的不对称碳原子时,其旋光异构体的数目小于2^n个。当不对称碳原子数(n)为偶数时,它的立体异构体总数符合下式:

$$2(n-1)+2^{(n-2)/2}$$

如对这类分子从构象的角度去进行分析,则对其对称性、构象与构型的关系等就可以得到更深入的了解。(+)-及(-)-酒石酸的构型分别为 RR 及 SS,它们的实体和镜像不能彼此重合,因此它们是手性分子。它们的几个稳定的构象异构体也是手性的,其实体与镜像彼此也不能重合。这几个稳定的构象式如下图所示:

(+)-和(-)-酒石酸的稳定的构象体

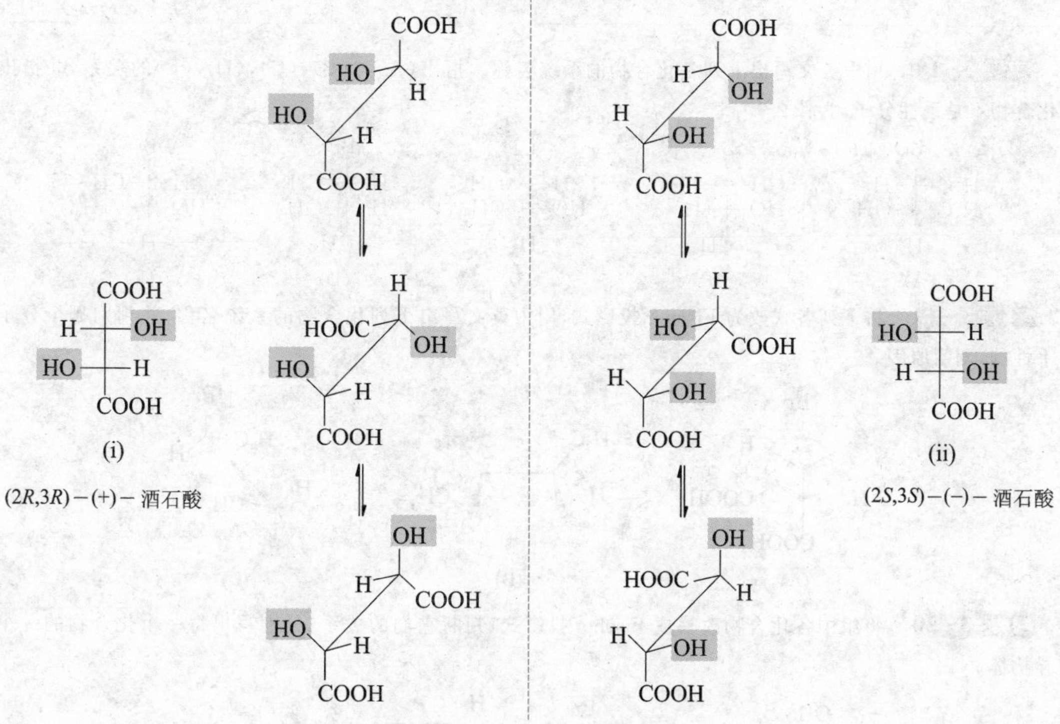

(2R,3R)-(+)-酒石酸

(2S,3S)-(-)-酒石酸

上面的图示表明:三对构象异构体都是实体和镜像的关系,三个实体和三个镜像都可以沿着 C—C 轴彼此互变,但任何一个的镜像都不能转变成它的实体,它们都有一个简单的 C_2 对称轴,所以它们是不对称(dissymmetric)的。内消旋酒石酸情形就不同了,它的三个稳定的构象异构体,其中有两个(iii)′、(iii)″成实体和镜像的关系,并且没有任何反轴,是不对称(asymmetric)的。但是另一个(iii)‴,具有一个中心对称因素(S_2),是一个非手性的分子。

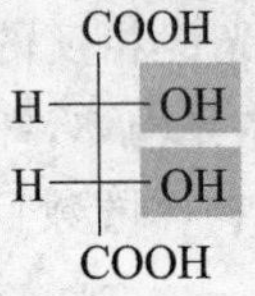

(iii)　　　　　　(iii)'　　　　　　　　　　　　(iii)"　　　　　　　　　(iii)'"

内消旋酒石酸　　　　　　　　　　　　　　　　　　　　　　　　有中心对称因素

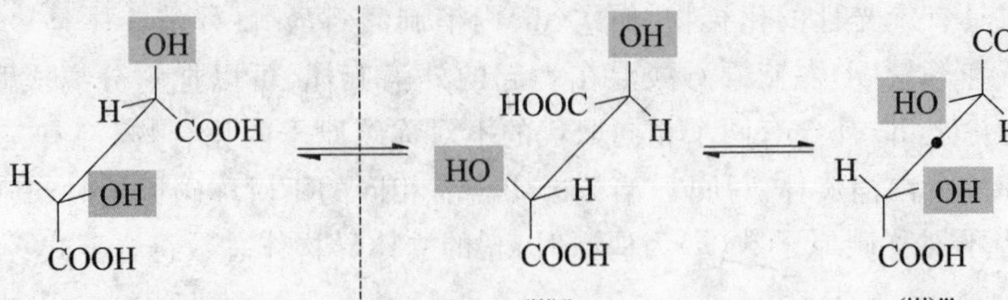

这三个构象异构体中,(iii)'"是非光活性的,(iii)'和(iii)"是手性的,但由于平衡体系中,(iii)'和(iii)"成对出现,数量相等,旋光互相抵消,或者说它们彼此很快地互变,表现不出旋光的能力,因此用 Fischer 投影式来分析分子是否有光活性与用构象式来分析其结果虽然是一致的,但是构象分析可以得到更为深入和正确的认识。在深冷下,如果能将这种构象异构体分离开,其中有一对是光活性的,另一个是非光活性的,因此"消旋"这一词就不太合适了。在下面将看到有些分子的构象异构体旋转的能垒很高,在室温下就可以分离出稳定的构象异构体。

习题 3-18 用中英文写出下列各化合物的系统名称。指出(A)与(B),(C),(D),(E)的关系,并指出哪个化合物不是手性分子,为什么?

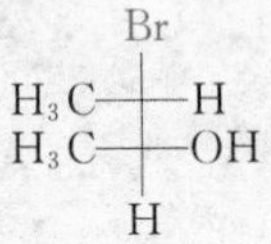

(A) 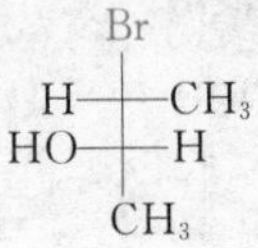　　　　　　(B) 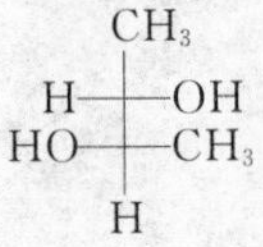　　　　　　(C) 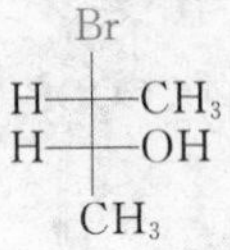　　　　　　(D) 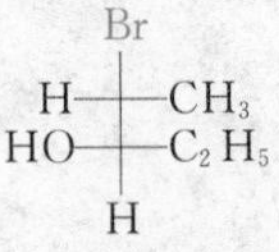　　　　　　(E)

习题 3-19 将下列各式改为 Fischer 投影式,用中英文写出下列化合物的系统名称,并判别哪个分子是非手性的,阐明原因。

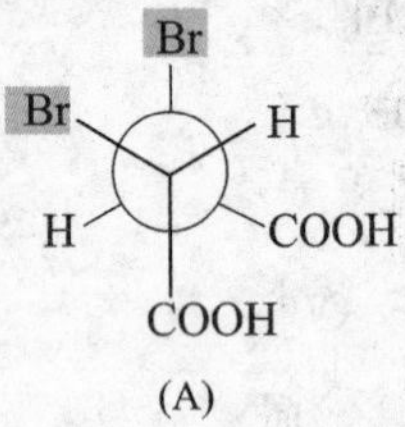

(A) 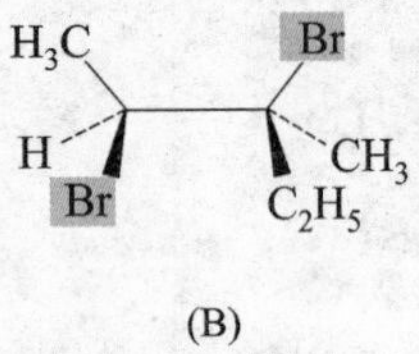　　　　　　　　　　　(B) 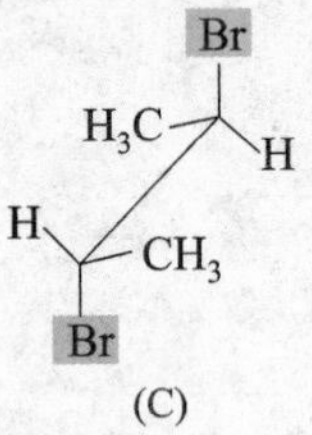　　　　　　　　　　　(C)

习题 3-20 将组中各化合物改写成 Fischer 投影式,判断它们的关系,分别写出每一个化合物的一个差向异构体。

(i)

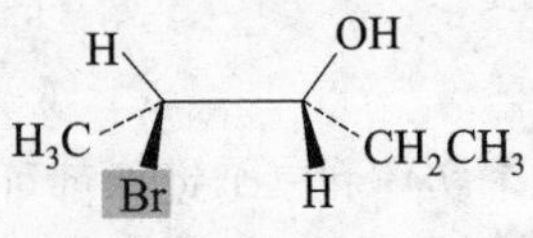

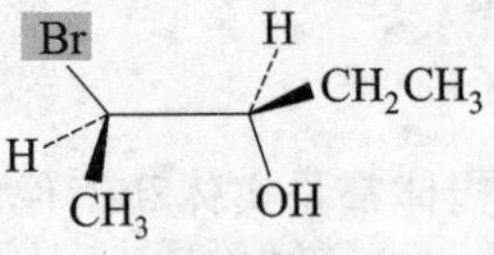

(ii)

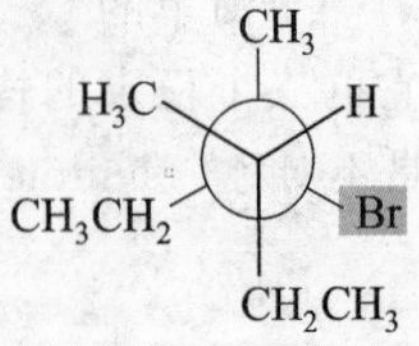

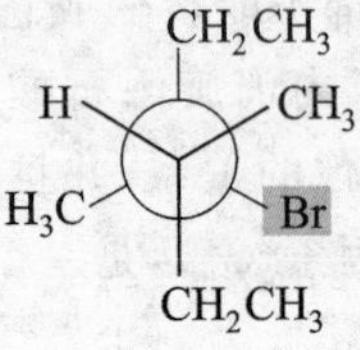

2. 假不对称碳原子和含假不对称碳原子的分子

2,3,4-三羟基戊二酸含有奇数碳原子,但分子中 C-3 这个碳原子和两个相同取代的不对称碳原子 C-2,C-4 相连:

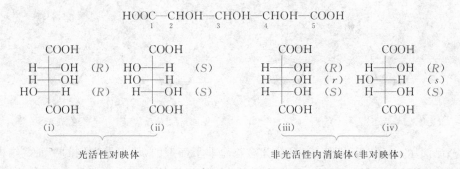

当 C-2 及 C-4 具有相同构型时,如(i)(ii),照定义 C-3 是对称的,而当 C-2 及 C-4 构型不同时,如(iii)(iv),按定义 C-3 是不对称的,但有意思的是分子(i)和(ii)彼此不能重合,它们是一对对映体,而分子(iii)及(iv)含不对称取代的 C-3,它们却是有对称面的非光活性内消旋体,(iii)、(iv)中的 C-3 这种碳原子称为假不对称碳原子(pseudoasymmetric carbon)。假不对称碳原子构型可用 r,s 表示,根据顺序规则中 R 比 S 优先的原则,(iii)中的 C-3 为 r 构型,而(iv)中的 C-3 为 s 构型。C-3 虽和四个不同的基团相连(H,OH,R- 及 S-CHOHCOOH),但有两种不同的空间排列方式,即两种构型,所以有两个不同的内消旋体。含有奇数碳原子的这类分子,共有 $2^{(n-1)}$ 个立体异构体,在本例中,$n=3$。由这个例子看出,对于不对称碳原子是使分子具备手性的必要条件这一问题应有进一步的了解。当与碳原子相连的四个基团中有两个结构及构型相同的基团(R,R 或 S,S)时,分子是手性的,实体和镜像不能重合,若这两个基团结构相同但构型相反,则分子具有平面对称(内消旋),因而是非手性分子,实体和镜像可以重合。

习题 3-21 判断下列化合物是否有光活性?请标明不对称碳原子的构型。

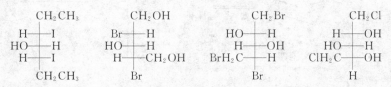

3.6.5 含手性碳原子的单环化合物

单环化合物有否旋光性可以通过其平面式的对称性来判别。凡是其平面式有对称中心、对称平面或 S_4 反轴的单环化合物无旋光性,反之则有旋光性。例如:

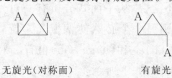

无旋光(对称面)   有旋光

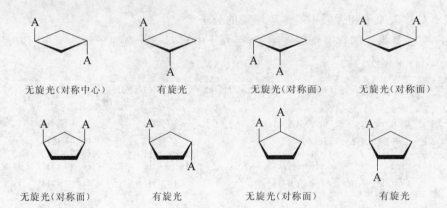

无旋光(对称中心)　　有旋光　　无旋光(对称面)　　无旋光(对称面)

无旋光(对称面)　　有旋光　　无旋光(对称面)　　有旋光

三元环是平面型的。从四元环开始,环状化合物是非平面型的,仅根据它们的平面式结构来判断它们的旋光性是否合理? 下面通过对二甲基环己烷旋光性的分析来阐明这个问题。先来看顺-1,2-二甲基环己烷。从它的平面式(i)看,分子有一个对称平面,所以(i)是一个非光活性的化合物。

CH₃
H₃C — ‖ —
H

H

(i)

顺-1,2-二甲基环己烷

但从构象(仅讨论稳定构象式)考虑,顺-1,2-二甲基环己烷有一对彼此不能重合的对映体(i)′和(i)″。

(i)′　　　　(i)″　　　　(i)‴　　绕轴转120°　　(i)′

构象对映体　　　构象转换体

将(i)″的构象转换体(i)‴通过垂直于环己烷平面中心的轴绕轴转120°即得(i)′。由此可知:(i)′和(i)″既是构象对映体,又是构象转换体。不难看出(i)′和(i)″能量相等,故在构象分布中,两者的百分含量相等。所以从构象分析考虑,顺-1,2-二甲基环己烷是一外消旋体,旋光度为0。这就说明,就旋光性而言,用平面式分析和用构象式分析是一致的。但追究旋光性为0的原因而言,两者是不同的。

现在来分析反-1,2-二甲基环己烷,从平面式分析有一对光活性对映体,如下式(ii)与(iii)。它们中的一个可以使偏振光右旋,则另一个必然使偏振光左旋,所以(ii)和(iii)都有旋光性。从构象式分析,(ii)有一对构象转换体(ii)ee 和(ii)aa,(iii)也有一对构象转换体(iii)ee 和(iii)aa,而这两对构象转换体又互为构象对映体,如下所示:

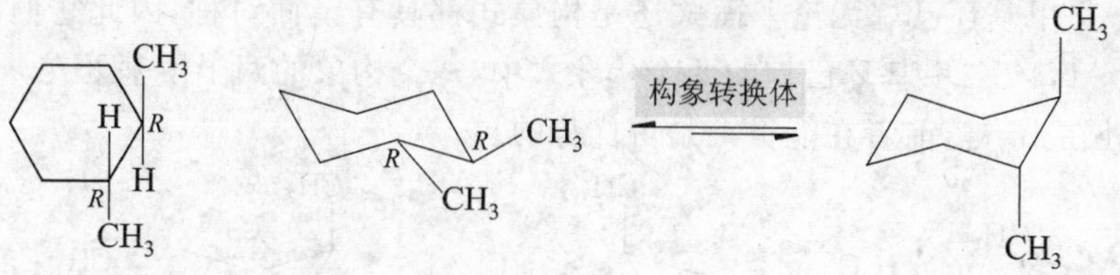

(ii)　　　　　　　　　(ii) *ee*　　　　　　　　　　　(ii) *aa*

--- 构象对映体

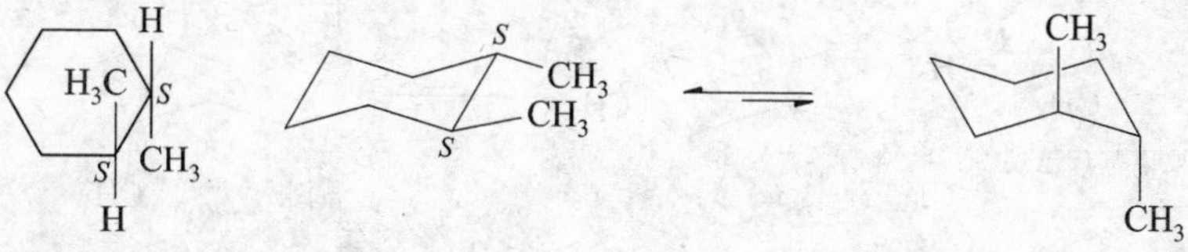

(iii)　　　　　　(iii) *ee*　　　　　　　　　　　　(iii) *aa*

(ii)*ee* 与(ii)*aa* 是构象转换体,不能分离,其中(ii)*ee* 为优势构象,所以(ii)的旋光性是(ii)*ee* 和 (ii)*aa* 旋光性之和。(iii)*ee* 与(iii)*aa* 也不能分离,其中(iii)*ee* 为优势构象。(iii)的旋光性是(iii) *ee* 和(iii)*aa* 旋光性之和。这两个优势构象(ii)*ee* 与(iii)*ee* 互为对映体,即实体与镜像不能重合, 因此是一对光活性异构对映体,应当可能拆分成纯光活性的化合物。这进一步说明用构象分析 光活性异构体的旋光性与用平面分析其结果是一致的。但产生旋光性的起因是有些区别的。

　　从顺-1,3-二甲基环己烷的平面式(iv)分析,它有一个对称平面,所以(iv)是一个对称的分 子,旋光度为 0。从构象式分析,顺-1,3-二甲基环己烷是由有对称平面的构象式(iv)′和(iv)″组 成的,所以旋光度也为 0。但从能量上讲,(iv)′式的两个取代基为平键,是比较有利的。

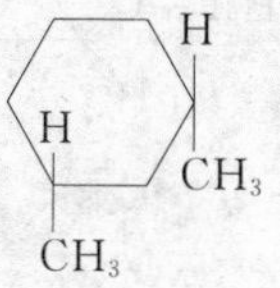

(iv)　　　　　　　　　(iv)′　　　　　　　　　　　　(iv)″

顺-1,3-二甲基环己烷

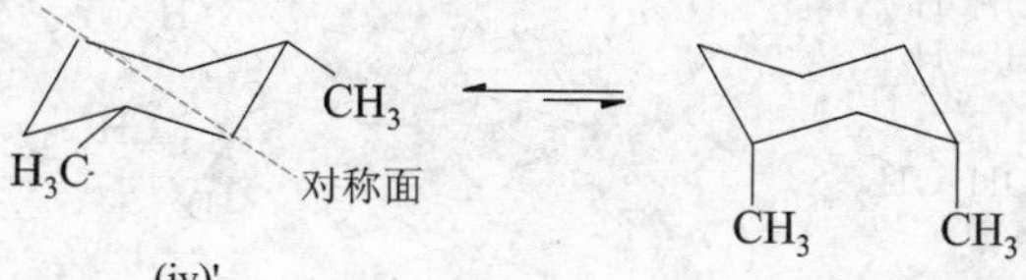

　　反-1,3-二甲基环己烷,平面式有一对对映体,构象分析,有数对对映体(各具有其不能分离 的、能量均等的构象),构象对映体的两个基团都是一直一平,能量相等,实体与镜像不能重合,因 此它们也是光活性对映体。

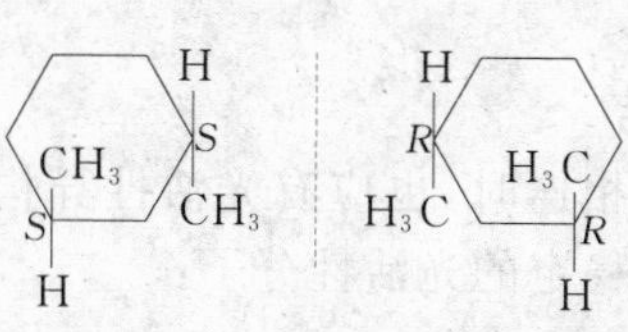

(v)　　　　　　(vi)

反-1,3-二甲基环己烷

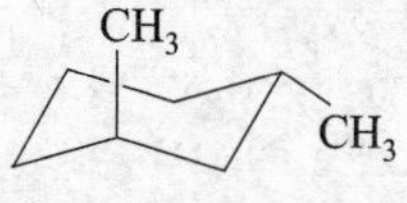

(v)′　　　　　　　　　　(vi)′

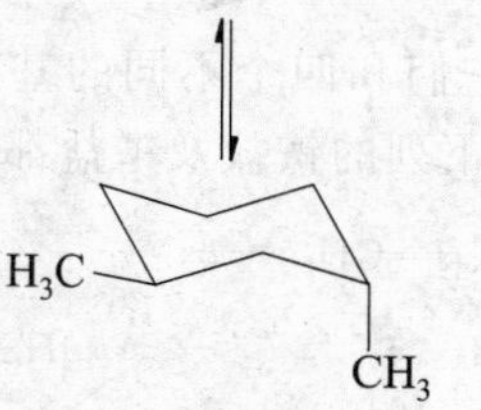

(v)″ 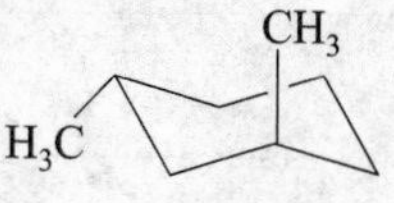　　　　　　　　　　(vi)″

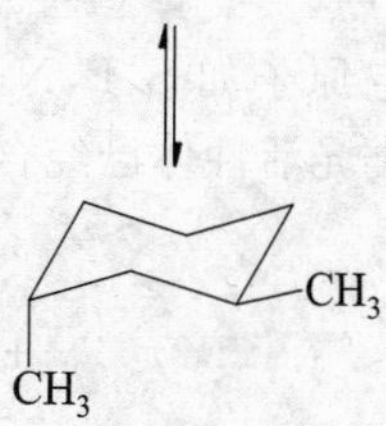

顺-和反-1,4-二甲基环己烷无论平面式还是构象式都具有镜面对称,因此它们都是非手性的消旋化合物,反-1,4-二甲基环己烷的两个构象式中,一个构象的两个甲基处在 ee 键,另一个构象的两个甲基处在 aa 键,前者在能量上是占优势的。

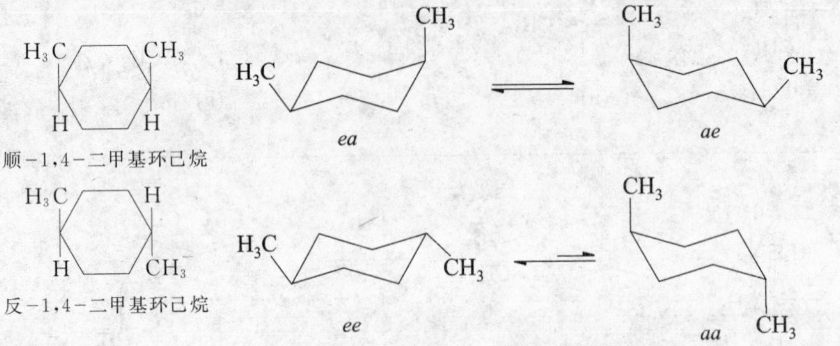

顺-1,4-二甲基环己烷

反-1,4-二甲基环己烷

习题 3-22　写出下列化合物的立体异构体,标明不对称碳原子的构型,并用中英文命名。

(i) 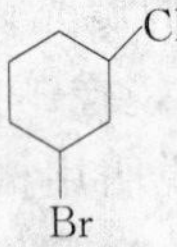　(ii) 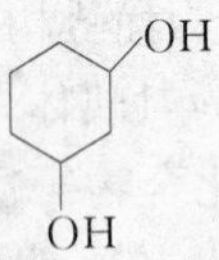　(iii) 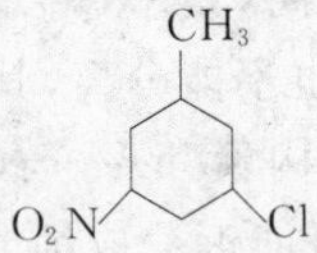　(iv)

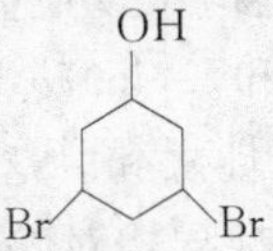

习题 3-23　指出下列化合物有否光活性?

(i) 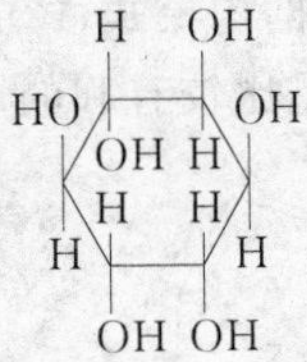　(ii) 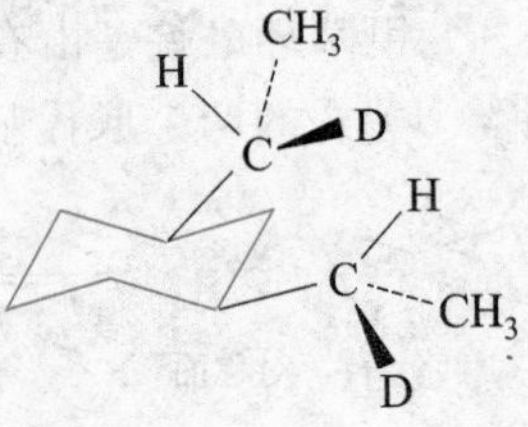　(iii) 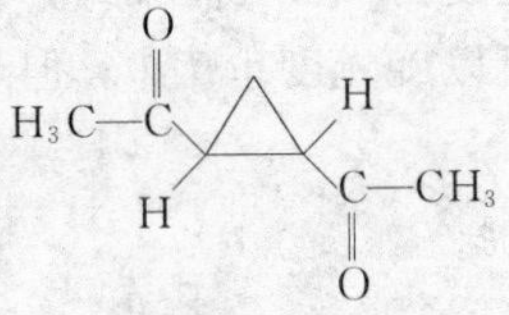　(iv) 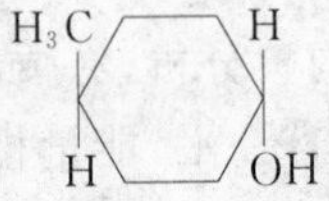　(v)

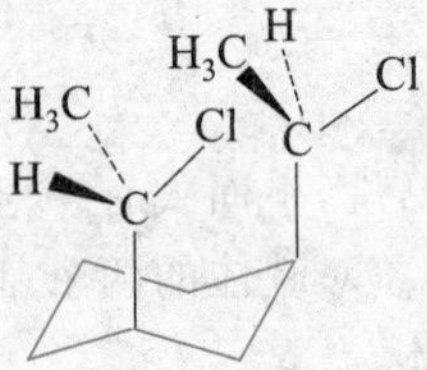

3.6.6　含有其它不对称原子的光活性分子

其它原子如 S,P,N,As 等,当它们和四个不同的基团相连时,也应有光活性异构体存在。许多这类光活性体已经合成出来,如下列的铵盐及鏻盐都是稳定的光活性分子:

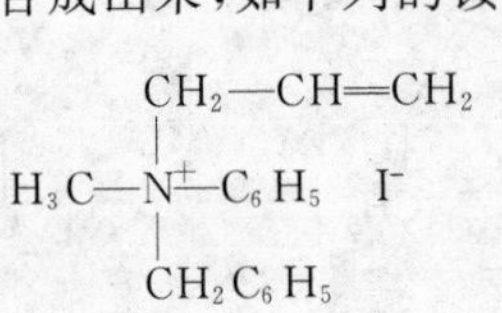

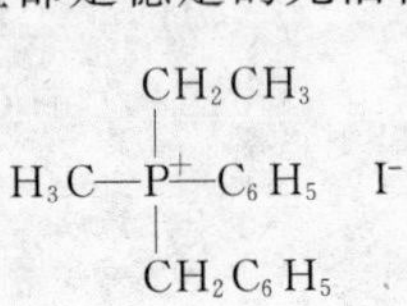

当氮、磷等和三个不同的基团结合时,另外各有一对未分享的电子对,形成一个锥形体,是不对称的,应有光活性异构体存在,但迄今为止,还没有得到这类含氮原子的化合物。这是由于 N 上的三个基团以很快的速度($10^2 \sim 10^5$ 次/秒)来回翻转,因此目前还没有方法拆分互变这样快的光活性异构体。异构体翻转时,如图 3-26 所示,可能经过一平面的结构(ii)。(i)和(iii)是一对对映体。

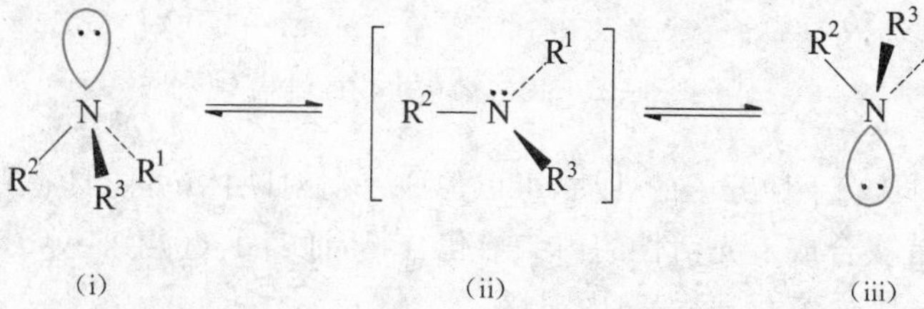

图 3-26 被三个不同基团取代的氮原子的构型

当把 N 的三个不同的基团固定在环上,使它不能来回翻转,这样就可能拆分出光活性异构体。Tröger(特勒格)碱就是这样的一个分子,它具有下列的结构:

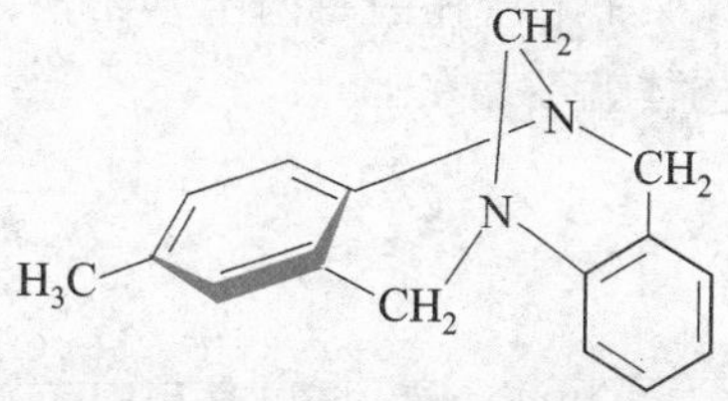

分子中的两个氮原子为一个亚甲基桥固定,因此不能来回翻转。

和氮原子不同,含磷、硫化合物,则较为稳定。可以得到光活性的化合物:

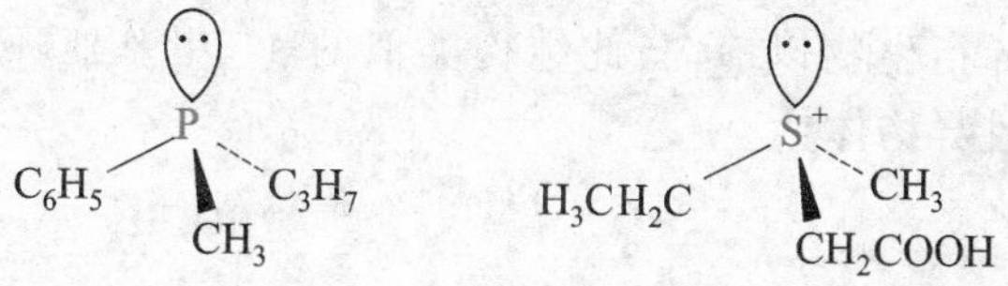

3.7 含手性轴的旋光异构体

决定一个分子是否有手性,主要是看分子实体和其镜像是否重合,有些分子虽然不含不对称原子,但在分子中存在一个轴,通过轴的两个平面在轴的两侧有不同的基团时,也会产生实体与镜像不能重合的对映体。称这类旋光异构体为含手性轴(chiral axle)的旋光异构体。

3.7.1 丙二烯型的旋光异构体

van't Hoff 早在他提出正四面体碳原子的模型时,就预言具有下列一般结构的不对称取代的丙二烯衍生物,应当可以形成一对光活性对映体。图 3-27 表示中心碳原子两个 π 键的平面是正交的,两个不同的 a,b 基团所处的平面和它们相邻的 π 键平面成直角,这个分子的实体和镜

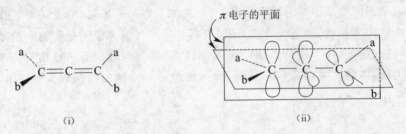

图 3-27　丙二烯衍生物的结构

像不能重合,因此它们具有手性分子的性质,可以形成一对对映体(可能具有光活性)。Mills W H(密尔斯)于 1935 年首次合成了光活性的丙二烯化合物,证实了 60 年前 van't Hoff 的预言,它的结构是 1,3-二苯基-1,3-二(α-萘基)丙二烯:

$$C_6H_5 \diagdown \quad \diagup C_6H_5$$
$$(\alpha)-H_7C_{10} \diagup C=C=C \diagdown C_{10}H_7-(\alpha)$$

　　显然,丙二烯的 C-1 和 C-3 原子上所连的每两个基团,只要其一是相同的话,分子中就有一个平面的对称因素,光活性异构体就不存在了。

上面的两个对映体的实体和镜像是可以重合的,所以是相同的。

　　如果将双键看做是二元环,就可以推想当其中一个双键转变为一个三元或三元以上的环时,只要在环碳原子上带有不同取代基,分子中就没有 Sp 轴对称元素,就会产生旋光异构体。

　　在发现光活性丙二烯衍生物以前,与此结构类似的 4-甲基亚环己基醋酸已经成功地于 1909 年拆分为两个光活性异构体:

$$[\alpha]_D^{25} = \pm 81.4°$$
(乙醇)

4-甲基亚环己基醋酸

事实上,这是首次得到的不含不对称碳原子的光活性异构体。该分子双键上所连的基团和六元环 4 位上的基团,其情形与丙二烯的光活性异构体相似。

　　螺环化合物也可以看做是丙二烯型的分子,当两个环上都带有不同的取代基时,分子中也没有 Sp 轴对称元素,即成为手性分子。例如 6-甲基螺[3.3]庚烷-2-羧酸就可以产生一对对映体。

习题 3-24 指出下列化合物有无光活性：

(i)
$$\begin{array}{c} H_3C \\ Br \end{array} C=C=C \begin{array}{c} CH_3 \\ Br \end{array}$$

(ii)
$$\begin{array}{c} H_3C \\ H_3CH_2C \end{array} C=C=C \begin{array}{c} CH_3 \\ CH_3 \end{array}$$

(iii)
$$\begin{array}{c} H \\ H \end{array} C=C=C \begin{array}{c} CH_3 \\ H \end{array}$$

(iv)
$$\begin{array}{c} H_3C \\ H \end{array} C=C=C \begin{array}{c} CH_3 \\ H \end{array}$$

(v)
$$\begin{array}{c} H_3C \\ C_6H_5 \end{array} \boxed{} \begin{array}{c} \stackrel{(R)}{CHOHCOOH} \\ CHOHCOOH \\ {\scriptstyle (S)} \end{array}$$

(vi)
$$HOOC \begin{array}{c} \\ Br \end{array} \boxed{} \begin{array}{c} COOH \\ Br \end{array}$$

(vii)
$$\begin{array}{c} HO \\ CH_3CH_2 \end{array} \boxed{} \begin{array}{c} OH \\ CH_2CH_3 \end{array}$$

(viii)
$$\begin{array}{c} CH_3 \\ CH_3 \end{array} \boxed{} = \begin{array}{c} COOC_2H_5 \\ H \end{array}$$

3.7.2 联苯型的旋光异构体

当某些分子单键之间的自由旋转受到阻碍时，也可以产生光活性异构体，这种现象叫做阻转异构现象（atropisomerism）。最早发现的这类化合物是四个邻位都有相当大的取代基团的联苯衍生物。例如下列化合物，由于邻位的四个取代基体积足够大，阻碍了苯环之间的单键自由旋转，而且两个苯环不能共平面，因此当每一个苯环上的两个邻位取代基不同，就产生出两种构型不同的对映体，彼此不能重合，成为手性分子而具有光活性。确定这类分子构型的方法是：将每个环上的基团按顺序规则确定其大小，将其中一个环上的大基团编号为 1，小基团编号为 2，将另一个环上的小基团放在最远处，其大基团编号为 3，则 1→2→3 按顺时针方向旋转为 R 构型，按反时针方向旋转为 S 构型。按顺序规则确定这类对映体的构型首先要求两个苯环不能共平面，但也不一定要彼此垂直。理论上讲 >0° 时，如合乎上述的取代条件，就可能有稳定的光活性对映体存在。实际上，这类分子有两种优势构象，一种为两个苯的夹角～45°，另一种为两个苯的夹角～135°，这要根据两对相关基团间的吸引力和排斥力而定。这类光活性对映体既无不对称碳原子，也无不对称中心，如下所示，分子(i)和(ii)是一对光活性对映体，并且相当稳定，但(iii)和(iv)由于一个苯环是对称取代的，镜像和实体可以重合，因此是一个对称分子，不能有光活性异构体存在。

$$\begin{array}{cc} COOH \quad O_2N & \\ \bigcirc - \bigcirc & \\ NO_2 \quad HOOC & \end{array}$$

(i)

$$\begin{array}{cc} & NO_2 \quad HOOC \\ & \bigcirc - \bigcirc \\ & COOH \quad O_2N \end{array}$$

(ii)

(iii) ≡ (iv)

联苯光活性异构体是在 1920 年发现的,到 1930 年才发现乙烷单键扭转的能垒,但不能分离出它的可能构象异构体,因此联苯是到目前为止少有的由于单键旋转受阻而产生的稳定光活性异构体的几种例子之一。它也可以称为位阻光活性异构体。

一般讲,当碳原子和 X_1(或 X_3)的中心距离与碳原子和 X_2(或 X_4)的中心距离之和超过 290 pm 时,在室温(25℃)以下,这个化合物就有可能拆分为旋光异构体。芳环碳和一些原子或基团的中心距离如下:C—H(104 pm),C—F(139 pm),C—OH(145 pm),C—CH$_3$(150 pm),C—COOH(156 pm),C—NH$_2$(156 pm),C—Cl(163 pm),C—Br(183 pm),C—NO$_2$(192 pm),C—I(200 pm)。

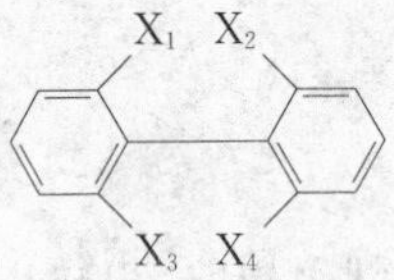

典型的基团大小顺序排列如下:

基团的阻转能力下降 →

$$I > Br > CH_3 > Cl > NO_2 > NH_2 \approx COOH > OH > F > H$$

上述序列的排列顺序与碳和基团之间的中心距离以及基团的 vonder Waals 半径的排列顺序基本相符,但并不完全一致,这是因为基团不仅有大小的区别,还有形象的区别,当碳到基团的中心距离相差不多的情况下,球形基团的阻转能力往往比曲折基团的阻转能力大。

习题 3-25 下列化合物是否有光活性?

(i)

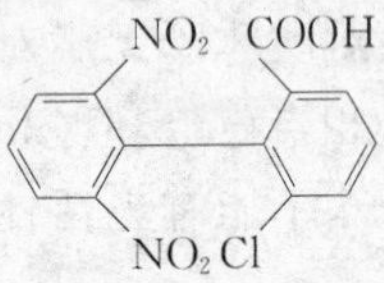

(ii)

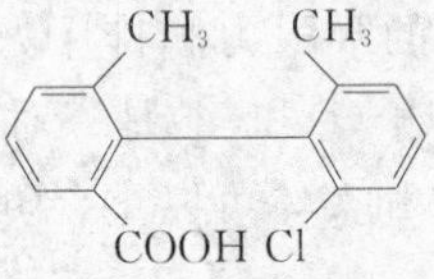

(iii)

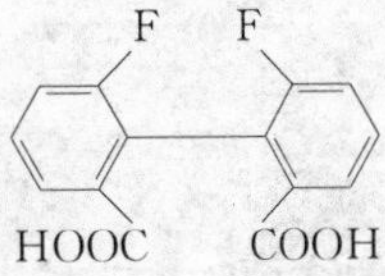

(iv)

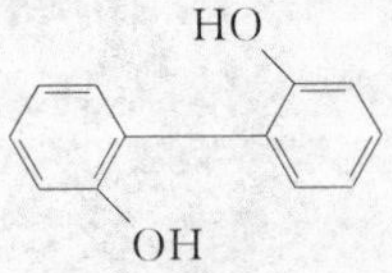

(v)

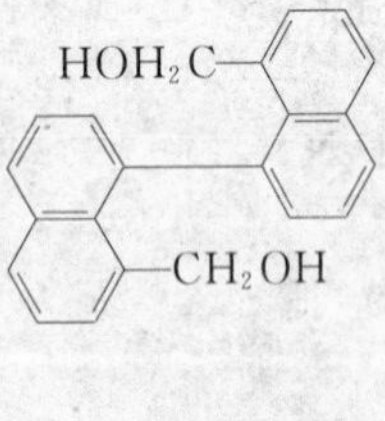

(vi)

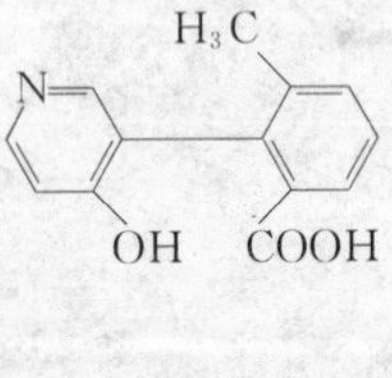

习题 3-26 具有下列结构的分子,当 $n=8$ 时,可析解到一对稳定的光活性异构体。当 $n=9$ 时,在室温时可析解到一对光活性体,纯旋光化合物在 95.5℃ 放置 7 h 24 min,体系的旋光度变为 0。当 $n=10$ 时,在室温时未析解到光活异构体。

HOOC —⟨苯环⟩— (CH$_2$)$_n$

解释上述实验事实并画出 $n \leqslant 8$ 时,分子的一对对映体。

习题 3-27 随着 n、m 由小至大,化合物(i)和(ii)的旋光性会发生什么变化?为什么?

(i) HOOC COOH ... O O (CH$_2$)$_n$

(ii) (CH$_2$)$_m$ (CH$_2$)$_n$ COOH

3.8　含手性面的旋光异构体

　　有些分子虽然不含有手性原子,但分子内存在一个扭曲的面,从而使分子呈现一种螺旋状的结构,由于螺旋有左手螺旋和右手螺旋,互为对映体,所以该类分子也会表现出旋光性。这种因分子内存在扭曲的面而产生的旋光异构体称为含手性面(chiral plane)的旋光异构体。

　　螺旋烃(helicene)即是这样一类有意思的不具有不对称碳原子的手性分子,它可以看做是由苯环彼此以两个邻位并合的类似螺旋的结构。这类化合物最简单的代表是由六个苯环并合而成的,因此叫做六螺苯。六螺苯分子的末端的两个苯环不在一平面上,即这两个苯环上的四个碳原子及其相连的四个氢原子不能同时保持在同一平面上,它不呈环形而呈螺旋形,这种分子没有对称面、没有对称中心,也没有 S_4 反轴。因此形成一对左手和右手螺旋的光活性对映体:

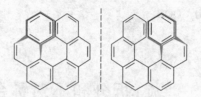

左手螺旋,左旋　　右手螺旋,右旋
六螺苯的一对对映体

现在通过光化学不对称合成法,已经合成了一系列的螺旋烃。这类光活性异构体的旋光能力是惊人的。六螺苯的 $[\alpha]$ 值在氯仿中为 $3700°$,充分说明旋光性和分子结构的密切关系。下面再提供几个实例。

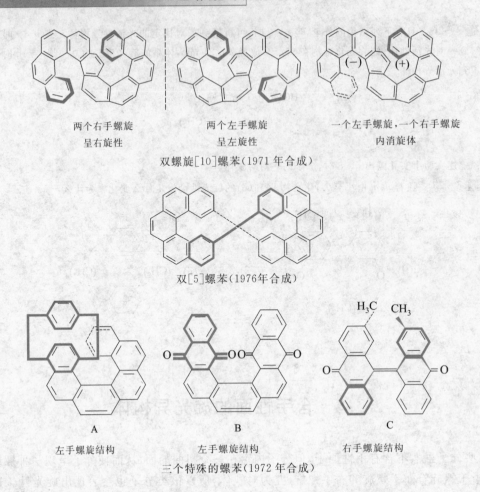

两个右手螺旋　　　　　两个左手螺旋　　　　一个左手螺旋,一个右手螺旋
呈右旋性　　　　　　　呈左旋性　　　　　　　内消旋体

双螺旋[10]螺苯(1971年合成)

双[5]螺苯(1976年合成)

A　　　　　　　　　　B　　　　　　　　　　C

左手螺旋结构　　　　左手螺旋结构　　　　右手螺旋结构

三个特殊的螺苯(1972年合成)

习题 3-28　指出下面化合物有无光活性:

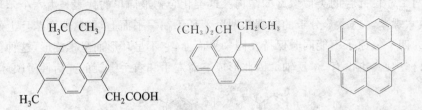

3.9　消旋、拆分和不对称合成

3.9.1　外消旋化

一个纯的光活性物质,如果体系中的一半量发生构型转化,就变成了外消旋体。这种由纯的

光活性物质转变为外消旋体的过程称为外消旋化(racemization)。外消旋化的难易,视不同的分子而异。含一个手性碳原子的化合物,若手性碳原子很容易形成碳正离子、碳负离子或自由基等活性中间体,该化合物极易外消旋化。例如(+)或(−)−肾上腺素在 H^+ 作用下,会产生碳正离子,在 $60\sim70℃$,4 h 就可以使体系外消旋化。外消旋的过程如下所示:

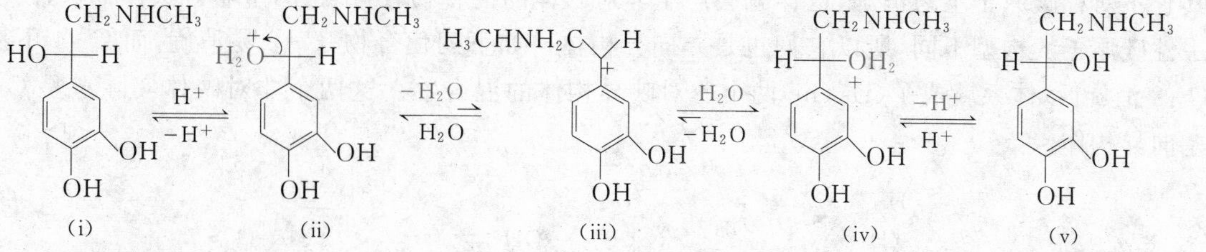

(+)−肾上腺素
$[\alpha]_D=50.72°$
(无药效)

(−)−肾上腺素
$[\alpha]_D=-50.72°$
(有药效)

(+)、(−)−肾上腺素的转换过程是可逆的。由于碳正离子是平面型结构,水可以从平面两侧与其结合,且概率相等,所以达平衡时得外消旋体。

如不对称碳原子的氢是与 $C=O$ 相邻的 α 碳上的氢,则在酸或碱的催化作用下,经烯醇而导致外消旋化。

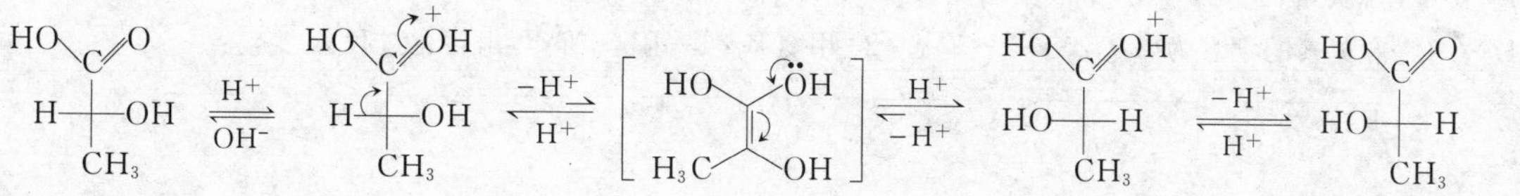

D−(−)−乳酸
或(R)−(−)−乳酸

烯醇

L−(+)−乳酸
或(S)−(+)−乳酸

烯醇化反应是一个可逆反应,但由于烯醇是不稳定的,只要有一点烯醇存在,烯醇 OH 中的质子,又会回到 α 碳上。由于烯醇是平面结构,碳碳双键及双键碳上的取代基均在同一平面上,当质子回去时,就有两种可能,即从烯醇平面的两侧返回,机会是均等的,如原来化合物是 D 构型,返回时,得到一半是 D 构型,另一半是 L 构型的产物,即外消旋体。如原来化合物为 L 构型的亦然。

一般外消旋化的条件除上述化学因素(酸、碱催化)外,也可以是某些物理因素的作用,如光、热、加压、溶解等均可导致外消旋化。

习题 3−29 写出:

(i) 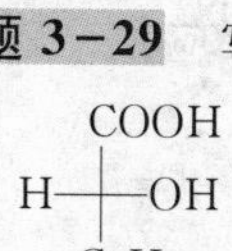   在酸催化作用下发生外消旋化的过程;

(ii) 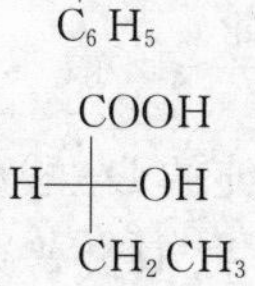   在碱作用下发生外消旋化的过程。

3.9.2 差向异构化

如果一个光活性的化合物存在两个或多个不对称碳原子，其中一个不对称碳原子易消旋，而其它不对称碳原子不易消旋，这样就会产生非对映体的混合物，由于这两个非对映体中只有一个手性碳原子的构型不同，所以它们也是差向异构体。如下列化合物，C-2 易消旋，而 C-4 不易。C-2 消旋后，体系就成了(i)，(iii)两个非对映异构体的混合物。这两个非对映体实际上是 C-2 差向异构体。

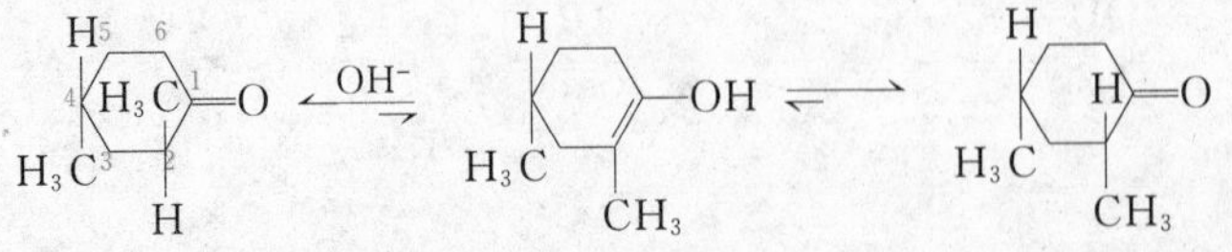

(i) (ii) (iii)

因此将在含有两个或多个手性中心的体系中，仅一个手性中心发生构型转化的过程，称为**差向异构化**。

习题 3-30 在植物中提取到的 D-(-)-麻黄素有强心、舒张支气管、治气管炎哮喘和增加血压的作用，D-(-)-麻黄素在 25% HCl 溶液中加热微沸 60 h，部分转化为药效仅为其 1/5 的 L-(+)-假麻黄素，已知 D-(-)-麻黄素的学名为(1*R*,2*S*)-1-苯基-2-甲氨基-1-丙醇。请写出转化过程。

3.9.3 外消旋体的拆分

将外消旋体拆分(resolution)成纯左旋体或纯右旋体的过程称为外消旋体的拆分。下面介绍几种常用的拆分方法。

1. 化学法

一对合成的外消旋体由于在非手性条件下物理、化学性质相同，普通的分离方法如蒸馏、重结晶等在这种情况下是无能为力的。因此要设法先将一对对映体变成非对映体，然后再借用二者物理、化学性质的区别，将它们分开，制纯，再分别将非对映体分解，得回两个纯的对映体。这种方法一般需要被拆分的分子中有一个易发生反应的基团，如羧基、碱基等，然后让它们与一个纯的(+)或(-)光活性化合物反应，形成盐或酯，这样就形成了一对非对映体。例如一对 D-和 L-酸的外消旋体，可使它们和等物质的量的自然界取得的纯的光活性 D-碱反应：

$$\left.\begin{matrix}50\%\ \text{D-酸}\\50\%\ \text{L-酸}\end{matrix}\right\} + 1\ \text{mol D-碱} \longrightarrow \begin{matrix}\text{D-酸-D-碱盐 (i)}\\\text{L-酸-D-碱盐 (ii)}\end{matrix} \xrightarrow{\text{分级结晶}} \left\{\begin{matrix}\text{D-D} \xrightarrow{\text{HCl}} \text{D-酸}\\\text{L-D} \xrightarrow{\text{HCl}} \text{L-酸}\end{matrix}\right.$$

(i)和(ii)是非对映体，可用结晶法分开，然后用一个强酸处理，即可分别得到纯的 D-酸和 L-酸。按照这一方法，理论上只要分子中有一个容易发生反应的基团，都可进行拆分，但最普遍使用的是酸碱基团。经常使用的光活性碱有奎宁、马钱子碱等；光活性的酸有酒石酸、樟脑磺酸等。这些自然界的光活性酸碱称为拆分剂。

如外消旋化合物既不是酸也不是碱,可以将化合物接上一个羧基然后再进行拆分,如一个外消旋醇与邻苯二甲酸酐反应,得到外消旋酸酯,再用光活性的拆分剂——碱处理,形成非对映体再进行分离。

（±）-2-辛醇　　　邻苯二甲酸酐　　　　　　（±）-酸酯

$$（±）-酸酯+（-）-马钱子碱 \longrightarrow \begin{cases} （+）-酸酯-（-）-碱 \\ （-）-酸酯-（-）-碱 \end{cases} \xrightarrow{\text{结晶分离}} \begin{array}{l} （+）-酸酯-（-）-碱 \xrightarrow{\text{HCl}} （+）-酸酯 \\ （-）-酸酯-（-）-碱 \xrightarrow{\text{HCl}} （-）-酸酯 \end{array}$$

2. 酶解法

有时用酶解的方法,可以将外消旋体分开,酶对底物具有非常严格的立体选择性(stereoselectivity),也可以说它的性能非常专一。例如合成的丙氨酸经乙酰化后,通过由猪肾内取得的一个酶,水解 L 型丙氨酸的乙酰化物的速率要比 D 型的快得多。因此就可以把乙酰化物变为 L-（+）-丙氨酸和 D-（-）-乙酰丙氨酸,由于这二者在乙醇中的溶解度区别很大,可以很容易地分开。这一系列的关系可用下式表示:

$$\begin{array}{cc} H_3C-CH-COOH & H_3C-CH-COOH \\ \quad | & \quad | \\ NH_2 & NHCOCH_3 \\ \text{消旋丙氨酸} & \text{消旋乙酰丙氨酸} \end{array}$$

$$\xrightarrow{\text{酶}} \quad H_2N-\overset{COOH}{\underset{CH_3}{|}}-H \quad + \quad H-\overset{COOH}{\underset{CH_3}{|}}-NHCOCH_3$$

L-丙氨酸　　　　　D-乙酰丙氨酸
（溶于乙醇）　　　（不溶于乙醇）

这种方法是借用酶和底物反应速率的差别,达到拆分的目的。

3. 晶种结晶法

在一个热的外消旋饱和溶液中,加入其中一种纯光活性异构体的晶体,冷却到某一温度,因为其中一种光活性异构体有晶种,会首先结晶出来,滤去晶体后,在剩下的母液中再加入一定量的水和一定量的消旋体制成热的饱和溶液,然后再冷却到一定温度,此时另一个过剩的对映体会先结晶出来。因此理论上讲,将上述过程反复进行就可以将一对对映体转变为纯的光活性异构体。上述拆分方法就称为晶种结晶法。

4. 柱色谱法

利用具有光活性的吸附剂,有时用柱色谱的方法,也可以把一对光活性对映体拆分开。一对光活性对映体和一个光活性吸附剂形成两个非对映的吸附物,它们的稳定性不同,也就是说,它们被吸附剂吸附的强弱不同,从而就可以分别地把它们洗脱(elute)出来。Tröger 碱就是用光活性的 D-乳糖作为吸附剂把它拆分开的。

3.9.4 不对称合成法

取得光活性化合物的另一方法是在某一反应中,设法使新产生的非对称基团形成非等量的对映体,有时二者的差别很大,几乎接近一个纯的(+)或(−)的化合物。如前所述,一个分子在对称的条件或环境下,不可能在反应中产生不等量的外消旋体,因此要使反应有立体选择性,必须在分子中引入一个不对称的基团,先形成一个手性分子,然后再进行反应,这时分子中失去了原有的对映面,试剂进攻分子时,就有了选择性,反应结果是一种光活性异构体超过了另一种光活性异构体,因此产物不是外消旋混合物。现举一个最早的例子来加以说明,丙酮酸(i)是个对称分子(即分子中有一个对称面),如将它还原,产生一个不对称碳原子,得到的是外消旋乳酸。但是如先将它和天然的(−)-薄荷醇酯化形成丙酮酸薄荷酯:

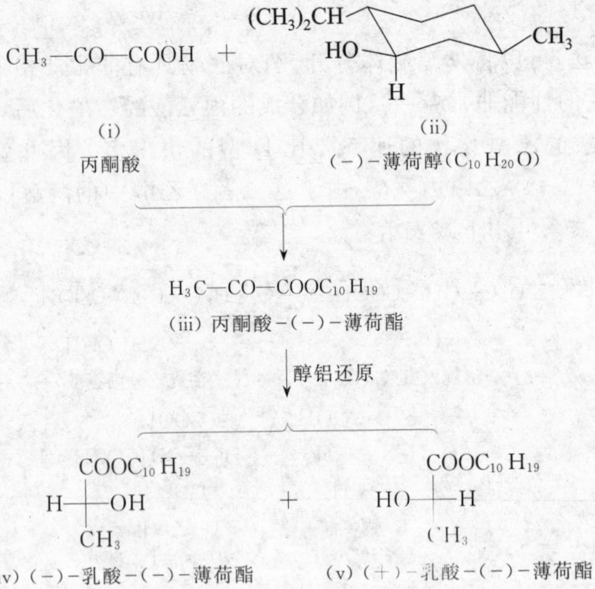

$$CH_3-CO-COOH \quad + \quad$$

(i)
丙酮酸

(ii)
(−)-薄荷醇($C_{10}H_{20}O$)

$$H_3C-CO-COOC_{10}H_{19}$$
(iii) 丙酮酸-(−)-薄荷酯

醇铝还原

$$COOC_{10}H_{19}$$
$$H-\!\!\!\!-OH$$
$$CH_3$$
(iv) (−)-乳酸-(−)-薄荷酯

$$+$$

$$COOC_{10}H_{19}$$
$$HO-\!\!\!\!-H$$
$$CH_3$$
(v) (+)-乳酸-(−)-薄荷酯

KOH

(−)-乳酸(过量)

(+)-乳酸+(−)-薄荷醇

在这一系列反应中,(i)和(ii)酯化后,产生一个光活性的酯,它在还原时,两个氢和羰基的反应是有选择性的,一个反应的速率比另一个快,显然,薄荷醇的手性对产生第二个手性中心(在这里是

$$H-\!\!\!\!C-\!\!\!\!OH$$)具有诱导的作用,使反应朝空间有利的方向进行,在本例中,氢优先从羰基平面的

某一面接近分子,结果产生不等量的两个非对映体(iv)和(v)。因此将它们水解后,得到的乳酸不是外消旋体,而是有光活性的,在本例中,左旋乳酸超过右旋乳酸。一个对映体超过另一对映体的百分数称为对映体过量百分数,用 ee 表示(enantiomeric excess)。

习题 3-31 写出乳酸薄荷酯所有的光活性异构体,用构象式表示之。

在这反应中,薄荷醇的主要作用是把不对称性引入到一个对称分子中,然后使进入试剂在反应的取向上产生选择性,从而使产物成为不等量的非对映体。薄荷醇在这里的作用和助催化剂类似,它通过其手性使试剂向某一方向进攻底物分子的空阻小些,而反应速率大些,从而增加了某一对映体的产量,等反应完毕后,又将它收回。这种选择性,可以从构象分析上得到一定的理解。丙酮酸薄荷酯反应时,分子中几个有关的单键如下图中的(1),(2),(3),可通过单键的扭转而有一个张力最小的取向,此时,两个羰基放在反向平行的位置,和酯基氧相连的碳原子上的三个基团也有一定的取向。现在考虑薄荷醇的三个基团的大小次序。OH 所连接的碳上最小的基团当然是 H,其次是亚甲基 CH$_2$,最大的是 —CHCH(CH$_3$)$_2$,分别用 S 代表最小的,M 代表中等的,L 代表最大的。丙酮酸薄荷酯可以写成下列的透视式,这是最有利的构象。

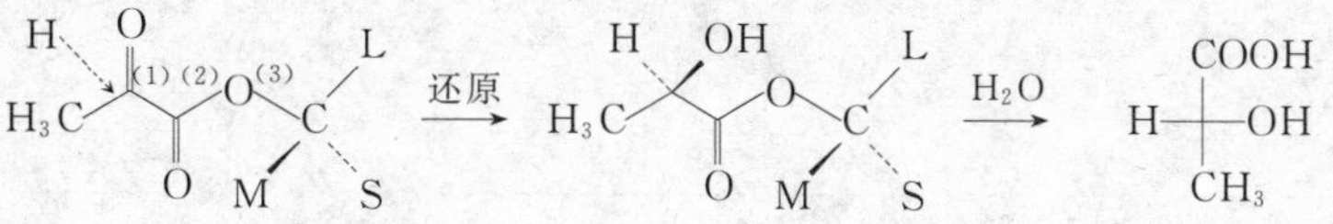

H$_3$C···(1)(2)(3) 还原 → H$_3$C··· H$_2$O →

COOH
H——OH
CH$_3$

D-(-)-乳酸
或(R)-(-)-乳酸

当羰基还原时,由于空间位阻的关系,能量上最有利的过渡态是进攻试剂从小的基团一面接近分子,也有小部分从中等基团一边进攻,因此两种对映体的产生是不等量的。一个分子的构象决定了某一试剂接近分子的方向,这二者的关联叫做 Prelog(普雷洛格)规则。

上述反应如产生 100% 的(R)-(-)-乳酸(或称 D-(-)-乳酸),该反应是 100% 的立体选择性,显然,在实验室内,要产生一个手性分子,不借用"外力",实际上是无法实现的。这里所谓的外力就是指自然界或有机体内产生的手性分子。人们不禁要问,自然界的手性分子又是怎样产生的呢?该问题涉及生命的起源,曾有多种探讨和实验,目前尚未解决,此处不予讨论。但空间选择是一个至关重要的问题,和生命现象的关系十分密切。例如,一个众所周知的镇痛药,叫做吗啡,它有 5 个不同的不对称碳原子,应有 $2^5 = 32$ 个光活性异构体,但只有其中的一个具有镇痛作用。生物体内的绝大多数反应是以酶做催化剂来进行的,酶的选择性是惊人的,它们几乎毫无例外地是含有多个手性中心的巨大分子,整个分子再以一定的方式盘旋扭转成为一个特殊的构象和底物分子某一部分"嵌合",使反应专朝某一个键、某一个方向进行,因此它的选择性往往是 100% 的。有人建议将这种具有高度立体选择性的反应称为立体专一性(stereospecificity)反应。按照这种理解,立体专一性反应显然是立体选择性反应,而立体选择性反应不一定是立体专一性反应。现在举一个有名的例子来说明这种高度的选择性。富马酸是体内新陈代谢的一个重要中间体,在富马酸酶的作用下,加水形成苹果酸:

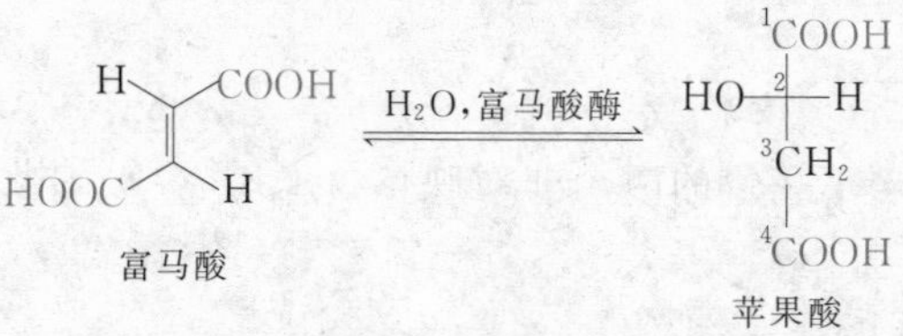

H   COOH ^{1}COOH
         H$_2$O,富马酸酶   HO——^{2}C——H
HOOC   H   ⇌ ^{3}CH$_2$
                             ^{4}COOH

富马酸   苹果酸

但富马酸酶不能和富马酸的顺型异构体马来酸 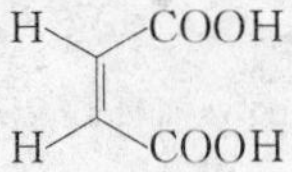
$$\begin{array}{c} H \quad COOH \\ C=C \\ H \quad COOH \end{array}$$
反应。上述反应产生一个不对称碳原子,但产物只是一对光活性异构体中的一个,即 2S 构型的。更有意思的是富马酸用重水进行水合时,应产生两个不对称碳原子,但产物只是四个光活性异构体中的一个。

$$\begin{array}{c} COOH \\ DO \underset{2}{\overline{}} H \\ D \underset{3}{\overline{}} H \\ COOH \end{array}$$

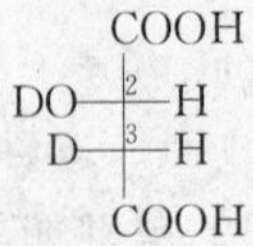

还可看到,上述反应是可逆的,在逆向反应时,是 D 和 OD 消去,酶在这一反应中"看出"或"感觉"出 C-3 的 H 和 D 在空间位置上是不同的。

通过本章的学习,可以看到分子中各原子在空间的彼此关系和次序对于其物理、化学性能的作用。有机化学的重要任务之一就是要深入地理解这些关系,从而设计合成出在空间上合乎某一要求的分子。

习题 3-32　用 Fischer 投影式表达下列化合物的立体异构体。标明分子中手性碳原子的构型,并指出各立体异构体彼此间的关系。

(i) 2,3-二氯丁酸　　(ii) 2,3-二羟基丁二酸　　(iii) 2-羟基苯乙酸乙酯　　(iv) 3-羟基-2-戊酮

习题 3-33　写出下面化合物的所有旋光异构体,其中哪些化合物互为差向异构体?

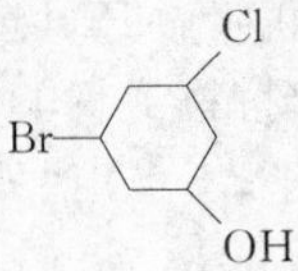

习题 3-34　下列的联苯衍生物哪一个有可能拆分为光活性对映体?

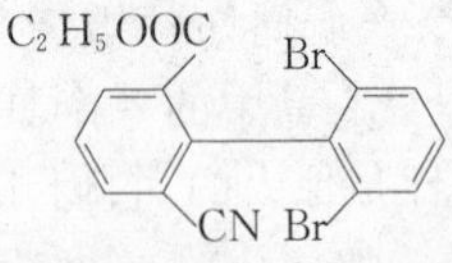

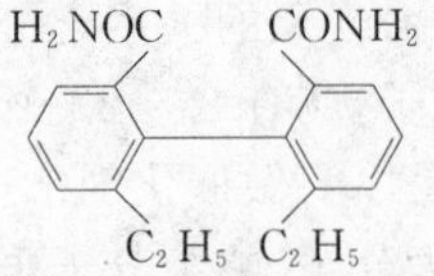

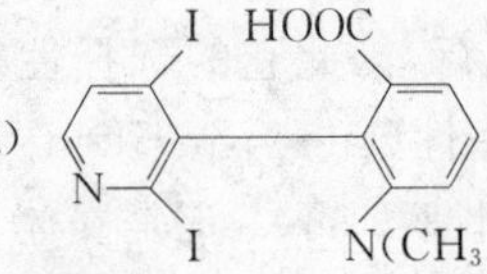

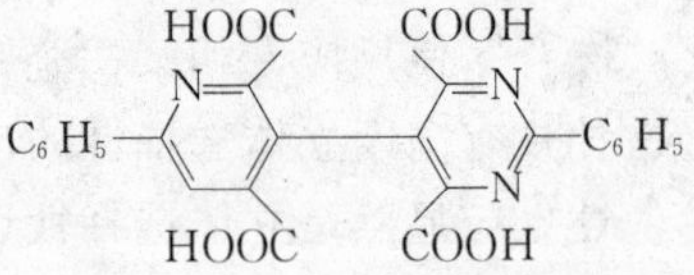

习题 3-35　α-蒎烯和萜品醇具有下列的结构,它们的分子中各有几个不对称碳原子? 有几个光活性异构体存在? 写出这些光活性异构体的结构式(或构象式),并标明手性碳原子的构型。

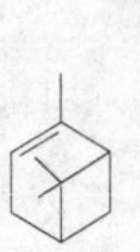

α-蒎烯 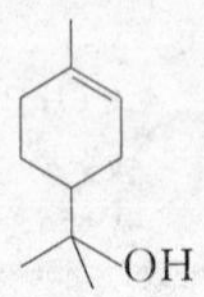　　　　　萜品醇

习题 3-36 莰醇具有下列结构,写出它所有的光活性异构体。并指出这些异构体中哪一个化合物的俗名称为冰片,哪一个为异冰片？它们各有什么用处？（自查文献）

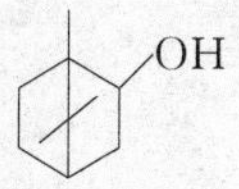

习题 3-37 4-甲基-2-氯环己烷羧酸有多少可能的立体异构体？画出一对最稳定的构象式。

习题 3-38 下列化合物能否拆分为光活性对映体？

(i)

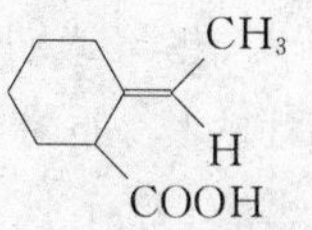

(ii)

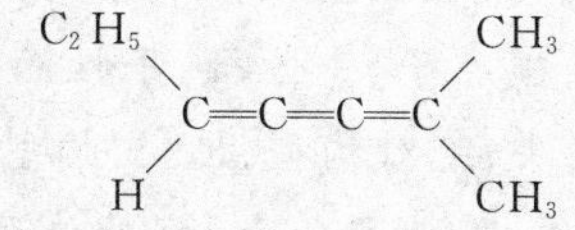

(iii)

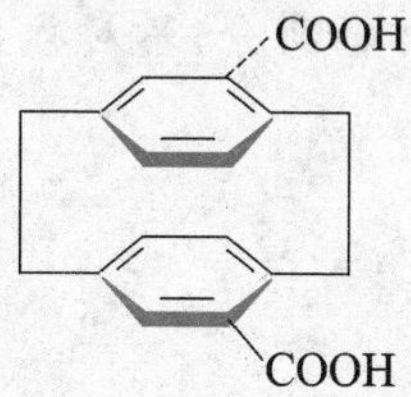

(iv)

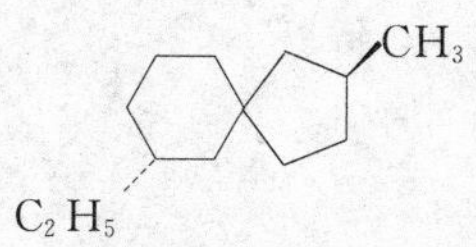

习题 3-39 写出下列转化过程。

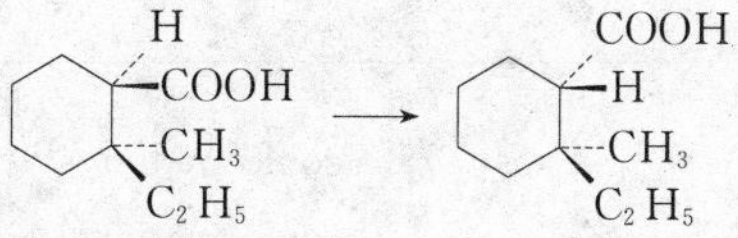

习题 3-40 写出下列两个化合物的构象式。

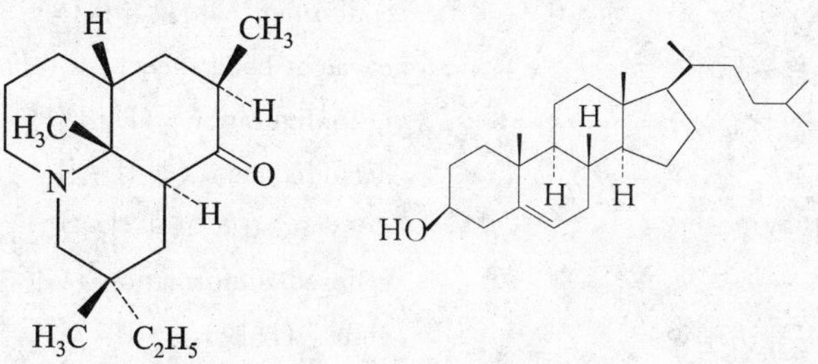

复习本章的指导提纲

基本知识

立体化学的定义,静态立体化学和动态立体化学的任务;轨道杂化与碳原子价键的方向性、有机分子立体形象的关系;σ键和π键的定义和特点;有关构象、构象异构体、构象分析的系列知识;手性分子的结构特点、判别、表达方式、光学特点及与旋光异构体相关的系列知识和相关概念。

基本概念

　　sp^3 杂化、sp^2 杂化、sp 杂化;σ键、π键;构象、构象异构体、极限构象、重叠型构象、交叉型构象、稳定构象、优势构象、构象势能关系图、构象分布、构象分析、环己烷的椅型构象和船型构象、构象转换体,十氢化萘的顺式构象和反式构象;平面偏振光,旋光度,比旋光度,分子比旋光度;手性、手性分子、手性中心、手性碳原子、手性轴、手性面;Fischer 投影式、伞形式、锯架式、Newman 式;相对构型、D-L 构型标记法、绝对构型、R-S 构型标记法;旋光异构体、对映体、非对映体、差向异构体、内消旋体、外消旋体、外消旋化合物、外消旋混合物、外消旋固体溶液;原手性、原手性碳原子、原手性分子、假不对称碳原子;外消旋化、差向异构化;外消旋体的拆分;不对称合成、立体选择性反应、立体专一性反应、ee 值。

英汉对照词汇

absolute configuration　（绝对构型）

a graph of potential energy　（势能图）

angle strain　（角张力）

anomer　（端基差向异构体）

asymmetric carbon　（不对称碳原子）

asymmetric synthesis　（不对称合成）

atropisomer　（位阻异构体）

atropisomerism　（位阻异构现象）

axial bond　（直立键）

Baeyer strain theory　（拜耳张力学说）

banana bond　（香蕉键）

barriers to rotation　（转动能垒）

boat conformation　（船型构象）

chair conformation　（椅型构象）

chiral axle　（手性轴）

chiral carbon　（手性碳原子）

chiral center　（手性中心）

chirality　（手性）

chiral molecule　（手性分子）

chiral plane　（手性面）

conformation　（构象）

conformational analysis　（构象分析）

conformation inversion　（构象翻转）

conformer　（构象异构体）

covalent bond theory　（共价键理论）

D configuration　（D构型）

diastereomer　（非对映体）

dissymmetric　（非对称）

eclipsed conformation　（重叠型构象）

elute　（洗脱）

enantiomer　（对映体）

envelope conformation　（信封型构象）

epimer　（差向异构体）

equatorial bond　（平伏键）

Fischer projection　（费歇尔投影式）

gauche conformation　（邻交叉构象）

half-chair conformation　（半椅型构象）

Hassel O　（哈赛尔）

helicene　（螺旋烃）

hybridized orbital theory　（杂化轨道理论）

Hückel W　（休克尔）

hybridization of orbital　（轨道的杂化）

limit conformation　（极限构象）

mesomer　（内消旋体）

Newman projection　（纽曼投影式）

Pasteur　（巴斯德）

plane polarized light　（平面偏振光）

plane structure　（平面型结构）

potential energy　（势能）

prochirality　（前手性）

pseudoasymmetric carbon　（假不对称碳原子）

puckered conformation　（折叠型构象）

racemate　（外消旋体）

racemic compound　（外消旋化合物）

racemic mixture　（外消旋混合物）

racemic solid solution　（外消旋固体溶液）

racemization　（外消旋化）

racemize　（外消旋）

relative configuration　（相对构型）

resolution　（拆分）

rotamer　（旋转异构体）

Sachse H　（沙赫斯）

skew boat conformation　（扭船型构象）

skewed conformation　（or twist conformation）　（扭曲型构象）

specific rotation　（比旋光度）

stable conformation　（稳定构象）

staggered conformation　（对交叉型构象）

stereochemistry　（立体化学）

stereoselectiviey　（立体选择性）

stereospecificity　（立体专一性）

Stuart　（斯陶特）

symmetric axle　（对称轴）

symmetric center　（对称中心）

symmetric plane　（对称面）

symmetry factor　（对称因素）

tetrahedral configuration　（正四面体构型）

torsion strain　（扭转张力）

umbrella　（伞型式）

第 **4** 章

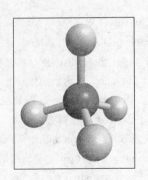

烷烃　自由基取代反应

烷烃是由碳和氢两种元素组成、碳与碳均以单键相连的一大类化合物。

4.1　烷烃的分类

分子中没有环的烷烃称为链烷烃(acyclic alkane)，其通式为 C_nH_{2n+2}，n 为碳原子数。分子中含有环状结构的烷烃叫环烷烃(cycloalkane)，又称为脂环化合物(alicyclic compound)。只含有一个环的环烷烃称为单环烷烃，单环烷烃的通式为 C_nH_{2n}，与单烯烃互为同分异构体。环烷烃按环的大小，分为① 小环：三、四元环，② 普通环：五、六、七元环，③ 中环：八至十一元环，④ 大环：十二元环以上。含有两个或多个环的环烷烃称为多环烷烃。环系各以环上一个碳原子用单键直接相连而成的多环烷烃称为集合环烷烃(cycloalkane ring assembly)。两个环共用两个或多个碳原子的多环烷烃称为桥环烷烃(bridged cycloalkane)。单环之间共用一个碳原子的多环烷烃称为螺环烷烃(sipro cycloalkane)。如

集合环烷烃　　　　桥环烷烃　　　　　螺环烷烃

4.2　烷烃、环烷烃的物理性质

在室温下，含有 1～4 个碳原子的烷烃为气体；含有 5～16 个碳原子的烷烃为液体；含有 17 个碳原子以上的正烷烃为固体，但直至含有 60 个碳原子的正烷烃(熔点 99℃)，其熔点(melting poing)都不超过 100℃。低沸点(boiling point)的烷烃为无色液体，有特殊气味；高沸点烷烃为黏稠油状液体，无味。烷烃为非极性分子(non-polar molecule)，偶极矩(dipole moment)为零，但分子中电荷的分配不是很均匀的，在运动中可以产生瞬时偶极矩，瞬时偶极矩间有相互作用力(色散力)：

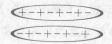

非偶极分子中瞬时偶极矩的相互作用

此外分子间还有 vander Waals 引力,这些分子间的作用力比化学键的小一二个数量级,克服这些作用力所需能量也较低,因此一般有机化合物的熔点、沸点很少超过 300℃。

正烷烃的沸点随相对分子质量的增加而升高,这是因为分子运动所需的能量增大,分子间的接触面(即相互作用力)也增大。低级烷烃每增加一个 CH_2,相对分子质量变化较大,沸点也相差较大,高级烷烃相差较小,故低级烷烃比较容易分离,高级烷烃分离困难得多。

在同分异构体中,分子结构不同,分子接触面积不同,相互作用力也不同,正戊烷沸点 36.1℃,2-甲丁烷沸点 25℃,2,2-二甲丙烷沸点只有 9℃。图 4-1 为分子间接触面积的示意图。

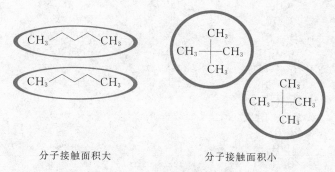

分子接触面积大   分子接触面积小

图 4-1 分子接触面积示意图

叉链分子由于叉链的位阻作用,其分子不能像正烷烃那样接近,分子间作用力小,沸点较低。

固体分子的熔点也随相对分子质量增加而增高,这与质量大小及分子间作用力有关外,还与分子在晶格中的排列有关,分子对称性高,排列比较整齐,分子间吸引力大,熔点就高。在正烷烃中,含单数碳原子的烷烃其熔点升高较含双数碳原子的少,如图 4-2 所示:

通过 X 射线衍射方法分析,固体正烷烃晶体为锯齿形,在单数碳原子齿状链中两端甲基同

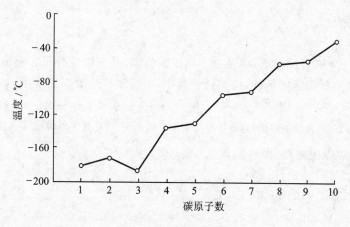

图 4-2 正烷烃的熔点

处在一边,如正戊烷 ⌇⌇⌇ ,双数碳链中两端甲基不在同一边,如正己烷 ⌇⌇⌇⌇ ,双数碳链彼此更为靠近,相互作用力大,故熔点升高值较单数碳链升高值较大一些。

烷烃的密度(density)随相对分子质量增大而增大,这也是分子间相互作用力的结果,密度增加到一定数值后,相对分子质量增加而密度变化很小。

与碳原子数相等的链烷烃相比,环烷烃的沸点、熔点和密度均要高一些。这是因为链形化合物可以比较自由地摇动,分子间"拉"得不紧,容易挥发,所以沸点低一些。由于这种摇动,比较难以在晶格内做有次序的排列,所以熔点也低一些。由于没有环的牵制,链形化合物的排列也较环形化合物松散些,所以密度也低一些。同分异构体和顺反异构体也具有不同的物理性质。表 4-1 是若干烷烃和环烷烃的物理常数。

表 4-1　一些链烷烃和环烷烃的物理常数

名　称	分子式	沸点/℃	熔点/℃	相对密度(d_4^{20})
甲　烷	CH_4	−161.7	−182.6	
乙　烷	C_2H_6	−88.6	−172.0	
丙烷(环丙烷)	$C_3H_8(C_3H_6)$	−42.2(−32.7)	−187.1(−127.6)	0.5005
丁烷(环丁烷)	$C_4H_{10}(C_4H_8)$	−0.5(12.5)	−135.0(−80)	0.5788
戊烷(环戊烷)	$C_5H_{12}(C_5H_{10})$	36.1(49.3)	−129.3(−93.9)	0.6264(0.7457)
己烷(环己烷)	$C_6H_{14}(C_6H_{12})$	68.7(80.7)	−94.0(6.6)	0.6594(0.7786)
庚烷(环庚烷)	$C_7H_{16}(C_7H_{14})$	98.4(118.5)	−90.5(−12.0)	0.6837(0.8098)
辛烷(环辛烷)	$C_8H_{18}(C_8H_{16})$	125.6(150)	−56.8(14.3)	0.7028(0.8349)
壬　烷	C_9H_{20}	150.7	−53.7	0.7179
癸　烷	$C_{10}H_{22}$	174.0	−29.7	0.7298
十一烷	$C_{11}H_{24}$	195.8	−25.6	0.7404
十二烷	$C_{12}H_{26}$	216.3	−9.6	0.7493
十三烷	$C_{13}H_{28}$	(230)	−6	0.7568
十四烷	$C_{14}H_{30}$	251	5.5	0.7636
十五烷	$C_{15}H_{32}$	268	10	0.7688
十六烷	$C_{16}H_{34}$	280	18.1	0.7749
十七烷	$C_{17}H_{36}$	303	22.0	0.7767
十八烷	$C_{18}H_{38}$	308	28.0	0.7767
十九烷	$C_{19}H_{40}$	330	32.0	0.7776
二十烷	$C_{20}H_{42}$	—	36.4	0.7777
三十烷	$C_{30}H_{62}$	—	66	—
四十烷	$C_{40}H_{82}$	—	81	—

所有烷烃,由于 σ 键极性很小,以及分子偶极矩为零,是非极性分子。根据相似者相溶原则,烷烃可溶于非极性溶剂如四氯化碳、烃类化合物中,不溶于极性溶剂如水中。

习题 4-1　查阅下列化合物的沸点,将它们按大小排列成序,并对此作出解释。

(i) CH_3CH_3 , CH_3CH_2Br , CH_3CH_2I

(ii) $CH_3(CH_2)_4CH_3$, $CH_3\overset{\displaystyle CH_3}{\underset{\displaystyle |}{\underset{}{C}H}}(CH_2)_2CH_3$, $CH_3CH_2\overset{\displaystyle CH_3}{\underset{\displaystyle CH_3}{\overset{|}{\underset{|}{C}}}}CH_3$, ⬡

烷烃的反应

4.3 预 备 知 识

4.3.1 有机反应及分类

在一定的条件下,有机化合物分子中的成键电子发生重新分布,原有的键断裂,新的键形成,从而使原分子中原子间的组合发生了变化,新的分子产生。这种变化过程称为有机反应(organic reaction)。

按反应时化学键断裂和生成的方式,有机反应分为自由基型反应(free radical reaction)、离子型反应(ionic reaction)和协同反应(synergistic reaction)。

1. 自由基型反应

化学键断裂时成键的一对电子平均分给两个原子或基团,如

$$A \!\mid\!\cdot B \longrightarrow A\cdot + B\cdot$$

$$2Cl\cdot + H_3C\!\mid\!\cdot H \longrightarrow H_3CCl + HCl$$

这种断裂方式称均裂(homolytic),均裂时生成的原子或基团带有一个孤单电子,用黑点表示,如 $H_3C\cdot$,$H\cdot$,带有孤电子的原子或原子团称为自由基(free radical,或称游离基),它是电中性的。自由基多数只有瞬间寿命,是活性中间体中的一种。

由于分子经过均裂产生自由基而引发的反应称为自由基型反应。

2. 离子型反应

化学键断裂时原来的一对成键电子为某一原子或基团所占有,如

$$A\!:\!B \longrightarrow A^+ + :B^-$$

$$(CH_3)_3C\!:\!Cl \longrightarrow (CH_3)_3C^+ + :Cl^-$$

这种断裂方式称为异裂(heterolysis)。异裂产生正离子和负离子。有机反应中的碳正离子和碳负离子只有瞬间寿命,也是活性中间体中的一种。经过异裂生成离子而引发的反应称为离子型反应。

离子型反应根据反应试剂的类型不同,又可分为亲电反应(electrophilic reaction)与亲核反应(nucleophilic reaction)两类。对电子有显著亲和力而起反应的试剂称为亲电试剂(electrophile 或 electrophilic reagent)。决速步由亲电试剂进攻而发生的反应称为亲电反应。如

$$HBr + R\overset{\delta+}{C}H\!=\!\overset{\delta-}{C}H_2 \xrightarrow{\text{慢}} R\overset{+}{C}H\!-\!CH_3 + Br^- \xrightarrow{\text{快}} R\underset{|}{\overset{}{C}}HCH_3 \quad (\text{亲电反应})$$
$$\text{(亲电试剂)} \qquad\qquad\qquad\qquad\qquad Br$$

对正原子核有显著亲和力而起反应的试剂叫做亲核试剂（nucleophile 或 nucleophilic reagent）。决速步由亲核试剂进攻而发生的反应称为亲核反应，如

$$\overset{-}{C}N + RCH_2 \overset{\delta+}{\longrightarrow} \overset{\delta-}{Cl} \longrightarrow RCH_2CN + Cl^- \quad \text{（亲核反应）}$$
（亲核试剂）

3. 协同反应

在反应过程中，旧键的断裂和新键的形成都相互协调地在同一步骤中完成的反应称为协同反应。协同反应往往有一个环状过渡态（cyclic transition state）。它是一种基元反应（elementrary reaction）。如：

环状过渡态

按反应物和生成物的结构关系，有机反应可分为酸碱反应（acid-base reaction）、取代反应（substitution reaction）、加成反应（addition reaction）、消除反应（elimination reaction）、重排反应（rearrangement）、氧化还原反应（oxidation and reduction）、缩合反应（condensation）等。

有时还需要将两种分类方法结合起来对反应进行更细的分类。如有机化合物分子中的某个原子或基团被其它原子或基团所置换的反应称为取代反应。若取代反应是按共价键均裂的方式进行的，则称其为自由基取代反应。若取代反应是按共价键异裂的方式进行的，则称其为离子型取代反应。然后再根据反应试剂的类型进一步分为亲电取代反应和亲核取代反应。

4.3.2 有机反应机理

反应机理（reaction mechanism）是对一个反应过程的详细描述，这种描述是根据很多实验事实总结后提出来的，它有一定的适用范围，能解释很多实验事实，并能预测反应的发生。如果发现新的实验事实无法用原有的反应机理来解释，就要提出新的反应机理。反应机理已成为有机结构理论的一部分。

在表述反应机理时，必须指出电子的流向，并规定用箭头（⌒）表示一对电子的转移，用鱼钩箭头（⌒）表示单电子的转移。

4.3.3 有机反应中的热力学与动力学

1. 热力学与化学平衡

热力学（thermodynamics）是研究一个反应能否进行、进行的程度，即反应物有多少转化成生成物，是一个化学平衡问题，它与反应物及生成物的性质、外界反应条件，如温度、压力有关，它与反应速率没有关系。

一个可逆反应在一定温度下达到平衡时，它的平衡常数（equilibrium constant）K 就是生成

物浓度乘积与反应物浓度乘积之比,例如:

$$A + B \Longrightarrow C + D$$

$$K = \frac{[C][D]}{[A][B]}$$

根据热力学,平衡常数与势能(除动能以外的全部能量)变化关系为

$$\Delta G^{\ominus} = -RT\ln K$$

$\Delta G^{\ominus}$ 是势能的变化,是在标准状态下生成物与反应物势能之差,R 为摩尔气体常数(8.314×10^{-3} kJ·mol^{-1}·K^{-1}),T 为反应时的热力学温度[$T = (t + 273)$ K]。从上面关系式看出,当 $\Delta G^{\ominus} < 0$ 时,平衡常数 $K > 1$,平衡对生成物有利;当 $\Delta G^{\ominus} > 0$ 时,$K < 1$,平衡对反应物有利,因此根据 $\Delta G^{\ominus}$ 的大小,可以预测反应能否进行。计算出一个反应的 $\Delta G^{\ominus}$,使平衡位置的计算也有可能。而 $\Delta G^{\ominus}$ 又与下列两个热力学数据有关:

$$\Delta G^{\ominus} = \Delta H^{\ominus} - T\Delta S^{\ominus}$$

$\Delta H^{\ominus}$ 是焓变,是在标准状态下生成物与反应物焓之差,基本上是反应物与生成物之间的键能差,即所有形成新键的键能之和减去所有断裂键的键能之和。如为放热反应,$\Delta H^{\ominus}$ 为负值;吸热反应,$\Delta H^{\ominus}$ 为正值。如果反应时体积不变,ΔH 通常接近于 ΔE(生成物与反应物能量之差),即 $\Delta H = \Delta E + p\Delta V$(当 $\Delta V = 0$ 时,$\Delta H = \Delta E$)。$\Delta S^{\ominus}$ 是熵变,是在标准状态下生成物与反应物熵之差。熵可以看做是体系内的混乱度,因此熵变也就是在反应过程中体系内熵的变化,混乱度增加,$\Delta S^{\ominus}$ 为正值,对反应有利;混乱度减少,$\Delta S^{\ominus}$ 为负值,对反应不利。在 A + B ⟶ C + D 反应中,反应物与生成物的分子数相等,熵变是比较小的;在 A ⟶ B + C 反应中,生成物的分子数增加,因此在空间可能有更多的排列方式,熵变往往是增加的。很多反应中,熵变可以忽略不计,但在有些反应中,熵变很重要,而且可以超过 $\Delta H^{\ominus}$ 的贡献。

$\Delta G^{\ominus}$ 是 $\Delta H^{\ominus}$ 与 $T\Delta S^{\ominus}$ 两项综合的结果,而平衡常数又与 $\Delta G^{\ominus}$ 有关,因此平衡常数可表示为

$$\Delta H^{\ominus} - T\Delta S^{\ominus} = -RT\ln K$$

习题 4-2 化合物 A 转为化合物 B 时的焓变为 -7 kJ·mol^{-1}(25℃),如 $\Delta S^{\ominus}$ 可忽略不计,请计算平衡常数 K,并指出 A 与 B 的百分含量。

---

2. 动力学与反应速率

使用热力学方法推测反应时,有一个局限性,它只能说明反应能否进行及进行的程度。而动力学(dynamics)能够提供这个反应的反应速率及反应所需的条件。如果不存在比较合适的反应条件,即使在热力学上倾向于发生反应(平衡常数为大的正值),但反应速率常数很小,以致很难达到平衡,反应依然相当难进行,因此还必须深入了解反应过程中各步的反应速率常数及反应所需条件。如氯甲烷在 HO$^-$ 水溶液中于 25℃ 反应:

$$CH_3Cl + OH^- \Longrightarrow CH_3OH + Cl^-$$

$$K = \frac{[CH_3OH][Cl^-]}{[CH_3Cl][OH^-]} = 10^{16}$$

因为 $\Delta G^{\ominus} = -RT\ln K$ 所以 $\overline{\Delta G^{\ominus}} = -92 \text{ kJ·mol}^{-1}$

$\Delta G^{\ominus}$ 是一个大的负值,因此从热力学数据表明,这个反应是可以进行的,但用开始浓度为 0.05 mol·L^{-1} CH_3Cl 在开始浓度为 0.1 mol·L^{-1} NaOH 水溶液中,于室温放置两天,只有 10% 发生了反应,即反应速率很慢,如在 50℃ 反应,反应速率快 50 倍。这是因为分子间要相互接近,才能发生反应,但当分子间接近到一定程度,就有排斥力,因此存在一个能垒,必须提供能量,克服这个能垒,迫使分子接近才能发生反应,克服这个能垒所必需的最低的能量,称活化能(activation energy),用 E_a 表示。上述反应尽管是放热反应,但仍然必须提供 $104.6 \text{ kJ·mol}^{-1}$ 的活化能,因此提高反应温度,才能使上述反应顺利进行。这些是动力学研究的问题。

反应速率(reaction rate)是在单位时间内反应物浓度或生成物浓度的变化,如

$$A \longrightarrow B + C$$

$$速率 = -\frac{d[A]}{dt} = \frac{d[B]}{dt} = \frac{d[C]}{dt} = k_1[A]$$

因为反应物 A 的浓度随时间减少,故出现负号。方括弧表示反应物或生成物的浓度。上述反应速率与反应物 A 的浓度成正比,随着反应进行,[A] 降低,反应速率也随之降低。该反应为一级反应,k_1 为一级反应速率常数,单位为 s^{-1}。又如

$$A + B \longrightarrow C + D$$

$$速率 = -\frac{d[A]}{dt} = k_2[A][B]$$

反应速率与两种反应物的浓度成正比,反应物 A 和 B 的反应级数均为一级,其和为二级,故该反应是二级反应,k_2 为二级反应速率常数,单位为 $\text{mol}^{-1}·\text{L·s}^{-1}$。又如

$$2A + B \longrightarrow C + D$$

$$速率 = k_3[A]^2[B]$$

方括弧上的指数是实验测定的,该反应方括弧上全部指数的和为三级,因此是三级反应。按物质的量计算,A 的消失必须是 B 的两倍。

习题 4-3 下列反应在某温度的反应速率常数 $k = 4.8 \times 10^{-6} \text{ mol}^{-1}·\text{L·s}^{-1}$,请根据已给的浓度计算反应速率。

$$CH_3Cl + OH^- \longrightarrow CH_3OH + Cl^-$$

(i) 0.1 mol·L^{-1} CH_3Cl 和 0.1 mol·L^{-1} OH^- (ii) 0.01 mol·L^{-1} CH_3Cl 和 0.001 mol·L^{-1} OH^-

(iii) 0.001 mol·L^{-1} CH_3Cl 和 0.01 mol·L^{-1} OH^-

化学动力学主要是观察反应物或生成物的浓度随时间变化而改变,用各种方法跟踪反应物的消失或生成物的出现,就可以测定某一反应的反应速率常数,例如用波谱分析可以快速而有效地连续监测浓度的改变,测定旋光可以跟踪溶液中旋光物质的反应情况,连续 pH 测定可以监测质子的生成或消耗等等,只要有测定反应物或生成物浓度的方法,就可以用来测定反应速率常数和反应的级数。对于某一特定反应,k 仅是反应温度的函数,与反应物浓度无关。

那么动力学的理论根据是什么呢?

(1) 碰撞理论 根据 Arrhenius 速率公式:

$$速率 = PZe^{-E_a/RT}$$

Z 为碰撞频率,它与反应物浓度有关,浓度愈大,碰撞机会愈多;P 为取向概率,并不是所有碰撞均有效,只有在一定取向时才有效;$e^{-E_a/RT}$ 为能量概率(e 为自然对数的底,E_a 为活化能,R 为摩尔气体常数,T 为热力学温度),分子必须吸收足够的能量,才能使分子活化,因此能量概率是指具有最低活化能的碰撞分数,能量概率与温度关系很大,温度每升高 10℃,反应速率将提高一倍左右。

碰撞理论中存在很多不足,如 P 值计算很困难,活化能又与什么因素相联系等等,因此后来发展了过渡态理论。

(2) 过渡态理论 过渡态理论强调分子相互作用的状态,并将活化能与过渡态联系起来。在反应物相互接近的反应进程中,出现一个能量比反应物与生成物均高的势能最高点,与此势能最高点相对应的结构称为过渡态(transition state),用"‡"表示,过渡态极不稳定,只是反应进程的一个中间阶段的结构,不能分离得到:

$$A + BC \underset{反应物\quad 过渡态}{\overset{[A\text{---}B\text{---}C]^{\ddagger}}{\longrightarrow}} \underset{生成物}{AB + C}$$

如反应物 A 接近 BC,要与 BC 成键而未完全形成,BC 之间的键开始伸长而未断裂,这种反应物到过渡态之间的键的变化,迫使势能上升,当势能到达活化能这个数值时,反应物到达过渡态,这时 A 与 B 之间进一步结合成键,B 与 C 之间的键进一步削弱、断键,势能下降,释放能量,得到生成物。$\Delta H^{\ominus}$ 为反应前后体系能量的变化。如图 4-3 所示。

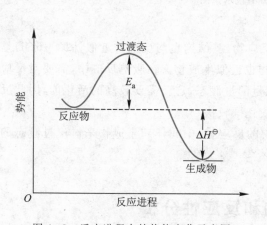

图 4-3 反应进程中的势能变化示意图

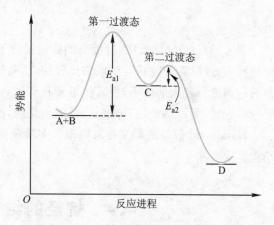

图 4-4 一个二步反应的势能变化示意图

图 4-3 以反应进程(自左向右,左边为反应物,右边为生成物)为横坐标,反应物、过渡态和生成物的势能变化为纵坐标来作图,这种图称为反应势能图。

图 4-4 为一个二步反应:

$$\underset{反应物}{A + B} \longrightarrow \underset{中间体}{C} \longrightarrow \underset{生成物}{D}$$

上述 A 和 B 反应,在反应进程中首先经过第一过渡态,形成活性中间体 C,中间体处在势能谷底中,为稳态物种,所以中间体有一定的寿命,可以通过一些方法测出它的存在。从中间体形成生成物 D 时,又需经过第二过渡态。这两个过渡态相应的活化能为 E_{a1} 和 E_{a2},其中到达第一过渡态的活化能较高,即第一步反应速率常数小,反应比第二步进行得慢,而慢的一步是决定速率的一步。

(3) Hammond(哈蒙特)假说   上面讨论了过渡态在决定反应速率方面起着很重要的作用,因此很需要了解有关过渡态结构的信息,但过渡态只能短暂存在,不能通过实验来测定。Hammond G S 把过渡态与反应物、中间体、生成物关联起来,提出了 Hammond 假说:"在简单的一步反应(基元反应)中,该步过渡态的结构、能量与更接近的那边类似"。如图 4-5 所示。

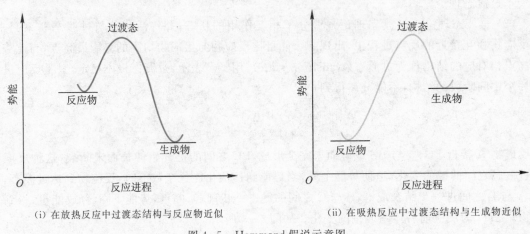

(i) 在放热反应中过渡态结构与反应物近似   (ii) 在吸热反应中过渡态结构与生成物近似

图 4-5   Hammond 假说示意图

图 4-5(i)是放热反应,过渡态的能量接近于反应物,其结构也与反应物近似;图 4-5(ii)是吸热反应,过渡态的能量与生成物比较接近,其结构也近似生成物。在吸热反应中,需要对反应物的结构进行较大的改组,使其接近于具有较高能量的过渡态,这就需要较高的活化能,因此反应速率较慢,而放热反应只需要较低的活化能,反应速率较快。

Hammond 假说的意义是可以根据多步反应中的反应物、中间体和生成物来讨论过渡态的结构。

4.4   烷烃的结构和反应性分析

在一般情况下,烷烃具有极大的化学稳定性,与强酸、强碱及常用的氧化剂、还原剂都不发生反应。这主要是由于形成这类化合物的碳碳键和碳氢键都很强,需要较高的能量才能使之断裂,如断裂 C—C 键需能量 ~347 kJ·mol^{-1},断裂 C—H 键约需 308~435 kJ·mol^{-1}。另外碳和氢的电负性差别很小,因而烷烃的 σ 键电子不易偏向某一原子,整个分子中电子分布较均匀,没有电子云密度很大或很小的部位,故对亲核试剂或亲电试剂都没有特殊的亲和力。但在另一方面,烷烃在光、热或引发剂作用下,可发生键均裂的自由基反应。

4.5　自由基反应

4.5.1　碳自由基的定义和结构

某一键均裂时会产生带有孤电子的原子或基团,称之为自由基。孤电子在氢原子上的自由基称为氢自由基。孤电子在碳原子上的自由基称为碳自由基。烷烃中的碳氢键均裂时会产生一个氢自由基和一个烷基自由基即碳自由基。甲基自由基碳呈 sp^2 杂化,三个 sp^2 杂化轨道具有平面三角形的结构,每个 sp^2 杂化轨道与其它原子的轨道通过轴向重叠形成 σ 键,成键轨道上有一对自旋相反的电子。一个 p 轨道垂直于此平面,p 轨道被一个孤电子占据。下面是甲基自由基的几种表示方法。其它碳自由基大都呈角锥型。

$$CH_3 \qquad \overset{H}{\underset{H}{H:\overset{..}{C}\cdot}} \qquad \overset{H}{\underset{H}{\underset{\diagup}{C}}} H$$

4.5.2　键解离能和碳自由基的稳定性

1. 键解离能

分子中的原子总是围绕着它们的平衡位置做微小的振动,分子振动类似于弹簧连接的小球的运动,室温时,分子处于基态,这时振幅很小,分子吸收能量,振幅增大。如果吸收了足够的能量,振幅增大到一定程度,键就断了,这时吸收的热量,是键解离反应的焓($\Delta H^\ominus$),是这个键的键能,或称键解离能(bond-dissociation energy),用 $E_d^\ominus$ 表示。

$$CH_3{-}H \longrightarrow CH_3\cdot + \cdot H \qquad\qquad \Delta H^\ominus = E_d^\ominus = +439.3 \text{ kJ·mol}^{-1}$$
$$CH_3CH_2{-}H \longrightarrow CH_3CH_2\cdot + \cdot H \qquad\qquad = +410.0 \text{ kJ·mol}^{-1}$$
$$CH_3CH_2CH_2{-}H \longrightarrow CH_3CH_2CH_2\cdot + \cdot H \qquad\qquad = +410.0 \text{ kJ·mol}^{-1}$$
$$(CH_3)_2CH{-}H \longrightarrow (CH_3)_2CH_2\cdot + \cdot H \qquad\qquad = +397.5 \text{ kJ·mol}^{-1}$$
$$(CH_3)_3C{-}H \longrightarrow (CH_3)_3C\cdot + \cdot H \qquad\qquad = +389.1 \text{ kJ·mol}^{-1}$$

一些常见键的解离能数据见表 1-5(参见 1.3.7/3)。

2. 碳自由基的稳定性

自由基的稳定性,是指与它的母体化合物的稳定性相比较,比母体化合物能量高得多的较不稳定,高得少的较稳定。从上面 C—H 键的解离能数据可以看出:CH_4 中 C—H 键解离,其解离能最大,在同列系中第一个化合物往往是比较特殊的;CH_3CH_3 与 $CH_3CH_2CH_3$ 中断裂一级碳上的氢,解离能较 CH_4 稍低,形成的均为一级自由基;$CH_3CH_2CH_3$ 中断裂二级碳原子上的氢,其解离能又低一些,形成二级自由基;$(CH_3)_3CH$ 中三级碳原子上的氢断裂,其解离能最低,形成三级自由基。这些键解离反应中,产物之一是 H·,均是相同的,因此键解离能的不同,是反映了碳自由基的稳定性不同。解离能越低的碳自由基越稳定。因此碳自由基的稳定性顺序为

$$3℃· > 2℃· > 1℃· > H_3C·$$

在烷烃分子中,C—C 键也可解离,下面是一些 C—C 键的解离能数据。

$$CH_3—CH_3 \longrightarrow 2CH_3· \qquad \Delta H^\ominus = E_d^\ominus = +376.6 \ kJ·mol^{-1}$$
$$CH_3CH_2—CH_3 \longrightarrow CH_3CH_2· + ·CH_3 \qquad = +359.8 \ kJ·mol^{-1}$$
$$CH_3CH_2CH_2—CH_3 \longrightarrow CH_3CH_2CH_2· + ·CH_3 \qquad = +361.9 \ kJ·mol^{-1}$$
$$CH_3CH_2—CH_2CH_3 \longrightarrow 2CH_3CH_2· \qquad = +343.1 \ kJ·mol^{-1}$$
$$(CH_3)_2CH—CH_3 \longrightarrow (CH_3)_2CH· + ·CH_3 \qquad = +359.8 \ kJ·mol^{-1}$$
$$(CH_3)_3C—CH_3 \longrightarrow (CH_3)_3C· + ·CH_3 \qquad = +351.5 \ kJ·mol^{-1}$$

数据表明断裂 C—C 键所需能量比 C—H 键小,因此 C—C 键较易断裂,从 $\Delta H^\ominus$ 看,碳自由基的稳定性,与 C—H 键断裂的结果是一致的。同时还可以看到,断裂 $CH_3CH_2CH_2CH_3$ 中 C—C 键,形成两个 $CH_3CH_2·$ 时 $\Delta H^\ominus$ 最小,说明大分子在中间断裂的机会是比较多的。

习题 4-4　将下列自由基按稳定性顺序由大到小排列。

$$CH_3CH_2CH_2· \ ,CH_3\dot{C}HCH_3 \ ,CH_3CH_2\dot{C}(CH_3)_2 \ ,·CH_3 \ ,CH_3CH=CH\dot{C}H_2$$

⬡· ， ⬡—$\dot{C}H_2$ ， ⬡—$\dot{C}H$—CH=CH_2

4.5.3　自由基反应的共性

化学键均裂产生自由基。由自由基引发的反应称为自由基反应,或称自由基型的链反应 (chain reaction)。自由基反应一般都经过链引发(initiation)、链转移(propagation,或称链生长)、链终止(termination)三个阶段。链引发阶段是产生自由基的阶段。由于键的均裂需要能量,所以链引发阶段需要加热或光照。如

$$Br_2 \xrightarrow{\triangle 或 h\nu} 2Br·$$

有些化合物十分活泼,极易产生活性质点自由基,这些化合物称之为引发剂(initiator)。常见的引发剂如

$$CH_3\overset{O}{\overset{\|}{C}}O \frown O\overset{O}{\overset{\|}{C}}CH_3 \xrightarrow[\text{苯}]{55\sim85℃} 2CH_3\overset{O}{\overset{\|}{C}}O·$$

有时也可以通过单电子转移的氧化还原反应来产生自由基。如

$$H_2O_2 + Fe^{2+} \longrightarrow HO· + HO^- + Fe^{3+}$$
$$RCOO^- \xrightarrow[\text{电解}]{-e^-} RCOO·$$

链转移阶段是由一个自由基转变成另一个自由基的阶段,犹如接力赛一样,自由基不断地传递下去,像一环接一环的链,所以称之为链反应(参见4.6.1)。链终止阶段是消失自由基的阶段。自由基两两结合成键。所有的自由基都消失了,自由基反应也就终止了。

自由基反应的特点是没有明显的溶剂效应,酸、碱等催化剂对反应也没有明显影响,当反应体系中有氧气(或有一些能捕捉自由基的杂质存在)时,反应往往有一个诱导期(induction period)。这是因为氧气(或捕捉自由基的杂质)可以与自由基结合,形成稳定的自由基,如

$$O_2 \ + \ \cdot CH_3 \longrightarrow CH_3OO\cdot$$

$CH_3OO\cdot$ 活泼性远不如 $CH_3\cdot$,几乎使反应停止,待氧消耗完后,自由基链反应立即开始,这就是自由基反应出现一个诱导期的原因。一种物质,即使有少量存在,就能使反应减慢或停止,这种物质称为抑制剂(inhibitor)。上述氧与杂质就起这种阻抑的作用。在自由基反应中加一些抑制剂,反应可被停止。

习题 4-5 溶剂的极性、酸或碱性催化剂对自由基反应有无影响?为什么?

4.6 烷烃的卤化

烷烃中的氢原子被卤原子取代的反应称为卤化反应(halogenation)。卤化反应包括氟化(fluorinate),氯化(chlorizate),溴化(brominate)和碘化(iodizate)。但有实用意义的卤化反应是氯化和溴化。

4.6.1 甲烷的氯化

甲烷在紫外光或热(250~400℃)作用下,与氯反应得各种氯代烷:

$$CH_4 \xrightarrow[-HCl]{Cl_2,300\sim400℃} CH_3Cl \xrightarrow[-HCl]{Cl_2,\triangle} CH_2Cl_2 \xrightarrow[-HCl]{Cl_2,\triangle} CHCl_3 \xrightarrow[-HCl]{Cl_2,\triangle} CCl_4$$

　　　　　　　　　　(氯甲烷)　　　　(二氯甲烷)　　　(三氯甲烷,氯仿)　(四氯化碳)

如果控制氯的用量,用大量甲烷,主要得到氯甲烷;如用大量氯气,主要得到四氯化碳。工业上通过精馏,使混合物一一分开。以上几个氯化产物,均是重要的溶剂与试剂。

甲烷氯化反应的事实是:① 在室温暗处不发生反应,② 高于250℃发生反应,③ 在室温有光作用下能发生反应,④ 用光引发反应,吸收一个光子就能产生几千个氯甲烷分子,⑤ 如有氧或有一些能捕捉自由基的杂质存在,反应有一个诱导期,诱导期时间长短与存在这些杂质多少有关。根据上述事实的特点可以判断,甲烷的氯化是一个自由基型的取代反应。反应机理如下:

链引发　步(1) $Cl_2 \xrightarrow{\text{热或光}} 2Cl\cdot$ 产生高能量的自由基 $Cl\cdot$，引发反应

链转移　步(2) $Cl\cdot + CH_4 \longrightarrow CH_3\cdot + HCl$ ⎱一个自由基消失，产生另一个
　　　　步(3) $CH_3\cdot + Cl_2 \longrightarrow CH_3Cl + Cl\cdot$ ⎰自由基，反复循环

链终止　步(4) $Cl\cdot + \cdot Cl \longrightarrow Cl_2$ ⎰反应物浓度降低，自由基碰
　　　　步(5) $CH_3\cdot + \cdot CH_3 \longrightarrow CH_3CH_3$ ⎱撞机会增加，自由基消失，
　　　　步(6) $CH_3\cdot + \cdot Cl \longrightarrow CH_3Cl$ ⎰反应结束

上述反应中，步(1)、步(2)、步(3)的反应热和活化能数据如下所示：

步(1) $Cl—Cl \longrightarrow 2Cl\cdot$　　　　　　　　　　$\Delta H^{\ominus} = +242.7\ kJ\cdot mol^{-1}$

步(2) $Cl\cdot + CH_3—H \longrightarrow CH_3\cdot + H—Cl$　$\Delta H^{\ominus} = +7.5\ kJ\cdot mol^{-1}$
　　　　　　　　　　　　　　　　　　　　　　　$E_{a1} = +16.7\ kJ\cdot mol^{-1}$

步(3) $CH_3\cdot + Cl—Cl \longrightarrow CH_3—Cl + \cdot Cl$　$\Delta H^{\ominus} = -112.9\ kJ\cdot mol^{-1}$
　　　　　　　　　　　　　　　　　　　　　　　$E_{a2} = +8.3\ kJ\cdot mol^{-1}$

从反应热分析：步(1)需要 242.7 $kJ\cdot mol^{-1}$，将 Cl_2 断键形成 $Cl\cdot$，引发 CH_4 分子发生反应。步(2)是吸热反应(endothermic reaction)，需 7.5 $kJ\cdot mol^{-1}$ 使 CH_4 与 $Cl\cdot$ 反应产生 $CH_3\cdot$ 与 HCl。而步(3)是放热反应(exothermic reaction)，当 $CH_3\cdot$ 与 Cl_2 反应生成 CH_3Cl 和 $Cl\cdot$ 时，放热 112.9 $kJ\cdot mol^{-1}$。(2)+(3)共放热 105.4 $kJ\cdot mol^{-1}$，因此从反应热看，反应是可以进行的。

　　在链转移的两步反应中，步(2)虽然只需反应热 +7.5 $kJ\cdot mol^{-1}$，但分子需要 +16.7 $kJ\cdot mol^{-1}$ 活化能(E_{a1})才能越过势能最高点，形成 $CH_3\cdot$ 和 HCl(如图 4-6 所示)，这个势能最高点的结构 $[\overset{\delta\cdot}{Cl} \text{---} H \text{---} \overset{\delta\cdot}{CH_3}]^{\ast}$ 称为第一过渡态，$\delta\cdot$ 表示带有部分自由基。步(3)是放热反应，但也需要活化能(E_{a2}) +8.3 $kJ\cdot mol^{-1}$ 才能越过第二个势能最高点形成 CH_3Cl 和 $Cl\cdot$，第二个势能最高点的结构 $[H_3\overset{\delta\cdot}{C} \text{---} Cl \text{---} \overset{\delta\cdot}{Cl}]^{\ast}$ 称为第二过渡态。由于形成第一过渡态时所需的活化能比形成第二过渡态的活化能高，因此步(2)是慢的一步，是甲烷氯化反应中决定反应速率的一步。图 4-6 是甲烷氯化链转移反应过程中的势能变化图。

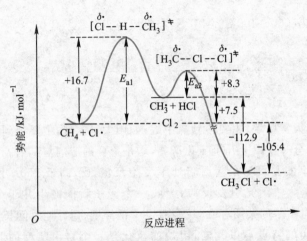

图 4-6　氯自由基与甲烷反应的势能变化图

习题 4-6　写出新戊烷在光作用下溴化产生溴代新戊烷的反应机理。

习题 4-7　写出 $C_5H_{11}Br$ 的所有可能异构体的结构式(如有构型问题,须用伞形式表示),写出每个异构体的中英文系统名称。指出与溴原子相连的碳原子的级数。

4.6.2　甲烷的卤化

在同类型反应中,可以通过比较决定反应速率一步的活化能大小,了解反应进行的难易。

$$X\cdot\ +\ CH_3{-}H\ \longrightarrow\ CH_3\cdot\ +\ H{-}X \qquad \Delta H^{\ominus}/kJ\cdot mol^{-1} \qquad E_a/kJ\cdot mol^{-1}$$

			$\Delta H^{\ominus}/kJ\cdot mol^{-1}$	$E_a/kJ\cdot mol^{-1}$
F	439.3	568.2	−128.9	+4.2
Cl		431.8	+7.5	+16.7
Br		366.1	+73.2	+75.3
I		298.3	+141	>+141

氟与甲烷反应是大量放热的,但仍需 +4.2 $kJ\cdot mol^{-1}$ 活化能,一旦发生反应,大量的热难以移走,破坏生成的氟甲烷,而得到碳与氟化氢,因此直接氟化的反应难以实现。碘与甲烷反应,需要大于 141 $kJ\cdot mol^{-1}$ 的活化能,反应难以进行。氯化只需活化能 +16.7 $kJ\cdot mol^{-1}$,溴化只需活化能 +75.3 $kJ\cdot mol^{-1}$,故卤化反应主要是氯化、溴化。氯化反应比溴化易于进行。

碘不能与甲烷发生取代反应生成碘甲烷,但其逆反应很容易进行:

$$CH_3I\ +\ HI\ \longrightarrow\ CH_4\ +\ I_2$$

自由基链反应中加入碘,它可以使反应中止:

$$\overset{|}{-}C\cdot\ +\ I_2\ \longrightarrow\ \overset{|}{\underset{|}{-}C{-}I}\ +\ \cdot I$$

习题 4-8　定性画出溴与甲基环己烷反应生成 1-甲基-1-溴代环己烷链转移反应阶段的反应势能变化图。标明反应物、中间体、生成物、过渡态的结构及其相应位置,并指出反应的速控步是哪一步。(溴的键解离能:192.5 $kJ\cdot mol^{-1}$;三级碳氢键的键解离能 389.1 $kJ\cdot mol^{-1}$)

4.6.3　高级烷烃的卤化

在紫外光或热(250~400℃)作用下,氯、溴能与烷烃发生反应,氟可在惰性气体稀释下进行烷烃的氟化,而碘不能。下面是丙烷与 2-甲基丙烷的氯化、溴化。

氯化:　$2CH_3CH_2CH_3\ +\ 2Cl_2\ \xrightarrow{\text{光},25℃}\ CH_3CH_2CH_2Cl\ +\ CH_3\overset{Cl}{\underset{|}{C}}HCH_3\ +\ 2HCl$

　　　　　　　　　　　　　　　　　　　　　　　　45%　　　　　　55%

$$2CH_3\overset{\underset{\displaystyle |}{CH_3}}{C}HCH_3 + 2Cl_2 \xrightarrow{\text{光},25℃} CH_3\overset{\underset{\displaystyle |}{CH_3}}{C}HCH_2Cl + (CH_3)_3CCl + 2HCl$$
$$\qquad\qquad\qquad\qquad\qquad\qquad\qquad 64\% \qquad\quad 36\%$$

溴化：

$$2CH_3CH_2CH_3 + 2Br_2 \xrightarrow{\text{光},127℃} CH_3CH_2CH_2Br + CH_3\overset{\underset{\displaystyle |}{Br}}{C}HCH_3 + 2HBr$$
$$\qquad\qquad\qquad\qquad\qquad\qquad\qquad 3\% \qquad\qquad 97\%$$

$$2CH_3\overset{\underset{\displaystyle |}{CH_3}}{C}HCH_3 + 2Br_2 \xrightarrow{\text{光},127℃} CH_3\overset{\underset{\displaystyle |}{CH_3}}{C}HCH_2Br + (CH_3)_3CBr + 2HBr$$
$$\qquad\qquad\qquad\qquad\qquad\qquad\quad 少量 \qquad\qquad >99\%$$

丙烷中有六个 $1°H$，二个 $2°H$，氯化时夺取每个 $1°H$ 与 $2°H$ 的概率分别为 45/6 与 55/2；2-甲基丙烷中有九个 $1°H$，一个 $3°H$，夺取每个 $1°H$ 与 $3°H$ 的概率分别为 64/9 与 36/1。因此三种氢的大致反应性为 $3°H:2°H:1°H=5:3:1$。以此类推，溴化时三种氢的大致反应性为 $3°H:2°H:1°H=1600:82:1$。在氯化或溴化反应中，三种氢的反应性均为 $3°H>2°H>1°H$。这三种氢不同的反应性，实际上是反应速率问题，反应速率的快与慢，与活化能大小有关，而活化能的大小，可以通过过渡态的势能、结构来判断。如果一个反应可以形成几种生成物，则每一生成物是通过不同的过渡态形成的，最主要的生成物是通过势能最低的过渡态形成的。而过渡态势能与形成的活性中间体稳定性有关，活性中间体稳定，过渡态势能低；过渡态势能低，则活化能小，反应速率快。因为活性中间体自由基的稳定性是三级＞二级＞一级，所以在氯化、溴化反应中，这三种氢的反应性为 $3°H>2°H>1°H$。

现在进一步问，为什么在氯化反应中，三种氢的反应性差别不是很大，而在溴化反应中却相差很悬殊，要了解这个问题，先看一下丙烷溴化的决定反应速率一步（基元反应）的势能图（图4-7）。

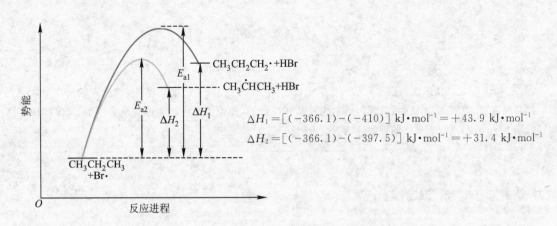

$$\Delta H_1 = [(-366.1)-(-410)]\ kJ\cdot mol^{-1} = +43.9\ kJ\cdot mol^{-1}$$
$$\Delta H_2 = [(-366.1)-(-397.5)]\ kJ\cdot mol^{-1} = +31.4\ kJ\cdot mol^{-1}$$

图4-7　丙烷溴化决定反应速率一步的势能变化图

在溴化反应中，溴化试剂不活泼，过渡态来得晚，过渡态的势能与活性中间体接近，故过渡态的结构近似于活性中间体的结构，活性中间体稳定，过渡态结构也稳定，势能也低；过渡态势能低，则活化能小，反应速率快。$CH_3\overset{\displaystyle .}{C}HCH_3$ 能量比 $CH_3CH_2CH_2\cdot$ 低 12.5 $kJ\cdot mol^{-1}$，相应过渡

态的势能差 $\approx 12.5\ \text{kJ}\cdot\text{mol}^{-1}$（稍小一些），即 $E_{a1}-E_{a2}\approx 12.5\ \text{kJ}\cdot\text{mol}^{-1}$，根据 Arrhenius 速率公式，溴化时形成 $CH_3\dot{C}HCH_3$ 比 $CH_3CH_2CH_2\cdot$ 反应速率高 $\approx e^{-E_a/RT}$ 倍（在同类型反应中 P、Z 两项假定相同），$\Delta E_a\approx 12.5\ \text{kJ}\cdot\text{mol}^{-1}$ 这个数值是比较大的，因此 $2^{\circ}H$ 比 $1^{\circ}H$ 溴化反应速率大得多。同理 $3^{\circ}H$ 反应速率也比 $2^{\circ}H$、$1^{\circ}H$ 大得多，故反应时这三种氢的选择性很大。

再看丙烷氯化中决定反应速率一步（基元反应）的势能图（图 4-8）：

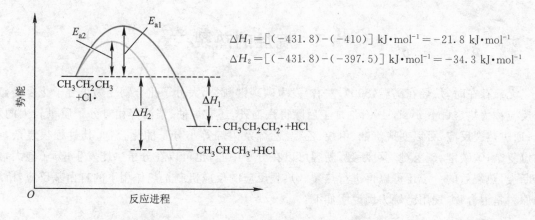

$$\Delta H_1 = [(-431.8)-(-410)]\ \text{kJ}\cdot\text{mol}^{-1} = -21.8\ \text{kJ}\cdot\text{mol}^{-1}$$

$$\Delta H_2 = [(-431.8)-(-397.5)]\ \text{kJ}\cdot\text{mol}^{-1} = -34.3\ \text{kJ}\cdot\text{mol}^{-1}$$

图 4-8 丙烷氯化决定反应速率一步的势能变化图

在氯化反应中，氯化试剂活泼，过渡态来得早，过渡态的势能与反应物比较接近，故过渡态结构近似于反应物，受活性中间体稳定性的影响小。$CH_3\dot{C}HCH_3$ 比 $CH_3CH_2CH_2\cdot$ 能量低 12.5 $\text{kJ}\cdot\text{mol}^{-1}$，反映在两者的过渡态中的势能差却只有 $4.2\ \text{kJ}\cdot\text{mol}^{-1}$ 左右，活化能差也小，因此 $2^{\circ}H$ 与 $1^{\circ}H$ 的反应速率较溴化时的差别也就小。同理，$3^{\circ}H$ 与 $2^{\circ}H$、$1^{\circ}H$ 反应速率的差也较溴化小得多。再者，虽然 $1^{\circ}H$ 反应速率不如 $2^{\circ}H$、$3^{\circ}H$，但分子中 $1^{\circ}H$ 较 $2^{\circ}H$、$3^{\circ}H$ 多，反应机会多，故从产率上看差别不大。因此氯化反应三种氢的选择性小。

如果希望得到产率高、比较纯净的产物，常常选用溴化反应。

上述氯化、溴化反应对氢的选择性，往往在温度不太高时有用，如果温度超过 $450℃$，因为有足够高的能量，反应就没有选择性，反应结果往往是与氢原子的多少有关。

习题 4-9　在下列反应中，选用 Cl_2 或 Br_2 哪一种卤化试剂比较合适，为什么？

(i)

(ii)

习题 4-10　下列反应可以得到几种一溴取代物（包括立体异构体）？假如 1 级氢和 2 级氢的反应速率比为 1：82，请估算各种产物的相对含量？

$$CH_3CH_2CH_2CH_2CH_3 \xrightarrow[\triangle]{\text{光},Br_2}$$

习题 4-11 异戊烷在某条件下氯化生成一氯代产物时,可产生六种可能的异构体(包括立体异构体),请写出这六种异构体的结构式。若在反应中,1级氢、2级氢和3级氢的反应速率比为1:2.5:4,请估算这六种异构体的相对百分含量?

4.7 烷烃的热裂

无氧存在时,烷烃在高温(800℃左右)发生碳碳键断裂,大分子化合物变为小分子化合物,这个反应称为热裂(pyrolysis)。石油加工后除得汽油外,还有煤油、柴油等相对分子质量较大的烷烃;通过热裂反应,可以变成汽油、甲烷、乙烷、乙烯及丙烯等小分子的化合物,其过程很复杂,产物也复杂;碳碳键、碳氢键均可断裂,断裂可以在分子中间,也可以在分子一侧发生;分子愈大,愈易断裂,热裂后的分子还可以再进行热裂。热裂反应的反应机制是热作用下的自由基反应,所用的原料是混合物,现用己烷为例说明如下:

$$CH_3CH_2CH_2CH_2CH_2CH_3 \begin{cases} \longrightarrow CH_3\cdot + CH_3CH_2CH_2CH_2CH_2\cdot \\ \longrightarrow CH_3CH_2\cdot + CH_3CH_2CH_2CH_2\cdot \\ \longrightarrow 2CH_3CH_2CH_2\cdot \end{cases}$$

热裂后产生的自由基可以互相结合,如

$$CH_3\cdot + CH_3CH_2\cdot \longrightarrow CH_3CH_2CH_3$$
$$CH_3CH_2\cdot + CH_3CH_2CH_2\cdot \longrightarrow CH_3CH_2CH_2CH_2CH_3$$

热裂产生的自由基也可以通过碳氢键断裂,产生烯烃:

$$CH_3CH_2\cdot + CH_3\overset{H}{\underset{}{CH}}CH_2 \longrightarrow CH_3CH_3 + CH_3CH=CH_2$$

总的结果是大分子烷烃热裂成分子更小的烷烃、烯烃。这个反应在实验室内较难进行,在工业上却非常重要。工业上热裂时用烷烃混以水蒸气在管中通过800℃左右的加热装置,然后冷却到300~400℃,这些都是在不到一秒钟时间内完成的,然后将热裂产物用冷冻法加以一一分离。塑料、橡胶、纤维等的原料均可通过此反应得到。

目前用热裂反应生产乙烯,世界规模年产数千万吨,而且还在不断增长。各国所用烷烃原料不同,产物也有差别,如用石脑油为原料热裂后可得甲烷15%、乙烯31.3%、乙烷3.4%、丙烯13.1%、丁二烯4.2%、丁烯和丁烷2.8%、汽油22%、燃料油6%,尚有一些少量其它产品。今以石脑油中典型化合物壬烷为例说明:

$$CH_3(CH_2)_7CH_3 \xrightarrow{800℃} CH_3CH_2CH_2CH_2CH_2\cdot + CH_3CH_2CH_2CH_2\cdot$$

一般在碳链中间较易断裂,然后再产生一系列的β-断裂:

$$CH_3CH_2CH_2 \underset{\beta}{\overset{}{-}}CH_2 \underset{\alpha}{\overset{}{-}}CH_2 \cdot \longrightarrow CH_3 \overset{}{-} CH_2 \overset{}{-} CH_2 \cdot + CH_2{=}CH_2$$

$$\downarrow$$

$$CH_3 \cdot + CH_2{=}CH_2$$

$$CH_3CH_2 \underset{\beta}{\overset{}{-}}CH_2 \underset{\alpha}{\overset{}{-}}CH_2 \cdot \longrightarrow \overset{H}{\underset{}{CH_2}} \overset{}{-} CH_2 \cdot + CH_2{=}CH_2$$

$$\downarrow$$

$$H \cdot + CH_2{=}CH_2$$

$CH_3 \cdot$ 与 $H \cdot$ 均可与自由基发生链终止反应,也可与烷烃作用,如 $CH_3 \cdot$ 与壬烷作用夺取 $H \cdot$,壬烷中二级氢较多,且二级碳上的 $C{-}H$ 键比一级碳的易断,因此常在二级碳上发生反应:

$$CH_3 \cdot + CH_3(CH_2)_7CH_3 \longrightarrow CH_4 + CH_3CH_2CH_2CH_2CH_2 \overset{}{-} CH_2 \overset{\cdot}{\overset{}{-}}CHCH_2CH_3$$

$$\downarrow$$

$$CH_3CH_2CH_2CH_2CH_2 \cdot + CH_2{=}CHCH_2CH_3$$

$$\downarrow 两步\ \beta{-}断裂$$

$$CH_3 \cdot + 2CH_2{=}CH_2$$

石脑油中还有支链烷烃、环烷烃、芳香烃,如环烷烃热裂可得乙烯与丁二烯:

$$CH_2{=}CHCH_2 \underset{\beta}{\overset{}{-}}CH_2 \underset{\alpha}{\overset{}{-}}CH_2 \overset{}{-} CH_2 \cdot \longrightarrow CH_2{=}CH \overset{H}{\underset{}{-}}CH \overset{}{-} CH_2 \cdot + CH_2{=}CH_2$$

$$\downarrow$$

$$CH_2{=}CH{-}CH{=}CH_2 + H \cdot$$

芳香烃仅在侧链上发生反应,因芳环稳定,保持不变。因此,如生产乙烯最好是含直链烷烃最多的石油馏分。

如用催化剂进行热裂反应可降低温度,但反应机理就不是自由基反应而是离子型反应。

习题 4-12 2,2,4-三甲基戊烷中有四种 $C{-}C$ 键,在热裂反应中,可形成哪些自由基(一次断裂)?根据键解离能,推算哪一种断裂优先。

习题 4-13 用反应式写出己烷热裂的过程。

现在从热力学角度探讨下列反应能否进行,如何进行。

$$CH_3(CH_2)_4CH_3 \overset{K}{\rightleftharpoons} CH_3CH_2CH_3 + CH_3CH{=}CH_2$$

这个反应相当于 A $\longrightarrow$ B + C,生成物分子数增加,因此熵变是重要的,

另知　$\Delta H_f^{\ominus}(CH_3CH_2CH_2CH_2CH_2CH_3) = -167.2 \text{ kJ·mol}^{-1}$　　$\Delta H_f^{\ominus}(CH_3CH_2CH_3) = -103.7 \text{ kJ·mol}^{-1}$

　　　$\Delta H_f^{\ominus}(CH_3CH=CH_2) = +20.4 \text{ kJ·mol}^{-1}$　　　　$\Delta S^{\ominus}(CH_3CH_2CH_3) = 0.27 \text{ kJ·mol}^{-1}·K^{-1}$

　　　$\Delta S^{\ominus}(CH_3CH=CH_2) = 0.267 \text{ kJ·mol}^{-1}·K^{-1}$　　$\Delta S^{\ominus}(CH_3(CH_2)_4CH_3) = 0.387 \text{ kJ·mol}^{-1}·K^{-1}$

因此,在25℃时:

$$\Delta G^{\ominus} = \Delta H^{\ominus} - T\Delta S^{\ominus} = [(-103.7) + 20.4 - (-167.2)] \text{ kJ·mol}^{-1}$$
$$-[298 \times (0.27 + 0.267 - 0.387)] \text{ kJ·mol}^{-1}$$
$$= 39.2 \text{ kJ·mol}^{-1}$$

$K = e^{-\Delta G^{\ominus}/RT}$,是一个非常小的数值。当 $\Delta G^{\ominus} > 0$ 时,$\Delta G^{\ominus} = -RT\ln K$,平衡常数 $K < 1$,平衡有利于反应物,因此反应很难进行。如果升高温度,在700℃进行(熵与热力学温度成正比,分子在高温更自由),$T\Delta S^{\ominus}$ 一项数值增大,使 $\Delta G^{\ominus} < 0$,$K > 1$,反应平衡有利于生成物。这就是热裂反应为什么要在高温进行的热力学方面的根据。

4.8　烷烃的氧化

4.8.1　自动氧化

在生活中经常碰到这样的现象,人老了皮肤有皱纹,橡胶制品用久了变硬变黏,塑料制品用久了变硬易裂,食用油放久了变质,这些现象称为老化。老化过程很慢,老化的原因首先是空气中的氧进入具有活泼氢的各种分子而发生自动氧化反应(autoxidation),继而再发生其它反应。

烷烃中的三级氢($R_3\underline{H}$),醛中醛基上的氢($C\underline{H}O$),醚中 α 位上的氢($-O-\overset{|}{C}\underline{H}$),烯丙位的氢

($-\overset{|}{C}=\overset{|}{C}-\overset{|}{C}\underline{H}$),都可与氧发生下列自由基反应:

$$R_3CH + O_2 \longrightarrow R_3C\cdot + \cdot OOH$$
$$R_3C\cdot + O_2 \longrightarrow R_3COO\cdot$$
$$R_3COO\cdot + R_3CH \longrightarrow R_3COOH + R_3C\cdot$$

烃基过氧化氢(ROOH)或其它过氧化物具有—O—O—键,这是一个弱键,在适当温度很易分解,产生自由基,自由基引发链反应,产生大量自由基,促使反应很快进行,并放出大量的热,这就是过氧化物易产生爆炸的原因,使用过氧化物时一定要注意,事先须阅读有关的操作手册。

4.8.2　燃烧

所有的烷烃都能燃烧,燃烧时,反应物全被破坏,生成二氧化碳和水,同时放出大量热。将在标准状态下(298 K,0.1 MPa),1mol 纯烷烃完全燃烧成二氧化碳和水时放出的热称为燃烧热

(heat of combustion)，用 $\Delta H_c^{\ominus}$ 表示，燃烧热是负值。

$$C_nH_{2n+2} + \left(\frac{3n+1}{2}\right)O_2 \longrightarrow nCO_2 + (n+1)H_2O$$

$$\Delta H_c^{\ominus} = H_{生成物}^{\ominus} - H_{反应物}^{\ominus}$$

4.9 烷烃的硝化

　　烷烃与硝酸或四氧化二氮（N_2O_4）进行气相（$400\sim450℃$）反应，生成硝基化合物（RNO_2）。这种直接生成硝基化合物的反应叫做硝化（nitration），它在工业上是一个很重要的反应。它之所以重要是由于硝基烷烃可以转变成多种其它类型的化合物，如胺、羟胺、腈、醇、醛、酮及羧酸等。此外，硝基烷烃可以发生多种反应，故在近代文献中有关硝基烷烃的应用的报道日益增多。在实验室中采用气相硝化法有很大的局限性，所以实验室内主要通过间接方法制备硝基烷烃。

　　气相硝化法制备硝基烷烃，常得到多种硝基化合物的混合物，如下式所示：

$$CH_3CH_2CH_3 \xrightarrow[420℃]{HNO_3} \begin{cases} CH_3CH_2CH_2NO_2 & 25\% \\ \underset{NO_2}{CH_3CHCH_3} & 40\% \\ CH_3CH_2NO_2 & 10\% \\ CH_3NO_2 & 25\% \end{cases}$$

这种气相硝化反应的机理与上述卤化反应的机理大体相同，也是通过自由基进行反应的（如下式所示）。烷烃在气相发生热裂解，生成自由基，它再和硝酸进行链反应：

$$R{-}H \xrightarrow{\triangle} R\cdot + H\cdot \ 及 \ R''{-}R' \xrightarrow{\triangle} R''\cdot + R'\cdot$$

$$R\cdot + HO{-}NO_2 \longrightarrow R{-}NO_2 + HO\cdot$$

$$R{-}H + \cdot OH \longrightarrow R\cdot + H_2O$$

$$R'\cdot + HO{-}NO_2 \longrightarrow R'{-}NO_2 + HO\cdot$$

$$R''\cdot + HO{-}NO_2 \longrightarrow R''{-}NO_2 + HO\cdot$$

与卤化反应不同的是在该反应中发生碳碳键的断裂，因而生成小分子的硝基化合物。这种小分子的硝基烷烃在工业上是很有用的溶剂，例如溶解醋酸纤维、假漆、合成橡胶以及其它有机化合物。低级硝基烷烃都是可燃的，而且毒性很大。

4.10 烷烃的磺化及氯磺化

　　烷烃在高温下与硫酸反应，和与硝酸反应相似，生成烷基磺酸，这种反应叫做磺化（sulfonation），例如：

$$CH_3CH_3 + H_2SO_4 \xrightarrow{400℃} CH_3CH_2SO_3H + H_2O$$
乙磺酸

长链烷基磺酸的钠盐是一种洗涤剂,称为合成洗涤剂,例如十二烷基磺酸钠($C_{12}H_{25}SO_3Na$)即其中的一种。

　　高级烷烃与硫酰氯(或二氧化硫和氯气的混合物)在光的照射下,生成烷基磺酰氯的反应称为氯磺化(chlorosulfonation)。磺酰氯这个名称是由硫酸推衍出来的。硫酸去掉一个羟基后剩下的基团称为磺(酸)基,磺(酸)基和烷基或其它烃基相连而成的化合物统称为磺酸。磺酸中的羟基去掉后,就得磺酰基,它与氯结合,就得磺酰氯。这些关系如下式所示:

$$HO—SO_2—OH \qquad HO—SO_2— \qquad R—SO_2—OH \qquad R—SO_2— \qquad R—SO_2Cl$$
硫酸　　　　　　　　磺(酸)基　　　　　　磺酸　　　　　　　磺酰基　　　　　磺酰氯

磺酰氯经水解,形成烷基磺酸,其钠盐或钾盐即上述的洗涤剂,反应如下:

$$C_{12}H_{26} + SO_2Cl_2 \longrightarrow C_{12}H_{25}SO_2Cl + HCl$$
硫酰氯　　　　　十二烷基磺酰氯

$$\xrightarrow[]{H_2O} C_{12}H_{25}SO_2OH + HCl$$
十二烷基磺酸

其反应机理与烷烃的氯化很相似:

$$SO_2Cl_2 \xrightarrow{光} SO_2 + 2Cl·$$

$$C_{12}H_{26} + Cl· \longrightarrow C_{12}H_{25}· + HCl$$

$$C_{12}H_{25}· + SO_2Cl_2 \longrightarrow C_{12}H_{25}SO_2Cl + Cl·$$

4.11　小环烷烃的开环反应

　　五元或五元以上的环烷烃和链烷烃的化学性质很相像,对一般试剂表现得不活泼,也不易发生开环(opening of ring)反应。但能发生自由基取代反应。三元、四元的小环烷烃分子不稳定,比较容易发生开环反应。如

　　1. 与氢反应

$$\triangle + H_2 \xrightarrow[\text{或 Ni,80℃}]{Pt/C,50℃} CH_3CH_2CH_3$$

$$\triangleright—CH_2CH_3 + H_2 \xrightarrow[\text{或 Ni,80℃}]{Pt/C,50℃} CH_3CH_2\underset{\overset{|}{CH_3}}{C}HCH_3 \quad (叉链化合物比较稳定)$$

$$\square + H_2 \xrightarrow[\text{或 Ni,200℃}]{Pt/C,125℃} CH_3CH_2CH_2CH_3$$

五元、六元、七元环在上述条件下很难发生反应。

2. 与卤素反应

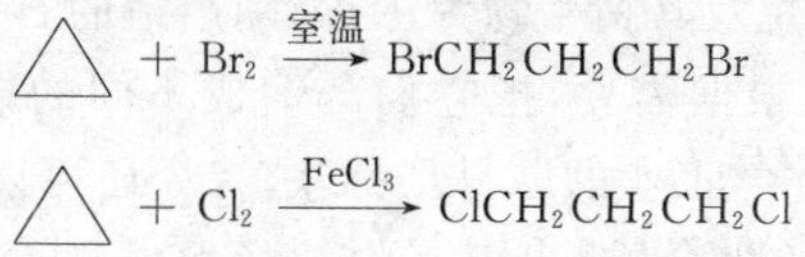

$$\triangle + Br_2 \xrightarrow{\text{室温}} BrCH_2CH_2CH_2Br$$

$$\triangle + Cl_2 \xrightarrow{FeCl_3} ClCH_2CH_2CH_2Cl$$

四元环和更大的环很难与卤素发生开环反应。

3. 与氢碘酸反应

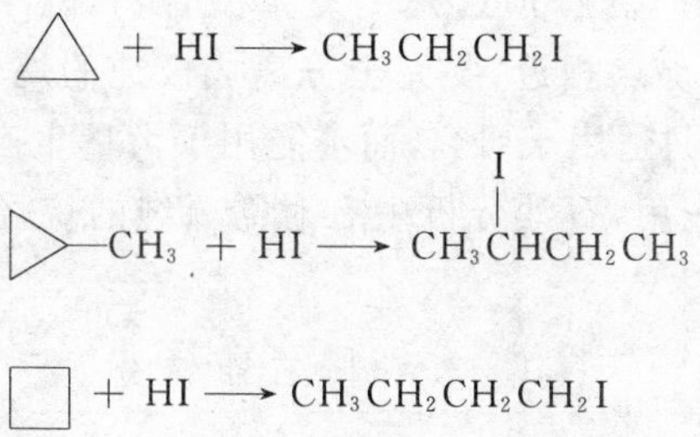

$$\triangle + HI \longrightarrow CH_3CH_2CH_2I$$

$$\triangleright\!\!-CH_3 + HI \longrightarrow CH_3\overset{\overset{\textstyle I}{|}}{C}HCH_2CH_3$$

$$\square + HI \longrightarrow CH_3CH_2CH_2CH_2I$$

其它环烷烃不发生这类反应。

从上述例子可以看到,开环的反应活性为:三元环>四元环>五、六、七元环。

此外,小环化合物在合适的条件下也能发生自由基取代反应。如

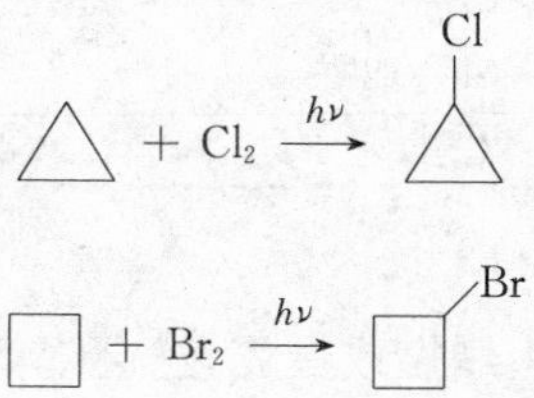

$$\triangle + Cl_2 \xrightarrow{h\nu} \overset{Cl}{\triangle}$$

$$\square + Br_2 \xrightarrow{h\nu} \overset{Br}{\square}$$

习题 4-14 写出 $\triangleright\!\!-CH_2CH_3$ 在下列条件下的反应方程式:

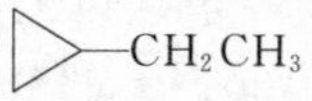

(i) H_2,Pt/C,加热   (ii) 燃烧

(iii) Br_2,室温   (iv) Cl_2,$FeCl_3$

(v) HI   (vi) Br_2,$h\nu$

烷烃的制备

4.12 烷烃的来源

碳氢化合物的主要来源是天然气(natural gas)和石油(petroleum)。尽管各地的天然气组分不同,但几乎都含有 75% 的甲烷、15% 的乙烷及 5% 的丙烷,其余的为较高级的烷烃。而含烷

烃种类最多的是石油,目前的分析结果表明,石油中含有 1 至 50 个碳原子的链形烷烃及一些环状烷烃,而以环戊烷、环己烷及其衍生物为主,个别产地的石油中还含有芳香烃。我国各地产的石油,成分也不相同,但可根据需要,把它们分馏成不同的馏分加以应用。烷烃不仅是燃料的重要来源,而且也是现代化学工业的原料。另外,烷烃还可以作为某些细菌的食物,细菌食用烷烃后,分泌出许多很有用的化合物,也就是说烷烃经过细菌的"加工"后,可成为更有用的化合物。

上述情况表明,石油工业的发展对于国民经济以及有机化学的发展都非常重要。

石油虽含有丰富的各种烷烃,但这是个复杂混合物,除了 $C_1 \sim C_6$ 烷烃外,由于其中各组分的相对分子质量差别小,沸点相近,要完全分离成极纯的烷烃,较为困难。采用气相色谱法,虽可有效地予以分离,但这只适用于研究,而不能用于大量生产。因此在使用上,只把石油分离成几种馏分(见表 4-2)来应用,石油分析中有时需要纯的烷烃作基准物,可以通过合成的方法制备。

表 4-2 石 油 馏 分

馏　　分	分馏区间	主要成分	燃料的应用
气体	bp 20℃以下	$C_1 \sim C_4$	炼油厂燃料,液化石油气
汽油	bp 30～75℃	$C_4 \sim C_8$	辛烷值较低,用作车用汽油的掺和组分
石脑油	bp 75～190℃	$C_8 \sim C_{12}$	辛烷值太低,不直接用作车用汽油
煤油	bp 190～250℃	$C_{10} \sim C_{16}$	家用燃料,喷气燃料,拖拉机燃料
瓦斯油	bp 250～350℃	$C_{15} \sim C_{20}$	柴油,集中取暖用燃料
常压渣油	bp ＞350℃	C_{20} 以上	发电厂、船舶和大型加热设备用的燃料

汽油(petrol)在内燃机中燃烧而发生爆燃或爆震,这会降低发动机的功率并会损伤发动机。燃料引起爆震的倾向,用辛烷值(octane value)表示,在汽油燃烧范围内,将 2,2,4-三甲基戊烷的辛烷值定为 100。辛烷值越高,防止发生爆震的能力越强。六个碳以上的直链烷烃辛烷值很低,带支链的、不饱和的脂环、特别是芳环最为理想,有的超过 100。大部分现代化的设备要求辛烷值在 90～100 之间。可将石脑油、常压渣油,有时也用瓦斯油经过加工,将辛烷值提高到 95 左右,再掺入汽油中使用。加工方法之一是催化重整(catalytic reforming),主要将石脑油中 C_6 以上成分芳构化(aromatization),即成芳香烃。此法除使石脑油提高辛烷值外,在化工中主要用来生产芳香烃。加工方法之二为催化裂化,此法除能提高辛烷值外,在化工中主要用于生产丙烯、丁烯。

此外,过去在汽油中加入添加剂四乙基铅$[(C_2H_5)_4Pb]$以提高辛烷值,由于铅有毒性,现改用甲基三级丁基醚$[CH_3OC(CH_3)_3]$作为添加剂,也可以提高辛烷值。

关于烷烃的合成将在 7.9.4/3(ii)中介绍。

习题 4-15 写出 C_7H_{16} 的所有同分异构体及系统命名。查阅它们的沸点,并按沸点的高低将它们排列成序和对此排列顺序作出分析。

习题 4-16 查阅十五烷、十六烷、十七烷、十八烷和十九烷的熔点,按熔点的高低将它们排列成序,并对此作出分析。

习题 4–17　150 mL 甲烷、乙烷混合气体完全燃烧后得 200 mL 二氧化碳(两种气体在同样温度、压力下测量),请计算原混合气体中甲烷、乙烷分别所占体积。

习题 4–18　请填充下列空白或选择括号中正确的回答:一个能量可变的体系,能量越_____越稳定,在放热反应过程中,体系(获得、失去)的能量越多,最后达到的状态越_____。

习题 4–19　可以生成哪几种类型的自由基?写出它们的结构简式,按稳定性由大到小的顺序排列。

习题 4–20　写出分子式为 C_6H_{14} 的所有同分异构体的构造式。指出其中含一级碳原子最多的、含二级碳原子最少和没有三级碳原子的同分异构体,该异构体有几种一氯取代产物?

习题 4–21　分子式为 C_7H_{14} 的饱和烃,只含有一个一级碳原子,写出该化合物的所有构造式并命名之。

习题 4–22　写出由环戊烷生成氯代环戊烷的反应机理并绘制链传递阶段的反应势能图(草图)。

习题 4–23　下列哪些化合物适合用烷烃的卤化反应来制备?哪些化合物不适合用烷烃的卤化反应来制备?为什么?

(i) >–Br　　　(ii)　–Cl　　　(iii)　–Cl

(iv) H₃C　　–Cl　　　(v) H₃C–　–CH₂Br　　　(vi) 　Br / CH₂CH₃

习题 4–24　请查阅文献,谈谈最近 10 年石油化工发展的概况。

复习本章的指导提纲

基本要求

烷烃的分类,各类烷烃的类名,定义及结构特征;烷烃的物理性质及其变化规律;烷烃的结构和反应性分析。有机反应的分类方式及各类反应的名称。有机反应机理的含义及表达、反应势能图的绘制、分析及应用;碳自由基的定义和结构,键解离能和自由基稳定性的关系,碳自由基稳定性的排列顺序。自由基反应及相关的系列知识;烷烃的卤化及与烷烃卤化相关的系列知识。

基本概念

烷烃,链烷烃,环烷烃,集合环烷烃,螺环烷烃,桥环烷烃,物理性质,沸点,熔点,偶极矩,相对密度,溶解度,相似者相溶的原则;化学性质,有机反应,自由基反应;均裂,键解离能,自由基;离子型反应,异裂,正离子,负离子,亲电反应,亲核反应,取代反应,亲电试剂,亲核试剂;协同反应,环状过渡态,基元反应;反应机理,反应势能图,活化能,过渡态,活性中间体,热力学和化学平衡,动力学与反应速率;热裂;自动氧化;辛烷值。

基本理论
碰撞理论,过渡态理论和 Hammond 假设。

基本反应和重要反应机理
自由基反应的共性,自由基反应的机理,自由基反应三个阶段的特征(重点是烷烃卤化的反应机理);烷烃卤化反应的定义,反应机理及表达,卤化反应的类别及活性比较,反应体系的能量变化,反应选择性的分析;烷烃的热裂、烷烃的自动氧化、烷烃的硝化、烷烃的磺化和氯磺化反应的定义及反应特征;环烷烃的自由基取代反应及小环化合物的开环反应,两种反应与环烷烃结构及反应条件的关系。

烷烃的来源
石油工业和烷烃来源的关系。

英汉对照词汇

acid−base reaction （酸碱反应）

activate intermediate （活泼中间体）

acyclic alkane （链烷烃）

activation energy （活化能）

addition reaction （加成反应）

alicyclic compound （脂环化合物）

anion （负离子）

aromatization （芳构化）

autoxidation （自动氧化）

boiling point （沸点）

bond dissociation energy （键解离能）

brominate （溴化）

bridged cycloalkane （桥环烷烃）

catalytic reforming （催化重整）

chain initiation （链引发）

chain propagation （链增长）

chain reaction （链反应）

chain termination （链终止）

chain transfer （链转移或链传递）

chlorizate （氯化）

chlorosulfonation （氯磺化）

condensation （缩合反应）

cycloalkane （环烷烃）

cycloalkane ring assembly （集合环烷烃）

cyclic transition state （环状过渡态）

density （密度）

dynamics （动力学）

electrophilic reaction （亲电反应）

electrophilic reagent/electrophile （亲电试剂）

elementary reaction （基元反应）

elimination reaction （消除反应）

endothermic reaction （吸热反应）

equilibrium constant （平衡常数）

exothermic reaction （放热反应）

fluorinate （氟化）

free radical （自由基）

free radical reaction （自由基反应）

halogenation （卤化）

Hammond hypothesis （哈蒙特假设）

heterolysis （异裂）

homolysis （均裂）

induction period （诱导期）

inhibitor （阻抑剂）

initiator （引发剂）

iodizate （碘化）

ionic reaction （离子反应）

melting point （熔点）

natural gas （天然气）

nitration （硝化）

non-polar molecule （非极性分子）

nucleophilic reaction （亲核反应）

nucleophilic reagent/nucleophile （亲核试剂）

octane value （辛烷值）

opening of ring （开环）

organic reaction （有机反应）

oxidation and reduction （氧化和还原）

petrol （汽油）

petroleum （石油）

pyrolysis （热裂）

reaction mechanism （反应机理）

reaction rate （反应速率）

rearrangement （重排反应）

spiro cycloalkane （螺环烷烃）

substitution reaction （取代反应）

sulfonation （磺化反应）

synergistic reaction （协同反应）

thermodynamics （热力学）

transition state （过渡态）

第5章

紫外光谱 红外光谱
核磁共振和质谱

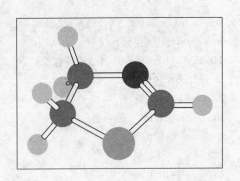

　　准确测定有机化合物的分子结构,对从分子水平去认识物质世界,推动近代有机化学的发展是十分重要的。采用现代仪器分析方法,可以快速、准确地测定有机化合物的分子结构。在有机化学中应用最广泛的测定分子结构的方法是四大光谱法:紫外光谱、红外光谱、核磁共振和质谱。本章对此作简单介绍。

(一) 紫 外 光 谱

紫外和可见光谱(ultraviolet and visible spectrum)简写为 UV。

5.1 紫外光谱的基本原理

5.1.1 紫外光谱的产生

　　在紫外光谱中,波长单位用 nm(纳米)表示。紫外光的波长范围是 100～400 nm,它分为两个区段。波长在 100～200 nm 称为远紫外区,这种波长能够被空气中的氮、氧、二氧化碳和水所吸收,因此只能在真空中进行研究工作,故这个区域的吸收光谱称真空紫外,由于技术要求很高,目前在有机化学中用途不大。波长在 200～400 nm 称为近紫外区,一般的紫外光谱是指这一区域的吸收光谱。波长在 400～800 nm 范围的称为可见光谱。常用的分光光度计一般包括紫外及可见两部分,波长在 200～800 nm(或 200～1000 nm)。

　　分子内部的运动有转动、振动和电子运动,相应状态的能量(状态的本征值)是量子化的,因此分子具有转动能级、振动能级和电子能级。通常,分子处于低能量的基态,从外界吸收能量后,能引起分子能级的跃迁。电子能级的跃迁所需能量最大,大致在 1～20 eV(电子伏特)之间。根据量子理论,相邻能级间的能量差 ΔE、电磁辐射的频率 ν、波长 λ 符合下面的关系式

$$\Delta E = h\nu = h \times c / \lambda \tag{5-1}$$

式中 h 是普朗克常量,为 6.624×10^{-34} J·s$= 4.136 \times 10^{-15}$ eV·s;c 是光速,为 2.998×10^{10} cm·

s^{-1}。应用该公式可以计算出电子跃迁时吸收光的波长。例如,某电子跃迁需要 3 eV 的能量,它需要吸收波长多少纳米的光呢?

$$\lambda = hc/\Delta E = (4.136 \times 10^{-15}\ eV \cdot s \times 2.998 \times 10^{10}\ cm \cdot s^{-1})/3\ eV = 4.133 \times 10^{-5}\ cm = 413\ nm$$

计算结果说明,该电子跃迁需要吸收波长 413 nm 的光。许多有机分子中的价电子跃迁,须吸收波长在 200~1000 nm 范围内的光,恰好落在紫外-可见光区域。因此,紫外吸收光谱是由于分子中价电子的跃迁而产生的,也可以称它为电子光谱。

习题 5-1　某电子跃迁需要吸收3.5 eV 的能量,它跃迁时,应该吸收波长多少纳米的光?

5.1.2　电子跃迁的类型

　　有机化合物分子中主要有三种电子:形成单键的 σ 电子、形成双键的 π 电子、未成键的孤对电子,也称 n 电子。基态时,σ 电子和 π 电子分别处在 σ 成键轨道和 π 成键轨道上,n 电子处于非键轨道上。仅从能量的角度看,处于低能态的电子吸收合适的能量后,都可以跃迁到任一个较高能级的反键轨道上。跃迁的情况如图 5-1 所示:

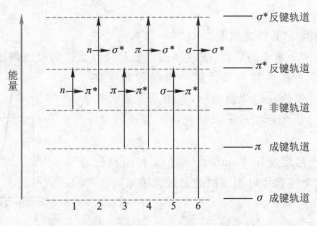

图 5-1　各种电子跃迁的相对能量

虚线下的数字是跃迁时吸收能量的大小顺序,该顺序也可以表示为

$$n \rightarrow \pi^* < \pi \rightarrow \pi^* < n \rightarrow \sigma^* < \pi \rightarrow \sigma^* < \sigma \rightarrow \pi^* < \sigma \rightarrow \sigma^*$$

即 $n \rightarrow \pi^*$ 的跃迁吸收能量最小。实际上,对于一个非共轭体系来讲,所有这些可能的跃迁中,只有 $n \rightarrow \pi^*$ 的跃迁的能量足够小,相应的吸收光波长在 200~800 nm 范围内,即落在近紫外-可见光区。其它的跃迁能量都太大,它们的吸收光波长均在 200 nm 以下,无法观察到紫外光谱。但对于共轭体系的 $\pi \rightarrow \pi^*$ 跃迁,它们的吸收光可以落在近紫外区。

　　根据图 5-1,可以认为:烷烃只有 σ 键,只能发生 $\sigma \rightarrow \sigma^*$ 的跃迁。含有重键如 C＝C,C≡C,

C=O,C=N 等的化合物有 σ 键和 π 键，有可能发生 $\sigma \rightarrow \sigma^*$，$\sigma \rightarrow \pi^*$，$\pi \rightarrow \pi^*$，$\pi \rightarrow \sigma^*$ 的跃迁。分子中含有氧、卤素等原子时，因为它们含有 n 电子，还可能发生 $n \rightarrow \pi^*$、$n \rightarrow \sigma^*$ 的跃迁。

　　一个允许的跃迁不仅要考虑能量的因素，还要符合动量守恒（跃迁过程中光量子的能量不转变成振动的动能）、自旋动量守恒（电子在跃迁过程中不发生自旋翻转），此外，还要受轨道对称性的制约。即使是允许的跃迁，它们的跃迁概率也是不相等的。有机分子最常见的跃迁是 $\sigma \rightarrow \sigma^*$，$\pi \rightarrow \pi^*$，$n \rightarrow \sigma^*$，$n \rightarrow \pi^*$ 的跃迁。

　　电子的跃迁可以分成三种类型：基态成键轨道上的电子跃迁到激发态的反键轨道称为 N→V 跃迁，如 $\sigma \rightarrow \sigma^*$，$\pi \rightarrow \pi^*$ 的跃迁。杂原子的孤对电子向反键轨道的跃迁称为 N→Q 跃迁，如 $n \rightarrow \sigma^*$，$n \rightarrow \pi^*$ 的跃迁。还有一种 N→R 跃迁，这是 σ 键电子逐步激发到各个高能级轨道上，最后变成分子离子的跃迁，发生在高真空紫外的远端。

习题 5-2　丁烯能发生哪些电子跃迁？哪一种跃迁最易发生？

习题 5-3　丙醇能发生什么电子跃迁？为什么？

习题 5-4　丙酮的紫外光谱图中，有几个吸收带，这些吸收带各处在什么位置？

5.2　紫外光谱图

　　图 5-2 是乙酸苯酯的紫外光谱图。

　　紫外光谱图提供两个重要的数据：吸收峰的位置和吸收光谱的吸收强度。从图 5-2 可以看出，化合物对电磁辐射的吸收性质是通过一条吸收曲线来描述的。图中以波长（单位 nm）为横坐标，它指示了吸收峰的位置在 260 nm 处。纵坐标指示了该吸收峰的吸收强度，吸光度为 0.8。

　　吸收光谱的吸收强度是用 Lambert（朗伯）-Beer（比尔）定律来描述的，这个定律可以用下面的公式来表示：

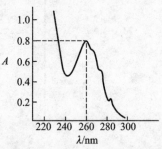

图 5-2　乙酸苯酯的紫外光谱图

$$A = \lg \frac{I_0}{I} = kcl = \lg \frac{1}{T} \qquad (5-2)$$

式中 A 称为吸光度（absorbance）。I_0 是入射光的强度，I 是透过光的强度，$T = I/I_0$ 为透射比（transmittance），又称为透光率或透过率，用百分数表示。l 是光在溶液中经过的距离（一般为吸收池的长度）。c 是吸收溶液的浓度。$\kappa = A/(cl)$，称为吸收系数（absorptivity）。若 c 以 mol·L^{-1} 为单位，l 以 cm 为单位，则 κ 称为摩尔消光系数或摩尔吸收系数，单位为 cm^2·mol^{-1}（通常可省略）。

　　$A, T, (1-T)$（吸收率），κ，$\lg \kappa$，$E_{1\,cm}^{1\%}$ 都能作为紫外光谱图的纵坐标，但最常用的是 κ、$\lg \kappa$。图 5-2 是以吸光度 A 为纵坐标的紫外光谱图，图 5-3 是以 $T, 1-T, \kappa, \lg \kappa$ 为纵坐标的紫外光谱图。由图可知，透过率与吸收率正好相反，如吸收率为 20%，透过率恰好为 80%。

最大吸收时的波长（λ_{max}）为紫外的吸收峰,在以吸光度、κ、$\lg\kappa$、吸收率为纵坐标的谱图中,λ_{max}处于吸收曲线的最高峰顶,而在以透过率为纵坐标的谱图中,λ_{max}处于曲线的最低点。紫外吸收的强度通常都用最大吸收峰的κ值即κ_{max}来衡量。在多数文献报告中,并不绘制出紫外光谱图,只是报道化合物最大吸收峰的波长及与之相应的摩尔消光系数。例如CH_3I的紫外吸收数据为λ_{max} 258 nm(365),这表示吸收峰的波长为258 nm,相应的摩尔消光系数为365。

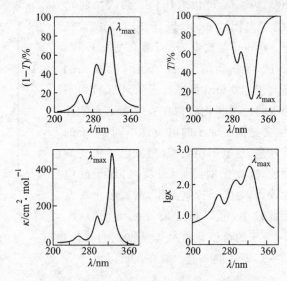

图5-3 各种方法表示的紫外吸收曲线图

紫外光谱的测定大都是在溶液中进行的,绘制出的吸收带大都是宽带,这是因为分子振动能级的能级差为$0.05\sim1$ eV,转动能级的能差小于0.05 eV,都远远低于电子能级的能差,因此当电子能级改变时,振动能级和转动能级也不可避免地会有变化,即电子光谱中不但包括电子跃迁产生的谱线,也有振动谱线和转动谱线,分辨率不高的仪器测出的谱图,由于各种谱线密集在一起,往往只看到一个较宽的吸收带。若紫外光谱在惰性溶剂的稀溶液或气态中测定,则图谱的吸收峰上因振动吸收而会表现出锯齿状精细结构。降低温度可以减少振动和转动对吸收带的贡献,因此有时降温可以使吸收带呈现某种单峰式的电子跃迁。溶剂的极性对吸收带的形状也有影响,通常的规律是溶剂从非极性变到极性时,精细结构逐渐消失,图谱趋向平滑。

习题 5-5 将9.73 mg 2,4-二甲基-1,3-戊二烯溶于10 mL乙醇中,然后将其稀释到1 000 mL,用1 cm长的样品池测定该溶液的紫外吸收,吸光度A为1.02,求该化合物的摩尔消光系数κ。

5.3 各类化合物的电子跃迁

5.3.1 饱和有机化合物的电子跃迁

饱和烃分子是只有C—C键与C—H键的分子,只能发生$\sigma \to \sigma^*$跃迁,由于σ电子不易激发,故跃迁需要的能量较大,即必须在波长较短的辐射照射下才能发生。如CH_4的$\sigma \to \sigma^*$跃迁在125 nm,乙烷的$\sigma \to \sigma^*$跃迁在135 nm,其它饱和烃的吸收一般波长在150 nm左右,均在远紫外区。

如果饱和烃中的氢被氧、氮、卤素等原子或基团取代,这些原子中的n轨道的电子可以发生$n \to \sigma^*$跃迁。见图5-4。

表 5-1 列举了一些能进行 $n \rightarrow \sigma^*$ 跃迁的化合物。

从表 5-1 可以看出，C—O（醇、醚），
C—Cl 等基团的 $n \rightarrow \sigma^*$ 跃迁，吸收光的波长
小于 200 nm，在真空紫外，而 C—Br，C—I，
C—NH$_2$ 等基团的 $n \rightarrow \sigma^*$ 跃迁，吸收光的
波长大于 200 nm，可以在近紫外区看到不
强的吸收。这些化合物在吸收光谱上的差
别，主要是由于原子的电负性不同，原子的
电负性强，对电子控制牢，激发电子需要的
能量大，吸收光的波长短；反之，原子的电
负性较弱，对电子控制不牢，激发电子需要
的能量较小，可以在近紫外区出现吸收。

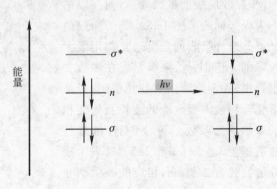

图 5-4　$n \rightarrow \sigma^*$ 跃迁

此外，分子的可极化性对其吸收光的波长也有一定的影响。可极化性大的，吸收光的波长也较
长，$n \rightarrow \sigma^*$ 跃迁的 κ 值一般在几百以下。

表 5-1　一些化合物发生 $n \rightarrow \sigma^*$ 跃迁时的吸收光

化合物	CH$_3$Cl	CH$_3$OH	CH$_3$OCH$_3$	CH$_3$Br	CH$_3$NH$_2$	CH$_3$I
$\lambda_{max}/nm(\kappa)$	172(弱)	183(150)	185(2 520)	204(200)	215(600)	258(365)

由于饱和烃、醇、醚等在近紫外区不产生吸收，一般用紫外-可见分光光度计无法测出，因此
在紫外光谱中常用作溶剂。

习题 5-6　丙烷能发生什么电子跃迁？它的跃迁吸收带处在什么区域？为什么在测定紫外光谱时可以
用烷烃做溶剂？

习题 5-7　列举四种可用作测定紫外光谱的溶剂？并说明这几种化合物为什么能用作测定紫外光谱的
溶剂。

5.3.2　不饱和脂肪族化合物的电子跃迁

1. $\pi \rightarrow \pi^*$ 跃迁

C ═C 双键可以发生 $\pi \rightarrow \pi^*$ 跃迁，由于原子核对 π 电子的控制不如对 σ 电子牢，跃迁所需的
能量较 σ 电子小。所以 $\pi \rightarrow \pi^*$ 跃迁 κ 值较大，在 5 000~100 000 左右，但是只有一个 C ═C 双键
的 $\pi \rightarrow \pi^*$ 跃迁出现在 170~200 nm 处，在真空紫外吸收，一般的分光光度计不能观察到。例如乙
烯的 $\pi \rightarrow \pi^*$ 跃迁，$\lambda_{max} = 185$ nm($\kappa = 10 000$)，在近紫外区不能检出，同样 C≡C 与 C≡N 等 $\pi \rightarrow \pi^*$
跃迁的吸收亦小于 200 nm。

如果分子中存在两个或两个以上的双键（包括三键）形成的共轭体系，π 电子处在离域的分
子轨道上，与定域轨道相比，占有电子的成键轨道的最高能级与未占有电子的反键轨道的最低能

级的能差减小,使 $\pi \rightarrow \pi^*$ 跃迁所需的能量减少,因此吸收向长波方向位移。消光系数也随之增大,例如 1,3-丁二烯分子中两对 π 电子填满 π_1 与 π_2 成键轨道,π_3 与 π_4 反键轨道是空的,当电子吸收了所需的光能后便会发生从 π_2 到 π_3 的跃迁,见图 5-5。由图 5-5 可知,在这种分子中,电子可以有多种跃迁,但是在有机分子中比较重要的是能量最低的跃迁,因为这种跃迁在近紫外区吸收,1,3-丁二烯的能量最低跃迁是 $\pi_2 \rightarrow \pi_3$ 跃迁,其 $\lambda_{max} = 217$ nm($\kappa = 21000$),而其它跃迁能阶相差较高,需要能量较大,在真空紫外吸收。随着共轭体系逐渐增长,跃迁能阶的能差逐渐变小,吸收愈向长波方向位移,由近紫外可以转向可见光吸收(见表 5-2)。

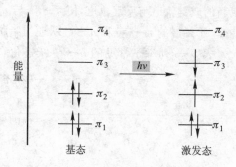

图 5-5 1,3-丁二烯的基态与激发态

表 5-2 **多烯化合物的吸收带**

化合物	双键	$\lambda_{max}/$ nm(κ)	颜色
乙烯	1	185(10 000)	无色
丁二烯	2	217(21 000)	无色
1,3,5-己三烯	3	285(35 000)	无色
癸五烯	5	335(118 000)	淡黄
二氢-β-胡萝卜素	8	415(210 000)	橙黄
番茄红素	11	470(185 000)	红

因为共轭体系吸收带的波长在近紫外,因此在紫外光谱的应用上,占有重要地位,对于判断分子的结构,非常有用。

2. $n \rightarrow \pi^*$ 跃迁

有些基团存在双键和孤电子对,如 C=O,N=O,C=S,N=N 等,这些基团除了可以进行 $\pi \rightarrow \pi^*$ 跃迁,有较强的吸收外,还可进行 $n \rightarrow \pi^*$ 跃迁,这种跃迁所需能量较少,可以在近紫外或可见光区有不太强的吸收,κ 值一般在十到几百。例如脂肪醛中 C=O 的 $\pi \rightarrow \pi^*$ 跃迁吸收约 210 nm,$n \rightarrow \pi^*$ 跃迁吸收约 290 nm,见图 5-6。

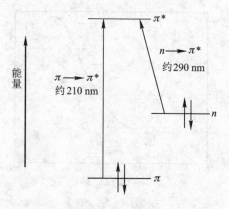

图 5-6 脂肪醛的 $\pi \rightarrow \pi^*$ 和 $n \rightarrow \pi^*$ 跃迁

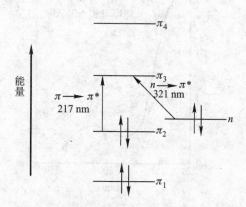

图 5-7 2-丁烯醛的 $\pi_2 \rightarrow \pi_3$ 和 $n \rightarrow \pi_3$ 跃迁

如果这些基团与 C＝C 共轭，形成含有杂原子的共轭体系，与 C＝C—C＝C 共轭类似，可以形成新的成键轨道与反键轨道，使 $\pi \to \pi^*$ 与 $n \to \pi^*$ 的跃迁能级的能差减小，吸收向长波方向位移，例如 2-丁烯醛的 $\pi_2 \to \pi_3$ 和 $n \to \pi_3$ 跃迁与脂肪醛相应的跃迁比较，吸收均向长波位移，见图 5-7。

表 5-3 列举了常见的 $n \to \pi^*$ 跃迁化合物的吸收带以及不同类型共轭分子的吸收带。

表 5-3　一些化合物的 $n \to \pi^*$ $\pi \to \pi^*$ 跃迁的吸收带

化合物	基团	$\pi \to \pi^*$ λ_{max} / nm(κ)	$n \to \pi^*$ λ_{max} / nm(κ)
醛	—CHO	～210(强)	285～295(10～30)
酮	＞C＝O	～195(1 000)	270～285(10～30)
硫酮	＞C＝S	～200(强)	～400(弱)
硝基化合物	—NO₂	～210(强)	～270(10～20)
亚硝酸酯	—ONO	～220(2 000)	～350(0～80)
硝酸酯	—ONO₂	——	～270(10～20)
2-丁烯醛	CH₃CH＝CHCH＝O	～217(16 000)	321(20)
联乙酰	O＝CH—CH＝O	——	435(18)
2,4-己二烯醛	CH₃CH＝CHCH＝CHCH＝O	～263(27 000)	——

从表 5-3 可以看出 $n \to \pi^*$ 跃迁的 κ 值很小，一般是由十到几百，κ 值小的原因，可以从羰基的轨道结构得到解释，见图 5-8。从图中羰基的轨道图中看到，n 轨道的电子与 π 电子集中在不同的空间区域，因此，尽管 $n \to \pi^*$ 跃迁需要的能量较低，由于在不同的空间，故 n 轨道的电子跃迁到 π 轨道的可能性是比较小的，产生跃迁的概率不大。由于 κ 值是由电子跃迁的概率决定的，所以 $n \to \pi^*$ 跃迁的 κ 值很小，这种跃迁称为禁忌跃迁，与 $\pi \to \pi^*$ 跃迁比较，κ 值要小 2 ～3 个数量级。根据 $n \to \pi^*$ 跃迁显示弱的吸收带，同时根据吸收位置，可以预示某些基团的存在，在结构测定中相当有用。例如：3-甲基-3-戊烯-2-酮，具有

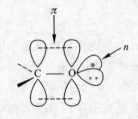

图 5-8　羰基的 π 轨道与 n 轨道

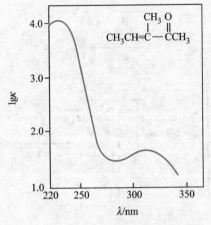

图 5-9　3-甲基-3-戊烯-2-酮的紫外
吸收光谱(在乙醇中)

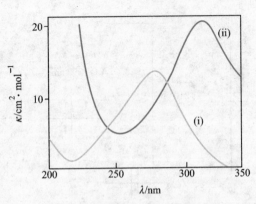

图 5-10　丙酮(i)和甲乙烯酮(ii)
的紫外吸收光谱

$C=C-C=O$ 的共轭结构，$\pi \rightarrow \pi^*$ 跃迁 $\lambda_{max}=229.5$ nm($\kappa=11090$，lg$\kappa=4.04$)，$n \rightarrow \pi^*$ 跃迁 $\lambda_{max}=310$ nm($\kappa=42$，lg$\kappa=1.62$)。这两种跃迁 κ 值相差很大，因此很容易区分，同时根据吸收峰的位置，可以估量羰基的存在，见图 5-9。图 5-10 中，(i)的 $\lambda_{max}=279$ nm($\kappa=15$)，这是丙酮的 $n \rightarrow \pi^*$ 跃迁的吸收带，它的 $\pi \rightarrow \pi^*$ 跃迁需要较高的能量，其吸收带 λ_{max} 在 ≈ 150 nm(图中未标出)；(ii)的吸收带，$\lambda_{max}=310$ nm，这是甲乙烯酮的 $n \rightarrow \pi^*$ 跃迁的吸收峰；在短波处还有 $\pi \rightarrow \pi^*$ 跃迁的吸收带。

习题 5-8 乙醛有几个吸收带，其最大吸收波长各在什么位置？试问这两个吸收带各相应于乙醛的什么跃迁？

习题 5-9 $\lambda_{max}^1=295$ nm($\kappa_1=27000$)，$\lambda_{max}^2=171$ nm($\kappa_2=15530$)，$\lambda_{max}^3=334$ nm($\kappa_3=40000$)，$\lambda_{max}^4=258$ nm($\kappa_4=35000$)，这四组数据各对应于下面哪个化合物？

(A) $CH_2=CH_2$

(B) $CH_2=CH-CH=CH-CH=CH_2$

(C) $C_6H_5-CH=CH-C_6H_5$

(D) $C_6H_5-CH=CH-CH=CH-C_6H_5$

习题 5-10 写出乙酰乙酸乙酯的互变异构体，今有两个紫外光谱图，一个在 204 nm 处有弱吸收，另一个在 245 nm 处有强的吸收($\kappa=18000$)。试问这两个图谱各对应于什么异构体？并阐明你作出判断的依据。

5.3.3 芳香族化合物的电子跃迁

芳香族化合物都具有环状的共轭体系，一般来讲，它们都有三个吸收带。芳香族化合物中最重要的是苯，苯的带 Ⅰ $\lambda_{max}=184$ nm($\kappa=47000$)，在真空紫外。带 Ⅱ $\lambda_{max}=204$ nm($\kappa=6900$)，带 Ⅲ $\lambda_{max}=255$ nm($\kappa=230$)。图 5-11 所示为苯的带 Ⅲ 在 255 nm 处的吸收。因为电子跃迁时伴随着振动能级的跃迁，因此将带 Ⅲ 弱的吸收分裂成一系列的小峰，吸收最高处为一系列尖峰的中心，波长为 255 nm，κ 值为 230，中间间隔为振动吸收，这种特征可用于鉴别芳香化合物。

苯衍生物的带 Ⅱ、带 Ⅲ 亦均在近紫外吸收，表 5-4 是苯衍生物的吸收带。

有些基团的紫外吸收光谱与 pH 关系很大，例如苯胺在酸性条件下由于氮上孤电子对与质子结合，它的吸收光谱与苯环类似；如酚在酸性与中性条件下的吸收光谱与碱性时不一样。

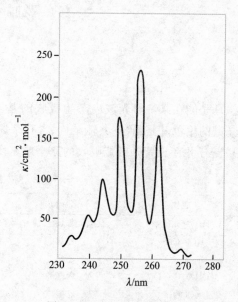

图 5-11 苯的紫外吸收光谱

表 5-4　苯衍生物的吸收带

取代基	带 II λ_{max} / nm(κ)	带 III λ_{max} / nm(κ)
H	204(6 900)	255(230)
$\overset{+}{-}NH_3$	203(7 500)	254(160)
—CH$_3$	206(7 000)	261(225)
—I	207(7 000)	257(700)
—Cl	209(7 400)	263(190)
—Br	210(7 900)	261(192)
—OH	210(6 200)	270(1 450)
—OCH$_3$	217(6 400)	269(1 480)
—CO$_2^-$	224(8 700)	268(560)
—COOH	230(11 600)	273(970)
—NH$_2$	230(8 600)	287(1 430)
—O$^-$	235(9 400)	287(2 600)
—CHO	244(15 000)	280(1 500)
—CH=CH$_2$	244(12 000)	282(450)
—NO$_2$	252(10 000)	280(1 000)

注:以上用水、甲醇或乙醇为溶剂。

稠环化合物的共轭体系比苯大,故带 I 亦在近紫外区吸收。

习题 5-11　芳香族化合物的紫外吸收光谱的共同特点是什么?

5.4　影响紫外光谱的因素

5.4.1　生色基和助色基

凡是能在某一段光波内产生吸收的基团,就称为这一段波长的生色基(chromophore)。紫外光谱的生色基是:碳碳共轭结构、含有杂原子的共轭结构、能进行 $n \rightarrow \pi^*$ 跃迁的基团、能进行 $n \rightarrow \sigma^*$ 跃迁并在近紫外区能吸收的原子或基团。常见的生色团列于表 5-5。

表 5-5　常见生色团的吸收峰

生色团	化合物	溶剂	λ_{max}/nm	κ_{max}
H$_2$C=CH$_2$	乙烯(或 1-己烯)	气态(庚烷)	171(180)	15 530(12 500)
HC≡CH	乙炔	气态	173	6 000
H$_2$C=O	乙醛	蒸气	289,182	12.5,10 000
(CH$_3$)$_2$C=O	丙酮	环己烷	190,279	1 000,22
—COOH	乙酸	水	204	40
—COCl	乙酰氯	庚烷	240	34
—COOC$_2$H$_5$	乙酸乙酯	水	204	60
—CONH$_2$	乙酰胺	甲醇	295	160

续表

生色团	化合物	溶剂	λ_{max}/nm	κ_{max}
—NO_2	硝基甲烷	水	270	14
$(CH_3)_2C$=N—OH	丙酮肟	气态	190,300	5 000,—
CH_2=N^+=N^-	重氮甲烷	乙醚	417	7
C_6H_6	苯	水	254,203.5	205,7 400
CH_3—C_6H_5	甲苯	水	261,206.5	225,7 000
H_2C=CH—CH=CH_2	1,3-丁二烯	正己烷	217	21 000

* 孤立的 C=C,C≡C 的 $\pi \rightarrow \pi^*$ 跃迁的吸收峰都在远紫外区,但当分子中再引入一个与之共轭的不饱和键时,吸收就进入到紫外区,所以该表将 C=C,C≡C 也算作生色团。

具有非键电子的原子连在双键或共轭体系上,形成非键电子与 π 电子的共轭,即 p–π 共轭,使电子活动范围增大,吸收向长波方向位移,并使颜色加深。这种效应,称助色效应,这种基团称为助色基(auxochrome),如—OH,—OR,—NH_2,—NR_2,—SR,卤素等均是助色基。表 5–6 为乙烯体系、α,β–不饱和羰基体系及苯环体系被助色基取代后波长的增值。

表 5–6 λ_{max}/nm 的增值

体系	NR_2	OR	SR	Cl	Br
X—C=C	40	30	45	5	—
X—C=C—C=O	95	50	85	20	30
X—C_6H_5 带Ⅱ	51	20	55	10	10
带Ⅲ	45	17	23	2	6

* 表中 X 为助色基。

5.4.2 红移现象与蓝(紫)移现象

由于取代基或溶剂的影响,使最大吸收峰向长波方向移动的现象称为红移(red shift)现象。由于取代基或溶剂的影响,使最大吸收峰向短波方向移动的现象称为蓝(紫)移(blue shift)现象。波长与电子跃迁前后所占据轨道的能量差成反比,因此,能引起能量差变化的因素如共轭效应、超共轭效应、空间位阻效应及溶剂效应等都可以产生红移现象或紫移现象。

将烷基引入共轭体系时,烷基中的 C—H 键的电子可以与共轭体系的 π 电子重叠,产生超共轭效应,其结果使电子的活动范围增大,吸收向长波方向位移。超共轭效应增长波长的作用不是很大,但对化合物结构的鉴定,还是有用的。表 5–7 列举的数据表明了在共轭体系上的烷基对吸收波长的影响。

表 5–7 烷基对共轭体系吸收波长的影响

化合物	λ_{max}/nm
CH_2=CH—CH=CH_2	217
CH_3—CH=CH—CH=CH_2	222
CH_3—CH=CH—CH=CH—CH_3	227
CH_2=C(CH_3)—C(CH_3)=CH_2	227

续表

化合物	λ_{max}/nm
$CH_2=CH-C(CH_3)=O$	219
$CH_3-CH=CH-C(CH_3)=O$	224
$(CH_3)_2C=CH-C(CH_3)=O$	235
C_6H_6	255
$CH_3-C_6H_5$	261

由于溶剂与溶质分子间形成氢键、偶极极化等的影响,也可以使溶质吸收波长发生位移。如 $\pi\rightarrow\pi^*$ 跃迁,激发态比基态的极性强,因此极性溶剂对激发态的作用比基态强,可使激发态的能量降低较多,以使基态与激发态之间的能级的能差减小,吸收向长波位移,即发生红移现象。又如 $n\rightarrow\pi^*$ 跃迁,在质子溶剂中,溶质氮或氧上的 n 轨道中的电子可以被质子溶剂质子化,质子化后的杂原子增加了吸电子的作用,吸引 n 轨道的电子更靠近核而能量降低,故基态分子的 n 轨道能量降低,$n\rightarrow\pi^*$ 跃迁时吸收的能量较前为大,这使吸收向短波位移,即发生紫移现象,见图 5-12。

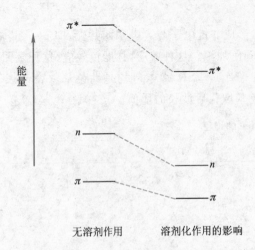

图 5-12 溶剂对溶质 $n\rightarrow\pi^*$ 跃迁能量的影响

由此可见,溶剂对基态、激发态与 n 态的作用是不同的,对吸收波长的影响亦不同,极性溶剂比非极性溶剂的影响大。因此在记录吸收波长时,需要写明所用的溶剂。紫外中常用的溶剂为水、甲醇、乙醇、己烷或环己烷、醚等。溶剂本身也有一定的吸收带,虽然其 κ 值小,但浓度一般比待测物的浓度大好几个数量级,因此,如果与溶质的吸收带相同或相近,将会有干扰,选择溶剂时,要予以注意。

5.4.3 增色效应和减色效应

使 κ 值增加的效应称为增色效应(hyperchromic effect)。使 κ 值减弱的效应称为减色效应(hypochromic effect)。κ 值与电子跃迁前后所占据轨道的能差及它们相互的位置有关,轨道间能差小,处于共平面时,电子的跃迁概率较大,κ 值也就较大。在分子中,相邻的生色基由于空间位阻效应而不能很好的共平面,对化合物的吸收波长及 κ 值均有影响。例如二苯乙烯由于存在双键,具有顺反异构体,反式异构体的两个苯环可以与烯的 π 键共平面,形成一个大的共轭体系,它的紫外吸收峰在 $\lambda_{max}=290$ nm($\kappa=$

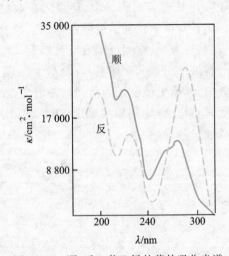

图 5-13 顺、反二苯乙烯的紫外吸收光谱

27000);而顺式异构体两个苯环在双键的一边,由于空间位阻不能很好地共平面,共轭作用不如反式的有效,它的紫外吸收峰 $\lambda_{max} = 280$ nm($\kappa = 14\,000$)。这种由于空间位阻使共轭体系不能很好共平面而引起的吸收波长与 κ 值的变化,在紫外吸收光谱中是一种普遍现象,在结构测定中十分有用。图 5-13 是顺、反二苯乙烯的紫外吸收光谱。

习题 5-12 CH_3CH_2Cl 的最低能量跃迁是什么跃迁?相应的最大吸收浓度是多少?请判断 CH_3CH_2Cl 是否有生色基?

习题 5-13 化合物:碘甲烷,2-丁酮,1,3-环己二烯,溴乙烷,甲苯,乙酸乙酯,乙醇,1-戊炔-3-酮,硝基乙烷中哪些有生色基?它们的生色基各是什么?

习题 5-14 用氯逐个替代甲烷中的氢,紫外光谱图将发生什么变化?为什么?

习题 5-15 当体系的共轭双键增多时,紫外光谱会发生什么变化?阐明发生上述变化的原因。

习题 5-16 苯与苯甲腈的 $\lambda^{II}(\kappa)$ 和 $\lambda^{III}(\kappa)$ 是否相同?为什么?

习题 5-17 若分别在己烷或水中测定三氯乙醛的紫外吸收光谱,这两张紫外光谱图有什么不同?为什么会产生这种不同?

5.5 λ_{max} 与化学结构的关系

紫外光谱提供了分子中生色团和助色团的信息。目前虽不能精确计算紫外特征吸收峰的位置,但已总结出各种经验规则,可用来估算化合物紫外吸收 λ_{max} 的位置,最早提出的 Woodward(伍德沃德)和 Fieser(费塞尔)规则可用来估算二烯烃、多烯烃及共轭稀酮类化合物的紫外吸收 λ_{max} 的位置,一般计算值与实验值之间的误差约为 ± 5 nm。表 5-8 列出了 Woodward 和 Fieser 规则中使用的一些数据。

表 5-8 **多烯类与 α,β-不饱和酮类紫外吸收的经验规则**

母 体	C=C—C=C(在己烷中)*	C=C—C=O 215 nm
	(1) 无环二烯烃或异环二烯烃 217 nm	(在乙醇中)**
	(2) 同环二烯烃 253 nm***	
环内双键加	36	39
****环外双键加	5	5
延伸双键加	30	30
共轭体系上取代烷基加	5	$\alpha,10;\beta,12;\gamma,\delta,18$
助色基 RCOO 加	0	$\alpha,\beta,\gamma,\delta,6$
RO 加	6	$(OCH_3)\alpha,35;\beta,30;\gamma,17;\delta,31$
RS 加	30	$\beta,85$
Cl 加	5	$\alpha,15;\beta,12$
Br 加	5	$\alpha,25;\beta,30$
NR_2 加	60	$\beta,95$

* 如用其它溶剂,数值基本相同。

** 如用其它溶剂,需加校正值:己烷、环己烷+11 nm,乙醚+7 nm,二氧六环+5 nm,氯仿+1 nm。

*** 若两种情况的二烯烃体系同时存在,选用 253 nm 为基数。

**** 环外双键指 C=C,如是 C=O 在环外不用加。

下面举例说明：

例 1：

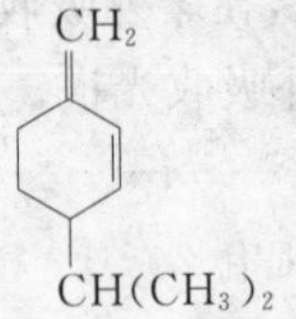

计算值：$\lambda_{max} = 214$ nm $+ 5$ nm $+ 2 \times 5$ nm $= 229$ nm（实验值 231 nm）

例 2：

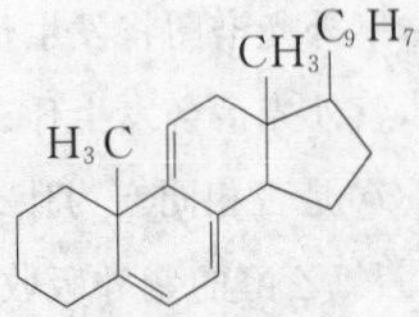

计算值：$\lambda_{max} = 253$ nm $+ 5 \times 5$ nm $+ 3 \times 5$ nm $+ 30$ nm $= 323$ nm（实验值 320 nm）

例 3：

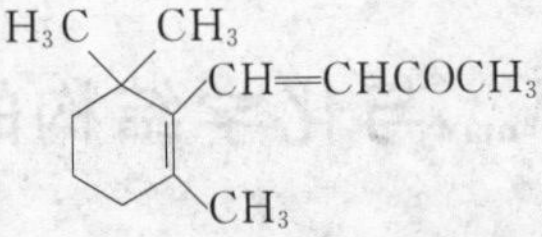

计算值：$\lambda_{max} = 215$ nm $+ 30$ nm $+ 3 \times 18$ nm $= 299$ nm（实验值 296 nm）

例 4：

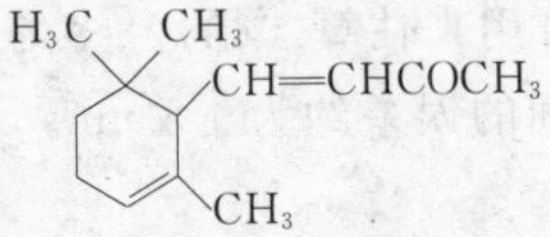

计算值：$\lambda_{max} = 215$ nm $+ 12$ nm $= 227$ nm（实验值 228 nm）

上面两个异构体，可通过紫外光谱加以判别。

习题 5－18　估算下列化合物紫外吸收的 λ_{max} 值（乙醇溶剂）。

(i)

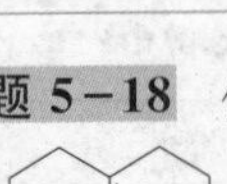

(ii)

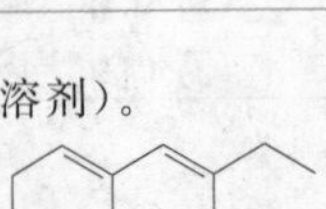

(iii)

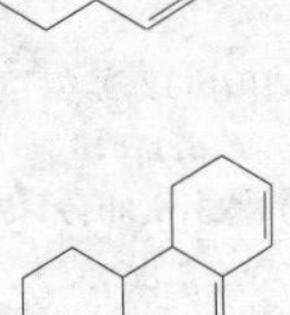

(iv)

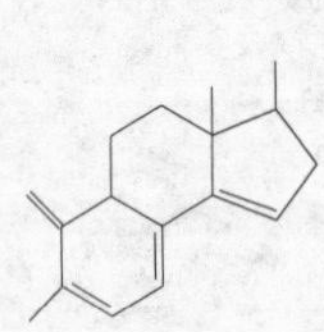

(v)

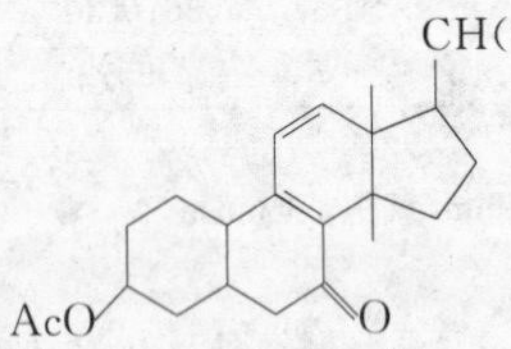

(vi)

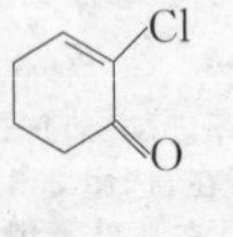

习题 5-19 下列化合物的 λ_{max} 分别为 320,357,324,295 nm(乙醇)。试问这些实验数据分别与哪个化合物符合?

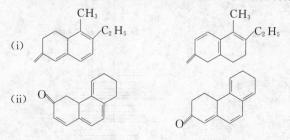

习题 5-20 你能否用紫外光谱来鉴别下列二组异构体?

(二) 红 外 光 谱

红外光谱(Infrared Spectroscopy)简称为 IR。

5.6 红外光谱的基本原理

5.6.1 红外光谱的产生

红外光是一种电磁波,波长在 $0.78\sim500\,\mu m$(微米)范围,可分为三个区段,见表 5-9。

表 5-9 红外光谱的分类

名 称	$\lambda/\mu m$	σ/cm^{-1}
近红外区(泛频区)	0.78~2.5	12820~4000
中红外区(基本转动-振动区)	2.5~25	4000~400
远近红外区(骨架振动区)	25~500	400~20

表 5-9 中的波数是指每厘米所含波的数目,以 σ 表示。波长和波数的关系是 $\sigma=1/\lambda=\nu/c$,ν 表示频率。例如波长为 $2.5\ \mu m$,则波数为

$$\sigma=\frac{1}{2.5\times10^{-4}\ cm}=4\,000\ cm^{-1}$$

原子和分子所具有的能量是量子化的,称之为原子或分子的能级,有平动能级、转动能级、振动能级和电子能级。基团从基态振动能级跃迁到上一个振动能级所吸收的辐射正好落在红外

区,所以红外光谱是由于分子振动能级的跃迁而产生的。由于转动能级的激发只需要较低的能量即较长的光波,因此发生振动能级跃迁时,也伴随有转动能级的跃迁。转动能级的能差不是太大,所以观察到的红外光谱是由很多距离很近的线组成的一个吸收谱带,而不是一条条尖锐的谱线。一般来讲,红外光谱主要是指中红外光谱。

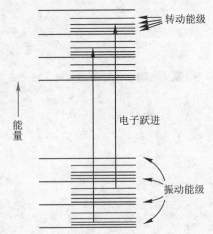

图 5-14　电子能级、振动能级、
转动能级示意图

5.6.2　分子的振动形式和红外吸收频率

分子的振动分为伸缩振动($\nu_{伸}$ 或 ν)和弯曲振动($\nu_{弯}$ 或 δ)两大类。伸缩振动是键长改变的振动,分为对称伸缩振动(ν_s)和反对称伸缩振动(ν_{as})两种。弯曲振动是键角改变的振动,也称为变形振动,分为面内变形振动和面外变形振动两种。前者又可分为剪式振动和面内摇摆振动,后者则分为扭曲振动和面外摇摆振动。

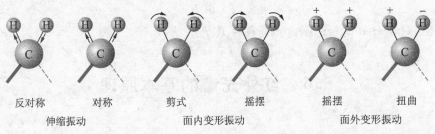

| 反对称 | 对称 | 剪式 | 摇摆 | 摇摆 | 扭曲 |

伸缩振动　　　　面内变形振动　　　　面外变形振动

(+与-表示两个相反的振动方向)

两个原子之间的伸缩振动可以看做是一种简谐振动,根据 Hooke(虎克)定律,振动频率可以用下面的公式近似估算。

$$\nu = \frac{1}{2\pi}\sqrt{k\left/\frac{m_1 m_2}{m_1 + m_2}\right.} \tag{5-3}$$

将频率(ν)、波数(σ)与光速(c)的关系 $\sigma = \dfrac{\nu}{c}$ 代入上式,得

$$\sigma = \frac{1}{2\pi c}\sqrt{k\left/\frac{m_1 m_2}{m_1 + m_2}\right.} = \frac{1}{2\pi c}\sqrt{\frac{k(m_1 + m_2)}{m_1 m_2}} \tag{5-4}$$

m_1 与 m_2 分别代表两个原子的质量,$m_1 m_2/(m_1 + m_2)$ 为折合质量,单位用 g(克),原子质量愈轻,振动愈快,频率愈高,故原子的质量和振动频率或波数成反比,k 为力常数,单位为 N·cm^{-1} 或 g·s^{-2},(牛[顿]·厘米$^{-1}$或克·秒$^{-2}$)。力常数的大小与键能、键长有关,键能愈大,键长愈短,k 值就愈大。因此 k 值和振动频率或波数成正比。如果知道两个原子的质量和它们之间的力常数 k,就可以计算出这两个原子间振动的吸收位置。例如已知饱和烃 C—H 键的力常数为 5.07 N·cm^{-1}

$(5.07 \times 10^5 \text{ g} \cdot \text{s}^{-2})$，根据公式计算，C—H 键的伸缩振动基频为

$$\sigma = \frac{1}{2\pi \times 3 \times 10^{10} \text{ cm/s}} \sqrt{\frac{5.07 \times 10^5 \text{ g} \cdot \text{s}^{-2} \left(\dfrac{12}{6.02 \times 10^{23}} \text{ g} + \dfrac{1}{6.02 \times 10^{23}} \text{ g} \right)}{\left(\dfrac{12}{6.02 \times 10^{23}} \text{ g} \right) \left(\dfrac{1}{6.02 \times 10^{23}} \text{ g} \right)}} = 3\,052 \text{ cm}^{-1}$$

由于实际分子并不是谐振子，因此计算值和实测值之间会有一些偏差。下面是一些常见原子对的力常数。

表 5-10　常见原子对的力常数

原子对	力常数/N·cm⁻¹	原子对	力常数/N·cm⁻¹
C—C	4.5	C=C	9.77
C—O	5.77	C=O	12.06
C—N	4.8	C≡C	12.2
C—H	5.07	O—H	7.6

不同有机物的结构不同，它们的原子质量和化学键的力常数也不相同，因此会出现不同的吸收频率，从而产生特征的红外吸收光谱。

5.6.3　振动自由度和红外吸收峰

一个原子可以在三度空间运动，即有三个运动数，每一运动数称为一个自由度，由 n 个原子组成的分子，就有 $3n$ 个自由度。对于非线性分子来讲，在 $3n$ 个自由度中，包括整个分子向三度空间的三个方向的平移运动和三个整个分子绕 x, y, z 轴的转动运动，这六种运动都不是分子的振动，因此只有 $3n-6$ 个振动自由度。对于线性分子，由于围绕分子价键的轴转动时，原子的位置没有变化，只有两个转动自由度，因此线性分子有 $3n-5$ 个振动自由度。图 5-15 是 HCl 分子的平移运动和转动运动。

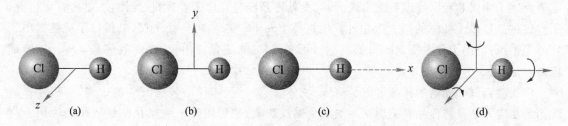

图 5-15　HCl 分子的平移运动和转动运动
(a)、(b)、(c)分子的平移运动　　(d)分子的转动运动

从原则上讲，每一个振动自由度，相当于红外区的一个吸收峰，但实际红外吸收峰的数目常少于振动自由度的数目，这是因为：① 不伴随偶极变化的振动没有红外吸收峰；② 振动频率相同的不同振动形式会发生简并；③ 分辨率不高的仪器很难将频率接近的吸收峰分开，灵敏度不

够的仪器检测不出弱的红外吸收峰。

在红外光谱中,基团从基态跃迁到第二激发态、第三激发态等产生的吸收峰称为倍频峰;$\nu_1 + \nu_2$,$2\nu_1 + \nu_2 \cdots$吸收峰称为合频峰,$\nu_1 - \nu_2$,$2\nu_1 - \nu_2 \cdots$吸收峰称为差频峰,合频峰与差频峰统称为泛频峰。由于倍频峰与泛频峰的存在,有时红外吸收带也会多于振动自由度的数目。

5.6.4　红外光谱仪及测定方法

红外光谱仪(spectrometer)是由光源、单色器、检测器、放大器和记录器五部分组成的。常用的红外光源有 Nernst 灯和碳硅棒两种,它的作用是发射高强度、连续红外波长光。单色器是由棱镜(或光栅)、狭缝单元及用作聚焦和反射光束的反射镜组成的。它的功能是将通过样品池和参比池而进入入射缝的"复色光"分成"单色光"射到检测器上。常用的红外检测仪有热电偶、电阻测辐射热计和高莱池(Golay cell)三种。它们的作用是测量红外线的强度。放大器将检测产生的微弱电讯号放大,记录器记下透射率(透过率)的变化。双光束红外分光光度计的原理图如图 5-16 所示:

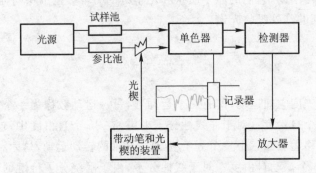

图 5-16　双光束红外分光光度计的原理图

现在,傅里叶变换光谱仪(Fourier Transform Spectrometer 简称 FTS)应用十分广泛,它是由迈克逊干涉仪和数据处理系统组成的,数据处理系统包括电子计算机、绘图仪、电传打字机等。干涉仪将信号以干涉图的形式送往计算机进行 Fourier 变换,再经绘图仪、电传打字机就送出了红外光谱图,使用十分方便。FTS 具有信号可多路传输,能量输出大,光谱范围宽,分辨率、精确度高等优点。

用于测定红外光谱的样品可以是气体、液体、固体。气体样品装在气体池中测定;液体样品常用的测定方法是将样品直接滴在一块氯化钠盐块上,然后用另一块氯化钠盐块压匀后用于测定;固体样品最常用的测定方法是溴化钾压片法,将 $1\sim2$ mg 样品和 $200\sim300$ mg 的溴化钾粉末在玛瑙研钵中研磨混均,然后在压片机上压成透明薄片进行测量,该法适用于任何固体样品,图谱中在 3430 cm^{-1},1640 cm^{-1} 附近会有少量水的吸收峰。也可用石蜡油法,先将样品在玛瑙研钵中磨碎,再转移到滴有石蜡油的两块氯化钠盐块间压匀压紧进行测量。该法的缺点是石蜡油本身的碳氢在 2918 cm^{-1},1458 cm^{-1},1378 cm^{-1} 和 720 cm^{-1} 处有吸收带,因此对样品的 C—H 吸收带会产生干扰。

5.7　红外光谱图

5.7.1　红外光谱图的组成

图 5-17 是 2-辛醇的红外光谱图。

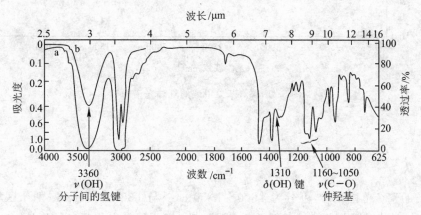

图 5-17　2-辛醇的红外光谱图

由图 5-17 可知,红外光谱图的横坐标是红外光的波长(μm)或波数(cm^{-1}),纵坐标是透过率 T 或吸光度 A。A 与 T 的关系是 $A=\lg(1/T)$。吸收强度越大,吸光度 A 就越大(透过率 T 就越小)。吸收强度的强弱还常定性地用 vs(很强)、s(强)、m(中)、w(弱)、v(可变)等符号表示。图谱中吸收峰的形状也各不相同,一般分为宽峰、尖峰、肩峰,双峰等类型。吸收峰的形状如图 5-18 所示。

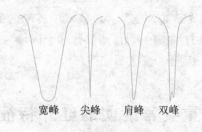

宽峰　　尖峰　　肩峰　双峰

图 5-18　红外吸收峰的形状

图 5-19 是对苯二甲酸的红外光谱图。该红外光谱图的横坐标是红外光的波数(cm^{-1}),纵坐标是吸光度 A。这是目前常见的红外光谱图。同样,吸收强度越大,吸光度 A 就越大。

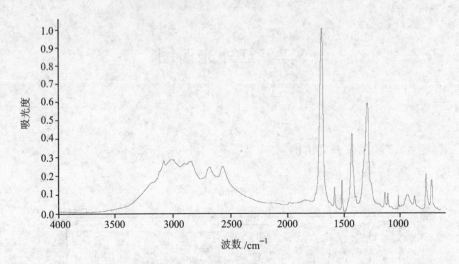

图 5-19 对苯二甲酸的红外光谱图

5.7.2 官能团区和指纹区

从 IR 谱的整个范围来看,可分为 $4000 \sim 1350\ cm^{-1}$ 与 $1350 \sim 650\ cm^{-1}$ 两个区域。$4000 \sim 1350\ cm^{-1}$ 区域是由伸缩振动产生的吸收带,光谱比较简单但具有很强的特征性,称为官能团区(functional group region)。在这个区域,$4000 \sim 2500\ cm^{-1}$ 高波数一端有与折合质量小的氢原子相结合的官能团 O—H,N—H,C—H,S—H 键的伸缩振动吸收带;在 $2500 \sim 1900\ cm^{-1}$ 波数范围出现力常数大的三键、累积双键,如—C≡C—,—C≡N,—C=C=C—,—C=C=O,—N=C=O 等的伸缩振动吸收带;在 $1900\ cm^{-1}$ 以下的低波数端有碳碳双键、碳氧双键、碳氮双键及硝基等的伸缩振动和芳环的骨架振动。官能团区的吸收带对于基团的鉴定十分有用,是红外光谱分析的主要依据。

在 $1350 \sim 650\ cm^{-1}$ 区域,有 C—O,C—X 的伸缩振动和 C—C 的骨架振动,还有力常数较小的弯曲振动产生的吸收峰,因此光谱非常复杂。该区域中各峰的吸收位置受整体分子结构影响较大,分子结构稍有不同,吸收就有细微的差异,所以称这个区域为指纹区(finger-print region)。指纹区对于用已知物来鉴别未知物十分重要。

5.8 重要官能团的红外特征吸收

5.8.1 烷烃红外光谱的特征

烷烃只有 C—C 键和 C—H 键。C—C 键在 $1200 \sim 700\ cm^{-1}$ 区域有一个很弱的吸收峰,在结构分析中用处不大。

烷烃的 CH_3,CH_2,CH 的 C—H 伸缩振动在 $2960 \sim 2850\ cm^{-1}$ 处有一强的吸收峰,可用于区

别饱和烃和不饱和烃。C—H 弯曲振动对分子结构测定十分有用。甲基和次甲基的不对称 δ_{C-H}（即面内摇摆振动）在 1460 cm⁻¹ 附近有吸收峰，甲基的对称 δ_{C-H}（即剪式振动）在 1380 cm⁻¹ 附近有吸收峰，孤立甲基只在 1380 cm⁻¹ 附近出现单峰。如分子中存在异丙基或三级丁基，单峰分裂成双峰，异丙基的双峰强度相等，三级丁基的双峰强度不等，低波数的吸收峰强度大（见图 5—20）。这些吸收峰可用于判断分子中结构分支的情况。如果分子中存在四个或四个以上 CH₂ 成直链时，在 724～722 cm⁻¹（中）出现面内摇摆振动吸收，少于四个 CH₂ 时吸收移向高波数方向，如—CH₂CH₂—在 743～734 cm⁻¹（中）出现。这些吸收位置可以表明分子中是否存在直链以及链的长短情况。环烷烃中环上 C—H 伸缩振动吸收位置与链状烷烃类似，但如环的形状使链发生歪扭，C—H 的吸收位置就要受到影响，如环丙烷由于键角变小，C—H 的伸缩振动吸收移向3050 cm⁻¹区域。

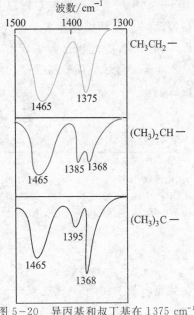

图 5—20　异丙基和叔丁基在 1375 cm⁻¹
处的裂分情况

习题 5—21　下面是正辛烷的红外光谱图，请指出其主要红外吸收峰的归属。

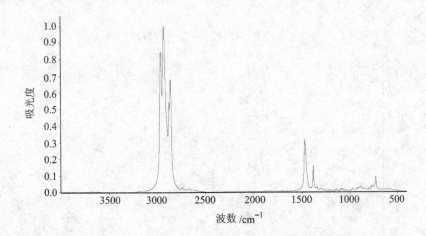

5.8.2　烯烃红外光谱的特征

烯烃有 C＝C 伸缩振动、＝C—H 伸缩振动和＝C—H 面外变形振动三种特征吸收。双键伸缩振动吸收位置在 1680～1620 cm⁻¹，其强度和位置决定于双键碳原子上取代基的数目及其性质，分子对称性越高，吸收峰越弱，如果有四个取代烷基时，常常不能看到它的吸收峰，因为对

称的烯,振动时不能改变偶极矩,因此没有 C＝C 相应的吸收。＝C—H 伸缩振动吸收在 3 100
～3 010 cm^{-1}(中),可用于鉴定双键以及双键碳上至少有一个氢原子存在的烯烃。＝C—H 的面
外摇摆振动(＝C—H 振动垂直于烯烃分子的平面)吸收在 1 000～800 cm^{-1},对于鉴定各种类型
的烯烃非常有用,因此当已经确定存在 C＝C 及 C—H 的伸缩振动并需进一步确定结构时,
1 000～800 cm^{-1} 区域的面外摇摆振动吸收可提供有用的情况。表 5-11 列出了各类烯烃的特征
吸收位置。

表 5-11　各类烯烃的特征吸收位置

烯烃类型	＝C—H 伸缩振动/cm^{-1}	C＝C 伸缩振动/cm^{-1}	＝C—H 面外摇摆振动/cm^{-1}
RCH＝CH$_2$	＞3 000(中)	1 645(中)	910～905(强)995～985(强)
R$_1$R$_2$C＝CH$_2$	＞3 000(中)	1 653(中)	895～885(强)
R$_1$CH＝CHR$_2$(Z 型)	＞3 000(中)	1 650(中)	730～650(弱且宽)
R$_1$CH＝CHR$_2$(E 型)	＞3 000(中)	1 675(中)	980～965(强)
R$_1$R$_2$C＝CHR$_3$	＞3 000(中)	1 680(中～弱)	840～790(强)
R$_1$R$_2$C＝CR$_3$R$_4$	无	1 670(弱或无)	

在共轭体系中,由于共轭使 C＝C 的力常数降低,C＝C 的伸缩振动向低波方向位移,例如
C＝C—C＝C 中,C＝C 吸收峰在 ≈1 600 cm^{-1} 区域,由于两个 C＝C 的振动偶合,在 ≈1 650 cm^{-1}
有时还能看到另一个峰(如分子对称性强则没有)。如有更多的双键共轭,吸收峰逐渐变宽。

习题 5-22　查阅相关文献,找出顺-4-辛烯和反-4-辛烯的红外光谱图,指出这两张图的主要吸收峰的
归属及这两张图谱的区别。

习题 5-23　下面是环己烯的红外光谱图,指出图中主要吸收峰的归属。

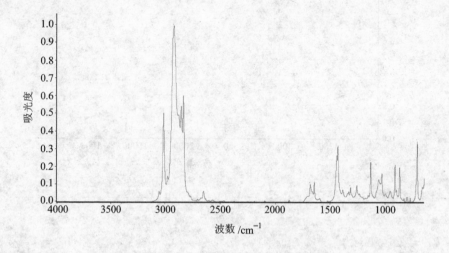

习题 5-24　推测 1-辛烯的红外光谱图中应该出现哪几个主要红外吸收峰,并指出这些峰的归属?

习题 5-25　推测 2-甲基-2-戊烯和 2,3,4-三甲基-2-戊烯的红外光谱图有哪些相似之处?有哪些不
同之处?简单阐明理由。

5.8.3 炔烃红外光谱的特征

碳碳三键的力常数比碳碳双键高得多,所以三键比双键难以伸长,伸缩振动出现在高波数部位,一元取代炔烃 RC≡CH 的 $\sigma_{C≡C}$ 在 $2140 \sim 2100$ cm^{-1}(弱),二元取代炔烃 RC≡CR′ 的 $\sigma_{C≡C}$ 在 $2260 \sim 2190$ cm^{-1},乙炔与对称二取代乙炔,因分子对称在红外光谱中没有吸收峰,因此有时即使有 C≡C 存在,在光谱中不一定能看到。≡C—H 伸缩振动吸收在 $3310 \sim 3300$ cm^{-1}(较强),与 σ_{N-H} 值很相近,但 σ_{N-H} 为宽峰,易于识别。在 $700 \sim 600$ cm^{-1} 区域有 ≡C—H 弯曲振动吸收,对于结构鉴定非常有用。

习题 5-26 下图是 1-辛炔的红外光谱图。请指出图中各主要峰的归属。

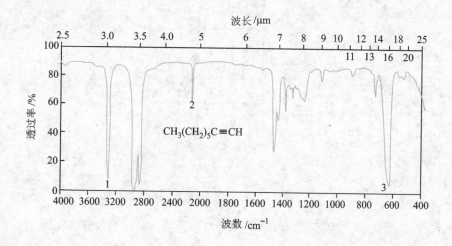

习题 5-27 1-己炔在 3305 cm^{-1},2110 cm^{-1},620 cm^{-1} 处有吸收峰。指出这三个吸收峰的归属。

习题 5-28 为什么 2-辛炔的 C≡C 键的伸缩振动吸收以及 ≡C—H 的弯曲振动吸收强度都比 1-辛炔大为降低?

5.8.4 芳烃红外光谱的特征

芳烃的红外光谱主要看苯环上的 C—H 键和 C≡C 键的振动吸收。单核芳烃的 C=C 伸缩振动吸收在 1600 cm^{-1},1580 cm^{-1},1500 cm^{-1},1450 cm^{-1} 附近有 4 条吸收带。1450 cm^{-1} 处的吸收带常常观察不到,其余三个吸收带,1500 cm^{-1} 附近的最强,1600 cm^{-1} 附近的居中,这两个吸收带对于确定芳核结构十分有用。

苯环上的 C—H 伸缩振动在 $3110 \sim 3010$ cm^{-1}(中),与烯氢的 σ_{C-H} 相近。C—H 的面外弯曲振动在 $900 \sim 690$ cm^{-1} 区域,它的倍频区在 $2000 \sim 1650$ cm^{-1} 区域,这两个区域的图谱对分析苯环上的取代情况十分有用。表 5-12 列出了取代苯环上的 C—H 面外弯曲振动吸收情况。图 5-21 表示了一取代、二取代苯在 $2000 \sim 1660$ cm^{-1} 倍频区的吸收面貌。

表 5-12 取代苯环上的 C—H 面外弯曲振动

化合物	苯	一取代苯	1,2-二取代苯	1,3-二取代苯	1,4-二取代苯
吸收频率/cm^{-1}	670(强)	770~730(强) 710~690(强)	770~735(强)	810~750(强) 710~690(强)	833~810(强)

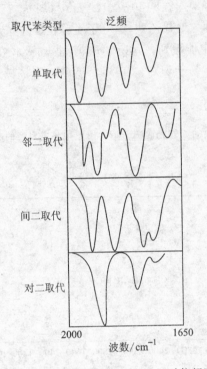

图 5-21 单取代、二取代苯在 2000~1660 cm^{-1} 倍频区的吸收情况

习题 5-29 判别下面四张图谱哪张代表甲苯？哪张代表间二甲苯？哪张代表邻二甲苯？哪张代表对二甲苯？简单阐明理由并指出其主要峰的归属。

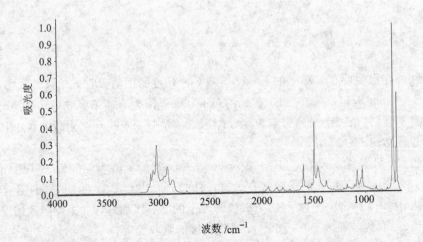

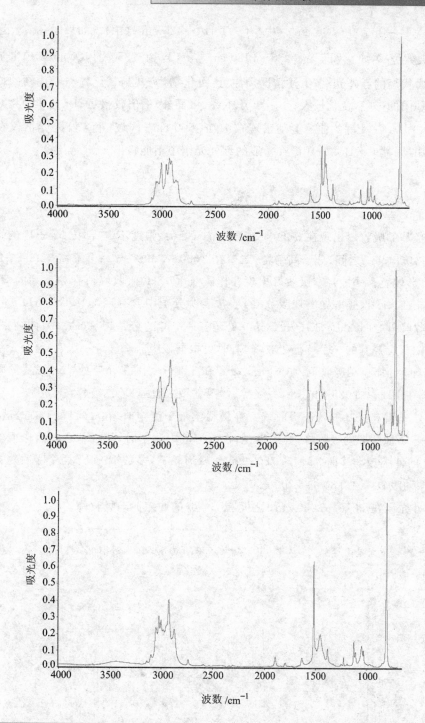

5.8.5 卤代烃红外光谱的特征

C—X 键的伸缩振动吸收峰的吸收位置分别在:C—F 1 350~1 100 cm⁻¹(强),C—Cl 750~

700 cm⁻¹(中)，C—Br 700～500 cm⁻¹(中)，C—I 610～485 cm⁻¹(中)。如果同一碳上卤素增多，吸收位置向高波数位移，如 $>$CF₂ 在 1280～1120 cm⁻¹，—CF₃ 在 1350～1120 cm⁻¹，CCl₄ 在 797 cm⁻¹ 区域。分析卤代烃的红外光谱，下述情况须注意：卤化物，尤其是氯化物与氟化物的伸缩振动吸收易受邻近基团的影响，变化较大；σ_{C—Cl} 与芳环 σ_{C—H}(面外)的值较接近；Br 与 I 的相对原子质量很大，因此 C—Br，C—I 键的伸缩振动出现在 700～500 cm⁻¹ 区域，很多红外光谱仪在 700 cm⁻¹ 以下没有作用，因此 C—Br、C—I 键在一般的红外光谱中不能检出。

5.8.6　醇、酚、醚红外光谱的特征

　　醇游离羟基的吸收峰出现在 3650～3610 cm⁻¹(峰尖、强度不定)部位；分子内的缔合羟基约位于 3500～3000 cm⁻¹ 之间；分子间缔合，二聚在 3600～3500 cm⁻¹；多聚在 3400～3200 cm⁻¹ 之间，缔合体峰形较宽。一般羟基吸收峰出现在比碳氢(C—H)吸收峰所在频率高的部位，即大于 3300 cm⁻¹，故在大于该频率处出现吸收峰，通常表明分子中含有羟基(或 N—H)。除了羟基的伸缩振动吸收峰外，在 1200～1100±5 cm⁻¹ 处还有一个醇的羟基碳氧(C—O)伸缩振动吸收峰，这也是分子中含有羟基的一个特征吸收峰，有时可根据该吸收峰确定一级、二级或三级醇。各种类型醇的 C—O 伸缩振动吸收范围如下：三级醇在 1200～1125 cm⁻¹ 处，二级醇、烯丙基型三级醇、环三级醇在 1125～1085 cm⁻¹ 处，一级醇、烯丙基型二级醇、环二级醇在 1085～1050 cm⁻¹ 处。

　　酚的红外光谱有羟基的特征吸收峰。在极稀溶液中测定时，在 3611～3603 cm⁻¹ 处出现游离羟基的 O—H 伸缩振动吸收峰，峰形尖锐；在浓溶液中测定时，酚羟基之间因形成氢键而呈缔合态，O—H 的伸缩振动移向 3500～3200 cm⁻¹，峰形较宽，多数情况下，两个吸收峰并存。酚的 C—O 伸缩振动吸收峰在 1300～1200 cm⁻¹ 处。

　　醚的红外光谱在 1275～1020 cm⁻¹ 之间有 C—O 的伸缩振动吸收峰。

　　习题 5－30　下面是丙烯醇、2－丙醇、正丁醇和乙醚的红外图谱。请指出每张图谱各代表哪个化合物？并说明作出判断的依据。

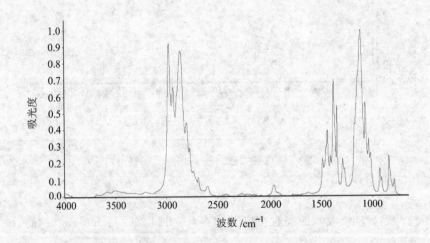

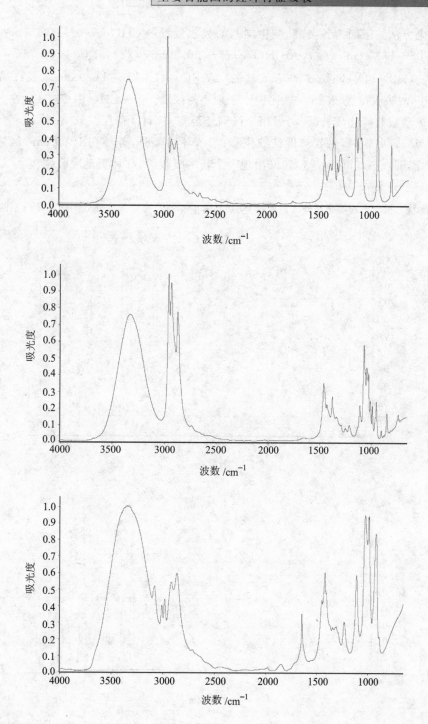

5.8.7 醛、酮红外光谱的特征

羰基的红外光谱在 $1750 \sim 1680 \ cm^{-1}$ 之间有一个非常强的伸缩振动吸收峰,这是鉴别羰基最迅速的一个方法。下面为各类醛、酮中羰基的吸收位置：RCHO 1 740～1 720 cm^{-1}（强），C＝C—CHO 1 705～1 680 cm^{-1}（强），ArCHO 1 717～1 695 cm^{-1}（强），R$_2$C＝O 1 725～1 705 cm^{-1}（强），C＝C—C(R)＝O 1 685～1 665 cm^{-1}（强），ArRC＝O 1 700～1 680 cm^{-1}（强）。酮羰基的力常数较醛的小，故吸收位置较醛低，差别不大，一般不易区别。但—CHO中C—H键在～2 720 cm^{-1}区域的伸缩振动吸收峰比较特征，可以用来区别是否有—CHO存在。

当羰基与双键共轭时，吸收向低波数位移；与苯环共轭时，芳环在1 600 cm^{-1}区域的吸收峰分裂为两个峰，即在～1 580 cm^{-1}位置又出现一个新的吸收峰，称环振动吸收峰。

习题 5-31 指出下面哪张红外光谱图是3-羟基苯甲醛的？哪一张红外光谱图是苯丙酮的？阐明作出判断的理由。

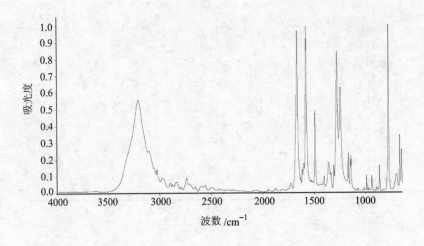

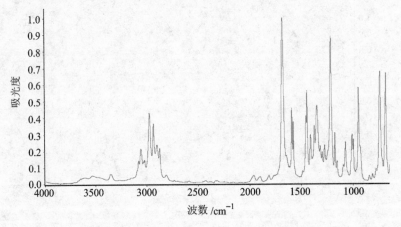

5.8.8 羧酸红外光谱的特征

羧酸中C＝O的伸缩振动吸收位置为：RCOOH（单体：1 770～1 750 cm^{-1}，二缔合体：≈

1710 cm^{-1}),CH$_2$=CH—COOH(单体:~1720 cm^{-1},二缔合体:≈1690 cm^{-1}),ArCOOH(二缔合体:1700~1680 cm^{-1})。二缔合体 C=O 的吸收,由于氢键的影响,吸收位置向低波数位移。芳香羧酸,由于形成氢键及与芳环共轭两种影响,更使 C=O 吸收向低波数方向位移。只有在气态能看到游离羧酸 O—H 的伸缩振动吸收峰,在≈3550 cm^{-1} 区域。一般液体及固体羧酸均以二缔合体状态存在,在 3000~2500 cm^{-1} 区域有宽而散的伸缩振动吸收峰。羧酸的 O—H 在≈1400 cm^{-1} 和≈920 cm^{-1} 区域有两个比较强而宽的弯曲振动吸收峰,这可以作为进一步确定存在羧酸结构的证据。

习题 5-32 查阅正壬酸的红外光谱图,并指出图中主要吸收峰的归属。

习题 5-33 图 5-19(参见 5.7.1)是对苯二甲酸的红外光谱图,请指出图中主要吸收峰的归属。

习题 5-34 指出下面两张图谱哪一张代表顺丁烯二酸?哪一张代表反丁烯二酸?简单阐明理由。

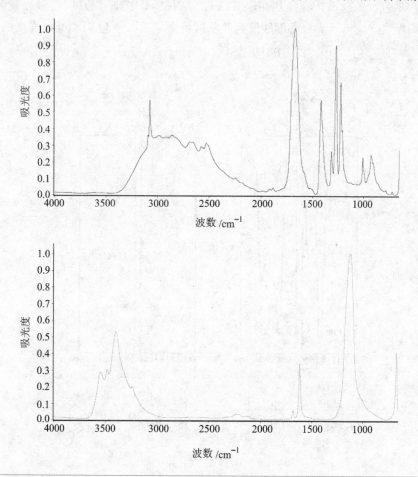

5.8.9 羧酸衍生物、腈红外光谱的特征

酯:酯中伸缩振动吸收接近 1735 cm^{-1}(强)区域；$\diagdown$C=C—COOR 或 ArCOOR 的 C=O 吸

收因与 C=C 共轭移向低波数方向,在 ≈1720 cm^{-1} 区域;而 —COOC=C< 或 RCOOAr 结构的 C=O 吸收则向高波数方向位移,在 ≈1760 cm^{-1} 区域吸收。在 1300~1050 cm^{-1} 区域有两个 C—O 伸缩振动吸收,其中波数较高的吸收峰比较特征,可用于酯的鉴定。芳香酯在 1605~1585 cm^{-1} 区域还有一个特征的环振动吸收峰。

酰卤:脂肪酰卤 C=O 的伸缩振动吸收在 1800 cm^{-1}(强)区域,如 C=O 与不饱和基共轭,吸收在 1800~1750 cm^{-1} 区域。芳香酰卤在 1785~1765 cm^{-1} 区域有两个强的吸收峰,波数较高的是 C=O 伸缩振动吸收,在 1785~1765 cm^{-1}(强),较低的是芳环与 C=O 之间的 C—C 伸缩振动吸收(~875 cm^{-1})的弱倍频峰,由于在强峰附近而被强化,吸收强度升高,在 1750~1735 cm^{-1} 区域。

酸酐:酸酐在 1860~1800 cm^{-1}(强)和 1800~1750 cm^{-1}(强)区域有反对称、对称的两个 C=O 伸缩振动吸收峰,这两个峰往往相隔 60 cm^{-1} 左右。对于线形酸酐,高频峰较强于低频峰,而环状酸酐则反之。图 5-22 为线形酸酐和环状酸酐中一对 C=O 振动吸收强度的关系。酸酐 C—O 的伸缩振动吸收在 1310~1045 cm^{-1}(强)。

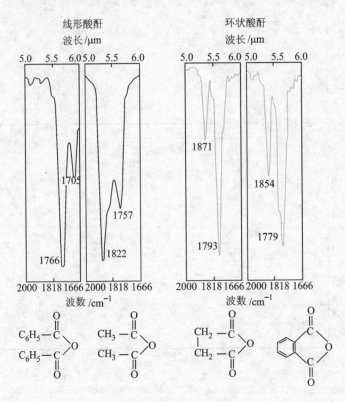

图 5-22 线形酸酐和环状酸酐中一对振动吸收强度的关系

酰胺:一级酰胺 RCONH$_2$ 的 C=O 伸缩振动吸收在 ≈1690 cm^{-1}(强)区域,缔合体在 ≈1650 cm^{-1} 区域。在无极性的稀溶液中,N—H 伸缩振动有两个吸收峰,在 ≈3520 cm^{-1} 和 ~3400 cm^{-1} 区域;在浓溶液或固态时,因有氢键存在,吸收在 ≈3350 cm^{-1} 和 ≈3180 cm^{-1} 区域。N—H 的弯曲振动吸收在 1640 cm⁻¹ 和 1600 cm⁻¹，是一级酰胺的两个特征吸收峰。C—N 伸缩振动吸收在 ≈1400 cm⁻¹ (中)区域。

二级酰胺 RCONHR′ 中游离 C＝O 的伸缩振动在 ≈1680 cm⁻¹(强)区域吸收，缔合体在 ≈1650 cm⁻¹(强)区域。游离的 N—H 伸缩振动吸收在 ≈3440 cm⁻¹ 区域，缔合体(固态)在 ≈3300 cm⁻¹ 区域。N—H 弯曲振动吸收在 1550～1530 cm⁻¹ 区域。

三级酰胺 RCONR′R″ 的 C＝O 伸缩振动吸收在 ≈1650 cm⁻¹(强)区域。

腈：腈的 C≡N 伸缩振动在 2260～2210 cm⁻¹ 处有特征吸收峰。

习题 5-35 查阅苯基丁腈的红外光谱图。并指出图谱中主要吸收峰的归属。

习题 5-36 下面是乙酸乙酯、3-氯丙酰氯，己内酰胺的红外光谱图。请指出每张图谱所代表的化合物名称，并指出各图谱中主要吸收峰的归属。

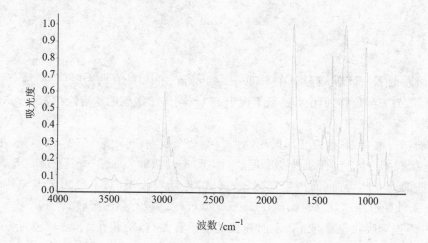

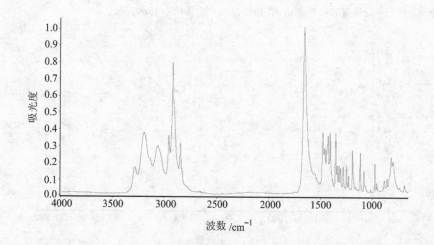

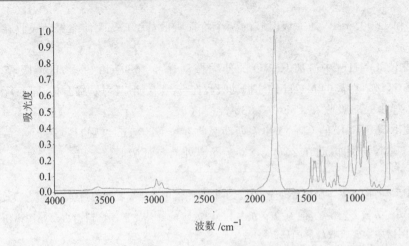

5.8.10　胺红外光谱的特征

　　游离一级胺的 N—H 伸缩振动在 $3\,490\sim3\,400\ \mathrm{cm^{-1}}$（中）处有两个吸收峰，缔合胺的 N—H 伸缩振动向低波数方向位移，但位移一般不大于 $100\ \mathrm{cm^{-1}}$。二级胺的稀溶液在 $3\,500\sim3\,300\ \mathrm{cm^{-1}}$ 区域有一个吸收峰。

　　一级胺的 N—H 弯曲（面内变形振动，剪式）振动吸收在 $1\,650\sim1\,590\ \mathrm{cm^{-1}}$（强、中）区域，可用于鉴定，一级胺 N—H 弯曲（面外变形振动，摇摆）振动吸收在 $900\sim650\ \mathrm{cm^{-1}}$（宽）区域，非常特征。二级胺的 N—H 弯曲（面内变形振动，剪式）振动吸收很弱，不能用于鉴定，而二级胺的 N—H 弯曲（面外变形振动，摇摆）振动在 $750\sim700\ \mathrm{cm^{-1}}$ 区域有强的吸收。

　　C—N 伸缩振动吸收位置与 α 碳上所连接的基团有关，脂肪胺在 $1\,230\sim1\,030\ \mathrm{cm^{-1}}$ 区域，芳香胺在 $1\,340\sim1\,250\ \mathrm{cm^{-1}}$ 区域，氮上取代基亦能影响吸收位置，因此不易区别。

　　习题 5-37　下面是苯胺的红外光谱图，请指出图中主要吸收峰的归属。

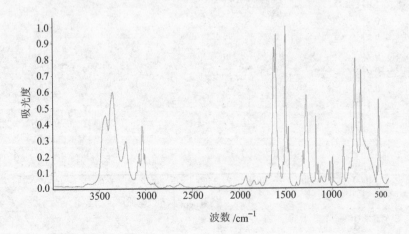

习题 5-38 下面是二乙胺的红外光谱图,请指出图中主要吸收峰的归属。

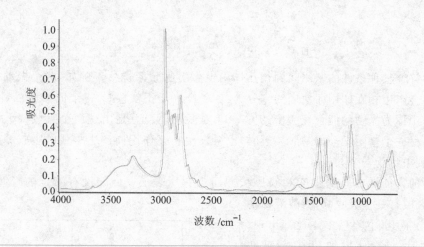

5.9 影响化学键和基团特征频率的因素

分子被激发后,分子中各个原子或基团(化学键)都会产生特征的振动,从而在特定的位置出现吸收峰。相同类型化学键的振动是非常接近的,总是在某一范围内出现,例如羰基($C\!=\!\!O$)伸缩振动的频率范围在 $1850\sim1600$ cm^{-1},因此认为这一频率范围是羰基的特征频率。当然,同一类型的基团在不同物质中所处的化学环境并不完全相同,所以它们的吸收峰频率在特征频率范围内也会有些差别。

分子内部结构对吸收频率也产生影响。诱导效应、共轭效应和偶极场效应等电效应会引起分子中电子分布的变化,从而引起化学键力常数的变化而改变基团的特征频率。例如脂肪醛(RCHO)中($C\!=\!\!O$)吸收峰在 $\sim$1720 cm^{-1},而脂肪酰氯(RCOCl)中($C\!=\!\!O$)吸收峰在 $\sim$1800 cm^{-1},这是因为氯有强的吸电子诱导效应,使电子云由氧原子转向双键中间,增加了 $C\!=\!\!O$ 键中间的电子云密度而使 $C\!=\!\!O$ 的力常数增加,吸收向高波数方向位移。又如 $CH_3CH_2CH\!=\!\!CH_2$ 分子中,$C\!=\!\!C$ 的伸缩振动吸收峰在 1647 cm^{-1},丙酮分子中 $C\!=\!\!O$ 伸缩振动吸收峰在 1720 cm^{-1},而在 3-丁烯-2-酮分子中,$C\!=\!\!C$ 吸收在 1623 cm^{-1},$C\!=\!\!O$ 吸收在 1685 cm^{-1},均比单独存在时低。这是因为共轭效应使共轭体系中电子云密度平均化,结果原来双键处的电子云密度降低,力常数减少,所以振动频率降低。氢键对吸收位置的影响也很大,缔合的 O—H,N—H 键也均向低波数方向位移,这也是由于氢键使分子中的 O—H,N—H 键减弱的缘故。但氧与氮电负性不同,因此吸收位置的变化亦有差别,由于氧的电负性较强,O—H 键变化大些,N—H 键变化小些。空间效应也会影响吸收谱峰,例如 5,5-二甲基-1,3-环己二酮存在酮式和烯醇式的平衡,当 C-2 位上的 H 被 R 基取代时,会影响上述平衡,从而影响吸收谱带的强度和位置。如当 C-2 位的 H 被 C_2H_5 取代时。酮式的吸收位置由 1735 cm^{-1},1708 cm^{-1} 变为 1745 cm^{-1},1716 cm^{-1},而烯醇式的吸收位置由 1607 cm^{-1} 变为 1628 cm^{-1}。C-2 位上的取代基越大,烯醇式的谱带越弱。

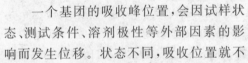

分子中符合某种条件的基团间的相互作用也会引起频率位移。例如,两个振动频率很接近的邻近基团会产生相互作用而使谱线一分为二,一个高于正常频率,一个低于正常频率。这种基团间相互作用称为振动的偶合。酸酐的 $C=O$ 因振动偶合总是出现两个吸收峰。一个基团振动的倍频与另一个基团振动的基频接近时,也会发生相互作用而产生很强的吸收峰或发生峰的裂分,这种现象称为费米共振。

官能团的特征性在峰的强度和峰形状方面也有所表征。例如没有缔合的羟基在 $3\,650\sim$ 3500 cm^{-1} 区域有一个吸收峰,当溶液稀薄时,缔合机会很少,主要是单体羟基出现;当浓度增加时,缔合体增加,并在较低波数方向吸收。缔合体并不是单一的,有不同的形状与不同的大小,是一个混合物,所以形成一个较宽的带,实质上是由不同的氢键的吸收峰组合而成的。图 5-23 是不同浓度的正丁醇在氯苯溶液中羟基的吸收光谱:图(a)的一个强吸收峰在 3630 cm^{-1},是单体正丁醇的羟基吸收峰,在 3500 cm^{-1} 区域是与单体成平衡的少量二缔合体的吸收峰。在浓度增加时,(c)及(d)中三缔体及多缔体增加,吸收峰越来越宽。

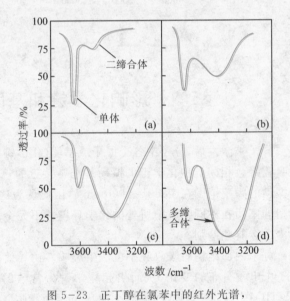

图 5-23　正丁醇在氯苯中的红外光谱,羟基的伸缩振动吸收位置

(a) 1.4%　(b) 3.4%　(c) 7.1%　(d) 14.3%正丁醇(质量分数)

一个基团的吸收峰位置,会因试样状态、测试条件、溶剂极性等外部因素的影响而发生位移。状态不同,吸收位置就不同,气态较高,液态和固态较低,溶液与液态相差不多。例如丙酮气态 $C=O$ 吸收峰在 1738 cm^{-1},溶液在 $1724\sim1703$ cm^{-1},液态为 1715 cm^{-1}。溶剂对吸收峰位置亦有影响,极性强的溶剂常与极性强的溶质相互作用,使吸收峰位置与强度发生变化。因此在查阅文献和标准图谱时对上述因素也要予以注意。

习题 5-39　为什么丙二酸和丁二酸的羰基都有两个吸收峰?

HOOCCH$_2$COOH　　　　　　　　　　$\sigma_{C=O}$ 1740 cm^{-1}　　　　1710 cm^{-1}

HOOCCH$_2$CH$_2$COOH　　　　　　　$\sigma_{C=O}$ 1780 cm^{-1}　　　　1700 cm^{-1}

习题 5-40　已知苯甲酰卤羰基的基频是 1774 cm^{-1},碳碳弯曲振动的频率是 $880\sim860$ cm^{-1},为什么在图谱上却出现了 1773 cm^{-1} 和 1736 cm^{-1} 两个羰基的吸收峰?

习题 5-41 游离羧酸 C=O 的吸收频率为 1 760 cm^{-1} 左右,而羧酸二聚体的 C=O 吸收频率为 1 700 cm^{-1} 左右,试阐明理由。

习题 5-42 对各类化合物重要官能团的特征吸收峰的情况进行归纳总结,然后完成下面的表格。

化合物类型	重要官能团	吸收峰频率/cm^{-1}	吸收强度

(三) 核 磁 共 振

核磁共振(Nuclear Magnetic Resonance)简称为 NMR。

5.10 核磁共振的基本原理

5.10.1 原子核的自旋

核磁共振主要是由原子核的自旋运动引起的。不同的原子核,自旋运动的情况不同,它们可以用核的自旋量子数 I 来表示。自旋量子数与原子的质量数和原子序数之间存在一定的关系,大致分为三种情况,见表 5-13。

表 5-13 原子核的自旋量子数

分类	质量数	原子序数	自旋量子数 I	NMR 信号
I	偶数	偶数	0	无
II	偶数	奇数	1,2,3,…(I 为整数)	有
III	奇数	奇数或偶数	$\frac{1}{2},\frac{3}{2},\frac{5}{2},\cdots$($I$ 为半整数)	有

I 值为零的原子核可以看做是一种非自旋的球体,I 为 1/2 的原子核可以看做是一种电荷分布均匀的自旋球体,^1H,^{13}C,^{15}N,^{19}F,^{31}P 的 I 均为 1/2,它们的原子核皆为电荷分布均匀的自旋球体。I 大于 1/2 的原子核可以看做是一种电荷分布不均匀的自旋椭圆体。

5.10.2 核磁共振现象

原子核是带正电荷的粒子,不能自旋的核没有磁矩,能自旋的核有循环的电流,会产生磁场,形成磁矩（μ）。

$$\mu = \gamma P \qquad (5-5)$$

式中，P 是角动量矩，γ 是磁旋比，它是自旋核的磁矩和角动量矩之间的比值，因此是各种核的特征常数。

当自旋核（spin nuclear）处于磁感应强度为 B_0 的外磁场中时，除自旋外，还会绕 B_0 运动，这种运动情况与陀螺的运动情况十分相像，称为拉莫尔进动（larmor process）。自旋核进动的角速度 ω_0 与外磁场感应强度 B_0 成正比，比例常数即为磁旋比（magnetogyric ratio）γ。式中 ν_0 是进动频率。

$$\omega_0 = 2\pi\nu_0 = \gamma B_0 \qquad (5-6)$$

原子核在无外磁场中的运动情况如图 5-24，微观磁矩在外磁场中的取向是量子化的（方向量子化），自旋量子数为 I 的原子核在外磁场作用下只可能有 $2I+1$ 个取向，每一个取向都可以用一个自旋磁量子数 m 来表示，m 与 I 之间的关系是

$$m = I, I-1, I-2 \cdots -I$$

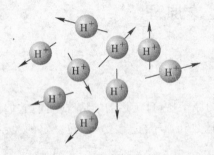

图 5-24 原子核在无外磁场中的运动情况

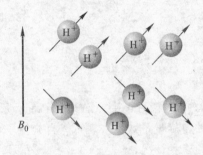

图 5-25 ^{1}H 自旋核在外磁场中的两种取向示意图

原子核的每一种取向都代表了核在该磁场中的一种能量状态，I 值为 1/2 的核在外磁场作用下只有两种取向（见图 5-25），各相当于 $m=1/2$ 和 $m=-1/2$，这两种状态之间的能量差 ΔE 值为

$$\Delta E_{\text{zeeman}} = \gamma h B_0 / 2\pi \qquad (5-7)$$

一个核要从低能态跃迁到高能态，必须吸收 ΔE 的能量。让处于外磁场中的自旋核接受一定频率的电磁波辐射，当辐射的能量恰好等于自旋核两种不同取向的能量差时，处于低能态的自旋核吸收电磁辐射能跃迁到高能态。这种现象称为核磁共振。当频率为 $\nu_{\text{射}}$ 的射频照射自旋体系时，由于该射频的能量 $E_{\text{射}} = h\nu_{\text{射}}$，因此核磁共振要求的条件为

$$h\nu_{\text{射}} = \Delta E_{\text{zeeman}} \quad (\text{即 } 2\pi\nu_{\text{射}} = \omega_{\text{射}} = \omega_0 = \gamma B_0) \qquad (5-8)$$

目前研究得最多的是 ^{1}H 的核磁共振和 ^{13}C 的核磁共振。^{1}H 的核磁共振称为质子磁共振（Proton Magnetic Resonance），简称 PMR，也表示为 ^{1}H-NMR。^{13}C 核磁共振（Carbon-13 Nuclear Magnetic Resonance）简称 CMR，也表示为 ^{13}C-NMR。

5.10.3 ^{1}H 的核磁共振 饱和与弛豫

^{1}H 的自旋量子数是 $I=1/2$,所以自旋磁量子数 $m=\pm 1/2$,即氢原子核在外磁场中应有两种取向。见图 5-25。^{1}H 的两种取向代表了两种不同的能级,在磁场中,$m=1/2$ 时,$E=-\mu \boldsymbol{B}_0$,能量较低,$m=-1/2$ 时,$E=\mu \boldsymbol{B}_0$,能量较高,两者的能量差为 $\Delta E=2\mu \boldsymbol{B}_0$,见图 5-26。

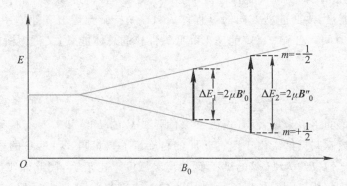

图 5-26 在外磁场作用下,^{1}H 自旋能级的裂分示意图

式(5-8),式(5-9)说明:处于低能级的 ^{1}H 核吸收 $E_{\text{射}}$ 的能量时就能跃迁到高能级。也即只有当电磁波的辐射能等于 ^{1}H 的能级差时,才能发生 ^{1}H 的核磁共振。

$$E_{\text{射}}=h\nu_{\text{射}}=\Delta E_{\text{zeeman}}=h\nu_0 \tag{5-9}$$

因此 ^{1}H 发生核磁共振的条件是必须使电磁波的辐射频率等于 ^{1}H 的进动频率,即符合下式。

$$\nu_{\text{射}}=\nu_0=\frac{\gamma \boldsymbol{B}_0}{2\pi} \tag{5-10}$$

由式(5-10)可知:要使 $\nu_{\text{射}}=\nu_0$,可以采用两种方法。一种是固定磁感应强度 $\boldsymbol{B}_0$,逐渐改变电磁波的辐射频率 $\nu_{\text{射}}$,进行扫描,当 $\nu_{\text{射}}$ 与 $\boldsymbol{B}_0$ 匹配时,发生核磁共振。这种方法称为扫频。另一种方法是固定辐射波的辐射频率 $\nu_{\text{射}}$,然后从低场到高场,逐渐改变 $\boldsymbol{B}_0$,当 $\boldsymbol{B}_0$ 与 $\nu_{\text{射}}$ 匹配时,也会发生核磁共振(见图 5-27)。这种方法称为扫场。一般仪器都采用扫场的方法。

在外磁场的作用下,有较多 ^{1}H 倾向于与外磁场取顺向的排列,即处于低能态的核数目比处于高能态的核数目多,但由于两个能级之间能差很小,前者比后者只占微弱的优势。^{1}H-

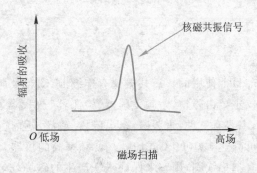

图 5-27 核磁共振谱

NMR 的讯号正是依靠这些微弱过剩的低能态核吸收射频电磁波的辐射能跃迁到高能级而产生的。如高能态核无法返回到低能态,那么随着跃迁的不断进行,这种微弱的优势将进一步减弱直

到消失,此时处于低能态的^{1}H核数目与处于高能态^{1}H核数目逐渐趋于相等,与此同步,PMR的讯号也会逐渐减弱直到最后消失。上述这种现象称为饱和。

^{1}H核可以通过非辐射的方式从高能态转变为低能态,这种过程称为弛豫(relaxation),正是因为各种机制的弛豫,使得在正常测试情况下不会出现饱和现象。弛豫的方式有两种,处于高能态的核通过交替磁场将能量转移给周围的分子,即体系往环境释放能量,本身返回低能态,这个过程称为自旋晶格弛豫。其速率用$1/T_1$表示,T_1称为自旋晶格弛豫时间。自旋晶格弛豫降低了磁性核的总体能量,又称为纵向弛豫。两个处在一定距离内,进动频率相同、进动取向不同的核互相作用,交换能量,改变进动方向的过程称为自旋-自旋弛豫。其速率用$1/T_2$表示,T_2称为自旋-自旋弛豫时间。自旋-自旋弛豫未降低磁性核的总体能量,又称为横向弛豫。

5.10.4 ^{13}C的核磁共振 丰度和灵敏度

天然丰富的^{12}C的I值为零,没有核磁共振信号。^{13}C的I值为1/2,有核磁共振信号。通常说的碳谱就是^{13}C核磁共振谱。由于^{13}C与^{1}H的自旋量子数相同,所以^{13}C的核磁共振原理与^{1}H相同。但^{13}C核的γ值仅约为^{1}H核的1/4,而检出灵敏度正比于γ^3,因此即使是丰度100%的^{13}C核,其检出灵敏度也仅为^{1}H核的1/64,再加上^{13}C的丰度仅为1.1%,所以,其检出灵敏度仅约为^{1}H核的1/6000。这说明不同原子核在同一磁场中被检出的灵敏度差别很大。^{13}C的天然丰度只有^{12}C的1.108%。由于被检灵敏度小,丰度又低,因此检测^{13}C比检测^{1}H在技术上有更多的困难。表5-14是几个自旋量子数为1/2的原子核的天然丰度和相对灵敏度。

表 5-14   **几个自旋核的天然丰度**

元 素 核	天然丰度/%
^{1}H	99.9844
^{13}C	1.108
^{15}N	0.365
^{19}F	100
^{31}P	100

5.10.5 核磁共振仪

目前使用的核磁共振仪有连续波(CN)及脉冲傅里叶(PFT)变换两种形式。连续波核磁共振仪主要由磁铁、射频发射器、检测器、放大器及记录仪等组成(见图5-28)。磁铁用来产生磁场,主要有三种:永久磁铁,电磁铁[磁感应强度可高达24000 Gs(2.4 T)],超导磁铁[磁感应强度可高达190000 Gs(19 T)]。频率高的仪器,分辨率好,灵敏度高,图谱简单易于分析。磁铁上备有扫描线圈,用它来保证磁铁产生的磁场均匀,并能在一个较窄的范围内连续精确变化。射频发射器用来产生固定频率的电磁辐射波。检测器和放大器用来检测和放大共振信号。记录仪将共振信号绘制成共振图谱。

20世纪70年代中期出现了脉冲傅里叶核磁共振仪,它的出现使^{13}C核磁共振的研究得以迅速开展。

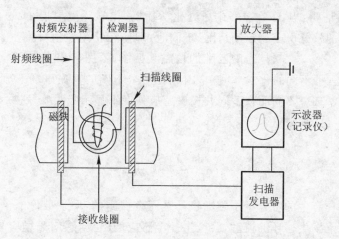

图 5-28 核磁共振仪示意图

氢 谱

氢的核磁共振谱提供了三类极其有用的信息：化学位移、偶合常数、积分曲线。应用这些信息，可以推测质子在碳胳上的位置，下面予以讨论。

5.11 化 学 位 移

5.11.1 化学位移

根据前面讨论的基本原理，^{1}H 在某一照射频率下，只能在某一磁感应强度下发生核磁共振。例如：照射频率为 60 MHz，磁感应强度是 14.092 Gs（14.092×10^{-4} T），100 MHz—23.486 Gs

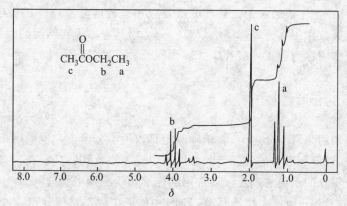

图 5-29 乙酸乙酯的核磁共振氢谱

$(23.486 \times 10^{-4}$ T$)$,200 MHz—46.973 Gs$(46.973 \times 10^{-4}$ T$)$。600 MHz—140.920 Gs$(140.920 \times 10^{-4}$ T$)$。但实验证明:当 ^{1}H 在分子中所处化学环境(化学环境是指 ^{1}H 的核外电子以及与 ^{1}H 邻近的其它原子核的核外电子的运动情况)不同时,即使在相同照射频率下,也将在不同的共振磁场下显示吸收峰。图 5-29 是乙酸乙酯的核磁共振图谱,图谱表明:乙酸乙酯中的 8 个氢,由于分别处在 a,b,c 三种不同的化学环境中,因此在三个不同的共振磁场下显示吸收峰。同种核由于在分子中的化学环境不同而在不同共振磁感应强度下显示吸收峰,这称为化学位移(chemical shift)。

5.11.2　屏蔽效应和化学位移的起因

化学位移是怎样产生的?分子中磁性核不是完全裸露的,质子被价电子包围着。这些电子在外界磁场的作用下发生循环的流动,会产生一个感应的磁场,感应磁场应与外界磁场相反(楞次定律),所以,质子实际上感受到的有效磁感应强度应是外磁场感应强度减去感应磁场强度。即

$$B_{有效} = B_0(1-\sigma) = B_0 - B_0\sigma = B_0 - B_{感应} \qquad (5-11)$$

核外电子对核产生的这种作用称为屏蔽效应(shielding effect),也叫抗磁屏蔽效应(diamagnetic effect)。σ 称为屏蔽常数(shielding constant)。与屏蔽较少的质子比较,屏蔽多的质子对外磁场感受较少,将在较高的外磁场 B_0 作用下才能发生共振吸收。由于磁力线是闭合的,因此感应磁场在某些区域与外磁场的方向一致,处于这些区域的质子实际上感受到的有效磁场应是外磁场 B_0 加上感应磁场 $B_{感应}$。这种作用称为去屏蔽效应(deshielding effect),也称为顺磁去屏蔽效应 (paramagnetic effect)。受去屏蔽效应影响的质子在较低外磁场 B_0 作用下就能发生共振吸收。综上所述:质子发生核磁共振实际上应满足:

$$\nu_{射} = \frac{\gamma B_{有效}}{2\pi} \qquad (5-12)$$

因在相同频率电磁辐射波的照射下,不同化学环境的质子受的屏蔽效应各不相同,因此它们发生核磁共振所需的外磁场 B_0 也各不相同,即发生了化学位移。

对 ^{1}H 化学位移产生主要影响的是局部屏蔽效应和远程屏蔽效应。核外成键电子的电子云密度对该核产生的屏蔽作用称为局部屏蔽效应。分子中其它原子和基团的核外电子对所研究的原子核产生的屏蔽作用称为远程屏蔽效应。远程屏蔽效应是各向异性的。

5.11.3　化学位移的表示

化学位移的差别约为百万分之十,要精确测定其数值十分困难。现采用相对数值表示法,即选用一个标准物质,以该标准物的共振吸收峰所处位置为零点,其它吸收峰的化学位移值根据这些吸收峰的位置与零点的距离来确定。最常用的标准物质是四甲基硅 $(CH_3)_4$Si(tetramethylsilicon)简称 TMS。选 TMS 为标准物是因为:TMS 中的四个甲基对称分布,因此所有氢都处在相同的化学环境中,它们只有一个锐利的吸收峰。另外,TMS 的屏蔽效应很高,共振吸收在高场出

现,而且吸收峰的位置处在一般有机物中的质子不发生吸收的区域内。现规定化学位移用 δ 来表示,四甲基硅吸收峰的 δ 值为零,其峰右边的 δ 值为负,左边的 δ 值为正。测定时,可把标准物与样品放在一起配成溶液,这称为内标准法。也可将标准物用毛细管封闭后放入样品溶液中进行测定,这称为外标准法。

由于感应磁场与外磁场的 B_0 成正比,所以屏蔽作用引起的化学位移也与外加磁场 B_0 成正比。在实际测定工作中,为了避免因采用不同磁感应强度的核磁共振仪而引起化学位移的变化,δ 一般都应用相对值来表示,其定义为

$$\delta = \frac{\nu_{样} - \nu_{标}}{\nu_{仪}} \times 10^6 \tag{5-13}$$

在式(5-13)中,$\nu_{样}$ 和 $\nu_{标}$ 分别代表样品和标准化合物的共振频率,$\nu_{仪}$ 为操作仪器选用的频率。多数有机物的质子信号发生在 $0\sim10$ 处,零是高场,10 是低场。

5.11.4 影响化学位移的因素

化学位移取决于核外电子云密度,因此影响电子云密度的各种因素都对化学位移有影响,影响最大的是电负性和各向异性效应。

(1) 电负性　电负性对化学位移的影响可概述为:电负性大的原子(或基团)吸电子能力强,[1]H 核附近的吸电子基团使质子峰向低场移(左移),给电子基团使质子峰向高场移(右移)。这是因为吸电子基团降低了氢核周围的电子云密度,屏蔽效应也就随之降低,所以质子的化学位移向低场移动。给电子基团增加了氢核周围的电子云密度,屏蔽效应也就随之增加,所以质子的化学位移向高场移动。下面是一些实例。

实例一

电负性	C 2.6	N 3.0	O 3.5
δ	$C-CH_3(0.77\sim1.88)$	$N-CH_3(2.12\sim3.10)$	$O-CH_3(3.24\sim4.02)$

实例二

电负性	Cl 3.1	Br 2.9	I 2.6
δ	$CH_3-Cl(3.05)$	$CH_3-Br(2.68)$	$CH_3-I(2.16)$
	$CH_2-Cl_2(5.30)$		
	$CH-Cl_3(7.27)$		

电负性对 [1]H 化学位移的影响是通过化学键起作用的,它产生的屏蔽效应属于局部屏蔽效应。

习题 5-43　用草图表示 $CH_3CH_2CH_2NO_2$ 的三类质子在核磁共振图谱中的相对位置,并简单阐明理由。

（2）各向异性效应　当分子中某些基团的电子云排布不呈球形对称时，它对邻近的 ^{1}H 核产生一个各向异性的磁场，从而使某些空间位置上的核受屏蔽，而另一些空间位置上的核去屏蔽，这一现象称为各向异性效应（anisotropic effect）。下面是各向异性效应的几个典型例子。

当乙烯受到与双键平面垂直的外磁场的作用时，乙烯双键上的 π 电子环电流产生一个与外加磁场对抗的感应磁场，该感应磁场在双键及双键平面上、下方与外磁场方向相反，所以将该区域称为屏蔽区，在图 5-30 中用"+"表示。处于屏蔽区的质子必须增大外加磁场的感应强度才能发生核磁共振，所以质子峰移向高场，δ 值小。由于磁力线的闭合性，在双键的周围侧面，感应磁场的方向与外加磁场方向一致，所以将该区域称为去屏蔽区，在图中用"−"表示。处于去屏蔽区的质子，其共振信号出现在低场，δ 值较大。连在双键碳上的氢处在去屏蔽区，所以它的 δ 值较烷烃中 CH_2 的质子的 δ 值大。

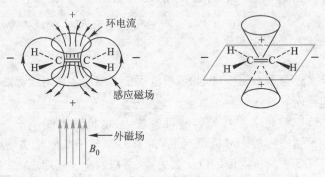

图 5-30　乙烯的各向异性效应

当乙炔受到与乙炔分子平行的外磁场作用时（图 5-31），乙炔圆筒形 π 电子环电流产生一个与外磁场对抗的感应磁场，与乙烯类似，由于磁力线的闭合性，它也在分子中形成屏蔽区和去屏蔽区。炔氢正好处于屏蔽区，所以化学位移在较高场，δ 值较低，为 2.8。

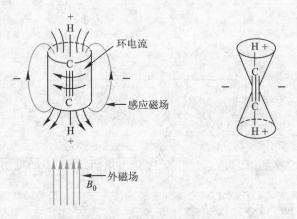

图 5-31　乙炔的各向异性效应

同理，苯在受到与苯环平面垂直的外磁场作用时（图 5-32），苯环 π 电子环电流产生的感应磁场也使苯分子的整个空间划分为屏蔽区和去屏蔽区,苯环上的六个氢恰好都处于去屏蔽区,所以化学位移在低场,δ 值较大,为 7.26。

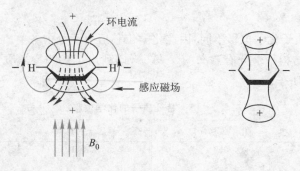

图 5−32 苯的各向异性效应

许多分子,例如,醛、酮、酯、羧基、肟等都会产生各向异性效应,碳碳单键和碳氢单键亦有各向异性效应。各向异性效应是远程屏蔽效应。

习题 5−44 醛基上质子的化学位移处于低场还是高场? 用羰基的磁各向异性效应解释原因。

习题 5−45 为什么下面化合物环内氢的 δ 值为 −2.99,而环外氢的 δ 值为 9.28?

除电负性和各向异性的影响外,氢键、溶剂效应、van der Waals 效应也对化学位移有影响。氢键对羟基质子化学位移的影响与氢键的强弱及氢键的电子给予体的性质有关,在大多数情况下,氢键产生去屏蔽效应,使 ^{1}H 的 δ 值移向低场。有时同一种样品使用不同的溶剂也会使化学位移值发生变化,这称为溶剂效应。活泼氢的溶剂效应比较明显。能引起溶剂效应的因素很多,例如 N,N − 二甲基甲酰胺在 $CDCl_3$ 中测定时,$\delta_{aH} > \delta_{\beta H}$,而在被测物中加入适量苯溶剂后可使 $\delta_{\beta H} > \delta_{aH}$,这是因为苯能与之形成复合物,而使两种氢处于不同的屏蔽区所致。当取代基与共振

核之间的距离小于 van der Waals 半径时,取代基周围的电子云与共振核周围的电子云就互相排斥,结果使共振核周围的电子云密度降低,使质子受到的屏蔽效应明显下降,质子峰向低场移动,这称为 van der Waals 效应。氢键的影响、溶剂效应、van der Waals 效应在剖析 NMR 图谱时很有用。

5.12　特征质子的化学位移

　　由于不同类型的质子化学位移不同,因此化学位移值对于分辨各类质子是重要的,而确定质子类型对于阐明分子结构是十分有意义的。表5-15列出了一些特征质子的化学位移,表中黑体字的 H 是要研究的质子。

表5-15　特征质子的化学位移

质子的类型	化学位移(δ)	质子的类型	化学位移(δ)
RCH_3	0.9	$ArOH$	4.5~7.7(分子内缔合
R_2CH_2	1.3		10.5~16)
R_3CH	1.5	$R_2C=CR-OH$	15~19(分子内缔合)
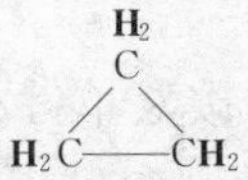 $\begin{array}{c} H_2 \\ C \\ H_2C\diagup \diagdown CH_2 \end{array}$	0.22	RCH_2OH	3.4~4
$R_2C=CH_2$	4.5~5.9	$ROCH_3$	3.5~4
$R_2C=CRH$	5.3	$RCHO$	9~10
$R_2C=CR-CH_3$	1.7	$RCOCR_2-H$	2~2.7
$RC≡CH$	7~3.5	HCR_2COOH	2~2.6
$ArCR_2-H$	2.2~3	$R_2CHCOOH$	10~12
$Ar-H$	6~8.5	HCR_2COOR	2~2.2
RCH_2F	4~4.5	$RCOOCH_3$	3.7~4
RCH_2Cl	3~4	$RC≡CCOCH_3$	2~3
RCH_2Br	3.5~4	RNH_2　R_2NH	0.5~5(峰不尖锐,
RCH_2I	3.2~4		常呈馒头形)
ROH	0.5~5.5(温度、溶剂、	$RCONRH$　$ArCONRH$	5~9.4
	浓度改变时影响很大)		

习题 5-46　请将表5-15改为图示形式。

　　下面再来讨论各类有机物分子中的质子的化学位移。

5.12.1　烷烃

　　甲烷氢的化学位移值为0.23,其它开链烷烃中,一级质子在高场$\delta\approx 0.9$处出现,二级质子移向低场在$\delta\approx 1.33$处出现,三级质子移向更低场在$\delta\approx 1.5$处出现。例如:

$$
\begin{array}{ccccc}
 & CH_4 & CH_3-CH_3 & CH_3-CH_2-CH_3 & (CH_3)_3CH \\
\delta & 0.23 & 0.86\quad 0.86 & 0.91\quad 1.33\quad 0.91 & 0.86\quad 1.50
\end{array}
$$

甲基峰一般具有比较明显的特征,亚甲基峰和次甲基峰没有明显的特征,而且常呈很复杂的峰形,不易辨认。当分子中引入其它官能团后,甲基、次甲基及亚甲基的化学位移会发生变化,但其

δ值极少超出 0.7~4.5 这一范围。

环烷烃能以不同构象形式存在,未被取代的环烷烃处在一确定的构象中时,由于碳碳单键的各向异性屏蔽作用,不同氢的δ值略有差异。例如,在环己烷的椅型构象中,由于 C-1 上的平伏键氢处于 C(2)—C(3)键及 C(5)—C(6)键的去屏蔽区,而 C-1 上的直立键氢不处在去屏蔽区,见图 5-33。所以平伏键氢比直立键氢的化学位移略高 0.2~0.5。在低温(-100 ℃)构象固定时,NMR 谱图上可以清晰地看出两个吸收峰,一个代表直立键氢,一个代表平伏键氢。但在常温下,由于构象的迅速转换(图 5-34),一般只看到一个吸收峰(图 5-35)。

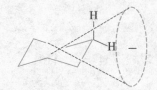

图 5-33　环己烷的各向异性屏蔽效应

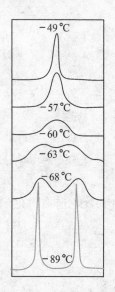

图 5-35　$C_6D_{11}H$ 在不同温度下的 ^1H-NMR 谱

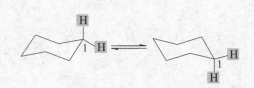

图 5-34　环己烷构象的转换

其它未取代的环烷烃在常温下也只有一个吸收峰。环丙烷的δ值为 0.22,环丁烷的δ值为 1.96,别的环烷烃的δ值在 1.5 左右。取代环烷烃中,环上不同的氢有不同的化学位移,它们的图谱有时呈比较复杂的峰形,不易辨认。

5.12.2　烯烃

烯氢是与双键碳相连的氢,由于碳碳双键的各向异性效应,烯氢与简单烷烃的氢相比,δ值均向低场移动 3~4。乙烯氢的化学位移约为 5.25,不与芳基共轭的取代烯氢的化学位移约在 4.5~6.5 范围内变化,与芳基共轭时,δ值将增大。乙烯基对甲基、亚甲基、次甲基的化学位移也有影响。例如:

	CH_4	CH_3—CH =CH_2		CH_3—CH_3	CH_3—CH_2—CH =CH_2			$(CH_3)_2CH_2$	$(CH_3)_2CH$—CH =CH_2
δ	0.23	1.71		0.86	0.86	1.00	2.00	1.33	1.73

从上面的数据可以看出,同碳上有乙烯基的氢,δ值约在 1.59~2.14 之间,变化较大,邻碳上有乙烯基的氢,δ值变化较小。

习题 5-47　烯氢的化学位移也可以用下面的公式来近似估算：

$$\delta_{C=C-H} = 5.25 + Z_{同} + Z_{顺} + Z_{反}$$

下表列出了一些取代基对烯氢化学位移的影响值。

取代基(A—)	$Z_{同}$	$Z_{顺}$	$Z_{反}$	取代基(A—)	$Z_{同}$	$Z_{顺}$	$Z_{反}$
R—	0.44	−0.26	−0.29	RCOO—	2.09	−0.40	−0.67
—C=C— |　|	0.98	−0.04	−0.21	OHC—	1.03	0.97	1.21
—C≡C—	0.50	0.35	0.10	RCO—	1.10	1.13	0.81
Ar—	1.35	0.37	−0.10	HOOC—	1.00	1.35	0.74
ArCH₂—	1.05	−0.29	−0.32	ROOC—	0.84	1.15	0.56
F—	1.03	−0.89	−1.19	ClCO—	1.10	1.41	0.19
Cl—	1.00	0.19	0.03	⟩NCO—	1.37	0.93	0.35
Br—	1.04	0.40	0.55	R₂N—	0.69	−1.19	−1.31
I—	1.14	0.81	0.88	⟩NCH₂—	0.66	−0.05	−0.23
RO—	1.38	−1.06	−1.28	NC—	0.23	0.78	0.58

请应用公式和表中的数据计算下列化合物中烯氢的化学位移值。

(i)　H_3CO＼／OCH_3
　　　H　　　H

(ii)　Br＼／Br
　　　H　　CH_2Ar

(iii)　C_6H_5＼／H_a
　　　H_b　　COOR

(iv)　Br＼／Cl
　　　H　　COOH

(v)　C_2H_5＼／CH_2NH_2
　　　H_b　　H_a

(vi)　NC＼／CHO
　　　H　　OC_2H_5

习题 5-48　查阅和分析3,3-二甲基-1-丁烯的核磁共振氢谱，指出该化合物中有几组峰？请按化学位移值由大到小的次序排列，并阐明理由。

5.12.3　炔烃

炔基氢是与三键碳相连的氢，由于炔键的屏蔽作用，炔氢的化学位移移向高场，一般 $\delta = 1.7 \sim 3.5$ 处有一吸收峰。例如，$HC \equiv CH(1.80)$，$RC \equiv CH(1.73 \sim 1.88)$，$ArC \equiv CH(2.71 \sim 3.37)$，$—CH = CH—C \equiv CH(2.60 \sim 3.10)$，$—C \equiv C—C \equiv CH(1.75 \sim 2.42)$，$CH_3—C \equiv C—C \equiv C—C \equiv CH(1.87)$。$HC \equiv C—$ 若连在一个没有氢的原子上，则炔氢显示一个尖锐的单峰。炔基对甲基、亚甲基的化学位移有影响，与炔基直接相连的碳上的氢化学位移影响最大，其 δ 值约为 $1.8 \sim 2.8$。

习题 5-49　查阅和分析 3,3-二甲基-1-丁炔的核磁共振谱，指出该化合物中有几组峰？请按化学位移值由大到小的次序排列，并阐明理由。

5.12.4 芳烃

由于受 π 电子环流的去屏蔽作用,芳氢的化学位移移向低场,苯上氢的 $\delta=7.27$。萘上的质子受两个芳环的影响,δ 值更大,α 质子的 δ 为 7.81,β 质子的 δ 为 7.46。一般芳环上质子的 δ 值在 6.3～8.5 范围内,杂环芳香质子的 δ 值在 6.0～9.0 范围内。

习题 5-50 芳环氢的化学位移也可以用经验公式 $\delta=7.27-\sum S$ 来进行估算。$\sum S$ 表示所有取代基对芳氢化学位移的影响。下表列出了取代基对苯基芳氢影响的 S 值。

取代基	$S_邻$	$S_间$	$S_对$	取代基	$S_邻$	$S_间$	$S_对$
CH_3-	0.17	0.09	0.18	CH_3O-	0.43	0.09	0.37
CH_3CH_2-	0.15	0.06	0.18	$OHC-$	-0.58	-0.21	-0.27
$(CH_3)_2CH-$	0.14	0.09	0.18	$-COCH_3$	-0.64	-0.09	-0.30
$(CH_3)_3C-$	-0.01	-0.10	0.24	$HOOC-$	-0.8	-0.14	-0.2
$RCH=CH-$	-0.13	-0.03	-0.13	$-COCl$	-0.83	-0.16	-0.3
$HOCH_2-$	0.1	0.1	0.1	CH_3OOC-	-0.74	-0.07	-0.20
Cl_3C-	-0.8	-0.2	-0.2	CH_3COO-	0.21	0.02	
$F-$	0.30	0.02	0.22	$NC-$	-0.27	-0.11	-0.3
$Cl-$	-0.02	-0.06	0.04	O_2N-	-0.95	-0.17	-0.33
$Br-$	-0.22	-0.13	0.03	H_2N-	0.75	0.24	0.63
$I-$	-0.40	-0.26	0.03	$(CH_3)_2N-$	0.60	0.10	0.62
$HO-$	0.50	0.14	0.4	CH_3CONH-	-0.31	-0.06	

请应用公式和表中的数据计算下面化合物芳环上氢的化学位移值。

5.12.5 卤代烃

由于卤素电负性较强,因此使直接相连的碳和邻近碳上质子所受屏蔽降低,质子的化学位移向低场方向移动,影响按 F,Cl,Br,I 的次序依次下降。与卤素直接相连的碳原子上的质子化学位移一般在 $\delta=2.16～4.4$ 之间,相邻碳上质子所受影响减小,$\delta=1.25～1.55$ 之间,相隔一个碳原子时,影响更小,$\delta=1.03～1.08$ 之间。

5.12.6 醇酚醚羧酸胺

醇的核磁共振谱的特点参见 5.14。醚 $\alpha-H$ 的化学位移约在 3.54 附近。

酚羟基氢的核磁共振的 δ 值很不固定,受温度、浓度、溶剂的影响很大,只能列出它的大致范围。一般酚羟基氢的 δ 值在 $4 \sim 8$ 范围内,发生分子内缔合的酚羟基氢的 δ 值在 $10.5 \sim 16$ 范围内。

羧酸 $\alpha-H$ 的化学位移在 $2 \sim 2.6$ 之间。羧酸中羧基的质子由于受两个氧的吸电子作用,屏蔽大大降低,化学位移在低场。$R_2CHCOOH$ $\delta_H = 10 \sim 12$。

胺中,氮上质子一般不容易鉴定,由于氢键程度不同,改变很大,有时 N—H 和 C—H 质子的化学位移非常接近,所以不容易辨认。一般情况:$\alpha-H$ $\delta = 2.7 \sim 3.1$,$\beta-H$ $\delta = 1.1 \sim 1.71$。N—H $\delta = 0.5 \sim 5$,RNH_2,R_2NH 的 δ 值的大致范围在 $0.4 \sim 3.5$,$ArNH_2$,Ar_2NH,$ArNHR$ 的 δ 值的大致范围在 $2.9 \sim 4.8$ 之间。

5.12.7 羧酸衍生物

酯中烷基上的质子 $RCOOCH_2R$ 的化学位移,$\delta_H = 3.7 \sim 4$。酰胺中氮上的质子 $RCONHR$ 的化学位移,一般在 $\delta_H = 5 \sim 9.4$ 之间,往往不能给出一个尖锐的峰。

羰基或氰基附近 α 碳上的质子具有类似的化学位移,$\delta_H = 2 \sim 3$,例如,CH_3COCl $\delta_H = 2.67$,CH_3COOCH_3 $\delta_H = 2.03$,RCH_2COOCH_3 $\delta_H = 2.13$,CH_3CONH_2 $\delta_H = 2.08$,RCH_2CONH_2 $\delta_H = 2.23$,CH_3CN $\delta_H = 1.98$,RCH_2CN $\delta_H = 2.3$。

习题 5-51 分别将下列每个化合物中的质子按化学位移值由大到小的次序排列成序。

(i) CH_3CH_2CHO

(ii) $ClCH_2COOH$

(iii) F_2CHCH_2Cl

(iv) $CH_3COOCH_2CH_3$

(v) $(CH_3)_2CHCH_2Br$

(vi) $CH_3CH_2SCH_2CH_2OH$

(vii) 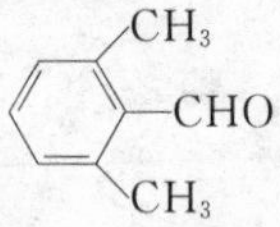 邻二甲基苯甲醛（苯环上带两个 CH_3 和一个 —CHO）

(viii) HO—〇—CH_2OH

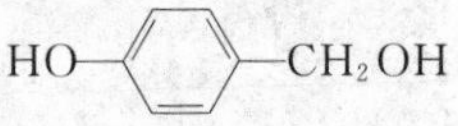

5.13 偶 合 常 数

5.13.1 自旋偶合和自旋裂分

图 5-36、图 5-37 两张图谱分别是低分辨核磁共振仪和高分辨核磁共振仪所作的乙醛 (CH_3CHO) 的 PMR 图谱。对比这两张图谱可以发现,用低分辨核磁共振仪作的图谱,乙醛只有两个单峰。在高分辨图谱中,得到的是二组峰,它们分别是二重峰、四重峰。乙醛在低分辨图谱和高分辨图谱中峰数不等是因为在分子中,不仅核外的电子会对质子的共振吸收产生影响,邻近质子之间也会因互相之间的作用影响对方的核磁共振吸收。并引起谱线增多。这种原子核之间

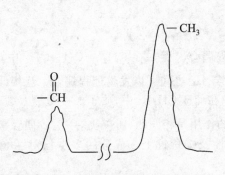

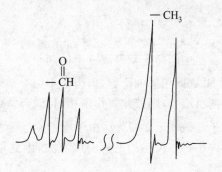

图 5-36 乙醛的低分辨核磁共振谱图   图 5-37 乙醛的高分辨核磁共振谱图

的相互作用称为自旋-自旋偶合(spin-spin coupling),简称自旋偶合(spin coupling)。因自旋偶合而引起的谱线增多的现象称为自旋-自旋裂分,简称自旋裂分。

5.13.2 自旋偶合的起因

谱线裂分是怎样产生的? 在外磁场的作用下,质子是会自旋的,自旋的质子会产生一个小的磁矩,通过成键价电子的传递,对邻近的质子产生影响。质子的自旋有两种取向,假如外界磁场感应强度为 B_0,自旋时与外磁场取顺向排列的质子,使受它作用的邻近质子感受到的总磁感应强度为 B_0+B',自旋时与外磁场取逆向排列的质子,使邻近的质子感受到的总磁感应强度为 B_0-B',因此当发生核磁共振时,一个质子发出的信号就分裂成了两个,这就是自旋裂分。一般只有相隔三个化学键之内的不等价的质子间才会发生自旋裂分的现象。

5.13.3 偶合常数

自旋偶合的量度称为自旋的偶合常数(coupling constant),用符号 J 表示,J 值的大小表示了偶合作用的强弱。J 的左上方常标以数字,它表示两个偶合核之间相隔键的数目,J 的右下方则标以其它信息。例如,$^3J_{H-C-C-H}$ 表示两个相邻碳上的质子发生偶合,它们中间相隔有三个化学键。J_{ab} 表示质子 a 被质子 b 裂分。处于同一个碳上的两个氢的偶合称为同碳偶合,偶合常数用 $J_{同}$ 或 $^2J_{H-C-H}$ 表示。$^3J_{反}$ 表示双键上反式质子间的偶合。超过三个键的偶合称为远程偶合。偶合常数的单位是 Hz(赫兹),也可以用周/秒、CPS 表示。就其本质来看,偶合常数是质子自旋裂分时的两个核磁共振能之差,它可以通过共振吸收的位置差别来体现,这在图谱上就是裂分峰之间的距离。

偶合常数的大小与两个作用核之间的相对位置有关,随着相隔键数目的增加会很快减弱,一般来讲,两个质子相隔少于或等于三个单键时可以发生偶合裂分,相隔三个以上单键时,偶合常数趋于零。例如在丁酮中,H_a 与 H_b 之间相隔三个单键,因此它们之间可以发生偶合裂分,而 H_a 与 H_c 或 H_b 与 H_c 之间相隔三个以上的单键,它们之间的偶合作用极弱,也即偶合常数趋于零。

$$\overset{O}{\underset{\|}{CH_3CH_2CCH_3}}$$

但中间插入双键或三键的两个质子,可以发生远程偶合。例如在 $CH_2{=}CH{-}CH_3$ 中,H_a 与 H_b 之间相隔四个键,但因其中一个是双键,所以 H_a 与 H_b 之间可以发生远程偶合。互相偶合的两组质子,因彼此间作用相同,偶合常数也相等,例如在 CH_3CH_2Br 中,质子 a 被质子 b 裂分,质子 b 被质子 a 裂分。由于质子 a 与质子 b 互相之间的作用是相同的,所以 $J_{ab}=J_{ba}$。偶合常数的大小还与核上的电荷密度有关,因此取代基的电负性及碳价键上 s 成分的多少均对 J 值有影响。

化学位移随外磁场的改变而改变。偶合常数与化学位移不同,它不随外磁场的改变而改变。因为自旋偶合产生于磁核之间的相互作用,是通过成键电子来传递的,并不涉及外磁场。因此,当由化学位移形成的峰与偶合裂分峰不易区别时,可通过改变外磁场的方法来予以区别。

习题 5−52　下列化合物中,哪些质子可以互相偶合?哪些质子间的偶合常数相等?

(i) $(CH_3)_3\underset{a}{}C\underset{b}{CH_2}\underset{c}{CH_3}$

(ii) $\underset{a}{CH_3}CBr_2\underset{b}{CH_2}\underset{c}{CH_3}$

(iii) $\underset{a}{CH_3}\overset{O}{\underset{\|}{\underset{b}{C}}}\overset{O}{\underset{\|}{\underset{b}{C}}}\underset{c}{CH_3}$

(iv) $\underset{a}{CH_3}COOCH\underset{c}{(CH_3)_2}$

(v) $\overset{\underset{a}{H}}{\underset{\underset{b}{H}}{}}C{=}C\overset{\underset{c}{CH_3}}{\underset{I}{}}$

(vi) $ClCH_2\underset{a}{}\underset{b}{CHCl}CH_2Cl\underset{c}{}$

(vii) $\overset{}{\underset{a}{H}}{-}\overset{O}{\underset{\|}{C}}{-}N\overset{\underset{b}{H}}{\underset{\underset{c}{H}}{}}$

(viii) [结构图]

5.13.4　化学等价、磁等价、磁不等价性

在分子中,具有相同化学位移的核称为化学位移等价的核。分子中两相同原子处于相同的化学环境时称为化学等价(chemical equivalence),化学等价的质子必然具有相同的化学位移,例如 CH_2Cl_2 中的两个 H 是化学等价的,它们的化学位移也是相同的。但具有相同化学位移的质子未必都是化学等价的。判别分子中的质子是否化学等价,对于识谱是十分重要的,通常判别的依据是:分子中的质子,如果可通过对称操作或快速机制互换,它们是化学等价的。通过对称轴旋转而能互换的质子叫等位质子(homotopic proton)。例如化合物(i),(ii),(iii)中的 H_a 和 H_b

(i)　　　　　　　　(ii)　　　　　　　　(iii)

都可以通过 C_2 轴的旋转对称操作互换,因此每个分子中的 H_a、H_b 互为等位质子。等位质子在任何环境中都是化学等价的。通过镜面对称操作能互换的质子叫对映异位质子(enantiotopic proton)。例如化合物(iv),(v)分子中的 H_a 和 H_b 可以通过镜面 m 的对映操作互换,因此它们的 H_a、H_b 是两个对映异位质子。对映异位质子在非手性溶剂中是化学等价的,在手性环境中是非化学等价的。

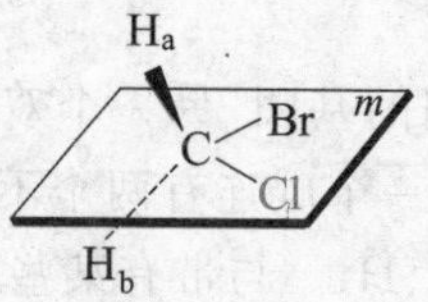

(iv) 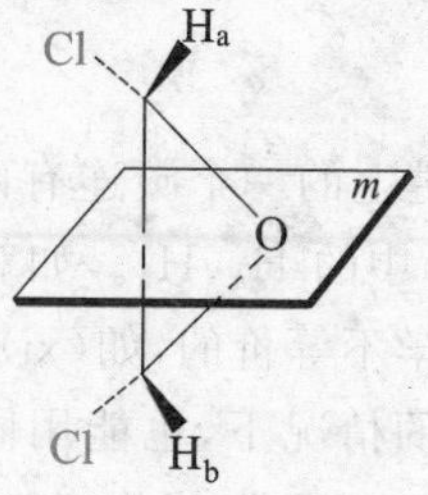　　　　　　　(v)

不能通过对称操作或快速运动进行互换的质子叫做非对映异位质子(diastereotopic proton),例如化合物(vi)分子中的 H_a、H_b 是两个非对映异位质子。非对映异位质子在任何环境中都是化学不等价的。

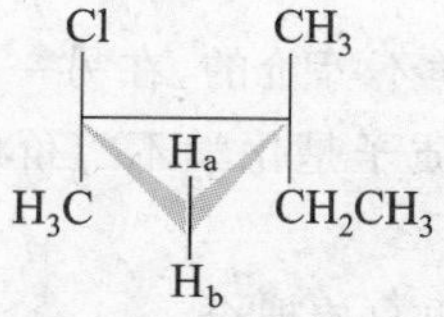

(vi)

一组化学位移等价(chemical shift equivalence)的核,如对组外任何其它核的偶合常数彼此之间也都相同,那么这组核就称为磁等价(magnetic equivalence)核或磁全同核。例如:化合物(vii)分子中的 H_a、H_b 是磁等价的,因为 H_a、H_b 有相同的化学位移,而且它们与 H_c 的偶合常数也彼此相同,即 $J_{H_aH_c} = J_{H_bH_c}$。

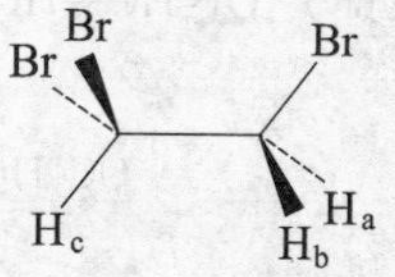

(vii)

显然,磁等价的核一定是化学等价的,而化学等价的核不一定是磁等价的。例如:化合物(viii)中的 H_a、H_b 是化学等价的,但磁不等价,因为 $J_{H_aF_1} \neq J_{H_bF_1}$,$J_{H_aF_2} \neq J_{H_bF_2}$。

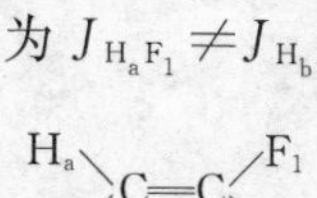

(viii)

在判别分子中的质子是否化学等价时,下面几种情况要予以注意。

(1) 与不对称碳原子相连的 CH_2 上的两个质子是化学不等价的。例如:化合物(ix)中的

H_a、H_b 受不对称碳原子 C-1 的影响是化学不等价的。不对称碳原子的这种影响可以延伸到更远的质子上。

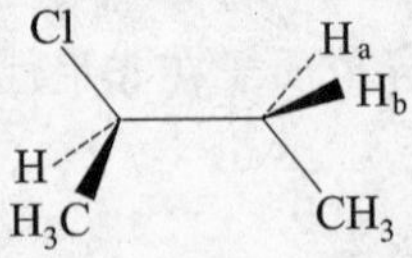

(ix)

(2) 在烯烃中,若双键上的一个碳连有两个相同的基团,另一个双键碳连有两个氢,则这两个氢是化学等价的,如(x)中的 H_a、H_b。如双键上的一个碳连有两个不同的基团,另一个碳连有两个氢,则这两个氢是化学不等价的,如(xi)中的 H_a、H_b。与带有某些双键性质的单键相连的两个质子,在单键旋转受阻的情况下,也能用同样的方法来判别它们的化学等价性。例如化合物(xii)中的 H_a、H_b,因 C—N 键具有某些双键的性质,R,O 又不同,因此在低温旋转受阻时,H_a、H_b 是化学不等价的。

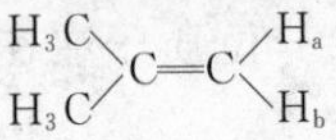

(x) 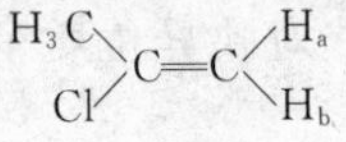   (xi) 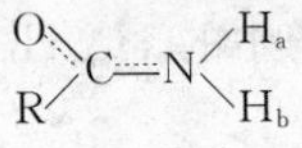   (xii)

(3) 有些质子在某些条件下是化学不等价的,在另一些条件下是化学等价的。例如环己烷上的 CH_2,当分子的构象固定时,两个质子是化学不等价的,当构象迅速转换时,两个质子是化学等价的。

只有化学不等价的质子才能显示出自旋偶合。

习题 5-53 下列化合物中的 H_a 与 H_b 哪些是磁不等价的?

(i) 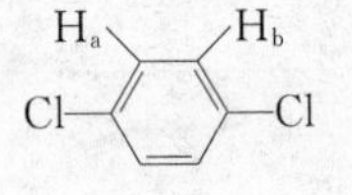 ClH_2C—CH

(ii) H_a—$C\equiv C$—H_b

(iii)

(iv) $O=HC$—$HC=C$

(v)

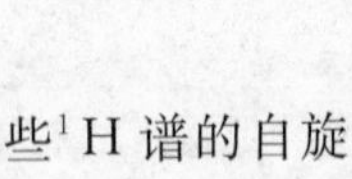

(vi)

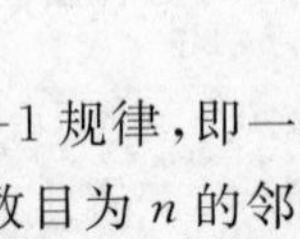

5.13.5 偶合裂分的规律

有些 ^1H 谱的自旋裂分的峰数目符合 $n+1$ 规律,即一组化学等价的质子,其共振吸收峰的个数由邻接质子的数目来决定,若它只有一组数目为 n 的邻接质子,那么它的吸收峰数目为 $n+1$。例如,在下面化合物(Ⅰ)的 ^1H 谱中,H_b 呈四重峰,H_a 呈三重峰。如果它有两组数目分别为 n、

n' 的邻接质子,那么它的吸收峰数目为 $(n+1)(n'+1)$。例如,在下面化合物(Ⅱ)的 ^{1}H 谱中,H_a 有 $(3+1)(1+1)=8$ 重峰,H_b 有 $(3+1)(1+1)=8$ 重峰,H_c 有 $(1+1)(1+1)=4$ 重峰。其余情况类推。

$$CH_3 \underset{a}{-} CH_2 \underset{b}{-} Br$$

（Ⅰ）

$$\underset{H}{\overset{H}{}} \quad \underset{b}{\overset{a}{}} C = C \overset{CH_3}{\underset{c}{}} CN$$

（Ⅱ）

符合 $n+1$ 规律的图谱称为一级图谱。$n+1$ 规律是一个近似的规律,只有在两组质子的化学位移 $\Delta\nu$ 和偶合常数 J 满足 $\Delta\nu/J \geqslant 6$ 时才能成立,因此上式也是一级图谱必须满足的条件。产生一级谱的另一条件是同一核组(其化学位移相同)的核均为磁等价的。

一级图谱中,一组裂分峰的各峰的高度比与二项式 $(a+b)^n$(n 为参与裂分的质子的数目)的展开式的各项系数比一致。例如,在 CH_3CH- 中,质子 a 被一个质子 b 裂分,裂分的结果产生了二重峰,峰的高度比为 $1:1$,因为 $(a+b)^1=a+b$,即展开式的系数比为 $1:1$。而质子 b 被三个质子 a 裂分,裂分的结果产生四重峰,峰的高度比为 $1:3:3:1$,因为 $(a+b)^3=a^3+3a^2b+3ab^2+b^3$,即展开式的系数比为 $1:3:3:1$。若一个质子被两组峰裂分,则每一组裂分峰的高度比与二项式展开式的各项系数比一致,例如在 $CH_3 \underset{a}{-} CH_2 \underset{b}{-} CHCl_2$ 中,b 既被三个质子 a 裂分,又被一个质子 c 裂分,就给出八条线双四重峰的信号。每组峰的强度为 $1:3:3:1$(图 5-38)。

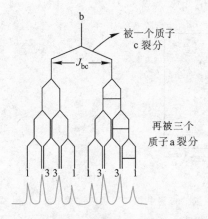

图 5-38　被四个质子裂分的情况

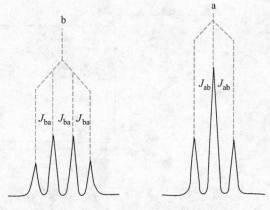

图 5-39　裂分峰的化学位移位置

在一级图谱中,每组峰的中心可以作为每组化学位移的位置。各组峰的峰形,从理论上讲,似乎应是对称的(图 5-39)。但实际观察到的谱线并不是完全对称的,图 5-40 是两组彼此偶合的质子峰。从图中可以看出:不对称的谱线是彼此靠着的,高的靠着高的,也就是说里面的高一点。这个特点对于在图谱上寻找两组彼此偶合的质子是很有帮助的。如发现两组的峰线不是彼此靠着的,而是彼此对着

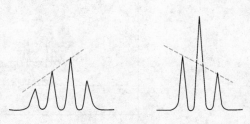

图 5-40　两组偶合的峰

的,那么很可能这两组的质子没有发生偶合。

化学等价质子彼此之间也有偶合,但不发生裂分,如果不受到邻近质子的作用,在一级图谱中只出现尖锐的单峰。苯环不仅邻位上的质子可以彼此偶合,对位上的质子也可以彼此偶合,这是一种远程偶合,但在有些化合物中,如一元取代的烷基苯衍生物,邻位质子偶合常数碰巧与间位、对位质子的偶合常数是相等的,所以只给出一个单峰信号。

不满足一级谱条件的 ^{1}H 谱称为高级谱,高级谱的谱形一般比较复杂,而且裂分峰的数目不服从 $(n+1)$ 规律,同一裂分峰中各峰的强度比也无简单的规律性。各裂分峰的间距不一定相同,不能代表偶合常数。化学位移不一定在裂分峰的中心。因此必须通过复杂的计算才能求出 J 和 δ 值。

习题 5-54 请指出下面两种图谱中哪一张是 1-氯丙烷的核磁共振谱?哪一张是 2-氯丙烷的核磁共振谱?判别图谱中各组峰的归属和提出判别的依据。

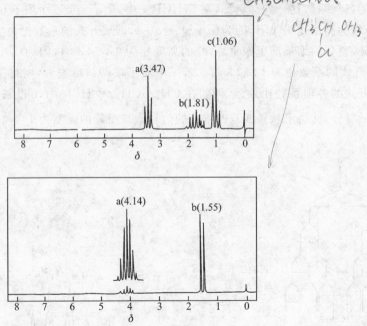

习题 5-55 请指出下面两种图谱中哪一张是 3,3-二甲基-1-丁烯的核磁共振谱?哪一张是 3,3-二甲基-1-丁炔的核磁共振谱?判别图谱中各组峰的归属和提出判别的依据。

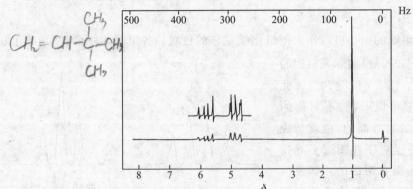

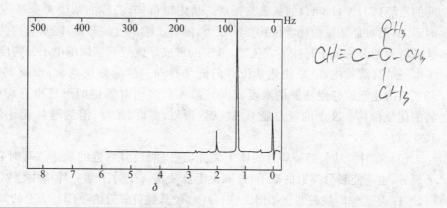

5.14 醇的核磁共振

醇分子中的氢分为两类,一类是连在碳架上的氢,另一类是羟基上的氢。与相应的烷烃比较,碳架上氢的化学位移受羟基的影响向低场移动,氢与羟基的距离越近,化学位移向低场移动越多。例如,乙醇中,—CH_2 上的质子与羟基相距较近,化学位移为 3.7,而—CH_3 上的质子与羟基相距较远,化学位移为 1.72。通常,醇 α-H 的 δ_H 为 3.3~4.0,羟基在分子中的位置可以根据邻近氢的化学位移值推测出来。

羟基氢的核磁共振信号有一些特点:

(1) 羟基氢的化学位移随结构而变。一般醇的羟基氢在 $\delta=0.5\sim5.5$ 的范围内都可能出现它的核磁共振吸收信号,这是由于它们的缔合和解离情况不同,因为实际所处的化学环境不同所致。例如,RCH_2OH 的羟基氢的 δ 值在 3.4~4 之间。烯醇的羟基氢的 δ 值大约在 15~19 处。

(2) 羟基氢的化学位移随浓度、温度和溶剂的性质而变。例如,图 5-41 是一组不同质量浓

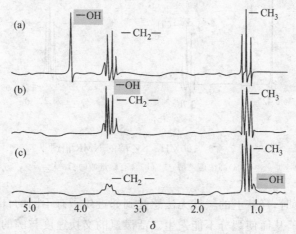

图 5-41 60 MHz 下不同浓度的乙醇氯仿溶液的 NMR 谱图

(a) $\rho_B=10\%$ (b) $\rho_B=5\%$ (c) $\rho_B=0.5\%$

度的乙醇(CH_3CH_2OH)的核磁共振谱。从图谱可知,乙醇的浓度对甲基、亚甲基的化学位移影响不大,而对羟基氢的化学位移影响很大,随着乙醇浓度的升高,羟基氢的共振信号向低场移动。这是因为乙醇的分子间能形成氢键,氢键的形成导致羟基氢周围电子云密度的降低,因此也降低了电子的屏蔽效应,结果使化学位移向低场移动。醇的浓度越大,形成氢键的机会越多,因此羟基氢的化学位移也随醇的浓度而变。温度和溶剂对氢键的形成也有影响,因此也影响羟基氢的化学位移。N上的氢也能形成氢键,所以,温度、浓度、溶剂等对氢键有影响的因素也影响其δ值。

(3)有时羟基氢能被邻近的质子裂分,它也能裂分邻近的质子。有时它既不能被邻近的质子裂分,也不能裂分邻近的质子,这取决于该羟基质子处于某一环境中停留的时间量级。例如,图5-42是乙醇的核磁共振图谱。在(a)中,羟基氢被邻近的—CH_2—上的氢裂分成三重峰,而亚甲基上的氢由于既被—CH_3上的氢裂分,又被—OH上的氢裂分,得到一个不太易于分辨的双四重峰。在(b)中,羟基氢不被—CH_2—上的氢裂分,因此得到一个尖锐的单峰,它也不裂分—CH_2—上的氢,所以—CH_2—上的氢只被—CH_3上的氢裂分,得到一个四重峰,同一种醇出现两种不同裂分情况是因为乙醇分子之间可以发生羟基氢的交换作用。

$$R'-O-H' + R''-O-H'' \rightleftharpoons R'-O-H'' + R''-OH'$$

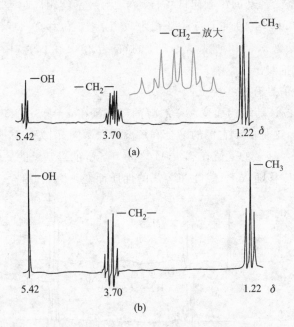

图5-42　100MHz下乙醇的 NMR 谱图
(a)高浓度乙醇　(b)含有微量酸的乙醇

交换速度快到一定程度时,羟基上的氢就无法感受到邻近质子有不同的自旋组合,而仅能感受到单个平均组合中的质子,从而使裂分不能发生。活泼氢的交换速度与醇的纯度有关,高纯度的乙醇中,活泼氢的交换速度较慢,所以羟基氢呈现出裂分情况。含少量酸的乙醇中,活泼氢的交换速度很快,因此看不到羟基氢的裂分现象。这种情况在其它醇分子中也同样存在。羟基上的氢如与重水中的 D 发生交换,则它的共振信号消失。N 上的氢与重水中的 D 发生交换时,共振信号也会消失。

(4) 羟基氢的共振峰有时为一尖锐的单峰,有时为一宽峰,这取决于分子的结构和实验的条件。一般认为醇分子内或分子间的缔合及活泼质子之间不能迅速发生交换是引起宽峰的原因。N 上的氢也有类似的情况。

5.15 积分曲线和峰面积

核磁共振谱中,共振峰下面的面积与产生峰的质子数成正比,因此峰面积比即为不同类型质子数目的相对比值,若知道整个分子中的质子数,即可从峰面积的比例关系算出各组磁等价质子的具体数目。核磁共振仪用电子积分仪来测量峰的面积,在谱图上从低场到高场用连续阶梯积分曲线来表示。积分曲线的总高度与分子中的总质子数目成正比,各个峰的阶梯曲线高度与该峰面积成正比,即与产生该吸收峰的质子数成正比(参见 5.11.1 图 5-29)。各个峰面积的相对积分值也可以在谱图上直接用数字显示出来,如果将含一个质子的峰的面积指定为 1,则图谱上的数字与质子的数目相符。图 5-43 是苯丙酮的核磁共振图谱。

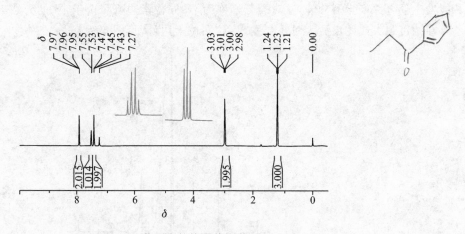

图 5-43 苯丙酮的核磁共振谱图

图中,δ 为 1.21～1.24 的三个氢是甲基氢,δ 为 2.96～3.03 的两个氢是次甲基氢,δ 为 7.27～7.97 的五个氢是苯环上的氢。现在的图谱,大多采用这种方法来显示质子的数目。

5.16 ¹H-NMR 图谱的剖析

1. 图谱的剖析

¹H 核磁共振图谱提供了积分曲线、化学位移、峰形及偶合常数等信息。图谱的剖析就是合理地分析这些信息,正确地推导出与图谱相对应的化合物的结构。通常采用如下步骤。

（1）标识杂质峰　在^{1}H-NMR谱中，经常会出现与化合物无关的杂质峰，在剖析图谱前，应先将它们标出。最常见的杂质峰是溶剂峰，样品中未除尽的溶剂及测定用的氘代溶剂中夹杂的非氘代溶剂都会产生溶剂峰。为了便于识别它们，表5-16列出了最常用溶剂的化学位移。

表5-16　常用溶剂的化学位移

常用溶剂	化学位移 δ	常用溶剂	化学位移 δ
环己烷	1.40	丙酮	2.05
苯	7.20	乙酸	2.05　8.50(COOH)*
氯仿	7.27	四氢呋喃	$(\alpha)3.60$　$(\beta)1.75$
乙腈	1.95	二氧六环	3.55
1,2-二氯乙烷	3.69	二甲亚砜	2.50
水	4.7	N,N-二甲基甲酰胺	2.77,2.95,7.5(CHO)*
甲醇	3.35　4.8*	硅胶杂质	1.27
乙醚	1.16　3.36	吡啶	$(\alpha)8.50,(\beta)6.98,(\gamma)7.35$

※ 数值随测定条件而有变化。

还有两个需要标识的峰是旋转边峰和^{13}C同位素边峰。在^{1}H-NMR测定时，旋转的样品管会产生不均匀的磁场，导致在主峰两侧产生对称的小峰，这一对小峰称为旋转边峰，旋转边峰与主峰的距离随样品管旋转速度的改变而改变。在调节合适的仪器中旋转边峰可消除。^{13}C与^{1}H能发生偶合并产生裂分峰，这对裂分峰称为^{13}C同位素边峰。由于^{13}C的天然丰度仅为1.1%，只有在浓度很大或图谱放大时才会发现^{13}C同位素边峰，见图5-44。

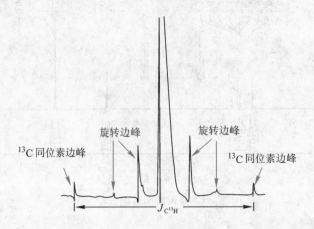

图5-44　CHCl$_3$的旋转边峰及^{13}C同位素边峰

（2）根据积分曲线计算各组峰的相应质子数，若图谱中已直接标出质子数，则此步骤可省（参见5.15）。

（3）根据峰的化学位移确定它们的归属（参见5.12）。

（4）根据峰的形状和偶合常数确定基团之间的互相关系（参见5.13）。

（5）采用重水交换的方法识别活泼氢　由于—OH，—NH$_2$，—COOH上的活泼氢能与D$_2$O发生交换，而使活泼氢的信号消失，因此对比重水交换前后的图谱可以基本判别分子中是否含有活泼氢。

（6）综合各种分析，推断分子结构并对结论进行核对。

习题 5-56 下面分别是 1-苯基-1-丙醇、对甲氧基苯甲醛、乙酸乙酯和烯丙基溴的 ^{1}H-NMR 图谱,指出每个化合物所对应的图谱,并指出图中各峰的归属。

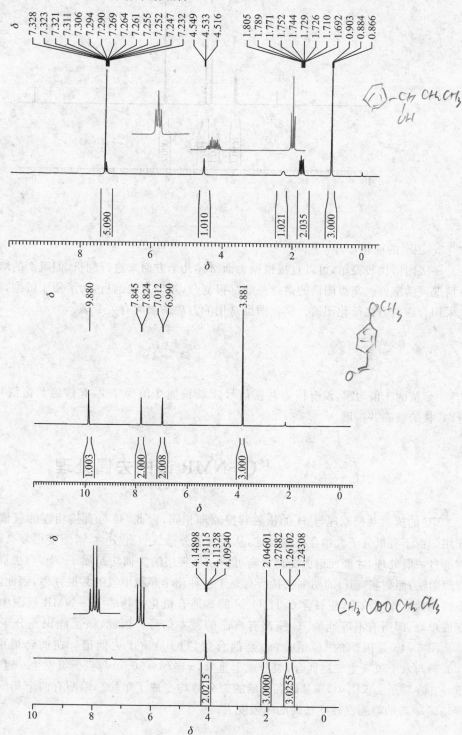

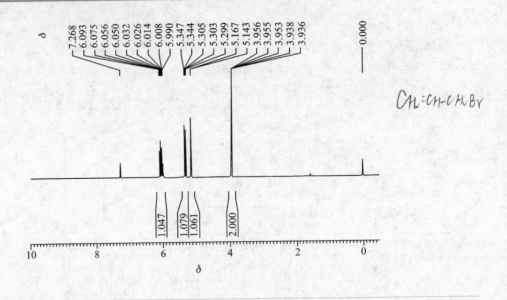

CH≡CH-CH₂Br

2. 图谱的简化

一级图谱比较简单,可以直接根据上面所述几个方面来进行剖析,但解剖的顺序可以根据实际情况灵活掌握。高级图谱的谱线一般都很复杂,难以直接剖析,为了便于解剖,最好在剖析前,先采用合理的方法简化图谱。简化图谱常用的方法请参阅有关专著。

碳　　谱

^{12}C 核的 I 值为零,没有核磁共振信号。^{13}C 核的 I 值为 1/2,有核磁共振信号,碳谱实际是指 ^{13}C 核的核磁共振谱。

5.17 $^{13}C-NMR$ 谱的去偶处理

^{13}C 的核磁共振原理与 ^1H 的核磁共振原理相同,因此 ^{13}C 与直接相连的氢核也会发生偶合作用。由于有机分子大都存在碳氢键,从而使裂分谱线彼此交叠,谱图变得复杂而难以辨认,只有通过去偶处理,才能使谱图变得清晰可辨。最常用的去偶法是质子(噪声)去偶法。该法采用双照射法,照射场(H_2)的功率包括所有处于各种化学环境中氢的共振频率,因此能将 ^{13}C 与所有氢核的偶合作用消除,使只含 C、H、O、N 的普通有机化合物的 $^{13}C-NMR$ 谱图中,^{13}C 的信号都变成单峰,即所有不等性的 ^{13}C 核都有自己的独立信号。因此,该法能识别分子中不等性的碳核。图 5-45 是丙酮的 ^{13}C 谱。(a)是偶合谱,(b)是质子去偶谱。在偶合谱中,羰基碳($\delta=206.7$)与六个氢发生二键偶合,裂分成七重峰,α 碳($\delta=30.7$)与三个氢发生一键偶合,裂分成四重峰。在质子去偶谱中,羰基碳和 α 碳的裂分峰均变成了单峰。丙酮有两个相同的 α 碳和一个羰基碳,α 碳的峰强度较羰基碳的峰强度大。

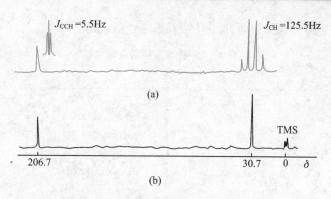

图 5-45   丙酮的¹³C 谱图
（a）偶合谱   （b）质子去偶谱

质子(噪声)去偶碳谱就是通常说的碳谱,又称为宽带去偶碳谱,用¹³C{H}表示。其它去偶的方式还很多,有兴趣的读者请参阅有关专著。

习题 5-57   下图是辛烷的同分异构体Ⅰ,Ⅱ,Ⅲ,Ⅳ中某一个的¹³C{¹H}谱。请判断该谱图与哪个结构式相符? 为什么? 谱图中强度较大的峰是 c 峰还是 b 峰? 它们分别代表分子中哪类碳? 为什么?

Ⅰ $(CH_3)_3CCH_2CH_2CH_2CH_3$ Ⅱ $(CH_3)_3CCH(CH_3)CH_2CH_3$

Ⅲ $(CH_3)_3CCH_2CH(CH_3)_2$ Ⅳ $(CH_3)_3CC(CH_3)_3$

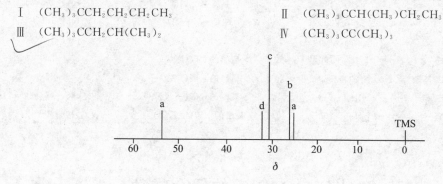

5.18   ¹³C 的化学位移

¹³C 的化学位移亦以四甲基硅为内标,规定 $\delta_{TMS}=0$,其左边值大于 0,右边值小于 0。与 ¹H 的化学位移相比,影响¹³C 的化学位移的因素更多,但自旋核周围的电子屏蔽是重要因素之一,因此对碳核周围的电子云密度有影响的任何因素都会影响它的化学位移。碳原子是有机分子的骨架,氢原子处于它的外围,因此分子间碳核的互相作用对 δ_c 的影响较小,而分子本身的结构及分子内碳核间的相互作用对 δ_c 影响较大。碳的杂化方式、分子内及分子间的氢键、各种电子效应、构象、构型及测定时溶剂的种类、溶液的浓度、体系的酸碱性等都会对 δ_c 产生影响。现在已经有了一些计算 δ_c 的近似方法,可以对一些化合物的 δ_c 作出定性的或半定量的估算,但更加完善的理论还有待于进一步的探讨研究。表 5-17 是根据大量实验数据归纳出来的某些基团中 C

的化学位移,表中黑体字的碳是要研究的对象。

表 5-17 一些特征碳的化学位移

碳的类型	化学位移	碳的类型	化学位移
CH_4	-2.68	醚的 α 碳(三级)	70~85
直链烷烃	0~70	醚的 α 碳(二级)	60~75
四级 C	35~70	醚的 α 碳(一级)	40~70
三级 C	30~60	醚的 α 碳(甲基碳)	40~60
二级 C	25~45	RCOOH RCOOR	160~185
一级 C	0~30	RCOCl RCONH₂	160~180
$CH_2=CH_2$	123.3	酰亚胺的羰基碳	165~180
烯碳	100~150	酸酐的羰基碳	150~175
$CH\equiv CH$	71.9	取代尿素的羰基碳	150~175
炔碳	65~90	胺的 α 碳(三级)	65~75
环丙烷的环碳	-2.8	胺的 α 碳(二级)	50~70
$(CH_2)_n$ $n=4\sim7$	22~27	胺的 α 碳(一级)	40~60
苯环上的碳	128.5	胺的 α 碳(甲基碳)	20~45
芳烃,取代芳烃中的芳碳	120~160	氰基上的碳	110~126
芳香杂环上的碳	115~140	异氰基上的碳	155~165
—CHO	175~205	$R_2C=N-OH$	145~165
C=C—CHO	175~195	RNCO	118~132
α-卤代醛的羰基碳	170~190	硫醚的 α 碳(三级)	55~70
$R_2C=O$(包括环酮)的羰基碳	200~220	硫醚的 α 碳(二级)	40~55
不饱和酮和芳酮的羰基碳	180~210	硫醚的 α 碳(一级)	25~45
α-卤代酮的羰基碳	160~200	硫醚的 α 碳(甲基碳)	10~30

5.19 ¹³C-NMR 谱的偶合常数

^{13}C 与 ^1H 的偶合常数一般都比较大,$^1J_{CH}$ 约为 120~300 Hz,$^2J_{CH}$ 约为 5~60 Hz,$^3J_{CH}$ 约为 0~30 Hz。$^4J_{CH}$ 是远程偶合常数,一般小于 2Hz。若使用氘代试剂进行 ^{13}C 的 NMR 测试,会出现 $^1J_{CD}$,它的数值约为 $^1J_{CH}$ 的 1/6.5。

质子去偶的 $^{13}C-NMR$ 谱,如分子中不存在其它自旋核,得到 $^{13}C-NMR$ 谱是各种碳的尖锐单峰,如分子中有其它自旋核,^{13}C 将与这些核发生偶合裂分,裂分数目也符合 $2nI+1$,裂距是它们的偶合常数。$^1J_{CF}$ 约为 -150~350 Hz,$^2J_{CF}$ 约为 20~60 Hz,$^3J_{CF}$ 约为 4~20 Hz,$^4J_{CF}$ 约为 0~5 Hz,$^1J_{CP(五价)}$ 约为 50~80 Hz,$^1J_{CP(三价)}$ 小于 50 Hz。在 ^{13}C 富集的化合物中,会发生 ^{13}C 的一键裂分,$^1J_{CC}$ 约为 30~180 Hz。

习题 5-58 下面分别是 1-苯基-1-丙醇、对甲氧基苯甲醛、乙酸乙酯和烯丙基溴的 $^{13}C-NMR$ 图谱,指出每个化合物所对应的图谱,并指出图中各峰的归属(其中 δ_{77} 附近的峰为溶剂峰)。

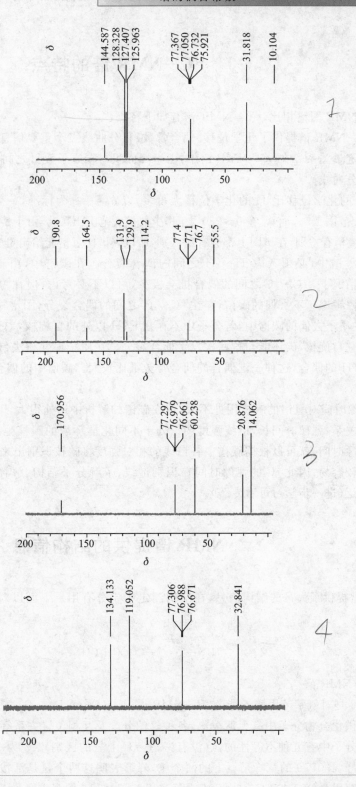

5.20　$^{13}C-NMR$ 谱的特点

与 ^1H-NMR 图谱相比，$^{13}C-NMR$ 谱有如下特点：

(1) ^1H-NMR 谱提供了化学位移、偶合常数、积分曲线三个重要信息，积分曲线与氢原子的数目之间有定量关系。在 $^{13}C-NMR$ 谱中，由于峰面积与碳原子数目之间没有定量关系，因此谱图中没有积分曲线。

(2) ^{13}C 的化学位移比 ^1H 的化学位移大得多，以 $\delta_{TMS}=0$ 为标准，一般来讲，δ_H 在 $0\sim10$ 之间，少数扩大范围 ±5。而 δ_C 在 $0\sim250$ 之间，少数扩大范围 ±100。由于 δ_C 的范围十分宽，碳核所处的化学环境稍有差别，在谱图上都会有所区别，所以碳谱比氢谱能给出更多的有关结构的信息。

(3) 在氢谱中，必须考虑 $^1H-^1H$ 之间的偶合裂分。在碳谱中，由于 ^{13}C 的天然丰度只有 1.1%，一般情况下，$^{13}C-^{13}C$ 之间的偶合机会极少，可以不必考虑，但在 ^{13}C 富集的化合物中，此项偶合要予以考虑。不去偶的碳谱，存在 $^{13}C-^1H$ 之间的偶合裂分，图谱相当复杂。常规碳谱是去偶碳谱，在质子去偶的碳谱中，若分子中不存在 C、H 以外的自旋核，^{13}C 的谱线都是分离的单峰。若有其它自旋核，碳还能与这些核发生偶合裂分。在质子偏共振去偶的图谱中，存在 ^{13}C 与直接相连的 ^1H 的偶合，这种一键偶合的偶合常数都比较大。碳谱中的偶合常数没有氢谱的偶合常数用处大。

(4) 弛豫时间对氢谱的解析用处不大，但在碳谱的解析中用处很大，因为弛豫时间与谱线强度存在下列关系：弛豫时间长，谱线强度弱。处于不同化学环境的碳核弛豫时间又相差很大，只要测定了弛豫时间，就可以根据碳谱中各谱线的相对强度将碳核识别出来。^{13}C 的弛豫时间比 ^1H 慢。测定比较容易，因此 ^{13}C 的弛豫时间在识别谱线、了解分子结构、解释分子动态等方面的应用越来越广泛（进一步学习可看专著）。

5.21　NMR 谱提供的结构信息

NMR 谱提供了大量的结构信息，在结构测定中十分有用。下面以对氨基苯甲酸乙酯为例予以说明。

$$H_2N-\!\!\bigcirc\!\!-COOCH_2CH_3$$

1. ^1H-NMR 谱

图 5-46 是对氨基苯甲酸乙酯的 ^1H-NMR 谱：

氢谱提供化合物分子中有无活泼氢，各种氢的分配及互相位置关系等。该谱图表明：对氨基苯甲酸乙酯分子中有五种不等性的氢（没有考虑芳环上氢的区别）。δ 为 $1.3401\sim1.3758$ 的三重峰是甲基峰，4.0779 的宽峰是氮上的两个氢，峰形表明这两个氢是活泼氢。$4.2865\sim4.3399$ 的四重峰是亚甲基峰，$6.6162\sim6.6505$ 及 $7.8384\sim7.8727$ 的多重峰是苯环上四个氢的峰。

2. $^{13}C\{H\}-NMR$ 谱

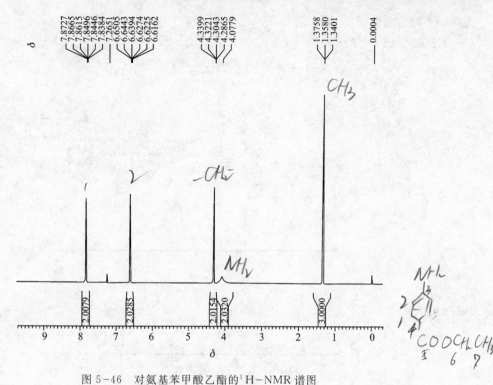

图 5-46 对氨基苯甲酸乙酯的 ^1H-NMR 谱图

图 5-47 是对氨基苯甲酸乙酯的 $^{13}C\{H\}$-NMR 谱（碳的质子去偶谱）：

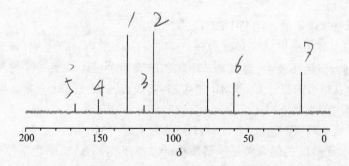

图 5-47 对氨基苯甲酸乙酯的 $^{13}C\{H\}$-NMR 谱图

碳谱能敏感地反映碳核所处化学环境的细微差别。该谱图表明：对氨基苯甲酸乙酯分子中有七种不等性的碳核。根据 ^{13}C 的化学位移可以初步确定：δ 为 14.371 的峰是甲基碳，60.250 的峰是亚甲基碳的峰，166.680 的峰是酯羰基碳的峰，而 113.712，119.973，131.488，150.754 的峰为四种不同芳碳的峰。

　　3. DEPT(135°)谱

　　图 5-48 是对氨基苯甲酸乙酯的 DEPT(135°)谱：

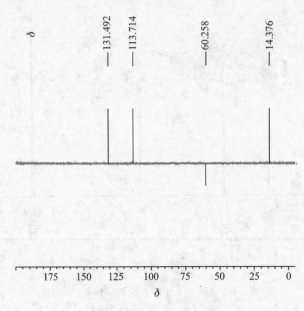

图 5-48　对氨基苯甲酸乙酯的 DEPT(135°)谱图

　　DEPT(135°)谱主要用来识别一级、二级、三级、四级碳原子。在 DEPT(135°)谱中，一级碳原子(CH₃)、三级碳原子(CH)为向上的峰，二级碳原子(CH₂)为向下的峰，没有四级碳原子(C)的峰。因此，该谱图表明：对氨基苯甲酸乙酯的分子中，一级、三级碳原子的总数为三。只有一个二级碳原子。将 ^{13}C{H}-NMR 谱中的七个峰减去 DEPT(135°)谱中的四个峰，可知化合物有三种四级碳原子。

　　4. DEPT(90°)谱

　　图 5-49 是对氨基苯甲酸乙酯的 DEPT(90°)谱：

　　DEPT(90°)谱主要用来识别三级碳原子(CH)。在 DEPT(90°)谱中，每个峰代表一种三级碳原子(CH)。因此，该谱图表明：对氨基苯甲酸乙酯有两种三级碳原子。将图 5-48、图 5-49、图 5-50 提供的信息结合起来，^{13}C-NMR 谱中，各吸收峰与碳核的对应关系基本确定。

　　5. ^{1}H-^{1}H 相关的二维 NMR 谱

　　图 5-50 是对氨基苯甲酸乙酯的 ^{1}H-^{1}H 相关的二维 NMR 谱：

　　该谱图显示了 ^{1}H-^{1}H 的偶合关系。谱图中的二维坐标都是 ^{1}H 的化学位移。处于对角线上的信号和一维氢谱提供的化学位移是一致的。处于对角线外的信号称为交叉峰，它指示了有哪些氢核之间存在偶合关系。从交叉峰出发，分别画水平线和垂直线，它们与对角线产生两个交点，两个交点所对应的两个质子之间存在偶合关系。在该图谱中有两个交叉峰，它们分别指示了甲基和亚甲基的偶合关系以及苯环上次甲基与次甲基的偶合关系。由于图谱是对称的，因此，在对角线左上方和右下方区域提供的信息是相同的。

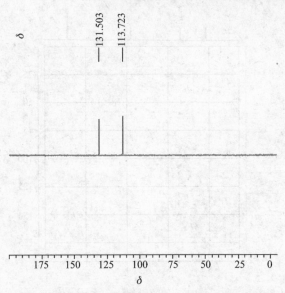

图 5-49 对氨基苯甲酸乙酯的 DEPT(90°)谱图

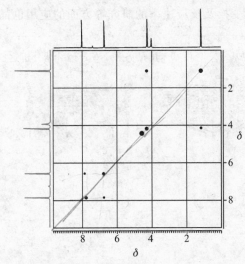

图 5-50 对氨基苯甲酸乙酯的 $^1H-^1H$ 相关的二维 NMR 谱图

6. $^{13}C-^1H$ 相关的二维 NMR 谱

图 5-51 是对氨基苯甲酸乙酯的 $^{13}C-^1H$ 相关的二维 NMR 谱。

该谱图显示了 $^{13}C-^1H$ 的偶合关系。谱图中的二维坐标分别是 ^1H 的化学位移和 ^{13}C 的化学位移。图中的点指示了哪些氢核和碳核之间存在偶合关系。从点出发,分别画水平线和垂直线,即可找出存在偶合关系的质子和碳。在该图谱中有四个点,它们清楚地指示了处于 1.358 0 的三个氢与处于 14.371 的碳相连,处于 4.304 3 的两个氢与处于 60.250 的碳相连,处于 6.639 4 的两个氢与处于 113.712 的碳相连,处于 7.849 6 的两个氢与处于 131.488 的碳相连。$^1H-^1H$ 的偶合关系和 $^{13}C-^1H$ 的偶合关系对于鉴定复杂分子的结构是十分有用的。

碳谱不仅在有机化合物的结构测定中十分有用,它在生物大分子的合成研究,合成高分子的结构与组成研究,金属络合物结构特点的研究,反应机理的研究,分子动态过程如构型、构象的转

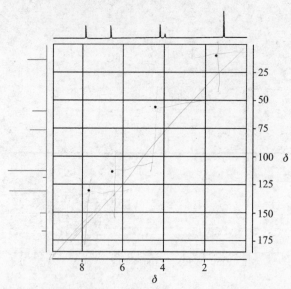

图 5-51　对氨基苯甲酸乙酯的$^{13}C-^{1}H$相关的二维 NMR 谱图

换、互变异构体的转变、化学变换及反应速率的研究等方面的应用也都十分广泛。

习题 5-59　下面是 5-甲基-2-异丙基苯酚的各种 NMR 谱。请分析这些图谱给出了哪些结构信息。

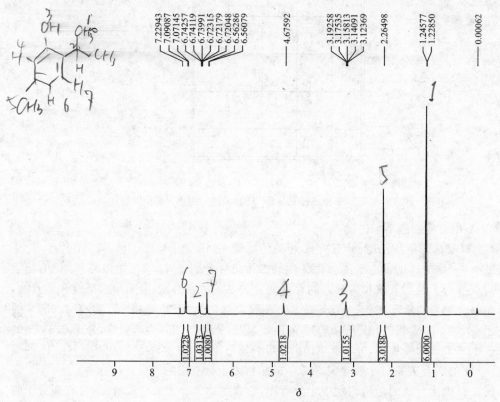

5-甲基-2-异丙基苯酚的^{1}H-NMR 谱图

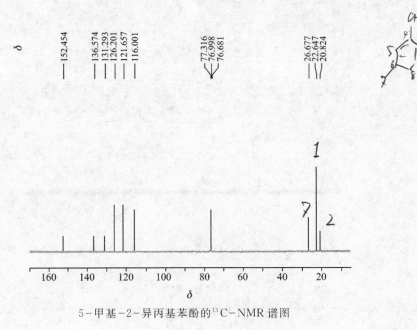

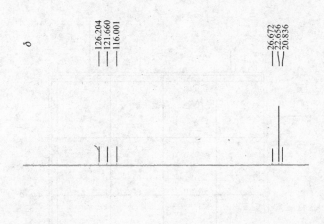

5-甲基-2-异丙基苯酚的¹³C-NMR 谱图

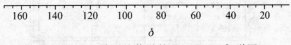

5-甲基-2-异丙基苯酚的 DEPT(135°)谱图

5-甲基-2-异丙基苯酚的 DEPT(90°)谱图

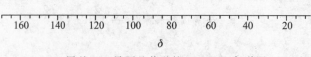

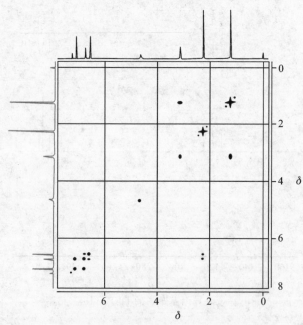

5-甲基-2-异丙基苯酚的 ¹H-¹H 二维谱图

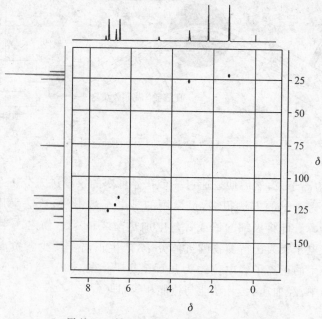

5-甲基-2-异丙基苯酚的 $^1H-^{13}C$ 二维谱图

（四）质　　谱

质谱（Mass Spectrum）简称为 MS。

5.22　质谱分析的基本原理和质谱仪

1. 质谱分析的基本原理

质谱分析的基本原理是很简单的,下面结合 EI 源来说明:使待测的样品分子汽化,用具有一定能量的电子束轰击气态分子,使其失去一个电子而成为带正电的分子离子,分子离子还可能断裂成各种碎片离子,所有的正离子在电场和磁场的综合作用下按质荷比（m/z）大小依次排列而得到谱图。

2. 质谱仪

质谱仪按分析器类型可以分成五大类,四极杆质谱仪、磁质谱仪、飞行时间质谱仪、傅里叶变换离子回旋共振质谱仪及离子阱质谱仪。磁质谱仪有三个主要的组成部分:(i) 离子源(离子化室),这是仪器的心脏部分;(ii) 分析系统;(iii) 离子收集,检定系统。图 5-52 是单聚焦质谱仪的示意图。

下面简单介绍仪器各部分的功能。

(1) 离子源　离子源的作用是使待测物分子在离子源汽化,并使汽化的分子转化为正离子,

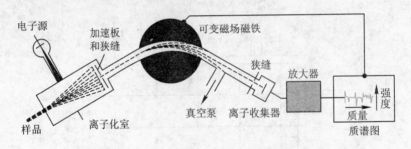

图 5-52 单聚焦质谱仪的示意图

使正离子加速,聚焦为离子束,然后使之通过一个孔径可变的狭缝进入分析系统。

使气态分子转化为离子的方法很多,最常用的是电子轰击法,该法采用电子轰击源(Electron Impact)简称 EI 源。即将极细的钨或铼丝电加热至 2 000 ℃,使之产生含有一定能量(8~100 eV)的电子束,该电子束轰击待测物的气体分子,产生正离子及少量负离子,另外,还有自由基和中性分子。所产生的正离子经电位差为几百至几千伏的(800~8 000 V)电场加速,进入分析系统。离子在电场中,经加速后,其动能与位能相等,即

$$\frac{1}{2}mv^2 = zeU \tag{5-14}$$

式中:z——电荷数(当 z 为单位正电荷时,可用 e^- 表示);U——离子的加速电压;m——离子的质量;v——离子速度。而负离子、自由基和中性分子不被加速,不能进入分析系统,由真空抽走。

EI 源操作方便,得到的碎片离子多,可以提供较多的结构信息,但不适用于热不稳定和难挥发的化合物。

快原子轰击法采用一种新型的离子源——快原子轰击源(fast atom bom bardment,简称 FAB 源。具体方法是让放电源产生氩离子(Ar^+),通过加速,使其成为快速氩离子,它与氩原子(Ar)通过碰撞交换电荷,形成快速氩原子,由快速氩原子轰击待测物分子,使其产生正离子。该法可适用于热不稳定、难挥发和强极性的化合物。

(2)分析系统 加速的正离子进入该系统中,在此处的可变磁场[最大值 80 000 Gs(8 T)]作用下,使每个离子按照一定的弯曲轨道继续前进,其行进轨道的曲率半径决定于各离子的质量和所带电荷的比。所有 m/z 值相同的离子结合在一起,形成离子流,各种离子流沿着不同的曲率半径轨道先后通过另一狭缝进入离子收集、检定系统。具有一定动能的离子在磁场中,受到劳伦茨力而发生偏转,稳态时,劳伦茨力与离心力平衡。即

$$Bzev = \frac{mv^2}{r} \tag{5-15}$$

式(5-15)中,B 是磁感应强度,r 是行进轨迹的曲率半径,z,v,m 分别是电荷、离子速度及离子质量,将式(5-14)与(5-15)合并,得

$$\frac{m}{z} = \frac{r^2 B^2 e}{2U} \tag{5-16}$$

式(5-16)表明,正离子在分析系统中的行进轨迹的曲率半径取决于 $B,U,\frac{m}{z}$。在质谱仪中,r 是固定的,可以通过改变加速电压或者改变磁场感应强度 B 使某一质荷比的离子通过狭缝进入检测系统,为了使所有的正离子能按质荷比大小顺序陆续到达收集器,只要采用电压扫描或磁场扫描即可。

(3)离子收集、检定系统　各种不同质荷比的离子流到达该系统时会产生信号,其强度和离子数成正比,用照相或电子方法记录所产生的信号,即得待测样的质谱。

在整个测试过程中,仪器保持高真空 $1.33\times10^{-6}\sim1.33\times10^{-4}$ Pa。

5.23　质谱图的表示

图 5-53 是甲烷的质谱图:

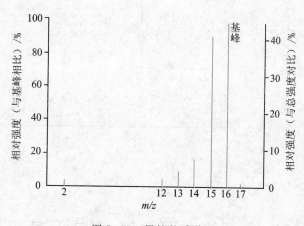

图 5-53　甲烷的质谱图

质谱图都用棒图表示,每一条线表示一个峰,图中高低不同的峰各代表一种离子,横坐标是离子质荷比(m/z)的数值,图中最高的峰称为基峰(base peak),并人为地把它的高度定为 100,其它峰的高度为该峰的相对百分比,称为相对强度,以纵坐标表示之;有时也用纵坐标表示某峰与所有峰总强度比的相对强度,但一般都采用第一种方法表示。文献报道时常用质谱表来代替质谱图,质谱表有两项数据,一项是离子的质荷比 m/z,另一项是离子的相对强度。例如,甲烷的质谱表为

表 5-18　甲烷的质谱表

m/z	2	12	13	14	15	16	17
相对强度/%	1.36	3.65	9.71	18.82	90.35	100.00	1.14

习题 5-60　正十八烷的质谱图如下,它的基峰的质荷比是多少?

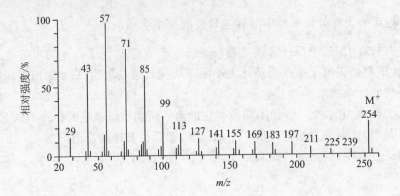

习题 5-61 2-甲基-2-丁醇的质谱图如下,写出它的质谱表。

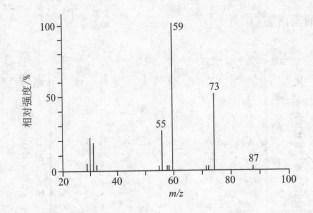

5.24　离子的主要类型、形成及其应用

在质谱中出现的离子有:分子离子、同位素离子、碎片(裂片)离子、重排离子、多电荷离子、亚稳离子等。

5.24.1　分子离子

分子被电子束轰击失去一个电子形成的离子称为分子离子(molecular ion),一般式是 M^+ 或 $M^{+\cdot}$。

$$M+e^- \longrightarrow M^{\dot+} +2e^-$$

有机物的 n 电子最易失去,π 电子其次,σ 电子最难失去,因此有些有机物的分子离子的正电荷位置很易确定。例如含杂原子的分子离子的正电荷在杂原子上,不含杂原子但含双键的分子离子的正电荷在双键的一个碳原子上,它们可以分别表示为难以确定正电荷位置的分子离子可表示为"结构式$\rceil^{\cdot}$",例如：

$$CH_3CH_2CH_3 + 2e^- \longrightarrow CH_3CH_2CH_3\rceil^{+}$$

在质谱图上，与分子离子相对应的峰称为分子离子峰(molecular ion peak)，大多数有机物的质谱中都有分子离子峰，它们在质谱中的相对强度取决于其本身的稳定性和分子结构，例如，芳香族化合物，因它含有 π 电子很容易失去一个电子形成稳定的正离子，在质谱中其分子离子峰的强度较大。但有些化合物的分子离子极不稳定，因而表现为分子离子峰强度极小或不存在，叉链烷烃或醇类化合物就是如此。降低轰击电子束的能量，可以提高分子离子峰的强度。

分子离子实际上是一个自由基型正离子，因该类离子只带一个电荷，故 m/z 就是它的质量 m，所以这种离子的质荷比也就是化合物的相对分子质量，如能正确辨认质谱图上的分子离子峰，就可以直接从谱图上读出被测物的相对分子质量。用质谱法测相对分子质量，样品用量少，测定快，精确度高。

判断分子离子峰时要注意：分子离子峰的质量数要符合氮规则(nitrogen rule)，即不含氮或含偶数氮的有机物的相对分子质量为偶数，含奇数氮的有机物的相对分子质量为奇数。分子离子一定是奇电子离子，这也是分子离子的主要判据。另外，分子离子峰与邻近峰的质量差应该是合理的。

习题 5−62 写出环戊二烯、2−丁酮、萘、己烷的分子离子峰。

习题 5−63 下列化合物的分子离子峰的质荷比是偶数还是奇数？

(i) CH_3Br (ii) CH_3NO_2 (iii) CH_3CH_2OH (iv) $(CH_3)_2NH$ (v) $CH_3OCH_2CH_2NHCH_3$

5.24.2 同位素离子

含有同位素的离子称为同位素离子(isotopic ion)。二氯甲烷的分子离子及与之相对应的同位素离子如表 5−19 所示。

表 5−19 二氯甲烷的分子离子及与之相对应的同位素离子

组成	分子离子	同位素离子				
	$^{12}CH_2{}^{35}Cl_2\rceil^{+}$	$^{13}CH_2{}^{35}Cl_2\rceil^{+}$	$^{12}CH_2{}^{35}Cl{}^{37}Cl\rceil^{+}$	$^{12}CH_2{}^{37}Cl_2\rceil^{+}$	$^{13}CH_2{}^{35}Cl{}^{37}Cl\rceil^{+}$	$^{13}CH_2{}^{37}Cl_2\rceil^{+}$
m/z	84	85	86	88	87	89

在质谱中，与同位素离子相对应的峰称为同位素离子峰(isotopic ion peak)。同位素一般比常见元素重，其峰都出现在相应一般峰的右侧附近，这从表 5−19 中的质荷比数据清楚可见。

同位素峰的强度与同位素的丰度是相当的。有机化合物中常见同位素的天然丰度如表 5-20 所示。

表 5-20　同位素的天然丰度

轻的同位素天然丰度/%	重的同位素天然丰度/%	
^{1}H　99.985	D(^{2}H)　0.015	
^{12}C　98.891	^{13}C　1.107	
^{14}N　99.64	^{15}N　0.36	
^{16}O　99.759	^{17}O　0.037	^{18}O　0.204
^{32}S　95.0	^{33}S　0.76	^{34}S　4.24
^{19}F　100.0		
^{35}Cl　75.8		^{37}Cl　24.2
^{79}Br　50.537		^{81}Br　49.463
^{127}I　100.0		

从表 5-20 中可知,D,^{15}N,^{17}O,^{33}S 等的天然丰度很小,相应的同位素离子峰也很小,可忽略不计,例如苯的分子离子是 $C_6H_6^{+}$,在 $m/z=78$ 处一个峰,$^{13}C^{12}C_5H_6^{+}$ 是它的一个同位素离子,在 $m/z=79$ 处有一个峰,^{13}C 的丰度是 ^{12}C 的 1.1%,苯有六个碳,所以 79 峰的强度是 78 峰强度的 $1.1\% \times 6 = 6.6\%$。严格地讲,$^{12}C_6DH_5^{+}$ 相对应的峰也在 $m/z79$ 处出现,因 D 的天然丰度太小,忽略不计。

同位素离子峰对鉴定分子中含有的氯、溴、硫原子很有用,因这些元素含有较丰富的高两个质量单位的同位素,并在 $M,M+2,M+4$ 处出现特征性强度的离子峰。如溴乙烷分子中,^{79}Br 占全溴的 50.537%,^{81}Br 占全溴的 49.463%,所以溴乙烷的 $M:M+2=51:49$,峰的强度接近相等。当质谱中出现两个强度接近相等的 $M,M+2$ 峰时,可判断分子中含有溴原子。

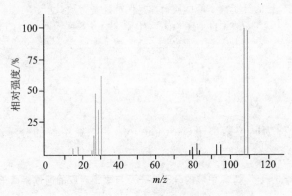

图 5-54　溴乙烷的质谱图

分子离子峰与相应的同位素离子峰的强度比可用二项式 $(A+B)^n$ 的展开式来推算。式中 A 是常见元素的天然丰度,B 是它的同位素的天然丰度,n 是该元素在分子中的个数,展开后的各项的数值比为各峰的强度比。例如,^{35}Cl 的天然丰度为 75.8,^{37}Cl 的天然丰度为 24.2,在 CH_3Cl 中,$n=1$,$(A+B)^n=(A+B)^1=A+B$,展开后的两项比值为:75.8:24.2=3:1,所以 $M:M+2$

$=3:1$。在 CH_2Cl_2 中，$n=2$，$(A+B)^n=(A+B)^2=A^2+2AB+B^2$，展开后的三项比值为：$75.8^2:2\times75.8\times24.2:24.2^2=5745.6:3668.7:585.6$，所以 $M:M+2:M+4=5745.6:3668.7:585.6\approx100:64:10$。

根据实验测得的质谱中的同位素离子峰的相对强度和 Beynon(贝诺)表(可查陈耀祖编的《有机分析》附表 16-1)，经过合理的分析可以确定化合物的分子式。例如，从质谱中得知：某未知物的相对分子质量为 181，$M+1$ 峰和 $M+2$ 峰与分子离子峰的相对强度分别为 14.68% 和 0.97%，查 Beynon 表知相对分子质量为 181，而 $M+1$，$M+2$ 的强度接近 14.68% 和 0.97% 的式子有：

	式子	$M+1$ 丰度/%	$M+2$ 丰度/%
(1)	$C_{13}H_9O$	14.23	1.14
(2)	$C_{13}H_{11}N$	14.61	0.99
(3)	$C_{13}H_{25}$	14.45	0.97
(4)	$C_{14}H_{13}$	15.34	1.09

但因 (1)，(3)，(4) 式均不符合氮规则，所以该化合物的分子式为 $C_{13}H_{11}N$(如结合碎片离子的分析，还可推出化合物的结构为 $C_6H_5CH=NC_6H_5$)。

习题 5-64 写出 CH_3CH_2Cl 的分子离子峰及与之相对应的同位素离子峰。

习题 5-65 $CHCl_3$ 的质谱中出现了 M，$M+2$，$M+4$，$M+6$ 的峰，计算这些峰的强度比。(只考虑氯的同位素)

习题 5-66 CCl_4 的质谱中会出现哪些特征的同位素离子峰? 它们的强度比是多少?

5.24.3 碎片离子和重排离子

分子离子在电离室中进一步发生键断裂生成的离子称为碎片离子(fragment ion)。经重排裂解产生的离子称为重排离子(rearrangement ion)。分子离子为什么能进一步裂解呢? 因为有机质谱仪通常采用 70 eV 的电子轰击能量，并把这时得到的质谱作为标准有机化合物的质谱图，而有机分子转变成分子离子只需要十几电子伏特的能量，剩余的能量足够使分子离子的其它化学键发生裂解，裂解产生的碎片离子还能进一步裂解成新的碎片离子。裂解时会发生电子转移，单电子转移用鱼钓箭头"⌒"表示，双电子转移用箭头"⌒"表示。裂解是按一定的规律进行的，中间过渡态活化能低、产物稳定的裂解反应较易进行。裂解的方式很多，下面仅介绍几种常见的裂解。

(1) 产生氮正离子、氧正离子、卤正离子的裂解　氮、氧、卤素等杂原子上都有 n 电子，含有该类原子的有机物受电子束轰击时首先失去 n 电子，生成杂原子上带正电荷的分子离子，这些分子离子可通过 α-裂解(α-cleavage)或 β-裂解(β-cleavage)生成氮正离子、氧正离子和卤正离子。什么是 α-裂解、β-裂解呢? 有机官能团与 α 碳原子或其它原子之间的裂解称为 α-裂解，与官能团相连的 α 碳原子与 β 碳原子之间的裂解称为 β-裂解。

醛、酮等含羰基的化合物易发生 α-裂解,例如:

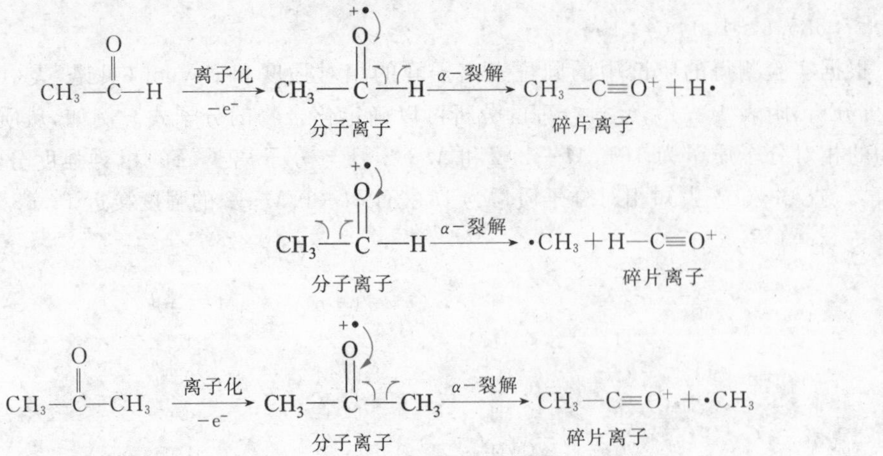

$$CH_3-C\overset{O}{-}H \xrightarrow[-e^-]{离子化} \underset{分子离子}{CH_3-\overset{\overset{+\cdot}{O}}{C}-H} \xrightarrow{\alpha-裂解} \underset{碎片离子}{CH_3-C\equiv O^+ + H\cdot}$$

$$\underset{分子离子}{CH_3-\overset{\overset{+\cdot}{O}}{C}-H} \xrightarrow{\alpha-裂解} \underset{碎片离子}{\cdot CH_3 + H-C\equiv O^+}$$

$$CH_3-\overset{O}{C}-CH_3 \xrightarrow[-e^-]{离子化} \underset{分子离子}{CH_3-\overset{\overset{+\cdot}{O}}{C}-CH_3} \xrightarrow{\alpha-裂解} \underset{碎片离子}{CH_3-C\equiv O^+ + \cdot CH_3}$$

胺、醇、醚、卤代烷等化合物可通过 β-裂解生成杂原子正离子。例如:

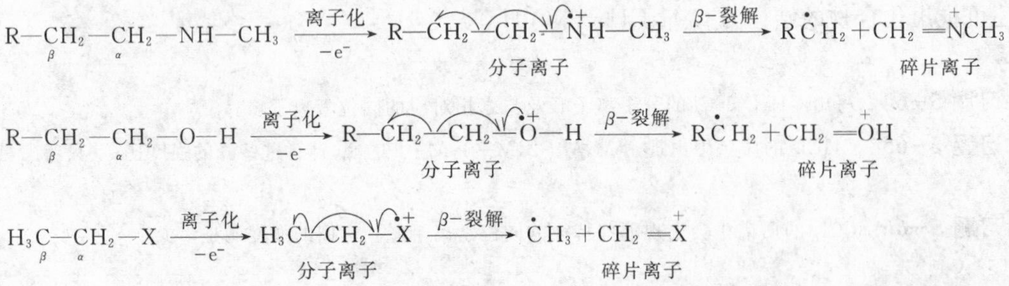

$$R-\underset{\beta}{CH_2}-\underset{\alpha}{CH_2}-NH-CH_3 \xrightarrow[-e^-]{离子化} \underset{分子离子}{R-CH_2-CH_2-\overset{+\cdot}{N}H-CH_3} \xrightarrow{\beta-裂解} \underset{碎片离子}{R\dot{C}H_2 + CH_2=\overset{+}{N}CH_3}$$

$$R-\underset{\beta}{CH_2}-\underset{\alpha}{CH_2}-O-H \xrightarrow[-e^-]{离子化} \underset{分子离子}{R-CH_2-CH_2-\overset{\cdot+}{O}-H} \xrightarrow{\beta-裂解} \underset{碎片离子}{R\dot{C}H_2 + CH_2=\overset{+}{O}H}$$

$$H_3\underset{\beta}{C}-\underset{\alpha}{CH_2}-X \xrightarrow[-e^-]{离子化} \underset{分子离子}{H_3C-CH_2-\overset{\cdot+}{X}} \xrightarrow{\beta-裂解} \underset{碎片离子}{\dot{C}H_3 + CH_2=\overset{+}{X}}$$

(2) 产生碳正离子的裂解　苄基型碳正离子、丙烯型碳正离子、三级碳正离子是质谱中常见的碎片离子,它们分别是通过苄基型裂解、丙烯基型裂解、碳碳键一般裂解形成的。例如:

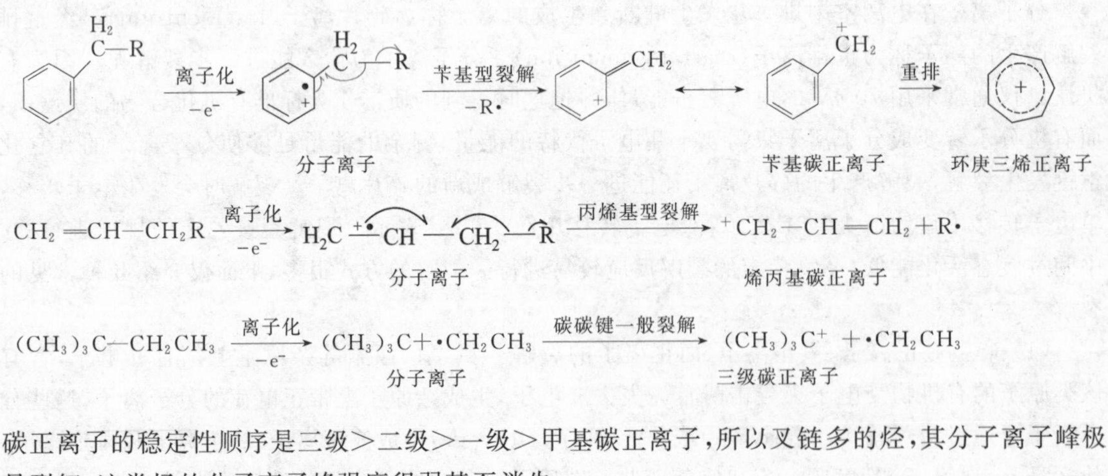

碳正离子的稳定性顺序是三级＞二级＞一级＞甲基碳正离子,所以叉链多的烃,其分子离子峰极易裂解,这类烃的分子离子峰强度很弱甚至消失。

卤代烷、醚、硫醚、胺等可通过 i-裂解(i-cleavage)生成碳正离子,裂解的一般式如下:

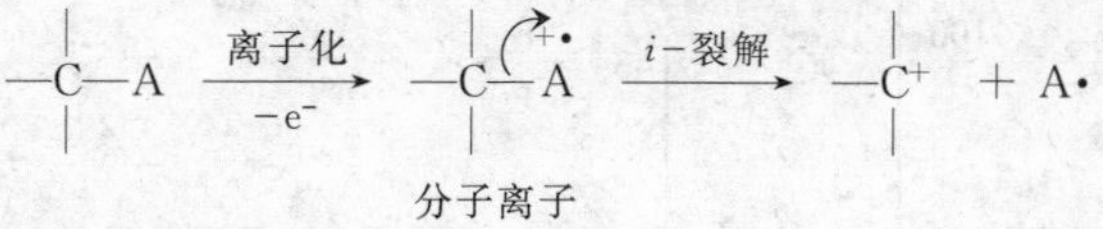

$$-\overset{|}{\underset{|}{C}}-A \xrightarrow[-e^-]{离子化} -\overset{|}{\underset{|}{C}}\overset{\cdot}{\overset{+}{A}} \xrightarrow{i-裂解} -\overset{|}{\underset{|}{C}}^{+} + A\cdot$$

分子离子

$$A = X, OR, SR, NR_2$$

（3）脱去中性分子的裂解　有些分子离子裂解时会失去一些稳定的中性分子，如 CO，NH_3，HCN，H_2S，烯烃和小分子的醇等。例如：

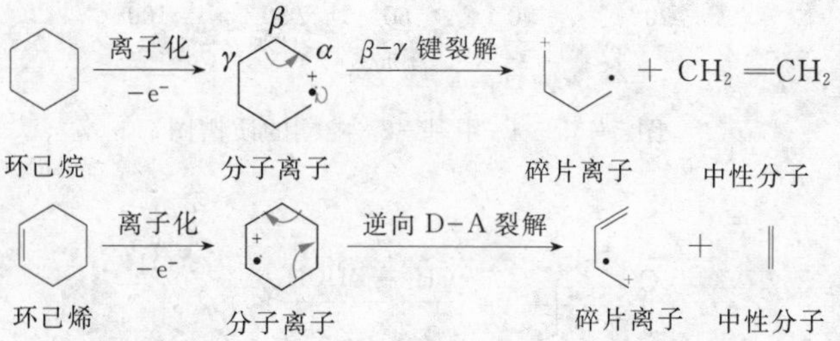

环己烷　　　　　　分子离子　　　　　碎片离子　中性分子

环己烯　　　　　　分子离子　　　　　碎片离子　中性分子

脱去中性分子的裂解常伴随有重排发生，其中最常见的重排是经过六元环状过渡态的重排。例如：

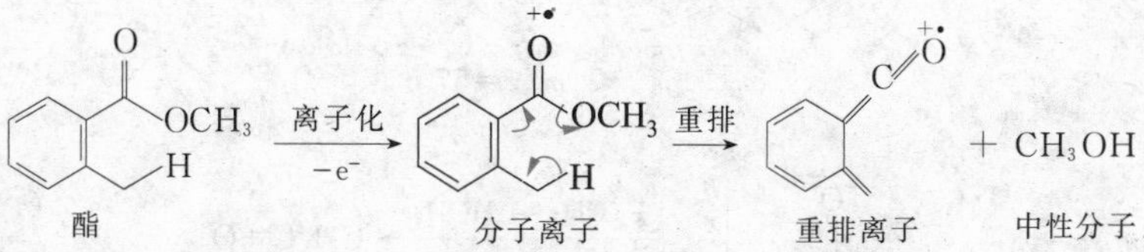

酯　　　　　　　　分子离子　　　　　重排离子　中性分子

式中的 CH_2 可被 O，S，NH 等代替，酯也能被酰胺、酸等代替。这类重排中最重要的是具有 γ 氢原子的侧链苯、烯烃、环氧化合物、醛、酮等化合物经过六元环状过渡态使 γ 氢转移到带有正电荷的原子上，同时在 α，β 原子间发生裂解，这种重排裂解称为 Mclafferty（麦克拉夫悌）重排裂解（rearrangement cleavage）。例如：

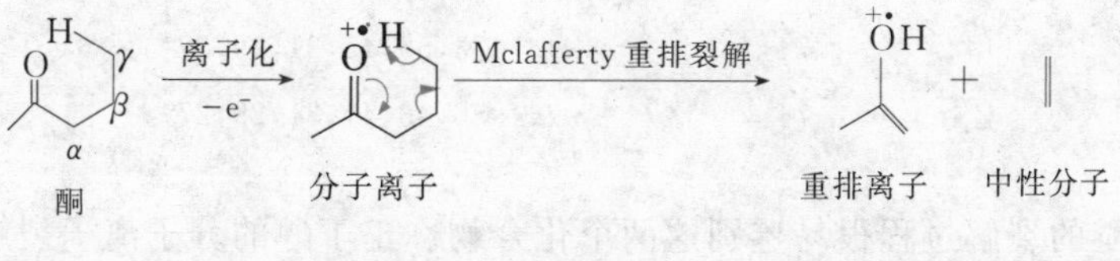

酮　　　　　　　　分子离子　　　　　重排离子　中性分子

图 5-55 是 4-甲基-2-戊酮的质谱图，可以应用上面介绍的裂解方式来阐明图中主要峰各代表什么碎片离子。

$$m/z=100 \quad \overset{O}{\underset{}{CH_3CCH_2}}\overset{CH_3}{\underset{}{CHCH_3}} + e^- \longrightarrow \overset{\overset{\cdot}{O}}{\underset{}{CH_3CCH_2}}\overset{CH_3}{\underset{}{CHCH_3}} + 2e^-$$

M $\overset{+}{\cdot}$ $m/z=100$

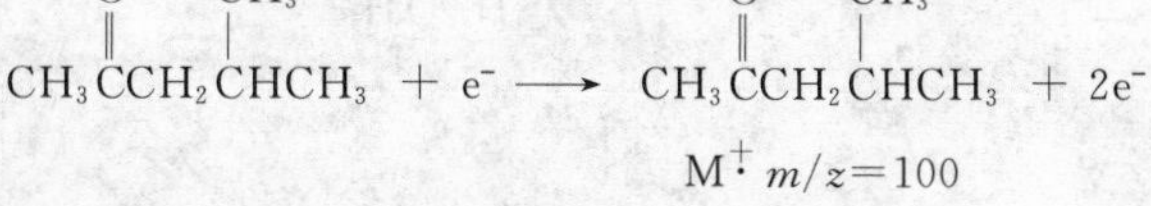

$m/z=85$

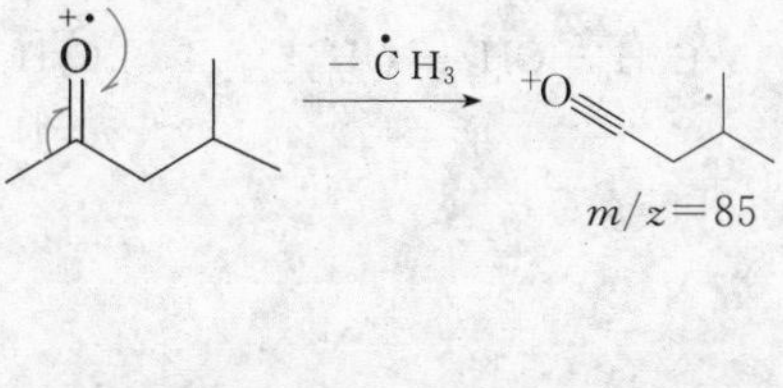

$-\dot{C}H_3$

$m/z=85$

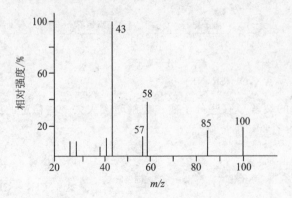

图 5-55 4-甲基-2-戊酮的质谱图

$m/z=58$

$$\xrightarrow{-CH_2=CHCH_3}$$

$m/z=58$

$m/z=57$

$$\xrightarrow{-CO}$$

$m/z=57$

$m/z=43$

$$\xrightarrow{-(CH_3)_2CHCH_2\cdot} CH_3C\equiv O^+$$

$m/z=43$

碎片离子可以提供化合物裂解过程的线索,这对化合物的鉴定十分有用,例如:样品甲和样品乙分别给出下列质谱数据,现请判别哪个样品是正丁醇?哪个样品是乙醚?

样品	M⁺		最强离子峰
甲	74	m/z	73,59,45,31,29,27
乙	74	m/z	56,43,41,31,29,27

根据正丁醇和乙醚的裂解过程很易鉴别这两个化合物。正丁醇的分子离子裂解过程如下:

$$H_2O+CH_3CH_2\dot{C}HCH_2^+ \leftarrow CH_3CH_2CHCH_2 \xrightarrow{-\dot{C}H_2OH} C_3H_7^+ \longrightarrow C_2H_5^+ + :CH_2$$

$m/z56$ $\underset{H}{|}\underset{\dot{O}H}{|}$ $m/z43$ $m/z29$

$m/z74$

$$\downarrow \qquad\qquad\qquad \downarrow \qquad\qquad \downarrow$$

$\cdot C_3H_7+CH_2=\overset{+}{O}H$ $^+C_3H_5+H_2$ $CH_2=\overset{+}{C}H+H_2$

$m/z31$ $m/z41$ $m/z27$

乙醚的分子离子峰裂解过程如下:

$$CH_3CH_2\overset{+}{\overset{\cdot}{O}}CH_2CH_3$$
$$m/z74$$

$$CH_3CH_2\overset{+}{O}=CHCH_3 + \cdot H$$
$$m/z73$$

$$CH_2=\overset{+}{O}CH_2CH_3 + \overset{\cdot}{C}H_3$$
$$m/z59$$

$$CH_3CH_2^+ + CH_3CHO$$
$$m/z29$$

$$CH_2=CH_2 + H\overset{+}{O}=CHCH_3$$
$$m/z45$$

$$CH_2=\overset{+}{O}H + CH_2=CH_2$$
$$m/z31$$

$$CH_2=CH^+ + H_2$$
$$m/z27$$

将这两个化合物裂解产生的碎片离子的质荷比与上述实验数据对比,不难看出,样品甲是乙醚,样品乙是正丁醇。

质谱也广泛用于化合物的结构测定,例如:某化合物的质谱图如图 5-56。

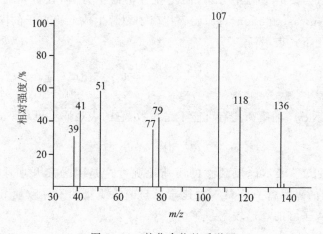

图 5-56 某化合物的质谱图

通过分析谱图可提供此化合物可能的构造式。该谱图的分析如下:M^+ 的 m/z 是 136,说明化合物的相对分子质量是 136。按氮规则判断,分子中不含氮或含偶数氮。同位素分布表明分子中不含 Cl,Br,I,S 等元素。从碎片峰看,因为有 m/z 77,51,39 等芳环系列峰,说明化合物有苯环,有 $m/z107(M-29)$ 峰,说明化合物有 C_2H_5 取代基,有 $m/z118(M-18)$ 峰,说明化合物有醇羟基。因为 C_6H_5、$CHOH$、C_2H_5 加合起来与相对分子质量相当,所以知化合物的分子式为 $C_9H_{12}O$,其可能的构造式为 $C_6H_5CH(OH)CH_2CH_3$。

用质谱法推出的可能结构常需要用其它方法如红外、紫外、核磁共振方法进一步验证,同时,在测定前应对化合物的来源、熔点、沸点等物理性质和化学性质要有所了解,甚至还需进一步制成衍生物加以验证。

习题 5-67 2,2-二甲基丁烷的质谱数据如下:

| m/z | 14 | 28 | 40 | 44 | 57 | 72 |

相对强度/%	1.00	5.00	3.00	3.00	100.00	5.00

问(1) 它的分子离子峰的相对强度是多少? 为什么?

(2) 基准峰的质荷比是多少? 该离子峰是怎样产生的? 写出裂解过程。

习题 5-68 脂肪羧酸及其酯的最特征峰是 $m/z=60$，该峰是 Mclafferty 重排裂解产生的碎片离子峰，写出 $RCH_2CH_2CH_2COOH$ 产生 $m/z=60$ 峰的裂解过程。

5.24.4 亚稳离子

离子在离子源中停留的时间约为 10^{-6} s，由离子源到达检测器的时间约为 10^{-5} s，在离子源中产生的 m_1^+，若其分解反应速率常数 k 大于 10^6 s，则会在离子源中产生新的碎片离子 m_2^+，那么在质谱的 m_2 处能记录到碎片离子 m_2^+ 的峰。若离子 m_1^+ 的分解反应速率常数 k 介于 10^5 与 10^6/s 之间，则 m_1^+ 不会在离子源中分解，而是在分析器中分解，在分析器中裂解产生的离子 (m_3^+) 称为亚稳离子(metastable ion)。原始碎片离子裂解生成亚稳离子的同时常会失去一个中性分子，裂解情况可用下式表示：

$$m_1^+ \xrightarrow{\text{在分析器中裂解}} m_3^+ + (m_1-m_3)$$

原始碎片离子   亚稳离子   中性分子

亚稳离子峰用 m^* 表示，m^* 的质荷比可能不是整数，它的表观质量可从下式求出。

$$m^* = m_3^2/m_1 \tag{5-17}$$

为什么质谱上的亚稳离子峰不能反映它的质荷比呢? 这是因为离开加速器时的碎片离子是 m_1^+，而进入磁偏转器的碎片离子是 m_2^+，加速质量与偏转质量的不一致使 m_2^+ 不按真正的质荷比被记录下来，亚稳离子峰的峰形较宽。

5.24.5 多电荷离子

在正常情况下，气态分子在一定能量的电子轰击下，只失去一个电子形成正离子，当其仍具有较高能量时，进而断裂成仍带一个电荷而质量较小的离子。但有些特别稳定的分子，例如：芳香族和含共轭体系的化合物，因其有 π 电子可以稳定所带的正电荷，故可连续失去两个或多个电子，生成带两个或多个电荷的稳定离子，这些离子称为多电荷离子(multiply charge ion)。因为质谱是按质荷比记录的，因此这时出现的是 m/z 中的 $z=n$ 的离子峰。这类离子峰的出现表明化合物是一个非一般性的稳定化合物。

5.25 影响离子形成的因素

各种离子的形成虽可通过不同的途径，但影响其形成的因素可归纳为下列三种：

（1）键的相对强度。

（2）所产生的正离子的稳定性，这是直接影响键断裂的最重要因素。键断裂除了形成正离子外，还有中性分子和自由基，它们的稳定性当然对键断裂也有一定影响。

（3）原子或官能团的空间相对位置对键的断裂也有影响。

上述各种因素都和分子结构有关，在键断裂过程中，很难说哪一种是决定性的。虽然断裂产物的稳定性经常是主要的，但也可能因不同因素的影响产生平行的两种或多种断裂，例如：

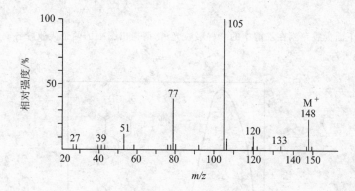

亚稳离子 $m^* = 77^2/105 = 56.4$

该化合物的质谱图如图 5-57 所示。

图 5-57　苯丁酮的质谱图

习题 5-69　指出下列哪些化合物的紫外吸收波长最长，并按顺序排列：

(i) $CH_2=CHCH_2CH=CHOCH_3$　　　　$CH_2=CHCH=CHOCH_3$　　　　$CH_3CH_2CH_2CH_2CH_2OCH_3$

(ii)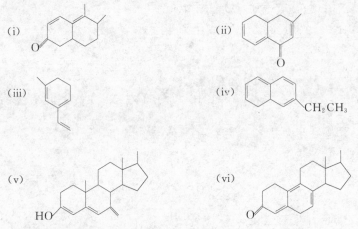

(iii)

习题 5-70 应用 Woodward 与 Fieser 规则,计算下列化合物大致在什么波长吸收。

(i)

(ii)

(iii)

(iv) CH₂CH₃

(v) HO

(vi) O

习题 5-71 用紫外光谱鉴别下列化合物:

习题 5-72 下面为香芹酮在乙醇中的紫外吸收光谱,请指出图中的两个吸收峰各属于什么类型,并根据经验规则计算一下是否符合。

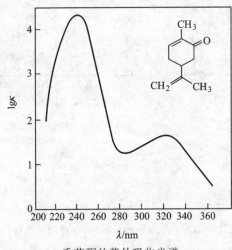

香芹酮的紫外吸收光谱

习题 5-73 查阅十二个单官能团的四碳有机物的红外光谱(化合物的官能团均不相同),并对这些谱图作出分析。

习题 5-74 在下列每个化合物的分子中,各有多少组不等性的质子?

(i) $(CH_3CH_2)_2NH$

(ii) $(CH_3)_2CHCH_2OCH_3$

(iii)
```
   H      Cl
    \    /
     C=C
    /    \
  Br      H
```

(iv)
```
   H      H
    \    /
     C=C
    /    \
  Br      Cl
```

(v)
```
   H      H
    \    /
     C=C
    /    \
   H      Cl
```

(vi) $HOCH_2CH_2I$

(vii) $C_6H_5CH(OH)CH_2CH_3$

(viii) $(CH_3)_3CCH_2CH_2Cl$

习题 5-75 粗略绘出下列各化合物的共振图谱,并指出每组峰的偶合情形和 δ 值的大致位置。

(i) CH_3CHCl_2　　(ii) CH_3CH_2CHO　　(iii) $ClCH_2COOH$　　(iv) $(CH_3)_2CClCH_2Cl$

(v) $HCOOCH_2CH_3$　　(vi) $C_6H_5C(CH_3)_3$　　(vii) $C_6H_5CH_2OCH_3$　　(viii) $(CH_3CH_2)_2C=O$

习题 5-76 从结构分析出发,指出对异丙基甲苯、三级丁基苯和异丁基苯在核磁共振谱图上可能有什么不同?

习题 5-77 苯间位氢的偶合常数约为 2.5 Hz,在三卤代苯或四卤代苯中,找出两个偶合常数约为 2.5 Hz 的化合物。

习题 5-78 写出所有分子式为 C_6H_{12},其核磁共振谱中只有一个单峰的化合物的构造式。

习题 5-79 讨论下面两个化合物的核磁共振谱会有什么不同?

```
              O                                      O
              ‖                                      ‖
  〈 〉—CH2CH2NHCCH3          〈 〉—NHCH2CH2CCH3
```

习题 5-80 一个硝基化合物,其分子式为 $C_3H_6ClNO_2$,其核磁共振谱中有两个四重峰,在 $\delta=2.3$ 附近有两个十六重峰。试推测它的结构和解释各组峰的归属。

习题 5-81 1,2-二溴-1-苯乙烷有几组不等性的质子?

习题 5-82 化合物 A,分子式为 C_8H_9Br,在它的核磁共振图谱中,在 $\delta=2.0$ 处有一个二重峰(3H);$\delta=5.15$ 处有一个四重(1H);$\delta=7.35$ 处有一个多重峰(5H)。写出 A 的构造式。

习题 5-83 有一未知物经元素分析:C68.13%;H13.72%;O18.15%,测得相对分子质量为 88.15;与金属钠反应可放出氢气,与碘和氢氧化钠溶液反应,可产生碘仿(反应可参看 12.7.2);该未知物的核磁共振谱在 $\delta=0.9$ 处有一个二重峰(6H),$\delta=1.1$ 处有一个二重峰(3H),$\delta=1.6$ 处有一个多重峰(1H),$\delta=2.6$ 处有一个单峰(1H),$\delta=3.5$ 处有一个多重峰(1H)。推测该未知物的结构。

习题 5-84 写出下列化合物的分子离子峰,及这些分子离子的断裂方式:

(i) $CH_3CH_2CH(CH_3)_2$

(ii) $(CH_3)_2CHOH$

(iii) $CH_3CH_2OCH_2CH_3$

(iv) $(CH_3)_2CHNH_2$

(v) $(C_6H_5)_2C=O$

(vi)
```
  〔O〕—CH3
```

习题 5-85 写出下列各化合物的分子离子断裂时,生成的最稳定离子的结构。

(i) $HOCH_2CH_2OH$　　(ii) $CH_3OCH_2CH_2OH$　　(iii) CH_3CHCH_2OH　　(iv) $CH_3CHCHCH_3$

下标:(iii) 下方 OH;　(iv) 上方 OH,下方 OCH_3

　　习题 5−86　一个戊酮的异构体,分子离子峰为 $m/z86$,并在 $m/z71$ 和 $m/z43$ 处各有一个强峰,但在 $m/z58$ 处没有峰,写出该酮的构造式;另一个戊酮在 $m/z86$ 及 57 处各有一个强峰,它的构造式是什么?

　　习题 5−87　一个化合物的分子式为 C_7H_7ON,计算它的环和双键的总数,并由所得数值推测一个适合该化合物的构造式;该化合物的质谱在 $m/z121,105,77,51$ 处有较强的峰。写出产生这些离子的断裂方式。

复习本章的指导提纲

基本知识点

　　紫外光谱,红外光谱,核磁共振和质谱的基本原理;λ_{max} 与化学结构的关系(Woodward 和 Fieser 规律);重要官能团的红外特征吸收峰的位置;在核磁共振谱中,^1H 和 ^{13}C 的化学位移,偶合裂分规律,各种谱图的解析方法;质谱的裂解规律。

基本概念

　　紫外光谱,红外光谱,吸光度,吸收系数,透射比,生色基,助色基,增色效应,减色效应,蓝移,红移,核磁共振,质子核磁共振,^{13}C 核磁共振,各种屏蔽效应,各向异性效应,化学位移,偶合,偶合常数,非对映异位质子,对映异位质子,等位质子,化学等价,磁等价,质谱,快原子轰击,分子离子,分子离子峰,同位素离子,多电荷离子,碎片离子,亚稳离子,Mclafferty 重排,相对丰度。

英汉对照词汇

absorbance　(吸光度)

absorptivity　(吸收系数)

anisotropic effect　(各向异性效应)

auxochrome　(助色基)

base peak　(基峰)

Beynon table　(贝诺表)

blue shift　(蓝移)

carbon−13 nuclear magnetic resonance　(^{13}C 核磁共振)

chemical equivalence　(化学等价)

chemical shift　(化学位移)

chemical shift equivalence　(化学位移等价)

cleavage　(α−cleavage　β−cleavage　i−cleavage)　(裂解　α−裂解,β−裂解,i−裂解)

coupling　(偶合)

coupling constant　(偶合常数)

chromophore　(生色基)

deshielding effect　(去屏蔽效应)

diamagnetic effect　(抗磁屏蔽效应)

diastereotopic proton　(非对映异位质子)

electron impact　(EI)　(电子轰击)

enantiotopic proton　(对映异位质子)

fast atom bom bardment　(FAB)　(快原子轰击)

finger−print region　(指纹区)

Fourier transform spectrometer,FTS　(傅里叶变换光谱仪)

fragment ion　(碎片离子)

functional group region　(官能团区)

homotopic proton　(等位质子)

Hooke law　(虎克定律)

hyperchromic effect （增色效应）

hypochromic effect （减色效应）

infrared spectroscopy （IR） （红外光谱）

isotopic ion （同位素离子）

isotopic ion peak （同位素离子峰）

Lambert－Beer law （朗伯－比尔定律）

Larmor process （拉莫尔进动）

magnetic equivalence （磁等价）

magnetogyric ratio （磁旋比）

mass spectrum （质谱）

Mclafferty rerrangement （麦克拉夫悌重排）

metastable ion （亚稳离子）

molecular ion （分子离子）

molecular ion peak （分子离子峰）

multiply－charge ion （多电荷离子）

nitrogen rule （氮规则）

nuclear magnetic resonance （NMR） （核磁共振）

paramagnetic effect （顺磁效应）

proton magnetic resonance；PMR；^{1}H－NMR （质子磁共振）

rearrangement ion （重排离子）

red shift （红移）

relaxation （弛豫）

shielding constant （屏蔽常数）

shielding effect （屏蔽效应）

spectrometer （光谱仪）

spectroscopy （谱学）

spin coupling （自旋偶合）

spin nuclear （自旋核）

spin-spin coupling （自旋－自旋偶合）

tetramethylsilicon （TMS） （四甲基硅）

transmittance （透射比）

ultraviolet and visible spectrum （UV） （紫外和可见光谱）

Woodward－Fieser rule （伍德沃德－费塞尔规则）

第 **6** 章

脂肪族饱和碳原子上的亲核取代反应 β-消除反应

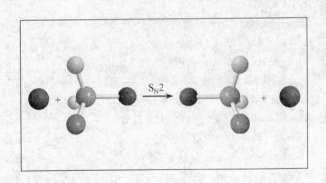

卤代烃中的碳卤键(C—X bond)是极性共价键(polar covalent bond),共享电子对偏向于卤原子。在碱的作用下,卤代烃可以失去 1 分子 HX 发生消除反应(elimination),在亲核试剂的作用下,卤代烃中的卤原子可以被一个亲核试剂取代。这称为脂肪族饱和碳原子上的亲核取代反应(nucleophilic substitution)。由于许多试剂既具有碱性又具有亲核性,所以卤代烃的消除反应和亲核取代反应可以并存而且会互相竞争。

醇分子中的碳氧键(C—O bond)也是极性共价键,共享电子对偏向于氧原子。在酸的作用下,羟基氧生成锌盐,增大了碳氧键的极性,最后导致碳氧键异裂,形成碳正离子。若体系中的负离子与碳正离子结合,醇发生的是亲核取代反应;若负离子夺取 β-H$^+$,β-C 带着一对电子与碳正离子形成新的 π 键,醇发生的是消除反应。两种反应也可以共存而且也会互相竞争。

$$HCl \longrightarrow H^+ + Cl^-$$

饱和碳原子上的亲核取代反应不仅在醇和卤代烃中存在,也广泛存在于其它有机化合物中。本章学习这两类反应的机理、立体化学、特点及其在有机合成中的应用。首先学习相关的基础知识。

脂肪族饱和碳原子上的亲核取代反应

6.1 有机化学中的电子效应

有机化学中的电子效应有诱导效应(inductive effect)、共轭效应(conjugation)、超共轭效应(hyperconjugation)和场效应(field effect)。

6.1.1 诱导效应

因分子中原子或基团的极性(电负性)不同而引起成键电子云沿着原子链向某一方向移动的效应称为诱导效应。如氟代乙酸中的电子云沿着 σ 键向氟原子移动,这是由于氟的电负性比碳强引起的。

$$\overset{\quad\quad\quad\overset{\displaystyle O}{\parallel}\quad\quad}{F \longleftarrow CH_2 \longleftarrow C \longleftarrow O \longleftarrow H}$$

诱导效应的特点是① 电子云是沿着原子链(atomic chain)传递的;② 其作用随着距离的增长迅速下降,一般只考虑三根键的影响。

$$\overset{\delta-}{Cl} \longleftarrow \overset{\delta+}{CH_2} \longleftarrow \overset{\delta\delta+}{CH_2} \longleftarrow \overset{\delta\delta\delta+}{CH_3}$$

诱导效应一般以氢为比较标准,如果取代基的吸电子能力比氢强,则称其具有吸电子诱导效应(electron-withdrawing inductive effect),用 $-I$ 表示。如果取代基的给电子能力比氢强,则称其具有给电子诱导效应(electron-donating illductive effect),用 $+I$ 表示。

$$X \longrightarrow CR_3 \qquad H \longrightarrow CR_3 \qquad Y \longrightarrow CR_3$$

吸电子诱导效应($-I$)   标准   给电子诱导效应($+I$)

诱导效应的强弱可以通过测量偶极矩得知。也可以通过测量酸或碱的解离常数来估量这些基团诱导效应的大小。(一个原子或基团取代了羧酸中的氢原子,可以改变该羧酸的解离常数,根据这些解离常数可以估量这些基团诱导效应的强度次序),其一般规律如下:

(1)与碳原子直接相连的原子,如同一族的随原子序数增加而吸电子诱导效应降低,同一周期的自左向右吸电子诱导效应增加。

吸电子诱导效应:

$$-F > -Cl > -Br > -I$$
$$-OR > -SR$$
$$-F > -OR > -NR_2 > -CR_3$$

（2）与碳原子直接相连的基团不饱和程度愈大，吸电子能力愈强，这是由于不同的杂化状态如 sp，sp^2，sp^3 杂化轨道中 s 成分不同引起的，s 成分多，吸电子能力强。

吸电子诱导效应：

$$—C \equiv CR > —CH = CR_2 > —CH_2 —CR_3$$

（3）带正电荷的基团具有吸电子诱导效应，带负电荷的基团具有给电子诱导效应。与碳直接相连的原子上具有配价键，亦有强的吸电子诱导效应。

（4）烷基有给电子的诱导效应，同时又有给电子的超共轭效应。

一些常见基团的诱导效应顺序如下：

吸电子基团（electron-withdrawing group）：

$$NO_2 > CN > F > Cl > Br > I > C \equiv C > OCH_3 > OH > C_6H_5 > C = C > H$$

给电子基团（electron-donating group）：

$$(CH_3)_3C > (CH_3)_2CH > CH_3CH_2 > CH_3 > H$$

上面各原子或原子团的诱导效应大小，常常因为所连母体化合物的不同以及取代后原子间的相互影响等一些复杂因素的存在而有所不同，因此在不同的母体化合物中，它们的诱导效应的顺序是不完全一样的。

习题 6-1　根据下列实验数据判断：与羧基相连的基团的诱导效应是吸电子的还是给电子的？并将它们按吸电子诱导效应（或给电子诱导效应）由大到小的顺序排列。

(i)	FCH_2COOH	$ClCH_2COOH$	$BrCH_2COOH$	ICH_2COOH	CH_3OCH_2COOH	$HOCH_2COOH$
pK_a 值	2.66	2.86	2.90	3.18	3.53	3.83

(ii)	$HC \equiv CCH_2COOH$		$H_2C = CHCH_2COOH$	$C_6H_5CH_2COOH$	CH_3COCH_2COOH
pK_a 值	3.32		4.35	4.31	3.58

(iii)	$HOOCCH_2COOH$	$H_5C_2OOCCH_2COOH$	CH_3COCH_2COOH
pK_a 值	2.85	3.35	3.58

(iv)	$O \leftarrow NCH_2COOH$	$\overset{\overset{O}{\|\|}}{\underset{\underset{O}{\|\|}}{CH_3SCH_2COOH}}$	$(CH_3)_3 \overset{+}{N}CH_2COOH$
pK_a 值	1.68	2.36	1.83

6.1.2　共轭效应

单双键交替出现的体系称为共轭体系（conjugated system）。在共轭体系中，由于原子间的相互影响而使体系内的 π 电子（或 p 电子）分布发生变化的一种电子效应称为共轭效应。例如下面的不饱和腈，由于氮原子的吸电子作用，使 π 电荷的分布发生变化，体系中出现了正、负电荷交替分布的情况。

$$\overset{\delta+}{CH_2}=\overset{\delta-}{CH}-\overset{\delta+}{CH}=\overset{\delta-}{CH}-\overset{\delta+}{CH}=\overset{\delta-}{CH}-\overset{\delta+}{C}\equiv\overset{\delta-}{N}$$

凡共轭体系上的取代基能降低体系的 π 电子云密度,则这些基团有吸电子的共轭效应(electron-withdrawing conjugation),用 $-C$ 表示。如 $—NO_2$,$—C\equiv N$,$—COOH$,$—CHO$,$—COR$ 等均有吸电子共轭效应。凡共轭体系上的取代基能增高共轭体系的 π 电子云密度,则这些基团有给电子的共轭效应(electron-donating conjugation),用 $+C$ 表示。如 $—NH_2$(R),

$$—\overset{\overset{O}{\|}}{N}HCR \;,—OH,—OR,—\overset{\overset{O}{\|}}{O}CR$$ 等均有给电子的共轭效应,取代基的共轭效应和诱导效应方向有的一致,有的不一致。例如:

$CH_2=CH-CH=CH \rightarrow CH=O$
醛基的共轭效应和诱导效应
都是吸电子的。

$CH_2=CH-CH=CH \rightarrow NH_2$
氨基的共轭效应是给电子的,
其诱导效应是吸电子的。共轭
效应大于诱导效应,总的电子
效应是给电子的。

$CH_2=CH-CH=CH \rightarrow Cl$
氯原子的共轭效应是给电子的,
其诱导效应是吸电子的。共轭
效应小于诱导效应,总的电子
效应是吸电子的。

共轭效应只能在共轭体系中传递,但无论共轭体系有多大,共轭效应能贯穿于整个共轭体系中。苯环可以看做是一个连续不断的共轭体系,因此苯环任一位置上的取代基,其共轭效应可以通过苯环交替传递到其它任何位置。

6.1.3 超共轭效应

当 C—H σ键与 π 键(或 p 轨道)处于共轭位置时,也会产生电子的离域现象,这种 C—H 键 σ 电子的离域现象叫做超共轭效应。

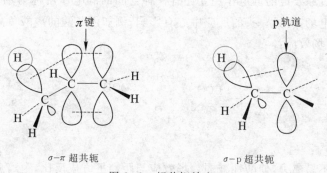

σ–π 超共轭   σ–p 超共轭

图 6-1 超共轭效应

产生超共轭效应的原因是烷基的碳原子与极小的氢原子相结合,对于电子云的屏蔽效应很小,烷基上 C—H 键的一对电子,受核的作用互相吸引,到一定距离时,烷基上几个 C—H 键电子之间又互相排斥,如果邻近有 π 轨道或 p 轨道(碳正离子或自由基的)可以容纳电子,这时 σ 电子就偏离原来的轨道,而趋向于 π 轨道或 p 轨道,使 σ 轨道与 π 轨道呈现部分的重叠,其结果是使共轭的范围扩大(或电荷分散),体系稳定。

在超共轭体系中电子转移(electron transfer)的趋向可用弧形箭头(arc arrow)表示:

$$\overset{\frown}{H-C-C} \qquad \overset{\frown}{H-C=C-C}$$

超共轭效应的大小,与 p 轨道或 π 轨道相邻碳上的 C—H 键多少有关,C—H 键愈多,超共轭效应愈大,因此 p 轨道或 π 轨道相邻基团超共轭效应的大小次序为

$$CH_3-\ >\ RCH_2-\ >\ R_2CH-\ >\ R_3C-$$

习题 6-2   请分析下列画线基团的电子效应,并用箭头表示。

(i) $CH_2=CH-\underline{C\equiv N}$

(ii) $CH_2=CH-\underline{NO_2}$

(iii) $CH_2=CH-\underline{NH_2}$

(iv) $CH_2=CH-\underline{NHCCH_3}$
　　　　　　　　　　$\overset{O}{\overset{\|}{}}$

(v) $CH_2=CH-\underline{OCH_3}$

(vi) $CH_2=CH-\underline{OCCH_3}$
　　　　　　　　　　$\overset{O}{\overset{\|}{}}$

(vii) $CH_2=CH-\underline{C-Cl}$
　　　　　　　　$\overset{O}{\overset{\|}{}}$

(viii) $CH_2=CH-\underline{Cl}$

(ix) $CH_2=CH-\underline{CH_3}$

(x) $CH_2=CH-\underline{\overset{+}{N}H_3}$

6.1.4 场效应

诱导效应是通过原子链的静电作用。还有一种空间的静电作用称为场效应,就是取代基在空间可以产生一个电场,对另一头的反应中心有影响,例如丙二酸的羧酸负离子除对另一头羧基有诱导效应外,还有场效应:

$$\begin{array}{ccc} COO^- & \overset{\text{场效应}}{\cdots\cdots} & COOH \\ & \diagdown\quad\diagup & \\ & CH_2 & \end{array}$$

两个效应均使质子不易离去,使酸性减弱。场效应与距离平方成反比,距离愈远,作用愈小,通常要区别诱导效应与场效应是比较困难的,因为这两个效应,往往同时存在,且在同一方向,但是当取代基在合适位置的时候,场效应与诱导效应的方向也可能是相反的,例如:

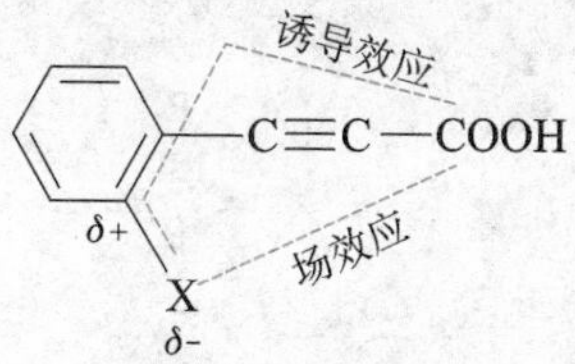

当 X 是卤素时,诱导效应使酸性增强,而 C—X 偶极的场效应,将使酸性减弱,上述邻卤代酸的酸性比间位及对位酸的酸性弱,就是由于场效应所致。又如下列情况也可以区分:

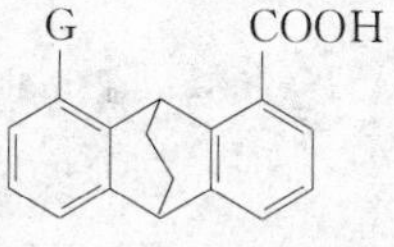

G＝H　　pK_a＝6.04
G＝Cl　　pK_a＝6.25

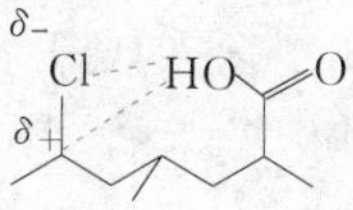

(i)

当 G＝H 时酸性比 G＝Cl 时强,氯原子取代后酸性下降,可用场效应来说明,由于 C—Cl 键有极性,电负性较大的氯原子与羧基中的质子距离较近,如上(i)所示,而正电性的碳原子与羧基中质子距离较远,负电性的氯原子通过空间对质子的静电作用而降低了酸性,如果只考虑氯原子的诱导效应,酸性应该增强。

6.2　碳正离子

含有一个只带 6 个电子的带正电荷的碳氢基团称为碳正离子(carbo cation)。根据带正电荷的碳原子与其它碳原子连接的数目可分为一级碳正离子(primary carbo cation)、二级碳正离子(secondary cation)和三级碳正离子(tertiary carbo cation):

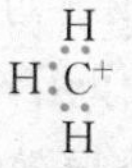

甲基碳正离子 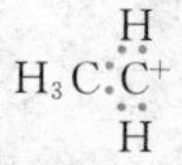　　乙基碳正离子　　异丙基碳正离子　　三级丁基碳正离子
　　　　　　　　　(伯,1°)　　　　　(仲,2°)　　　　　　(叔,3°)

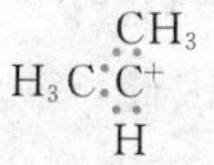

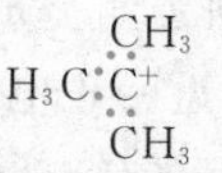

碳正离子和自由基一样,是反应过程中短暂存在的活性中间体(reactive intermediate),一般不能分离得到,但可通过物理方法观察到它的存在,如用比碳正离子更强的路易斯酸(Lewis acid) SbF_5 与卤代烷作用:

$$(CH_3)_3CF + SbF_5 \longrightarrow (CH_3)_3\overset{+}{C}Sb\overset{-}{F_6}$$

在核磁共振谱中可观察到碳正离子的存在。

碳正离子中带正电荷的碳原子是 sp^2 杂化,三个 sp^2 杂化轨道呈一平面与其它原子或基团成键,键角～120°,有一个垂直于此平面上下的空 p 轨道,这个空的 p 轨道与化学性质密切相关:

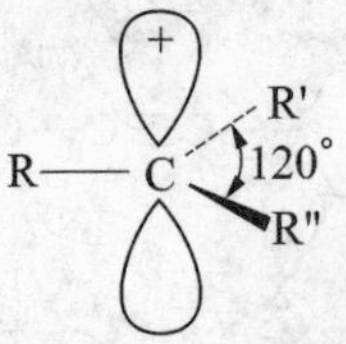

图 6-2　碳正离子

碳正离子的相对稳定性已经测定,从烷烃形成自由基所需的能量称为键解离能(dissociation energy)(参看 1.3.7/1),从自由基形成碳正离子所需的能量称为电离能(ionization energy)。

$$CH_3 \cdot \longrightarrow CH_3^+ + e^- \qquad \Delta H = 958.1 \ kJ \cdot mol^{-1}$$

$$CH_3CH_2 \cdot \longrightarrow CH_3CH_2^+ + e^- \qquad 845.5 \ kJ \cdot mol^{-1}$$

$$CH_3\overset{\cdot}{C}HCH_3 \longrightarrow CH_3\overset{+}{C}HCH_3 + e^- \qquad 761.5 \ kJ \cdot mol^{-1}$$

$$\underset{\underset{\cdot}{CH_3CCH_3}}{\overset{CH_3}{|}} \longrightarrow \underset{\underset{+}{CH_3CCH_3}}{\overset{CH_3}{|}} + e^- \qquad 715.5 \ kJ \cdot mol^{-1}$$

由上看到,自由基的电离能 $CH_3 \cdot > 1° > 2° > 3°$,而烷烃 C—H 键的解离能也是 CH_3—H $> 1° > 2° > 3°$,结合两组数据,可以推出碳正离子稳定性次序为 $3° > 2°$,烯丙基$> 1° > \overset{+}{C}H_3$。

碳正离子很不稳定,需要电子来完成八隅体构型,因此任何给电子因素均能使正电荷分散而稳定,任何吸电子因素均能使正电荷更加集中而更不稳定:

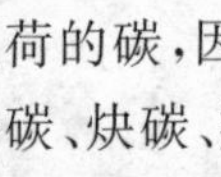

$$G\overset{|}{\underset{|}{-}}C^+ \qquad\qquad G\overset{|}{\leftarrow}C^+$$

给电子基团使碳正离子稳定 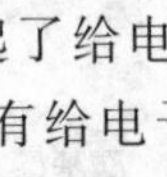　　　　吸电子基团使碳正离子更不稳定

对碳正离子的相对稳定性可以通过电子效应来了解,烷基的碳原子用 sp^3 杂化轨道与带正电荷碳的 sp^2 杂化轨道重叠成键,sp^2 轨道中 s 成分较多,sp^2 轨道比较靠近核,与 sp^3 轨道重叠时,一对成键电子靠近带正电荷的碳,因此,烷基实际上起了给电子的作用,也就是说,烷基与不饱和基团如带正电荷的碳、烯碳、炔碳、羰基碳等相连时,有给电子的诱导效应,带正电荷的碳上烷基越多,给电子诱导效应越大,使正电荷分散而越稳定,这是三级碳正离子较二级、一级碳正离子稳定的一个原因。

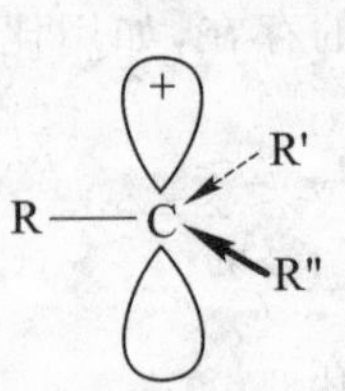

图 6-3　烷基的给电子诱导效应

另一个原因是超共轭效应。$1°$碳正离子和 $2°$碳正离子的超共轭效应可用图 6-4 表示:

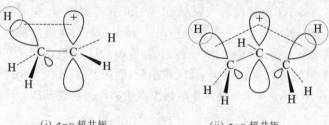

(i) σ-p 超共轭

在 $CH_3\overset{+}{C}H_2$ 中 CH_3 的
C—H 键与 p 轨道超共轭

(ii) σ-p 超共轭

在 $CH_3\overset{+}{C}HCH_3$ 中两个 CH_3
的 C—H 键与 p 轨道超共轭

图 6-4 1°碳正离子和 2°碳正离子的超共轭效应（烷基的 σ 轨道与 p 轨道重叠）

在 1°碳正离子中，有三个 C—H 键与碳正离子的 p 轨道共轭，而在 2°碳正离子中有六个。由于超共轭效应是给电子的，所以 2°碳正离子比 1°碳正离子稳定。

桥头碳原子由于桥的刚性结构（rigid structure），不易形成具有平面三角形 sp^2 轨道的碳正离子，即使能形成碳正离子也非常不稳定。

习题 6-3 比较下列碳正离子的稳定性，由大到小顺序列出：

(i) $CH_3CH_2CH_2\overset{+}{C}H_2$ $CH_3\overset{+}{C}HCH_2CH_3$ $(CH_3)_3C^+$

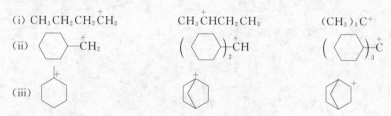

(ii)

(iii)

习题 6-4 请解释下列碳正离子稳定性的次序：

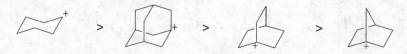

6.3   手性碳原子的构型保持和构型翻转 Walden 转换

如果一个反应涉及一个不对称碳原子上的一根键的变化，则将新键在旧键断裂方向形成的情况称为构型保持（retention of configuration），而将新键在旧键断裂的相反方向形成的情况称为构型翻转（inversion of configuration）。

$$n-C_6H_{13} \quad\quad\quad\quad n-C_6H_{13} \quad\quad\quad n-C_6H_{13}$$

$$H_{\cdots}\overset{|}{C}-Br \xrightarrow{HO^-} HO-\overset{|}{C}\cdots H \quad + \quad H_{\cdots}\overset{|}{C}-OH$$

$$H_3C \quad\quad\quad\quad CH_3 \quad\quad\quad H_3C$$

(R)-2-溴辛烷   (S)-2-辛醇   (R)-2-辛醇
$[\alpha]_D=-34.6°$ $[\alpha]_D=+9.9°$ $[\alpha]_D=-9.9°$
     构型翻转   构型保持

构型翻转的现象是在 1896 年由德国科学家 Paul Walden(瓦尔登)首先发现的。在当时,这是一个十分重大的发现。Walden 将(－)－苹果酸[(－)－malic acid]在醚溶液中用 PCl_3 处理得到了(＋)－氯代琥珀酸[(＋)－chlorosuccinc acid],后者用 AgOH 处理得到了(＋)－苹果酸。同样,用 PCl_3 处理(＋)－苹果酸可以得到(－)－氯代琥珀酸,而用 AgOH 处理(－)－氯代琥珀酸可以得到(－)－苹果酸。也即 Walden 发现了使苹果酸构型发生翻转的实验方法。这一循环如下图所示。

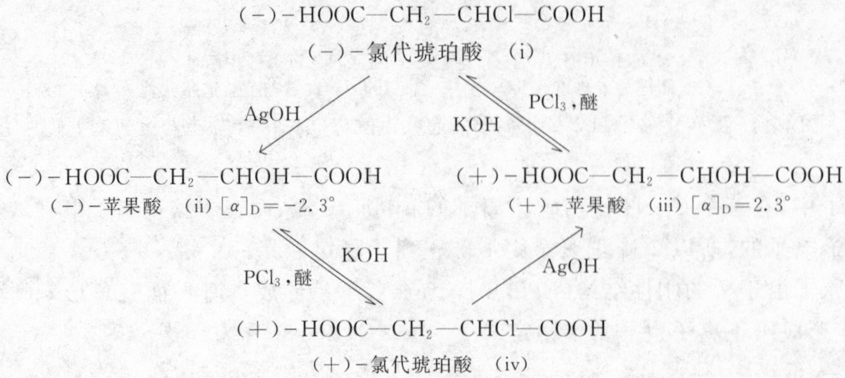

$$(-)-HOOC-CH_2-CHCl-COOH$$
(－)－氯代琥珀酸 (i)

AgOH PCl_3,醚
       KOH

$$(-)-HOOC-CH_2-CHOH-COOH \qquad (+)-HOOC-CH_2-CHOH-COOH$$
(－)－苹果酸 (ii) $[\alpha]_D=-2.3°$ (＋)－苹果酸 (iii) $[\alpha]_D=2.3°$

KOH
PCl_3,醚   AgOH

$$(+)-HOOC-CH_2-CHCl-COOH$$
(＋)－氯代琥珀酸 (iv)

现在我们已经知道,在中心碳原子为手性碳的亲核取代反应中,构型翻转的现象是十分普遍的。

习题 6－5 请判断在下列反应中,哪些反应发生了 Walden 转换。

(i)

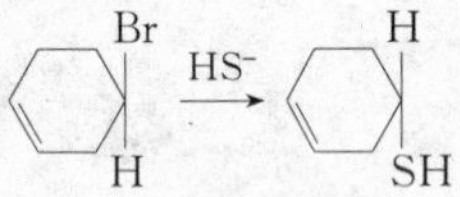

(ii) 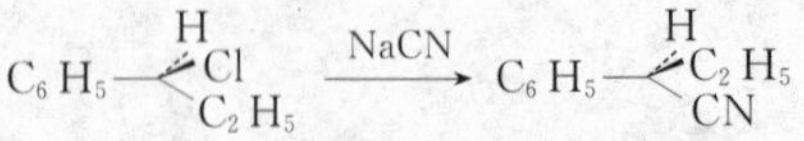 C_6H_5 ... Cl $\quad \xrightarrow{NaCN} \quad$ C_6H_5 ... C_2H_5 CN

(iii) 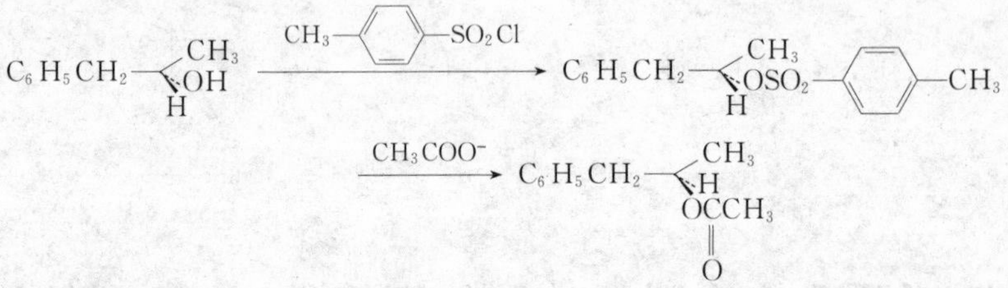 $C_6H_5CH_2$ ... CH_3 OH $\quad \xrightarrow{CH_3——SO_2Cl} \quad$ $C_6H_5CH_2$ ... CH_3 OSO_2 — —CH_3

$\xrightarrow{CH_3COO^-}$ $C_6H_5CH_2$ ... CH_3 OCCH_3

(iv)

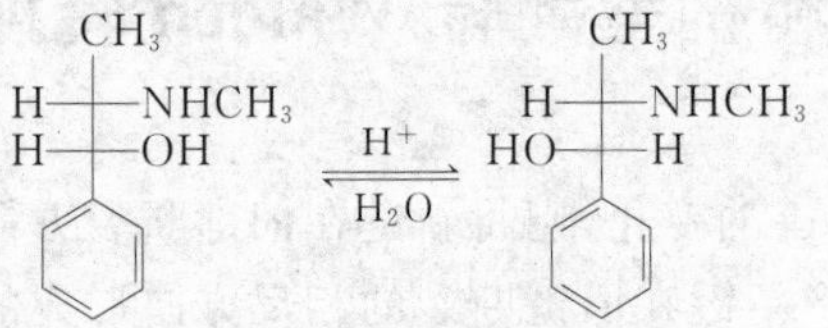

6.4 饱和碳原子上亲核取代反应的概述

有机化合物分子中的原子或原子团被亲核试剂取代的反应称为亲核取代反应(nucleophilic

substitution)。用 S_N 表示。反应的一般式为

中心碳原子

$$R—CH_2—A \ + \ Nu: \longrightarrow R—CH_2—Nu \ + \ A:$$

底物　　　　　亲核试剂　　　　　产物　　　　离去基团

在上式中，RCH_2A 为受试剂进攻的对象，称为底物（substrate）。Nu：是进攻者，又带有一对未共用的电子，是亲核的，所以称为亲核试剂（nucleophilic agent）。A 是反应后离开的基团，称为离去基团（leaving group）。与离去基团相连的碳原子称为中心碳原子（central carbon）。生成物为产物（product）。在上述反应中，因为受进攻的对象是脂肪族化合物，因此这类反应称为脂肪族亲核取代反应，或称为饱和碳原子上的亲核取代反应。亲核取代反应是有机合成上一类非常重要的反应。

6.5 亲核取代反应的速率

反应物的浓度（concentrations of reactant）与反应速率（reaction rate）之间有十分密切的关系。现以卤代烷水解生成醇为例来讨论

$$RX \ + \ H_2O \longrightarrow ROH \ + \ HX$$

当溴甲烷、溴乙烷和异溴丙烷在 80％乙醇的水溶液中进行水解（hydrolysis），发现它们水解速率很慢，而三级溴丁烷在同样条件下水解速率非常快；如果在 80％乙醇的水溶液中加入 OH^-，溴甲烷、溴乙烷、异溴丙烷水解速率随溴代烷及 OH^- 浓度增加而加快，但随着溴甲烷 α 碳上氢被甲基取代，反应速率又随着下降，异溴丙烷降到最低点，而三级溴丁烷水解反应不受 OH^- 浓度的影响。这些实验观察到的事实，说明溴甲烷、溴乙烷、异溴丙烷水解速率取决于溴代烷及 OH^- 的浓度，而三级溴丁烷的反应速率只取决于溴代烷的浓度。在动力学上，反应速率与反应物浓度的二次方成正比的是二级反应（second-order reaction），表示为

$$反应速率 = \frac{-d[RX]}{dt} = k_2[RX][OH^-]$$

反应速率与反应物浓度的一次方成正比的是一级反应（primary-order reaction），表示为

$$反应速率 = \frac{-d[RX]}{dt} = k_1[RX]$$

式中的 k 为在边界条件 $C_{t=0} = C_0$ 时的速率常数，k_1、k_2 在这里分别代表一级反应及二级反应的速率常数，一个化合物在一定温度一定溶剂中进行某一反应时，k 值是相同的。表 6-1 列出了几种溴代烷在体积分数为 80％乙醇水溶液中水解的反应速率常数。

表 6-1　溴代烷水解的反应速率常数（在体积分数 80％乙醇的水溶液中，55℃）

溴 代 烷	一级反应速率 $k_1/10^{-5} \, s^{-1}$	二级反应速率常数 $k_2/10^{-5} \, mol^{-1} \cdot L \cdot s^{-1}$
CH_3Br	0.35	2140
CH_3CH_2Br	0.14	171
$(CH_3)_2CHBr$	0.24	4.75
$(CH_3)_3CBr$	1010	

表中的数据表明：三级溴丁烷在 80％乙醇水溶液中的水解反应是一级反应，与 OH^- 浓度无关。

习题 6-6　$(CH_3)_2CHBr$ 在体积分数 80％乙醇的水溶液中，于 55℃进行水解，请计算在反应进行到全部完成的 1/2,2/3,3/4,4/5 时的反应速率。

6.6　亲核取代反应的机理

上述溴代烷的亲核取代反应，反应速率有的与 OH^- 浓度有关，有的无关，为了解释这些现象，提出了两种反应机理（reaction mechanism），即 S_N2 与 S_N1。

6.6.1　S_N2 反应的定义、机理和反应势能图

有两种分子参与了决定反应速率关键步骤的亲核取代反应称为双分子亲核取代反应（bimolecular nucleophilic substitution）。用 S_N2 表示。S 表示取代反应，N 表示亲核，2 表示有两种分子参与了速控步骤。也即控制亲核取代反应速率的一步（即慢的一步）是由两种分子控制的。这种决定整个反应速率的某一步反应称为速控步骤或决速步。反应的分子数与动力学上的级数往往是相同的，如溴甲烷用 OH^- 水解，在动力学上是二级反应，同时是双分子过程，三级溴丁烷水解在动力学上是一级反应，同时是单分子过程。但动力学上的级数与分子数并不总是一致的，例如，亲核试剂就是溶剂，即溶剂解（solvolysis）时，由于溶剂大量存在，反应前后浓度基本上不变，因此在动力学上观察到的是一级反应，而实际上反应机理是双分子过程，因此反应微观的分子数经常不能单纯地由宏观的动力学级数决定。

S_N2 反应机理：S_N2 反应是同步过程，即亲核试剂从反应物离去基团的背面向与它连接的碳原子进攻，先与碳原子形成比较弱的键，同时离去基团与碳原子的键有一定程度的减弱，两者与碳原子成一直线，碳原子上另外三个键逐渐由伞形转变成平面，这需要消耗能量，即活化能，当反应进行和达到能量最高状态即过渡态后，亲核试剂与碳原子之间的键开始形成，碳原子与离去基团之间的键断裂，碳原子上三个键由平面向另一边偏转，整个过程犹如大风将雨伞由里向外翻转一样，这时就要释放能量，形成产物，S_N2 的反应机理用一般式表示为

$$Nu:^- + RX \longrightarrow \left[\overset{\delta-}{Nu} \cdots R \cdots \overset{\delta-}{X} \right]^{\neq} \longrightarrow RNu + :X^-$$

过渡态

例如,溴甲烷用 OH^- 水解:

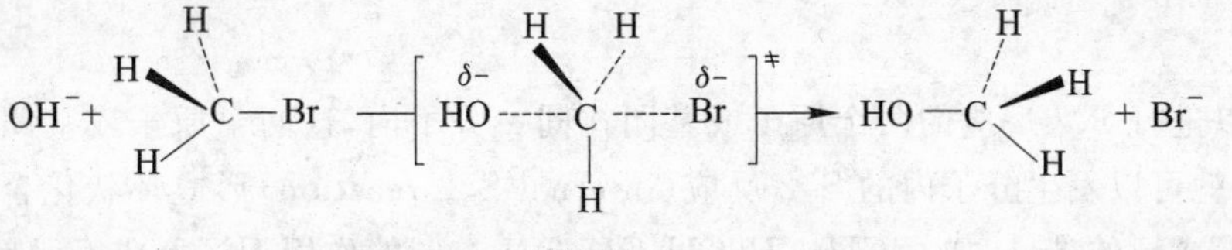

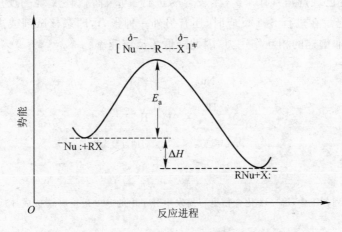

从结构上来看,卤代烷转变为过渡态时,中心碳原子将由原来 sp^3 的四面体结构转为 sp^2 的三角形的平面结构,碳上还有一个垂直于该平面的 p 轨道,该 p 轨道的一侧与亲核试剂(Nu)的轨道重叠,另一侧与离去基团(X)的轨道重叠(图 6-5):

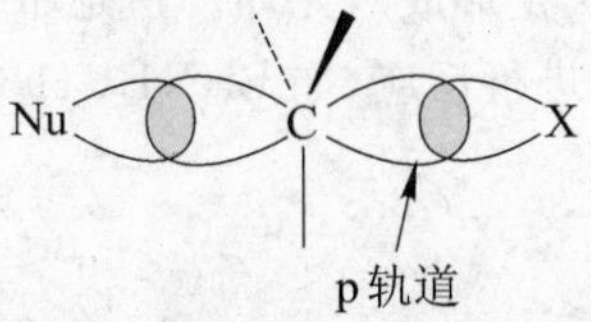

图 6-5 中心碳的 p 轨道与亲核试剂及离去基团的轨道重叠

过渡态时亲核试剂与碳原子的键尚未完全形成,但亲核试剂上的一对电子已与碳原子共享,离去基团与碳原子之间的键尚未完全断裂,但碳原子上部分负电荷已转移给离去基团。在 S_N2 反应中,由于亲核试剂是从离去基团的背侧去进攻中心碳原子的,因此,若中心碳原子为手性碳,在生成产物时,中心碳原子的构型完全翻转,这是 S_N2 反应在立体化学上的重要特征。

S_N2 反应中势能变化如图 6-6 所示:

图 6-6 S_N2 反应中的势能变化示意图

当反应物形成过渡态时,需要吸收活化能 E_a,过渡态为势能最高点,即最难达到的最高能量状态,一旦形成过渡态,即释放能量,形成生成物(也可以从过渡态返回初态)。反应物与生成物之间的能量差为 ΔH。因为控制反应速率一步是双分子的,需要两种分子的碰撞,故这个反应是双分子的亲核取代反应。

6.6.2　成环的 S_N2 反应

如果可以进行 S_N2 反应的两个原子或基团在同一分子内,这两个原子或基团又在比较合适的位置,那么就可以发生分子内的 S_N2 反应(internal S_N2 reaction)形成环状化合物。所谓合适的位置是指形成环的难易,如 $ClCH_2CH_2CH_2CH_2OH$ 在碱的作用下可形成五元环:

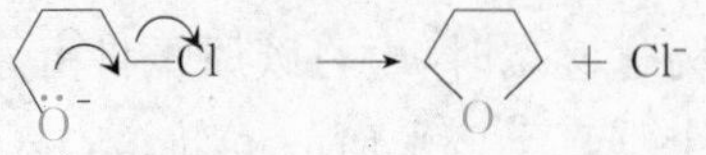

五元环键角~108°,与正常键角 109.5°比较接近,成环时张力小,过渡态势能低,活化能也低,反应快。因此形成五元环最容易,其次是形成六元环。三元环成环时虽有张力,但两个反应基团处在相邻位置,比较接近,因此也容易进行反应,如 $BrCH_2CH_2OH$ 在碱性条件下反应生成三元环:

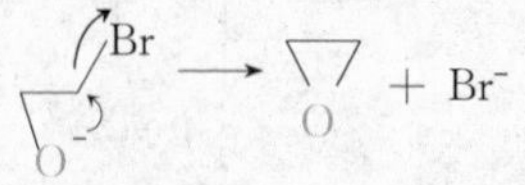

其反应性小于五、六元环。四元环键角~88°,偏离正常键角较多,张力大,很难进行成环反应。形成七元、八元环的反应稍慢一些,大环化合物虽然没有张力,但往往更易进行分子间的 S_N2 反应。如欲成环,常用的方法是使反应物在高稀溶液中进行,就是降低反应物的浓度,避免分子间的接触,以增加分子内反应的机会。

环上卤原子的 S_N2 反应性也与形成过渡态的势能有关,如亲核试剂进攻带卤原子的环碳原子,此环碳原子要 sp^2 杂化,键角≈120°,这对于卤代环丙烷、卤代环丁烷很困难,而卤代环戊烷键角≈108°,卤代环己烷键角≈109.5°,比较容易进行反应,卤代环戊烷的反应性又大于卤代环己烷,因为卤代环己烷在进行 S_N2 反应时,还有另外一种张力,即亲核试剂或离去基团与环上 3,5 位的直立键氢有非键连的相互作用力,因此降低了反应速率:

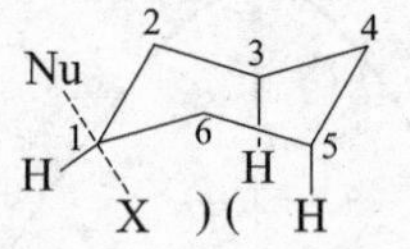

卤代环己烷 S_N2 反应时的过渡态

习题 6-7　下列各组中,哪一个化合物更容易发生分子内的 S_N2 反应?请按成环反应的难易排列顺序。

(i)　H_2N ⌒⌒⌒ Cl　　　　H_2N ⌒⌒⌒⌒ Br　　　　H_2N ⌒⌒⌒⌒ I

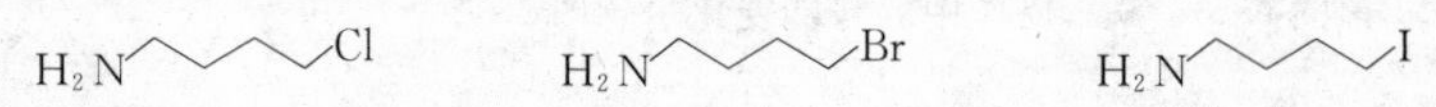

(ii)　Br ⌒ O^-　　　　Br ⌒⌒ O^-　　　　Br ⌒⌒⌒ O^-

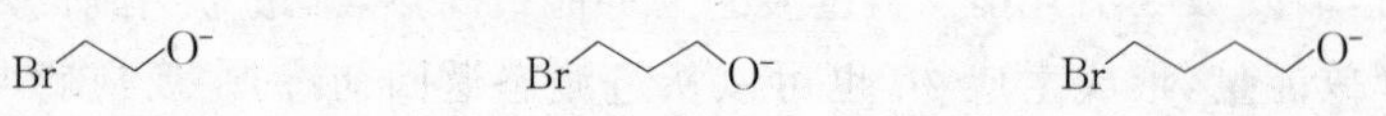

(iii)　Br ⌒⌒ COO^-　　　　(中)　　　　(右)

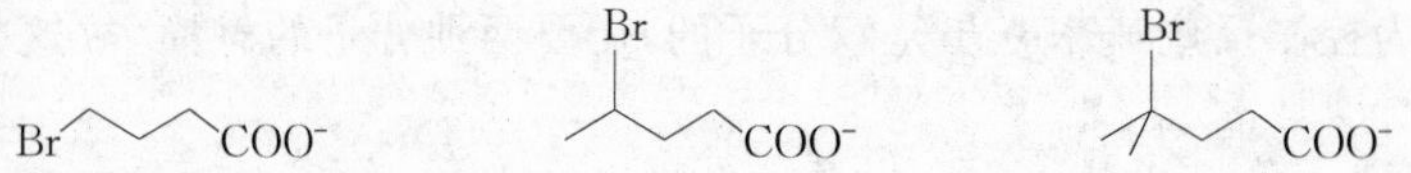

习题 6-8 完成下列反应：

(i) 2 Br—⬡—Br + NH_3 ⟶   (ii) ⬡ (CH₂CH₂Br / CH₂Br) + CH_3NH_2 ⟶

习题 6-9 选择合适的卤代烃为原料，并用合适的反应条件合成：

(i)   (ii) N—CH_3

习题 6-10 完成下列反应，并将它们按反应难易排列成序，简单阐明理由。

(i) ^-O—$\overset{O}{\overset{\|}{C}}$—⬡—Br $\xrightarrow{\text{分子内 } S_N2}$ (ii) ⬡(COO⁻ / Br) $\xrightarrow{\text{分子内 } S_N2}$

(iii) ⬡(COO⁻ / Br) $\xrightarrow{\text{分子内 } S_N2}$

6.6.3 S_N1 反应的定义、机理和反应势能图

只有一种分子参与了决定反应速率关键步骤的亲核取代反应称为单分子亲核取代反应（unimolecular nucleophilic substitution）。用 S_N1 表示。1 表示只有一种分子参与了速控步骤。

S_N1 反应机理：S_N1 反应机理是分步进行的，反应物首先解离为碳正离子与带负电荷的离去基团，这个过程需要能量，是控制反应速率的一步，即慢的一步。当分子解离后，碳正离子马上与亲核试剂结合，速率极快，是快的一步。S_N1 的反应机理一般表示为

$$R_3C—X \underset{}{\overset{\text{慢}}{\rightleftharpoons}} R_3C^+ + X^-$$

$$R_3C^+ + Nu^- \xrightarrow{\text{快}} R_3CNu$$

S_N1 反应中势能变化如图 6-7 所示：

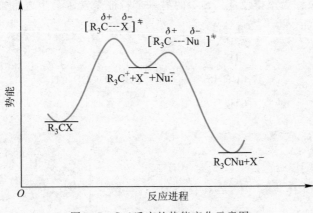

图6-7 S_N1反应的势能变化示意图

图 6-7 中，C—X 键解离需要能量，当能量达到最高点时，这时相应的结构为第一过渡态 $\left[\begin{array}{c}\overset{\delta+}{R_3 C}\overset{\delta-}{\cdots X}\end{array}\right]^*$，然后能量降低，C—X 键解离形成活性中间体碳正离子：

$$R_3 CX \longrightarrow \left[\overset{\delta+}{R_3 C}\cdots\overset{\delta-}{X}\right]^* \longrightarrow R_3 C^+ + X^-$$

过渡态

当碳正离子与亲核试剂接触形成新的键时，又需要一些能量，这时相应的结构为第二过渡态 $\left[\overset{\delta+}{R_3 C}\cdots\overset{\delta-}{Nu}\right]^*$，然后释放能量，得到生成物。在图 6-7 中，决定反应速率的一步，是过渡态势能最高点的一步，是 C—X 键解离这一步，这步反应只涉及一种分子，因此这个反应是单分子的亲核取代反应。

从结构上看，当三级卤代烷解离为碳正离子时，碳原子由 sp^3 四面体结构转变为 sp^2 三角形的平面结构，三个基团在一个平面上成 120°，这样可以尽可能减少拥挤，有利于碳正离子的形成，在碳上还有一个空的 p 轨道，用于成键。一旦成键，碳的结构又从三角形的平面结构，转为四面体的结构。S_N1 反应在立体化学上的一个特征是若中心碳原子是手性碳，产物往往是外消旋体。这是因为碳正离子是一个三角形的平面结构，带正电荷的碳原子上有一个空的 p 轨道，如果该碳原子上连接三个不同的基团，保持在同一平面上，亲核试剂与碳正离子反应时，由于平面的两侧均可进入，而且机会相等，因此可以得到"构型保持"和"构型翻转"两种化合物，如下式所示：

最终得到的是消旋的混合物。许多反应已经证明了这一点。

在有机化学中有一类重要的反应——重排反应（rearrangement）。当化学键的断裂和形成发生在同一分子中时，会引起组成分子的原子的配置方式发生改变，从而形成组成相同，结构不同的新分子，这种反应称为重排反应。S_N1 的另一个特征是常常会生成重排产物，有时重排产物还可能是主要产物。如：

上述反应的机理如下：

$$CH_3\overset{+}{C}HCH_2CH_3 \xrightarrow{C_2H_5OH} CH_3\underset{\underset{H}{\overset{+}{O}C_2H_5}}{\overset{CH_3}{|}}CCH_2CH_3 \xrightarrow{-H^+} CH_3-\underset{\underset{OC_2H_5}{|}}{\overset{CH_3}{|}}C-CH_2CH_3$$

上面的机理中，由 1°碳正离子转变为 3°碳正离子就是一个重排反应。显然重排的推动力是由一个较稳定的分子(或离子)去代替一个较不稳定的分子(或离子)。

6.6.4　溶剂解反应

如果在反应体系中只有底物和溶剂，没有另加试剂，那么底物就将与溶剂发生反应，溶剂就成了试剂，这样的反应称为溶剂解反应。S_N1 反应也可以是溶剂解反应。

例如卤代烷在水中进行反应得醇，在醇中进行反应得醚，在醇和水的混合溶剂中进行混合溶剂解得醇和醚的混合物均为溶剂解反应。图 6-8 是三级溴丁烷在乙醇中溶剂解的反应机理和相应的反应势能变化示意图。

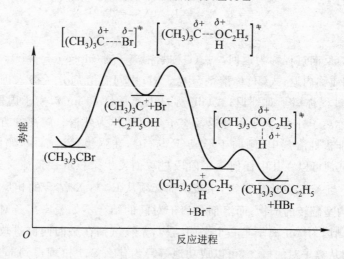

三级溴丁烷乙醇解的反应机理

图 6-8　三级溴丁烷乙醇解的反应势能变化示意图

从反应机理和势能图中可以看出：S_N1 反应以溶剂解的方式进行时，反应分三步，第一步是碳卤键的异裂，产生碳正离子，这是速控步。第二步是溶剂与碳正离子结合。第三步是氢氧键断裂，生成产物。溶剂解反应一般速率较慢，用于研究反应机理，非常重要，而用于合成生产上则很少。如用卤代烷合成醇或醚时，用 OH^- 或 OR^- 代替水或醇作试剂，可以加速反应，例如溴乙烷在 $C_2H_5O^-$（试剂是乙醇钠）中反应生成醚比在乙醇中反应快一万倍。这是因为 RO^- 的亲核性较 ROH 高。

6.6.5　Winstein 离子对机理

前面已经提到，在 S_N1 反应中，若中心碳原子是手性碳，则构型翻转和构型保持的产物是相等的。但也有不少实例表明，构型转化的产物多于构型保持的产物，最后没有得到外消旋体。例如：

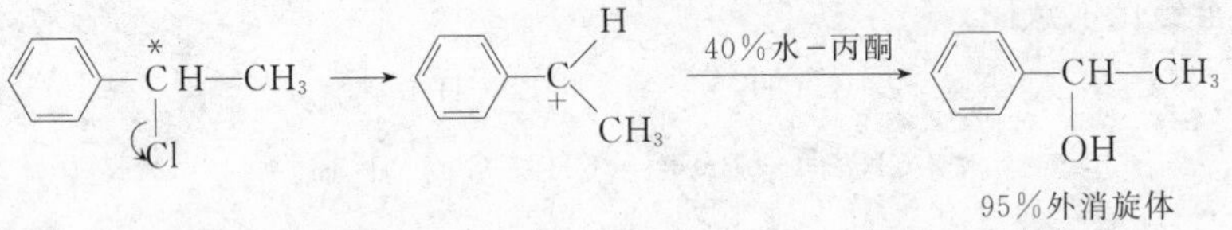

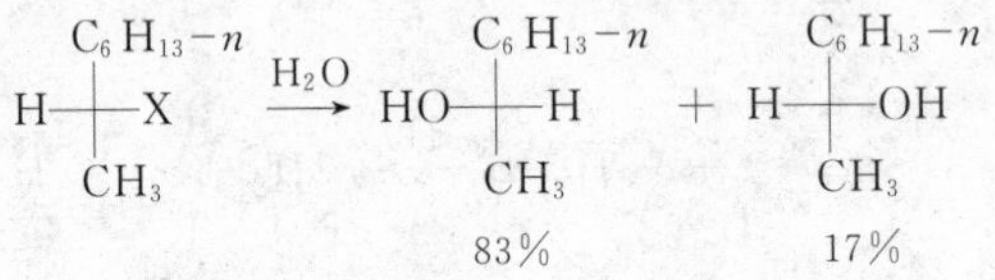

Winstein（温斯坦）用离子对（ion-pair）机理对这些实验现象进行了解释，即在 S_N1 反应中，至少某些产物并不是通过碳正离子而是通过离子对进行的，按照这个概念，在进行 S_N1 反应时，底物按下列方式进行解离：

$$RX \rightleftharpoons R^+X^- \rightleftharpoons R^+ \| X^- \rightleftharpoons R^+ + X^-$$
$$\quad\quad\quad\text{(i)}\quad\quad\quad\quad\text{(ii)}\quad\quad\quad\quad\text{(iii)}$$

这个过程是可逆的，反向过程称为返回。式（i）称紧密离子对（close ion-pair），它的反向过程即重新结合成原来的物质称内返；式（ii）称溶剂分离子对，中间有溶剂分子渗入扩大了正、负离子间的距离，它的反向过程称离子对外返；式（iii）称自由离子（free ion），离子周围被溶剂分子所包围，它的反向过程称离子外返，离子对外返及离子外返统称为外返。解离的方式既与底物有关，也与溶剂有关，在非极性溶剂中，倾向于形成（i）与（ii），在强极性溶剂中，倾向于形成（iii）。在 S_N1 反应中，亲核试剂可以在其中任何一个阶段进攻而发生亲核取代反应。如亲核试剂进攻紧密离子对，由于 R^+ 与 X^- 结合比较紧密，亲核试剂必须从 R^+ 与 X^- 结合的相反一面进攻即 $Nu:^-$ → R^+X^-，而得到构型翻转的产物；而溶剂分离子对间的结合不如紧密离子对密切，消旋的产物占多数；自由离子则因为碳正离子是一个平面结构，亲核试剂在平面两侧进攻机会均等，得到完全消旋的产物。故从离子对的概念，可以成功地解释为什么 S_N1 机理得到部分构型翻转的产物或完全消旋的产物。

6.7 影响亲核取代反应的因素

影响亲核取代反应的主要因素有烷基的结构、离去基团的离去能力、试剂的亲核性及溶剂在反应中的作用,下面分别予以讨论。

6.7.1 烷基结构的影响

烷基的结构对取代反应的速率有明显的影响。一般来说,影响反应速率的因素有两个,一个是电子效应,一个是空间效应。

烷基结构对 S_N2 反应的影响主要是空间效应,现以卤代烷为例来说明。在卤代烷的 S_N2 反应中,溴甲烷反应速率最快,当甲基上的氢(α 位上的氢)逐步被甲基取代,反应速率明显下降,显然空间效应起主要作用,因为这是个双分子反应,两个分子需要碰撞接触,才能反应。如果离去基团所连接的碳原子背后空间位阻很大,进入基团与碳原子碰撞接触很少,或根本不能接触,那反应就进行得很慢或根本不能进行。下面是溴甲烷及其 α 位上的氢被甲基取代的空间示意图,以及这些溴代烷在 80%乙醇的水溶液中(55℃)用 OH^- 水解,按 S_N2 机理进行反应的相对速率:

$$RBr + OH^- \longrightarrow ROH + Br^-$$

相对速率:100   7.9   0.22   ≈0

当一级卤代烷的 β 位上有侧链时,反应速率亦明显下降,下面是溴乙烷及其 β 位上的氢逐个被甲基取代的空间示意图,以及这些溴代烷在无水乙醇中(55℃)用 $C_2H_5O^-$ 按 S_N2 机理反应成醚的相对反应速率:

$$RBr + C_2H_5O^- \longrightarrow ROC_2H_5 + Br^-$$

相对速率:100   28   3   0.00042

可以看出,当溴乙烷的 β 位上有一个甲基时,由于碳碳链可以转动,因此甲基可以部分地避免空间位阻而进行反应。当 β 位上有两个甲基时,两个甲基与碳上的溴均有相当大的体积,自由转动受到影响,反应速率明显下降。当 β 位上有三个甲基取代时,就相当拥挤,进入基团很难与碳原子接触,反应速率很小。除了正丙基比乙基使反应速率明显下降外,正丁基、正戊基比正丙基稍有下降,但差别不大。

因此,从上述列举的 S_N2 反应可以看出,影响反应速率的主要是空间效应,空间位阻愈大,反应速率愈低。

烷基的电子效应和空间效应都将对 S_N1 反应速率产生影响。同样以卤代烷为例来予以说明。

在 S_N1 反应中,速控步是碳卤键异裂形成碳正离子。显然三级卤代烷最容易形成碳正离子发生 S_N1 反应。从电子效应看,三级碳正离子超共轭效应最大,正电荷最易分散,因此最稳定,也最易形成。二级碳正离子次之,一级碳正离子稳定性最差,最难形成。从空间效应看,因为三级卤代烷碳上有三个烷基,比较拥挤,彼此互相排斥,如果形成碳正离子,是一个三角形的平面结构,三个取代基成 $120°$,互相距离最远,可以减少拥挤,故有助于解离。这种有助于卤代烷解离的空间效应,称空助效应(steric help effect)[不是空间阻碍(steric hindrance effect),而是空间帮助]。

由于电子效应与空间效应的双重影响。使三级卤代烷最易于解离,例如,溴代烷在 80% 乙醇水溶液中($55℃$)按 S_N1 机理进行水解反应的相对速率如下:

$$RX \longrightarrow R^+ + X^- \qquad R^+ + H_2O \longrightarrow R\overset{+}{O}H_2 \qquad R\overset{+}{O}H_2 \longrightarrow ROH + H^+$$

R	$(CH_3)_3C$	$(CH_3)_2CH$	CH_3CH_2	CH_3
相对速率:	100	0.023	0.013	0.0034

将烷基结构对 S_N2、S_N1 反应的影响综合起来分析,可以得出如下的结论:一级卤代烷容易按 S_N2 机理进行反应,三级卤代烷容易按 S_N1 机理进行反应,二级卤代烷介于二者之间,可以按 S_N2 机理反应,亦可按 S_N1 机理反应,或者二者兼而有之,这决定于具体反应条件。

此外,还有下列几种情况需要关注:

(1) 苯甲型卤化物(PhCH$_2$X)与烯丙型卤化物(H$_2$C=CHCH$_2$X),在卤素的 α 碳上带有苯环或双键,因此苯环与双键上活动的 π 电子可以与碳正离子的空轨道发生共轭效应,体系由于共轭而比较稳定,卤素易带着一对电子离去,故苯甲型及烯丙型化合物表现得特别活泼。它们既可进行 S_N1 反应,又可进行 S_N2 反应,而二苯卤代烷与三苯卤代烷则以 S_N1 机理进行反应。

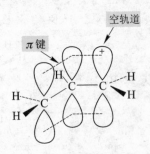

图 6-9 烯丙基碳正离子的 p-π 共轭

（2）当卤素直接连接于双键时，卤素上的非键电子亦即 n 电子可以与 π 键共轭：

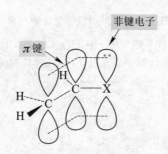

图 6-10 $CH_2{=}CHX$ 的 p-π 共轭

由于共轭，电子均匀化，结果使卤素上的非键电子离域，使 C—X 键具有部分双键的性质，键能高，X 不易于离去：

$$H_2\overset{\frown}{C}{=}CH\overset{\frown}{-}\ddot{X} \quad \longleftrightarrow \quad H_2\bar{C}{-}CH{=}\overset{+}{X}$$

故乙烯型和苯型卤化物表现得比较稳定，不易发生亲核取代反应。

（3）卤素与桥头碳相连的卤代烃，由于中心碳原子受桥的牵制，既无法发生构型的翻转，也不易形成碳正离子的平面结构。因此很难发生 S_N 反应。桥的刚性越强，反应越难发生。下面是一些卤原子与桥头碳相连的卤代烃的相对反应速率。

$(CH_3)_3CBr$

S_N1 反应的相对速率： 1 $\qquad$ 10^{-3} $\qquad$ 10^{-6} $\qquad$ 10^{-13}

习题 **6-11** 下列各组中，哪一个化合物更易进行 S_N1 反应？

(i) $CH_3CH_2CH_2CH_2Br$ $\qquad$ $CH_3CH_2\overset{\displaystyle Br}{\overset{\displaystyle |}{C}}HCH_3$ $\qquad$ $(CH_3)_3CBr$

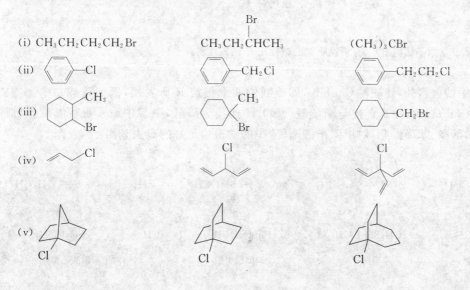

(vi)

习题 6-12 下列反应在哪种情况下进行对得到目标化合物有利,简单阐明理由。

$$(CH_3)_3CCl \longrightarrow (CH_3)_3COCH_2CH_3$$

(i) 在乙醇中溶剂解 　　(ii) $C_2H_5ONa—C_2H_5OH$ 　　(iii) C_2H_5ONa + 石油醚

6.7.2 离去基团的影响

离去基团的离去能力强,无论对 S_N1 反应还是对 S_N2 反应都是有利的。而且不同的离去基团对这两类反应的速率影响,基本上是相同的。下面列出了一些离去基团在亲核取代反应中的相对速率。

$$F^- \quad Cl^- \quad Br^- \quad OH_2 \quad I^- \quad {}^-OSO_2\!-\!\!\langle \rangle\!\!-\!CH_3 \quad {}^-OSO_2\!-\!\!\langle \rangle \quad {}^-OSO_2\!-\!\!\langle \rangle\!\!-\!NO_2$$

相对速率: 10^{-2}　1　50　50　150　190　300　2 800

那么,根据什么来判断离去基团的离去能力呢? 可以根据断裂键的键能和离去基团的电负性即碱性来判断。断裂键的键能越小,键就越易断裂。离去基团的碱性愈弱,形成的负离子愈稳定,就容易被进入基团排挤而离去。这样的基团就是一个好的离去基团。如 C—X 键的键能数据为

	C—F	C—Cl	C—Br	C—I
键能/kJ·mol^{-1}	485.3	339.0	284.5	217.6

所以 C—I 键最易断裂,C—F 键最难断裂。HX 酸的酸性顺序为 HI > HBr > HCl > HF,所以它们的共轭碱的碱性顺序为 $F^- > Cl^- > Br^- > I^-$,也即 I^- 的碱性最弱。无论从键能数据分析还是从离去基团的碱性分析,卤素负离子的离去能力都是 $I^- > Br^- > Cl^- > F^-$。所以卤代烷中卤素负离子作为离去基团的反应性为

$$碘代烷 > 溴代烷 > 氯代烷$$

习题 6-13 从原子结构出发,分析说明 I^- 的碱性比 F^- 的碱性弱。

除卤代烷中的卤素外,硫酸酯(sulfate,即硫酸中两个氢被 R 所置换,例如硫酸二甲酯或二乙酯),磺酸酯(sulfonate,烃基直接与磺酸基—SO_3H 连接为磺酸,磺酸中质子被烷基取代称磺酸酯,例如甲磺酸酯、苯磺酸酯、对甲苯磺酸酯等)中的酸根均是好的离去基团:

$$CH_3O\!-\!\overset{\displaystyle O}{\underset{\displaystyle O}{\overset{\|}{\underset{\|}{S}}}}\!-\!OCH_3 \qquad CH_3\!-\!\overset{\displaystyle O}{\underset{\displaystyle O}{\overset{\|}{\underset{\|}{S}}}}\!-\!OCH_3 \qquad \langle \rangle\!-\!\overset{\displaystyle O}{\underset{\displaystyle O}{\overset{\|}{\underset{\|}{S}}}}\!-\!OCH_3 \qquad CH_3\!-\!\langle \rangle\!-\!\overset{\displaystyle O}{\underset{\displaystyle O}{\overset{\|}{\underset{\|}{S}}}}\!-\!OCH_2CH_3$$

$(CH_3OSO_2OCH_3)$ 　　 $(CH_3SO_2OCH_3)$ 　　 $(PhSO_2OCH_3)$ 　　 $(CH_3\!-\!\langle \rangle\!-\!SO_2OCH_2CH_3)$

硫酸二甲酯 　　　　 甲磺酸甲酯 　　　　 苯磺酸甲酯 　　　　 对甲苯磺酸乙酯

　　这些硫酸酯与磺酸酯的酸根的负电荷可以离域在整个酸根上,形成比较稳定的负离子,因而 C—O 键易于断裂,这些酸根均是好的离去基团。例如硫酸二甲酯与烷氧负离子反应成醚,对甲苯磺酸酯与氰基反应成腈,均是因为酯中 C—O 易于断裂,$^-OSO_2OCH_3$ 和 $^-OSO_2$—⟨⟩—CH_3 是一个好的离去基团的缘故。

$$RO^- \; + \; CH_3\text{—}OSO_2OCH_3 \longrightarrow ROCH_3 + \; ^-OSO_2OCH_3$$

$$CN^- \; + \; R\text{—}OSO_2\text{—}⟨⟩\text{—}CH_3 \longrightarrow RCN + \; ^-OSO_2\text{—}⟨⟩\text{—}CH_3$$

　　HO^-,RO^-,H_2N^-,RNH,CN^- 等碱性较强,一般不被置换,是不好的离去基团,为了使亲核取代反应易于进行,常常要设法将一个不好的离去基团转变成一个好的离去基团。例如卤离子不易置换醇中的 OH,因为 HO^- 是一个不好的离去基团。因此在用醇制备卤代烷时常需用酸催化反应,如用硫酸或氯化锌使其形成 $R\text{—}\overset{+}{O}H_2$ 或 $R\text{—}\underset{H}{\overset{+}{O}}\text{—}ZnCl_2$,目的是使离去基团碱性变弱,易于接受一对电子离去。由于一个好的离去基团总是可以被一个不好的离去基团所取代。所以常常利用离去基团的能力差异来进行合成。

习题 6-14 预测并解释下列亲核取代反应,哪些可以发生? 哪些不能? 哪些较慢?

(i) $CH_3CH_2OH + CH_3O^- \longrightarrow CH_3CH_2OCH_3 + HO^-$

(ii) $CH_3CH_2F + Br^- \longrightarrow CH_3CH_2Br + F^-$

(iii) $CH_3CH_2OSO_2$—⟨⟩ $+ CH_3COO^- \longrightarrow CH_3COOCH_2CH_3 + \; ^-OSO_2$—⟨⟩

(iv) $CH_3CH_2CN + Br^- \longrightarrow CH_3CH_2Br + CN^-$

(v) $CH_3CH_2\overset{+}{N}(CH_3)_3 + I^- \longrightarrow CH_3CH_2I + N(CH_3)_3$

(vi) $CH_3CH_2Br + N_3^- \longrightarrow CH_3CH_2N_3 + Br^-$

6.7.3 试剂亲核性的影响

　　1. 试剂亲核性对 S_N1、S_N2 的影响

　　碱性(alkalinity)是指一个试剂对质子的亲和能力,试剂的亲核性(nucleophilicity)是指一个试剂在形成过渡态时对碳原子的亲和能力。在 S_N1 反应中,试剂的亲核性并不重要,因为亲核试剂与底物的反应不是决定反应速率的一步,对反应速率影响不大。同时碳正离子的反应性很高,不管试剂的亲核能力是大还是小,均能发生反应。比较起来,电子云密度高的试剂,S_N1 的产物产率高。S_N2 反应是一步反应。在 S_N2 反应中,亲核试剂提供一对电子,与底物的碳原子成键,试剂的亲核性越强,成键越快。因此试剂亲核性的强弱,对 S_N2 反应的影响很大。

　　2. 试剂亲核性的分析

　　在分析试剂亲核性强弱以前,首先来学习可极化性(polarizability)的概念。一个极性化合

物,在外界电场影响下,分子中的电荷分布可产生相应的变化,这种变化能力称为可极化性。同一周期的元素,由左至右原子核对外层电子的吸引力增大,可极化性减少。同一族的元素,由上至下,随着相对原子质量增大,原子核对外层电子的约束力降低,外层电子在外界电场作用下,所占轨道容易变形,可极化性增大。未成键的电子对只受一个原子核的控制,它的分布比受两个原子核控制的成键电子对的分布更易变形,所以可极化性也大。弱键的电子结合松散,比强键电子的可极化性大。处于离域状态的电子运动范围大,比处于定域状态的电子更易极化。

　　试剂的亲核能力,是由两个因素决定的。一个是给电子能力即碱性,另一个是可极化性。比较两个或多个试剂的亲核性大小时,如果它们的碱性大小和可极化性大小的顺序是一致的,则亲核性大小的顺序也与它们一致。如同一周期的元素,由左至右碱性和可极化性都逐渐减弱,所以亲核性也逐渐减弱。

$$R_3C^- \quad R_2N^- \quad RO^- \quad F^-$$

碱性减弱

可极化性减弱

亲核性减弱

若两个或多个试剂的碱性大小和可极化性大小的顺序是相反的,亲核性大小主要取决于哪一个因素,要作具体分析。如同一族的元素,由上至下碱性减小,可极化性增大,而试剂的亲核性在偶极溶剂(dipole solvent)中与碱性一致,逐渐减小,在质子溶剂(proton solvent)中,与可极化性一致,逐渐增大。

$F^- \quad Cl^- \quad Br^- \quad I^-$	$F^- \quad Cl^- \quad Br^- \quad I^-$
碱性逐渐减弱	碱性逐渐减弱
可极化性逐渐增大	可极化性逐渐增大
试剂亲核性逐渐减弱	试剂亲核性逐渐增大
在偶极溶剂中	在质子溶剂中

出现这些现象的原因是可极化性受溶剂的影响不大,但碱性与溶剂的关系很大。一些可极化性很高而碱性很弱的试剂如 I^-,HS^-,SCN^-,它们在质子溶剂中,因为碱性较弱,被质子溶剂化少,在偶极溶剂中,也很少溶剂化,因此,这些试剂在质子溶剂与偶极溶剂中亲核性均很高。另一些碱性很强而可极化性较低的试剂如 F^-,Cl^-,Br^-,它们在质子溶剂中与质子形成氢键的力量强(形成氢键的能力随负电荷密度增加而增加,如 $F^- > Cl^- > Br^- > I^-$,$RO^- > SH^-$),也就是溶剂化作用大,在反应时需要去溶剂化的能量,故使反应性降低,但在偶极溶剂中,这些试剂不被溶剂分子所包围,而以“裸露”状态存在,所以反应性就高。以上分析说明试剂的亲核性顺序不是固定不变的,例如卤离子的反应速率:在水或醇中 $I^- > Br^- > Cl^-$,在丙酮中,三者比较接近,而在二甲基甲酰胺中,$Cl^- > Br^- > I^-$,反应顺序倒过来。在 S_N2 反应中,亲核试剂参与决定反应速率一步,对反应速率有影响,因此溶剂的选择非常重要。尽管偶极溶剂对 S_N2 反应比质子溶剂更为有利,但由于质子溶剂(如甲醇、乙醇)便宜,方便易得,稳定,能溶解很多有机物及无机盐,因此仍是目前大量使用的溶剂。现在已知,在质子溶剂中,一些常见亲核试核的亲核性的大概顺序是:

$$RS^- \approx ArS^- > CN^- > I^- > NH_3(RNH_2) > RO^- \approx OH^- > Br^- > PhO^- > Cl^- \gg H_2O > F^-$$

除碱性和可极化性外,有时试剂的空间因素也会影响它们的亲核性。例如下列试剂的亲核性顺序与它们的碱性顺序正好相反。

$$CH_3O^- \qquad CH_3CH_2O^- \qquad (CH_3)_2CHO^- \qquad (CH_3)_3CO^-$$

碱性增强,亲核性降低

这是因为与氧相邻的碳上烷基愈多,由于烷基的给电子诱导效应,使氧上负电荷更集中,碱性更强;但由于基团的体积也增大,影响试剂与底物的碳原子接近,因此亲核性反而下降。

习题 6-15 将下列试剂按亲核性由大到小的顺序排列,并简单阐明理由。

$$RO^-, ArO^-, ROH, HO^-, H_2O, \ R\overset{\displaystyle O}{\overset{\|}{C}}O^-$$

习题 6-16 下列亲核试剂在质子溶剂中与 CH_3CH_2Br 反应,请比较它们的反应速率。

(i) $CH_3CH_2CH_2O^-$, $CH_3CH_2CH_2S^-$, $CH_3CH_2CH_2\overset{-}{N}H$, $CH_3CH_2CH_2\overset{-}{C}H_2$

(ii) HO^-, CH_3O^-, $CH_3CH_2O^-$, $(CH_3)_2CHO^-$, $(CH_3)_3CO^-$, $C_6H_5O^-$, $CH_3CH_2COO^-$

---

3. 碘离子

碘离子是一个好的离去基团,因为 C—I 的键能低,I^- 的碱性弱;而碘离子又是一个好的亲核试剂,因为其电负性低,外层电子离核较远,可极化性高,以及溶剂化作用较少。因此碘代烷既易于形成又易被其它亲核试剂所取代。在未形成碘代烷时,碘离子作为好的亲核试剂进攻底物,一旦形成碘代烷后,碘离子作为好的离去基团被其它亲核试剂进攻而离去。在卤代烷中,碘代烷较溴代烷及氯代烷贵,但是溴离子、氯离子作为离去基团又不如碘离子好,故在反应时常考虑用较便宜的溴代烷或氯代烷为原料,在反应混合物中加入少量碘化钠(约为氯代烷或溴代烷物质的量的百分之一),这是利用碘离子亲核性高,很快与溴代烷或氯代烷发生交换反应产生碘代烷,再利用 C—I 的键能低,易于离去的特点,与其它亲核试剂反应,以提高反应速率。反应中少量碘离子可以反复使用,直到反应完成,这在有机合成中非常有用。反应如下所示:

$$\begin{array}{ccc} RCl & \xrightarrow{\ Nu:^-\ } & RNu \\ {\scriptstyle I^-}\searrow & \nearrow {\scriptstyle Nu:^-} & \\ & RI & \end{array}$$

4. 两位负离子

一个负离子有两个位置可以发生反应,称其具有双位反应性能(two-fanged reactivity)。具有双位反应性能的负离子称为两位负离子(ambient anion)。根据反应条件不同,两位负离子可以在这个位置或那个位置反应,或者两个位置以不同的程度进行反应。而且,它们既可作为碱进行反应,又可作为亲核试剂进行反应。例如亚硝酸根负离子。

$$^-O\!-\!N\!=\!O$$

亲电荷点 　 亲核点

氧的电负性比氮大，而且氧上负电荷比较集中，遇酸就生成 HO—N=O ，但如亚硝酸银与一级溴代烷反应，氮亲核性强，发生 S_N2 反应，主要产物为硝基烷（nitroalkane）：

$$RCH_2Br + N \left< \begin{array}{c} O \\ O \end{array} \right\} ^- \xrightarrow{乙醚} RCH_2N \left< \begin{array}{c} O \\ O \end{array} + Br^- \qquad S_N2$$

硝基烷

所以亚硝酸根负离子具有双位反应的性能。又如在同样条件下，如果用二级溴代烷进行反应，二级溴代烷上的溴比较活泼可以被 Ag^+ 拉下来，二级溴代烷可以形成二级碳正离子，反应可以按 S_N1 机理进行，因为静电吸引，碳正离子与亚硝酸根中负电荷较集中的氧原子发生反应，主要产物为亚硝酸酯（nitrite）：

$$R_2CHBr + {}^-O—N=O \xrightarrow{乙醚} R_2CHO—N=O + Br^- \qquad S_N1$$

亚硝酸酯

这种双位反应性的试剂，可以按不同的反应条件，在一个或两个部位发生反应，得到不同的产物，或得到两种产物的混合物。—CN^-，—SCN^- 等离子也均具有双位反应性。

　　卤代烷与 NaCN 或 KCN 反应，大多数的产物为腈：

$$RCH_2X + NaCN \xrightarrow{S_N2} RCH_2CN + NaX$$

腈

但当卤代烷与 AgCN 反应时，由于 Ag^+ 对卤原子的作用，使 RCH_2 具有某些碳正离子的性质，由于静电吸引，促使在负电荷比较集中的氮上发生反应，故反应中增加了 RCH_2NC 的产量：

$$RCH_2X + AgCN \xrightarrow{S_N2} RCH_2N{\equiv}C + AgX$$

异腈

因此氰基可以按两种方式与烷基相连，一种是腈（nitrile），另一种是异腈（isonitrile），这是由于氰基具有双位反应性的缘故。

$$[:C{\equiv}N:]^-$$

亲核点　　亲电荷点

氰基可以与一级、二级卤代烷发生亲核取代反应，但由于氰基是弱酸的共轭碱，是强碱，因此与三级卤代烷主要发生消除反应。

　　异腈是具有恶臭的化合物，但极纯的腈具有香味，普通的腈总夹杂有少量的异腈，所以也有臭味。

习题 6-17　分别写出 SO_3^{2-} （i）在质子溶剂中，（ii）在非质子溶剂中与 CH_3CH_2Br 反应的产物，并提出合理的解释。

6.7.4　溶剂的影响

溶剂分为三种。

（1）质子溶剂　能与负离子形成强的氢键的溶剂称为质子溶剂。

（2）偶极溶剂（或称偶极非质子溶剂）　这类溶剂介电常数大于 15,偶极矩大于 8.34×10^{-30} C·m(或以吡啶为界),分子中的氢与分子内原子结合牢固,不易给出质子。

偶极溶剂的结构特征是偶极负端露于分子外部,偶极正端藏于分子内部,例如二甲亚砜的结构如下所示:

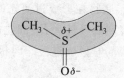

（3）非极性溶剂(non-polar solvent)　包括介电常数小于 15,偶极矩 $0 \sim 6.67 \times 10^{-30}$ C·m 的溶剂,这类溶剂不给出质子,与溶质的作用力弱。

表 6-2 列出了一些常见溶剂的介电常数及偶极矩。

表 6-2　常见溶剂的介电常数及偶极矩

质子溶剂	ε	$\mu/10^{-30}$ C·m	偶极溶剂	ε	$\mu/10^{-30}$ C·m	非极性溶剂	ε	$\mu/10^{-30}$ C·m
水	78.5	6.17	六甲基磷酰三胺	30	14.37	二氯甲烷	9.1	5.17
液氨	22.4	4.33	二甲亚砜	49	11.57	四氢呋喃	7.6	5.77
甲醇	32.7	5.67	乙腈	38	13.07	乙酸乙酯	6.0	6.03
乙醇	24.6	5.63	二甲基甲酰胺	37	12.73	三氯甲烷	5	3.83
叔丁醇	12.5	5.53	硝基甲烷	36	18.54	乙醚	4.3	3.83
苯甲醇	13.1	5.53	丙酮	21	9.07	苯	2.3	0
甲酸	58.5	6.07	吡啶	12.4	7.40	四氯化碳	2.2	0
乙酸	6.2	5.60				二氧六环	2.2	1.50
						环己烷	2.0	0

不同类型的溶剂在反应中的作用是不同的。质子溶剂对 S_N1 反应肯定是有利的。因为质子溶剂中的质子,可以与反应中产生的负离子特别是由氧与氮形成的负离子通过氢键溶剂化,这样使负电荷分散,使负离子稳定,因此有利于解离反应,有利于 S_N1 反应的进行。增加溶剂的酸性,即增加质子形成氢键的能力,有利于反应按 S_N1 的机理进行。例如,用甲酸作溶剂时,有利于反应按 S_N1 机理进行。

但是在质子溶剂中进行 S_N2 反应时,一方面,由于溶剂化作用,有利于离去基团的离去,而另一方面,由于亲核试剂可以被溶剂分子所包围,因此必须付出能量,先在亲核试剂周围除掉一部分溶剂分子,才能使试剂接触底物而进行反应。最后的影响是两种作用的综合结果。

相对于质子溶剂而言,偶极溶剂对 S_N2 反应是有利的。因为偶极溶剂对于负离子很少溶剂化,亲核试剂一般可以不受偶极溶剂分子包围,因此 S_N2 反应在偶极溶剂中进行比在质子溶剂

中进行的反应速率常数快 $10^3 \sim 10^4$ 倍,有时快 10^6 倍,如

$$I^- + CH_3Br \xrightarrow{CH_3OH} CH_3I + Br^-$$

反应如在丙酮中进行,比在甲醇中快 500 倍。

增加溶剂的极性能够加速卤代烷的解离,对 S_N1 反应有利,因为 S_N1 反应在形成过渡态时,由原来极性较小的底物变为极性较大的过渡态,即在反应过程中极性增大:

$$RX \longrightarrow [\overset{\delta+}{R} \overset{\delta-}{-} X]^{*} \longrightarrow R^+ + X^-$$

溶剂与过渡态有偶极-偶极相互作用。底物在形成过渡态时需要能量,此能量可以由偶极-偶极相互作用时所释放的能量提供,因此溶剂的极性大,溶剂化的力量也大,提供的能量也大,解离就很快地进行。从这里可以看到,极性溶剂对形成过渡态时极性增大的反应是有利的,而对形成过渡态时极性减少的反应是不利的。

在 S_N2 反应中,若亲核试剂带负电荷,增加溶剂的极性,对 S_N2 反应不利,因为 S_N2 机理在形成过渡态时,由原来电荷比较集中的亲核试剂变成电荷比较分散的过渡态:

$$Nu:^- + RX \longrightarrow [\overset{\delta-}{Nu} - R \overset{\delta-}{-} X]^{*} \longrightarrow NuR + X^-$$

$Nu:^-$ 的一部分负电荷通过 R 传给了 X,过渡态的负电荷比较分散,不如亲核试剂集中,因而过渡态的极性不如亲核试剂大,而增加溶剂的极性,使极性大的亲核试剂溶剂化,是不利于 S_N2 过渡态形成的。

极性分子在非极性溶剂中,由于不易溶解,使分子以缔合状态存在,不能均匀分散,如果要进行反应,必须先付出能量,克服这种吸引力,因此极性分子在非极性溶剂中进行反应时反应性能降低。

习题 6-18 下列反应在水和乙醇的混合溶剂中进行,如果增加水的比例,对反应有利还是不利?

(i) $CH_3CH_2CH_2CH_2I + CH_3CH_2ONa \longrightarrow CH_3CH_2CH_2CH_2OCH_2CH_3 + NaI$

(ii) ⬡—Br $+ H_2O \xrightarrow{S_N2}$ ⬡—OH $+ HBr$

(iii) $CH_3CH_2\overset{\overset{\displaystyle Br}{|}}{C}HCH_3 + H_2O \xrightarrow{S_N2} CH_3CH_2\overset{\overset{\displaystyle OH}{|}}{C}HCH_3 + HBr$

(iv) $(CH_3)_3CBr + H_2O \longrightarrow (CH_3)_3COH + HBr$

习题 6-19 完成下列反应的反应式,写出相应的反应机理。

$$(CH_3)_3CCl + CH_3OH \longrightarrow$$

若用乙醇代替甲醇进行反应,反应速率是增大还是减小?为什么?

β-消除反应

6.8　消除反应的分类

在一个有机分子中消去两个原子或基团的反应称为消除反应(elimination)。可以根据两个消去基团的相对位置将其分类。若两个消去基团连在同一个碳原子上,称为 1,1-消除或 α-消除;两个消去基团连在两个相邻的碳原子上,则称为 1,2-消除或 β-消除;两个消去基团连在 1,3 位碳原子上,则称为 1,3-消除或 γ-消除。其余类推,如

$$R_2C \xrightarrow[-HX]{\text{强碱}} R_2C: \qquad 1,1\text{-消除或}\alpha\text{-消除}$$

$$CH_3CH_2CH{-}CHCH_3 \xrightarrow[-H_2O]{\triangle,H^+} CH_3CH_2CH{=}CHCH_3 \qquad 1,2\text{-消除或}\beta\text{-消除}$$

大多数消除反应如醇失水、卤代烃失卤化氢、邻二卤代烃失卤素都是 β-消除反应,它们是制备烯烃的重要反应。根据 β-消除所涉及的机理可将其细分为单分子消除反应(unimolecular elimination)、双分子消除反应(bimolecular elimination)和单分子共轭碱消除反应(unimolecular elimination through conjugate base)。下面分别予以讨论。

6.9　E2　反　应

双分子消除反应用 E2 表示。E 代表消除反应,2 代表双分子过程。

6.9.1　卤代烃失卤化氢　E2 反应

卤代烃失去一分子卤化氢,生成烯烃的反应称为卤代烃的消除反应。

$$CH_3CHCH_3 \xrightarrow[-HBr]{\text{碱}} CH_3CH{=}CH_2$$

大多数卤代烃在碱如氢氧化钾、氢氧化钠的醇溶液、醇钠、氨基钠等的作用下失去卤化氢的反应是按 E2 反应机理进行的。下面结合卤代烃失卤化氢来叙述 E2 反应的机理及相关特点。

1. 反应机理

碳架相同卤原子不同的卤代烃在碱作用下发生消除反应的速率是不相同的。一般来讲是

RI ＞ RBr ＞ RCl。这表明卤原子离去快慢对反应速率有影响,即在形成过渡态时,C—X 键已有部分断裂;用 β 氘代卤代烃和结构相同的未氘代卤代烃在碱作用下发生消除反应,由于 C—D 键断裂的活化能比 C—H 键的活化能高,结果前者反应速率低,后者反应速率高。这说明 C—H 键的断裂对反应速率也有影响,即在形成过渡态时,C—H 键也有部分断裂。从反应物和产物的结构对比分析还可以得知。离去基团和 β 氢原子必须处于反式共平面状态。由此提出 E2 反应的机理如下所示。

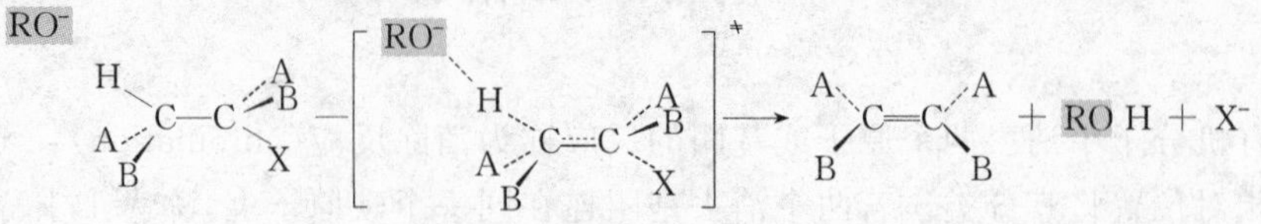

E2反应的过渡态

碱进攻卤代烷中 β 氢,在形成过渡态时,C—H,C—X 键已开始变弱,碳由 sp³ 杂化逐渐转变为 sp² 杂化,每个碳上逐渐形成一个 p 轨道,在过渡态时已具有此中间状态的性质。在生成物中两个碳及其四个取代基必须在一个平面上,这样两个垂直于此平面的 p 轨道才能平行重叠形成 π 键,因此要求卤代烷中 H—C—C—X 四个原子也必须在一个平面上,C—H 键的 H 与 C—X 键的 X 原子离去后新形成的 p 轨道才能平行重叠形成 π 键。而要使 H—C—C—X 四个原子在同一个平面上只有两种可能的情况,一种是分子取对交叉构象,进行反式消除,另一种是分子取重叠构象,进行顺式消除。

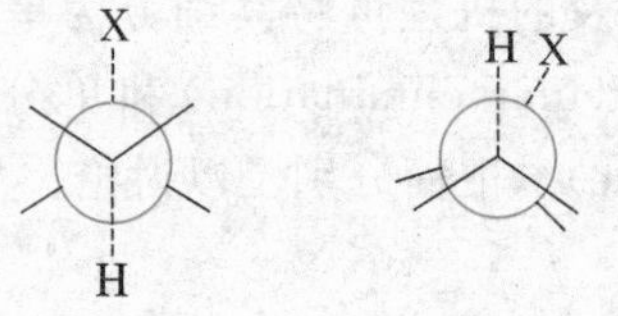

反式消除　　　　顺式消除
虚线代表被消除的基团

由于对交叉构象比较稳定,故卤代烷的 E2 消除是反式消除(anti elimination)。

从反应机理可以看出:E2 反应是一步反应。有两个分子参与了这步反应,所以是双分子过程。反应速率取决于两种分子的浓度,所以在动力学上是二级反应。

2. 区域选择性——Zaitsev 规则

当卤代烃分子中含有两种不同的 β－H 时,反应遵守 Zaitsev 规则,即含氢较少的 β 碳提供氢原子,生成取代较多的稳定烯烃。如如果增加碱的强度及体积,会改变消除产物的比例,即遵守 Zaitsev 规则的产物逐步降低,而反 Zaitsev 规则(anti-Zaitsev rule)的产物逐渐增加。这是因为碱的体积和强度增大后,空间位阻较大的 β-H 不易受到进攻,而空阻小、酸性强的 β-H 更易反应。

$$CH_3CH_2\overset{\underset{\displaystyle CH_3}{|}}{\underset{\underset{\displaystyle CH_3}{|}}{C}}-Br \longrightarrow CH_3CH=C(CH_3)_2 + CH_3CH_2\overset{\underset{\displaystyle CH_3}{|}}{C}=CH_2$$

	Zaitsev 产物	反 Zaitsev 产物
CH_3CH_2OK,CH_3CH_2OH	71%	29%
$(CH_3)_3COK,(CH_3)_3COH$	28%	72%
$(C_2H_5)_3COK,(C_2H_5)_3COH$	11%	89%

3. 立体选择性

卤代烷按 Zaitsev 规则进行消除反应可以得到不止一个立体异构体时,反应具有立体选择性(stereoselectivity),主要得到大的基团处于反型位置的烯烃,如 2-溴丁烷进行消除反应,几乎只得到 E-2-丁烯,Z-2-丁烯很少。

(i) 两个甲基处于对交叉   虚线代表消除基团 E-2-丁烯

(ii) 两个甲基处于邻交叉   虚线代表消除基团 Z-2-丁烯

显然,2-溴丁烷的两个甲基处于对交叉的构象(i)比较稳定,为优势构象,由这种构象消除得到的 E-2-丁烯是主要产物。

4. 卤代环烷烃的 E2 消除

卤代环烷烃的消除反应也遵守上述规则,即被消除的基团必须处于反式共平面的位置,反应遵守 Zaitsev 规则。如

主要产物   次要产物
符合 Zaitsev 规则   反 Zaitsev 规则

有的卤代环烷烃虽然有两种 β-H,但由于成环后,C—C 单键的旋转受到环的制约,使其中的 β-H 不可能与离去基团 X 处于反式共平面的位置,这时只有与 X 处于反式共平面的 β-H 才能发生消除,而得到反 Zaitsev 规则的产物。如

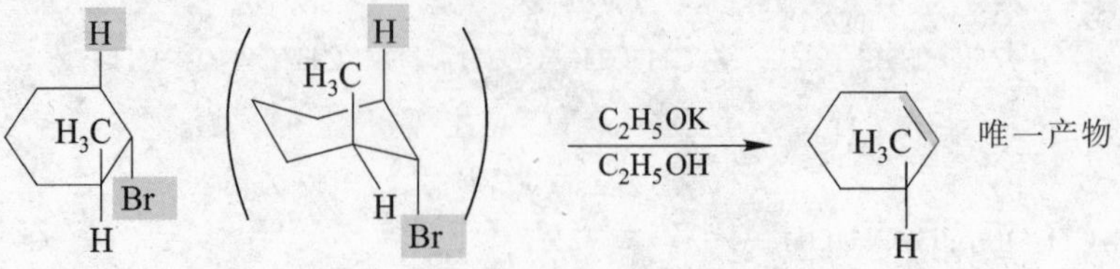

又如,反-1,2-二溴环己烷发生消除反应,得到 1,3-环己二烯:

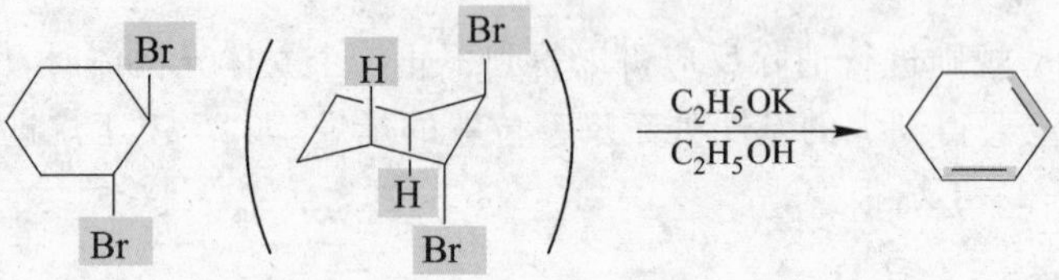

习题 6-20 写出下列化合物在 KOH—C_2H_5OH 中消除一分子卤化氢后的产物。

(i) (1R,2S)-1,2-二苯-1,2-二溴丙烷

(ii) (1S,2S)-1,2-二苯-1,2-二溴丙烷

(iii) 顺-1-苯基-2-氯环己烷

(iv) 反-1-苯基-2-氯环己烷

(v) (1R,2S)-1-乙基-2-溴十氢化萘

(vi) (1S,2S)-1-乙基-2-溴十氢化萘

习题 6-21 写出下列化合物在 t-BuOK/t-BuOH 作用下的主要产物。

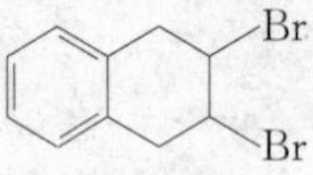

6.9.2 E2 反应和 S_N2 反应的并存与竞争

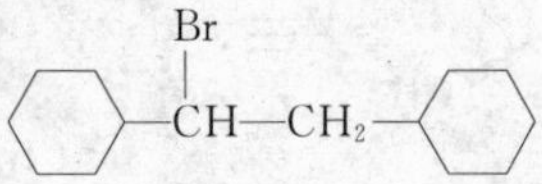

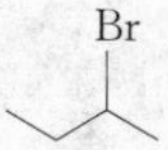

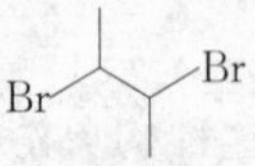

将卤代烃放在碱性体系中加热,常常会得到亲核取代和消除两种产物。如

$$n\text{-}C_{18}H_{37}Br \xrightarrow[\text{(CH}_3)_3\text{COH},40\,℃]{\text{(CH}_3)_3\text{COK}} n\text{-}C_{16}H_{33}CH=CH_2 + n\text{-}C_{18}H_{37}OC(CH_3)_3$$

$$\begin{array}{cc} \text{(i)} & \text{(ii)} \\ 88\% & 12\% \end{array}$$

产物(i)是通过 E2 机理生成的:

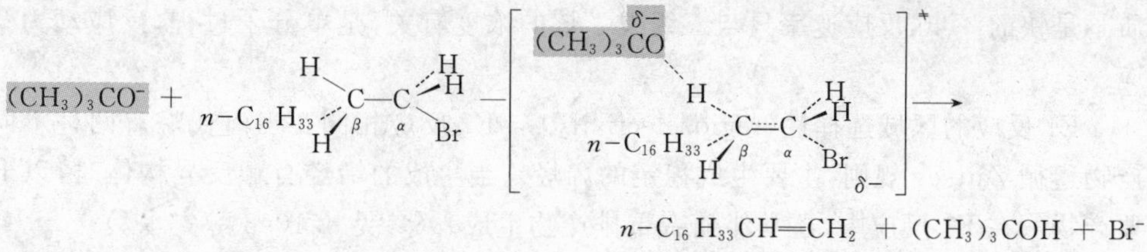

$$n-C_{16}H_{33}CH=\!\!=\!\!CH_2 + (CH_3)_3COH + Br^-$$

(i)

产物(ii)是通过 S_N2 机理生成的:

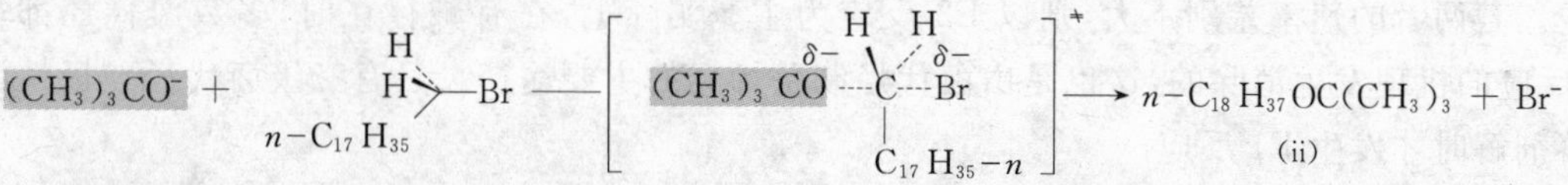

$$n-C_{18}H_{37}OC(CH_3)_3 + Br^-$$

(ii)

对比这两种机理可以看出,它们的区别在于在 E2 反应中,试剂进攻的是 β-H,并把 β-H 夺走。而在 S_N2 反应中,试剂进攻的是 α-C,然后与 α-C 结合。在上述反应体系中,两种反应并存,并互相竞争。显然,试剂亲核性强、碱性弱、体积小时,有利于 S_N2 反应。而试剂碱性强、浓度大、体积大、反应温度高时有利于 E2 反应。

6. 10　E1　反　应

单分子消除反应用 E1 表示。E 表示消除反应,1 代表单分子过程。

6. 10. 1　卤代烃失卤化氢　E1 反应

尽管大多数卤代烃在碱作用下的消除反应都是按 E2 机理进行的,但三级卤代烷在无碱存在时的消除反应却是按 E1 机理进行的。下面结合三级溴丁烷在无水乙醇中的消除反应来叙述 E1 反应的机理和相关特点。

三级溴丁烷在无水乙醇中的消除反应机理如下:

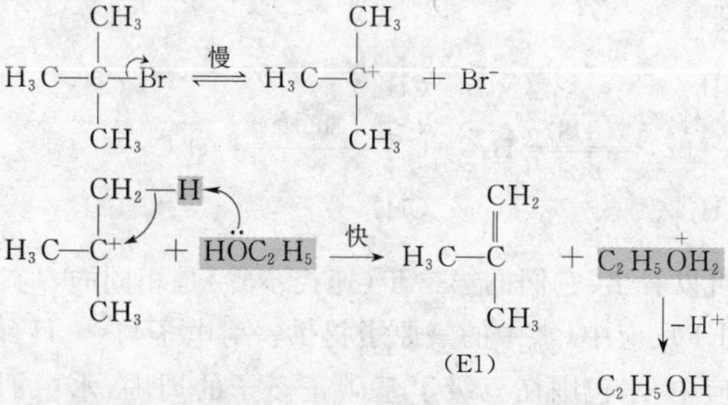

(E1)

反应分两步进行。第一步是碳溴键异裂,产生活性中间体三级丁基碳正离子。第二步是溶剂乙醇中的氧原子,作为碱提供一对孤电子,与三级丁基碳正离子中甲基上的氢结合,三级丁基碳正离子消除一个质子,形成异丁烯。这个反应决定反应速率一步是三级溴丁烷的解离,第二步消除质子是快的一步,反应速率只与三级溴丁烷的浓度有关,是单分子过程,反应动力学上是一级反应。

　　E1 反应的区域选择性(regioselectivity)与 E2 反应相同。当卤代烷有两种不同的 β-H 时,产物遵循 Zaitsev 规则,主要生成稳定的烯烃。当生成的烯烃有顺反异构体时,以 E 型烯烃为主要产物。在 E1 反应中,还常伴随着重排产物生成。(参见 6.10.3 醇失水。)

　　卤代烃既能发生 E1 反应,又能发生 E2 反应,以哪种反应机理为主呢?这取决 C—X 键与 C—H 键断裂的相对速率。如果 C—X 键的断裂速率远大于 C—H 键的断裂速率,则以 E1 反应为主。若两者的速率差别不大,则以 E2 反应为主。实际上,在有碱存在时,多数卤代烃都是以 E2 反应的机理发生消除的,这也是由卤代烃制备烯烃的主要途径。只有三级卤代烃在极性溶剂中溶剂解时才发生 E1 反应。

6.10.2　E1 反应和 S_N1 反应的并存与竞争

　　三级溴丁烷在水或乙醇中溶剂解,均得到两种产物。

$$(CH_3)_3CBr \xrightarrow{H_2O} (CH_3)_3COH + (CH_3)_2C=CH_2$$

　　　　　　　　　　三级丁醇93%　　　　　　异丁烯7%

$$(CH_3)_3CBr \xrightarrow{C_2H_5OH} (CH_3)_3COC_2H_5 + (CH_3)_2C=CH_2$$

　　　　　　　　　　乙基三级丁醚81%　　　　　　19%

　　消除产物是通过 E1 机理生成的。取代产物是通过 S_N1 机理生成的。现以它在水中的溶剂解为例来讨论这两者的关系。

　　E1 反应机理:

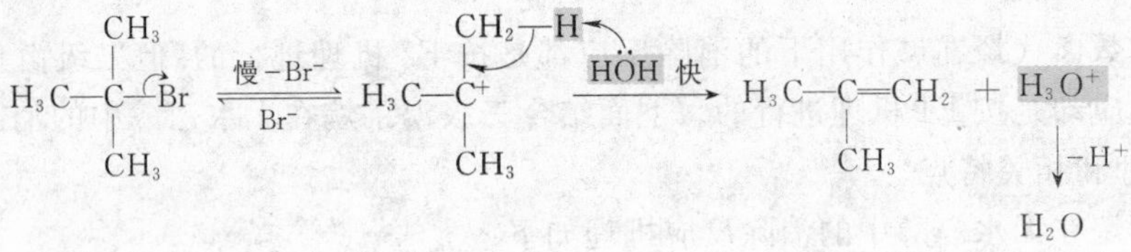

　　S_N1 反应机理:

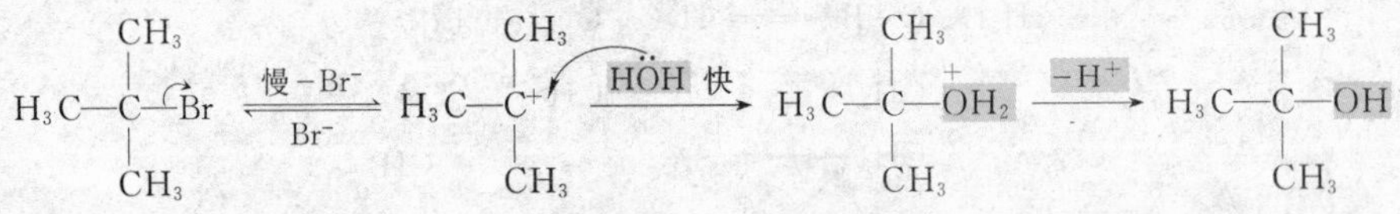

　　对比这两种机理可以看出:它们的第一步(速控步骤)是相同的,均为碳溴键断裂。但它们的第二步是不同的。在 E1 反应中,水中的氧原子提供一对电子与 β-H 结合,并将质子夺走,最后形成烯烃。在 S_N1 反应中,水包围在三级丁基碳正离子的周围,水中的氧原子提供一孤对电子与三级丁基碳正离子结合形成𨦡盐(oxonium),然后消除质子,得三级丁醇。这两种反应并存且互相竞争。显然,离去基团不参与这种竞争。离去基团的离去能力只影响反应的速率而不影响产物的比例。试剂的亲核性强、空阻小,对 S_N1 有利。试剂的碱性强、空阻大,对 E1 反应有利。所以

在极性溶剂及没有强碱存在时,主要产物是取代产物。

习题 6-22 括号中哪一种试剂或哪一种反应物给出消除/取代的比值大? 为什么?

(i) 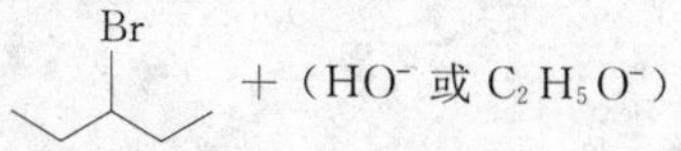 + (HO⁻ 或 C₂H₅O⁻)

(ii) 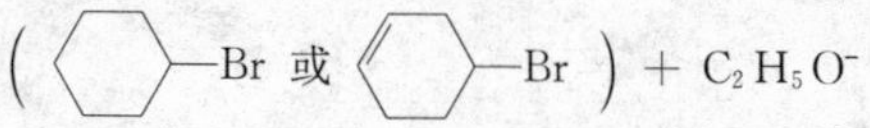 + C₂H₅O⁻

(iii) 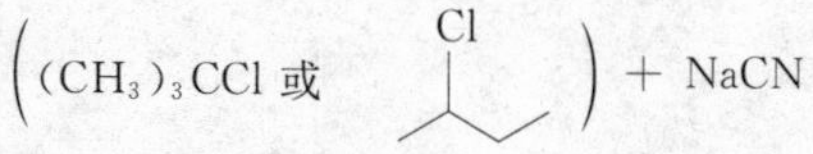 ((CH₃)₃CCl 或) + NaCN

(iv) 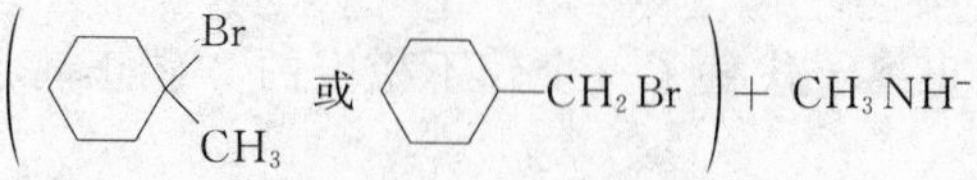 + CH₃NH⁻

(v) 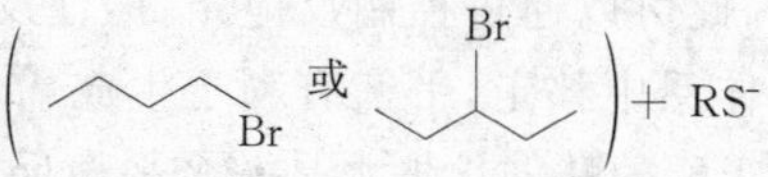 + RS⁻

6.10.3 醇的失水 E1反应

实验室中常用醇和酸(硫酸、磷酸等)一起加热,使醇分子失去一分子水转变成烯:

$$CH_3CH_2OH \xrightarrow[170\,℃]{98\%\,H_2SO_4} CH_2{=}CH_2 + H_2O$$
$$80\%$$

$$\underset{\underset{OH}{|}}{CH_3CH_2CH_2CHCH_3} \xrightarrow[95\,℃]{62\%\,H_2SO_4} CH_3CH_2CH{=}CHCH_3 + CH_3CH_2CH_2CH{=}CH_2 + H_2O$$
$$65\%{\sim}80\% \qquad\qquad 少量$$
$$Z/E\ 混合物$$

醇的失水反应是按 E1 机理进行的。具体过程如下:

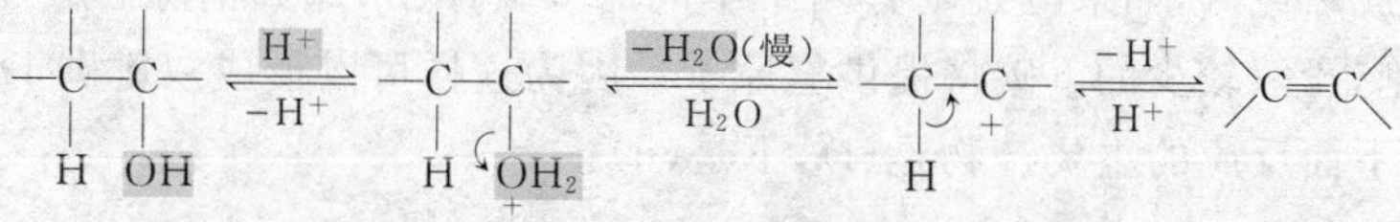

在酸的作用下,不好的离去基团羟基转变成好的离去基团水,然后碳氧键异裂,水离去,形成碳正离子,带正电荷的碳原子相邻的碳上失去一个质子,一对电子转移过来,中和正电荷形成双键。

从反应机理看,生成碳正离子的一步是整个反应的速控步。由于过渡态的势能与形成碳正离子的稳定性有关,碳正离子的稳定性 3°>2°>1°,所以各类醇的反应性也是 3°>2°>1°。又由于一个不稳定的碳正离子会转变成一个更稳定的碳正离子,因此在醇的失水反应中,会伴随有重排产物生成。如当连有醇羟基的碳原子与三级碳原子或二级碳原子相连时,在酸催化的脱水反应中,常常会发生重排反应,称 Wagner(瓦格奈尔)- Meerwein(麦尔外因)重排(rearrangement),其过程如下所示:

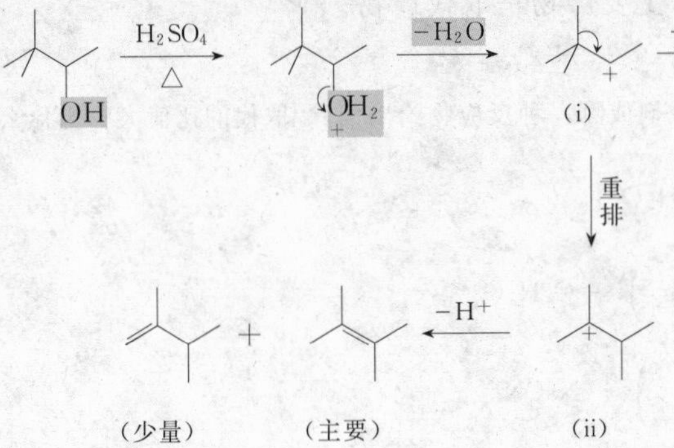

（少量）　（主要）　（ii）

显然，重排的推动力是一个较稳定的 3° 碳正离子代替了一个较不稳定的 2° 碳正离子。该重排反应在萜类化合物中普遍存在。

反应机理还表明，醇的失水反应是一个可逆反应，因此可以通过控制反应条件，使反应向某一方向进行。如用较浓的酸，并将易挥发的烯烃从反应体系中移走，平衡有利于生成烯烃，如反应体系中有大量的水，则平衡有利于烯烃加水成醇。由于醇的酸催化失水是一个平衡反应，因此形成的双键在反应中可发生双键的移位，最后倾向于形成较稳定的烯烃。如正丁醇失水主要生成 E-2-丁烯。

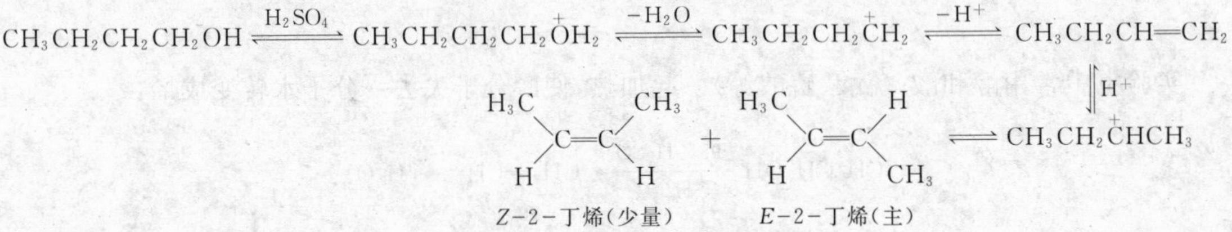

Z-2-丁烯（少量）　E-2-丁烯（主）

为避免这种双键位移产生，用蒸馏或分馏方法把生成的烯烃随时从反应液中蒸走。也可以采取其它方法如先将醇制成羧酸酯，在高温热解得烯及酸，就是使醇间接失水，能得高纯度及高产率的烯烃，而双键不发生位移（参看 14.10.1）。

在醇失水形成烯烃时，如果醇羟基有两个不同的 β 碳原子，那么消除哪一个 β 碳上的氢呢？根据 Zaitsev 规则，含氢较少的 β 碳将提供氢原子。因为这样可以形成双键碳上取代基较多的稳定的烯烃。例如下面反应的主要产物是（i），不是（ii）：

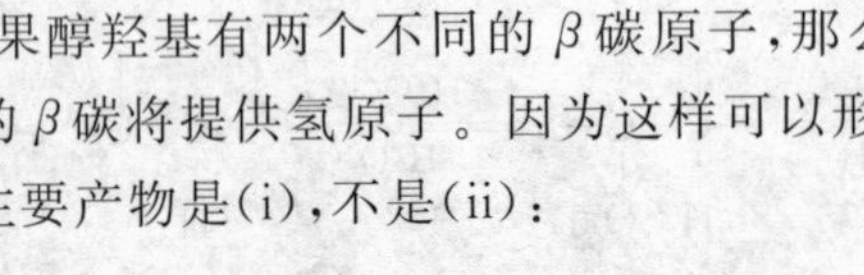

（i）主

（ii）次

如果醇失水生成的烯烃有顺反异构体时，那么 E 型是主要产物，如下所示：

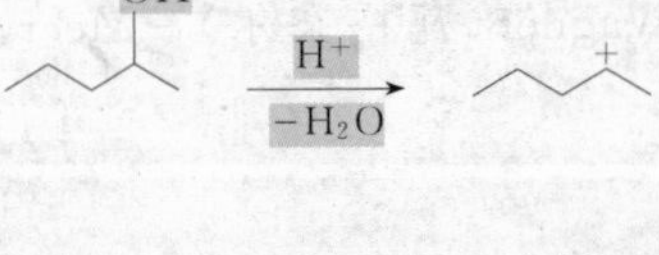

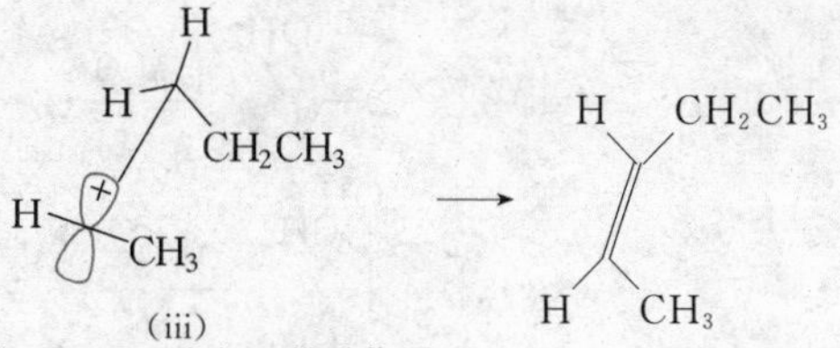

(iii)
CH₃ 与 CH₃CH₂ 有相互排斥作用

(Z)-2-戊烯

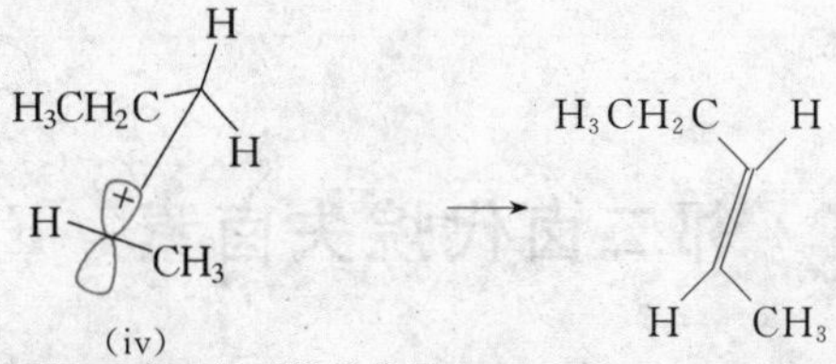

(iv)
CH₃ 与 CH₃CH₂ 不存在相互排斥作用
构象较稳定

(E)-2-戊烯

被消除 β-H 的 C—H 键必须与 α 碳上的 p 轨道平行,才能形成 π 键。(iv)的构象较(iii)稳定,在构象平衡体中这种构象含量较多,因此由这种构象生成的产物也多,产物也较稳定。

在工业上,常用醇于 350~400℃ 在氧化铝或硅酸盐表面上脱水,此反应不发生重排。如

$$C_2H_5OH \xrightarrow[400℃]{Al_2O_3} CH_2{=}CH_2 + H_2O$$

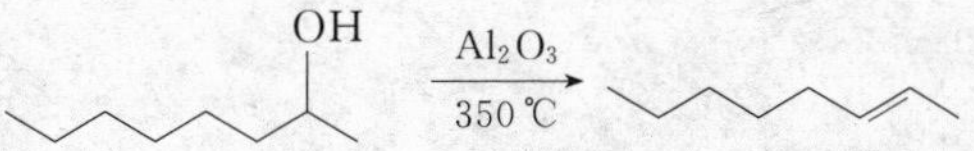

(遵守 Zaitsev 规则)

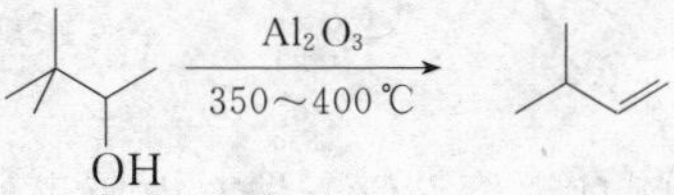

(不发生重排)

习题 6-23 完成下列反应,写出主要产物。

(i)

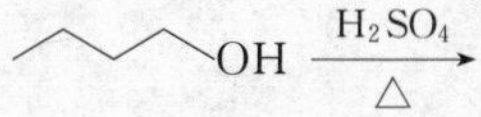

(ii)

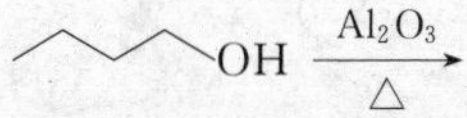

(iii)

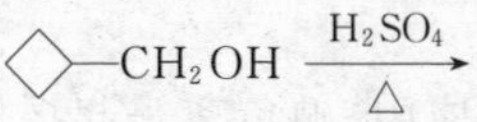

(iv)

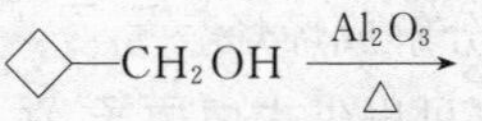

(v)

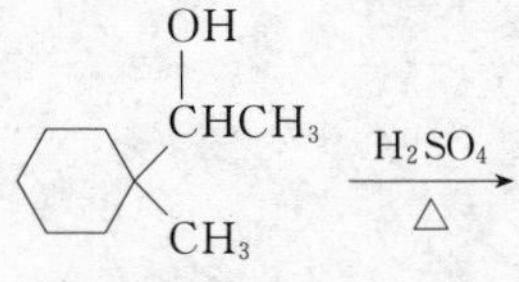

(vi)

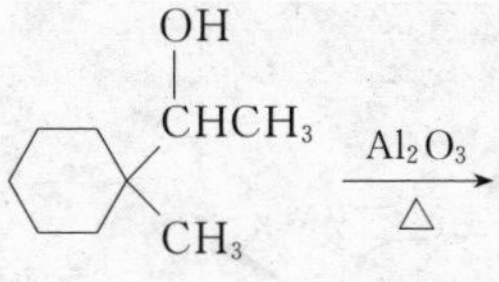

(vii)

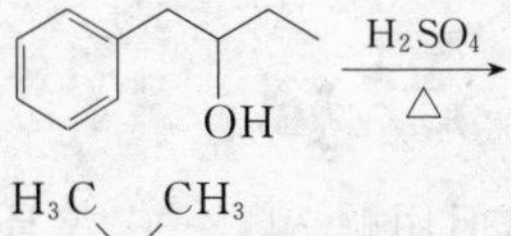

(viii)

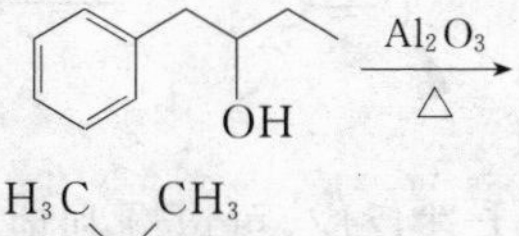

(ix)

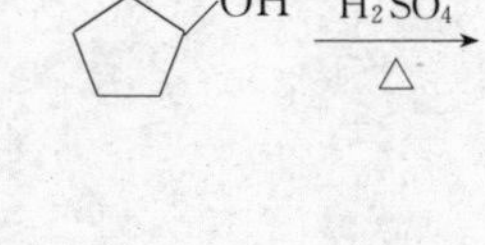

(x)

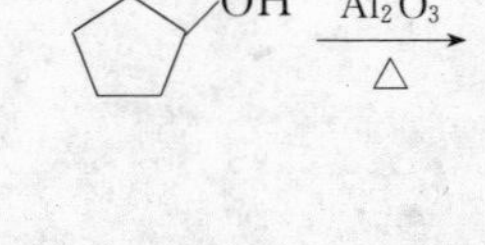

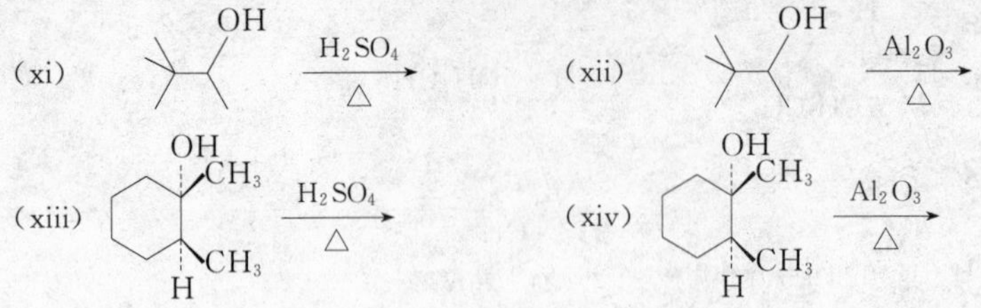

（xi）　（xii）

（xiii）　（xiv）

6.11　邻二卤代烷失卤素　E1cb 反应

　　单分子共轭碱消除反应用 E1cb 表示。E 代表消除反应，1 代表单分子过程，cb 代表反应物分子的共轭碱。

　　邻二卤代烷在金属锌或镁作用下，可失去卤原子生成烯烃。这种消除反应也是共平面的反式消除，在反应中，金属为碳卤键断裂和碳碳双键的形成提供一对电子。这个过程可能分两步进行，首先锌给出一对电子，使碳卤键断开，由此形成碳负离子中间体（carbanion intermediate），即反应物分子的共轭碱。而后再失去一个卤负离子生成烯。上述过程可用反应式表示如下：

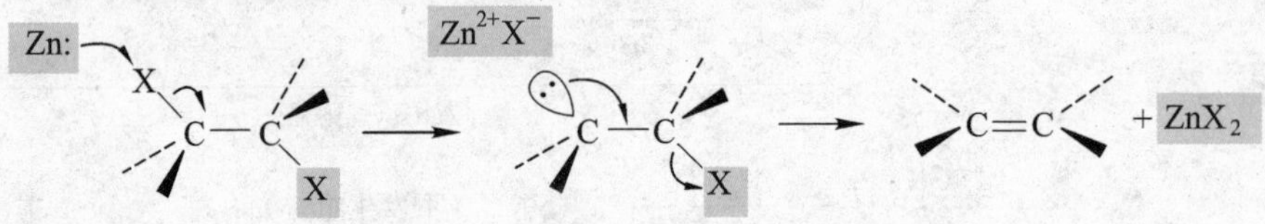

金属镁以同样方式进行反应，其中间产物是一个 β 位上带有卤原子的格氏试剂：

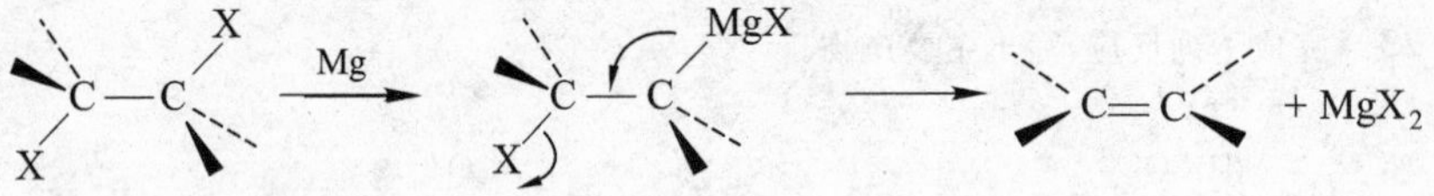

这种格氏试剂很不稳定，很快就分解成烯烃。

　　碘化物和邻二卤代烷反应也可以失去卤原子，生成烯。在该反应中，碘负离子起提供电子的作用，例如：

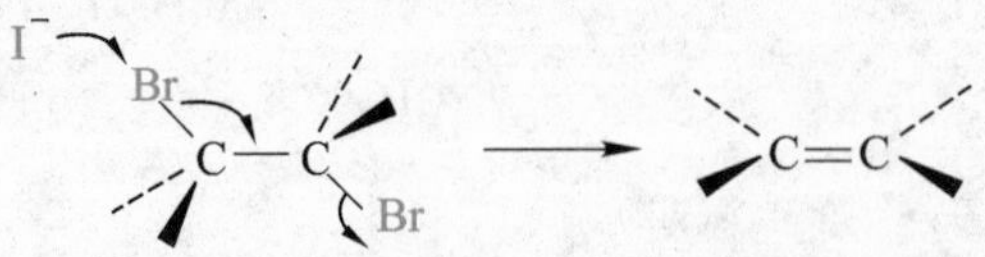

如用反-1,2-二溴环己烷进行上述反应，可以顺利地得到环己烯，但用顺-1,2-二溴环己烷，则不发生反应，如下式所示：

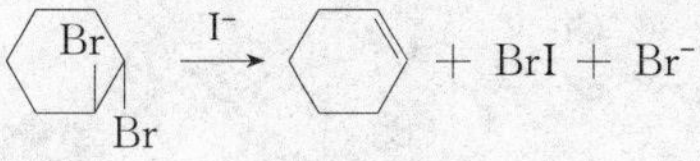

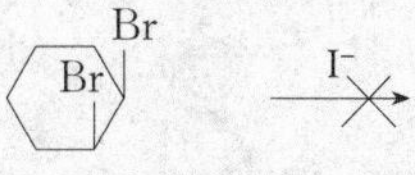

顺-1,2-二溴环己烷

这表明,邻二卤代烷的消除反应肯定是反式消除,因而也是立体选择的。例如,由下列化合物(i)、(ii)只能分别制得 E-2-丁烯和 Z-2-丁烯,其反应如下所示:

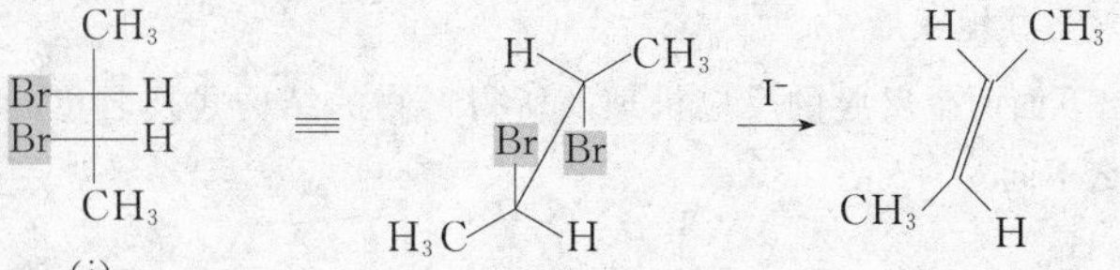

(i)
meso-2,3-二溴丁烷
赤型

(E)-2-丁烯

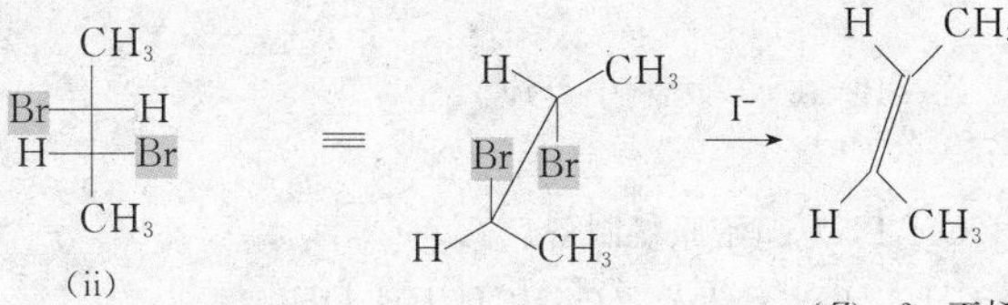

(ii)
$(2R,3R)$-2,3-二溴丁烷
苏型

(Z)-2-丁烯

同时,这两个化合物的反应速率也不相同,化合物(ii)的两个甲基是邻交叉式,而化合物(i)的两个甲基是对交叉式,比(ii)稳定,因此,它的过渡态的势能也低,(i)也就比(ii)反应快。

用碘化物和邻二卤代烷作用,可较容易地消除卤原子而生成烯,如果需要保护碳碳双键或提纯烯烃,即可先用溴加成,生成邻二溴化物,待反应后将产物与碘化物反应,使碳碳双键重新出现。这种对某些官能团进行保护的反应,在有机合成中是很重要的。因此,对一个反应如何灵活应用是学习中常需考虑的问题。

习题 6-24 完成反应式,并写出相应的反应机理。

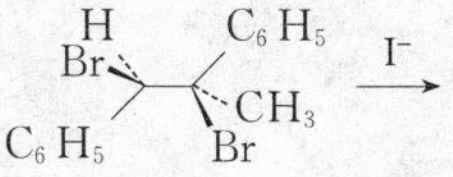

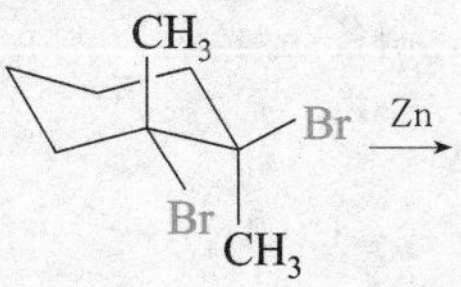

习题 6-25 分别写出(1) CH_3CH_2Br,(2) 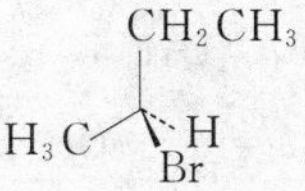 ,(3) 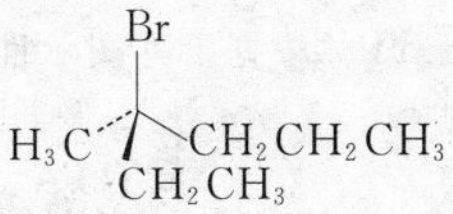 与下列试剂反应的主要产物。

(i) C_2H_5ONa　(ii) NaCN　(iii) CH_3SNa　(iv) CH_3NH_2　(v) C_2H_5OH

习题 6-26　判断化合物（A）　　　　　（B） 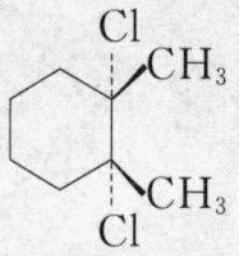　　　　　（C） 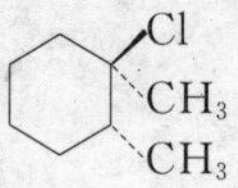　　　　　与下列试剂能否发生反

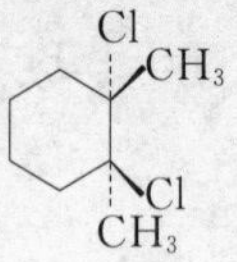

应？如能发生，写出反应的主要产物。

(i) NaOH　(ii) Zn　(iii) H_2O　(iv) C_2H_5OH

习题 6-27　化合物 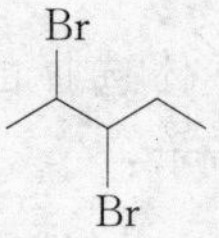　　　　　和 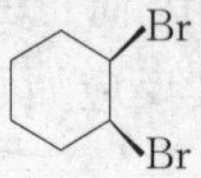　　　　　均为邻二卤代烃。为什么前者消去二分子溴化氢生成炔，

而后者消去二分子溴化氢得共轭双烯？

习题 6-28　写出下面两个反应的反应机理及所得产物的结构式及名称，请分析这两个反应有什么不同？它们的产物又有什么不同？

(i) 化合物 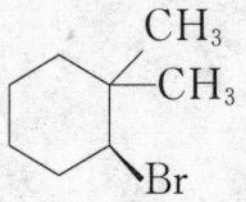　　　　　在水-丙酮中反应；

(ii) 化合物　　　　　Br 在水-丙酮中反应。

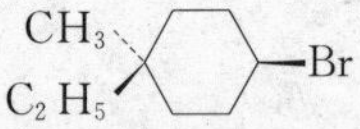

习题 6-29　以 CH_3CH_2Br 为起始原料制备：

(i) CH_3CH_2CN　(ii) $CH_3CH_2N(CH_3)_2$　(iii) CH_3CH_2OH

(iv) $CH_3CH_2SCH_3$　(v) $CH_3CH_2OC_2H_5$　(vi) $CH_3COOCH_2CH_3$

习题 6-30　以 $(CH_3)_3CH$ 为起始原料制备：

(i) $(CH_3)_3COH$　　　(ii) 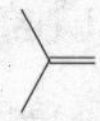　　　　　(iii) 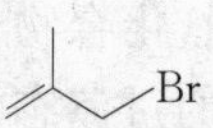　　　　　(iv)

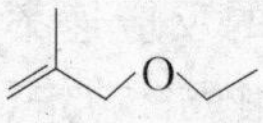

习题 6-31　以 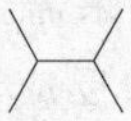　　　　　为起始原料合成：

(i) 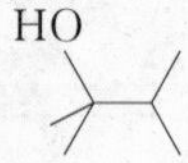　　　　　(ii) 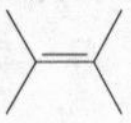　　　　　(iii)

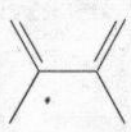

习题 6-32　用　　　　　$C(CH_3)_3$ 制备：

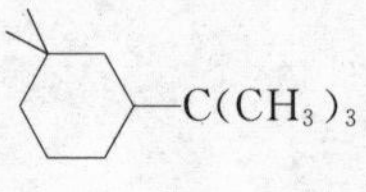

(i) 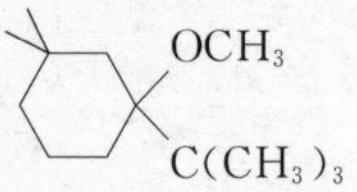　　　　　(ii) 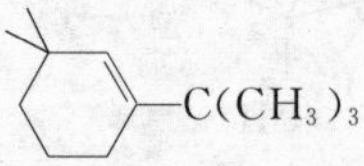　　　　　(iii)

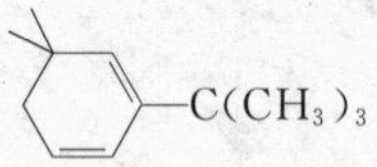

习题 6-33　根据下列图示推断 A，B，C，D，E，F，G，H 的结构式。

$$A \xrightarrow{Br_2, h\nu} B \xrightarrow{NaOH} C + \text{（环己基）}=CH_2$$
$$(C_7H_{14}) \qquad\qquad (C_7H_{12})$$

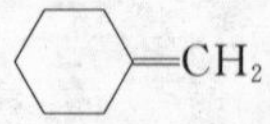

$$E + F（分子中含一个甲基）\xleftarrow{NaOH} D \qquad G \xrightarrow{NaOH} H$$

习题 6-34　请根据下述信息推测 A,B,C,D 的结构式。

A
(C_4H_9Cl)
$\xrightarrow{\text{NaOH}}$
B
(C_4H_8)
$\xrightarrow{Br_2,h\nu}$
C
(C_4H_7Br)
$\xrightarrow{\text{NaOH}}$
D
(C_4H_8O)

核磁共振只
有一个单峰

核磁共振有两组
氢,两组氢原子数
的比为3∶1

核磁共振有四组
氢,四组氢原子数
的比为1∶1∶2∶3

核磁共振有五组
氢,用重水交换
一宽峰消失

复习本章的指导提纲

基本史实
Walden 转换的发现

基本概念
诱导效应、共轭效应、离域体系、超共轭效应、吸电子基团,给电子基团、场效应,碳正离子、一级碳正离子、二级碳正离子、三级碳正离子;解离能、电离能;桥头碳原子、刚性结构;手性碳原子、构型保持、构型翻转;亲核取代反应:S_N1 反应、S_N2 反应、底物、中心碳原子、亲核试剂、离去基团、碱性、可极化性、亲核性、两位负离子;溶剂、质子溶剂、偶极溶剂、极性溶剂、非极性溶剂;消除反应,E1 反应、E2 反应、E1cb 反应;区域选择性、立体选择性、重排反应、Zaitsev 规则、Zaitsev 产物、顺式消除、反式消除。

基本反应和重要反应机理
饱和碳原子上的亲核取代反应:S_N1 反应的定义、机理、立体化学、特点及应用;溶剂解反应;Winstein 离子对机理;S_N2 反应的定义、机理、立体化学、特点及应用;分子内的 S_N2 反应;β-消除反应:E1 反应的定义、机理、立体化学、特点及应用,E2 反应的定义、机理、立体化学、特点和应用;E1cb 反应的定义、机理、立体化学、特点和应用,Wagner-Meerwein 重排的机理。

基本分析
反应物结构与反应机理关系的分析;溶剂对反应机理影响的分析;离去基团离去能力的分析;试剂亲核性大小的分析;S_N1,S_N2,E1,E2 四种反应机理共存和竞争的分析。

英汉对照词汇

alkalinity　（碱性）

ambient anion　（两位负离子）

anti elimination　（反式消除）

anti-Zaitsev rule　（反札依采夫规则）

arc arrow　（弧形箭头）

atomic chain　（原子链）

bimolecular elimination　（双分子消除反应）

bimolecular nucleophilic substitution　（双分子亲核取代反应）

carbanion intermediate　（碳负离子中间体）

carbocation　（碳正离子）

carbon bridge　（碳桥）

central carbon　（中心碳原子）

chlorosuccinic acid　（氯代琥珀酸）

close ion-pair　（紧密离子对）

concentration of reactant　（反应物的浓度）

conjugated system　（共轭体系）

conjugation　（共轭效应）

dipole solvent　（偶极溶剂）

dissociation energy　（解离能）

electron-donating conjugation　（给电子共轭效应）

electron-donating group　（给电子基团）

electron-donating inductive effect　（给电子诱导效应）

electron-transfer　（电子转移）

electron-withdrawing conjugation　（吸电子共轭效应）

electron-withdrawing group　（吸电子基团）

electron-withdrawing inductive effect　（吸电子诱导效应）

elimination　（消除反应）

field effect　（场效应）

free ion　（自由离子）

hydrolysis　（水解）

hydrophilic property　（亲水性）

hyperconjugation　（超共轭效应）

inductive effect　（诱导效应）

internal nucleophilic substitution　（分子内亲核取代）

inversion of configuration　（构型翻转）

ionization energy　（电离能）

isonitrile　（异腈）

leaving group　（离去基团）

Lewis acid　（路易斯酸）

malic acid　（苹果酸）

nitrile　（腈）

nitrite　（亚硝酸酯）

nitroalkane　（硝基烷）

non-aqueous solvent　（非水溶剂）

non-polar solvent　（非极性溶剂）

nucleophilic agent　（亲核试剂）

nucleophilicity　（亲核性）

nucleophilic substitution　（亲核取代反应）

oxonium salt　（镁盐）

polar covalent bond　（极性共价键）

polarizability　（可极化性）

primary carbo cation　（一级碳正离子）

primary-order reaction　（一级反应）

product　（产物）

proton solvent　（质子溶剂）

reactive intermediate　（活性中间体）

reaction mechanism　（反应机理）

reaction rate　（反应速率）

rearrangement　（重排反应）

regioselectivity　（区域选择性）

retention of configuration　（构型保持）

rigid structure　（刚性结构）

second-order reaction　（二级反应）

secondary carbo cation　（二级碳正离子）

solvent effect　（溶剂效应）

solvolysis reaction　（溶剂解反应）

steric help effect　（空阻效应）

stereoselectivity　（立体选择性）

steric hindrance effect　（空助效应）

substrate　（底物）

sulfate　（硫酸酯）

sulfonate　（磺酸酯）

tertiary carbo cation　（三级碳正离子）

two-fanged nucleophile　（双位亲核性能）

two-fanged reactivity　（双位反应性能）

unimolecular elimination　（单分子消除反应）

unimolecular elimination through conjugate base　（单分子共轭碱消除反应）

unimolecular nucleophilic substitution　（单分子亲核取代反应）

Wagner-Meerwein rearrangement　（瓦格奈尔-麦尔外因重排）

Walden inversion　（瓦尔登转换）

Winstein ion-pair mechanism　（温斯坦离子对机理）

Zaitsev rule　（札依采夫规则）

第7章

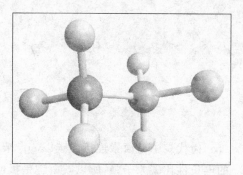

卤代烃　有机金属化合物

烃分子中的氢被卤素取代后的化合物称为卤代烃(halohydrocarbon)。一般用 RX 表示。X 表示卤素(F,Cl,Br,I)。

7.1　卤代烃的分类

卤代烃可以按下面三种方法分类:

(1) 按卤素所连接的烃基的结构,可分为饱和卤代烃、不饱和卤代烃和芳香卤代烃。在不饱和卤代烃中,卤素与双键碳直接相连的称为乙烯型卤代烃(vinylic halide),卤素与双键邻位碳相连的称为烯丙型卤代烃(allylic halide)。在芳香卤代烃中,卤素与苯环直接相连的称为苯型卤代烃(phenyl halide),与苯甲位碳相连的称为苯甲型(或称苄型)卤代烃(benzylic halide)。

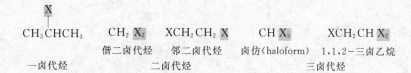

(2) 按分子中卤素的数目,可分为一卤代烃、二卤代烃及三卤代烃,其余依次类推。在二卤代烃中,两个卤原子连在同一个碳原子上的称为偕二卤代烃。两个卤原子连在相邻碳原子上的称为邻二卤代烃或连二卤代烃。在三卤代烃中,三卤甲烷称为卤仿。

(3) 按与卤素相连的碳原子的级数,可分为一级卤代烃、二级卤代烃和三级卤代烃。

$$(CH_3)_2CHCH_2X \qquad CH_3CH_2\overset{\underset{\textstyle |}{X}}{C}HCH_3 \qquad (CH_3)_3C—X$$

一级卤代烃　　　　　　　二级卤代烃　　　　　　三级卤代烃

7.2　卤代烃的结构

7.2.1　卤代烷中碳卤键的特点

卤代烷中与卤素连接的碳以 sp^3 杂化轨道与卤素的 p 轨道重叠形成 C—X 键,由于卤原子的电负性比碳原子强,所以碳卤键是极性共价键。一般卤代烷中 C—X 键的键长如下所示:

$$C—F \qquad C—Cl \qquad C—Br \qquad C—I$$
$$139\ pm \qquad 176\ pm \qquad 194\ pm \qquad 214\ pm$$

C—C 键长为 154 pm,C—H 键长为 110 pm。C—F 键长介于 C—C 键长与 C—H 键长之间,说明氟原子较碳原子小,较氢原子大;而 C—Cl 键长说明氯原子较碳原子大,因此除碳与氢能形成长链的碳氢化合物外,只有碳与氟能形成长链的碳氟化合物:

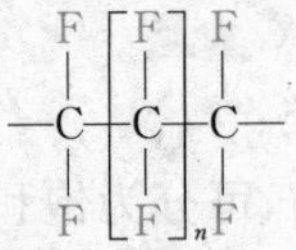

如果将氟换成氯,最多只能形成 3~4 个碳原子的链,再长一点就开始断裂了。显然这与碳原子结合的原子大小有关。氢原子与氟原子的大小合适,这两个原子在碳链中好像形成一把剑的"鞘",对碳链起保护作用,如果原子变大,这个"鞘"就不合适,不但不起保护碳链的作用,反而使碳链断了。

7.2.2　卤代烷的构象

卤代烷带卤原子的 C—C 键转动能垒如表 7-1 所示。

表 7-1　带卤原子的 C—C 键的转动能垒

化合物	转动能垒/kJ·mol^{-1}	化合物	转动能垒/kJ·mol^{-1}
$CH_3—CH_2F$	13.8	$CH_2Cl—CH_2Cl$	13.4
$CH_3—CH_2Cl$	15.5	$CF_3—CF_3$	13.6
$CH_3—CH_2Br$	15.5	$CH_3—CF_3$	16.3
$CH_3—CH_2I$	13.4	$CCl_3—CCl_3$	45.2

可以看出,转动能垒大小与卤素体积大小关系不大,因为卤原子体积增大,C—X 键也增长,因此在一定的二面角内,即使体积增大很多,也可以降低卤素与氢之间的拥挤程度。

在 1,2-二氯乙烷分子中,C—C 键转动能垒为 13.4 kJ·mol^{-1}。1,2-二氯乙烷有两种稳定的构象,即邻交叉构象与对交叉构象:

邻交叉构象　　　　　　　　　　对交叉构象

在气相中,邻交叉构象比对交叉构象不稳定 5 kJ·mol⁻¹,而在液相中两种构象稳定性接近相等。这是因为在分子中有两种作用力,一种是偶极－偶极的排斥力,一种是 van der Waals 吸引力。在邻交叉构象中,有两个 C—Cl 键的偶极键之间的排斥力,但两个氯原子之间距离又稍大于两个氯原子的 van der Waals 半径之和,因此有吸引力;而对交叉构象没有上述的排斥力,也没有上述的吸引力。在气相中,偶极间的排斥力占主导地位,故对交叉构象较稳定;而在液相中,由于其它分子的接近而降低了分子内偶极间的排斥力,这时两种构象稳定性接近相等。

习题 7-1　1,1,2－三氯乙烷有 A,B,C 三种较稳定的构象异构体,A 与 B 稳定性相等,与 C 在气相中的势能差为 10.9 kJ·mol⁻¹。

(i) 写出 A,B,C 的构象。

(ii) 哪些构象更稳定?

(iii) C 在液相中势能差降低到 0.8 kJ·mol⁻¹,请解释原因。

(iv) A,B 两种构象互相转化约需转动能垒 8.4 kJ·mol⁻¹,A 或 B 转为 C 约需 20.9 kJ·mol⁻¹。请解释为什么转动能垒不同。

7.3　卤代烷的物理性质

四个碳以下的氟代烷、两个碳以下的氯代烷以及溴甲烷是气体,一般卤代烷为液体,高级的为固体。卤代烷分子间有偶极－偶极的相互作用,即一个分子的偶极正端与另一分子的偶极负端之间有相互吸引作用,例如:

$$\begin{matrix} \overset{\delta+}{H_3C} - \overset{\delta-}{Cl} \\ \underset{\delta-}{Cl} - \underset{\delta+}{CH_3} \end{matrix} \qquad \begin{matrix} \overset{\delta-}{Cl} - \overset{\delta+}{CH_2} - \overset{\delta+}{CH_2} - \overset{\delta-}{Cl} \\ \underset{\delta-}{Cl} - \underset{\delta+}{CH_2} - \underset{\delta+}{CH_2} - \underset{\delta-}{Cl} \\ \underset{\delta-}{Cl} - \underset{\delta+}{CH_2} - \underset{\delta+}{CH_2} - \underset{\delta-}{Cl} \end{matrix}$$

可以简单地表示为:

偶极－偶极的相互吸引

其大小与分子极性有关,极性越大,偶极−偶极作用也大,沸点升高。如果分子内极性相同,则相对分子质量越大,van der Waals 引力也大,沸点也升高。烷基相同而卤原子不同时,沸点随卤原子的原子序数增加而升高。在同分异构体中,直链分子沸点较高,叉链越多,沸点越低。氟代烷的沸点比较特殊,甲烷沸点−161 ℃,依次代入一个、二个、三个和四个氟原子后,沸点先升高而后又降低,四氟甲烷沸点−128 ℃,与甲烷相对分子质量相差很大,而沸点却较相近。六氟乙烷沸点−79 ℃,而乙烷沸点−88.6 ℃,两者沸点更接近。

　　所有卤代烃均不溶于水,但能溶于大多数有机溶剂,一氟代烃、一氯代烃比水轻,溴代烃、碘代烃比水重。分子中卤原子增多,密度增大。

　　卤代烃的可极化性顺序为:RI ＞ RBr ＞ RCl ＞ RF(参见 6.7.3/2)。可极化性强的分子,在外界条件影响下,分子容易改变形状,以适应反应的需要,因而 RI,RBr,RCl 都易于进行反应而转变成其它化合物。但电负性强而可极化性小的氟也有它的特点,如形成稳定的全氟化合物,其沸点与相应的烷烃接近等等。某些卤代烃的物理性质如表 7−2。

表 7−2　某些卤代烷的物理性质

	氟化物		氯化物		溴化物		碘化物	
	沸点/℃	相对密度 (d_4^{20})	沸点/℃	相对密度 (d_4^{20})	沸点/℃	相对密度 (d_4^{20})	沸点/℃	相对密度 (d_4^{20})
$CH_3—X$	−78.4		−24.2		3.6		42.4	2.279
$CH_3CH_2—X$	−37.7		12.3		38.4	1.440	72.3	1.933
$CH_3CH_2CH_2—X$	−2.5		46.6	0.890	71.0	1.335	102.5	1.747
$(CH_3)_2CH—X$	−9.4		34.8	0.859	59.4	1.310	89.5	1.705
$CH_3CH_2CH_2CH_2—X$	32.5	0.779	78.4	0.884	101.6	1.276	130.5	1.617
$CH_3CH_2CH(CH_3)—X$	25.3	0.766	68.3	0.871	91.2	1.258	120	1.595
$(CH_3)_2CHCH_2—X$	25.1		68.8	0.875	91.4	1.261	121	1.605
$(CH_3)_3C—X$	12.1		50.7	0.840	73.1	1.222	100分解	−
$CH_3CH_2CH_2CH_2CH_2—X$			108	0.883	130	1.223	157	1.517
⬡—X			142.5	1.000	165			
CH_2X_2	−52		40	1.336	99	2.49	180分解	3.325
CHX_3	−83		61	1.489	151	2.89	升华	4.008
CX_4	−128		77	1.595	189.5	3.42	升华	4.32

习题 7−2　根据一般规律,将下列各组化合物按沸点由高到低排序,简述按此排列的理由,并查阅手册进行核对。

(i) $CH_3I,CH_3Br,CH_3Cl,CH_3F$

(ii) $CH_3CH_2CH_2Cl,CH_3CH_2CHCl_2,CH_3CH_2CCl_3$

(iii) $CH_3CH_2CH_2CH_2Cl,(CH_3)_2CHCH_2Cl,(CH_3)_3CCl$

(iv) $CH_3(CH_2)_4Br$, $CH_3(CH_2)_5Br$, $CH_3CH_2\overset{CH_3}{\underset{}{C}HCH_2Br}$,$(CH_3)_2CHCH_2CH_2Br$, $CH_3CH_2\overset{CH_3}{\underset{CH_3}{C}Br}$

习题 7－3   将习题 7－2 中的各组化合物按极性由大至小排序，并简述按此排列的理由。

卤代烃的反应

7.4   亲核取代反应

在卤代烷中，由于卤原子的电负性比碳原子大，所以碳卤键的共用电子对偏向于卤原子，使碳带有部分正电荷，因此碳极易受到亲核试剂的进攻，卤原子则带着一对电子以负离子的形式离去。这就是卤代烃的亲核取代反应。

$$R{-}X + Nu{:}^- \longrightarrow RNu + :X^-$$

关于亲核取代反应的定义、反应机理及影响亲核取代反应的各种因素的讨论在 6.4，6.5，6.6，6.7 中已作介绍。在亲核取代反应中，卤代烃的反应活性为 $RI > RBr > RCl > RF$。亲核试剂可以是带孤电子对的中性分子，也可以是带负电荷的离子。通过卤代烃与各种亲核试剂的反应，可以制备许多类型的化合物。例如：卤代烃与氢氧化钠的水溶液共热，卤原子被羟基取代生成醇，称为卤代烃的水解（hydrolysis）。工业上就是利用这个反应来制备戊醇的。杂醇油是各种戊醇的混合物，可以用做溶剂。

$$C_5H_{11}Cl + NaOH \xrightarrow[\text{H}_2\text{O}]{\triangle} C_5H_{11}OH + NaCl$$

卤代烃与醇钠的醇溶液共热，卤原子被烷氧基取代生成醚，称为卤代烃的醇解（alcoholysis）。这是制备不对称醚最常用的一种方法（参见 10.20）。

$$CH_3CH_2CH_2Br + (CH_3)_3CONa \xrightarrow[(\text{CH}_3)_3\text{COH}]{\triangle} CH_3CH_2CH_2OC(CH_3)_3 + NaBr$$

卤代烃与氰化钠反应，卤原子被氰基取代，生成比原料卤代烃多一个碳原子的腈。这是制备腈的主要方法，也是有机合成中增长碳链的重要手段之一。

$$CH_3CH_2I + NaCN \longrightarrow CH_3CH_2CN + NaI$$

在上述三种亲核取代反应中，试剂 OH^-，RO^- 和 ^-CN 既具有亲核性，又具有碱性，它们与一级卤代烷的亲核取代比较易于进行，当它们与三级卤代烷反应时，主要产物常常是烯烃。表 7－3 列出了一些常见的亲核试剂以及溴甲烷与它们反应时的生成产物，从中可以看出卤代烃是有机合成十分重要的中间体。

表 7-3　一些常见的卤代烷的亲核取代反应

底　　物	亲核试剂	生　成　物
CH₃Br	:I⁻(碘负离子)	CH₃I(碘甲烷)
	:OH₂(水)	CH₃OH(甲醇)
	:O̅H(羟基负离子)	CH₃OH(甲醇)
	:O̅CH₃(甲氧基负离子)	CH₃OCH₃(二甲醚)
	:O̅CCH₃（乙酰氧基负离子）（含 O 双键）	CH₃COCH₃（乙酸甲酯）（含 O 双键）
	:NH₃(氨)	CH₃N⁺H₃Br⁻(溴化甲铵)
	:N(CH₃)₃(三甲胺)	(CH₃)₄N⁺Br⁻(溴化四甲铵)
	:O̅NO₂(硝酸根负离子)	CH₃ONO₂(硝酸甲酯)
	:N̅O₂(亚硝酸根负离子)	CH₃NO₂(硝基甲烷)
	:N₃(叠氮基负离子)	CH₃N₃(叠氮甲烷)
	:CN(氰基负离子)	CH₃CN(乙腈)
	:C≡CCH₃（1-丙炔基负离子）	CH₃—C≡C—CH₃（2-丁炔）
	:CH(COOCH₃)₂(丙二酸二甲酯负离子)	CH₃CH(COOCH₃)₂(甲基丙二酸二甲酯)
	:S̅H(巯基负离子)	CH₃SH(甲硫醇)
	:S̅CH₃(甲硫基负离子)	CH₃SCH₃(甲硫醚)
	:SCN(硫氰基负离子)	CH₃SCN(硫氰酸甲酯)
	:S(CH₃)₂(二甲硫醚)	(CH₃)₃S⁺Br⁻(溴化三甲基锍)
	:P(CH₃)₃(三甲膦)	(CH₃)₄P⁺Br⁻(溴化四甲基锍)

卤代烃的鉴别(identification)

卤代烃与硝酸银的乙醇溶液反应,生成硝酸酯和卤化银沉淀。

$$R—X + AgNO_3 \xrightarrow{C_2H_5OH} RONO_2 + AgX\downarrow$$

由于不同卤代烃在该反应中的速率不同,因此可以根据卤化银沉淀生成的快慢来推测卤代烃可能的结构。一般来讲,具有相同烃基结构的卤代烃,反应活性次序是 $RI > RBr > RCl$。而卤原子相同,烃基结构不同时,反应活性次序是 $3° > 2° > 1°$。综合考虑,碘代烷或三级卤代烷在室温即可与硝酸银的乙醇溶液反应生成卤代银沉淀,而一级、二级氯代烷和溴代烷则需要温热几分钟才能产生卤化银沉淀。苯甲型及烯丙型卤化物的卤素非常活泼,与硝酸银的醇溶液能迅速地进行反应,而卤原子直接连接于双键及苯环上的卤化物则不易发生此反应。两个或多个卤原子连在同一个碳原子上的多卤代烷,也不起反应。

碘化钠可溶于丙酮,而氯化钠和溴化钠都不溶于丙酮,因此可通过氯代烃或溴代烃与碘化钠的丙酮溶液的反应来鉴别氯代烃和溴代烃。

$$RCl + NaI \xrightarrow{丙酮} RI + NaCl\downarrow$$

$$RBr + NaI \xrightarrow{\text{丙酮}} RI + NaBr \downarrow$$

通常,活泼卤代烷在几分钟内即生成沉淀,中等活性的卤代烷需温热后才生成沉淀。苯型卤代烃和乙烯型卤代烃即使加热也无沉淀产生。

习题 7-4 写出 CH_3CH_2Br 转变为(i) 甲(基)乙(基)醚,(ii) 乙酸乙酯,(iii) 溴化四乙铵,(iv) 硝酸乙酯,(v) 硝基乙烷,(vi) 丙腈,(vii) 2-戊炔,(viii) 乙基丙二酸二甲酯的反应方程式。

习题 7-5 比较下列各组中两个反应的速率大小,并阐明理由。

(i) $CH_3CH_2Br + H_2O \longrightarrow CH_3CH_2OH + HBr$

$\quad CH_3CH_2Br + NaOH \xrightarrow{H_2O} CH_3CH_2OH + NaBr$

(ii) $CH_3CH_2Br + C_2H_5OH \longrightarrow CH_3CH_2OCH_2CH_3 + HBr$

$\quad CH_3CH_2Br + C_2H_5ONa \xrightarrow{C_2H_5OH} CH_3CH_2OCH_2CH_3 + NaBr$

习题 7-6 回答下列问题:

(i) 具有相同卤原子的卤代烃,其亲核取代的反应速率为什么是 $3° > 2° > 1°$。

(ii) 为什么苯甲型和烯丙型卤代烃与硝酸银能迅速发生反应,而苯型和乙烯型卤代烃则不易发生此反应?

(iii) 二氯甲烷、氯仿能不能与硝酸银的乙醇溶液发生反应?为什么?

习题 7-7 请用简便的方法鉴别下列各化合物。

(i) —CH_2I —CH_2Br —CH_2Cl

(ii) CH_3I $CHCl_3$ CH_3CH_2Br $(CH_3)_2CHBr$ $(CH_3)_3CCl$

(iii) $CH_3CH_2CH_2CH_2Cl$ $CH_3CH_2CH(CH_3)Cl$ $(CH_3)_3CCl$ —CH_2Cl

$\quad CH_3CH_2CH_2CH_2Br$ —Br

习题 7-8 完成下列反应:

(i) $+ CH_3NH_2 \longrightarrow$

(ii) $+ NH_3 \longrightarrow$

习题 7-9 请选用合适的溴化物合成下列环醚。合成大环醚时通常需要什么特殊条件?

(i)   (ii)   (iii)

习题 7-10 比较化合物(A),(B),(C)进行 S_N2 反应的速率快慢,并阐明理由。比较化合物(C),(D)进

行 S_N1 反应的速率快慢,并阐明理由。

　　　(A)　　　　　　　　(B)　　　　　　　　(C)　　　　　　　　(D)

7.5　消　除　反　应

　　在卤代烃分子中,由于卤素的吸电子作用可以通过碳链传递,因此,不仅 $\alpha-C$ 上具有部分正电荷,$\beta-C$ 上也会带有更少量的正电荷。从而使 $\beta-C$ 上的氢具有一定的酸性。因此,卤代烃在强碱的作用下会失去一分子卤化氢,生成烯烃,这就是卤代烃的消除反应。

$$B: + H-\overset{|}{\underset{|}{C}}-\overset{|}{\underset{|}{C}}-X \xrightarrow{\text{溶剂}} BH + \begin{array}{c}\\ \diagup\end{array}C=C\begin{array}{c}\diagdown\\ \end{array} + X^-$$

关于卤代烃消除反应的机理、区域选择性和立体选择性参见 6.9。

　　卤代烃的消除反应可以用来制备烯烃、炔烃和共轭烯烃。例如:

$$CH_3-\underset{\underset{Br}{|}}{CH}-CH_3 \xrightarrow[C_2H_5OH]{NaOH} CH_3-CH=CH_2$$

$$Cl-CH_2-CH_2-Cl \xrightarrow[C_2H_5OH]{NaOH} Cl-CH=CH_2$$

$$CH_3-\underset{\underset{Br}{|}}{CH}-\underset{\underset{Br}{|}}{CH_2} \xrightarrow[C_4H_9OH]{KOH(足量)} CH_3-C\equiv CH$$

$$\underset{\underset{Br}{|}}{CH}-\underset{\underset{Br}{|}}{CH_2} \xrightarrow[C_6H_5NH_2]{NaNH_2} \bigcirc\!\!\!\!-C\equiv CH$$

$$\xrightarrow[C_2H_5OH]{C_2H_5ONa}$$

7.6　亲核取代反应和消除反应的共存与竞争

　　卤代烃可以发生亲核取代反应,亦可以发生消除反应;这些反应可以是单分子的,亦可以是双分子的。因此有四种反应机理:S_N2,S_N1,$E2$,$E1$ 以竞争的方式同时发生。

　　一级卤代烃与亲核试剂发生 S_N2 反应的速率很快,因此消除反应很少,只有存在强碱和反应条件比较强烈时才以消除产物为主。但 β 位上有活泼氢的一级卤代烃则会提高 E2 反应的速率。见表 7-4。

表 7-4　一级卤代烷在乙醇钠乙醇溶液中取代产物与消除产物的百分比

溴代烷	温度 / ℃	S_N2 产物/%	E2 产物/%
CH_3CH_2Br	55	99	1
$CH_3CH_2CH_2Br$	55	91	9
$CH_3(CH_2)_2CH_2Br$	55	90	10
$C_6H_5CH_2CH_2Br$	55	5	95(β-H 活泼)

二级卤代烃及 β 位上有侧链的一级卤代烃,由于空间位阻增大和 β 氢增多,S_N2 反应速率变慢而 E2 反应的竞争力增大,此时试剂和溶剂对反应方向影响很大。低极性溶剂、强亲核试剂有利于 S_N2 反应,低极性溶剂、强碱性试剂有利于 E2 反应。见表 7-5。

表 7-5　2-溴代丙烷在有乙醇钠和无乙醇钠时取代产物与消除产物的百分比

卤代烷	C_2H_5ONa	取代产物/%	消除产物/%
$(CH_3)_2CHBr$	0	97	3
$(CH_3)_2CHBr$	0.05 mol·L^{-1}	29	71
$(CH_3)_2CHBr$	0.20 mol·L^{-1}	21	79

三级卤代烃在无强碱存在时,进行单分子反应,一般得到 S_N1 和 E1 的混合产物。例如三级溴代丁烷在乙醇中溶剂解得到 81% 的 S_N1 产物乙基三级丁基醚和 19% 的 E1 产物异丁烯。在水和乙醇的混合溶剂中,则得到两个取代产物和少量消除产物的混合物。

$$(CH_3)_3CBr \xrightarrow[H_2O,25℃]{C_2H_5OH,慢} (CH_3)_3C^+ \xrightarrow{快} (CH_3)_3COCH_2CH_3 + (CH_3)_3COH + (H_3C)_2C{=}CH_2$$
$$\quad\quad\quad\quad\quad\quad\quad\quad\quad\quad\quad\quad\quad\quad\quad\quad 29\% \quad\quad\quad\quad\quad 58\% \quad\quad\quad\quad 13\%$$

在单分子反应中,S_N1 产物和 E1 产物的比例主要取决于烷基的结构,因为反应过程中首先是中心碳原子由四面体结构变成碳正离子的平面结构,如果取代基很大,倾向于形成碳正离子,以减少空间张力。形成的碳正离子若发生了 S_N1 反应,键角又将从 120° 回到 109.5°,张力又增加;如果发生 E1 反应,由于烯烃也是一个平面结构,空间张力比四面体张力小。因此取代基的空间体积大,有助于进行消除反应。例如下列氯代烷进行溶剂解时所得取代产物与消除产物的比例是:

消除产物	34%	65%	100%
取代产物	66%	35%	0%

但如有强碱甚至弱碱存在时,三级卤代烷主要发生 E2 反应,见表 7-6。

表 7-6   三级溴代烷在有乙醇钠和无乙醇钠时取代产物与消除产物的百分比

卤代烷	C_2H_5ONa	取代产物/%	消除产物/%
$(CH_3)_3CBr$	0	81	19
$(CH_3)_3CBr$	0.05 mol·L^{-1}	34	66
$(CH_3)_3CBr$	0.20 mol·L^{-1}	7	93

习题 7-11   用$(CH_3)_3CBr$代替CH_3CH_2Br分别与习题 7-4 中所用的各种试剂反应,各得到什么产物?CH_3CH_2Br 和$(CH_3)_3CBr$在上述反应系列中有什么区别?产生区别的原因是什么?

习题 7-12   选用合适的卤代烃为底物,选用 NaOH 的水溶液或 NaOEt 的乙醇溶液为反应试剂,设计若干个实验,证明:(i) 在反应体系中,S_N1,S_N2,E1 和 E2 反应共存;(ii) 提高反应温度,有利于消除反应;(iii) 增加碱的强度和碱的浓度,有利于消除反应;(iv) $3°RX$ 比 $1°RX$ 更易发生消除反应。

7.7   卤代烷的还原

卤代烃被还原剂还原成烃的反应称为卤代烃的还原(reduction)。还原试剂很多,目前使用较为普遍的是氢化铝锂(lithium aluminium hydride,$LiAlH_4$),它是个很强的还原剂,所有类型的卤代烃包括乙烯型卤代烃均可被还原,还原反应一般在乙醚或四氢呋喃(THF)等溶剂中进行:

$$RX \xrightarrow{LiAlH_4} RH$$

例如:

$$CH_3(CH_2)_8CH_2Br \xrightarrow{LiAlH_4} CH_3(CH_2)_8CH_3$$
$$72\%$$

氢化铝锂中的氢负离子(hydrogen anion,H^-)以游离或不完全游离的方式作为亲核试剂进攻卤代烃中的烃基,卤离子作为离去基团离去,一级卤代烷反应性能较好,所得产物构型转化,因此认为反应按 S_N2 机制进行。二级卤代烷也可用此法还原,三级卤代烷易发生消除反应,不适合用此法。

氢化铝锂是一白色的类似盐类的化合物,可以由氢化锂(LiH)和三氯化铝反应制得:

$$4LiH + AlCl_3 \longrightarrow LiAlH_4 + 3LiCl$$

氢化铝锂遇水立即反应,放出氢气:

$$LiAlH_4 + 4H_2O \longrightarrow LiOH + Al(OH)_3 + 4H_2$$

因此氢化铝锂只能在无水介质,如乙醚、四氢呋喃、1,2-二甲氧基乙烷($CH_3OCH_2CH_2OCH_3$)等溶剂中使用。

硼氢化钠(sodium boron hydride,$NaBH_4$)是比较温和的试剂,适用于二级、三级卤代烷还原,而一级卤代烷不易用此试剂还原。硼氢化钠是白色粉末,是 Na^+ 与 BH_4^- 形成的盐,BH_4^- 可以看成是 BH_3 与 H^- 结合而来的。硼氢化钠可溶于水,呈碱性,比较稳定,不被分解,在酸性溶液中,很易分解为氢和硼酸钠。硼氢化钠可溶于甲醇与乙醇,因此常用醇作溶剂进行还原,但会慢慢分解,几乎不溶于四氢呋喃或 1,2-二甲氧基乙烷。

其它化学试剂如锌和盐酸、氢碘酸、催化氢解(hydrogenolysis)等方法均可将卤代烷还原。例如:

$$CH_3(CH_2)_{14}CH_2I \xrightarrow{Zn + HCl} CH_3(CH_2)_{14}CH_3$$

$$85\%$$

用催化氢化法使碳与杂原子(O,N,X 等)之间的键断裂,称为氢解。苯甲位的碳与杂原子之间的键很易氢解。

钠与液氨也可还原卤代烃,对于双键碳上的卤原子,还原时双键的构型不变。如

7.8　卤仿的分解反应

氯仿遇空气或日光分解成剧毒光气的反应称为卤仿的分解(decomposition)反应。反应如下:

所以通常要将氯仿储存在棕色瓶子中,储存时要加 1% 的乙醇以破坏已生成的光气。

7.9　卤代烃与金属的反应

卤代烃可以和许多金属元素作用,生成金属与碳直接相连的一类化合物,称为有机金属化合物(organometallic compound)。用 R—M 表示,M 为金属。

7.9.1   有机金属化合物的命名

有机金属化合物可以按下面三种模式命名。

(1) 在金属名称之前,加相应的有机基团:

$$CH_3Li \qquad\qquad CH_3Cu \qquad\qquad (CH_3CH_2)_2Hg \qquad\qquad (CH_3CH_2)_4Pb$$

甲基锂(有机锂试剂)   甲基铜   二乙基汞   四乙基铅
methyllithium   methylcopper   diethylmercury   tetraethyllead

(2) 看做硼烷(borane)、硅烷(silane)或锡烷(stannane)等的衍生物:

$$(CH_3)_4Si \qquad\qquad\qquad (CH_3)_3SnCH_2CH_3$$

四甲基硅烷   三甲基乙基锡烷
tetramethylsilane   ethyltrimethylstannane

(3) 金属除与有机基团相连外,还有无机原子,可看做带有机基团的无机盐:

$$CH_3MgI \qquad\qquad CH_3CH_2HgCl \qquad\qquad CH_3CH_2AlCl_2$$

碘化甲基镁(格氏试剂)   氯化乙基汞   二氯化乙基铝
methylmagnesium iodide   ethylmercuric chloride   ethylalumium dichloride

---

习题 7-13   将下列化合物用中英文命名。

(i) $CH_3CH_2CH_2Na$ (ii) $CH_3CH_2CH_2Cu$ (iii) $(CH_3CH_2CH_2CH_2)_4Si$ (iv) $(C_2H_5)_2Mg$

(v) $(CH_3CH_2)_2Zn$ (vi) C_6H_5MgBr

习题 7-14   按照下列化合物名称,写出其构造式。

(i) cyclopentylmagnesium bromide   (ii) dibutylcadmium

(iii) methyltriethylsilane   (iv) 2-methylpentylmercuric chloride

(v) triethylalumium   (vi) diisopropylzinc

7.9.2   有机金属化合物的结构

有机金属化合物的分子中存在着碳金属键。由于金属元素的电负性小于碳元素,所以碳金属键中的碳原子带有负电荷,金属带有正电荷。金属与碳的键合性质及分子结构与金属在周期表中的位置有关,也与金属原子与碳原子的电负性差别有关。大致分成下列情况。

(1) 碳与碱金属形成具有离子性的键   碱金属 K,Na,Li 与碳的电负性差值在 1.5 个单位以上,同时碱金属用于成键的轨道高度扩散,与碳原子的成键轨道不能有效重叠,因此形成的键是离子性的,具有类盐的性质。

(2) 碳与第ⅡA、第ⅢA 族原子 Mg,B,Al 等形成具有极性的共价键——三中心两电子键 (three-center two-electron bond)。

这些金属按正常方法成键后,金属周围不是 8 电子构型,因此常采用三个原子共用一对电子的方式成键,称为三中心两电子键,用   表示,这样金属周围可以满足惰性气体构型,而

碳仍是 sp^3 杂化,如三甲基铝及二甲基氯化铝的二聚体形式,是含甲基桥或氯桥的双核铝化合物:

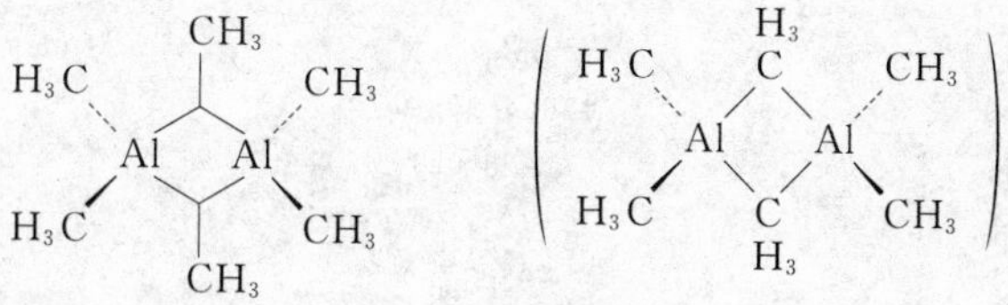

三甲基铝的二聚体

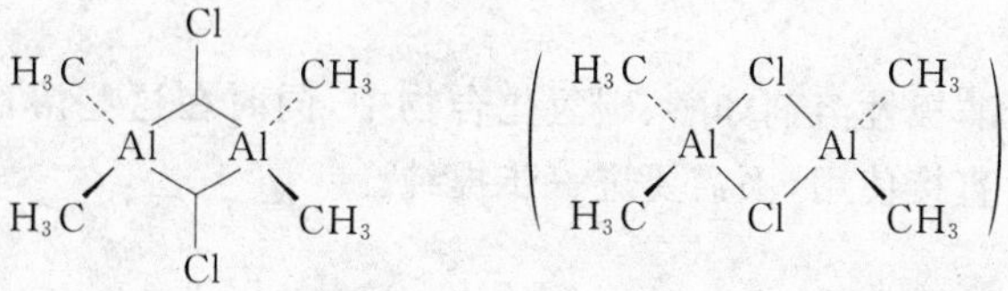

二甲基氯化铝的二聚体

有的化合物以多聚体的形式存在。在有机合成上,一个非常重要的试剂称格林雅(Grignard V)试剂,其结构式为 RMgX,简称格氏试剂,它在醚的稀溶液中以单体存在,并与二分子醚配位络合;如在浓溶液中$(0.5\sim1\ mol\cdot L^{-1})$,以二聚体存在:

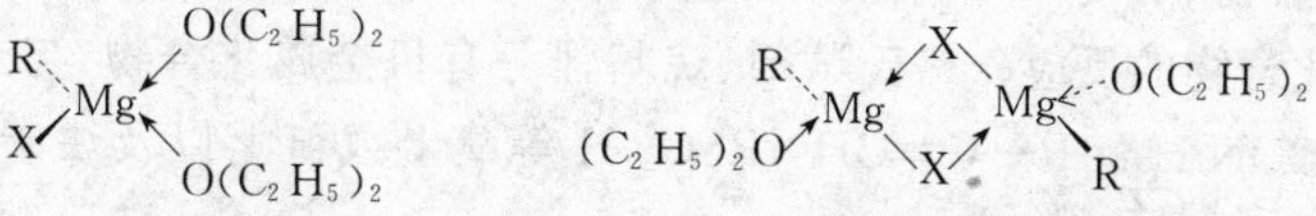

格氏试剂与醚配位络合　　　　格氏试剂在醚中形成二聚体

(3) 碳与第ⅣA、ⅤA族原子 Si,Sn,Pb,Sb,Bi 等形成正常的共价键,碳用 sp^3 杂化轨道成键,第ⅣA族元素具有四面体构型,第ⅤA族元素具有棱锥形或四方锥形构型:

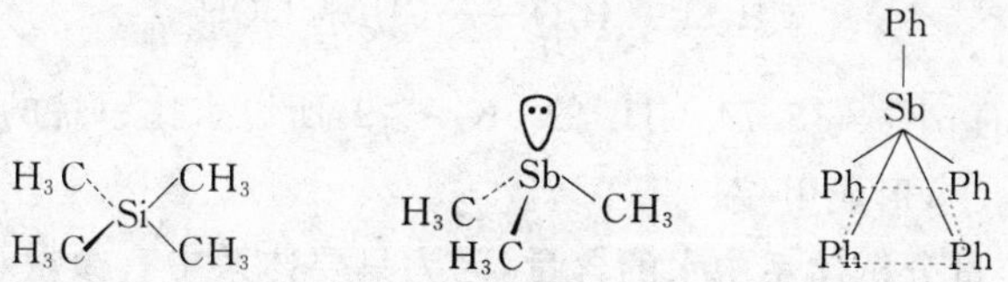

四甲基硅烷　　　　三甲基䏲　　　　五苯基䏲

习题 7-15　写出下列化合物的结构式。

(i) $[(CH_3)_2CH]_2Mg$ 单体与四氢呋喃配位络合　　(ii) $(CH_3CH_2)_3B$ 的二聚体

(iii) $(C_2H_5)_2Pb(CH_3)_2$　　(iv) $(CH_3CH_2CH_2)_3Bi$　　(v) C_6H_5MgBr 在四氢呋喃中$(0.8\ mol\cdot L^{-1})$

7.9.3　有机金属化合物的物理性质

一些有机金属化合物的熔点、沸点列于表 7-7 中。

表 7-7　一些有机金属化合物的物理常数

化　合　物	熔点(或分解点)/ ℃	沸点/ ℃
C_2H_5Li	95	
C_2H_5Na	分解	
$(C_2H_5)_2Mg$(聚合物)	176(分解)	
$(C_2H_5)_2Zn$	−28	118
$(C_2H_5)_2Hg$		159
$(C_2H_5)_3B$	−92.5	95
$(C_2H_5)_3Al$(二聚体)	−46(−52.5)	194

有机金属化合物常溶于非极性溶剂如醚、碳氢化合物中,同时在这些溶剂中有很高的反应性,一般在这些溶剂中合成后直接使用,不需要进一步提纯。

7.9.4　格氏试剂和有机锂试剂的制备及性质

有机金属化合物的种类很多,有 Li,Na,K,Cu,Mg,Zn,Cd,Hg,Al,Pb 等各种有机金属化合物。本节简单介绍格氏试剂和有机锂试剂(organolithium reagent)的制备和性质。

1. 与活泼氢化合物、氧气和二氧化碳的反应

(1) 与活泼氢化合物的反应　格氏试剂、烷基锂等有机金属化合物,与 HO$\underline{H}$,RO$\underline{H}$,RS$\underline{H}$,RCOO$\underline{H}$,RN$\underline{H}_2$,RCON$\underline{H}_2$, R—C≡C$\underline{H}$,RSO$_3\underline{H}$ 等氧上或氮上以及炔碳上的酸性氢均可发生反应。如

$$CH_3MgI + H_2O \longrightarrow CH_4 + Mg\begin{smallmatrix}I\\OH\end{smallmatrix}$$

$$CH_3Li + H_2O \longrightarrow CH_4 + LiOH$$

这是一个酸碱反应,水的 $pK_a=15.74$,CH_4 的 $pK_a≈49$,所以水比甲烷的酸性强,反应时,水提供质子,格氏试剂提供 H_3C^-,形成甲烷。

常利用此反应来定量分析体系中水的含量,因为只要体系中有微量水存在,就可与 CH_3MgI 反应放出 CH_4 气体,根据 CH_4 的体积,就可测知水的含量。格氏试剂与重水(heavy water,D_2O)反应,使 C—Mg 键变成 C—D 键,这是在化合物中引入同位素(isotope)的一种方法。

$$(CH_3)_3CMgCl + D_2O \longrightarrow (CH_3)_3CD + Mg\begin{smallmatrix}Cl\\OD\end{smallmatrix}$$

2-甲基丙烷-2-d
2-甲基丙烷-2-^{2}H
2-氘-2-甲基丙烷

此处命名中的 d,^{2}H 均代表氘代。上述化合物中如将氘换成氚,就形成氚代化合物,命名时,在氘代的相应位置换上 t,^{3}H 或氚即可。

习题 7-16　如何从相应的烷烃、环烷烃或环烯烃来制备下列化合物?

(i) $(CH_3CH_2)_3CD$　　　(ii) $(CH_3)_3CCHCH_3$
　　　　　　　　　　　　　　　　　　　　　　|
　　　　　　　　　　　　　　　　　　　　　　D

(iii) 　　　(iv)

其它含活泼氢的化合物同样可发生此反应。如

$$CH_3Li + CH_3OH \longrightarrow CH_4 + CH_3O^- Li^+$$

$$CH_3CH_2CH_2MgBr + CH_3C{\equiv}CH \longrightarrow CH_3C{\equiv}CMgBr + CH_3CH_2CH_3$$

$$CH_3CH_2CH_2MgBr + (CH_3)_2NH \longrightarrow (CH_3)_2NMgBr + CH_3CH_2CH_3$$

因此在合成格氏试剂时,体系内必须绝对无水,也无其它含活泼氢的化合物。

利用卤代烷制成格氏试剂,然后格氏试剂再与水反应,可以将卤代烷还原成烷烃。

$$RBr + Mg \xrightarrow{\text{无水醚}} RMgBr \xrightarrow{H_2O} RH + HOMgBr$$

（2）与氧、二氧化碳反应　格氏试剂、烷基锂可以与氧、二氧化碳发生下列反应:

$$RMgX + O_2 \longrightarrow ROOMgX \xrightarrow{RMgX} 2ROMgX$$

$$RMgX + CO_2 \longrightarrow RCOOMgX \xrightarrow{H_2O} RCOOH + HOMgX$$

因此在制备格氏试剂、烷基锂及使用这些试剂时应避免与空气接触,如可使反应在纯氮或氩气流中进行。从反应式还可以看出:利用格氏试剂或有机锂试剂与二氧化碳的反应,可用来制备比烃基多一个碳的羧酸。

2. 有机金属化合物的制备

（1）格氏试剂的制备　格氏试剂是用卤代烃与镁直接反应来制备的。

$$RX + Mg \xrightarrow{\text{醚}} RMgX$$

为了防止生成的试剂与水、氧气、二氧化碳反应以及与未反应的卤代烃偶联,反应需在惰性气体保护下于低温进行。所用的溶剂如乙醚、四氢呋喃或其它惰性溶剂均需严格处理,必须保证绝对无水,否则将影响产率,甚至使反应不能进行。卤代烃与镁的反应是在金属表面上发生的。首先,RX 在 Mg 的表面上产生 R· 和 X·,X· 和 Mg 结合,然后进一步反应得到 RMgX。

$$R{-}X \xrightarrow{Mg} R· + X· \text{（在金属表面发生）}$$

$$X· + Mg \longrightarrow XMg· \xrightarrow{RX} RMgX + X·$$

反应所用的镁条用前要将表面擦亮,以除去氧化物,为了增加反应物的接触面积,镁条需要剪成细丝。脂肪和芳香的一卤代烃,一般均可形成格氏试剂。卤代烷与镁的反应活性为 RI ＞ RBr ＞ RCl ＞ RF,三级＞二级＞一级。氟代烷活性太差,碘代烷太活泼,所以一般采用 RBr 和 RCl 来制格氏试剂。但由于溴甲烷和氯甲烷是气体,制甲基卤代镁时仍用碘甲烷。苯甲型、烯丙型卤代烃特别容易与格氏试剂偶联,因此通常用氯化物为原料,反应必须于低温下进行。

位于双键或苯环上的原子,特别是氯原子,在乙醚中不易形成格氏试剂,但可以在四氢呋喃中顺利进行。在制备格氏试剂时,如反应迟迟不开始,可以加一小粒碘来引发反应。在醚溶液中形成格氏试剂,一般是放热反应,在反应开始后,常需加以适当冷却。对于简单的卤代烷一般产率在 90% 左右。

当其它的金属原子电负性比镁大时,利用格氏试剂和该金属的盐类化合物发生交换反应,可以得到另一种金属有机化合物。例如:

$$2RMgCl + CdCl_2 \xrightarrow{\text{醚}} \underset{\text{有机镉试剂}}{R_2Cd} + 2MgCl_2$$

$$AlCl_3 + RMgCl \xrightarrow[-MgCl_2]{} RAlCl_2 \xrightarrow[-MgCl_2]{RMgCl} R_2AlCl \xrightarrow[-MgCl_2]{RMgCl} R_3Al$$

这是因为氯离子更易与电正性大的 Mg 结合。产物烷基镉试剂是合成酮的重要试剂,但由于镉的毒性,这反应已经改用二烃基铜锂试剂。烷基铝试剂是烯烃加成聚合时的重要催化剂。如三乙基铝与四氯化钛组成的 Ziegler－Natta(齐格勒－纳塔)催化剂(catalyst),就是一种优良的定向聚合(stereospecific polymerization)催化剂。

习题 7-17 根据下列每一个反应中元素的电负性来确定反应能否进行,由此推测平衡常数 $K>1$ 还是 $K<1$。

(i) $2(C_2H_5)_3Al + 3CdCl_2 \rightleftharpoons 3(C_2H_5)_2Cd + 2AlCl_3$

(ii) $(C_2H_5)_2Hg + ZnCl_2 \rightleftharpoons (C_2H_5)_2Zn + HgCl_2$

(iii) $2(C_2H_5)_2Mg + SiCl_4 \rightleftharpoons (C_2H_5)_4Si + 2MgCl_2$

(iv) $C_2H_5Li + HCl \rightleftharpoons C_2H_6 + LiCl$

(v) $(C_2H_5)_2Zn + 2LiCl \rightleftharpoons 2C_2H_5Li + ZnCl_2$

---

(2) 有机锂试剂的制备 有机锂试剂也可以用卤代烃与锂直接反应来制备。

$$CH_3CH_2CH_2CH_2Br + 2Li \xrightarrow[-10\,℃]{\text{无水乙醚}} \underset{80\%\sim90\%}{CH_3CH_2CH_2CH_2Li} + LiBr$$

$$(CH_3)_3CCl + 2Li \xrightarrow[-30\,℃]{\text{无水乙醚}} (CH_3)_3CLi + LiCl$$

$$RX + 2Li \longrightarrow RLi + LiX$$

反应机理是相似的:

$$R{-}X \longrightarrow R\cdot + X\cdot \xrightarrow{2Li} RLi + Li^+X^-$$

由于锂和产物烃基锂的反应活性分别高于镁和格氏试剂,所以制备时的条件控制与制格氏试剂时相似,但更为严格。苯型和苯甲型的锂试剂常常采用一种活泼的有机锂试剂与卤苯或苄卤进行置换反应来进行制备。例如:

$$CH_3CH_2CH_2CH_2Br + Li \xrightarrow{\text{醚}} CH_3CH_2CH_2CH_2Li$$

$$CH_3CH_2CH_2CH_2Li + \text{〈苯环〉}{-}I \xrightarrow{\text{醚}} CH_3CH_2CH_2CH_2I + \text{〈苯环〉}{-}Li$$

$$CH_3CH_2CH_2CH_2Li + \langle \bigcirc \rangle - CH_2Cl \xrightarrow{\text{醚}} CH_3CH_2CH_2CH_2Cl + \langle \bigcirc \rangle - CH_2Li$$

二分子烃基锂与一分子卤化亚铜在醚中、低温下于氮气流和氩气流中进行反应,可以形成二烃基铜锂。二烃基铜锂也是一个反应适用范围很广的试剂。

$$RLi + CuX \longrightarrow RCu + LiX$$
$$RCu + RLi \longrightarrow R_2CuLi$$
二烃基铜锂

3. 卤代烃与有机金属化合物的偶联反应

(1) 有机金属化合物的亲核性　有机金属化合物中的烃基带有负电性,具有很强的亲核性和碱性。作为一个碱性试剂,它能与含活泼氢的化合物发生酸碱反应,也可以使三级卤代烃发生消除反应。作为一个亲核性试剂,它可以参与亲核取代反应。如

$$RMgBr + \triangle_O \longrightarrow RCH_2CH_2OMgBr \xrightarrow{H_2O} RCH_2CH_2OH$$

$$RMgBr + R'-X \longrightarrow R-R' + MgBrX$$

也可以参与亲核加成反应。如

$$R'MgBr + R-\overset{}{C}=O \longrightarrow \overset{R'}{\underset{R}{}}CH-OMgBr \xrightarrow{H_2O} \overset{R'}{\underset{R}{}}CH-OH + HOMgBr$$

$$R'MgBr + R-C\equiv N \longrightarrow \overset{R'}{\underset{R}{}}C=NMgBr \xrightarrow{H_2O} \overset{R'}{\underset{R}{}}C=NH + HOMgBr$$

反应时,格氏试剂的烃基部分进攻不饱和键中略带正电性的原子,不饱和键打开,格氏试剂的正电性部分与不饱和键中带负电性的原子结合。(这类加成反应的详细讨论参见 10.12.4, 12.4.2/1,14.4.2/1。)

(2) 卤代烃与金属有机化合物的偶联反应　通过 S_N 反应,卤代烃中的烃基与有机金属化合物的烃基用碳碳键连接起来,形成了一个新的分子,称这类反应为卤代烃与金属有机化合物的偶联反应(coupling reaction)。这是制备高级烃类化合物的重要方法。

格氏试剂、烷基锂试剂都很容易与三级卤代烃、烯丙型和苯甲型卤代烃发生偶联反应,所以制备这类格氏试剂需要严格控制低温条件。

$$RCH=CHCH_2Br + RCH=CHCH_2MgBr \longrightarrow RCH=CHCH_2CH_2CH=CHR + MgBr_2$$

格氏试剂与一级、二级卤代烃的偶联反应需要在零价钯的催化作用下才能发生。

二烃基铜锂与卤代烃发生偶联反应,反应如下:

$$RX + R'_2CuLi \longrightarrow R-R' + R'Cu + LiX$$

卤代烃中的烃基可以是一级、二级烷基,也可以是乙烯基、芳基、烯丙基和芳甲基,二烃基铜锂中

的烃基可以是一级烷基,也可以是其它烃基如乙烯基、芳基和烯丙基等,因此这个偶联反应选用范围很广。

$$PhI + (CH_3)_2CuLi \longrightarrow PhCH_3 + CH_3Cu + LiI$$
$$90\%$$

$$CH_3C_6H_4Br + (CH_2=C(CH_3))_2CuLi \longrightarrow CH_3C_6H_4C(CH_3)=CH_2 + CH_2=C(CH_3)Cu + LiBr$$
$$80\%$$

$$CH_3(CH_2)_4Cl + (CH_3CH_2CH_2CH_2)_2CuLi \longrightarrow CH_3(CH_2)_7CH_3 + CH_3(CH_2)_3Cu + LiCl$$
$$80\%$$

$$\underset{H}{\overset{Ph}{\diagup}}C=C\underset{H}{\overset{Br}{\diagdown}} + (n\text{-}C_4H_9)_2CuLi \longrightarrow \underset{H}{\overset{Ph}{\diagup}}C=C\underset{H}{\overset{C_4H_9\text{-}n}{\diagdown}} + n\text{-}C_4H_9Cu + LiBr$$

构型不变 71%

习题 7-18　用六个碳或六个碳以下的卤代烃合成下列化合物。

(i) $CH_3(CH_2)_8CH_3$　　　　　　　(ii) $CH_3(CH_2)_5CH=CH_2$

(iii) $Ph\text{-}CH_2(CH_2)_4CH_3$　　　　(iv) （结构式，两个环戊基连在双键碳上，双键两碳各带 H_3C 和 CH_3）

其它有机金属化合物也可以发生偶联反应。例如:炔基钠与一级卤代烃的偶联、炔基铜本身的氧化偶联都可以用来制备高级炔烃。

$$RC\equiv CNa + C_2H_5Br \longrightarrow R\text{-}C\equiv C\text{-}C_2H_5$$

$$2RC\equiv CCu \xrightarrow[\text{空气}]{[O]} RC\equiv C\text{-}C\equiv CR$$

卤代烃在金属钠作用下的偶联称为武兹反应(Wurtz reaction)。可用来制备对称的烷烃。

$$2RX + 2Na \longrightarrow R\text{-}R + 2NaX$$

（环丁烷上 Br 和 Cl 取代的结构式）$+ 2Na \longrightarrow$ （双环结构式）$+ NaBr + NaCl$

二卤代烃在锌的作用下偶联可以生成环烃。例如:

$$(CH_3)_2CCH_2CHCH_3 \xrightarrow{Zn}$$ （三元环结构式,带 H_3C、CH_3 和 CH_3）
$$\underset{Br}{\,}\quad\underset{Br}{\,}$$

卤代烃的制备

7.10 一元卤代烷的制备

1. 由醇制备

由醇与氢卤酸(或用溴化钠和硫酸的混合物)反应生成卤代烃和水,是一元卤代烷最重要最普通的合成方法:

$$ROH + HX \longrightarrow RX + H_2O$$

亦可以用三卤化磷(或磷和卤素)、五氯化磷、亚硫酰氯(或称氯化亚砜)等作为卤化试剂,与醇反应来制备卤代烃(参见 10.6)。

2. 用卤代烷与卤原子置换

卤代烷中的卤原子,可以被另一种卤原子置换:

$$RCl(Br) + NaI \xrightarrow{\text{丙酮溶液}} RI + NaCl(Br)$$

这是一个可逆反应,要使反应进行完全,必须将其中一个产物除掉。碘化钠在丙酮(或其它酮如甲乙酮)中溶解度比氯化钠、溴化钠大得多,因此反应如果在丙酮中进行,氯化钠或溴化钠就可沉淀出来,使反应向右进行。这是从比较便宜的氯代烷制备碘代烷的一个方便的方法,产率很好。卤代烷的反应速率:

$$\text{一级} > \text{二级} > \text{三级}$$

3. 由烯烃制备

一卤代烷可由烯烃与卤化氢加成制备(参看 8.4.3),或由烯烃的 α 氢卤化制备(参看 8.10)。

7.11 多卤代烷的制法

偕二卤代烷可用炔烃和卤代氢发生加成反应(参看 9.5.2)制备。也可用羰基化合物与五卤化磷反应制备。例如:

$$\underset{\underset{CH_3CCH_3}{\|\atop O}}{} + PCl_5 \longrightarrow CH_3CCl_2CH_3 + POCl_3$$

反应温度一般在 0~5℃,羰基氧作为亲核试剂进行反应:

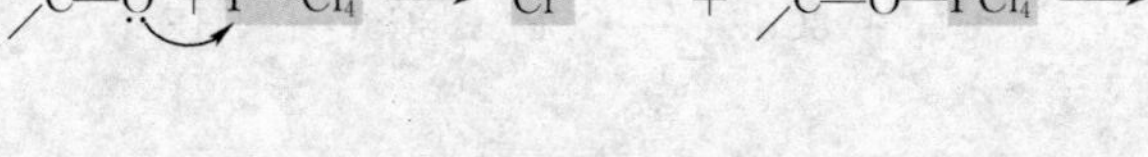

$$Cl-C-O-PCl_3-Cl \longrightarrow Cl-C^+ + Cl^- + POCl_3$$

$$\downarrow$$

$$Cl-C-Cl$$

但在反应过程中往往有副产物烯烃产生,因为在形成碳正离子后可消去 β 氢,产生烯烃:

$$\underset{Cl}{\overset{+}{C}}-\underset{H}{C} \longrightarrow \underset{Cl}{C}=C + H^+$$

连二卤代烷可用烯烃与卤素发生加成反应制得(参看 8.4.2)。

最重要的三卤代烷是氯仿与碘仿,可以用乙醇或丙酮为原料,与次卤酸钠反应制备(参看 12.7.2)。

7.12　卤代烷的工业生产

很多卤代烷在工业上是用烷烃在高温下卤化得到的,因为溴与碘较贵,在工业上大量应用氯代烷。高温卤化是按自由基机理进行的,反应不易停止在一元阶段,亦不易控制在某一碳上,因此得到的是一卤、二卤、多卤的复杂混合物,这些混合物可以通过分馏加以分离。例如甲烷氯化得到一氯甲烷、二氯甲烷、三氯甲烷、四氯化碳的混合物,如果控制适当的条件及氯的用量,可以得到的主要产物是一氯甲烷或四氯化碳。

在同一碳上堆集卤素时,卤原子很不活泼,这种多卤代烷一般很稳定,主要当作溶剂或提取剂,因此产物的纯度要求不是很高。特别是二氯甲烷,由于沸点低(40℃),溶解度大,是非常好的溶剂。一氯甲烷亦可用作冷冻剂。纯净的氯仿,以往作麻醉剂使用,但有毒性,现已不用。

四氯化碳可用作干洗剂,亦可用作灭火剂,这是因为四氯化碳上没有氢,不会燃烧,同时沸点低,遇热很易成为气体,这种气体密度比空气大,能沉下来把火焰包围住,使燃烧物与空气隔绝,从而将火熄灭。

卤代烷对肝脏有毒,并可能有致癌作用,使用时需要注意。

7.13　氟代烷的制法

如用烷烃直接氟化制备氟代烷,反应时会放出大量的热,常使碳碳键断裂,得到大量碳和氟化氢。但可采用活性较低的氟化试剂如三氟化钴(CoF_3),三氟化钴的制备及反应如下:

$$2CoF_2 + F_2 \longrightarrow 2CoF_3$$

$$CH_4 + 8CoF_3 \longrightarrow CF_4 + 8CoF_2 + 4HF$$

氟代烷与多氟代烷常用卤代烷与无机氟化物制备,例如:

$$2CH_3Br + Hg_2F_2 \longrightarrow 2CH_3F + Hg_2Br_2$$

$$CHBr_3 + SbF_3 \longrightarrow CHF_3 + SbBr_3$$

一个重要的氟化物商业上叫氟里昂-12(freon-12),即二氟二氯甲烷,CCl_2F_2,曾在冰箱压缩机中用作制冷剂,在工业上是用下法合成的:

$$SbCl_3 + Cl_2 \longrightarrow SbCl_5$$

$$SbCl_5 + 3HF \longrightarrow SbCl_2F_3 + 3HCl$$

$$CCl_4 + SbCl_2F_3 \xrightarrow[3MPa]{100\,℃} CCl_2F_2 + SbCl_4F$$
$$\text{氟里昂}-12$$

但这种传统使用的制冷剂对大气臭氧层有严重的破坏作用,广泛使用氟里昂,使大气臭氧层变得日渐稀薄,太阳对地球紫外线辐射增强。在南美,大片牧场牧草枯萎;在欧洲,皮肤癌的发病率数年中增加了 4 倍;在澳大利亚,大批的羊患上无法治愈的眼病……这是一件国际性的大事,为此 1987 年国际《蒙特利尔议定书》规定在 20 世纪末在全球范围内限制并最终禁止使用这种制冷剂。现在冰箱已改用无氟的制冷剂或采用新的循环制冷技术。

用二氟一氯甲烷热裂可以制备四氟乙烯:

$$CHCl_3 + 2HF \xrightarrow[20\sim30\,℃]{SbCl_5} HCClF_2 + 2HCl$$

$$2HCClF_2 \xrightarrow{700\,℃} F_2C{=}CF_2 + 2HCl$$

四氟乙烯是单体,可以聚合成为聚四氟乙烯

$$nF_2C{=}CF_2 \xrightarrow[\text{过氧化物}]{\text{加压聚合}} {+}F_2C{-}CF_2{\rightarrow}_n$$

聚四氟乙烯是一个非常稳定的塑料,能够耐高温且不易老化,并能耐强酸强碱,有极好的绝缘性能及良好的不粘附性,无毒性,有自润滑作用,是非常有用的工程和医用塑料。

习题 7−19　用普通命名法命名下列化合物:

(i) $(CH_3)_2CHCH_2CH_2Br$　　　(ii) ⬡—Cl

习题 7−20　写出下列化合物的构造式:

(i) 三级丁基氯　　(ii) 异丙基碘　　(iii) 环丁基氟　　(iv) 环辛基溴

习题 7−21　用中、英文系统命名法命名下列化合物:

(i)
$$\begin{array}{c} CH_3 \\ | \\ I{-}C{-}CH(CH_3)_2 \\ | \\ CH_2CH_3 \end{array}$$

(ii)

(iii)

$$
\begin{array}{c}
\text{CH}_3 \\
\text{Br}-\overset{|}{\text{C}}-\text{I} \\
\text{CH}_2\text{CH}_3
\end{array}
$$

(iv)

$$
\begin{array}{c}
\text{C}_2\text{H}_5 \quad \text{Br} \\
\text{H}-\overset{|}{\text{C}}-\overset{|}{\text{C}}-\text{H} \\
\text{I} \quad \text{CH}_3
\end{array}
$$

(v) $\text{CH}_3\text{CH}_2\overset{\text{H}\quad\text{CH}_2\text{Cl}}{\underset{}{\text{C}}}\text{H}_2\text{CH}(\text{CH}_3)_2$

(vi)

$$
\text{(CH}_3)_2\text{CHCHCH}_2\overset{\text{CH}_3}{\underset{\text{CH}_3}{\overset{\text{Br}}{\text{C}}}}\text{CH}_2\overset{\text{Br}}{\text{CHCH}_3}
$$

(vii)

$$
\begin{array}{c}
\text{H}_3\text{C} \\
\\
\cdots\text{Cl} \\
\text{Br}
\end{array}
$$

(viii)

$$
\begin{array}{c}
\text{I} \\
\\
\overset{\text{CH}_3}{\text{C}_2\text{H}_5}
\end{array}
$$

习题 7-22 写出下列化合物的结构式：

(i) (4S)-2-甲基-4-溴庚烷

(ii) (2R,3S)-2-氯-3-碘戊烷

(iii) (4S)-4-甲基-5-异丙基-1-溴辛烷

(iv) (1S,3R)-1,3-二氯环己烷

习题 7-23 请比较下列各组化合物进行 S_N2 反应时的反应速率和进行 S_N1 反应时的反应速率,简单阐明判断速率快慢的依据。

(i) 苄基氯(苯甲基氯)　α-苯基氯乙烷　β-苯基氯乙烷

(ii) 3-甲基-1-溴戊烷　2-甲基-2-溴戊烷　2-甲基-3-溴戊烷

习题 7-24 下面所列的每对亲核取代反应中,哪一个反应更快,请解释为什么。

(i) $(\text{CH}_3)_3\text{CBr} + \text{H}_2\text{O} \xrightarrow[S_N1]{\triangle} (\text{CH}_3)_3\text{COH} + \text{HBr}$

$\text{CH}_3\text{CH}_2\text{CH}(\text{CH}_3)\text{Br} + \text{H}_2\text{O} \xrightarrow[S_N1]{\triangle} \text{CH}_3\text{CH}_2\text{CH}(\text{CH}_3)\text{OH} + \text{HBr}$

(ii) $\text{CH}_3\text{CH}_2\text{CH}_2\text{Cl} + \text{CH}_3\text{NH}_2 \xrightarrow{S_N2} \text{CH}_3\text{CH}_2\text{CH}_2\overset{+}{\text{N}}\text{H}_2\text{CH}_3\text{Cl}^-$

$\text{CH}_3\text{CH}_2\text{CH}(\text{CH}_3)\text{Cl} + \text{CH}_3\text{NH}_2 \xrightarrow{S_N2} \text{CH}_3\text{CH}_2\text{CH}(\text{CH}_3)\overset{+}{\text{N}}\text{H}_2\text{CH}_3\text{Cl}^-$

(iii) $\text{CH}_3\text{CH}_2\text{CH}_2\text{Br} + \text{NaSH} \xrightarrow[S_N2]{\text{H}_2\text{O}} \text{CH}_3\text{CH}_2\text{CH}_2\text{SH} + \text{NaBr}$

$\text{CH}_3\text{CH}_2\text{CH}_2\text{Br} + \text{NaOH} \xrightarrow[S_N2]{\text{H}_2\text{O}} \text{CH}_3\text{CH}_2\text{CH}_2\text{OH} + \text{NaBr}$

(iv) $\text{CH}_3\text{CH}_2\text{Br} + \text{SCN}^- \xrightarrow[S_N2]{\text{C}_2\text{H}_5\text{OH}-\text{H}_2\text{O}} \text{CH}_3\text{CH}_2\text{SCN}$

$\text{CH}_3\text{CH}_2\text{Br} + \text{SCN}^- \xrightarrow[S_N2]{\text{C}_2\text{H}_5\text{OH}-\text{H}_2\text{O}} \text{CH}_3\text{CH}_2\text{NCS}$

(v) $\text{CH}_3\text{CH}_2\text{OSO}_2\text{OCH}_2\text{CH}_3 + \text{Cl}^- \xrightarrow{S_N2} \text{CH}_3\text{CH}_2\text{Cl} + {}^-\text{OSO}_2\text{OCH}_2\text{CH}_3$

$\text{CH}_3\text{CH}_2\text{F} + \text{Cl}^- \xrightarrow{S_N2} \text{CH}_3\text{CH}_2\text{Cl} + \text{F}^-$

(vi) $\text{CH}_3\text{CH}_2\text{Br} + \text{SH}^- \xrightarrow[S_N2]{\text{CH}_3\text{OH}} \text{CH}_3\text{CH}_2\text{SH} + \text{Br}^-$

$\text{CH}_3\text{CH}_2\text{Br} + \text{SH}^- \xrightarrow[S_N2]{\overset{\overset{\text{O}}{\|}}{\text{HCN}(\text{CH}_3)_2}} \text{CH}_3\text{CH}_2\text{SH} + \text{Br}^-$

习题 7-25 卤代烷与 NaOH 在水与乙醇混合物中进行反应,请根据实验事实判断,下面各反应分别是按哪种机理进行的,并简述你判断的理由。

(i) 中心碳原子的构型完全翻转

(ii) 有重排产物产生

(iii) 碱的浓度对反应速率无影响

(iv) 一级卤代烷速率大于二级卤代烷

(v) 增加溶剂的含水量反应速率明显加快

(vi) 反应过程中只有一种过渡态

(vii) 进攻试剂亲核性越强反应速率愈快

(viii) 反应过程中有两种过渡态

(ix) 产物是一对外消旋体

(x) 构型翻转的产物多于构型保持的产物

(xi) 随着碱浓度的增大和反应温度的升高,产率增加

(xii) 三级卤代烷的速率大于二级卤代烷的速率

习题 7-26 试比较下列化合物在浓 KOH 醇溶液中脱卤化氢的反应速率,并阐明判断的依据。

(i) $CH_3CH_2CH_2CH_2Br$,$CH_3CH_2CHBrCH_3$,$(CH_3)_2CHCH_2Br$,$(CH_3)_3CBr$

(ii)

习题 7-27 完成下列反应,注意立体构型。

(i) $+ CH_3NH_2 \longrightarrow$

(ii) $+ NaCN \longrightarrow$

(iii) $\xrightarrow{H_2O}$

(iv) $+ NaSH \longrightarrow$

习题 7-28 比较下列各组中的反应,按消除/取代比率由大到小排列成序,阐明排列的依据。

(i) 三级溴丁烷与下列试剂反应:(a) CH_3CH_2ONa (b) $(CH_3)_3COK$ (c) C_6H_5SNa;

(ii) 异丙基氯与下列试剂反应:(a) CH_3ONa (b) CH_3SNa (c) C_6H_5ONa;

(iii) 2-溴戊烷,2-甲基-2-溴戊烷分别与 NaCN 反应;

(iv) 1-溴丁烷,4-溴-1-丁烯分别在 $NaOC_2H_5$ 的乙醇溶液中反应。

习题 7-29 用六个碳、六个碳以下的卤代烃和必要的无机试剂为原料合成下列化合物。

(i) $(CH_3)_2C=CH-CH_2CH_2-CH=C(CH_3)_2$

(ii)

(iii)

(iv)

习题 7-30 用简单方法鉴别下列各组化合物。

(i) 1-溴丙烷,1-碘丙烷,1-氯丙烷

(ii) 1-氯丁烷,1,1-二氯丁烷,1,1,1-三氯丁烷

(iii) 1-氯丁烷,三级氯丁烷

(iv) 烯丙基溴,1-溴戊烷

复习本章的指导提纲

基本概念和基本知识

卤代烃、1°、2°、3°卤代烃,乙烯型卤代烃,苯型卤代烃,烯丙型卤代烃,苯甲型卤代烃,偕二卤代烃,邻二卤代烃,卤仿,饱和卤代烃,不饱和卤代烃;脂肪族卤代烃,芳香卤代烃;碳卤键的结构特征;卤代烃的构象;van der Waals 吸引力,偶极-偶极排斥力,偶极-偶极吸引力;卤代烃物理性质的一般规律;卤代烃的结构对其物理性质的影响,可极化性的概念及影响可极化性的因素;杂醇油;卤代烃的水解和醇解;有机金属化合物,有机金属化合物的命名,硅烷,硼烷;三中心两电子键;格氏试剂,有机锂试剂;光气;催化氢解;偶联反应。

基本反应和重要反应机理

卤代烷的亲核取代反应和消除反应,S_N1,S_N2,E1,E2 四种反应机理的共存和竞争;1°RX,2°RX 和 3°RX 在这几种竞争反应中的情况分析;卤代烷的还原,各种还原剂的适用范围和特点;卤仿的分解反应;卤代烷与金属的反应,卤代烃与有机金属化合物的偶联反应。

重要合成方法

卤代烃经亲核取代反应制备各类官能团化合物,如新的卤代烃、炔、醇、醚、腈、酯、胺或铵盐,硝基化合物、叠氮化合物等。卤代烃经消除反应制备烯、炔。卤代烃经与有机金属化合物的偶联反应制备高级烃类化合物。

重要鉴别方法

用 $AgNO_3$ 溶液鉴别 1°,2°,3°RX;鉴别 RI,RBr,RCl。用碘化钠的丙酮溶液鉴别 RCl,RBr。

英汉对照词汇

alcoholysis of halohydrocarbon （卤代烃的醇解）

allylk halide （烯丙型卤代烃）

arylk halide （芳香卤代烃）

benzyl halide （苯甲型卤代烃）

borane （硼烷）

coupling reaction （偶联反应）

decomposition of haloform （卤仿的分解）

distinguish of halohydrocarbon （卤代烃的鉴别）

elimination of halohydrocarbon （卤代烃的消除）

freon-12 （氟里昂-12）

Grignard reagent （格氏试剂）

halohydrocarbon （卤代烃）

heavy water （重水）

holoform （卤仿）

hydrogen anion （氢负离子）

hydrogenolysis （氢解）

hydrolysis of halohydrocarbon （卤代烃的水解）

identification （鉴别）

isotope　（同位素）

lithium aluminium hydride　（氢化铝锂）

organolithium reagent　（有机锂试剂）

organometallic compound　（有机金属化合物）

phenyl halide　（苯基卤代烃）

polar covalent bond　（极性共价键）

polarizability　（可极化性）

reduction of halohydrocarbon　（卤代烃的还原）

silane　（硅烷）

sodium boron hydride　（硼氢化钠）

stannane　（锡烷）

stereospecific polymerization　（定向聚合）

three-center two-electron bond　（三中心两电子键）

vinylic halide　（乙烯型卤代烃）

Wurtz reaction　（武兹反应）

Ziegler–Natta catalyst　（齐格勒–纳塔催化剂）

第 8 章

烯烃　亲电加成
自由基加成　共轭加成

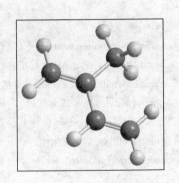

烯烃(alkene)是一类含有碳碳双键的碳氢化合物。

8.1　烯烃的分类

含有一个碳碳双键的烯烃称为单烯烃。链状单烯烃的通式为 C_nH_{2n}。含有多于一个碳碳双键的烯烃称为多烯烃。碳碳双键数目最少的多烯烃是二烯烃或称双烯烃,可分为三类:两个双键连在同一个碳原子上的二烯烃称为累积二烯烃(cumulative diene),这类化合物为数不多,但其立体化学很有意义(参见 3.7.1)。两个双键被两个或两个以上单键隔开的二烯烃称为孤立二烯烃(isolated diene),它们的性质与一般烯烃相似。两个双键被一个单键隔开的二烯烃称为共轭二烯烃(conjugated diene),它们有一些独特的物理性质和化学性质。

$$H_2C=C=CH_2 \qquad H_2C=CHCH_2CH_2CH=CH_2 \qquad H_2C=CH-CH=CH_2$$

丙二烯　　　　　　　1,5-己二烯　　　　　　　　1,3-丁二烯
（积累二烯烃）　　　　（孤立二烯烃）　　　　　　（共轭二烯烃）

分子中单双键交替出现的体系称为共轭体系,含共轭体系的多烯烃称为共轭烯烃(conjugated alkene)。共轭烯烃是最重要的多烯烃。

$$H_2C=CH-CH=CH-CH=CH-CH=CH_2$$

1,3,5,7-辛四烯
（共轭烯烃）

8.2　烯烃的结构特征

8.2.1　单烯烃的结构特征

在单烯烃中,双键碳取 sp^2 杂化,三根 sp^2 杂化轨道处于同一平面。未参与杂化的 p 轨道与该平面垂直。两个双键碳原子各用一个 sp^2 杂化轨道通过轴向重叠形成 σ 键,各用一个 p 轨道

通过侧面重叠形成 π 键。碳碳双键是由一根 σ 键和一根 π 键共同组成的(图 8-1)。

　　由于 π 键是通过侧面重叠形成的,双键碳原子不能再以碳碳 σ 键为轴"自由"旋转,否则将会导致 π 键的断裂。因此当两个双键碳都与不同的基团相连时,单烯烃会产生一对顺、反异构体。例如:

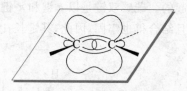

图 8-1　烯烃的碳碳双键

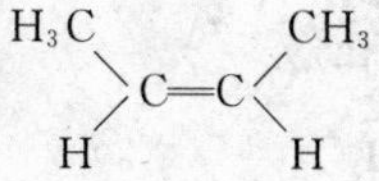

　　(Z)-2-丁烯 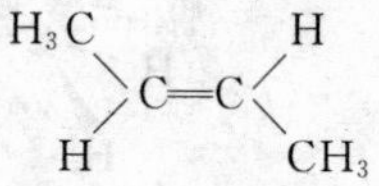　　　　　　(E)-2-丁烯

这种异构体,如果吸收一定的能量,克服了 p 轨道的结合力,即可围绕碳碳 σ 键旋转,通过半扭曲型的过渡态,由顺型转变为反型异构体,或者由反型转为顺型,如图 8-2 所示:

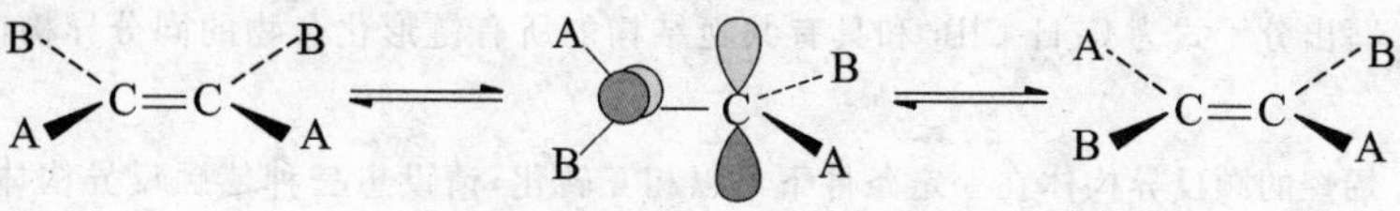

顺型　　　　　　　　　　　　　　　　　　　　　　　　反型

半扭曲型的过渡态

图 8-2　顺、反异构体之间互相转化

　　C＝C 键的平均键能为 610.9 kJ·mol^{-1},C—C σ 键的平均键能为 347.3 kJ·mol^{-1},因此 π 键的键能大约为 263.6 kJ·mol^{-1}。在顺、反异构体中互相转化,大约需在 ≈500 ℃ 高温,即需 >263.6 kJ·mol^{-1} 活化能。因顺、反异构体不易互相转化,故它们可以稳定存在。

　　在一对顺、反异构体中,一般反型异构体较顺型稳定,如反-2-丁烯比顺-2-丁烯稳定 4.6 kJ·mol^{-1}:

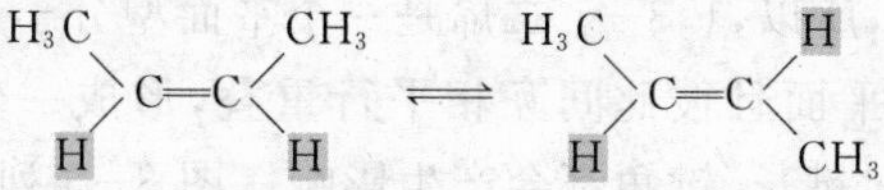

$\Delta H^{\ominus} = -4.6$ kJ·mol^{-1}

$\Delta H_f^{\ominus}$: -7.9 kJ·mol^{-1}　　　-12.5 kJ·mol^{-1}

　　在顺-2-丁烯中,两个邻接甲基核间距离为 300 pm,而甲基的 van der Waals 半径(radius)为 200 pm,因此在顺型中两个甲基有 van der Waals 排斥力,在反-2-丁烯中,不存在这种排斥力:

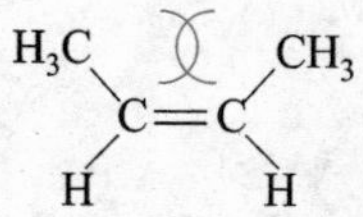

　　二元取代烯烃比一元取代烯烃稳定 8.3～12.5 kJ·mol^{-1}。如 1-丁烯 $\Delta H_f^{\ominus} = -0.84$ kJ·mol^{-1},比顺-2-丁烯及反-2-丁烯稳定性小。烯烃异构体的相对稳定性,在某些合成方法中是很重要的。

　　含有碳碳双键的烯烃,其键角与碳原子的 sp^2 杂化理论所预示的键角并不完全相等。以乙烯为例,其键角为 121.6°和 116.7°(参看图 8-3)。键角之间的这种差别是由于键的不等同性而引起的。碳碳双键是以 σ 键和 π 键相连的,故其两个碳原子核比只以一个 σ 键相连的更为靠近,而且结合得也牢固,因此,其键长比乙烷中的碳碳 σ 键 154 pm 要短,为 134 pm。

图 8-3　乙烷、乙烯的结构对比

习题 8-1　写出分子式为 C_5H_6ClBr 和具有共轭结构的所有链形化合物的同分异构体及它们的中英文系统命名。

习题 8-2　烯烃的顺反异构体在一定条件下可以相互转化,请设想三种使顺反异构体转换的方法,写出相应的反应式并阐明理由。

8.2.2　共轭双烯的结构特征

最简单的共轭双烯是 1,3-丁二烯。1,3-丁二烯的结构特征可以反映出共轭双烯的结构共性。

在 1,3-丁二烯分子中,四个碳原子都是 sp^2 杂化,相邻碳原子之间均以 sp^2 杂化轨道沿轴向重叠形成 C—C σ 键,其余的 sp^2 杂化轨道分别与氢原子的 1 s 轨道形成 C—H σ 键,由于每个碳的三个 sp^2 杂化轨道都处在同一平面上,所以,1,3-丁二烯是一个平面型分子。每个碳原子还有一个 p 轨道,这些 p 轨道均垂直于分子平面且彼此间互相平行重叠,形成一个离域的(delocalized)π 键,见图 8-4。离域 π 键的形成对键长、键角都会产生影响。图 8-5 列出了 1,3-丁二烯的键长和键角。

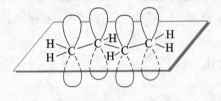

图 8-4　1,3-丁二烯的大 π 键

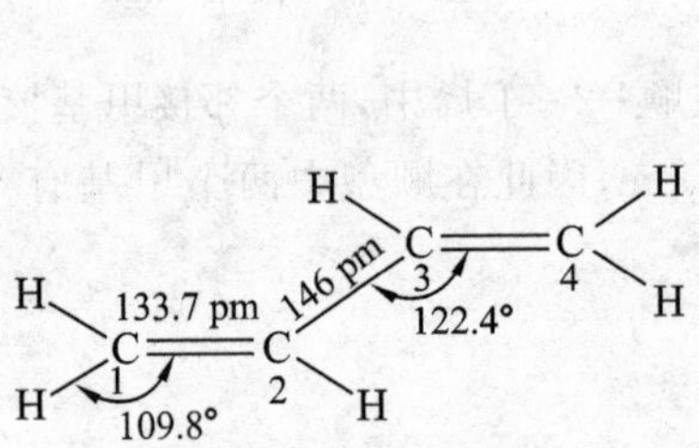

图 8-5　1,3-丁二烯的键长、键角

从图中数据可知,1,3-丁二烯分子中 C(1)—C(2),C(3)—C(4)之间的键长与单烯烃的双键键长近似,而 C(2)—C(3)间的键长明显小于烷烃中碳碳单键的键长,这种现象称为键长的平均化。键长平均化是共轭烯烃的共性。

8.3 烯烃的物理性质

8.3.1 单烯烃的物理性质

单烯烃的物理性质与烷烃很相似,含 2～4 个碳原子的烯烃为气体,含 5～15 个碳原子的烯烃为液体,高级烯烃为固体。所有的烯烃都不溶于水。燃烧时,火焰明亮。一些常见烯烃的物理常数如表 8-1 所示。

表 8-1 一些常见烯烃及其衍生物的名称及物理性质

化 合 物	普通命名法	IUPAC 命名法	沸点/℃	相对密度
乙烯 $CH_2\!=\!CH_2$	ethylene	ethene	−103.7	
丙烯 $CH_3CH\!=\!CH_2$	propylene	propene	−47.7	
1-丁烯 $CH_3CH_2CH\!=\!CH_2$	1-butylene	1-butene	−6.5	
1-戊烯 $CH_3(CH_2)_2CH\!=\!CH_2$	amylene	1-pentene	30	0.643
1-癸烯 $CH_3(CH_2)_7CH\!=\!CH_2$		1-decene	171	0.743
顺-2-丁烯	cis-2-butylene	cis-2-butene (Z)-2-butene	4	
反-2-丁烯	$trans$-2-butylene	$trans$-2-butene (E)-2-butene	1	
异丁烯	isobutylene	2-methylpropene	−7	
顺-2-戊烯	cis-2-amylene	cis-2-pentene (Z)-2-pentene	37	0.655
反-2-戊烯	$trans$-2-amylene	$trans$-2-pentene (E)-2-pentene	36	0.647
3-甲基-1-丁烯 $(CH_3)_2CHCH\!=\!CH_2$		3-methyl-1-butene	25	0.648
2-甲基-2-丁烯 $(CH_3)_2C\!=\!CHCH_3$		2-methyl-2-butene	39	0.660
2,3-二甲基-2-丁烯 $(CH_3)_2C\!=\!C(CH_3)_2$		2,3-dimethyl-2-butene	73	0.705
环戊烯		cyclopentene	44	0.772
环己烯		cyclohexene	83	0.810

续表

化　合　物	普通命名法	IUPAC 命名法	沸点/℃	相对密度
氯乙烯 CH_2＝$CHCl$	vinyl chloride	chloroethene	-14	
四氟乙烯 F_2C＝CF_2	tetrafluoroethylene	tetrafluoroethene	-78	
四氯乙烯 Cl_2C＝CCl_2	tetrachloroethylene	tetrachloroethene	121	1.623
三氯乙烯 Cl_2C＝$CHCl$	trichloroethylene	trichloroethene	87	1.464
2-氯丙烯 CH_3CCl＝CH_2		2-chloro-1-propene	23	0.918

　　根据碳原子的杂化理论,在 sp^n 杂化轨道中,n 的数值越小,s 的性质越强。由于 s 电子靠近原子核,它比 p 电子与原子核结合得更紧,n 越小,轨道的电负性越大,电负性大小次序如下:

$$s > sp > sp^2 > sp^3 > p$$

即碳原子的电负性随杂化时 s 成分的增加而增大。烯烃由于 sp^2 碳原子的电负性比 sp^3 碳原子的大,比烷烃容易极化,成为有偶极矩的分子。以丙烯为例,甲基与双键碳原子相连的键易于极化,键电子偏向于 sp^2 碳原子,形成偶极,负极指向双键,正极位于甲基一边。因此当烷基和不饱和碳原子相连时,由于诱导效应与超共轭效应成为给电子基团。如果分子中没有相反的作用将其完全抵消,分子就会成为一个有偶极矩的分子,如丙烯,其偶极矩为 $\mu = 1.167 \times 10^{-30}$ C·m。而且与它类似的所有 RCH＝CH_2 型的化合物,当 R 为无张力的烷基时,其偶极矩 $\mu = (1.167 \sim 1.333) \times 10^{-30}$ C·m,如下式所示:

$$\mu = 1.167 \times 10^{-30} \text{C·m} \qquad \mu = (1.167 \sim 1.333) \times 10^{-30} \text{C·m}$$

但对称的反型烯烃分子的偶极矩等于零,这是由于偶极的向量和为零。例如 2-丁烯,它有顺、反两个异构体,它们的偶极矩如下所示:

$$\mu = 1.100 \times 10^{-30} \text{C·m}$$
顺-2-丁烯(Z型)
沸点4℃,熔点-138.9℃

$$\mu = 0 \text{ C·m}$$
反-2-丁烯(E型)
沸点1℃,熔点-105.6℃

顺-2-丁烯是一偶极分子(dipole molecular),由于分子间的相互作用(偶极-偶极),它的沸点比反-2-丁烯的沸点高。

　　在 abC＝Cab 类型的烯烃(a,b 为任何取代基)中,顺型异构体总是偶极分子,而且沸点较高。顺、反异构体的偶极矩和沸点之间的差别对于识别二者是很有用的,尤其是有电负性强的基团直接与双键碳相连的烯烃,可以通过比较顺、反异构体的偶极矩和沸点,确定其中哪一个是顺型,哪一个是反型。例如,1,2-二氯乙烯的两个异构体的偶极矩和沸点如下式所示:

顺-1,2-二氯乙烯
沸点 60.3 ℃
$\mu = 6.167 \times 10^{-30}$ C·m

反-1,2-二氯乙烯
沸点 48.4 ℃
$\mu = 0$ C·m

也可以通过 X 射线衍射的方法测定上式氯原子之间的距离,以确定顺、反异构体。核磁共振也是测定顺、反异构体的有效方法。

8.3.2 共轭烯烃物理性质的特点

(1) 紫外(电子)吸收光谱——向长波方向移动 下面是乙烯、1,3-丁二烯、1,3,5-己三烯的紫外吸收光谱数据。

$H_2C = CH_2$ $H_2C = CH-CH = CH_2$ $H_2C = CH-CH = CH-CH = CH_2$

185 nm   217 nm   258 nm

上面的数据表明:分子中增加了共轭双键,分子的紫外(电子)吸收光谱将向长波方向移动,共轭双键的数目越多,吸收光谱向长波方向移动得也越多。

(2) 易极化——折射率增高 折射率(index of refraction)是和分子的可极化性直接相联系的。一般来讲,一个化合物的分子折射率等于分子中各原子折射率的总和。对于饱和化合物,由各原子折射率加和计算的分子折射率符合实验值。烯烃分子由于存在 π 键,比较容易极化,共轭烯烃因 π 电子的离域,比隔离烯烃更易极化,因此对于不饱和化合物,其分子折射率的实验值比计算值高一些,一般高 1.7~1.9 之间。例如戊烯的分子折射率,计算值是 23.09,实验值是 24.83,差数是 1.74;己烯的分子折射率,计算值是 27.70,实验值是 29.65,差数是 1.95。这个差数叫做双键的增量,这种增量也是分子可极化性大小的一种表现,因此共轭双烯分子折射率的增量比隔离双烯高一些。例如:甲基-1,3-丁二烯,若只按两个双键而不考虑增量时计算值应为 20.89;若考虑双键的增量计算值是 24.35;但实际测得的结果是 25.22。这说明共轭烯烃的电子体系是很容易极化的。由此可见:分子的折射率与碳原子彼此间的结合方式有关。从分子折射率的增高可以推断出分子中是否含有双键或其它的不饱和键。

(3) 趋于稳定——氢化热(hydrogenated heat)降低 烯烃催化加氢生成烷烃时放出的热称为氢化热。烯烃的稳定性可以从它们的氢化热数据反映出来,分子中每个双键的平均氢化热越小,分子就越稳定。表 8-2 列出几个烯烃的氢化热数据。

表 8-2   一些烯烃的氢化热数据

化 合 物	分子的氢化热/kJ·mol⁻¹	平均每个双键的氢化热/kJ·mol⁻¹
$CH_3CH{=}CH_2$	125.2	125.2
$CH_3CH_2CH{=}CH_2$	126.8	126.8
$CH_2{=}CH{-}CH{=}CH_2$	238.9	119.5
$CH_3CH_2CH_2CH{=}CH_2$	125.9	125.9
$CH_2{=}CHCH_2CH{=}CH_2$	254.4	127.2
$CH_2{=}CH{-}CH{=}CHCH_3$	226.4	113.2

从上面的数据可以看出,孤立二烯烃的氢化热约为单烯烃氢化热的两倍,因此孤立二烯烃中的两个双键可以看做是各自独立地起作用的。共轭二烯烃的氢化热比孤立二烯烃的氢化热低,这说明共轭二烯烃比孤立二烯烃稳定,共轭体系越大,稳定性越好。

烯烃的反应

碳碳双键是烯烃这类化合物的反应中心。

8.4   烯烃的亲电加成

8.4.1   加成反应的定义和分类

两个或多个分子相互作用,生成一个加成产物的反应称为加成反应(addition reaction)。加成反应可以是离子型的,自由基型的(参见 4.3.1)和协同的(参见 4.3.1/3)。离子型加成反应是化学键异裂引起的。分为亲电加成(electrophilic addition)和亲核加成(nucleophilic addition)(参见 4.3.1/2)。本节讨论亲电加成。

通过化学键异裂产生的带正电的原子或基团进攻不饱和键而引起的加成反应称为亲电加成反应。亲电加成反应可以按照"环正离子(cyclic cation)中间体机理"、"碳正离子中间体机理"、"离子对(ion pair)中间体机理"和"三中心过渡态(three-center transition state)机理"四种途径进行。

8.4.2   烯烃与卤素的加成

氟与烯烃的加成反应非常激烈,反应放出的大量热会使烯烃分解,所以反应需在特殊的条件下才能进行。碘与烯烃一般不发生离子型反应,但氯化碘(ICl)或溴化碘(IBr)比较活泼,可以定量地与碳碳双键发生加成反应,因此,利用这个反应,可以测定石油和脂肪中不饱和化合物的含量。不饱和程度一般用碘值(iodine value)来表示。碘值的定义是:100 g 汽油或脂肪所吸收的碘量。最常见的烯烃与卤素的加成反应是烯烃和溴或氯的加成。

1. 烯烃与溴的加成　环正离子中间体机理

烯烃与溴的加成是亲电加成。这可以从溴与一些典型烯烃的加成反应的相对反应速率中得到证明。

烯烃	$H_2C\!\!=\!\!CH_2$	$CH_3CH\!\!=\!\!CH_2$	$(CH_3)_2C\!\!=\!\!CH_2$	$(CH_3)_2C\!\!=\!\!C(CH_3)_2$	⬡$-CH\!\!=\!\!CH_2$	$BrCH\!\!=\!\!CH_2$
相对速率	1	2	10.4	14	3.4	<0.04

从上面的数据可以看到,双键碳上烷基增加,反应速率加快,因此反应速率与空间效应关系不大,与电子效应有关。烷基有给电子的诱导效应与超共轭效应,使双键电子云密度增大,烷基取代越多,反应速率越快,因此这个反应是亲电加成反应。当双键与苯环相连时,苯环通过共轭体系,起了给电子作用,因此加成速率比乙烯快。当双键与溴相连时,溴的吸电子诱导效应超过给电子共轭效应,总的结果是起了吸电子的作用,因此加成速率大大降低。

烯烃与溴的亲电加成是按环正离子中间体机理进行的。反应机理可表述如下:

　　　　　　　　　　环正离子　　　　　　　反式加成产物
　　　　　　　　　（环溴鎓离子）

机理表明该亲电加成反应是分两步完成的反式加成:首先是试剂带正电荷或带部分正电荷部位与烯烃接近,然后与烯烃结合形成碳正离子,与烯烃结合的试剂上的孤电子对所占轨道,与碳正离子的空 p 轨道,可以重叠形成环正离子,如

碳正离子　　　卤原子的孤电子所占轨道　　　　环正离子
　　　　　　　与碳正离子的空p轨道重叠　　　　环卤鎓离子
　　　　　　　　　　　　　　　　　　　　　　（cyclic halonium ion）

形成活性中间体环正离子这一步是决定反应速率的一步。所谓反式加成,是试剂带负电荷部分从环正离子背后进攻碳,发生 S_N2 反应,总的结果是试剂的两个部分在烯烃平面的两边发生反应,得到反式加成(anti addition)的产物。机理表明反应是分两步进行的,这可通过烯烃与溴在不同介质中进行反应来证明。

$$H_2C\!\!=\!\!CH_2 + Br_2 \xrightarrow{\ H_2O\ } BrCH_2CH_2Br + BrCH_2CH_2OH$$

$$H_2C\!\!=\!\!CH_2 + Br_2 \xrightarrow{\ H_2O,Cl^-\ } BrCH_2CH_2Br + BrCH_2CH_2Cl + BrCH_2CH_2OH$$

$$H_2C\!\!=\!\!CH_2 + Br_2 \xrightarrow{\ CH_3OH\ } BrCH_2CH_2Br + BrCH_2CH_2OCH_3$$

上述三个反应,反应速率相同,但产物的比例不同,而且每一个反应中均有 $BrCH_2CH_2Br$ 产生,说明反应的第一步均为 Br^+ 与 $CH_2\!\!=\!\!CH_2$ 的加成,而且这是决定反应速率的一步;第二步是反应体系中各种负离子进攻环正离子,得到最终的加成产物,这是快的一步。(上述三个反应,如溴

的浓度较稀,主要产物为溴乙醇和醚。)

　　反式加成是通过很多实验事实总结得到的。如溴与(Z)-2-丁烯加成,得到 ＞99％的一对苏型外消旋体:

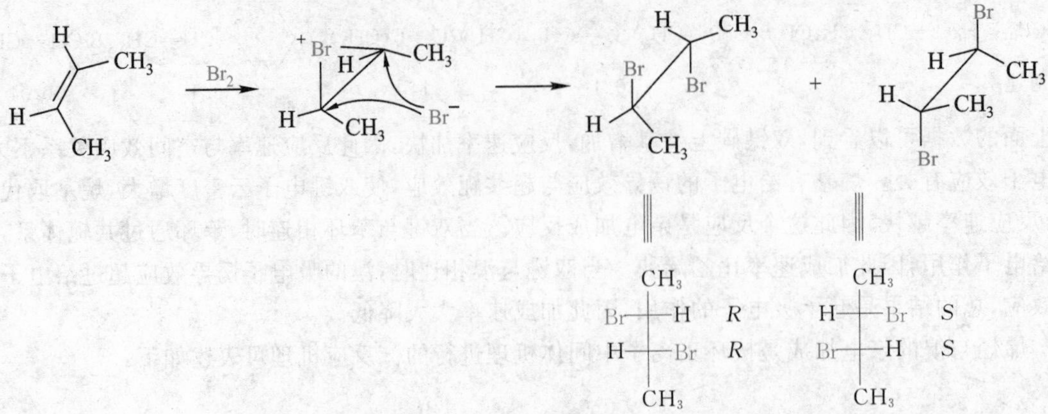

(2R,3R)-2,3-二溴丁烷　　(2S,3S)-2,3-二溴丁烷

苏型＞99％

　　如反应是顺式加成则应得到以下产物:

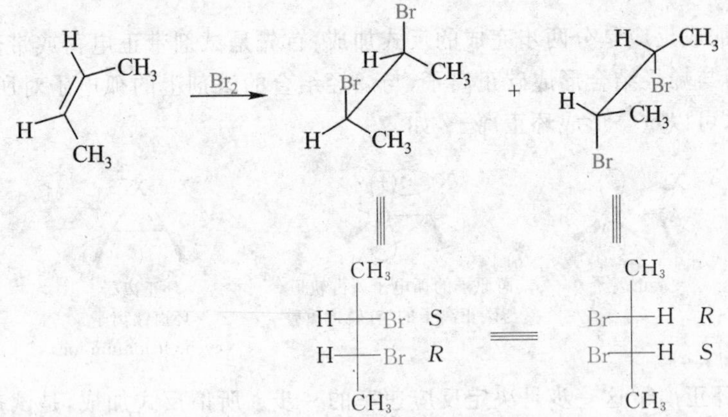

(2R,3S)-2,3-二溴丁烷(内消旋体)

赤型

　　实验结果是赤型产物＜1％。因此溴与(Z)-2-丁烯的加成是通过环正离子中间体的反式加成。

　　习题 8-3　写出溴与(Z)-2-戊烯加成的主要产物及相应的反应机理,分别用伞形式、锯架式、纽曼式和费歇尔投影式来表示主要产物,该主要产物是苏型的还是赤型的?

　　当一个有机反应可能产生几个立体异构体(如上面的顺式加成产物和反式加成产物),而其中一个或一对对映的立体异构体优先获得时,这种反应被称为立体选择性反应(stereoselective reaction)。上述溴与烯烃的加成,就是立体选择的反式加成反应。

　　当溴与环己烯加成时,为了易于表达,常常把环己烯画成半椅型的构象,如下面的(iii)式和

(vii)式。(iii)和(vii)是环己烯半椅型的一对构象转换体。首先,溴与环己烯形成环正离子(iv)或(viii),然后 Br^- 从离去基团背后进攻 C-1(iv)或 C-2(viii),得反式加成产物即具有双直键(diaxial)的二溴化物(v)或(ix)($Br-C-C-Br$ 四个原子排列是反式共平面)。

(i) 　　　(ii) 　　　(iii) 　　　(iv) 　　　(v) 　　　(vi)

环己烯 　　　　　　半椅型构象 　　　环正离子 　　(1S,2S)-1,2-二溴环己烷

(vii) 　　　(viii) 　　　(ix) 　　　(x)

半椅型构象 　　　环正离子 　　(1R,2R)-1,2-二溴环己烷

Br^- 进攻环中的 C-1 还是 C-2 遵循构象最小改变原理:即发生加成反应时,要使碳架的构象改变最小。因为这样反应需要的能量最小。例如 Br^- 与(iv)中的 C-1 结合,C-3,C-4,C-5,C-6 的碳架改变最小,基本维持原来的椅型,符合构象最小改变原理。如与 C-2 结合,要转变成另一椅型构象,这时需要能量较大。加成的最初产物是双直键的二溴化物(v),一旦生成后,很快转换成它的构象转换体,形成双平键的二溴化物(vi),(v)与(vi)达成平衡。一般化合物双平键构象稳定,占优势,但(v)与(vi)两种构象几乎相等,因为双直键的二溴化物有 1,3-双直键的相互作用,但双平键的二溴化物中 $Br-C-C-Br$ 为邻交叉型,有偶极-偶极的排斥作用,以上两种作用力能量几乎相等,互相抵消。(vii)同样也能发生加成反应得(ix),(ix)与(x)达成平衡。(iii)与(vii)能量是相等的,反应机会也是均等的,因此(v)与(ix)是等量的,(v)与(ix)均有光活性,总的结果,得到一对外消旋体。

习题 8-4 写出(R)-4-甲基环己烯和溴加成的主要产物,并简述原因。

习题 8-5 写出(S)-3-甲基环己烯和溴加成的主要产物,并简述原因。

习题 8-6 写出 1-甲基环己烯和溴加成的主要产物,并简述原因。

习题 8-7 完成下面的反应式,写出下列反应的反应机理。

习题 8-8 写出下列化合物与溴的加成产物。

烯烃的鉴别

在实验室中常用溴与烯烃的加成反应对烯烃进行定性和定量分析,如用 5％溴的四氯化碳溶液和烯烃反应,当在烯烃中滴入溴溶液后,红棕色马上消失,表明发生了加成反应。据此,可鉴别烯烃。

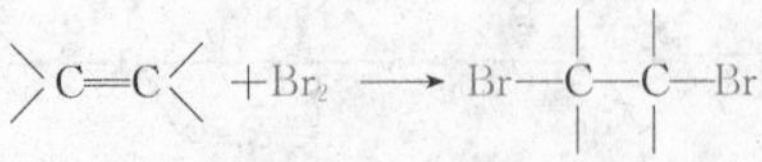

$$>C=C< \ +Br_2 \longrightarrow Br-\overset{|}{\underset{|}{C}}-\overset{|}{\underset{|}{C}}-Br$$

2. 氯与 1-苯基丙烯的加成　离子对中间体机理　碳正离子中间体机理

大多数情况下,氯对烯烃的加成反应和溴与烯烃的加成反应一样,是亲电的,二步的,通过环正离子中间体机理的反式加成完成的。但氯与 1-苯基丙烯的加成反应是一个例外。下面是溴和氯分别与 1-苯基丙烯发生加成反应的实验结果。

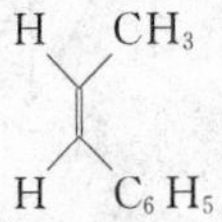

	反式加成产物	顺式加成产物
Br_2—CCl_4	83％	17％
Cl_2—CCl_4	32％	68％

(Z)-1-苯基丙烯

实验数据表明:溴与 1-苯基丙烯的加成,主要得反式加成产物(与 8.4.2/1 的讨论结果相符)。而氯与 1-苯丙烯的加成主要得顺式加成(cis-addition)产物。产生这种差异的原因是反应按不同的机理进行的。溴与 1-苯基丙烯的加成,主要是按环正离子中间体机理进行的,而氯与 1-苯基丙烯的加成,主要是通过离子对中间体机理和碳正离子中间体机理进行的。按离子对中间体机理进行的过程表述如下:

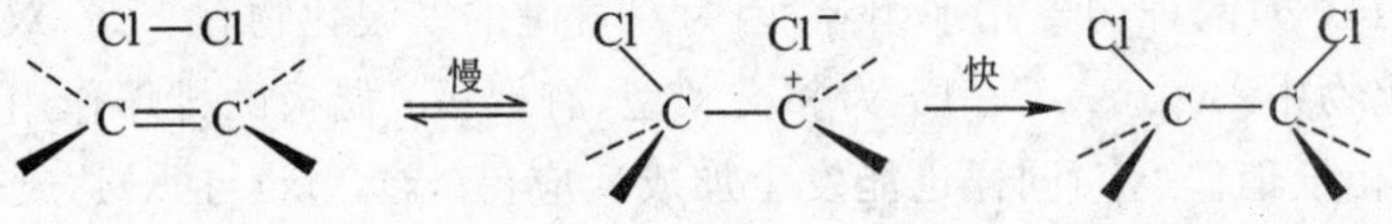

即试剂与烯烃加成,烯烃的 π 键断裂形成碳正离子,试剂形成负离子,这两者形成离子对,这是决定反应速率的一步,π 键断裂后,带正电荷的 C—C 键来不及绕轴旋转,与带负电荷的试剂同面结合,得到顺式加成产物。

按碳正离子机理进行的过程可表述如下:

$$Cl_2 \longrightarrow Cl^+ + Cl^-$$

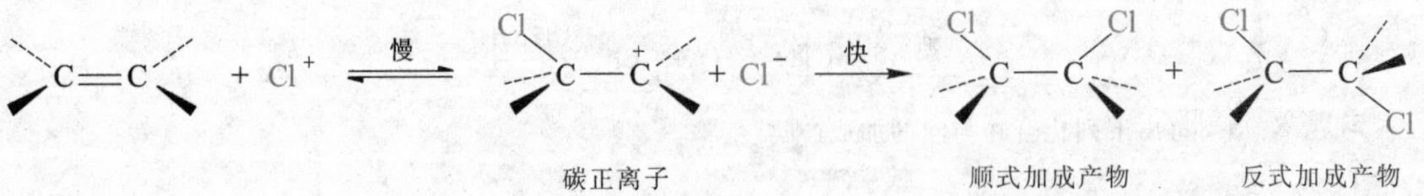

试剂首先解离成离子,正离子与烯烃反应形成碳正离子,这是决定反应速率的一步,π 键断裂后,C—C 键可以自由旋转,然后与带负电荷的离子结合,这时结合就有两种可能,即生成顺式加成与反式加成两种产物。综合考虑两种反应机理,得到以顺式加成为主的产物。

在上面的实例中,为什么溴与烯烃的加成主要按环正离子中间体机理进行,而氯与烯烃的加成不按环正离子中间体进行呢? 那是因为溴原子比氯原子电负性小,体积大,溴原子的孤电子对轨道容易与碳正离子的 p 轨道重叠形成环正离子,因此反应主要按环正离子中间体进行;而氯原子电负性较大,体积小,提供孤电子对与碳正离子成键不如溴原子容易,且在 1-苯基丙烯类化合物中,碳正离子的 p 轨道正好与苯环相邻,可以共轭,使正电荷分散而稳定,所以反应主要按离子对中间体机理和按碳正离子中间体机理进行。除试剂和底物的结构外,溶剂的极性、过渡态的稳定性等也都会对反应按哪一种机理进行产生影响。

习题 8-9 为什么在一般情况下,氯对烯烃的加成反应是通过环正离子中间体机理进行的? 而氯与 1-苯基丙烯类化合物加成时,反应主要经碳正离子机理或离子对中间体机理进行?

8.4.3 烯烃与氢卤酸的加成 碳正离子中间体机理

烯烃与氢卤酸的加成反应如下所示:

$$H_2C = CH_2 + H I \longrightarrow CH_3CH_2 I$$
$$H_2C = CH_2 + H Br \longrightarrow CH_3CH_2 Br$$
$$H_2C = CH_2 + H Cl \longrightarrow CH_3CH_2 Cl$$

该加成反应是按碳正离子中间体机理进行的。具体可表述如下:

$$HX \longrightarrow H^+ + X^-$$

$$H_2C = CH_2 + H^+ \xrightarrow{\text{慢}} CH_3\overset{+}{C}H_2 \xrightarrow[\text{快}]{X^-} CH_3CH_2X$$

碳正离子中间体

首先,质子与烯烃的 π 电子结合,生成碳正离子。这是决定反应速率的一步。然后卤负离子与碳正离子结合形成产物。反应机理表明:烯烃双键上的电子云密度越高,氢卤酸的酸性越强,反应越易进行。所以氢卤酸的反应性为 HI>HBr>HCl。

不对称烯烃与氢卤酸加成时,可能产生两种产物。

$$CH_3CH = CH_2 + HX \longrightarrow CH_3\overset{\overset{\displaystyle X}{|}}{C}HCH_3 + CH_3CH_2CH_2 X$$
$$\qquad\qquad\qquad\qquad\qquad\quad (i) \qquad\qquad\qquad (ii)$$

实验结果表明:主要产物符合 Markovnikov(马尔可夫尼可夫,1868)规则,简称马氏规则。马氏规则的含义是卤化氢等极性试剂与不对称烯烃发生亲电加成反应时,酸中的氢原子加在含氢较多的双键碳原子上,卤素或其它原子及基团加在含氢较少的双键碳原子上。因此这个加成反应是区域选择性的反应(regioselectivity reaction)。所谓区域选择性,是指当反应的取向有可能产生几个异构体时,只生成或主要生成一个产物的反应。上述反应主要得到(i)。根据马氏规则,除卤化氢与乙烯加成得一级卤代烷外,其它烯烃均得二级、三级卤代烷。马氏规则是总结了很多实验事实后提出的经验规则,现在可以用电子效应来解释,即酸与烯烃加成的位置与形成的碳正离子的稳定性有关,如按(i)式加成,活性中间体为二级碳正离子(iii),(iii)上有两个甲基的给电子诱导效应与超共轭效应;如按(ii)式反应,活性中间体为一级碳正离子(iv),只有一个乙基有给电子的诱导效应与两个 C—H 键的超共轭效应:

$$
\text{(iii)} \qquad\qquad \text{(iv)}
$$

由于(iii)比(iv)稳定,因此相应的过渡态的势能低,活化能低,反应速率快,故主要按(i)进行反应。马氏规则的适用范围是双键碳上有给电子基团的烯烃,如果双键碳上有吸电子基团,如 CF_2,CN,COOH,NO_2 等,在很多情况下,加成反应的方向是反马氏规则的,但仍符合电性规律,即可以由电子效应来解释,如

$$
F \leftarrow \underset{2}{C} \overset{\delta-}{-} CH \overset{\delta+}{=} CH_2 + HX \longrightarrow F_3C-CH_2-\overset{+}{C}H_2 + X^- \longrightarrow F_3CCH_2CH_2X
$$

由于 F_3C 吸电子,使电子向 CF_3 基方向移动,双键上的 π 电子也向 C-2 方向移动,使 C-2 带部分负电荷,C-1 带部分正电荷。故在进行亲电加成时,H^+ 与 C-2 结合,然后 X^- 与 C-1 结合,得到反马氏规则的产物。同时由于双键上电子云密度降低,亲电加成反应速率降低。

如烯烃双键碳上含有 X,O,N 等具有孤电子对的原子或基团,加成产物仍符合马氏规则,如

$$
ClHC=CH_2 + HCl \longrightarrow Cl_2CHCH_3
$$

这是由于这些原子上的孤电子对所占的轨道,可以与碳的带正电荷的 p 轨道共轭,如下所示:

$$
\overset{..}{X}-\underset{2}{CH}=\underset{1}{CH_2} \qquad X-CH-CH_3 \qquad X-CH_2-CH_2
$$

$$
\text{(v)} \qquad\qquad \text{(vi)} \qquad\qquad \text{(vii)}
$$

(v)表示卤原子的吸电子诱导效应与给电子的共轭效应;如 H^+ 加成 C-1 上,C-2 带正电荷,卤原子的孤电子对轨道与带正电荷碳的 p 轨道共轭。这样,电子均匀化使正电荷分散,体系稳定,如(vi)所示;如 H^+ 加在 C-2 上,则 C-1 带正电荷,卤原子的孤电子对轨道不能与带正电荷的 p 轨道共轭,如(vii)所示。(vi)较(vii)稳定,(vi)进一步与负离子结合生成的加成产物符合马氏规则,故共轭效应决定了加成反应的方向。但由于卤原子的吸电子效应大于给电子共轭效应,使双键碳上电子云密度降低,因此卤乙烯的加成反应比乙烯慢,因此综合的电子效应决定了加成反应的速率。如双键碳上带有含氧,氮原子的基团,如 $\overset{..}{O}H$,$\overset{..}{O}R$,$\overset{..}{O}COR$,$\overset{..}{N}R_2$,$\overset{..}{N}HR$,$\overset{..}{N}R_2$,$\overset{..}{N}HCOR$ 等,它们的孤电子对可以与碳正离子共轭,加成反应的产物符合马氏规则,但由于氧、氮原子的电负性比卤原子小,吸电子诱导效应小于卤原子,而给电子共轭效应又大于卤原子,总的结果是吸电子诱导效应小于给电子共轭效应,起了给电子作用,使双键碳上电子云密度增加,

故具有这些基团的烯烃的加成反应速率与乙烯比较,会大大提高。一般含氮的基团比含氧基团对加快反应速率的影响更大。

　　氢卤酸与烯烃的加成反应,常伴随有重排产物产生。如

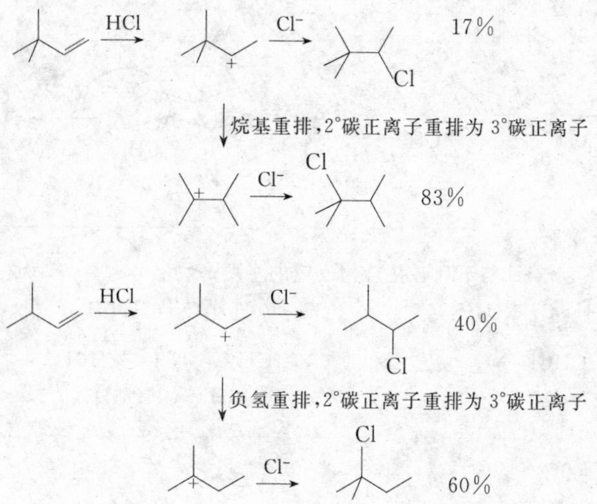

　　重排的原因是反应要经过一个碳正离子的中间体。而一个较不稳定的碳正离子总是倾向于转变为一个较稳定的碳正离子。例如上面实例中的二级碳正离子重排为三级碳正离子。

　　链型烯烃与氢卤酸的加成,可以得到顺式加成和反式加成两种产物。例如:

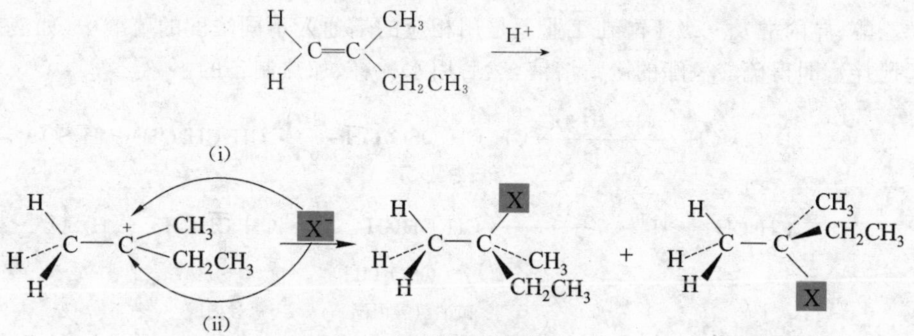

(i) 顺式加成产物　　　(ii) 反式加成产物

这是因为生成的碳正离子中间体呈平面型结构,卤负离子可以从平面两侧进攻,因此得到了顺式加成和反式加成两种产物。环型烯烃(cyclene)与氢卤酸加成时,还要考虑构象的稳定性。例如环己烯与氢溴酸的加成,以反式加成产物为主。

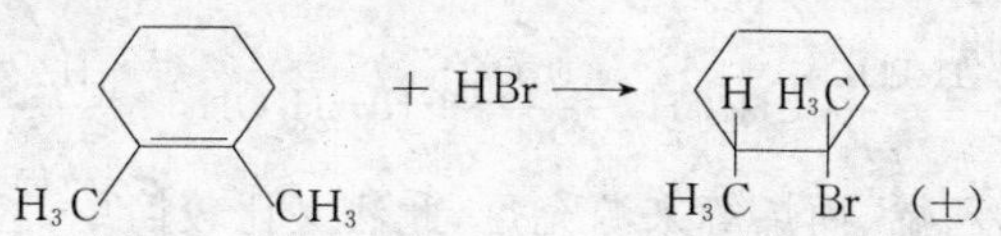

习题 8-10 写出 HI 与下列各化合物反应的主要产物。

(i) $CH_3CH_2CH = CHN(CH_3)_2$ 　　　　(ii) $(C_2H_5)_2C = CHCH_3$

(iii) $CH_3CH = CHCH_2NO_2$ 　　　　(iv) $(CH_3)_3\overset{+}{N}CH = CHCl$

(v) $C_2H_5OCH = CH_2$ 　　　　(vi) $CF_3CH = CHOCH_3$

8.4.4　烯烃与硫酸、水、有机酸、醇和酚的反应

　　烯烃与硫酸、水、有机酸、醇和酚的加成也都是通过碳正离子机理进行的。反应遵守马氏规则,但常有重排产物产生,立体选择性很差。

　　烯烃与硫酸的加成在 0℃ 时就能发生,加成产物硫酸氢酯在有水存在时加热,水解得醇。称为烯烃的间接水合法(indirect hydration),是制备醇的一种方法。

　　乙醇、异丙醇及三级丁醇在工业上是用相应的烯通入不同浓度的硫酸中(如液态的烯烃与酸一起搅拌),即得硫酸氢酯的澄清溶液,然后用水稀释、加热制备的。

$$H_2C = CH_2 \xrightarrow{98\% \ H_2SO_4} \underset{\text{硫酸氢乙酯}}{CH_3CH_2OSO_2OH} \xrightarrow[90℃]{H_2O} CH_3CH_2OH + H_2SO_4$$

$$CH_3CH = CH_2 \xrightarrow{80\% \ H_2SO_4} \underset{\substack{| \\ OSO_2OH}}{CH_3\underset{}{C}HCH_3} \xrightarrow[\triangle]{H_2O} \underset{\substack{| \\ OH}}{CH_3\underset{}{C}HCH_3} + H_2SO_4$$
　　　　　　　　　　　　　　　　硫酸氢异丙酯　　　　　异丙醇

$$(CH_3)_2C = CH_2 \xrightarrow{63\% \ H_2SO_4} \underset{\text{硫酸氢三级丁酯}}{(CH_3)_3COSO_2OH} \xrightarrow[\triangle]{H_2O} \underset{\text{三级丁醇}}{(CH_3)_3COH} + H_2SO_4$$

　　烯烃与水的加成通常要用酸催化,先生成碳正离子,然后与水结合生成锌盐,再失去质子生成醇。这种制醇的方法称为烯烃的直接水合法(direct hydration)。例如乙烯、水在磷酸催化下,在 300℃,7 MPa 水合生成乙醇。

$$H_2C = CH_2 \xrightarrow{H_3PO_4} CH_3\overset{+}{C}H_2 \xrightarrow{H_2O} CH_3CH_2\overset{+}{O}H_2 \xrightarrow{-H^+} CH_3CH_2OH$$

　　由于石油工业的发展,乙烯、丙烯等来源充足,此法又比较简单,乙醇及异丙醇可用此法大规

模生产。

烯烃与有机酸加成生成酯，与醇或酚加成生成醚。由于有机酸、醇、酚的酸性都比较弱，所以加成反应通常在强酸如硫酸、对甲苯磺酸、氟硼酸（HBF_4）等催化下才能发生。

$$H_2C{=}CH_2 \ + \ CH_3COOH \xrightarrow{\ H^+\ } CH_3CH_2OCOCH_3$$

乙酸（弱酸）　　　　　　　　乙酸乙酯

$$(CH_3)_2C{=}CH_2 \ + \ CH_3OH \xrightarrow[100\,℃]{HBF_4(3\%BF_3+3\%HF)} (CH_3)_3COCH_3$$

甲基三级丁基醚80%

$$HO{\sim}\!\!{\diagup}\!\!\diagdown \ \xrightarrow{H_2SO_4} \ \text{（四氢呋喃环）}CH_3$$

4-戊烯-1-醇　　　　　　　　2-甲基四氢呋喃 88%

$$C_6H_{13}CH{=}CH_2 + HO{-}\!\!\bigcirc\!\!{-}C_4H_9{-}t \xrightarrow{HBF_4} C_6H_{13}CHO{-}\!\!\bigcirc\!\!{-}C_4H_9{-}t$$
$$\qquad\qquad\qquad\qquad\qquad\qquad\qquad\qquad |$$
$$\qquad\qquad\qquad\qquad\qquad\qquad\qquad\qquad CH_3$$

1-辛烯　　　　　　对三级丁基苯酚　　　　　对三级丁基苯基（1-甲庚基）醚

习题 8-11　写出下列试剂与(R)-1,3-二甲基环己烯反应的主要产物，并写出这些产物的优势构象式。

(i) H_2SO_4(0 ℃)　　(ii) CF_3COOH　　(iii) $CH_3{-}\!\!\bigcirc\!\!{-}OH,HBF_4$　　(iv) C_2H_5OH,H^+

8.4.5　烯烃与次卤酸的加成

氯或溴在稀水溶液中或在碱性稀水溶液中可与烯烃发生加成反应，得到 β-卤代醇：

$$\bigcirc + Cl_2 + OH^- \longrightarrow \text{（环己烷-OH,Cl顺式）} + Cl^-\ (\pm)$$

$$\bigcirc + Cl_2 + H_2O \longrightarrow \text{（环己烷-}\overset{+}{O}H_2,Cl\text{）} + Cl^-\ (\pm)$$

$$\downarrow -H^+$$

$$\text{（环己烷-OH,Cl）}\ (\pm)$$

反应过程可能首先形成环卤锑离子，然后 OH^- 或 H_2O 再与环卤锑离子反应，得反式加成产物。反应遵守马氏规则。

类似次卤酸与烯烃反应的试剂还有：

$$\overset{\delta+}{I}{-}\overset{\delta-}{Cl} \qquad \overset{\delta+}{N}O\overset{\delta-}{Cl}\text{（亚硝酰氯）} \qquad \overset{\delta+}{Cl}Hg{-}\overset{\delta-}{Cl}$$

习题 8-12　写出溴在氢氧化钠的稀水溶液中与下列化合物反应的反应机理(经过环正离子中间体)。

(i) $CH_3CH{=}CH_2$　　(ii) ⬡　　(iii) [decalin structure]

8.5　烯烃的自由基加成反应

溴化氢在光照或过氧化物的作用下,与丙烯反应,生成正溴丙烷:

$$CH_3CH{=}CH_2 \xrightarrow[\text{过氧化物}]{HBr} CH_3CH_2CH_2Br$$

产物与按马氏规则所预见的结果恰好相反,这是一个反马氏加成。1933 年 Kharasch M S(卡拉施)等发现这种"不正常"的加成,是因为过氧化物在光照下发生均裂产生自由基,烯烃受自由基进攻而引起的,因此称这种反应为自由基加成反应(free radical addition),这种现象为过氧化效应(peroxide effect),或者叫 Kharasch 效应。溴化氢在过氧化苯甲酰作用下与丙烯的自由基加成反应机理如下:

链引发:
$$Ph-\overset{O}{\overset{\|}{C}}-O-O-\overset{O}{\overset{\|}{C}}-Ph \longrightarrow 2\ Ph-\overset{O}{\overset{\|}{C}}-\ddot{O}\cdot$$

$$Ph-\overset{O}{\overset{\|}{C}}-\ddot{O}\cdot + HBr \longrightarrow Ph-\overset{O}{\overset{\|}{C}}-OH + Br\cdot$$

链转移:
$$CH_3CH{=}CH_2 + Br\cdot \longrightarrow CH_3\overset{\cdot}{C}HCH_2Br$$
$$CH_3\overset{\cdot}{C}HCH_2Br + HBr \longrightarrow CH_3CH_2CH_2Br + Br\cdot$$

链终止:
$$2Br\cdot \longrightarrow Br_2$$
$$2\ CH_3\overset{\cdot}{C}HCH_2Br \longrightarrow Br\text{—CH}_2\text{CH(CH}_3)\text{CH(CH}_3)\text{CH}_2\text{—Br}$$
$$CH_3\overset{\cdot}{C}HCH_2Br + Br\cdot \longrightarrow CH_3CHBrCH_2Br$$

上述反应机理表明,溴原子和 π 键反应时,只有溴原子加到丙烯的双键末端碳原子上,才能生成最稳定的自由基,然后氢原子加到自由基的碳原子上。而亲电加成是 H^+ 先加到丙烯双键末端的碳上,形成比较稳定的碳正离子,然后溴负离子加到带正电荷的碳原子上。因此自由基加成与亲电加成的加成位置恰巧相反。

氯化氢不能进行自由基加成反应,因为氢氯键比氢溴键强得多,需要较高的活化能才能使氯化氢均裂成自由基,这就阻碍了链反应。碘化氢也不能发生自由基加成反应,虽然碘化氢均裂的解离能不大,但碘原子与双键加成要求提供较高的活化能,而碘原子又较易自相结合成键,所以也不能发生自由基加成反应。

多卤代烷如 $BrCCl_3$,CCl_4,ICF_3 等在过氧化物或光的作用下,也可以形成多卤代烷基的自由基,因此能够与烯烃发生自由基加成反应。例如:

链引发:　　$ROOR \longrightarrow 2RO\cdot$

　　　　　　$RO\cdot + Cl_3CBr \longrightarrow ROBr + \cdot CCl_3$

链转移:　　$CH_3CH{=}CH_2 + \cdot CCl_3 \longrightarrow CH_3\overset{\cdot}{C}HCH_2CCl_3$

　　　　　　$CH_3\overset{\cdot}{C}HCH_2CCl_3 + Cl_3CBr \longrightarrow CH_3CHBrCH_2CCl_3 + \cdot CCl_3$

链终止:　　略

多卤代烷在形成自由基时若有多种选择,一般总是最弱的键较易断裂,最稳定的自由基较易形成。

习题 8-13 完成下列两个反应,画出相应的反应势能图。判断哪一个反应的速率快并简要阐明理由。

(i) $CH_3CH_2CH{=}CH_2 + HBr \xrightarrow[h\nu]{过氧化物}$

(ii) $(CH_3)_2C{=}CH_2 + HBr \xrightarrow[h\nu]{过氧化物}$

习题 8-14 Cl_3CBr 在过氧化物的作用下能生成几种自由基?哪一种自由基最易形成?为什么?

习题 8-15 预测下列反应的主要产物:

(i) $\diagup\hspace{-0.5em}\diagdown{=}\diagup\hspace{-0.5em}\diagdown + HBr \longrightarrow$　　(ii) $\diagup\hspace{-0.5em}\diagdown{=}\diagup\hspace{-0.5em}\diagdown + HBr \xrightarrow{ROOR}$

(iii) $Cl_2C{=}CH_2 + CHCl_3 \xrightarrow{ROOR}$　(iv) $CH_3CH{=}CH_2 + ICBr_3 \xrightarrow{ROOR}$

8.6　烯烃的氧化

8.6.1　烯烃的环氧化反应

烯烃在试剂作用下生成环氧化物的反应称环氧化反应(epoxidation)。如

$$RCH{=}CH_2 + R\overset{\displaystyle O}{\underset{\displaystyle }{C}}OOH \longrightarrow \underset{环氧化物}{\overset{R}{\triangle\hspace{-0.9em}O}} + R\overset{\displaystyle O}{\underset{\displaystyle }{C}}OH$$

实验室中常用有机过酸作环氧化试剂,如过乙酸(CH_3CO_3H),过苯甲酸

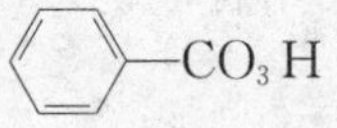

（ $\bigcirc$ —CO$_3$H ），间氯过苯甲酸 $\left[\text{Cl}\bigcirc\text{—CO}_2\text{H}\right]$ ，三氟过乙酸（F$_3$CCO$_3$H）等，各种过酸都有不同的制备方法，如过乙酸常用乙酸或乙酸酐（二分子乙酸失水得到乙酸酐，分子式为 (CH$_3$CO)$_2$O）与过氧化氢在酸（如硫酸）催化下放置若干小时，得一平衡混合物，如用乙酸酐与 30％H$_2$O$_2$，得～20％过乙酸，乙酸酐与 70％H$_2$O$_2$，得～40％过氧乙酸。在平衡体系中还有乙酸、过氧化氢、水、硫酸等混合物。

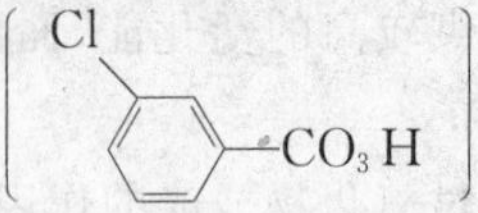

烯烃与过酸形成环氧化物的反应机理如下：

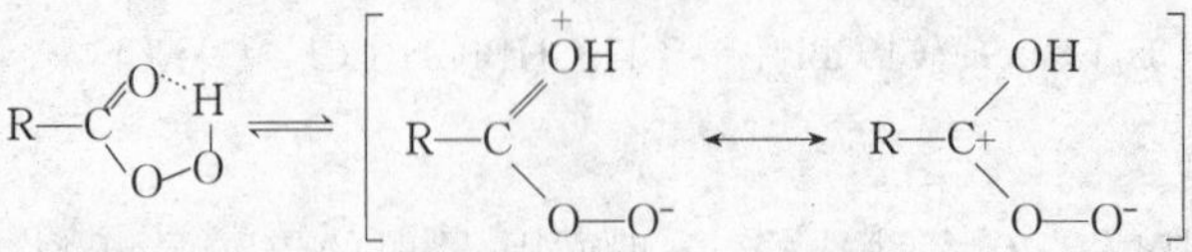

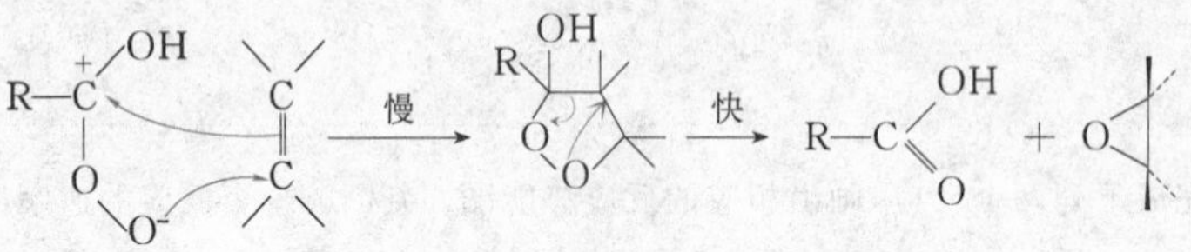

从反应机理看，过酸碳上的正电性越高反应越易进行，因此有吸电子基团的过酸反应快，例如，F$_3$CCO$_3$H 比 CH$_3$CO$_3$H 的反应快。双键上的电子云密度越高，环氧化反应越易进行，因此有给电子基团的烯烃反应快，给电子基团越多，反应越快。

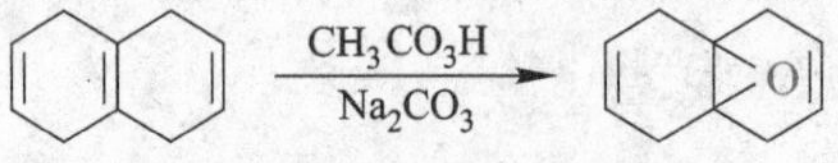

$$\text{（图式）} \xrightarrow[\text{Na}_2\text{CO}_3]{\text{CH}_3\text{CO}_3\text{H}} \text{（图式）}$$

（控制过酸用量，给电子基团多的烯烃反应快）

环氧化反应是顺式加成，所以环氧化合物的构型与原料烯烃的构型保持一致。

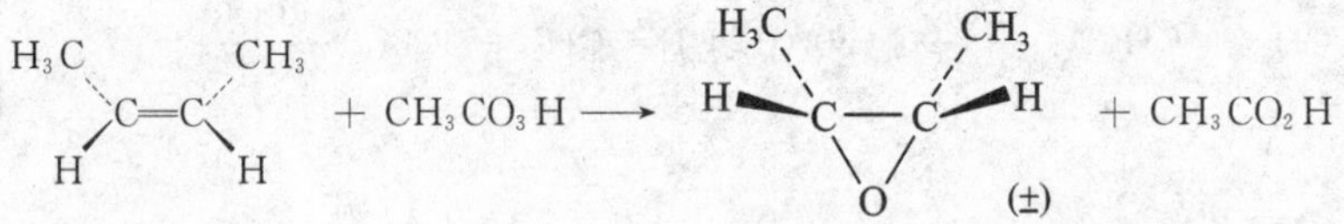

（反应图式 i）　+ CH$_3$CO$_3$H ⟶ （产物）（±）+ CH$_3$CO$_2$H

（反应图式 ii）　+ CH$_3$CO$_3$H ⟶ （产物）（±）+ CH$_3$CO$_2$H

因为环氧化反应可以在双键平面的任一侧进行，所以当平面两侧空阻相同，而产物的环碳原子为手性碳原子时，产物是一对外消旋体。如

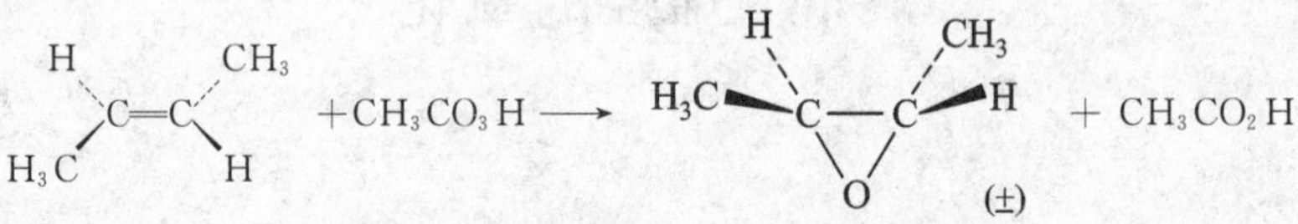

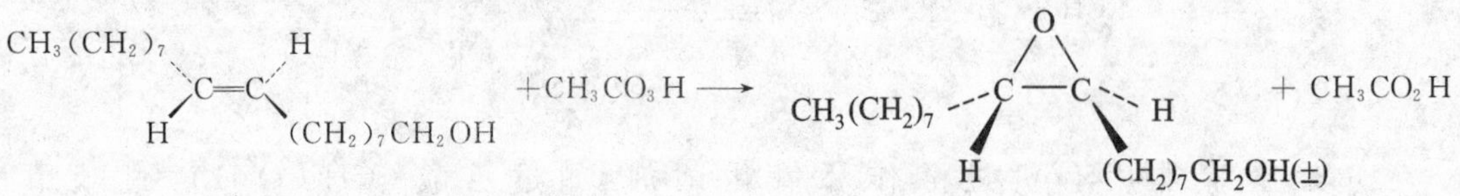

（反应图式）　+ CH$_3$CO$_3$H ⟶ CH$_3$(CH$_2$)$_7$ （产物） (CH$_2$)$_7$CH$_2$OH(±) + CH$_3$CO$_2$H

当平面两侧的空阻不同时,位阻小的反应快。

70%　　　24%　　　（甲基有位阻）

1%　　　99%　　　（环氧与 C-7 位阻小
与 C(5)-C(6)位阻大）

（环的上面有甲基
环下面位阻小）　　　（反式加成
构象改变最小）

环氧化合物很活泼,遇酸或碱均会发生开环反应(参见 10.19)。

如环氧化反应体系中有大量醋酸与水,环氧化物可进一步发生开环反应,得羟基酯,羟基酯可以水解得羟基处于反式的邻二醇。这是由烯烃制邻二醇的一种方法,如

(iii)　　　$+ CH_3CO_2H + 30\% H_2O_2 \xrightarrow{H^+}$　　　(iv)　　　$+ CH_3CO_2H + H_2O$

(vii) 邻二醇　　　$\xleftarrow[H^+ \text{ 或 } OH^-]{H_2O, \triangle}$　　　(vi) 羟基酯　　　(v)

如果在反应体系中加入不溶解的弱碱如 Na_2CO_3,中和产生的有机酸,则可得环氧化物:

$+ PhCO_3H \xrightarrow{Na_2CO_3}$

习题 8-16　写出(R)-1,4-二甲基环己烯与过乙酸反应及其水解的立体化学过程(用构象式描述)。

习题 8-17　完成下列反应,写出主要产物(反应物摩尔比为1∶1),并用构象式表示。

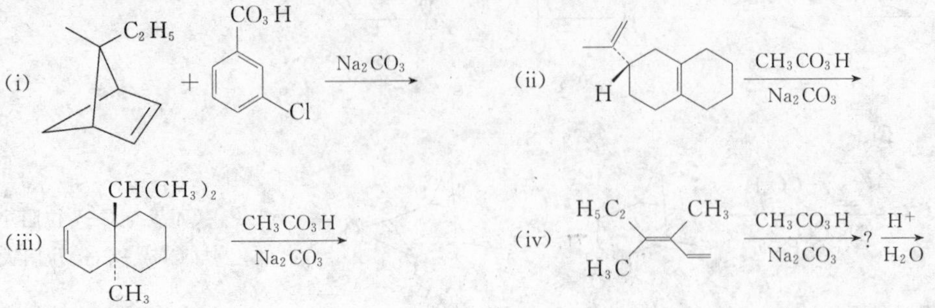

8.6.2　烯烃被高锰酸钾氧化

　　烯烃可以被高锰酸钾氧化成顺邻二醇。在反应中,高锰酸钾先与烯烃形成一个环状中间体,此环状中间体很快水解得顺邻二醇。例如环己烯的氧化:

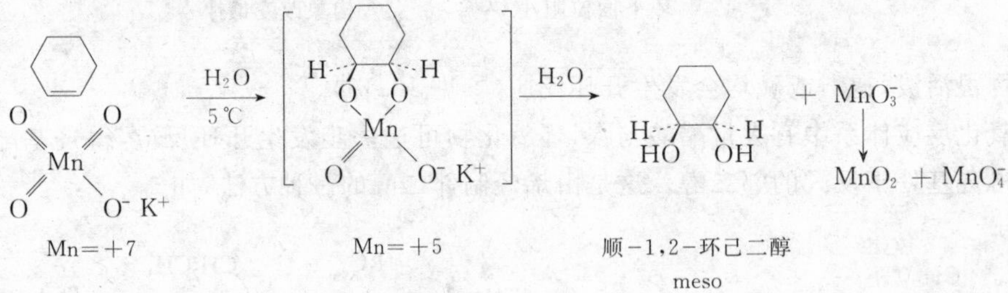

　　此氧化反应的产率一般不高,因为生成的邻二醇会进一步氧化裂解为酮、酸或酮酸的混合物。例如:

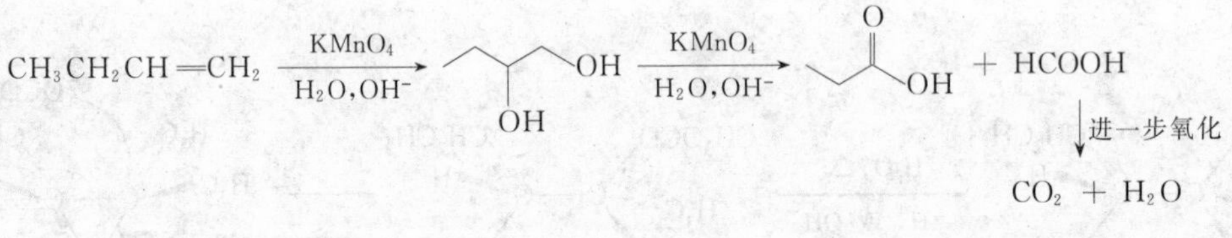

　　如果希望得到顺邻二醇,一般用冷、稀的中性高锰酸钾溶液为氧化剂。如果希望得到氧化裂解产物,可用较强烈的反应条件,在酸性、碱性条件或加热均可。高锰酸钾在酸性条件下氧化能力最强,除烯烃外,很多化合物也能被氧化,因此要根据原料化合物的结构,选择合适的氧化条件。

烯烃的鉴别

　　将高锰酸钾的稀水溶液滴加到烯烃中,高锰酸钾溶液的紫色会褪去,由于 Mn^{+7} 被还原成

MnO_3^-，MnO_3^- 很不稳定，歧化为 MnO_4^- 和 MnO_2，因此在反应时能见到 MnO_2 沉淀生成。可以根据上述实验现象来鉴定烯烃(有干扰反应时慎用)。

8.6.3　烯烃被四氧化锇氧化

用四氧化锇(OsO_4)在非水溶剂如乙醚、四氢呋喃中也能将烯烃氧化成顺式加成的邻二醇：

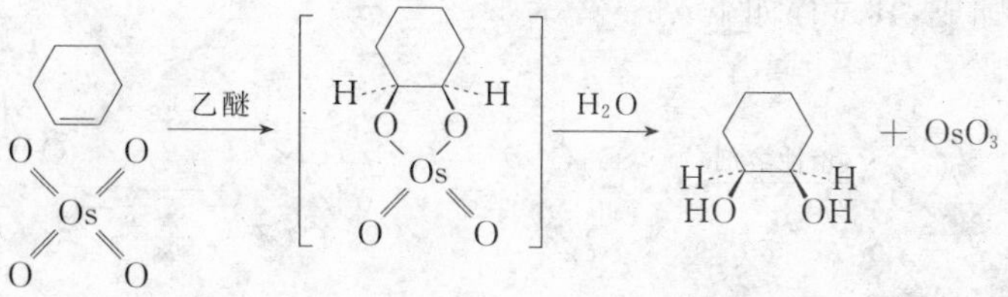

四氧化锇是一个很贵的试剂，较经济的方法是用 H_2O_2 及催化量的 OsO_4，先是 OsO_4 与烯烃反应，OsO_4 被还原为 OsO_3，OsO_3 与 H_2O_2 反应再产生 OsO_4，如此反复进行，直到反应完成：

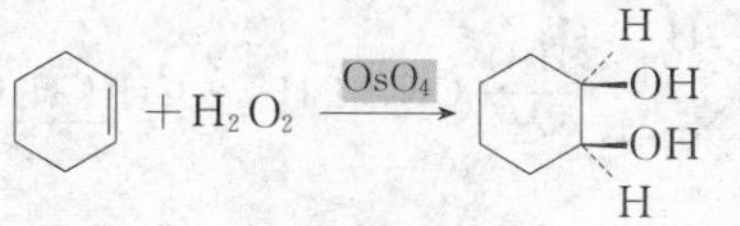

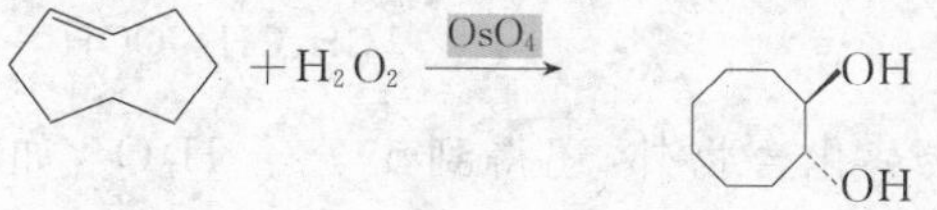

(±)-反-1,2-环辛二醇

环内如有反型双键，顺式加成后得反邻二醇。OsO_4 与烯烃反应，产率几乎是定量的，但它毒性很大，一般用于很难得到的烯烃的氧化，并仅进行小量操作。所得的邻二醇可用适当试剂如 $NaIO_4$ 再氧化，得到相应的酮、酸等。

习题 8-18　A，B 均为分子式为 C_6H_{12} 的化合物，A 与 $KMnO_4$ 和溴的四氯化碳溶液均不发生反应。B 经臭氧化分解反应后只生成一种产物 $C(C_3H_6O)$，B 与溴的四氯化碳溶液反应只生成一种化合物 $D(C_6H_{12}Br_2)$。A，B，C，D 均是对称的分子，请写出 A，B，C，D 可能的结构式。

习题 8-19　完成下列反应，写出主要产物。

(i) $(C_2H_5)_2C\!=\!CHCH_3 \xrightarrow[OH^-,\triangle]{KMnO_4,H_2O}$

(ii) 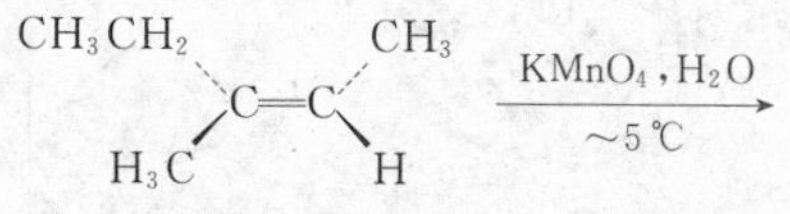 $\xrightarrow[\sim5℃]{KMnO_4,H_2O}$

(iii) 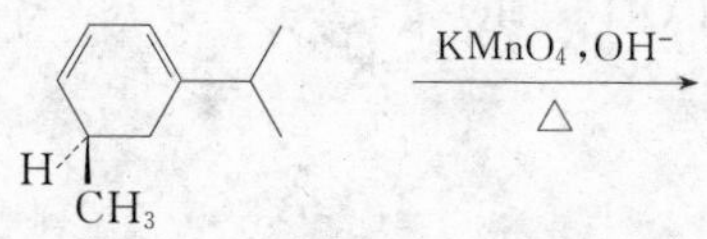 $\xrightarrow[\triangle]{KMnO_4,OH^-}$

(iv) 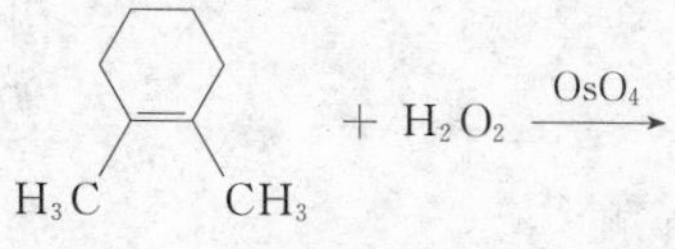 $+ H_2O_2 \xrightarrow{OsO_4}$

8.6.4　烯烃的臭氧化-分解反应

烯烃在低温和惰性溶剂如 CCl_4 中和臭氧发生加成生成臭氧化物的反应称为烯烃的臭氧化反应(ozonization reaction)。

臭氧分子的电子分布如下：

$$O=\overset{+}{O}-\overset{-}{O} \longleftrightarrow \overset{+}{O}-O-\overset{-}{O} \longleftrightarrow \overset{-}{O}-O-\overset{+}{O}$$

臭氧与烯烃的加成，其过程如下：

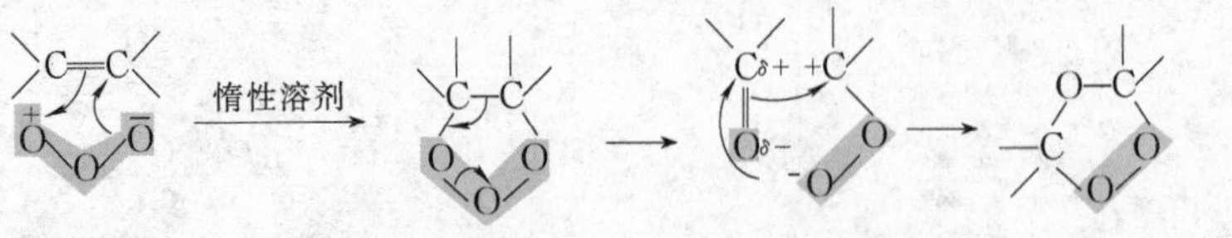

一级臭氧化物　　　　　　C—C 键断裂　　二级臭氧化物
－80 ℃可以存在

二级臭氧化物被水分解成醛和酮的反应称为臭氧化物的分解反应(ozonolysis)。

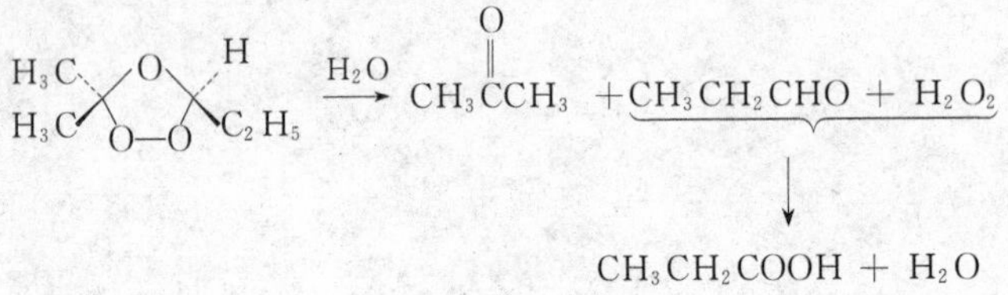

$$CH_3CH_2COOH + H_2O$$

在分解反应中，除得到两个羰基化合物外，还得到 1 分子 H_2O_2，如羰基化合物是醛，则会被 H_2O_2 氧化成酸。为避免醛被氧化，在用水（或酸）分解时常加入 Zn，使 H_2O_2 与 Zn 结合成 $Zn(OH)_2$；也可用二甲硫醚(CH_3SCH_3)形成二甲亚砜(CH_3SOCH_3)；如用 Pd/C，H_2 处理，使 H_2 与 H_2O_2 中氧结合成 H_2O；此外也可将羰基还原为 CHOH：

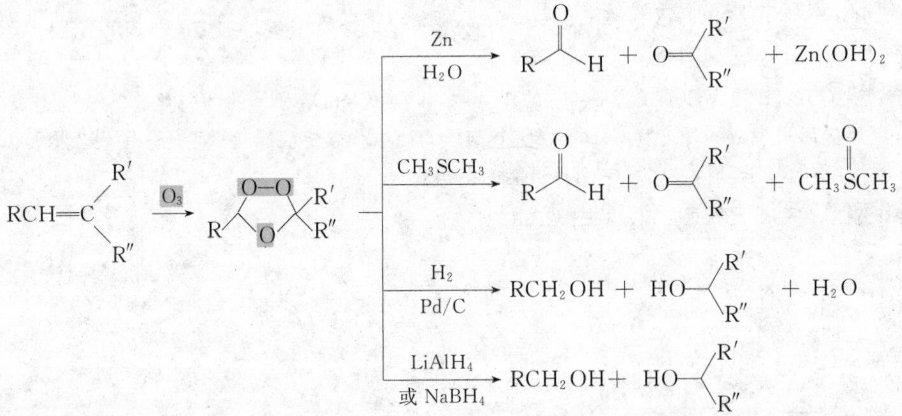

烯烃结构的推测

将臭氧化物分解后得到的醛、酮分子中的氧去掉，剩余部分用双键连接起来，即得到原来烯烃的结构。例如：

$$(CH_3)_2C = CH_2 \xrightarrow[\text{H}_2\text{O}]{O_3, \text{Zn}} (CH_3)_2C = O + O = CH_2$$

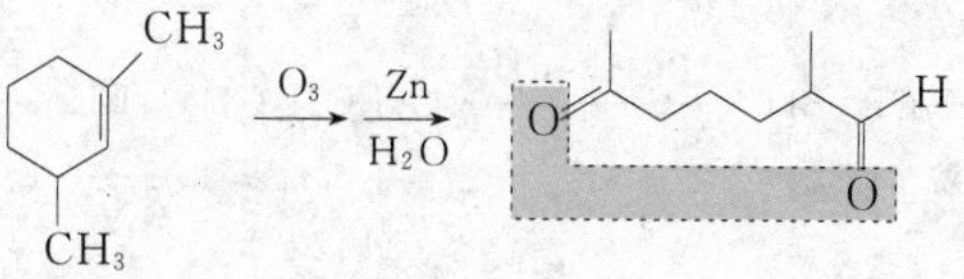

习题 8−20 完成下列反应，写出主要产物。

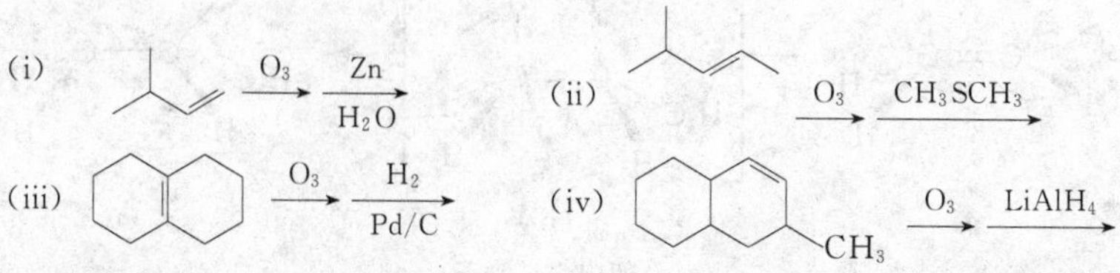

(i) $\xrightarrow[\text{H}_2\text{O}]{O_3, \text{Zn}}$　　(ii) $\xrightarrow{O_3, \text{CH}_3\text{SCH}_3}$

(iii) $\xrightarrow[\text{Pd/C}]{O_3, \text{H}_2}$　　(iv) $\xrightarrow{O_3, \text{LiAlH}_4}$

习题 8−21 化合物 A 的分子式为 C_9H_{16}，A 经臭氧化，并与锌和酸反应后可得甲醛、甲乙酮和 B，请写出所有符合上述条件的 A、B 可能的结构。

8.7　烯烃的硼氢化−氧化反应和硼氢化−还原反应

8.7.1　乙硼烷的介绍

乙硼烷为气体，无色，有毒，在空气中能自燃。通常在乙醚、四氢呋喃溶液中保存及使用。乙硼烷共有 12 个电子，其中 8 个电子形成四个 B—H 键，在一个平面上，平面上下有两个三中心两电子键，如下所示：

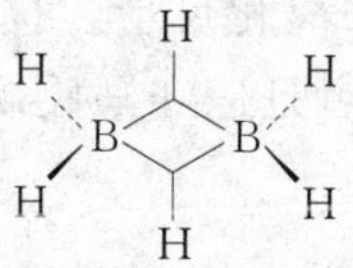

乙硼烷的结构

乙硼烷由三氟化硼和硼氢化钠反应制得。

$$4BF_3 + 3NaBH_4 \longrightarrow 2B_2H_6 + 3NaBF_4$$
乙硼烷

8.7.2　烯烃的硼氢化反应

烯烃与甲硼烷作用生成烷基硼的反应称为烯烃的硼氢化反应（hydroboration）。由于甲硼烷极不稳定,目前尚未分离得到,实际使用的是乙硼烷的醚溶液。与烯烃反应时,迅速解离为甲硼烷-醚的络合物,与烯烃能定量地进行加成反应。这个反应分三步进行,但反应非常迅速,一般情况下只能分出最终产物三烷基硼烷;但如烯烃的取代基空间位阻很大,可以分离得到一烷基硼烷、二烷基硼烷。

$$2RCH=CH_2 \xrightarrow{B_2H_6} \underset{\text{一烷基硼烷}}{2RCH_2CH_2BH_2} \xrightarrow{2RCH=CH_2} \underset{\text{二烷基硼烷}}{2(RCH_2CH_2)_2BH} \xrightarrow{2RCH=CH_2} \underset{\text{三烷基硼烷}}{2(RCH_2CH_2)_3B}$$

该反应的反应机理如下所示:

四中心过渡态

首先,甲硼烷中硼原子(6 电子)缺少电子,与烯烃(i)中电子云密度较大的 C-1 接近,形成(ii),(ii)中硼原子得到部分负电荷,C-2 上具有部分正电荷,此时得到部分电子的硼原子释放氢的倾向增加,形成环状四中心过渡态(cyclic four-membered transition state)(iii),然后进一步反应生成(iv)。反应机理表明:对于不对称烯烃,加成位置是反马氏规则的,氢加到含氢较少的双键碳原子上。从立体化学看,这是一个立体专一性的顺式加成,中间不经过碳正离子中间体,因此各碳原子的取代基仍保持原来的相对位置。上述硼的加成具有亲电性质,对于位阻较大的烯烃,位阻因素也起作用,即硼加到位阻较小的双键碳上。

8.7.3 烷基硼的氧化反应

烷基硼在碱性条件下与过氧化氢作用生成醇的反应称为烷基硼的氧化反应,该反应和烯烃的硼氢化反应合在一起,总称为硼氢化-氧化反应,可将烯烃转化为醇。它与烯烃水合不同的是:前者加成位置是反马氏规则的,而后者是遵守马氏规则的。如用末端烯烃(又称为 α-烯烃)硼氢化-氧化,可以得到一级醇:

$$6CH_3CH=CH_2 \xrightarrow[\text{硼氢化}]{B_2H_6} 2(CH_3CH_2CH_2)_3B \xrightarrow[\text{氧化}]{6H_2O_2,OH^-,25\sim30\text{℃}} 6CH_3CH_2CH_2OH + 2B(OH)_3$$

氧化一步的反应机理如下:

上述过程再重复两次,就得硼酸酯,经水解得醇和硼酸:

$$B(OR)_3 \xrightarrow{3H_2O} 3ROH + B(OH)_3$$

硼酸酯

　　用此法合成一级醇,产率高。对于双键两个碳上均有烷基取代的烯,加成位置无选择性,可以得到大约等量的两个异构体;对于有位阻的分子,加成反应有立体选择性:

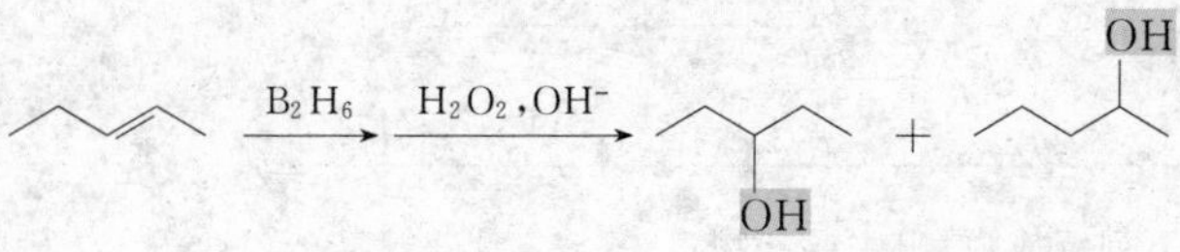

$$\xrightarrow{B_2H_6} \xrightarrow{H_2O_2,OH^-}$$

（无区域选择性）

$$\xrightarrow{B_2H_6} \xrightarrow{H_2O_2,OH^-}$$

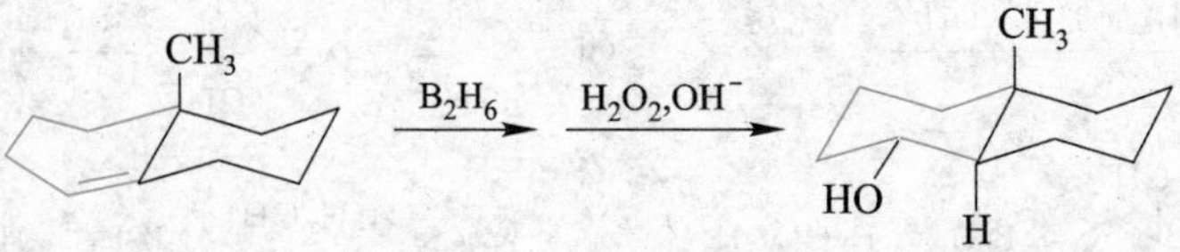

（有立体选择性）

9-硼二环[3.3.1]壬烷(9-BBN)是用 1,5-环辛二烯与 B_2H_6 反应得到的:

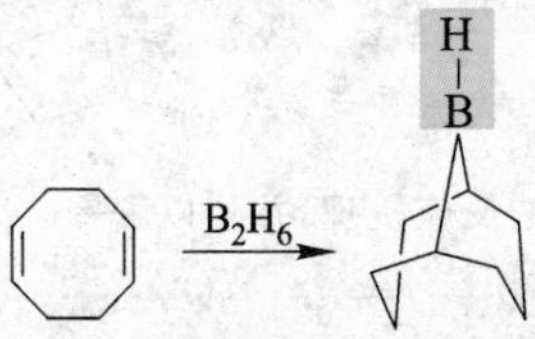

$$\xrightarrow{B_2H_6}$$

9-BBN

9-borabicyclo[3.3.1] nonane

9-BBN 在空气中比较稳定,与烯烃反应有较高的选择性,在分子中如有两个双键,可进攻位阻较小的双键,例如在 1-戊烯与 2-戊烯的混合物中可除去位阻较小的 1-戊烯,在顺、反异构体中可选择性地与顺型异构体进行反应。

8.7.4 烷基硼的还原反应

　　烷基硼和羧酸作用生成烷烃的反应称为烷基硼的还原反应。

$$(CH_3CH_2CH_2)_3B + 3RCOOH \longrightarrow 3CH_3CH_2CH_3 + B(OCOR)_3$$

反应是通过下列步骤进行的:

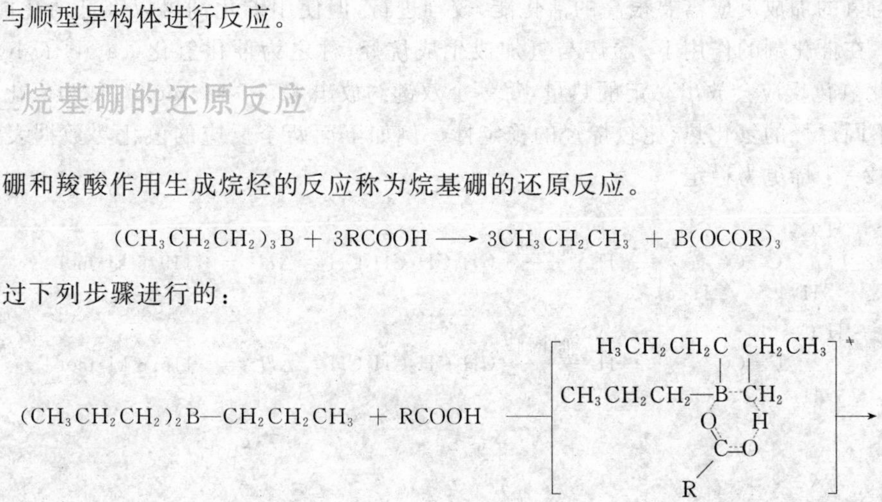

$$(CH_3CH_2CH_2)_2B-CH_2CH_2CH_3 + RCOOH \longrightarrow \left[\begin{array}{c} H_3CH_2CH_2C \quad CH_2CH_3 \\ CH_3CH_2CH_2-B \quad CH_2 \\ | \quad \quad | \\ O \quad H \\ \backslash \; / \\ C-O \\ | \\ R \end{array} \right]^* \longrightarrow$$

$$(CH_3CH_2CH_2)_2BOCR + CH_3CH_2CH_3$$
$$\qquad\qquad\qquad\quad \overset{O}{\|}$$

实际上是通过六元环状过渡态,电子重新分配,使氢取代硼,在这个过程中,与碳相连的原子或基团位置没有发生变化,即所得化合物保持了原来的构型。该反应与烯烃的硼氢化反应合在一起,总称为硼氢化－还原反应,是将烯烃还原成烷烃的一种方法。如

习题 8-22 完成下列反应,写出主要产物:

习题 8-23 写出上题中(iii)、(iv)的反应机理,并加以解释。

8.8 烯烃的催化氢化反应

烯烃与氢的加成反应需要很高的活化能,较难进行,但使用催化剂可以降低活化能,使反应易于进行。在催化剂的作用下,烯烃与氢加成生成烷烃,称之为催化氢化(catalytic hydrogenation)。催化氢化反应会放出一定的热量,每一个双键约放出 $125.5 \ \mathrm{kJ \cdot mol^{-1}}$,称为氢化热。可以通过测定不同烯烃的氢化热,比较烯烃的稳定性。例如下面两个反应的氢化热数据表明 $E-2-$丁烯比 $Z-2-$丁烯更为稳定。

8.8.1 异相催化氢化

适用于烯烃氢化的催化剂有铂、钯、铑、钌、镍等,这些分散的金属态的催化剂均不溶于有机

溶剂,一般称之为异相催化剂(heterogeneous catalyst)。在异相催化剂作用下发生的加氢反应称为异相催化氢化(heterogeneous catalytic hydrogenation)。

工业上常用的异相氢化催化剂除了镍外,还有铁、铬、钴、铜,这些金属活性较低,需要在高温、高压的强烈条件下使用,其中铜铬催化剂[CuO·CuCrO₄]是一个较便宜的氢化催化剂,但需在 30 MPa 条件下使用。

实验室内常用的异相催化剂有:氧化铂、氧化钯、兰尼(Raney)镍,反应性 Pt > Pd > Ni,前两者在反应器中经氢还原成为极细的铂、钯粉,可在常压至 0.4 MPa,0～100 ℃ 的条件下直接使用,在制备时可加入活性炭或 CaCO₃、BaSO₄、Al₂O₃ 等作为载体,有不同用途。兰尼镍的制法是用镍铝合金与 NaOH 一起加热处理:

$$NiAl\,合金 \xrightarrow[\triangle]{NaOH} Ni + NaAlO_2 + H_2$$

反应后,将 NaAlO₂ 用水洗去,然后泡在无水乙醇中保存待用,此时镍表面上吸附氢,很活泼,可在室温或加热、在常压或加压下,用镍上吸附的氢,或在通氢气情况下,进行反应。还原过程:可认为氢被吸附在催化剂表面上,烯烃与催化剂络合,氢分子在催化剂上发生键的断裂,形成活泼的氢原子,氢原子与双键的碳原子结合,还原成烷烃,脱离催化剂表面,示意如下:

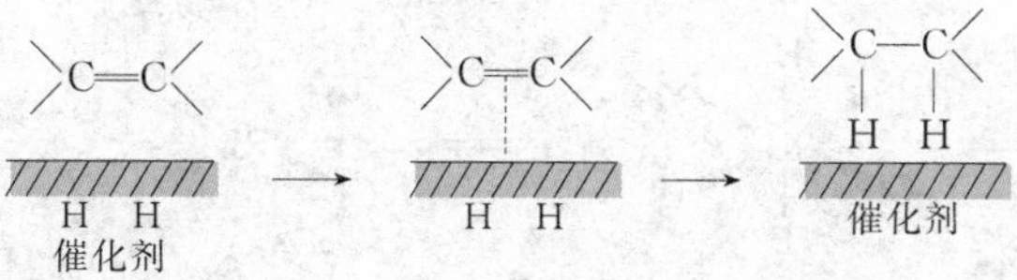

氢的加成多数是顺式加成。例如:

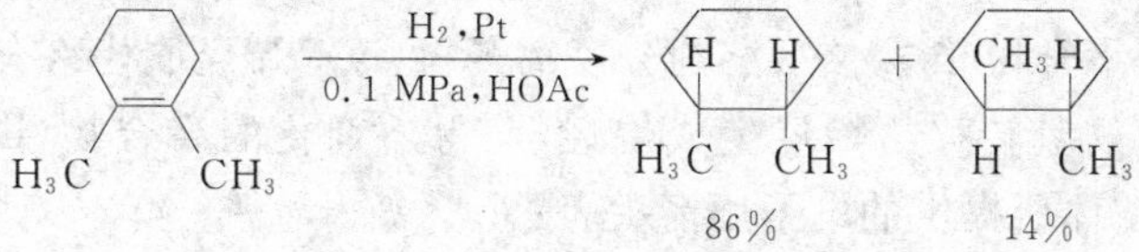

烯烃的双键碳上取代基越少,烯烃越容易吸附于催化剂表面上,它的氢化反应也快。因此烯烃的相对氢化速率为:乙烯＞一元取代乙烯＞二元取代乙烯＞三元取代乙烯＞四元取代乙烯。这样,就能够在含有不同取代基的烯烃混合物中进行有选择的氢化。

烯烃的加氢反应是定量进行的,因此,可以通过测量氢体积的办法确定烯烃中的双键数目。在适当条件下或一定的催化剂作用下,可以使含有其它官能团的不饱和化合物转变成饱和的。例如:

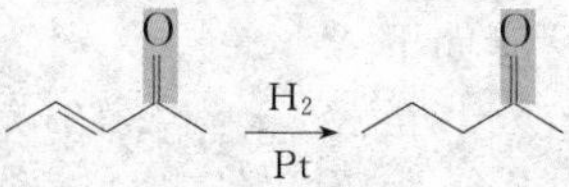

氢化反应是可逆的,一般在高温能发生脱氢反应,故须控制温度。二价硫化物易使催化剂中毒,须特别注意。在工业上,植物油经催化氢气,可制成油脂,成为奶油的代用品。这是因为植物

油分子中含有许多双键,熔点很低,在室温下,它成液体状态,经催化氢化后,双键还原,熔点升高,即成为固态黄油状物质。

8.8.2　均相催化氢化

现在发展了一些可溶于有机溶剂的催化剂,称为均相催化剂(homogeneous catalyst)。这种催化剂除能溶于有机溶剂外,还可避免前者使烯烃重排分解的缺点。这种催化剂很多,如氯化铑与三苯基膦的络合物,$[(C_6H_5)_3P]_3RhCl$,称 Wilkinson(魏尔金生)催化剂。均相催化剂的发现,在有机合成中是一较大的进展。

均相催化剂如$[(C_6H_5)_3P]_3RhCl$,Rh 构型=$[Kr]4d^85s^1$,其氢化过程示意如下:

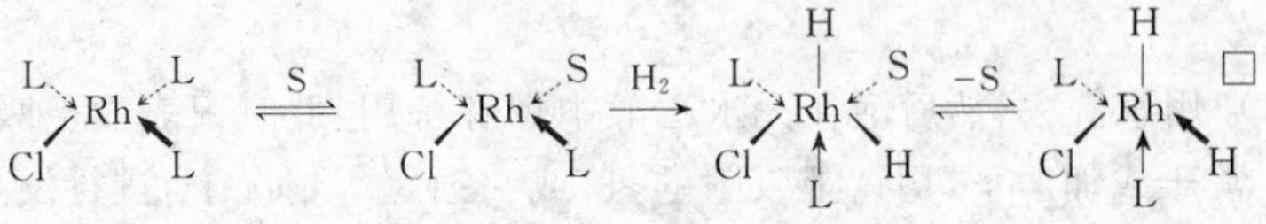

(i) 16 电子　　S=溶剂　　(ii) 16电子　　　(iii) 18电子　　　(iv) 16电子

L=$(C_6H_5)_3P$

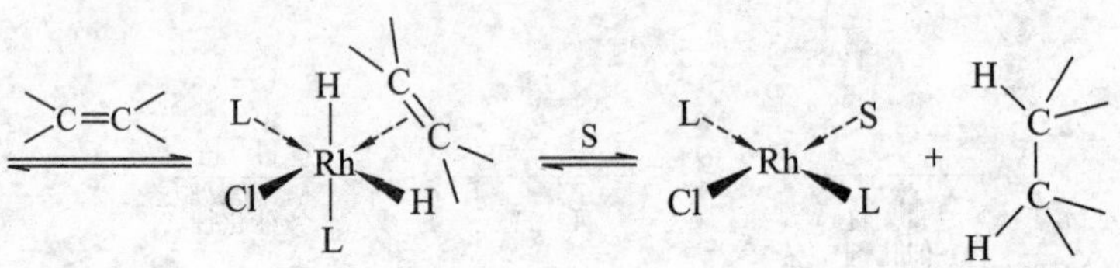

(v) 18 电子　　　　　　(ii) 16 电子

催化剂(i)在溶剂作用下失去一个三苯基膦$(C_6H_5)_3P$分子,形成溶剂化的络合物(ii),(ii)与一分子氢加成,生成氢化铑络合物(iii),然后溶剂分子离开得(iv),烯烃取代络合物中的溶剂分子,生成新络合物(v),(v)中的氢转移给烯烃生成烷烃,又得溶剂化的络合物(ii),(ii)再重复上述过程。上述结构式中由配体所提供的电子用箭头表示。

这种催化剂用于常温、常压下进行的反应,多元取代的烯烃比含取代基少的烯烃较难反应,所以可对含不同取代基的烯烃混合物有选择地进行加氢。这种催化剂催化下的加氢也是顺式加成。

8.8.3　二亚胺加氢

有些不适于催化加氢的烯烃,可用二亚胺(diimide)($HN\!=\!NH$)加氢。该化合物是在铜盐存在下,用过氧化氢氧化肼制得的,反应如下:

$$H_2N\!-\!NH_2 + H_2O_2 \xrightarrow{Cu^{2+}} HN\!=\!NH + H_2O$$

肼　　　　　　　　　　二亚胺

二亚胺很不稳定,在没有烯烃存在时,很快分解成氢和氮。二亚胺和烯烃的反应是通过一个环状

络合物中间体进行的,所以是顺式加成。例如:

由肼制得的二亚胺有顺型和反型两种异构体,但反型的不与烯烃发生反应。

习题 8-24 完成下列反应,写出主要产物及其构型(用楔形键与虚线表示)。

8.9 烯烃和卡宾的反应

8.9.1 卡宾的定义和结构

含二价碳的电中性化合物称为卡宾(carbene)。卡宾是由一个碳和两个基团以共价结合形成的,碳上还有两个电子。最简单的卡宾是亚甲基卡宾,亚甲基卡宾很不稳定,从未分离出来,是比碳正离子、自由基更不稳定的活性中间体。其它卡宾可以看做是取代亚甲基卡宾,取代基可以是烷基、芳基、酰基、卤素等。这些卡宾的稳定性顺序排列如下:

$$H_2C: < ROOCCH: < PhCH: < BrCH: < ClCH: < Br_2C: < Cl_2C:$$

卡宾有两种结构,一种结构在光谱学上称为单线态(singlet state),单线态的中心碳原子是 sp^2 杂化,两个 sp^2 杂化轨道与两个基团成键,还有一个 sp^2 杂化轨道容纳碳上一对自旋反平行的孤电子,有一个垂直于三个 sp^2 杂化轨道平面的空的 p 轨道,R—C—R 键角约100~110°。另一种结构在光谱学上称为三线态(triplet state),三线态的中心碳原子是 sp 杂化,两个 sp 杂化轨道与两个基团成键,碳上还有两个互相垂直的 p 轨道,每个 p 轨道容纳一个电子,这两个电子自旋平行,R—C—R 键角约 136~180°,如下所示:

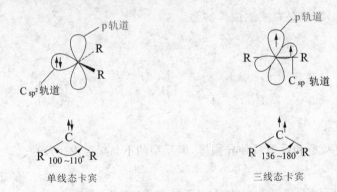

单线态卡宾　　　　　　　三线态卡宾

最简单的亚甲基卡宾,根据理论计算及光谱数据,单线态键角为 $103°$,三线态键角为 $136°$:

单线态亚甲基　　　　　三线态亚甲基
能量高　　　　　　　　能量低

根据分子轨道计算,单线态能量较高,三线态能量较低,它们之间的能量差约 $35\sim38\ kJ\cdot mol^{-1}$。单线态卡宾形成后,与其它分子碰撞或与反应器壁碰撞,能慢慢衰变为三线态卡宾。

8.9.2　卡宾的制备

多卤代烷如 $CHCl_3$,$CHBr_3$,$CHCl_2Br$,CHF_2I 等在碱的作用下发生 $\alpha-$消除,失去一分子卤化氢即得卡宾,反应式如下:

$$CHCl_3 + (CH_3)_3COK \xrightarrow{(CH_3)_3COH} :CCl_2 + (CH_3)_3COH + KCl$$

具体的过程为碱夺去多卤代烷中的 $\alpha-H$,形成多卤代烷基负离子。负离子在弱酸性溶剂中不易得到质子,而易失去一个卤离子形成卡宾。

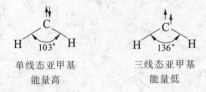

三氯乙酸也能通过 $\alpha-$消除制取卡宾。

Cl₃CCOOH $\xrightarrow{-H^+}$ ... $\xrightarrow{\triangle}$ $Cl_2C: + CO_2\uparrow + Cl^-$

某些双键化合物在光照下发生裂分也能制得卡宾。

$$H_2C=C=O \xrightarrow{h\nu} :CH_2 + CO$$

$$H_2C=\overset{+}{N}=N^- \xrightarrow{h\nu} :CH_2 + N_2$$

8.9.3 卡宾与碳碳双键的加成反应

由于卡宾碳周围只有六个电子,是个缺电子的碳原子,因此卡宾具有高度的反应性能,此处只简单介绍它与碳碳双键的加成反应。

1. 亚甲基卡宾与烯烃的反应

亚甲基卡宾的一个重要反应是可以与双键加成得环丙烷类化合物,一般反应式为

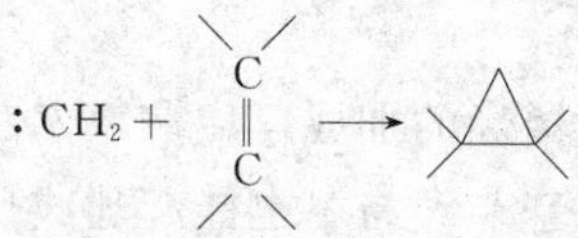

$$:CH_2 + \underset{\text{C}}{\overset{\text{C}}{\|}} \longrightarrow \triangle$$

但单线态和三线态亚甲基卡宾与双键加成时产物有所不同。如重氮甲烷在液态用光分解,产生单线态卡宾,有空 p 轨道,具有亲电性质,两个孤对电子与烯烃上的两个 π 电子通过三元环过渡态,形成两个 σ 键。顺-2-丁烯与单线态亚甲基卡宾的加成反应,如下所示:

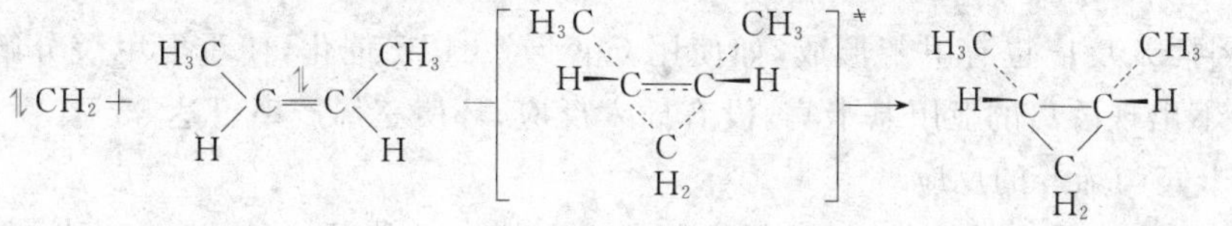

三元环过渡态　　　　顺-1,2-二甲基环丙烷

上述反应是立体专一的顺式加成。如果重氮甲烷在光敏剂二苯酮存在下光照,产生三线态卡宾,与顺-2-丁烯反应则形成顺-1,2-二甲基环丙烷和反-1,2-二甲基环丙烷,这是因为三线态卡宾的两个孤电子自旋平行,在与双键加成时只能用一个电子与双键上一个与它自旋相反的电子成键,剩下两个电子不能立刻形成一个新键,必须等到由于碰撞而使其中一个电子改变自旋方向时,两个电子才能成键。与此同时,碳碳单键亦可以自由转动,因此三线态卡宾与双键加成时,得到的是顺型和反型加成物。反应过程示意如下:

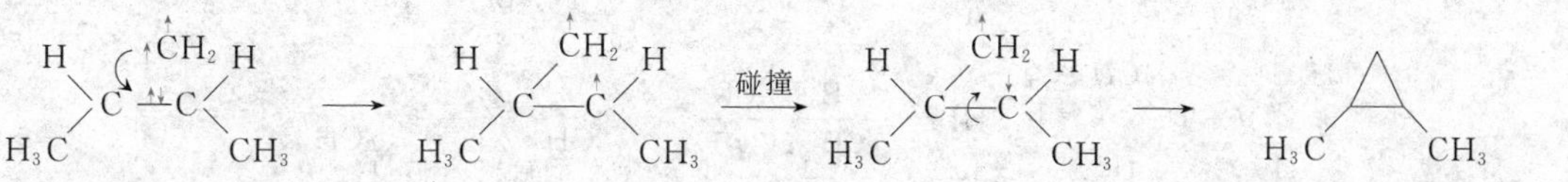

顺和反-1,2-二甲基环丙烷

上述反应是非立体专一的加成反应。

亚甲基卡宾是最活泼的卡宾,除了与双键发生加成反应,还能发生 C—H 键的插入反应。单线态亚甲基卡宾对碳氢化合物的插入反应无选择性,基本上是按统计比例进行的,如

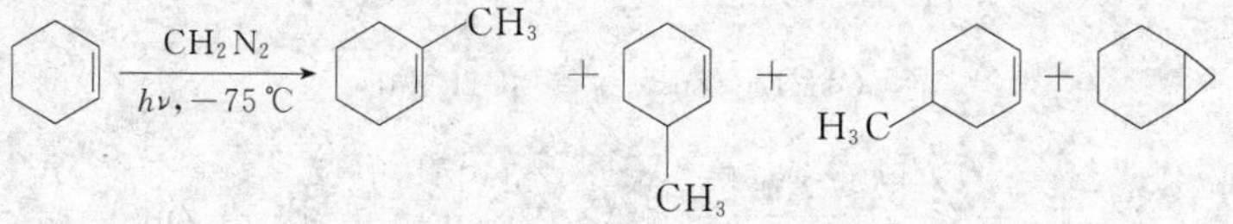

反应是通过三元环过渡态进行的:

$$\overset{|}{\underset{|}{>}}C\!-\!H \ + \ :CH_2 \longrightarrow \left[\begin{array}{c}\vdots\\\underset{CH_2}{\overset{|}{C}}\ H\end{array}\right]^* \longrightarrow \ >C\!-\!CH_3$$

三线态亚甲基卡宾的插入反应有选择性,C—H 键反应性 3°>2°>1°,反应活性之比 3°:2°:1°=7:2:1。其过程可认为三线态亚甲基首先夺取一个氢原子,成为两个自由基,两个自由基经自旋转化,然后偶联:

$$>C\!-\!H \ + \ \uparrow\!\overset{\bullet}{C}H_2 \longrightarrow \ >\!C\!\bullet\!\uparrow \ + \ \uparrow\!\bullet CH_3 \xrightarrow{\text{自旋转化}} \ >\!C\!\bullet\!\uparrow \ + \ \downarrow\!\bullet CH_3 \longrightarrow \ >\!C\!-\!CH_3$$

由于插入反应的干扰,亚甲基对烯烃的加成反应产率不高。如能设法不让插入反应发生,该反应有使用价值。例如,单线态亚甲基卡宾与苯也能起加成反应,环扩大得到环庚三烯:

$$CH_2N_2 \xrightarrow{h\nu} \updownarrow CH_2 \xrightarrow{} \left[\right] \longrightarrow $$

环庚三烯

但在反应中因插入反应也有甲苯形成,如使用 CuCl 或 CuBr 催化,使重氮甲烷分解与苯发生加成反应时,因不出现游离的亚甲基卡宾,没有插入反应,环庚三烯产率可达 85%。

2. 二卤卡宾与烯烃的反应

二卤卡宾具有单线态结构,与烯烃很容易发生立体专一的顺式加成。这是制备三元环的一个方法,三元环上的卤原子可以还原,得到环丙烷的衍生物,如三元环碳为偕二卤代碳,可水解为环丙酮的衍生物。如

$$PhCHCl_2 \ + \ CH_3Li \xrightarrow[-CH_4]{-LiCl} \ \underset{Cl}{\overset{Ph}{>}}C: \ + \ \longrightarrow $$

$$\underset{\underset{H}{|}}{\overset{H_3C}{>}}C\!=\!\underset{\underset{H}{|}}{\overset{CH_3}{<}} \ + \ CHBr_3 \xrightarrow[(CH_3)_3COH]{(CH_3)_3COK} $$

meso−1,2−二甲基−3,3−二溴环丙烷

3. 类卡宾与烯烃的反应

如用二卤甲烷与 Zn(Cu)(Zn 粉用酸及 CuSO_4 溶液活化处理)反应形成有机锌化物。它与烯烃反应,也能形成环丙烷的衍生物:

$$CH_2I_2 + Zn \xrightarrow{(Cu)} ICH_2ZnI$$

$$ + \underset{I}{\overset{ZnI}{<}} \xrightarrow[\triangle]{\text{乙醚}} \left[\right]^* \longrightarrow + \ ZnI_2$$

总的结果是将一个 CH_2 加到双键上,形成三元环,虽然在反应过程中没有产生亚甲基卡宾:CH_2

活性中间体，但它与烯烃反应时，是起类似卡宾的作用，将一个卡宾单元接到双键上，因此将有机锌化合物 ICH_2ZnI 称为类卡宾（carbenoid），这个反应也是立体专一的顺式加成：

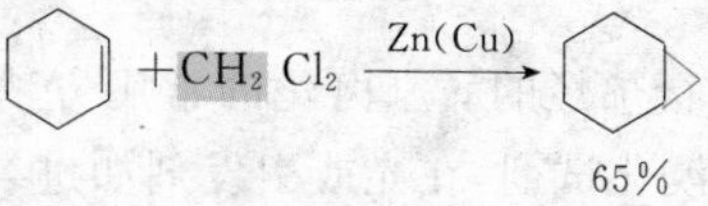

+CH₂ Cl₂
Zn(Cu)
65%

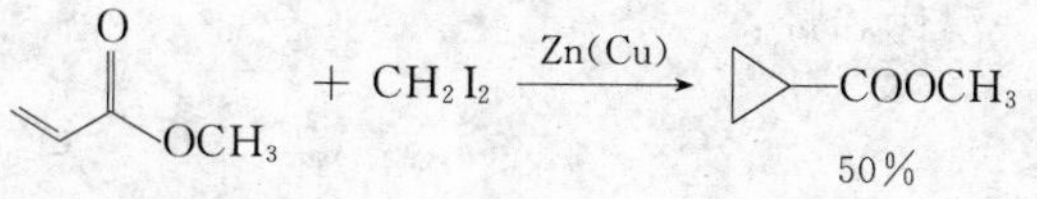

O
OCH₃
+ CH₂I₂
Zn(Cu)
COOCH₃
50%

该反应虽然产率不太高，但很难用其它方法代替。

习题 8－25 完成下列反应，写出主要产物。

(i) 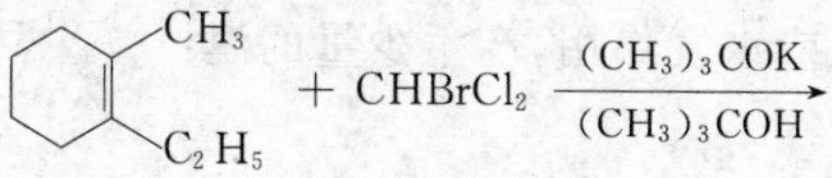

CH₃
C₂H₅
+ CHBrCl₂
(CH₃)₃COK
(CH₃)₃COH

(ii) 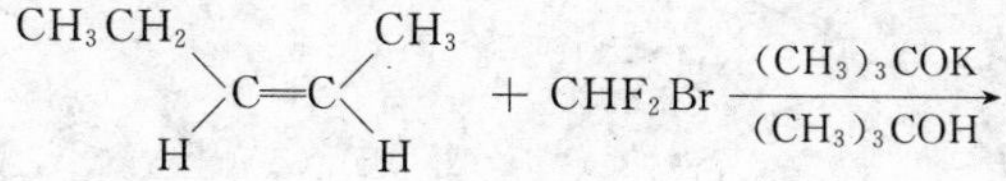

CH₃CH₂
CH₃
C═C
H
H
+ CHF₂Br
(CH₃)₃COK
(CH₃)₃COH

(iii) 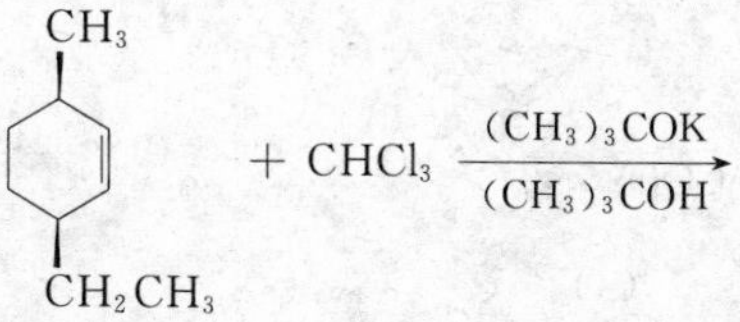

CH₃
CH₂CH₃
+ CHCl₃
(CH₃)₃COK
(CH₃)₃COH

(iv) 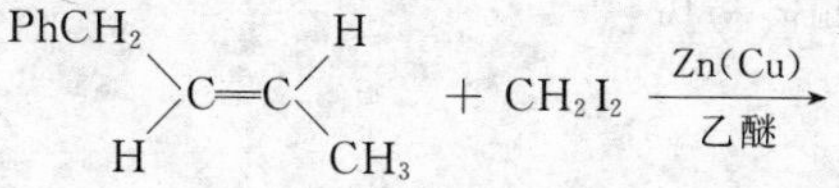

PhCH₂
H
C═C
H
CH₃
+ CH₂I₂
Zn(Cu)
乙醚

8.10 烯烃 α 氢的卤化

烯烃与卤素在室温可发生双键的亲电加成反应，但在高温（500～600 ℃）则在双键的 α 位发生自由基取代反应：

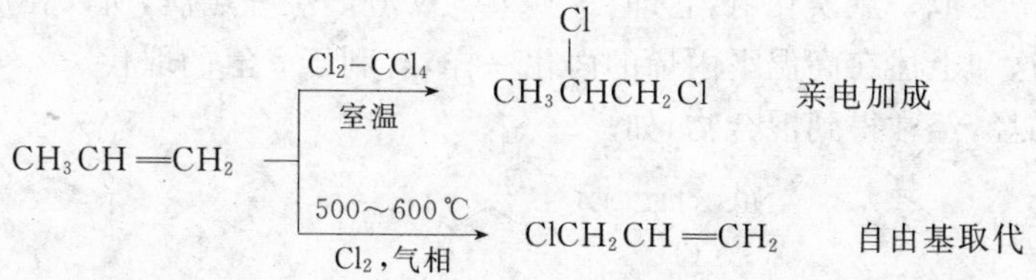

Cl₂－CCl₄
室温
CH₃CHCH₂Cl
Cl
亲电加成
CH₃CH═CH₂
500～600 ℃
Cl₂，气相
ClCH₂CH═CH₂
自由基取代

自由基取代反应的机理如下：

链引发： $Cl_2 \xrightarrow{高温} 2Cl\cdot$

链转移：
$$Cl\cdot + CH_3CH\!=\!CH_2 \longrightarrow \cdot CH_2CH\!=\!CH_2 + HCl$$
$$\cdot CH_2CH\!=\!CH_2 + Cl_2 \longrightarrow ClCH_2CH\!=\!CH_2 + Cl\cdot$$

链终止：略

一个适于在实验室条件下进行烯烃的 α 氢卤化的常用方法是：用 N-溴代丁二酰亚胺（N-bromosuccinimide，简称 NBS）为溴化试剂，在光或引发剂如过氧化苯甲酰作用下，在惰性溶剂如 CCl_4 中与烯烃作用生成 α-溴代烯烃：

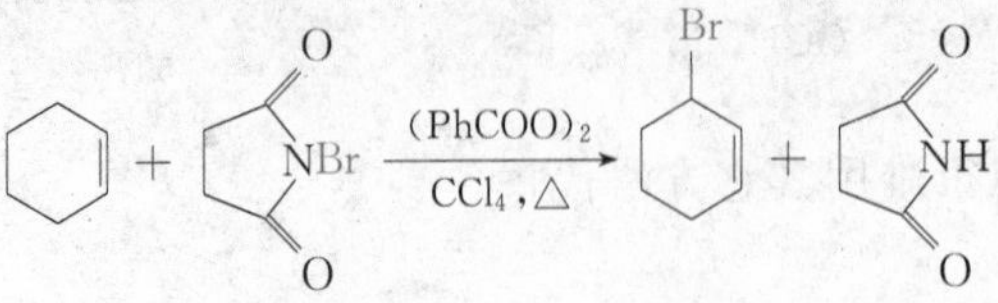

这个反应首先是 NBS 与反应体系中存在极少量的酸或水气作用，产生少量的溴：

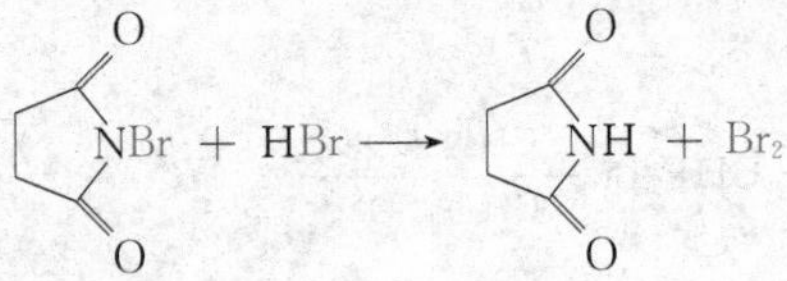

再按如下过程发生反应：

链引发：
$$(PhCOO)_2 \xrightarrow{\triangle} 2PhCOO\cdot$$
$$PhCOO\cdot \xrightarrow{\text{自发分解}} Ph\cdot + CO_2$$
$$Ph\cdot + Br_2 \longrightarrow PhBr + Br\cdot$$

链转移：

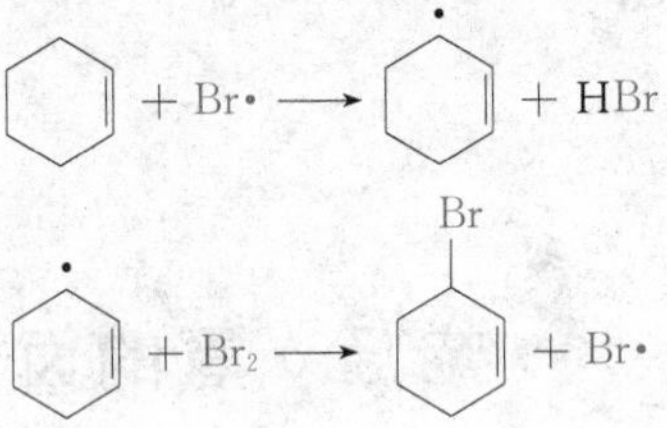

链终止：略

NBS 在 CCl_4 中不溶，真正的反应是在 NBS 固体表面上发生，反应中生成的溴化氢不断地与 NBS 反应产生溴，使反应能继续进行，直到 NBS 用完，反应完成。实际上，NBS 犹如一个溴的储存库，只要反应中生成一点溴化氢，它即可与 NBS 反应产生一点溴，所以在反应体系中始终使溴保持在低浓度，这和上述在高温下丙烯的卤化一样，有利于 α 氢的取代。

有些不对称烯烃，经常得到混合物，如

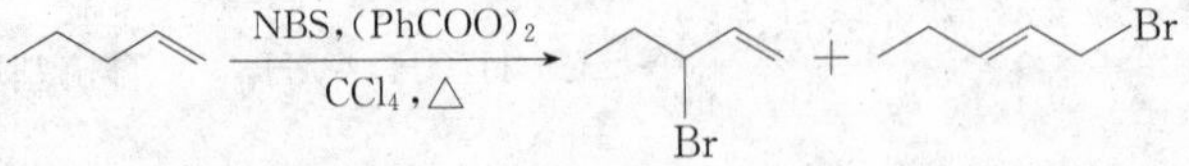

其原因是在反应过程中首先形成 $CH_3CH_2\overset{\cdot}{C}HCH\!=\!CH_2$，经 p-$\pi$ 共轭，形成一个离域体系，自由基的孤电子分散在 p-π 共轭体系中的两头碳上，使两头碳上均具部分自由基，因此具有两位反

应的性质。

苯甲型化合物也可发生类似的 α 卤化反应：

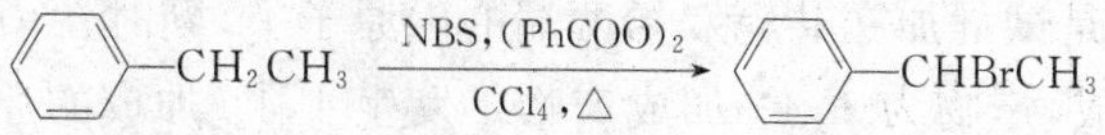

CH₂CH₃
NBS,(PhCOO)₂
CCl₄,△
CHBrCH₃

如用过量的卤化试剂，可得二卤代物，如：

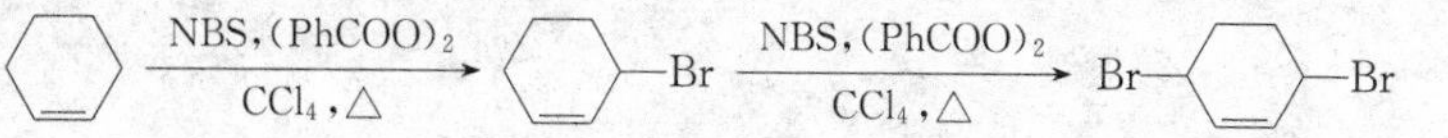

NBS,(PhCOO)₂
CCl₄,△
Br
NBS,(PhCOO)₂
CCl₄,△
Br
Br

习题 8-26 完成下列反应，写出主要产物(反应物摩尔比 1∶1)。

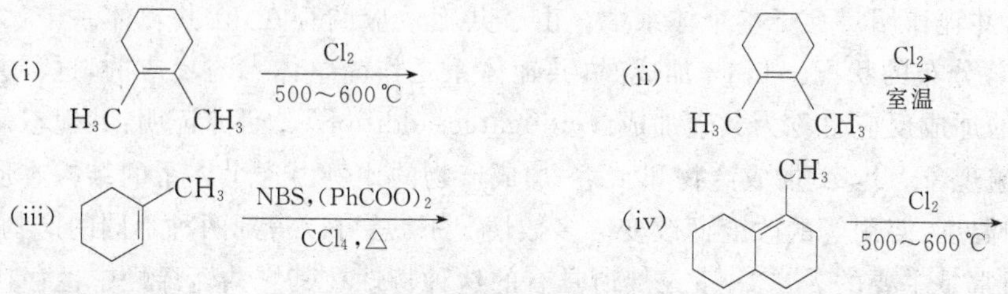

(i)
H₃C
CH₃
Cl₂
500～600℃
(ii)
H₃C
CH₃
Cl₂
室温
(iii)
CH₃
NBS,(PhCOO)₂
CCl₄,△
(iv)
CH₃
Cl₂
500～600℃

习题 8-27 1-辛烯用 NBS 在过氧化苯甲酰引发下于 CCl_4 中反应得 17% 3-溴-1-辛烯，44% 反-1-溴-2-辛烯和 39% 顺-1-溴-2-辛烯，解释得到这三种产物的原因，写出反应过程。

习题 8-28 回答下列问题：

(1) 为什么烯烃和溴在低温、液相时发生加成反应，而在高温或光照，气相时发生取代反应？

(2) 为什么烯烃和 HBr 在光照条件下得自由基加成产物，而烯烃和 Br_2 在光照条件下得自由基取代产物？

8.11 共轭双烯的特征反应

8.11.1 1,4-加成反应

在化学反应中，共轭双烯表现出和隔离双烯不同的一些特点。例如：1,4-戊二烯和亲电试剂如溴加成时，如预料中的那样，先和一分子溴加成，生成 1,2-二溴化合物；如再加过量的溴，就得到饱和的四溴化合物。但在同样条件下，用 1,3-丁二烯分别和溴或氯化氢加成时，不仅得到预料中的 3,4-二溴-1-丁烯或 3-氯-1-丁烯，同时也得到没有预料到的 1,4-二溴-2-丁烯或 1-氯-2-丁烯。这些反应可用下式表示：

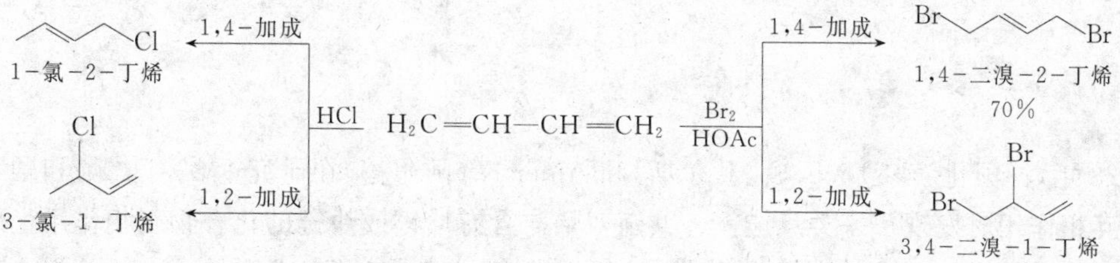

Cl
1,4-加成
1-氯-2-丁烯
Cl
3-氯-1-丁烯
1,2-加成
HCl
H₂C═CH—CH═CH₂
Br₂
HOAc
1,4-加成
Br
Br
1,4-二溴-2-丁烯
70%
1,2-加成
Br
Br
3,4-二溴-1-丁烯
30%

　　这说明当共轭双烯和亲电试剂加成时,有两种加成方式。一种是试剂只和一个单独的双键反应,反应的结果是试剂的两部分加在两个相邻的碳原子上,这称为 1,2-加成。得到的产物为 1,2-加成产物。另一种是试剂加在共轭双烯两端的碳原子上,同时在中间两个碳上形成一个新的双键,这称为 1,4-加成,产物为 1,4-加成产物。发生 1,4-加成的原因是当共轭体系的一端受到试剂进攻时,这种作用可以通过共轭体系传递到体系的另一端,这种电子效应称为共轭效应。

$$A^+ \cdots\cdots \underset{\delta^-}{CH_2}=\underset{\delta^+}{CH}-\underset{\delta^-}{CH}=\underset{\delta^+}{CH_2}$$

不管共轭体系有多大,共轭作用贯穿于整个体系中。由于共轭效应的存在,在共轭体系中,会出现电子云密度疏密交替分布的状况。1,4-加成时,共轭体系是作为整体参与反应的,这种共轭体系以整体形式参与的加成反应也称为共轭加成(conjugated addition)。研究证明:共轭双烯发生共轭加成是一种普遍现象。1,2-加成产物和 1,4-加成产物的比例由这个体系的结构本质所决定,也随反应条件如温度、溶剂等的改变而改变。多数情况下,总可以得到两种不同的产物,并且 1,4-加成的产物通常是主要的。1,3-丁二烯所具有的这种特性在其它共轭烯烃中也存在。

习题 8-29　1,3-丁二烯在合适的条件下可以发生如下的聚合,产生一个高分子长链化合物,试问,这一反应是与 1,3-丁二烯的什么特性相联系的?

习题 8-30　下列化合物与等物质的量的 Br_2 发生加成反应时,可能得到哪些产物?

(i)　　　　　　(ii)　　　　　　(iii)　　　　　　(iv)

习题 8-31　下列分子中各存在哪些类型的共轭?

(i)　　　　　　(ii)　　　　　　(iii)　　　　　　(iv)

8.11.2　Diels-Alder 反应

　　1928 年,德国化学家 Diels O(狄尔斯)和 Alder K(阿尔德)在研究 1,3-丁二烯和顺丁烯二酸酐的互相作用时发现了一类反应——共轭双烯与含有烯键或炔键的化合物互相作用生成六元环状化合物的反应。这类反应称为 Diels-Alder 反应。又称双烯合成(diene synthesis)。

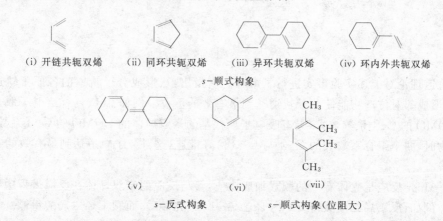

1,3-丁二烯　　　　顺丁烯二酸酐
（双烯体）　　　　（亲双烯体）

Diels-Alder 反应的反应物分为两部分，一部分提供共轭双烯，称为双烯体，另一部分提供不饱和键，称为亲双烯体。最简单的此类反应是 1,3-丁二烯与乙烯作用生成环己烯。

双烯体　亲双烯体　环状过渡态　　产物

　　Diels-Alder 反应是一步完成的。反应时，反应物分子彼此靠近，互相作用，形成一个环状过渡态，然后逐渐转化为产物分子。也即旧键的断裂和新键的形成是相互协调地在同一步骤中完成的。具有这种特点的反应称为协同反应（synergistic reaction）。在协同反应中，没有活泼中间体如碳正离子、碳负离子、自由基等产生。

　　协同反应的机理要求双烯体的两个双键必须取 s-顺式构象（cis-conformation），如下面的 (i)～(iv)。s-反式的双烯体不能发生该类反应，如 (v)、(vi)。空间位阻因素对 Diels-Alder 反应的影响较大，有些双烯体的两个双键虽然是 s-顺式构象，但由于 1,4 位取代基的位阻较大，如 (vii)，也不能发生该类反应。2,3 位有取代基的共轭体系对 Diels-Alder 反应不形成位阻，合适的取代基还能促使双烯体取 s-顺式构象，此时对反应有利。

　　(i) 开链共轭双烯　　(ii) 同环共轭双烯　　(iii) 异环共轭双烯　　(iv) 环内外共轭双烯

s-顺式构象

　　　(v)　　　　　　　　　(vi)　　　　　　　　(vii)

s-反式构象　　　　　s-顺式构象（位阻大）

　　正常的 Diels-Alder 反应主要是由双烯体的 HOMO 与亲双烯体的 LUMO 发生作用。反应过程中，电子从双烯体的 HOMO"流入"亲双烯体的 LUMO。因此，带有给电子取代基的双烯体如 (viii)～(x) 和带有吸电子基的亲双烯体如 (xi)～(xviii) 对反应有利。

CHO　　　COOCH₃　　　Cl
　　　　　　　　　　　　　Cl

　　(viii)　　(ix)　　(x)　　(xi)　　(xii)　　(xiii)

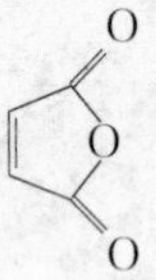

（xiv）

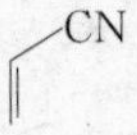

（xv）

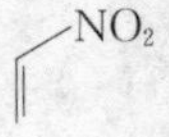

（xvi）

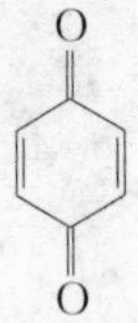

（xvii）

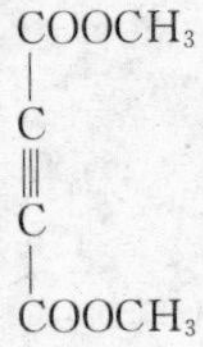

（xviii）

Diels-Alder 反应具有很强的区域选择性。当双烯体与亲双烯体上均有取代基时，从反应式看，有可能产生两种不同的反应产物。实验证明：两个取代基处于邻位或对位的产物占优势。例如：

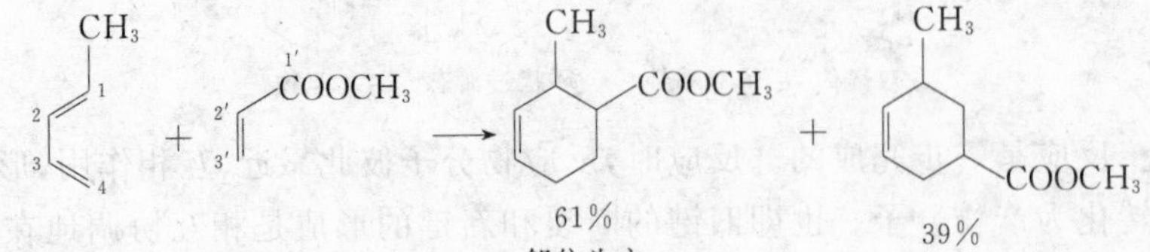

邻位为主

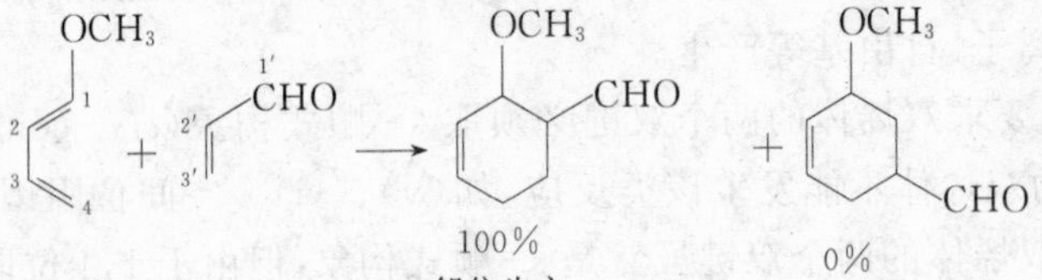

邻位为主

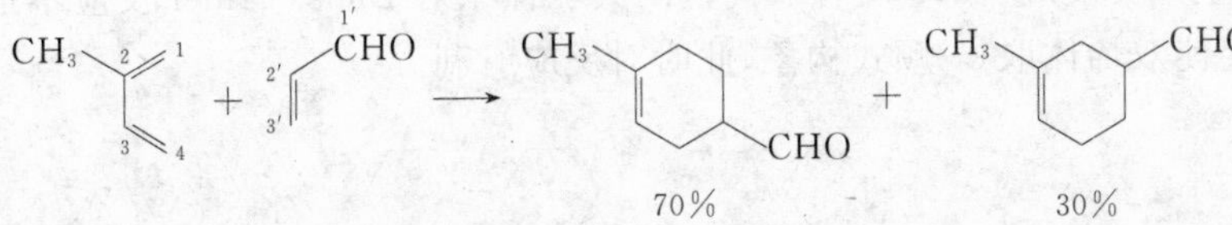

对位为主

分子轨道理论对上述实验事实进行了解释。它指出：从形成分子轨道的各原子轨道的组合系数来看，形成邻对位产物能使分子轨道达到最有效的重叠。例如：1位具有给电子取代基的双烯体的 HOMO 的 C-4 系数较大，具有吸电子取代基的亲双烯体的 LUMO 的 C-3 系数较大，形成邻位产物时，两个组合系数大的 C-4 与 C-3 恰好键连，这对分子轨道达到最有效的重叠是适宜的。

Diels-Alder 反应是立体专一的顺式加成反应，参与反应的亲双烯体在反应过程中顺反关系保持不变。例如：反丁烯二羧酸得反-4-环己烯-1,2-二羧酸，而顺丁烯二羧酸得顺-4-环己烯-1,2-二羧酸。这也进一步证明了反应是通过协同的方式一步完成的。

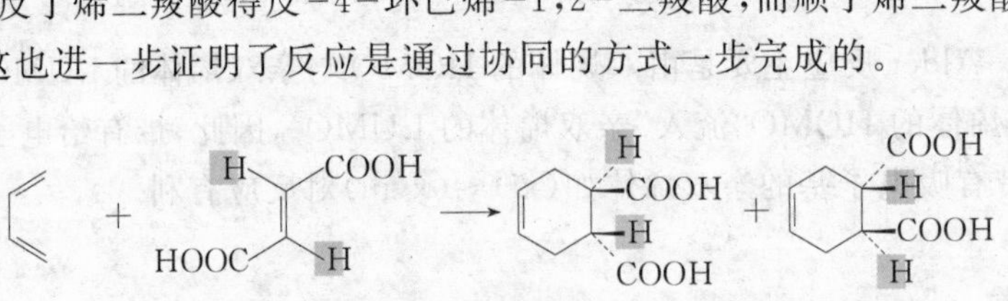

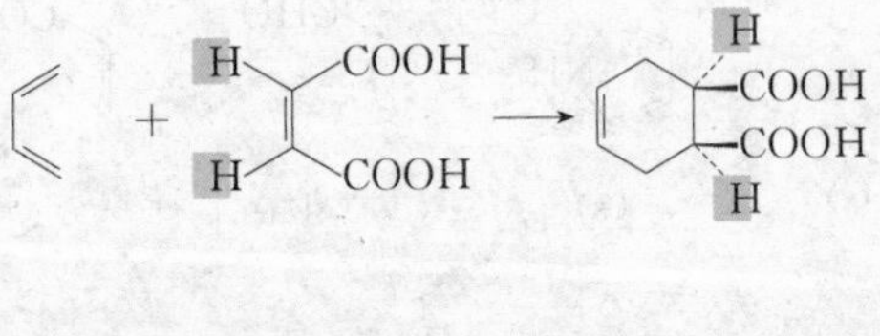

当双烯体上有给电子取代基,而亲双烯体上有不饱和基团,如 $\rangle{=}O$,—COOH,—COOR,—C≡N ,—NO₂ 与烯键(或炔键)共轭时,优先生成内型(endo)加成产物。内型加成产物是指:双烯体中的 C(2)—C(3)键和亲双烯体中与烯键(或炔键)共轭的不饱和基团处于连接平面同侧时的生成物。两者处于异侧时的生成物则为外型(exo)产物。例如:1,3-戊二烯与丙烯酸甲酯反应得内型产物。

实验证明:内型加成产物是动力学控制的,而外型加成产物是热力学控制的。内型产物在一定条件下放置若干时间,或通过加热等条件,可能转化为外型产物。这从下面的实验事实中可以清楚看出。

许多 Diels-Alder 反应在反应完成时,主要生成内型加成产物,这种情况可以用形成过渡态时,双烯体的 HOMO 和亲双烯体的 LUMO 的次级轨道作用来解释。图8-6是环戊二烯二聚的内型加成产物、外型加成产物以及形成这些产物所经过的过渡态的作用情况示意图。

从图可知,形成内型加成产物的过渡态,不仅在将要形成新键的原子之间[C(1)~C(2′),C(4)~C(1′)]有轨道的作用,不形成新键的原子之间[C(2)~C(3′),C(3)~C(4′)]也有轨道的作用,这种轨道的作用称为次级轨道作用。次级轨道作用使内型过渡态的稳定性增加。而外型过渡态只在将要形成新键的原子之间有轨道作用,没有次级轨道作用,因此外型过渡态的稳定性相对较差。所以以环戊二烯的二聚反应主要生成内型加成产物。

环戊二烯与乙酸乙烯酯反应时,得到的是内型产物和外型产物的混合物。

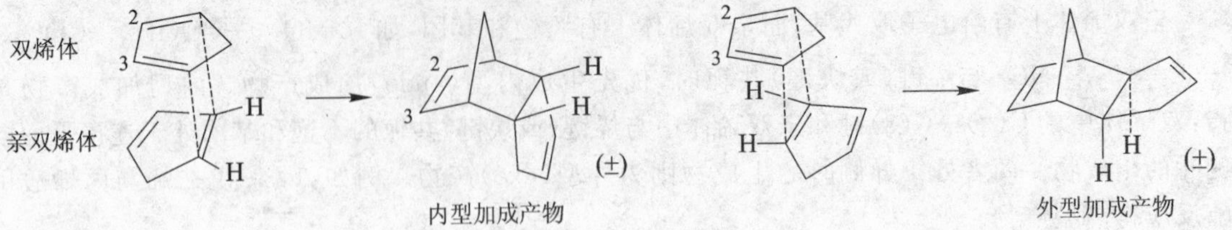

双烯体

亲双烯体

内型加成产物 (±)

外型加成产物 (±)

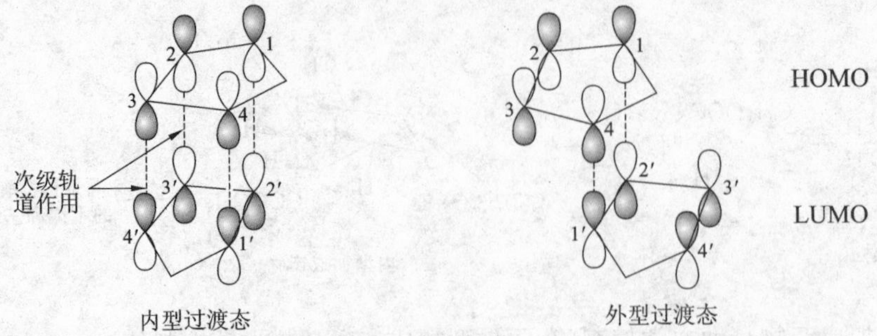

次级轨道作用

内型过渡态

外型过渡态

HOMO

LUMO

图 8-6   环戊二烯二聚的内型过渡态和外型过渡态

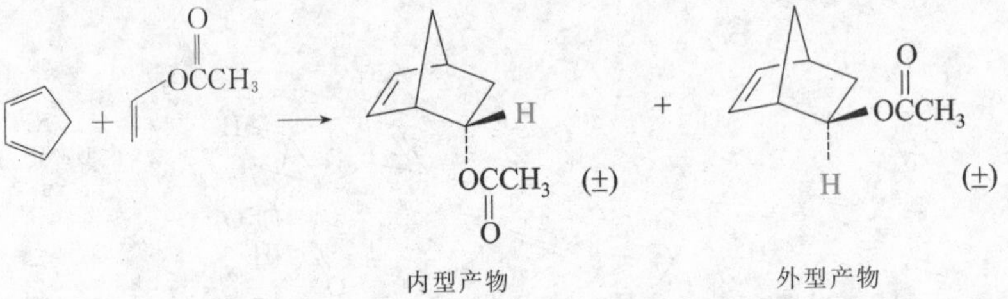

内型产物

外型产物

得到混合产物的原因是:亲双烯体上的吸电子基团与发生反应的烯键(或炔键)没有呈共轭的关系,因此即使形成内型过渡态时也没有次级轨道作用。由于内型过渡态在稳定性方面的优势消失了,所以得到两种产物的混合物,此时以外型产物为主。

Diels-Alder 反应是一个可逆反应。一般情况下,正向成环反应温度相对较低,提高反应温度则发生逆向的分解反应。这种可逆性在合成上很有用,它可以作为提纯双烯化合物的一种方法,也可以用来制备少量不易保存的双烯体。例如 1,3-丁二烯在室温下是气体,不易保存,实验室少量使用时可用环己烯加热分解来制备。

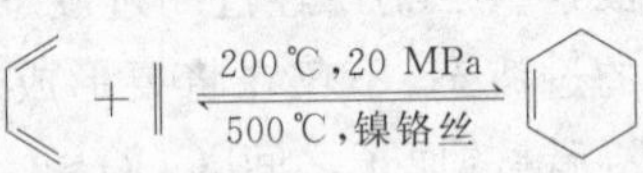

$$\text{200 ℃,20 MPa} \quad \xrightarrow{\text{500 ℃,镍铬丝}}$$

Diels-Alder 反应的主要用处是合成各种各样的多环化合物。

习题 8-32   下列双烯体哪些能进行 Diels-Alder 反应?哪些不能?为什么?

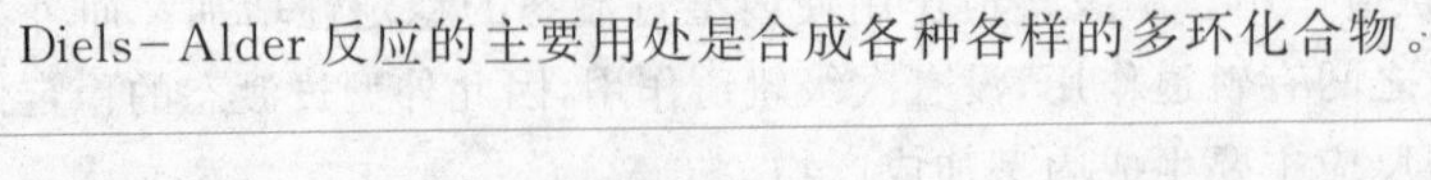

(i)    (ii)   (iii)   (iv)

(v) 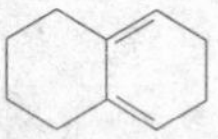 (vi) 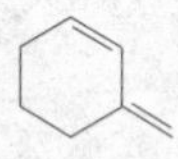 (vii) 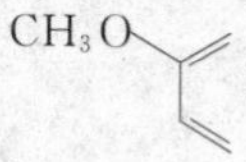 CH₃O (viii) Ar Ar

习题 8-33 下列化合物都能与 CH₃—CH =CH₂ 发生 Diels-Alder 反应,请将它们按反应速率的大小排列成序。

(i)  (ii)  (iii) 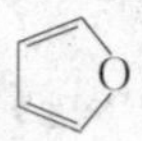 O (iv) 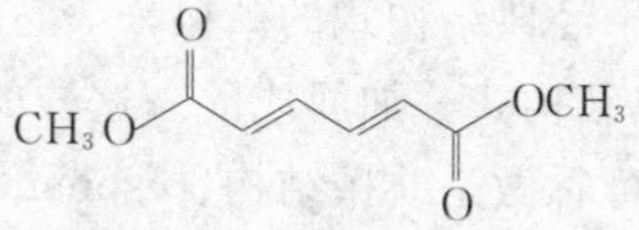 CH₃O—…—OCH₃

习题 8-34 完成下列反应式:

(i) 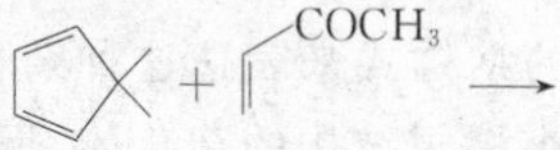 + $\underset{}{}$ COCH₃ ⟶

(ii) 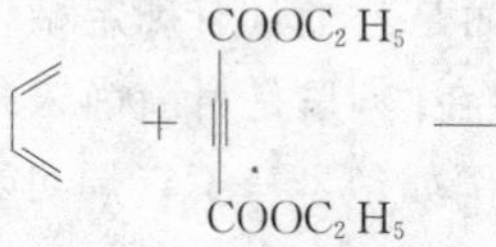 + COOC₂H₅ / COOC₂H₅ ⟶

(iii) 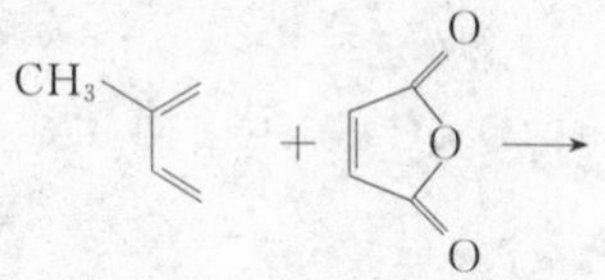 CH₃ + ⟶

(iv) 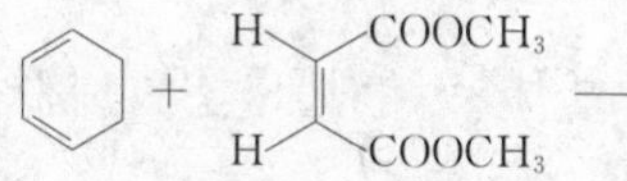 + H—COOCH₃ / H—COOCH₃ ⟶

8.12 共振论简介

8.12.1 共振论的产生

价键法强调电子运动的局部性。它认为:成对自旋相反的电子运动在两个原子核之间而使两个原子结合在一起的作用力称共价键。电子的运动只与两个原子有关,因此价键理论又称为电子配对理论。它的基本要点参见 1.3.4。

应用价键理论可以为许多分子写出一个单一的价键结构式。例如甲烷、乙烯、乙炔。

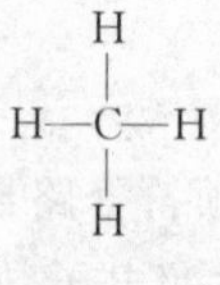

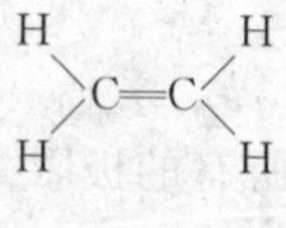

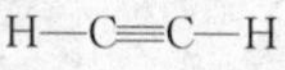

这些结构式以直线代表价键(电子配对),一条直线为单键,二条直线为双键,三条直线为三键,称之为经典结构式。它们能令人满意地说明它们所代表的分子的性质。

当用价键理论来写具有共轭体系的化合物的结构式时发现,经典结构式不能圆满地表示它们的结构。例如 1,3-丁二烯的经典结构式为 $H_2C =CH—CH =CH_2$,但实验测得的键长数据及其物理性质和化学性质表明该化合物 C(1)—C(2)之间和 C(3)—C(4)之间的双键特性和 C(2)—C(3)之间的单键特性与通常的情况不完全相同。因此,化学家们开始寻找解决问题的方法。一个有代表性的电子结构理论——共振论(resonance theory)——就是在这种情况下产生的。

8.12.2 共振论的基本思想

共振论的基本思想是当一个分子、离子或自由基按价键规则无法用一个经典结构式圆满表达时,可以用若干经典结构式的共振来表达该分子的结构。也即共轭分子的真实结构式就是由这些可能的经典结构式叠加而成的。这样的经典结构式称为共振式(resonance formula)或极限式,相应的结构可看做是共振结构(resonance structure)或极限结构,因此这样的分子、离子或自由基可认为是极限结构"杂化"而产生的杂化体(hybrid)。这个杂化体既不是极限结构的混合物,也不是它们的平衡体系,而是一个具有确定结构的单一体,它不能用任何一个极限结构来代替。实际上,极限结构是不存在的,只是目前尚未找到一个合适的结构式来表达这种杂化体,所以用一些极限式来表达它。例如:1,3-丁二烯可看做是下面 7 个极限结构的杂化体,但这 7 个极限结构并不存在。

$$H_2C=CH-CH=CH_2 \longleftrightarrow \overset{-}{H_2C}-CH=CH-\overset{+}{CH_2} \longleftrightarrow \overset{+}{H_2C}-CH=CH-\overset{-}{CH_2} \longleftrightarrow$$
$$\text{(i)} \qquad\qquad\qquad \text{(ii)} \qquad\qquad\qquad \text{(iii)}$$

$$\overset{+}{H_2C}-\overset{-}{CH}-CH=CH_2 \longleftrightarrow \overset{-}{H_2C}-\overset{+}{CH}-CH=CH_2 \longleftrightarrow H_2C=CH-\overset{-}{CH}-\overset{+}{CH_2} \longleftrightarrow$$
$$\text{(iv)} \qquad\qquad\qquad \text{(v)} \qquad\qquad\qquad \text{(vi)}$$

$$H_2C=CH-\overset{+}{CH}-\overset{-}{CH_2}$$
$$\text{(vii)}$$

共振杂化体的表示方法是:在这些可能写出的极限式之间用一个双向箭头把它们联系起来,表示它们彼此间的共振,就如上面式子中表示的那样。既然极限式不能真正代表杂化体,为什么还要应用它来表示杂化体? 这是因为化学家应用经典结构式已多年,熟悉经典结构式与化合物性质之间的关系,他们根据这些极限式可以轻而易举地想像出杂化体所具有的性质。例如从上面的极限式中可以想象出 C(1)—C(2),C(2)—C(3),C(3)—C(4)都是介于单双键之间的一种键,但C(1)—C(2),C(3)—C(4)很接近双键,而 C(2)—C(3)具有较少双键的性质。

8.12.3 写共振极限式的原则要求

写共振极限式必须符合下列原则要求:所有的极限式都必须符合路易斯结构式,代表同一分子的极限式还必须有相同的原子排列顺序和具有相等的未成对的电子数。例如上面 1,3-丁二烯的 7 个极限式都符合路易斯结构式,7 个式子的碳、氢排列是相同的,所有的式子都没有未成对的电子。下面 3 个式子不能作为 1,3-丁二烯的极限式。

$$\underset{1}{H_2C}=\underset{2}{CH}-\underset{3}{CH}-\underset{4}{CH_2} \qquad H_2C=CH-\overset{\cdot}{CH}-\overset{\cdot}{CH_2} \qquad H_2C=C\overset{\displaystyle\ddot{C}H_2}{\underset{\displaystyle\ddot{C}H_2}{\big<}}$$
$$\text{(A)} \qquad\qquad\qquad \text{(B)} \qquad\qquad\qquad \text{(C)}$$

因为(A)式的 C-2 为 5 价、C-4 为 3 价,不符合路易斯结构式。(B)式有两个未成对的电子,与上面 7 个式子的未成对电子的数目不一致。(C)式与上面 7 个式子的原子排列顺序不相同。极限式之间的差别仅限于电子的排布。

8.12.4 共振极限结构稳定性的差别

不同的极限结构稳定性是不相同的。共振论认为:极限结构的电荷越分散越稳定;原子具有完整价电子层的极限结构比原子不具有完整价电子层的极限结构稳定,所以,所有的原子都具有完整价电子层且不带电荷的极限结构是十分稳定的。对于所有原子都具有完整价电子层但带电荷的极限结构来讲,负电荷处在电负性较强原子上的极限结构比负电荷处在电负性较弱原子上的极限结构稳定。正电荷处在电负性较弱原子上的极限结构比正电荷处在电负性较强原子上的极限结构稳定。例如下面两个极限式,右式代表的结构比左式代表的结构稳定,因为在右式中,负电荷处在电负性较大的氧原子上。

$$:\ddot{C}H_2\!-\!CH\!=\!\ddot{O}: \longleftrightarrow CH_2\!=\!CH\!-\!\ddot{\ddot{O}}:^-$$

原子不具有完整的价电子层且带电荷的极限结构稳定性较差,例如下面两个带正电荷的极限式,左式代表的结构比右式代表的结构稳定,因为右式中带正电荷的碳没有完整的价电子层。

$$CH_2\!=\!\overset{+}{\underset{\cdot\cdot}{O}}\!-\!H \longleftrightarrow {}^+CH_2\!-\!\ddot{O}\!-\!H$$

表达同一分子的各极限式中,共价键数目越多的极限结构越稳定,在 7 个 1,3-丁二烯的极限式中,(i)式有 11 个共价键,其它各式只有 10 个共价键,所以(i)最稳定。电荷分离的极限结构稳定性较差。两个异号电荷相隔越远的极限结构稳定性越差,这是因为正负电荷之间有吸引力,要让它们分离必须提供一定的能量,分离越远,需要提供的能量越多。两个同号电荷相隔越近的极限结构稳定性越差,因为两个同号电荷之间有斥力,要让它们靠近也需要提供能量。因此 1,3-丁二烯的极限结构(iv)、(v)、(vi)、(vii)比(ii)、(iii)稳定。另外,键长、键角有改变的极限结构一般是不稳定的。虽然不同极限结构具有不同的能量,但任何一个极限结构的能量都高于杂化体。

8.12.5 共振极限结构对杂化体的贡献

不等价的极限结构对杂化体的贡献是不同的,越稳定的极限结构对杂化体的贡献越大。在 1,3-丁二烯中,(i)能量最低,贡献最大,(ii)→(vii)能量较高,贡献较少。等价的极限结构对杂化体有相同的贡献。因此,1,3-丁二烯的(ii)与(iii)、(iv)与(vi)、(v)与(vii)对杂化体的贡献是相等的。真实分子的性质在很大程度上依赖于贡献大的结构,因此(i)对 1,3-丁二烯的性质具有较大的影响。

共振论认为:由等价极限结构构成的体系具有巨大的共振稳定作用。因此,在一系列的极限结构中,当有两个或两个以上能量最低、结构相同或接近相同的极限结构时,它们参与共振最多,共振出来的杂化体也越稳定。例如烯丙基正离子的两个极限式代表两个完全相同的结构,因此它们的共振杂化体是十分稳定的。

$$CH_2 = CH - \overset{+}{C}H_2 \longleftrightarrow \overset{+}{C}H_2 - CH = CH_2$$

共振论还规定：参加共振的极限结构数目越多，杂化体也就越稳定。

8.12.6　共振论的应用及缺陷

　　共振论使用化学家熟悉的语言、结构要素和物理模型，较简单地说明了一系列有机化合物的物理性质和化学性质，在有机化学中得到了一定程度的应用。例如，共振论对 1,3-丁二烯键长平均化解释如下：1,3-丁二烯的 7 个极限结构中，(i)最稳定，贡献最大，因此共振杂化体的结构主要类似于(i)。(iv)、(v)、(vi)、(vii)的贡献其次，这 4 个极限结构中，两个使 C(1)—C(2)呈双键，两个使 C(3)—C(4)呈双键。(ii)、(iii)的贡献最小，它使 C(1)—C(2)，C(3)—C(4)呈单键，而使 C(2)—C(3)呈双键，将这些极限结构对杂化体的贡献综合起来，结果 C(1)—C(2)，C(3)—C(4)基本接近于双键，而 C(2)—C(3)之间有部分双键性质，但仍以单键为主。这就是 1,3-丁二烯键长平均化的原因。

　　共振论指出：1,3-丁二烯与溴化氢加成时，首先是 H^+ 进攻 1,3-丁二烯。H^+ 进攻中间碳原子产生的碳正离子不能发生共振，进攻端基碳原子产生的碳正离子可以发生共振，因极限结构越多越稳定，所以反应时 H^+ 主要进攻端基碳原子。

　　路线(1)产生的极限式(i)中，C-2 显正性，极限式(ii)中，C-4 显正性，它们都可以与 Br^- 结合，所以 1,3-丁二烯与溴化氢加成时，既可以得到 1,2-加成产物，又可以得到 1,4-加成产物。

　　虽然在许多场合，共振论对实验事实作出了满意的解释，但对立体化学、反应过程中的激发态等问题的解释却显得无能为力。在有些方面，共振论得出的结论甚至是错误的。例如下面两个化合物，都有完全相同的极限式，但左边的化合物苯十分稳定，右边的化合物环丁二烯却十分活泼，以致在普通情况下，无法将它制备出来。

　　共振论的不足是由于它引入了一些任意的规定，例如，在选择极限结构时，许多激发态的结构常因不符合极限结构的要求而被忽略掉，在某些情况下，这是错误的。共振论将极限结构的数目和共振稳定作用的大小联系起来，极限结构越多，共振稳定作用越大，但极限结构的选择又有很大的任意性,这也会导致与事实不符的结论。

习题 8-35 下列各对极限式中,哪一个极限式代表的极限结构贡献较大?阐明理由。

(i)  极限式对

(ii)  极限式对

(iii) 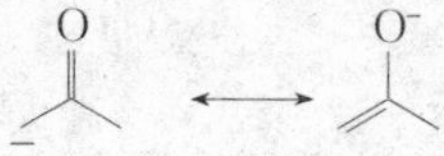 极限式对

(iv) $^+CH_2$—$\overset{..}{\underset{..}{O}}$—$CH_3$ ⟷ CH_2=$\overset{..}{\underset{}{O}}$—$CH_3$

(v)  极限式对

(vi) CH_2=CH—$\overset{..}{\underset{..}{Br}}$: ⟷ $:\overset{-}{\underset{}{C}}H_2$—$CH$=$\overset{+}{\underset{..}{Br}}$:

习题 8-36 下列极限式中,哪个式子是错误的?为什么?

(i) CH_2=CH—$\overset{.}{C}H_2$ ⟷ $\overset{.}{C}H_2$—$\overset{.}{C}H$—$\overset{.}{C}H_2$ ⟷ $\overset{.}{C}H_2$—CH=CH_2

(ii) CH_2=CH—$\overset{+}{C}H_2$ ⟷ $^+$△ ⟷ $^+CH_2$—CH=CH_2

(iii) 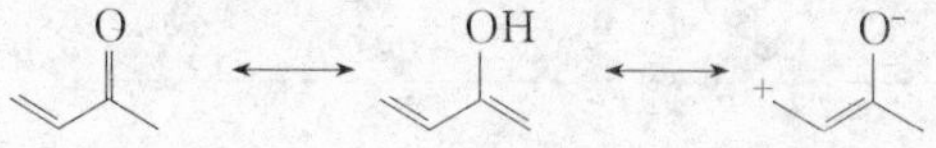 极限式

(iv) $:\overset{-}{C}H_2$—$\overset{+}{\underset{}{N}}$=$N$: ⟷ $:\overset{-}{C}H_2$—$\overset{..}{N}$=$\overset{+}{N}$: ⟷ CH_2=N=N:

8.13 分子轨道理论对共轭多烯的处理

8.13.1 分子轨道理论的基本思想

分子轨道理论在处理分子时,并不引进明显的价键结构的概念。它强调分子的整体性,认为分子中的原子是按一定的空间配置排列起来的,然后电子逐个加到由原子实和其余电子组成的"有效"势场中,构成了分子。并将分子中单个电子的状态函数称为分子轨道,用波函数 $\psi(x, y, z)$ 来描述。每个分子轨道 ψ_i 都有一个确定的能值 E_i 与之相对应,E_i 近似地等于处在这轨道上的电子的电离能的负值,当有一个电子进占 ψ_i 分子轨道时,分子就获得 E_i 的能量。分子轨道是按能量高低依次排列的。参与组合的原子轨道上的电子则将按能量最低原理、Pauli 不相容原理和洪特规则进占分子轨道。根据电子在分子轨道上的分布情况,可以计算分子的总能量。π 键实际上是持有电子的围绕参与组合的原子实的 π 分子轨道。

8.13.2 1,3-丁二烯的 π 分子轨道及相关知识

1931 年,Hückel 提出了一种计算 π 分子轨道及其能值的简单方法,称为 Hückel 分子轨道

法（Hückel molecular orbital method）。用该法求出的 1,3-丁二烯的 π 分子轨道的能值数据如表 8-3 所示。

表 8-3　乙烯和 1,3-丁二烯的 π 分子轨道能值

化　合　物	分子轨道能值
乙烯	$E_1 = \alpha + \beta$　　$E_2 = \alpha - \beta$
1,3-丁二烯	$E_1 = \alpha + 1.618\beta$　　$E_2 = \alpha + 0.618\beta$
	$E_3 = \alpha - 0.618\beta$　　$E_4 = \alpha - 1.618\beta$

图 8-7 是 1,3-丁二烯的 π 分子轨道图和 π 分子轨道能级图。

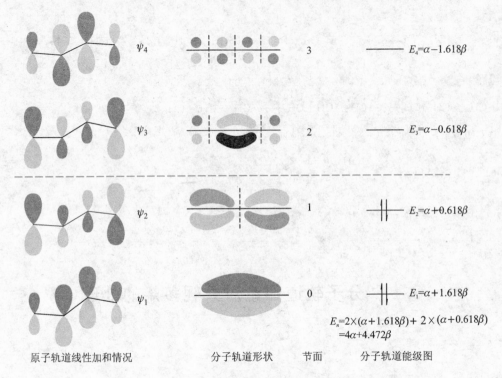

| 原子轨道线性加和情况 | 分子轨道形状 | 节面 | 分子轨道能级图 |

ψ_4　　　3　　$E_4 = \alpha - 1.618\beta$

ψ_3　　　2　　$E_3 = \alpha - 0.618\beta$

ψ_2　　　1　　$E_2 = \alpha + 0.618\beta$

ψ_1　　　0　　$E_1 = \alpha + 1.618\beta$

$$E_\pi = 2 \times (\alpha + 1.618\beta) + 2 \times (\alpha + 0.618\beta)$$
$$= 4\alpha + 4.472\beta$$

图 8-7　1,3-丁二烯的分子轨道和分子轨道能级示意图

　　从图中可知，ψ_1 分子轨道是由四个原子轨道同相重叠形成的，当有电子进占时，同相重叠的结果使原子核之间的电子云密度加大，由于正负电荷相互吸引，所以同相重叠倾向于把原子拉在一起，形成稳定的化学键，从而使体系能量降低，这样的分子轨道称为成键轨道。ψ_4 是由四个原子轨道的异相重叠形成的，当有电子进占时，异相重叠使两个原子轨道产生减弱性的干涉作用而相互排斥，使电子处于离核较远的地方，因此在两原子之间形成一个电子云密度为零的截面，这个截面称为节面（node）。节面的存在说明两个原子核之间缺少足够的电子云屏障，因此使两个原子核相互排斥，起了削弱和破坏化学键的作用，它使体系能量升高，所以称它为反键轨道。在 ψ_2 分子轨道中，C(1)—C(2)，C(3)—C(4) 之间，原子轨道是同相重叠的，C(2)—C(3) 之间，原子轨道是异相重叠的，因为同相重叠的数目大于异相重叠的数目，所以它也是成键轨道。但与 ψ_1 相比，ψ_2 是一个弱的成键轨道。ψ_3 与 ψ_2 的情况相反，所以 ψ_3 是一个弱的反键轨道。总起来看，1,3-丁二烯的四个碳原

子的 p 原子轨道形成了四个分子轨道,两个是成键分子轨道,两个是反键分子轨道。

　　基态时,1,3-丁二烯处于能量最低的状态,四个 π 电子两个占有 ψ_1,两个占有 ψ_2,它们分布在围绕四个碳原子的两个分子轨道中,这种围绕三个或三个以上原子的分子轨道称为离域分子轨道(delocalization molecular orbital)。由它们形成的化学键称为离域键(delocalized bond)。由于 ψ_1 和 ψ_2 对 C(1)—C(2),C(3)—C(4)都起成键作用,因此它们具有很强的 π 键性质。ψ_1 对 C(2)—C(3)起成键作用,ψ_2 对 C(2)—C(3)起反键作用,从电子云的分布来看,成键作用大于反键作用,所以 C(2)—C(3)之间也有一些 π 键的性质,但比 C(1)—C(2),C(3)—C(4)弱。

　　每个 π 电子所具有的能量是由它所占有的分子轨道决定的,一个进占 ψ_1 的 π 电子具有 E_1 即 $\alpha+1.618\beta$ 的能量,一个进占 ψ_2 的 π 电子具有 E_2 即 $\alpha+0.618\beta$ 的能量。分子中所有 π 电子能量之和称为 π 电子总能量,用 E_π 表示。乙烯分子中的 π 电子处在只围绕两个原子的分子轨道上,这种围绕两个原子的分子轨道称为定域轨道(localized orbital)。由它们形成的化学键称为定域键(localized bond)。乙烯有两个定域的 π 分子轨道,ψ_1 是成键的 π 分子轨道,能量为 $\alpha+\beta$,ψ_2 是反键的 π 分子轨道,能量为 $\alpha-\beta$。乙烯的两个 π 电子占有 ψ_1,所以它的 $E_\pi=2\alpha+2\beta$。电子的离域会使体系的能量降低,降低的能量称为离域能(delocalized energy),离域能可以用下面的公式进行计算:

$$离域能 = 离域的 E_\pi - 定域的 E_\pi$$

1,3-丁二烯的 4 个 π 电子处在离域的分子轨道上,离域的 $E_\pi=4\alpha+4.472\beta$(见图 8-7)。如果它不发生离域,4 个 π 电子应处在两个定域的 π 键中,这相当于两个乙烯 E_π 的能量,即 $4\alpha+4\beta$。所以 1,3-丁二烯的离域能为

$$(4\alpha+4.472\beta) - (4\alpha+4\beta) = 0.472\beta$$

β 是负值,β 前面的系数越大,表示该体系降低的能量越多,即离域能大,体系稳定。

8.13.3　直链共轭多烯 π 分子轨道的特征

　　同样可以画出乙烯、烯丙基正离子、戊二烯基负离子、1,3,5-己三烯的分子轨道示意图(图 8-8,图中没有考虑系数和键角)。

　　图中,虚线以下的为成键轨道,其能量低于碳的 p 原子轨道的能量。虚线以上的为反键轨道,其能量高于碳的 p 原子轨道的能量。处于虚线位置的轨道为非键轨道(nonbonding orbital)。在非键轨道上,两个相邻碳原子之间既无同相重叠,又无异相重叠,其能量与碳的 p 原子轨道能量相同。同一分子中,在占有电子的各个分子轨道中,能量最高的分子轨道称为最高占有轨道,用 HOMO(Highest Occupied Molecular Orbital)表示。在未被电子占有的各个分子轨道中,能量最低的分子轨道称为最低未占轨道,用 LUMO(Lowest Unoccupied Molecular Orbital)表示。从上面的图形中,我们可以得出直链共轭多烯 π 分子轨道的一些规律:

　　① 分子轨道都具有对称性。直链共轭多烯的 π 分子轨道,对镜面(m)的对称性,从能量最低的轨道 ψ_1 算起,按对称、反对称、对称、反对称的规律依次交替变化。而对二重旋转轴(C_2)的对称性,则按反对称、对称、反对称的规律依次交替变化。

　　② 分子轨道的节面数由 ψ_1 到 ψ_n 按 0,1,2,… 的顺序依次增加,同一分子中,分子轨道的能量值随节面数增多而增高。

　　③ 对于含有 n 个碳原子的直链共轭多烯体系,当 n 为偶数时,有 $n/2$ 个成键轨道和 $n/2$ 个

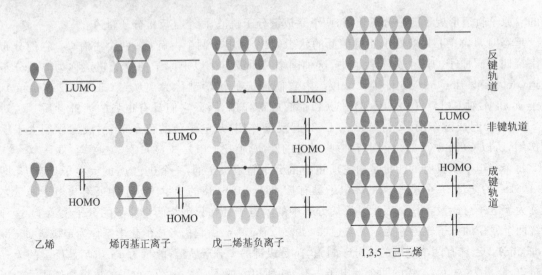

图 8-8　直链共轭多烯的分子轨道示意图

反键轨道。当 n 为奇数时,则有 $(n-1)/2$ 个成键轨道,$(n-1)/2$ 个反键轨道和 1 个非键轨道。

8.13.4　用分子轨道理论解释 1,3-丁二烯的特性

(1) 对键长平均化的解释　1,3-丁二烯的 4 个 π 电子两个占据 ψ_1,两个占据 ψ_2,ψ_1、ψ_2 叠加的结果则为 1,3-丁二烯 π 电子云的分布,从图 8-7 可知,1,3-丁二烯的两端碳碳键的 π 电子云密度较大,所以 C(1)—C(2)、C(3)—C(4) 的键长接近于双键,中间碳碳键也有 π 电子云,但密度较小,所以 C(2)—C(3) 的键长介于双键与单键之间,这就是 1,3-丁二烯键长平均化的原因。

(2) 对吸收光谱向长波方向移动的解释　当受紫外线照射时,乙烯分子和 1,3-丁二烯分子成键轨道上的电子都会吸收能量跃迁到反键轨道上去,图 8-9 表明:激发乙烯分子的一个 π 电子所需能量为 -2β,激发 1,3-丁二烯分子的一个 π 电子所需能量为 -1.2360β,比前者少。跃迁能量与波长的关系式是 $\Delta E = \dfrac{h}{\lambda}$,所以与乙烯相比,1,3-丁二烯的电子跃迁吸收光谱向长波方向移动。共轭体系越大,电子最高占有轨道和最低空轨道之间的能差越小,吸收光谱向长波方向移动得也越多。

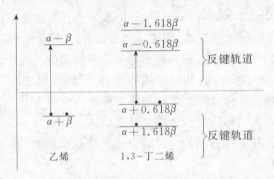

图 8-9　乙烯、1,3-丁二烯的电子跃迁

（3）对共轭体系折射率增高的解释　乙烯分子中的 π 电子是围绕两个碳原子运动的,1,3-丁二烯的 4 个 π 电子是围绕 4 个碳原子运动的,由于 π 电子的运动范围扩大,所以核对电子的束缚能力减弱,π 电子就较易极化,这就是 1,3-丁二烯的折射率较乙烯高的原因。共轭体系越大,π 电子的运动范围越大,折射率增高越多。

（4）对共轭体系稳定性的解释　化合物的稳定性与体系能量有关。体系能量越低,化合物越稳定。前面已经讲过,乙烯分子的 E_π 为 $2\alpha+2\beta$,而 1,3-丁二烯的 E_π 为 $4\alpha+4.472\beta$,比孤立双烯的 E_π 多 0.472β(参见 8.13.2),因为 β 是负值,所以双键共轭后,体系的能量降低了。这就是共轭体系趋于稳定的原因。

（5）对 1,3-丁二烯可以发生 1,4-加成反应的解释　1,3-丁二烯与溴化氢的加成是亲电加成,总是正的氢先和 1,3-丁二烯分子反应,H^+ 是进攻端基碳原子还是进攻中间碳原子？最高占有轨道上的电子是最活泼的,因此该轨道上的 π 电子云的分布对亲电试剂进攻的位置起主要作用。图 8-7 表明,在 1,3-丁二烯的最高占有轨道上,C-1,C-4 上的 π 电子云的密度较 C-2,C-3 上的高,所以 H^+ 首先进攻端基碳原子,从 π 键中取得一对电子。此时与 H^+ 结合的端基碳原子由原来的 sp^2 杂化转变为 sp^3 杂化,4 个 sp^3 杂化轨道形成 4 个 σ 键,分子中剩下的一对 p 电子分布在 C-2,C-3,C-4 之间,同时还带有一个正电荷,因此 C-2,C-3,C-4 的关系相当于一个烯丙基碳正离子。离域的烯丙基碳正离子显然要比一级碳正离子稳定,这也是 H^+ 首先进攻端基碳原子的一个原因。

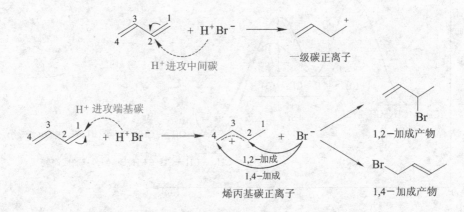

烯丙基碳正离子的最高占有轨道是它的 ψ_1,ψ_1 上的电子云分布如下所示:

$$\underset{4}{CH_2} - \underset{3}{CH} - \underset{2}{CH} - \underset{1}{CH_3}$$

Br^- 离子当然应和 π 电子云密度较小(即正性较大)的 C-2,C-4 结合,与 C-2 结合得 1,2-加成产物,与 C-4 结合则得 1,4-加成产物。上述分析同样适用于 1,3-丁二烯与其它亲电试剂的加成反应,这就是共轭双烯能发生 1,4-加成的原因。

1,2-加成产物与 1,4-加成产物的比例与反应温度有关。下面是两组实验数据：

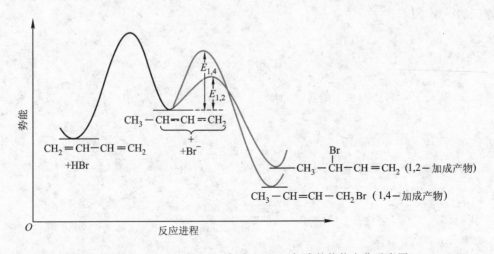

实验数据表明：低温以 1,2-加成产物为主，升高反应温度则有利于 1,4-加成产物的生成。上述实验事实可从图 8-10 的反应能量图中得到满意的答案。

图 8-10　1,3-丁二烯 1,2-加成和 1,4-加成的势能变化示意图

从图中可以看出：1,3-丁二烯与 HBr 的亲电加成反应分两步进行，1,2-加成和 1,4-加成的第一步是相同的，都是 H^+ 进攻 1,3-丁二烯的端基碳原子生成碳正离子和 Br^-。第二步是不相同的，Br^- 与 C-2 结合的过渡态势能比 Br^- 与 C-4 结合的过渡态势能低，因此 1,2-加成的反应速率快，所以在低温反应时，1,2-加成产物比例大，称 1,2-加成产物是动力学（速率）控制（kinetic control）的产物。1,4-加成产物比 1,2-加成产物内能低，比较稳定，因此达到平衡时，1,4-加成产物比率高，称 1,4-加成产物是热力学控制（thermodynamic control）的产物。1,2-加成产物和 1,4-加成产物可以通过碳正离子互相转变。

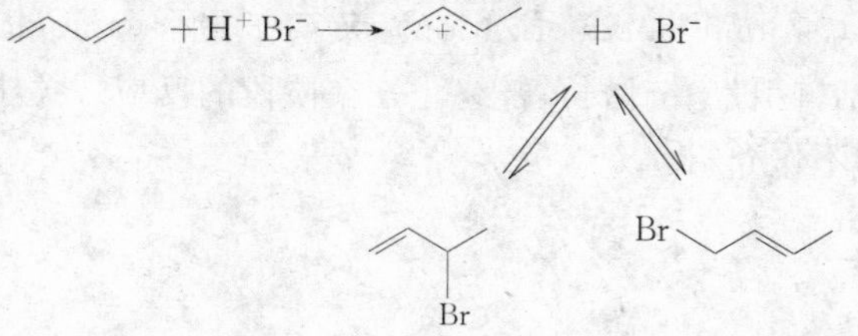

1,2-加成产物　　1,4-加成产物

从能量图可以看出，1,4-加成产物内能较低，必须跨越较高的能垒才能转变为1,2-加成产物。而1,2-加成产物转变成1,4-加成产物要容易得多。所以升高反应温度，延长反应时间都对1,4-加成产物生成有利。

习题 8-37 判别下列各对化合物中哪一个化合物更稳定？为什么？

(i) 1-甲基-1,3-环己二烯，1-甲基-1,4-环己二烯　(ii) 4-甲基-2,4-庚二烯，4-甲基-2,5-庚二烯

习题 8-38 下列反应可能生成什么产物？为什么？

(i) 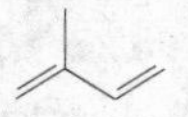 $+HBr(1\ mol)\xrightarrow{\text{无过氧化物}}$

(ii) 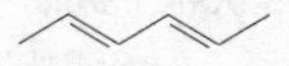 $+HCl(1\ mol)\longrightarrow$

(iii) 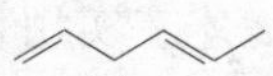 $+Cl_2(1\ mol)\longrightarrow$

(iv) 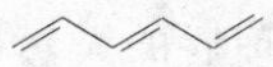 $+HBr(1\ mol)\longrightarrow$

8.14 烯烃的聚合 橡胶

8.14.1 烯烃的聚合

含有双键或三键的某些化合物，以及含有双官能团或多官能团的化合物在适当条件下发生加成或缩合等反应，使两个分子、三个分子或多个分子结合成为一个分子的反应，称为聚合反应(polymerization)。化合物在催化剂或引发剂的作用下，打开不饱和键按一定的方式自身加成生成长链大分子的反应称为加成聚合反应(addition polymerization)，简称加聚反应。加成聚合是烯烃的一种重要反应性能，其反应如下式所示：

$$\underset{\text{单体}}{nCH_2{=}CH{-}R}\xrightarrow[\text{催化剂}]{\text{聚合}}\underset{\text{聚合物}}{\left[\begin{array}{c}CH_2{-}CH\\ \quad\ \ |\\ \quad\ \ R\end{array}\right]_n}$$

参与反应的烯烃分子称为单体(monomer)，聚合后生成的产物称为聚合物(polymer)。聚合物的结构单元与单体相同。反应机理属于链式聚合。链式聚合可分为自由基聚合(radical polymerization)、正离子聚合(cationic polymerization)、负离子聚合(anionic polymerization)和配位聚合四大类。它们都包括链引发、链增长、链终止三个阶段的反应。关于这些反应的详细情况请读者参阅有关书籍,本书不作介绍。

8.14.2　橡胶

1. 天然橡胶

橡胶(rubber)是具有高弹性的高分子化合物。20世纪初,世界上只有天然橡胶,它主要来源于野生的或人工栽培的含橡胶的植物。能产生橡胶的植物有2000余种,其中巴西橡胶树是世界上种植面积最广、产量最高的含橡胶植物。巴西橡胶树原是生长在南美洲亚马孙河谷的野生植物树,后来,有人将巴西橡胶的种子送到英国,育出幼苗后,又转送到马来西亚等地。现在这种天然橡胶树主要分布在亚、非、拉美热带地区。我国海南、广东、广西、云南等地亦有大量种植。

印第安人最早发现,野生橡胶树的树皮割破后,会有一种乳状液体流出来,他们称这种液体为"caoutchout",其意是"树流的泪",这种橡胶乳汁内含35%~40%的橡胶和65%~60%的水。在乳汁中,橡胶微粒表面吸附一层蛋白质,起到稳定乳液的作用。在这个乳状液内加入少量醋酸,橡胶即行凝固,凝固体经压制后,就成生橡胶。生橡胶性软,遇热后,即变黏,机械强度很低,遇有机溶剂后,即溶解成一种黏性胶状的溶液,所以生橡胶必须经过处理后,才有实用价值。后来发现,若在生橡胶内加入少量硫,然后在140℃加热几小时,即进行硫化处理,便可使橡胶由线形结构转化为网状结构,此时,橡胶的物理性质会发生许多基本的变化。处理后的天然橡胶具有良好的弹性、机械性能、抗曲挠性、气密性和绝缘性,用途十分广泛。

1900—1910年,天然橡胶的结构被测定,它的化学成分是顺型或反型的1,4-聚异戊二烯。人们通常说的天然橡胶主要是指顺-1,4-聚异戊二烯,反-1,4-聚异戊二烯则是天然产的另一种硬橡胶——固塔波胶。这为人工合成橡胶奠定了基础。

$$
\left[\begin{array}{c} CH_3 \\ \\ CH_2 \end{array}\!\!C\!=\!\!C\!\!\begin{array}{c} H \\ \\ CH_2 \end{array}\right]_n \qquad \left[\begin{array}{c} CH_3 \\ \\ CH_2 \end{array}\!\!C\!=\!\!C\!\!\begin{array}{c} CH_2 \\ \\ H \end{array}\right]_n
$$

顺-1,4-聚异戊二烯　　　　　　反-1,4-聚异戊二烯

2. 1,3-丁二烯的聚合、丁钠橡胶、顺丁橡胶

二次大战期间,橡胶成为重要的战略物资,欧洲、北美等没有天然资源的国家一直在千方百计发展合成橡胶。

1910年,以金属钠为引发剂使1,3-丁二烯聚合的丁钠橡胶研制成功,并于1932年首次大批生产。制备丁钠橡胶的反应过程是钠和1,3-丁二烯先发生电荷转移,然后再偶合成双负离子的丁二烯二聚体,接着进行丁二烯的负离子聚合。

$$
\diagup\!\!\!\diagdown\!\!\!\diagup + Na \longrightarrow \cdot \diagdown\!\!\!\diagup\!\!\!\diagdown \ddot{C}H_2^- \; Na^+
$$

$$
2 \cdot \diagdown\!\!\!\diagup\!\!\!\diagdown \ddot{C}H_2^- \; Na^+ \longrightarrow Na^+ \; \ddot{C}H_2^- \diagdown\!\!\!\diagup\!\!\!\diagdown\!\!\!\diagup\!\!\!\diagdown \ddot{C}H_2^- \; Na^+
$$

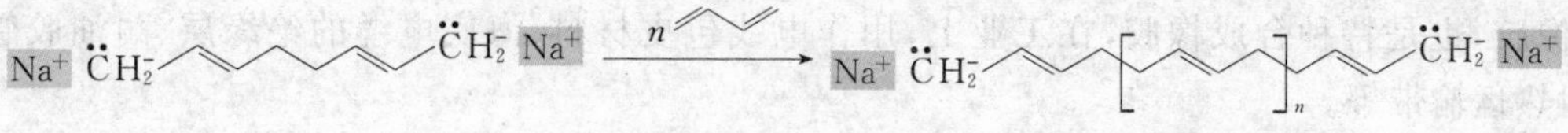

在这个反应中,钠从实质上讲,不是一个催化剂,因为生成物含有它,但因钠在分子中只占极少的部分,所以一般仍把钠当作一个催化剂看待。

制备丁钠橡胶的原料 1,3-丁二烯现已有多种类型的聚合产物,它们的结构随聚合条件、聚合方法及所用催化剂的不同而异。聚合方式有两种,一是 1,2-加成聚合,可以得到全同和间同 1,2-聚丁二烯,这类聚合物主要用做密封剂和黏胶剂,二是 1,4-加成聚合,生成顺型或反型 1,4-聚合物,顺型聚合物可做合成橡胶,称顺丁橡胶。但丁二烯聚合时,常常 1,2-与 1,4-聚合同时存在,这样在聚合物链中可同时存在 1,2-与 1,4-聚合的结构,所谓顺丁橡胶只不过是聚合物链中顺-1,4-聚合物结构占 90% 以上而已。顺丁橡胶是 1,3-丁二烯在 Ziegler-Natta(齐格勒-纳塔)催化剂作用下通过定向聚合得到的。它的主要用途是做轮胎。

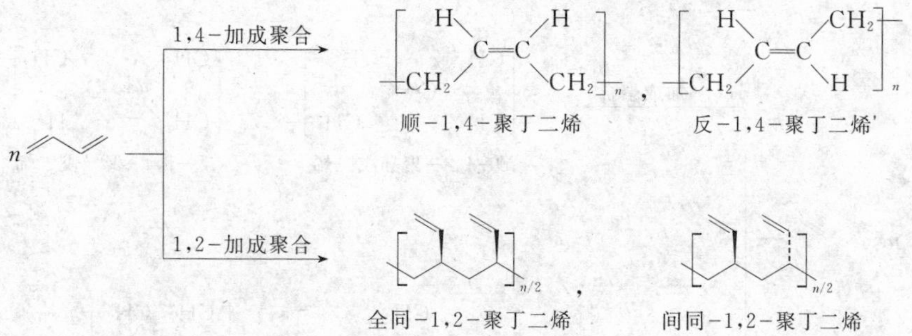

1,4-加成聚合　　顺-1,4-聚丁二烯,　反-1,4-聚丁二烯

1,2-加成聚合　　全同-1,2-聚丁二烯,　间同-1,2-聚丁二烯

3. 1,3-丁二烯与苯乙烯共聚、丁苯橡胶

1,3-丁二烯与苯乙烯共聚可制备丁苯橡胶。

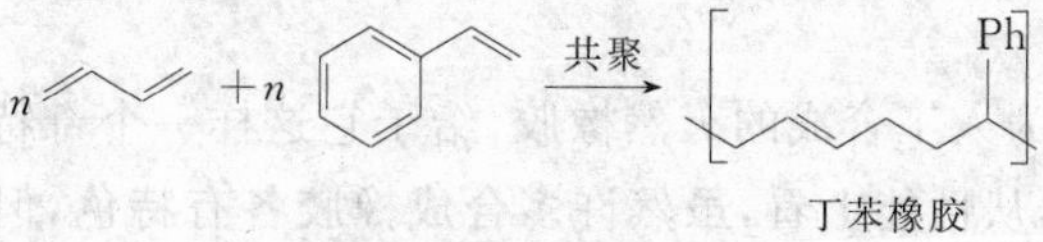

共聚　　丁苯橡胶

丁苯橡胶是 1933 年研究成功的,1937 年大量投入生产,目前产量约占合成橡胶产量的 50%,是合成橡胶中最大的一个品种,它有较好的综合性能,在耐腐、耐老化等方面均优于天然橡胶,但总体性能仍比不上天然橡胶。丁苯橡胶比较适合于做轮胎的外胎,制造运输皮带、设备、防腐衬里、胶管等。

4. 氯丁二烯的聚合、氯丁橡胶

氯丁橡胶是由单体氯丁二烯用乳液聚合方法制成的,1937 年大量投入生产。

乳液聚合

氯丁橡胶不仅具有良好的综合物理－机械性能,而且具有良好的耐油性能,因此它既是通用合成橡胶,也是特种合成橡胶,在工业上,用作电线包皮材料、海底电缆的绝缘层、耐油胶管、垫圈、耐热运输带等。

5. 丁二烯与丙烯腈共聚、丁腈橡胶

丁腈橡胶是丁二烯与丙烯腈在乳液中共聚制得的,共聚反应式如下:

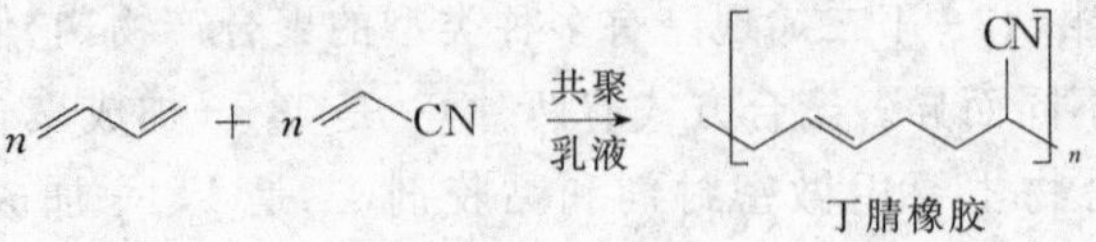

丁腈橡胶,1933 年研究成功,1937 年大批投入生产。它与丁苯橡胶、氯丁橡胶一起被称为合成橡胶的先驱。

6. 异戊二烯的聚合

异戊二烯聚合按理可有 1,2-,3,4-与 1,4-聚合,但目前还未发现 1,2-聚合,只有 3,4-与 1,4-聚合。

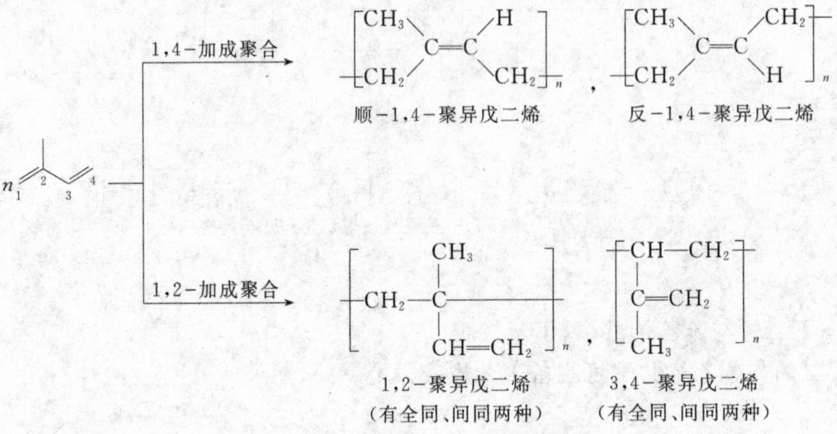

顺-1,4-聚异戊二烯被称为人工合成的天然橡胶,给予它这样一个奇特的名称是因为它具有和天然橡胶相同的结构特征,从性能上看,虽然许多合成橡胶各有特色,但从通用橡胶所要求的全面性能来看,还没有超过天然橡胶的,而顺-1,4-聚异戊二烯与天然橡胶的性能十分接近,几乎适用于一切天然橡胶能使用的场合。国际上用于制备顺-1,4-聚异戊二烯的催化剂有 Ziegler-Natta 催化剂($TiCl_4-AlR_3$)和丁基锂。我国发展了稀土催化体系,可以制备纯度高达 96% 的顺-1,4-聚异戊二烯。顺-1,4-聚异戊二烯广泛用于工业制品、医疗器械、体育器材、日常生活用品,它的主要用途是制造轮胎。

现在,合成橡胶的品种越来越多,产量也远远超过天然橡胶,若按用途可分为两类:用来制备一般橡胶制品的为通用合成橡胶,丁苯橡胶、顺丁橡胶、乙丙橡胶、异戊橡胶属于这一类。另一类是特种合成橡胶,主要用于某种特殊条件,如耐油的各种密封环、输油管,在宇航中使用的耐高温和耐超低温的制件等。丁腈橡胶就是一种耐油的特种橡胶。

烯烃的制备

8.15　烯烃制备方法的归纳

表 8-4 列出了烯烃的主要制备方法以及相关的区域选择性和立体选择性。详细内容请参见有关章节。

表 8-4　烯烃制备方法的归纳

制备方法	反应机理	反应的立体化学	反应的区域选择性	参见章节
醇失水	E1	重排	符合 Zaitsev 规则	6.10.3
卤代烃失卤化氢	E2	反式共平面消除	符合 Zaitsev 规则	6.9.1
二卤代烃失卤素	Elcb	反式共平面消除		6.11
Hofmann 消除	E2	反式共平面消除	符合 Hofmann 规则	17.4.3
氧化胺热裂	环状过渡态	顺式消除	生成末端烯烃	17.5.2
酯热裂	环状过渡态	顺式消除	空阻小、酸性大的 β-氢易被消除	14.10.1
黄原酸酯热裂	环状过渡态	顺式消除	空阻小、酸性大的 β-氢易被消除	14.10.2
Wittig 反应和 Wittig-Horner 反应	四元环状过渡态	稳定叶立德反应时，E 型产物为主		12.10.2、12.10.3

习题 8-39　列出顺-2-丁烯、反-2-丁烯、顺-2-戊烯、反-2-戊烯、顺-1,2-二氯乙烯、反-1,2-二氯乙烯的偶极矩和沸点数据。讨论烯烃顺反异构体在偶极矩和沸点方面的变化规律以及偶极矩和沸点之间的关系。

习题 8-40　若下列各化合物只与 1 mol 溴发生加成反应,试预测它们的主要产物并简述理由。写出这些产物的中英文名称。

(i) 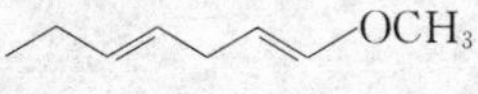　　OCH₃ の構造

(ii)

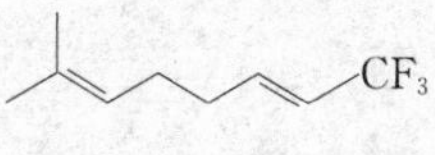

(iii)

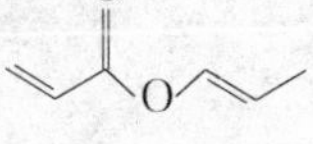

(iv) 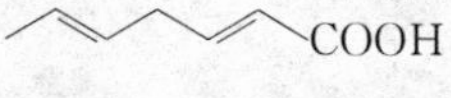　COOH

(v) 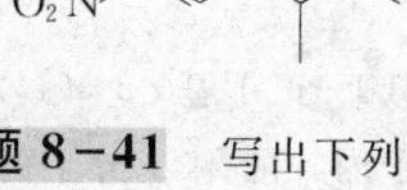　O₂N

(vi)

习题 8-41　写出下列反应的主要产物及相应的反应机理(注意产物的立体构型)。

(i) 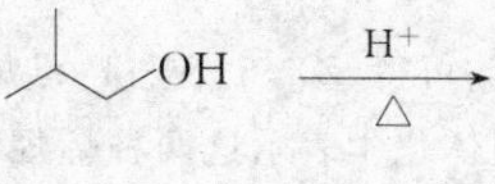　OH　$\xrightarrow[\triangle]{H^+}$

(ii) 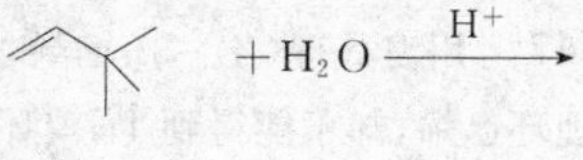　+H₂O　$\xrightarrow{H^+}$

(iii) [结构式] $\xrightarrow[\text{中性}]{\text{冷、稀 KMnO}_4}$ (iv) $CH_3-CH=CH_2+ICl \longrightarrow$

(v) [结构式] $+HBr \longrightarrow$ (vi) [结构式] $+HBr \xrightarrow{ROOR}$

(vii) [结构式] $+HBr \xrightarrow{ROOR}$ (viii) [结构式] $+CH_3CO_3H \xrightarrow{Na_2CO_3}$

(ix) [结构式] $+HOCl \longrightarrow$ (x) [结构式] $\xrightarrow[CH_3OH]{Br_2(\text{稀浓度})} \xrightarrow[C_2H_5OH]{C_2H_5ONa}$

(xi) [结构式] $+CCl_4 \xrightarrow{h\nu} ? \xrightarrow[(CH_3)_3COH]{(CH_3)_3COK}$ (xii) [结构式] $\xrightarrow[h\nu]{Br_2(1\ mol)} ? \xrightarrow[CH_3CH_2OH]{KOH} ? \xrightarrow{HCl}$

习题 8-42 以(Z)-2-丁烯为起始原料,选用其它合适试剂制备下列化合物。

(i) [结构式]   (ii) [结构式] (±)

(iii) [结构式] (±)   (iv) [结构式] (±)

习题 8-43 在下列反应体系中可以得到几种产物醇?哪一种是主要产物?为什么?

[结构式] $\xrightarrow{H^+,H_2O}$

习题 8-44 写出下列 A,B,C,D,E,F 的构造式,并指出各步反应的反应类别。

(i) $\begin{cases} A + Zn \longrightarrow B + ZnCl_2 \\ B+KMnO_4 \xrightarrow[\triangle]{H_2O} \text{[结构式]} =O + CO_2 + H_2O \end{cases}$

(ii) $\begin{cases} B + HBr \xrightarrow{ROOR} C \\ C + Li \xrightarrow{\text{醚}} D \\ 2D + CuI \longrightarrow E \\ C + E \longrightarrow F \end{cases}$

习题 8-45 有一化合物分子式为 $C_{18}H_{32}$,在催化剂作用下可与 2 mol 氢加成。该化合物经臭氧化-分解反应后只得到 2,6-二甲基-3,5-庚二酮,请推测其构造式。试分析该化合物的 ${}^1HNMR$ 中有几组峰?各组峰之间的氢原子个数比为多少?

习题 8-46 化合物 A 的分子式为 $C_{15}H_{22}$,A 催化氢化可吸收 4 mol H_2,得 1-正丁基-2-(1,2-二甲丙基)环己烷,A 用臭氧氧化,然后用 Zn,H_2O 处理,得 1 分子丙醛,1 分子丙酮,1 分子丙二醛酮,1 分子己醛-4,5-二酮。不管其顺反异构,试写出 A 的可能的构造式。

习题 8-47 用溴处理(Z)-3-己烯,然后在 KOH-C_2H_5OH 中反应,可得(Z)-3-溴-3-己烯,但用相同试剂及顺序处理环己烯,却不能得到 1-溴环己烯,而得到其它产物,请用立体化学表示这两种烯烃的反应过程及其反应产物。

习题 8-48　化合物 A 的分子式为 C_6H_{12},在 $KMnO_4—H_2O$ 中加热回流,在反应液中只有 3-甲基-2-丁酮,A 与 HCl 作用得 B,B 在 $C_2H_5ONa—C_2H_5OH$ 溶液中反应得 C,C 使 Br_2 褪色生成 D,D 用 $C_2H_5ONa—$ C_2H_5OH 处理,生成 E,E 在 $KMnO_4—H_2O$ 中加热回流得 2,3-丁二酮。C 用 O_3 反应后再用 H_2O,Zn 处理得丙酮,请写出化合物 A 的构造式,并用反应式说明所推测的结构是正确的。

习题 8-49　用 3-甲基戊烷为原料合成下列化合物:

(i) 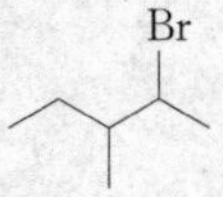　

(ii) 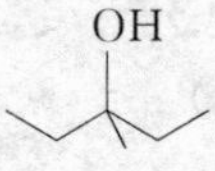　

(iii) 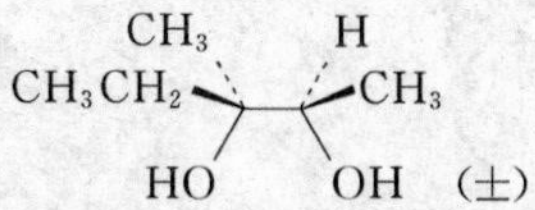　CH_3CH_2 —— CH_3 (±)　　（结构式）

(iv) 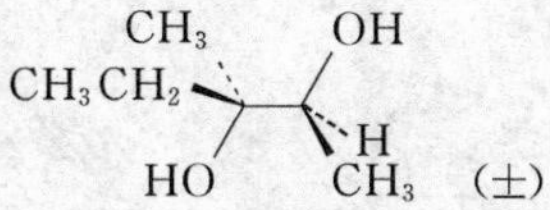　CH_3CH_2 —— CH_3 (±)　　（结构式）

习题 8-50　从指定原料合成指定化合物,写出各步反应所需的试剂、反应条件和相应的反应类别。

(i) 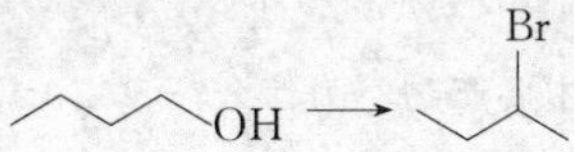　

(ii) 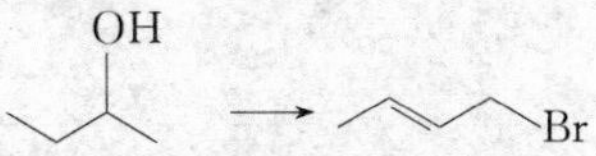　

(iii) 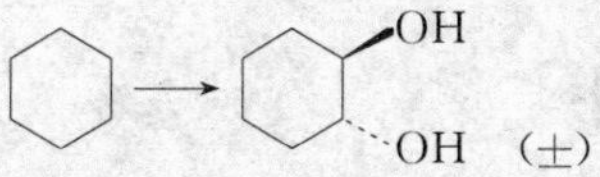　

(iv) 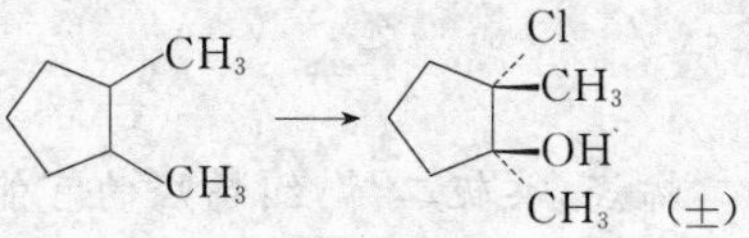　

(v) 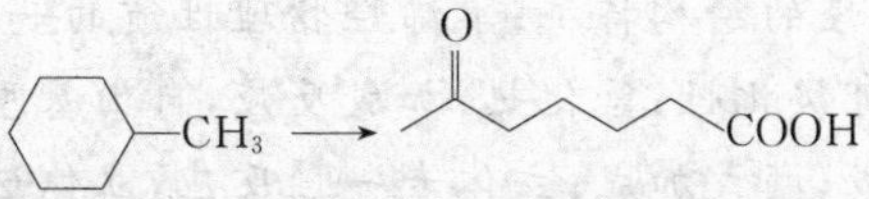　

习题 8-51　写出下列反应的主要反应产物及相应的反应机理。

(i) 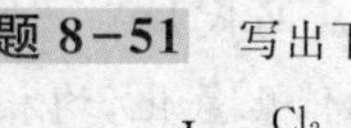　 $\xrightarrow[H_2O]{Cl_2}$

(ii) 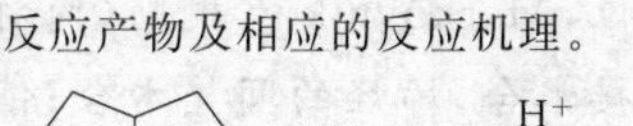　 $—CH_2OH$ $\xrightarrow[170℃]{H^+}$

习题 8-52　写出所有符合下列要求的 (E)-4-甲基-1,3-己二烯(A)的同分异构体及其中英文系统命名。

(i) 碳架与 A 相同　　(ii) 共轭烯烃

习题 8-53　比较下列两个化合物,指出它们在结构、物理性质和化学性质上会有什么主要差别。

(i) 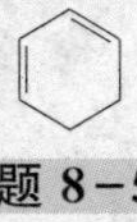　　　(ii) 　

习题 8-54　写出 1,3-环己二烯的极限式,按它们对共振杂化体的贡献大小排列成序,并指出哪些极限式是等价的?

习题 8-55　下列哪些反应是能进行的？写出它们的产物。

(i) 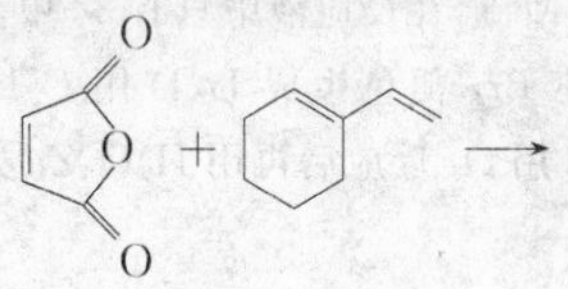　

(ii) 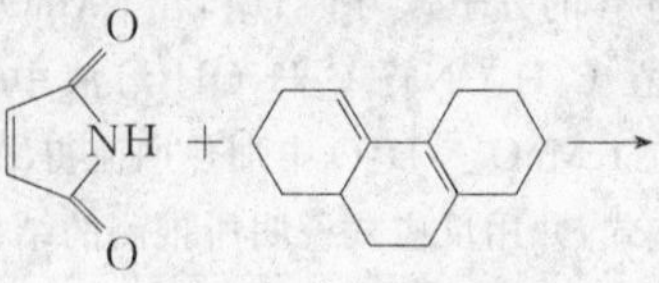　

(iii) 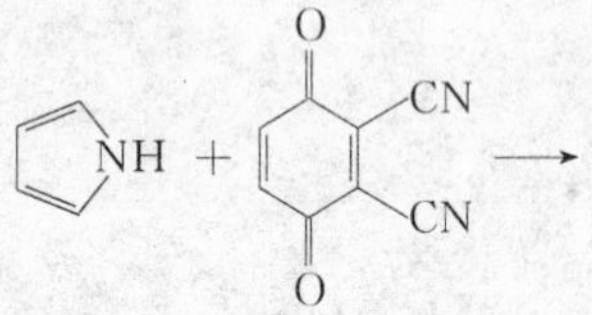　

(iv) 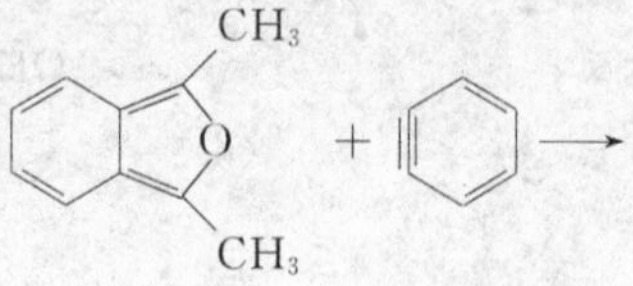　

(v) 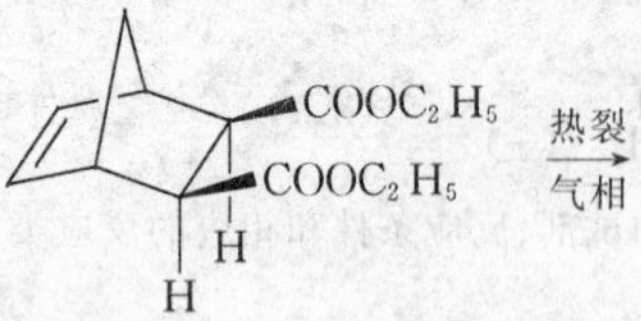　　热裂 / 气相

习题 8-56　写出下列反应的各种可能的产物，你认为哪种产物是主要产物？为什么？

(i) 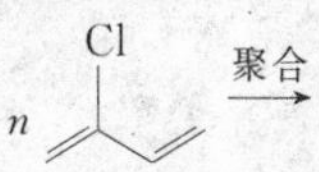　　聚合

(ii) 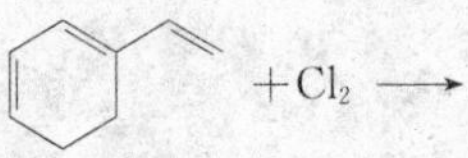　　+Cl₂ →

复习本章的指导提纲

基本概念和基本知识

　　烯烃，单烯烃，多烯烃，共轭烯烃，孤立二烯烃，累积二烯烃，共轭二烯烃；烯烃的官能团；烯烃的结构特征；顺、反异构体，Z 构型，E 构型；共轭烯烃的结构特征；单烯烃物理性质的一般规律，共轭烯烃物理性质的特点；分子的折射率，分子的可极化性；氢化热；加成反应，自由基型加成反应，离子型加成反应，亲电加成，亲核加成；反式加成，顺式加成；立体专一性反应，立体选择性反应；构象最小改变原理，区域选择性，Markovnikov 规则（简称马氏规则），反马氏规则；过氧化效应（或 Kharasch 效应）；烯烃的直接水合，烯烃的间接水合；催化氢化，异相催化氢化，均相催化氢化；卡宾，卡宾的结构，单线态、三线态，类卡宾；Diels-Alder 反应，s-顺式构象，s-反式构象，内型产物，外型产物，次级轨道作用；成键轨道，反键轨道，非键轨道，定域轨道，离域轨道，离域能，节面；分子轨道的对称性，镜面，二重旋转轴；烯丙基正离子；动力学控制，热力学控制；聚合，单体，聚合物，加成聚合反应；橡胶，天然橡胶，人工合成橡胶。

基本理论

　　共振论，分子轨道理论，Hückel 分子轨道法。

基本反应和重要反应机理

　　烯烃的亲电加成：与卤素的加成，与氢卤酸的加成，与硫酸、水、有机酸、醇、酚的加成，与次卤

酸的加成；亲电加成的反应机理：环正离子中间体机理，碳正离子中间体机理，离子对中间体机理，三中心过渡态机理；烯烃的自由基加成反应；烯烃的环氧化反应，烯烃被高锰酸钾或四氧化锇氧化，烯烃的臭氧化分解反应，烯烃的硼氧化－氧化反应，四中心过渡态机理；烯烃的催化氢化，烯烃的硼氢化－还原反应；卡宾、类卡宾与烯烃的反应；烯烃的 α －卤代；共轭双烯的 1,4 －加成，Diels－Aider 反应。

重要制备方法

醇失水，卤代烃失卤化氢，二卤代烃失卤素，Hofmann 消除，氧化胺热裂，酯热裂，黄原酸酯热裂，Wittig 反应。

结构鉴别和结构测定方法

用溴的四氧化碳溶液鉴别烯烃，用高锰酸钾溶液鉴别烯烃，用臭氧化－分解反应测定烯烃的结构。

英汉对照词汇

addition polymerization （加成聚合反应）

addition reaction （加成反应）

alkene （烯烃）

anionic polymerization （负离子聚合）

antiaddition （反式加成）

anti bonding orbital （反键轨道）

bonding orbital （成键轨道）

carbene （卡宾）

carbenoid （类卡宾）

catalytic hydrogenation （催化氢化）

cationic polymerization （正离子聚合）

cis-addition （顺式加成）

cis-conformation （顺式构象）

conjugate addition （共轭加成）

conjugated alkene （共轭烯烃）

conjugated diene （共轭二烯烃）

cumulative diene （累积二烯烃）

cyclene （环形烯烃）

cyclic cation （环正离子）

cyclic four-membered transition state （环状四中心过

渡态）

cyclic halonium ion （环卤鎓离子）

delocalization molecular orbital （离域分子轨道）

delocalized （离域的）

delocalized bond （离域键）

delocalized energy （离域能）

diaxial （双直键）

Diels-Alder reaction （狄尔斯－阿尔德反应）

diene synthesis （双烯合成）

diimide reduction （二亚胺还原）

dipole molecular （偶极分子）

direct hydration （直接水合法）

electrophilic addition （亲电加成）

endo （内型）

epoxidation（环氧化反应）

exo （外型）

free radical addition （自由基加成反应）

heterogeneous catalytic hydrogenation （异相催化氢

化）

heterogeneous catalyst （异相催化剂）

HOMO （highest occupied molecular orbital）（最高占有轨道）

homogeneous catalyst （均相催化剂）

Hückel molecular orbital method （休克尔分子轨道法）

hybrid （杂化体）

hydroboration （硼氢化反应）

hydrogenated heat （氢化热）

index of refraction （折射率）

indirect hydration （间接水合法）

iodine value （碘值）

ion pair （离子对）

isolated diene （孤立二烯烃）

Kharasch M S （卡拉施）

kinetic control （动力学控制）

localized bond （定域键）

localized orbital （定域轨道）

LUMO （lowest unoccupied molecular orbital）（最低未占轨道）

Markovnikov rule （马尔可夫尼可夫规则）

monomer （单体）

NBS （N‑bromosuccinimide）（N‑溴代丁二酰亚胺）

node （节点）

nonbonding orbital （非键轨道）

nucleophilic addition （亲核加成）

ozonization （臭氧化反应）

ozonolysis （臭氧化物的分解反应）

peroxide effect （过氧化效应）

polymer （聚合物）

polymerization （聚合反应）

radical polymerization （自由基聚合）

regioselectivity （区域选择性）

regiospecific （区域专一性）

resonance formula （共振式）

resonance structure （共振结构）

resonance theory （共振论）

rubber （橡胶）

singlet state （单线态）

stereoselective reaction （立体选择性反应）

synergistic reaction （协同反应）

thermodynamic control （热力学控制）

three‑center transition state （三中心过渡态）

triplet state （三线态）

van der Waals radius （范德华半径）

Wilkinson G （魏尔金生）

第 **9** 章

炔 烃

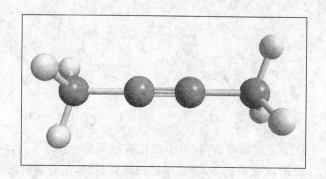

含有碳碳三键的烃称为炔烃(alkyne)。链状单炔烃的通式是 C_nH_{2n-2}。碳碳三键是炔烃的官能团。

9.1 炔烃的结构

最简单的炔烃是乙炔,分子式为 C_2H_2(参见 3.1.3)。炔烃的结构特点是:两个三键碳均为 sp 杂化,每个碳还各剩两个互相垂直的 p 轨道,每个轨道上都有一个电子。两个三键碳原子各用一个 sp 杂化轨道经轴向重叠形成一个碳碳 σ 键,再各用两个 p 轨道经侧面重叠形成两个碳碳 π 键。碳碳三键是由一个 σ 键和两个 π 键共同构成的。由于 π 键是经侧面重叠形成的,不能重叠得很充分,所以 π 键的键能比 σ 键低,较易打开。

有机分子中的键长可用电子衍射、微波、红外或拉曼光谱予以测定。乙烷、乙烯和乙炔中的碳碳键长和碳氢键长如下所示:

$$
\begin{array}{ccc}
H & \quad 153.4\ pm \quad & H \\
\ \ \ \ \diagdown & & \diagup \\
H\ -\!\!-C & -\!\!-\!\!- & C-\!\!-H \\
\ \ \ \diagup & & \diagdown \\
H & & H \\
sp^3-s & & 110.2\ pm
\end{array}
\qquad
\begin{array}{ccc}
H & 133.7\ pm & H \\
\diagdown & & \diagup \\
C & =\!\!= & C \\
\diagup & & \diagdown \\
H & & H \\
sp^2-s & & 108.6\ pm
\end{array}
\qquad
\begin{array}{c}
120.7\ pm \\
H-C\!\equiv\!C-H \\
\ \\
sp-s \qquad 105.9\ pm
\end{array}
$$

上列数字显示,由于 π 键的出现,使碳碳间的距离缩短,而且三键比双键更短。这是因为随着不饱和度的增大,两个碳原子之间的电子云密度也增大,所以碳原子越来越靠近。上列数字还表明:碳氢化合物中的碳氢键的键长也并不是一个常数。这说明:键长除了与成键原子的不饱和度有关外,还和参与成键的碳原子的杂化方式有关。即随着杂化轨道中 s 成分的增大,碳碳键的键长缩短。乙烷、乙烯和乙炔中的碳原子的 s 成分分别为 25%、33%和 50%,从 sp^3 到 sp,碳原子的 s 成分增大了一倍,所以碳碳键的键长越来越短。

下面是甲基负离子(methyl anion)、乙烯基负离子(vinyl anion)、乙炔基负离子(acetylenyl anion)的孤电子对所占轨道大小的示意图,轨道愈长,所形成的键也愈长:

下列数据表明,由于杂化碳原子的 s 成分不同,丙烷、丙烯、丙炔中的碳碳单键的键长是不等长的,s 成分越多,碳碳单键的键长越短,随着键长的缩短,原子间的键能将增大。

$$CH_3-CH_2-CH_3 \qquad CH_3-CH=CH_2 \qquad CH_3-C\equiv CH$$
$$152.6\,pm(sp^3-sp^3) \qquad 150.1\,pm(sp^3-sp^2) \qquad 145.9\,pm(sp^3-sp)$$

上述情况,对于碳原子和杂原子(卤素、氧或氮)之间的单键和双键,也有同样的影响。

习题 9-1   (i)请将下面分子中的碳碳键按键长由大到小的次序排列,并阐明理由。

(ii)请将下面分子中的碳氢键按键长由大到小的次序排列,并阐明理由。

$$\overset{6}{H}-\overset{5}{C}\equiv\overset{4}{C}-CH_2-\overset{3}{C}H_2-\overset{2}{C}H=\overset{1}{C}H_2$$

9.2 炔烃的物理性质

简单炔烃的沸点、熔点以及密度,一般比碳原子数相同的烷烃和烯烃高一些。这是由于炔烃分子较短小、细长,在液态和固态中,分子可以彼此很靠近,分子间的 van der Waals 作用力很强。炔烃分子极性略比烯烃强,如 $CH_3CH_2C\equiv CH$,$\mu=2.67\times10^{-30}$ C·m,$CH_3CH_2CH=CH_2$ $\mu=1.00\times10^{-30}$ C·m。炔烃不易溶于水,而易溶于石油醚、乙醚、苯和四氯化碳中。一些炔烃的名称及物理性质列入表 9-1。

表 9-1   一些常见炔烃的名称及物理性质

化 合 物	普通命名法	IUPAC 命名法	熔点/℃	沸点/℃	相对密度
乙炔 $HC\equiv CH$	acetylene	ethyne	−82(在压力下)	−82(升华)	
丙炔 $HC\equiv CCH_3$	methylacetylene	propyne	−102.5	−23	
1-丁炔 $HC\equiv CCH_2CH_3$	ethylacetylene	1-butyne	−122	8	
1-戊炔 $HC\equiv C(CH_2)_2CH_3$	propylacetylene	1-pentyne	−98	40	0.695
1-己炔 $HC\equiv C(CH_2)_3CH_3$	butylacetylene	1-hexyne	−124	71	0.719
1-庚炔 $HC\equiv C(CH_2)_4CH_3$	amylacetylene	1-heptyne	−80	100	0.733
1-辛炔 $HC\equiv C(CH_2)_5CH_3$	hexylacetylene	1-octyne	−70	126	0.747
2-丁炔 $CH_3C\equiv CCH_3$	dimethylacetylene	2-butyne	−24	27	0.694
2-戊炔 $CH_3C\equiv CCH_2CH_3$	ethylmethylacetylene	2-pentyne	−101	56	0.714
2-己炔 $CH_3C\equiv C(CH_2)_2CH_3$	methylpropylacetylene	2-hexyne	−88	84	0.730
3-己炔 $CH_3CH_2C\equiv CCH_2CH_3$	diethylacetylene	3-hexyne	−105	81	0.725

炔烃的反应

9.3 末端炔烃的特性

9.3.1 酸性

碳氢键的异裂也可以看做是一种酸性电离(ionization),所以将烃称为含碳酸(cabonaceous acid)。含碳酸的酸性强弱可以用 pK_a 来判断,pK_a 越小,酸性越强。末端炔烃(terminal alkyne)与其它可以产生质子的化合物的酸性比较如下所示:

化合物	构造式	pK_a(近似值)	
甲烷(烷烃)	CH_4	≈ 49	
乙烯(烯烃)	$CH_2{=}CH_2$	≈ 40	酸
氨	NH_3	34	性增加
丙炔(末端炔烃)	$CH_3C{\equiv}CH$	≈ 25	
乙醇	CH_3CH_2OH	15.9	
水	H_2O	15.74	

上面的数据表明:末端炔烃的酸性大于末端烯烃(terminal alkene),两者又大于烷烃。这是因为轨道的杂化方式会影响碳原子的电负性。一般来讲,杂化轨道中 s 成分越大,碳原子的电负性就越大,所以在 $\equiv C{-}H$ 中,形成 $C{-}H$ 键的电子对比末端烯烃中 $C{-}H$ 键和烷烃的 $C{-}H$ 键中的电子对更靠近碳原子,导致末端炔烃中的 $C{-}H$ 键更易于异裂,释放出质子,因而末端炔烃的酸性比末端烯烃和烷烃强。所以,它们可与强碱反应形成金属化合物,称为炔化物(alkynyl compound)。例如:

$$2Na + 2NH_3 \xrightarrow[\text{液氨}]{Fe^{3+}} 2NaNH_2 + H_2$$

$$HC{\equiv}C\,H \xrightarrow[\text{液氨}]{Na\,NH_2} HC{\equiv}C^- Na^+ + NH_3$$
乙炔一钠

$$RC{\equiv}C\,H \xrightarrow[\text{液氨}]{Na\,NH_2} RC{\equiv}C^- Na^+ + NH_3$$
炔化钠

乙炔一钠中的氢还可以和碱继续反应,生成乙炔二钠。二者皆为弱酸盐,与水作用很快即水解成乙炔和氢氧化钠,但乙炔二钠比乙炔一钠与水反应更为激烈,几乎是爆炸性的。乙炔一钠是制备一元取代乙炔,也叫做末端炔烃的重要原料。

末端炔烃的鉴别

将乙炔通入银氨溶液或亚铜氨溶液中,则分别析出无色和红棕色炔化物沉淀,反应如下:

$$HC{\equiv}CH + 2[Ag(NH_3)_2]^+ \longrightarrow AgC{\equiv}CAg \downarrow + 2NH_4^+ + 2NH_3$$
乙炔银,白色

$$HC\equiv CH + 2[Cu(NH_3)_2]^+ \longrightarrow CuC\equiv CCu \downarrow + 2NH_4^+ + 2NH_3$$

乙炔亚铜,红棕色

$$RC\equiv CH + [Ag(NH_3)_2]^+ \longrightarrow RC\equiv CAg \downarrow + NH_4^+ + NH_3$$

其它末端炔烃也会发生上述反应,因此通过以上反应,可以鉴别出分子中含有的 —C≡CH 基团。

末端炔烃的提纯

上述炔化物干燥后,经撞击会发生强烈爆炸,生成金属和碳。故在反应完了时,应加入稀硝酸使之分解。另外,由于氰负离子和银可形成极稳定的络合物,在炔化银中加入氰化钠水溶液,可得回炔烃。如

$$RC\equiv CAg + 2CN^- + H_2O \longrightarrow RC\equiv CH + Ag(CN)_2^- + OH^-$$

也可以通过这个反应提纯末端炔烃。

习题 9-2 用化学方法鉴别下列化合物:

$CH_3CH_2CH_2CH_3$,$CH_3CH_2CH=CH_2$,$CH_3CH_2C\equiv CH$,$CH_3CH_2CH_2CH_2I$,$CH_3CH_2CH_2CH_2Cl$

9.3.2 末端炔烃的卤化

末端炔烃与次卤酸反应,可以得到炔基卤化物。

$$RC\equiv CH + HOBr \longrightarrow RC\equiv CBr + H_2O$$

9.3.3 末端炔烃与醛、酮的反应

乙炔及末端炔烃在碱的催化下,可形成炔碳负离子(alkynyl carbanion),作为亲核试剂与羰基进行亲核加成(参看 12.4.2/3),生成炔醇(alkynol),例如:

$$HC\equiv CH + CH_2O \xrightarrow[压力]{KOH} HC\equiv CCH_2OH + HOCH_2C\equiv CCH_2OH$$

炔丙醇　　　　　　　2-丁炔-1,4-二醇

2-甲基-3-丁炔-2-醇　　2,5-二甲基-3-己炔-2,5-二醇

上面两个反应的产物可用作多种合成的原料,因其中含有碳碳三键和羟基两种官能团,它们能分别进行不同的反应。例如,1,3-丁二烯可以利用炔烃的活泼氢和羰基化合物在催化剂的作用下,先发生亲核加成反应,然后氢化和失水制得。

$$HO \diagup\!\!\!\diagdown\!\!\!\diagup OH \xrightarrow[H^+,\triangle]{-2H_2O} \diagup\!\!\diagdown\!\!\diagup$$

异戊二烯是橡胶解聚后取得的单体。它也可以用与上面类似的方法合成。这个反应称为 Favorski(法沃斯基)反应：

$$HC\!\equiv\!CH + \underset{O}{\overset{\displaystyle }{\diagup\!\!\diagdown}} \xrightarrow{KOH} \underset{HO}{\diagup\!\!\diagup\!\!\equiv} \xrightarrow[Pd/PbO,CaCO_3]{H_2} \overset{OH}{\diagup\!\!\diagdown\!\!\diagup} \xrightarrow[-H_2O]{Al_2O_3,\triangle} \diagup\!\!\diagdown\!\!\diagup$$

习题 9-3 请用乙炔或丙炔为起始原料，选用其它合适的试剂制备下列化合物。

(i) $CH_3C\!\equiv\!CCH_2OH$ (ii) [结构式]

(iii) [结构式]   (iv) [结构式]

9.4 炔烃的还原

9.4.1 催化加氢

在常用催化剂钯、铂或镍的作用下，炔烃与 2 mol H_2 加成，生成烷烃。中间产物烯烃难以分离得到。

$$CH_3C\!\equiv\!CCH_3 + 2H_2 \xrightarrow{Pt,Pd 或 Ni} CH_3CH_2CH_2CH_3$$

若用 Lindlar(林德拉)催化剂(钯附着于碳酸钙及小量氧化铅上，使催化剂活性降低)进行炔烃的催化氢化反应，则炔烃只加 1 mol H_2 得 Z 型烯烃。例如，一个天然的含三键的硬脂炔酸，在该催化剂作用下，生成与天然的顺型油酸完全相同的产物：

$$CH_3(CH_2)_7C\!\equiv\!C(CH_2)_7COOH \xrightarrow{H_2 \atop Pd/PbO,CaCO_3} \underset{H}{\overset{CH_3(CH_2)_7}{}}C\!=\!C\underset{H}{\overset{(CH_2)_7COOH}{}}$$

硬脂炔酸   油酸(顺型)

用硫酸钡做载体的钯催化剂在吡啶中也可以使含碳碳三键化合物只加 1 mol H_2，生成顺型的烯烃衍生物。这表明，催化剂的活性对催化加氢的产物有决定性的影响。炔烃的催化加氢是制备 Z 型烯烃的重要方法，在合成中有广泛的用途。

9.4.2 硼氢化-还原

炔烃与乙硼烷反应生成烯基硼烷，烯基硼烷与醋酸反应，生成 Z 型烯烃。第一步反应是炔烃的硼氢化反应,第二步反应是烯基硼的还原反应,总称硼氢化-还原反应。

$$6\ CH_3C{\equiv}CCH_3 \xrightarrow{B_2H_6} 2\left(\begin{matrix} CH_3 \\ \diagdown \\ H \end{matrix} C{=}C \begin{matrix} CH_3 \\ \diagup \\ H \end{matrix} \right)_3 B \xrightarrow[0\,℃]{CH_3COOH} 6 \begin{matrix} CH_3 \\ \diagdown \\ H \end{matrix} C{=}C \begin{matrix} CH_3 \\ \diagup \\ H \end{matrix}$$

9.4.3 用碱金属和液氨还原

炔类化合物在液氨中用金属钠还原,主要生成 E 型烯烃衍生物。例如:

$$CH_3C{\equiv}CCH_3 + 2Na + 2NH_3 \xrightarrow{液氨} \begin{matrix} CH_3 \\ \diagdown \\ H \end{matrix} C{=}C \begin{matrix} H \\ \diagup \\ CH_3 \end{matrix} + 2Na\,NH_2$$

反应过程如下,首先金属钠与液氨在无 Fe^{3+} 存在下(如有 Fe^{3+} 存在形成 $NaNH_2$)形成 Na^+ 与 $e^-(NH_3)$ 的蓝色溶液:

$$Na + NH_3(液) \longrightarrow Na^+ + e^-(NH_3)$$
$$蓝色溶液$$

然后在此溶液中加入炔烃(i),(i)得到电子形成 E 型的自由基负离子(radical anion)(ii),[自由基负离子或自由基正离子(radical cation)统称离子基],(ii)从 NH_3 处得到质子生成自由基(iii),(iii)再从溶液中得到一个电子形成负离子(iv),(iv)又从 NH_3 处得到一个质子生成 E 型烯烃(v)。

$$RC{\equiv}CR \xrightarrow{e^-} \begin{matrix} R \\ \diagdown \\ \end{matrix} C{=}C \begin{matrix} \\ \diagup \\ R \end{matrix} \xrightarrow{NH_3} \begin{matrix} R \\ \diagdown \\ H \end{matrix} C{=}C \begin{matrix} \\ \diagup \\ R \end{matrix} \xrightarrow{e^-} \begin{matrix} R \\ \diagdown \\ H \end{matrix} C{=}C \begin{matrix} \\ \diagup \\ R \end{matrix}$$
$$(i) \qquad\qquad (ii) \qquad\qquad (iii) \qquad\qquad (iv)$$

$$\xrightarrow{NH_3} \begin{matrix} R \\ \diagdown \\ H \end{matrix} C{=}C \begin{matrix} H \\ \diagup \\ R \end{matrix}$$
$$(v)$$

9.4.4 用氢化铝锂还原

炔烃用氢化铝锂还原也能得 E 型烯烃。

$$RC{\equiv}CR \xrightarrow[THF]{LiAlH_4} \begin{matrix} R \\ \diagdown \\ H \end{matrix} C{=}C \begin{matrix} H \\ \diagup \\ R \end{matrix}$$

习题 9-4 完成下列转换:
(i) 将 3-己炔转变为 (a)(Z)-3-己烯 (b)(E)-2-己烯 (c)己烷

(ii) 将(Z)-2-丁烯转变成(E)-2-丁烯
(iii) 将(E)-2-丁烯转变成(Z)-2-丁烯

9.5 炔烃的亲电加成

乙炔及其取代物与烯烃相似,也可以发生亲电加成反应,但由于 sp 碳原子的电负性比 sp^2 碳原子的电负性强,使电子与 sp 碳原子结合得更为紧密,尽管三键比双键多一对电子,也不容易给出电子与亲电试剂结合,因而使三键的亲电加成反应比双键的亲电加成反应慢。

乙炔及其衍生物可以和两分子亲电试剂反应。先是与一分子试剂反应,生成烯烃的衍生物,然后再与另一分子试剂反应,生成饱和的化合物。不对称试剂和炔烃加成时,也遵循马氏规则,多数加成是反式加成。

9.5.1 和卤素的加成

卤素和炔烃的加成为反式加成。反应机理与卤素和烯烃的加成相似,但反应一般较烯烃难。例如,烯烃可使溴的四氯化碳溶液立刻褪色,炔烃却需要几分钟才能使之褪色。故当分子中同时存在非共轭的双键和三键,在它与溴反应时,首先进行的是双键的加成,如

$$\text{烯炔} + Br_2 \longrightarrow \text{产物}$$

90%

又如,乙炔与氯的加成反应须在光或三氯化铁($FeCl_3$)或氯化亚锡($SnCl_2$)的催化作用下进行。

$$HC\equiv CH \xrightarrow[FeCl_3]{Cl_2} \underset{Cl}{\overset{H}{C}}=\underset{H}{\overset{Cl}{C}} \xrightarrow{Cl_2} Cl_2HC-CHCl_2$$

反二氯乙烯   1,1,2,2-四氯乙烷

1,1,2,2-四氯乙烷是一个相当毒的化合物,因此常把它转变成毒性较小的三氯乙烯,如

$$2Cl_2HC-CHCl_2 + Ca(OH)_2 \longrightarrow 2\underset{Cl}{\overset{Cl}{C}}=\underset{H}{\overset{Cl}{C}} + CaCl_2 + 2H_2O$$

三氯乙烯
沸点87℃

三氯乙烯在工业上是一种很有用的溶剂,用于溶解脂肪、油、树脂以及油漆等。

习题 9-5 选用合适的试剂鉴别下列各组的化合物:
(i) $CH_3CH_2CH_2CH_3$ $CH_3CH=CHCH_3$ $CH_3CH_2C\equiv CH$

(ii) $CH_3C{\equiv}CCH_3$　　　$H_2C{=}CH{-}CH{=}CH_2$

习题 9-6　(i) 为什么 $HC{\equiv}C{-}CH_2{-}CH{=}CH_2$ 与 1 mol Br_2 加成时,是碳碳双键首先与溴加成,而 $HC{\equiv}C{-}CH{=}CH_2$ 与 1 mol Br_2 加成时,却是碳碳三键首先与溴加成?

(ii) $HC{\equiv}C{-}CH{=}CH_2$ 与 2 mol Br_2 加成,生成什么产物?

9.5.2　和氢卤酸的加成

炔烃和氢卤酸的加成反应是分两步进行的,选择合适的反应条件,反应可控制在第一步。这也是制卤化烯的一种方法。如

$$HC{\equiv}CH \xrightarrow{HI} CH_2{=}CHI \xrightarrow{HI} CH_3CHI_2$$
　　　　　　　　　　碘乙烯　　　　1,1-二碘乙烷

一元取代乙炔与氢卤酸的加成反应遵循马氏规则。如

$$CH_3C{\equiv}CH \xrightarrow{HCl} CH_3C{\overset{Cl}{=}}CH_2 \xrightarrow{HCl} CH_3CCl_2CH_3$$

$$n{-}C_4H_9C{\equiv}CH \xrightarrow{HBr} n{-}C_4H_9C{\overset{Br}{=}}CH_2 + n{-}C_4H_9CBr_2CH_3$$

当炔键的两侧都有取代基时,需要比较两者的共轭效应和诱导效应,来决定反应的区域选择性,但一般得到的是两种异构体的混合物。

9.5.3　和水的加成

炔烃和水的加成常用汞盐做催化剂。例如,乙炔和水的加成是在 10% 硫酸和 5% 硫酸汞水溶液中发生的。

$$HC{\equiv}CH \xrightarrow[Hg^{2+}]{H_2O,H^+} \left[\overset{H}{\underset{H}{C}}{=}C\overset{H}{\underset{OH}{}}\right] \rightleftharpoons \overset{H}{\underset{H}{C}}{-}C\overset{O}{\underset{H}{\big\backslash}}$$

　　　　　　　　　　　　　　　　(i)　　　　　　　　　　(ii)
　　　　　　　　　　　　　乙烯醇(烯醇式)　　　　乙醛(酮式)

水先与三键加成,生成一个很不稳定的加成物——乙烯醇(i)[羟基直接和双键碳原子相连的化合物称为烯醇(alkenol)]。(i) 很快发生异构化,形成稳定的羰基化合物(ii)。实验证据显示:炔烃和水加成的中间产物都有汞,因此一种可能的反应机理如下式所示:

$$H{-}C{\equiv}C{-}H \xrightarrow[H^+]{Hg^{2+}} H{-}C{\overset{2+}{\underset{Hg}{=}}}C{-}H \xrightarrow[-H^+]{H_2O} \overset{H}{\underset{+Hg}{C}}{=}C\overset{OH}{\underset{H}{}}$$

　　　　　　　　　　　　　　　　　　　(i)　　　　　　　　　(ii)

$$\text{（反应图）} \xrightarrow{\text{互变异构}} \underset{(iii)}{\text{（中间体）}} \xrightarrow[-Hg^{2+}]{H_3O^+} \text{（产物）}$$

在反应中,催化剂汞离子先和三键形成环状 π 络合物(i),然后,水分子进攻碳原子,并失去一个质子,生成烯醇式金属化合物(ii),(ii)进一步反应,形成 α 碳原子上带有汞的酮式化合物(iii),(iii)经酸水解,得最终产物。

　　炔烃与水的加成遵循马氏规则,因此除乙炔外,所有的取代乙炔和水的加成物都是酮,但一元取代乙炔与水的加成物为甲基酮(methyl ketone)($RCOCH_3$),二元取代乙炔($RC{\equiv}CR'$)的加水产物通常是两种酮的混合物。

习题 9-7　下列化合物在 $10\%H_2SO_4$,$5\%HgSO_4$ 水溶液中反应,写出主要产物。

(i)　$CH_3C{\equiv}CCH_3$　　　(ii)　$CH_3CH_2C{\equiv}CCH(CH_3)_2$　　　(iii)　$(CH_3)_3CC{\equiv}CH$

习题 9-8　从指定原料合成指定化合物。

(i) 从 （结构式） 合成 （结构式）

(ii) 从 （结构式） 合成 （结构式）

9.6　炔烃的自由基加成

有过氧化物存在时,炔烃和溴化氢发生自由基加成反应,得反马氏规则的产物。

$$n\text{-}C_4H_9C{\equiv}CH + HBr \xrightarrow{\text{过氧化物}} n\text{-}C_4H_9CH{=}CHBr \xrightarrow[\text{过氧化物}]{HBr} \text{（结构式）}$$

1-己炔　　　　　　　　　1-溴-1-己烯　　　　　　　　1,2-二溴己烷

在 $n\text{-}C_4H_9CH{=}CHBr$ 进一步与 HBr 进行自由基加成时,由于 $n\text{-}C_4H_9CHBr\dot{C}HBr$ 较 $n\text{-}C_4H_9\dot{C}HCHBr_2$ 稳定,故得 1,2-二溴己烷。

习题 9-9　完成下列转换:

(i)　$CH_3CH_2C{\equiv}CH \longrightarrow$ （结构式）

(ii)　$CH_3CH_2C{\equiv}CH \longrightarrow$ （结构式）

习题 9-10　写出下列反应的反应机理。

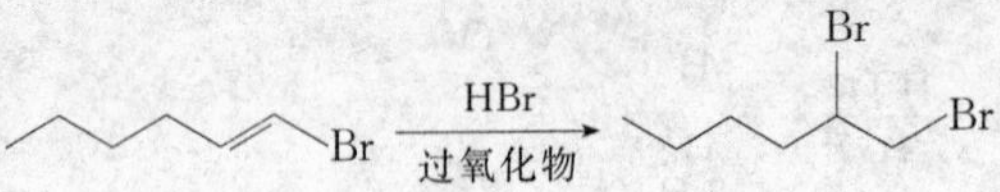

9.7 炔烃的亲核加成

炔烃和烯烃的明显区别表现在炔烃能发生亲核加成,而烯烃不能。

9.7.1 炔烃和氢氰酸的加成

氢氰酸可与乙炔发生亲核加成反应:

$$HC\!\equiv\!CH + HCN \xrightarrow[70\,℃]{CuCl_2\,(aq)} CH_2\!=\!CH\!-\!CN$$

丙烯腈

反应中 CN^- 首先与三键进行亲核加成形成碳负离子,再与质子作用,完成生成丙烯腈的反应。上法因乙炔成本较高,现世界上几乎都采用丙烯的氨氧化反应制丙烯腈,反应过程是丙烯与氨的混合物在 $400\sim500\,℃$,在催化剂的作用下用空气氧化:

$$2CH_2\!=\!CHCH_3 + 3O_2 + 2NH_3 \xrightarrow[400\sim500\,℃]{催化剂} 2CH_2\!=\!CH\!-\!CN + 6H_2O$$

聚丙烯腈可用于合成纤维(腈纶)、塑料、丁腈橡胶。此外,丙烯腈电解加氢二聚,是一个新的成功的合成己二腈的方法。

$$2CH_2\!=\!CH\!-\!CN + 2H^+ + 2e^- \longrightarrow NC\diagdown\!\diagup\!\diagdown\!\diagup\!\diagdown CN$$

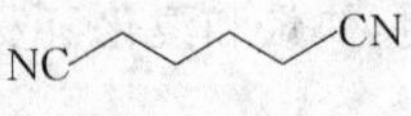

己二腈加氢得己二胺,己二腈水解得己二酸,是制造尼龙-66的原料。

9.7.2 炔烃和含活泼氢的有机物反应

乙炔或其一元取代物可与带有下列"活泼氢"的有机物,如—OH,—SH,—NH₂,=NH,—CONH₂或—COOH发生加成反应,生成含有双键(乙烯基)的产物。例如,乙醇在碱催化下于 $150\sim180\,℃$,$0.1\sim1.5$ MPa与乙炔反应,生成乙烯基乙醚:

$$HC\!\equiv\!CH + HOC_2H_5 \xrightarrow[\substack{150\sim180\,℃ \\ 0.1\sim1.5\ \text{MPa}}]{碱} CH_2\!=\!CH\!-\!OC_2H_5$$

乙烯基乙醚

根据原料的不同,反应条件(即温度、压力、催化剂等)也可以不同。这类反应的反应机理是烷氧负离子(alkoxyl anion)与三键进行亲核加成,产生一个碳负离子中间体(i),(i)从醇分子中得到质子,得产物(ii),用反应式表示如下:

$$HC\equiv CH \xrightarrow{RO^-} H\bar{C}=CH-OR \xrightarrow[-RO^-]{ROH} CH_2=CH-OR$$
$$\qquad\qquad\qquad\quad (i) \qquad\qquad\qquad\qquad (ii)$$

乙烯基乙醚聚合后得聚乙烯基乙醚,常用作黏合剂。

又如,醋酸与乙炔按下式反应得醋酸乙烯酯:

$$HC\equiv CH + CH_3COOH \xrightarrow[170\sim210\,℃]{Zn(OAc)_2/活性炭} CH_3COOCH=CH_2$$
$$\qquad\qquad\qquad\qquad\qquad\qquad\qquad\qquad 醋酸乙烯酯$$

工业上现已用乙烯代替乙炔,与醋酸、氧在钯催化下制备:

$$CH_2=CH_2 + CH_3COOH + 1/2O_2 \xrightarrow[0.5\sim1\ MPa]{Pd,175\sim200\,℃} CH_3COOCH=CH_2$$

醋酸乙烯酯是制备聚乙烯醇的原料,这种聚合物主要以胶乳形式用于乳胶漆、其它表面涂料、黏合剂等。

9.8 炔烃的氧化

炔烃经臭氧或高锰酸钾氧化,可发生碳碳三键的断裂,生成两个羧酸,例如:

$$CH_3CH_2CH_2C\equiv CCH_2CH_3 \xrightarrow{O_3} \xrightarrow{H_2O} CH_3CH_2CH_2COOH + CH_3CH_2COOH$$

$$CH_3CH_2CH_2C\equiv CCH_2CH_3 \xrightarrow[OH^-,25\,℃]{KMnO_4} \xrightarrow{H^+} CH_3CH_2CH_2COOH + CH_3CH_2COOH$$

炔烃的鉴别和结构测定

和烯烃的氧化一样,根据高锰酸钾溶液的颜色变化可以鉴别炔烃,根据所得产物的结构可推知原炔烃的结构。

一元取代乙炔通过硼氢化–氧化可制得醛。硼烷和炔烃反应,得烯基硼烷,该加成反应是反马氏规则的(与烯烃加成相似)。烯基硼烷在碱性过氧化氢中氧化,得烯醇,异构化后生成醛。反应过程如下式所示:

$$6\ RC\equiv CH \xrightarrow{B_2H_6} 2\left(\begin{array}{c}R\\H\end{array}C=C\begin{array}{c}H\\\end{array}\right)_3 B \xrightarrow[OH^-]{H_2O_2} 6\left[\begin{array}{c}R\\H\end{array}C=C\begin{array}{c}H\\OH\end{array}\right] \Longrightarrow 6\ RCH_2CHO$$

二元取代乙炔,通常得到两种酮的混合物。

习题 9–11 完成下列反应,写出主要产物。

(i) $(CH_3)_3CC\equiv CH \xrightarrow{B_2H_6} \xrightarrow[OH^-]{H_2O_2}$

(ii) ![反应式] $\xrightarrow[\text{0 ℃}]{B_2H_6 \quad CH_3COOH}$

习题 9-12 从已给原料出发合成指定化合物。

(i) 从 ![结构式 Br] 合成 ![结构式 CHO]

(ii) 从 ![结构式 Br] 合成 ![结构式]

9.9　乙炔的聚合

　　乙炔在不同的催化剂作用下,可有选择地聚合成链形或环状化合物。例如,在氯化亚铜和氯化铵的作用下,可以发生二聚或三聚作用。这种聚合反应可以看做是乙炔的自身加成反应:

$$HC\equiv CH + HC\equiv CH \xrightarrow[\text{NH}_4\text{Cl}]{\text{Cu}_2\text{Cl}_2} CH_2=CH-C\equiv CH \xrightarrow[\text{Cu}_2\text{Cl}_2, \text{NH}_4\text{Cl}]{HC\equiv CH} \text{[结构式]}$$

　　　　　　　　　　　　　　乙烯基乙炔　　　　　　　　　　　　二乙烯基乙炔

　　乙炔在高温下(400～500 ℃)可以发生环形三聚合作用,生成苯。但这个反应苯的产量很低,同时还产生许多其它的芳香族副产物,因而没有制备价值。但为研究苯的结构提供了有力的线索。

$$\text{[结构式]} \xrightarrow{500\ ℃} \text{[苯结构式]}$$

　　　　　　　　　　　　　　　　　　　　　　苯

　　除了三聚环状物外,乙炔在四氢呋喃中,经氰化镍催化,于 1.5～2 MPa、50 ℃时聚合,可生成环辛四烯:

$$\text{[结构式]} \xrightarrow[\text{50 ℃, 1.5~2.0 MPa}]{\text{Ni(CN)}_2} \text{[环辛四烯结构式]}$$

　　　　　　　　　　　　　　　　　　环辛四烯(80%)

　　目前尚未发现环辛四烯的重大工业用途,但该化合物在认识芳香族化合物的过程中,起着很大的作用。以往认为乙炔不能在加压下进行反应,因为它受压后,很容易爆炸。后来发现将乙炔用氮气稀释,可以安全地在加压下进行反应。从而开辟了乙炔的许多新型反应,制备出许多重要的化合物。环辛四烯就是其中的一个。关于这个重要化合物,以后还要讨论。

习题 9-13　单体氯丁二烯有乙炔法和丁二烯氯化法两种工业生产方法,反应过程如下:

乙炔法：

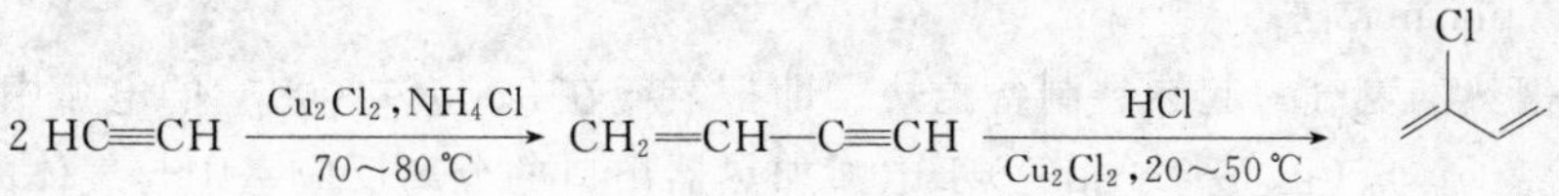
2 HC≡CH
Cu2Cl2，NH4Cl
70～80℃
CH2═CH—C≡CH
HCl
Cu2Cl2，20～50℃
Cl

丁二烯氯化法：

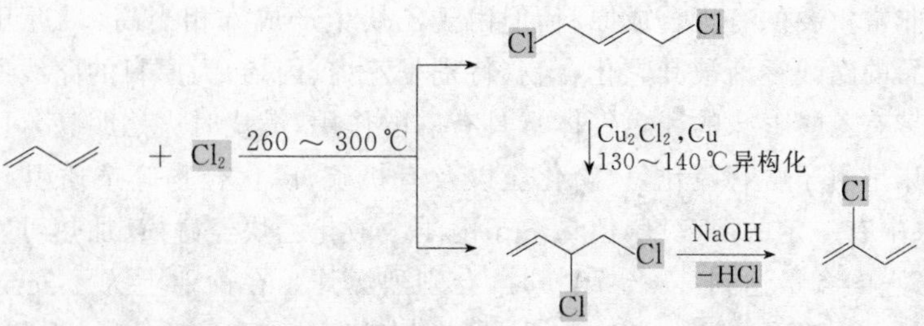
Cl
Cl
+ Cl2
260 ～ 300℃
Cu2Cl2，Cu
130～140℃异构化
Cl
Cl
NaOH
-HCl
Cl

(i) 请写出这两种工业生产方法中各步反应的类别。

(ii) 查阅相关文献，对比分析这两种生产方法的特点。

炔烃的制备

9.10 乙炔的工业生产

用煤或石油做原料，是生产乙炔的两种主要途径。随着天然气化学工业的发展，天然气即将成为乙炔的主要来源。生产乙炔的重要方法有下列几种：

1. 碳化钙(电石)法

以前这是大工业生产乙炔的唯一方法，即用焦炭和氧化钙经电弧加热至 2 200 ℃，制成碳化钙，它再与水反应，生成乙炔和氢氧化钙，反应如下：

$$CaO + 3C \xrightleftharpoons{2\,200\,℃} CaC_2 + CO \qquad \Delta H = 460\ kJ \cdot mol^{-1}$$

$$CaC_2 + 2H_2O \longrightarrow HC{\equiv}CH + Ca(OH)_2$$

此法成本较高，现在除少数国家外，均不用此法。

2. 甲烷法(电弧法)

甲烷在 1500 ℃电弧中经极短时间(0.1～0.01 s)加热，裂解成乙炔，即

$$2CH_4 \longrightarrow HC{\equiv}CH + 3H_2 \qquad \Delta H = 397.4\ kJ \cdot mol^{-1}$$

由于乙炔在高温很快分解成碳，故反应气须用水很快地冷却，乙炔产率约 15%。改用气流冷却反应气，可提高乙炔产率达 25%～30%。裂解气(pyrolysis gas)中还含有乙烯、氢和炭尘。这个方法的特点是原料非常便宜，在天然气丰富的地区采用这个方法是比较经济的。石脑油(naphtha)也可用此法生产乙炔。

3. 等离子(plasma)法

用石油和极热的氢气一起热裂制备乙炔。即把氢气在 $3500\sim4000\,°C$ 的电弧中加热,然后部分离子化的等离子体氢(正负离子相等)于电弧加热器出口的分离反应室中与气体的或汽化了的石油气反应,生成的产物有:乙炔、乙烯(二者的总产率在 70%以上)以及甲烷和氢气。

乙炔过去是非常重要的有机合成原料,但由于乙炔生产成本相当高,最近几十年来,以乙炔为原料生产化学品的路线逐渐被其它化合物(特别是乙烯、丙烯)为原料的路线所取代。

纯的乙炔是带有乙醚气味的无色气体。具有麻醉作用,燃烧时火焰明亮,可用以照明。工业乙炔的不好闻气味是由于含有硫化氢、磷化氢以及有机硫、磷化合物等杂质引起的。与乙烯、乙烷不同,乙炔在水中有一定的溶解度,但易溶于丙酮。液化乙炔经碰撞、加热可发生剧烈爆炸,乙炔与空气混合,当它的含量达到 3%~70%时,会剧烈爆炸。在商业上为了安全地处理乙炔,把它装入钢瓶中($1.2\sim2$ MPa),瓶内装有多孔材料,如硅藻土、浮石或木炭,再装入丙酮。丙酮在常压下,$25\,°C$ 时,约可溶解相当于它体积 25 倍的乙炔,而在 1.2MPa 可溶解相当其体积 300 倍的乙炔。乙炔和氧气混合燃烧,可产生 $2800\,°C$ 的高温,用以焊接或切割钢铁及其它金属。

9.11　由二元卤代烷制备

邻二卤代烷和偕二卤代烷在碱性试剂的作用下失去两分子卤化氢生成炔烃。常用的碱性试剂有氢氧化钠或氢氧化钾的醇溶液和氨基钠的矿物油。

$$\text{Ph—CH—CH—Ph} \xrightarrow[\triangle]{\text{KOH},\,\text{C}_2\text{H}_5\text{OH}} \text{Ph}\equiv\text{Ph}$$
$$\qquad\;\;|\qquad\;\;|$$
$$\qquad\;\;\text{Br}\qquad\text{Br}$$

二卤代烷失去第一分子卤化氢比较容易,但所产生的乙烯基卤代衍生物(—CH=CX—)再失去一分子卤化氢,则较为困难,因为卤素和碳碳双键共轭,形成下列极限式:

$$\text{\Large$>$}\!\overset{+}{\text{C}}\!=\!\text{CH—}\ddot{\ddot{\text{X}}} \longleftrightarrow \text{\Large$>$}\!\bar{\text{C}}\!-\!\text{CH}\!=\!\overset{+}{\ddot{\text{X}}}$$

从上边的共振式中可以看出,由于共轭,碳卤键增强了,所以卤原子作为一个负离子离去是困难的。为此常需要加热。如

$$\xrightarrow[\triangle]{\text{KOH},\,\text{C}_2\text{H}_5\text{OH}} \text{CH}_3\text{C}\equiv\text{CH}$$

$$\xrightarrow[150\,°C]{\text{NaNH}_2,\,\text{矿物油}} \text{CH}_3\text{C}\equiv\text{CH}$$

对于相对分子质量较大的炔烃,在碱性试剂的作用下,三键会发生位移。氢氧化钾(或氢氧化钠)的醇溶液常使末端炔键向链中位移,而氨基钠使三键移向末端:

$$\text{CH}_3\text{CH}_2\text{C}\equiv\text{CH} \xrightarrow[\triangle]{\text{KOH},\,\text{C}_2\text{H}_5\text{OH}} \text{CH}_3\text{C}\equiv\text{CCH}_3$$

$$n-C_5H_{11}C\equiv CCH_3 \xrightarrow[150℃]{NaNH_2,矿物油} n-C_6H_{13}C\equiv C^-\ Na^+ \downarrow + NH_3$$

$$\downarrow H_2O$$

$$n-C_6H_{13}C\equiv CH$$

习题 9-14 请以丁炔为例,阐明氢氧化钾(或氢氧化钠)醇溶液使末端炔键向链中位移,而氨基钠使三键移向末端的原因。

9.12 用末端炔烃制备

乙炔与 $NaNH_2$(KNH_2、$LiNH_2$ 均可)在液氨中形成乙炔化钠,然后与卤代烷发生 S_N2 反应,形成一元取代乙炔:

$$HC\equiv CH + NaNH_2 \xrightarrow[-33℃]{NH_3(液)} HC\equiv C^-\ Na^+ + NH_3$$

$$\downarrow RX(一级卤代烷)$$

$$HC\equiv CR + NaX$$

卤代烷以一级最好,β 位有侧链的一级卤代烷及二级、三级卤代烷易发生消除反应,不能用于合成。一元取代乙炔可进一步用于合成二元取代乙炔:

$$RC\equiv CH + NaNH_2 \xrightarrow[-33℃]{NH_3(液)} RC\equiv C^-\ Na^+ + NH_3$$

$$\downarrow R'Br(一级卤代烷)$$

$$RC\equiv CR' + NaBr$$

炔烃与格氏试剂或有机锂化合物反应,可得含三键的格氏试剂、锂化合物:

$$HC\equiv CH + 2RMgX \xrightarrow{醚} XMgC\equiv CMgX + 2RH$$

$$RC\equiv CH + RMgX \xrightarrow{醚} RC\equiv CMgX + RH$$

$$RC\equiv CH + RLi \xrightarrow{醚} RC\equiv CLi + RH$$

这些具有三键的格氏试剂或锂化合物,与一级卤代烷在醚溶液中发生 S_N2 反应,形成二元取代的乙炔:

$$\underset{(Li)}{RC\equiv CMgX} + R'Br \xrightarrow{醚} RC\equiv CR' + \underset{(LiBr)}{XMgBr}$$

格氏试剂和锂化合物是较强的碱,与炔化钠一样,其它卤代烷不适用于此反应。

末端炔烃直接氧化偶联可用来制备高级炔烃。

$$2 \, RC \!\!\equiv\!\! CH \xrightarrow[\text{空气}]{Cu_2Cl_2,\,NH_3,\,CH_3OH} R \!\!=\!\!=\!\!=\!\! R$$

炔化亚铜用空气或 $K_3Fe(CN)_6$ 等氧化剂氧化,可以偶联成具有两个炔基的长链化合物。例如:

$$2 \underset{HO}{\diagup}\!\!=\!\!=\!\!Cu + \frac{1}{2}O_2 \longrightarrow \underset{HO}{\diagup}\!\!=\!\!=\!\!=\!\!=\!\!\underset{OH}{\diagdown} + Cu_2O$$

一般认为,这个反应是通过自由基机理进行的:

$$\underset{HO}{\diagup}\!\!=\!\!=\!\!Cu + O_2 \longrightarrow \underset{HO}{\diagup}\!\!=\!\!=\!\!Cu^+ \longrightarrow \underset{HO}{\diagup}\!\!=\!\!=\!\!\cdot + Cu^+$$

$$2 \underset{HO}{\diagup}\!\!=\!\!=\!\!\cdot \longrightarrow \underset{HO}{\diagup}\!\!=\!\!=\!\!=\!\!=\!\!\underset{OH}{\diagdown}$$

习题 9-15 由乙炔及卤代烷为原料合成下列化合物:

(i) $CH_3C \!\!\equiv\!\! CCH_2CH_3$ (ii) $CH_3 \!\!-\!\! C \!\!\equiv\!\! C \!\!-\!\! CH_2 \!\!-\!\! CH_2 \!\!-\!\! C \!\!\equiv\!\! C \!\!-\!\! CH_3$

习题 9-16 由相应碳原子数的一卤代烷为原料合成:

(i) 1-戊炔   (ii) 3-己炔

习题 9-17 由相应碳原子数的烯烃为原料合成:

(i) $CH_3C \!\!\equiv\!\! CCH_3$ (ii) $CH_3CH_2C \!\!\equiv\!\! CH$

习题 9-18 完成下列反应,写出反应机理,讨论这两个反应的异同点并分析原因。

(i) $CH_3CH \!\!=\!\! CHCH_3 + Br_2 \longrightarrow \xrightarrow[\triangle]{KOH}$

(ii) ⬡ $+ Br_2 \longrightarrow \xrightarrow[\triangle]{KOH}$

习题 9-19 从指定原料出发合成:

(i) 从 1-丁烯合成 3,5-辛二炔

(ii) 从 3,3-二甲基-2-溴戊烷合成 3,3,8,8-四甲基-4,6-癸二炔

习题 9-20 写出下式中 A,B,C,D 各化合物的构造式。(有两组答案)

$A + Br_2 \longrightarrow B$ $B + 2KOH \xrightarrow{C_2H_5OH} C + 2KBr + 2H_2O$

$C + H_2 \xrightarrow[PbO]{Pd/CaCO_3} D$ $D + H_2O \xrightarrow{H^+}$ (结构式:含 OH)

习题 9-21 用乙炔、丙炔以及其它必要的有机及无机试剂,合成下列化合物:

(i) (含 Br, Cl 的结构)

(ii) (共轭二烯结构)

(iii) (含 O 的结构)

(iv) (含 O 的乙烯基醚结构)

(v)

$$CH_3CH_2 \quad C=C \quad \begin{matrix} H \\ CH_2CH_3 \end{matrix}$$

(vi)

CHO

(vii)

cyclohexane with CH_3 CH_3 substituents

(viii)

cyclohexene with CH_3 and vinyl substituents

习题 9-22 完成下列反应,并写出产物的中英文名称。

(i) $2\,CH_3CH_2C{\equiv}CNa + Br \quad Br \xrightarrow{NH_3(\text{液})}$

(ii) $CH_3C{\equiv}CNa + Cl(CH_2)_6I \xrightarrow{NH_3(\text{液})}$

(iii) $CH_3C{\equiv}CCH_2C{\equiv}CH + 2H_2 \xrightarrow[\text{PbO}]{\text{Pd/CaCO}_3}$

(iv)

$+ H_2 \xrightarrow[\text{喹啉}]{\text{Pd/BaSO}_4}$

(v)

$\xrightarrow[\text{NH}_3(\text{液})]{\text{Na}}$

习题 9-23 根据化合物的酸碱性,判断 $CH_3CH_2C{\equiv}CH$ 能否与下列各个碱发生反应。

(i) $NaNH_2$ (ii) C_2H_5ONa (iii) $NaOH$ (iv) $NaHCO_3$

习题 9-24 一个碳氢化合物 C_6H_{10} 能使高锰酸钾水溶液和溴的四氯化碳溶液褪色,与银氨溶液反应,生成白色沉淀,和硫酸汞的稀硫酸溶液反应,生成一个含氧的化合物。请写出该碳氢化合物所有可能的构造式及系统命名。

习题 9-25 化合物 A 与 B 的相对分子质量均为 68,且具有相同的碳架。A 和 B 都能使溴的四氯化碳溶液褪色。A 与 $[Ag(NH_3)_2]^+$ 溶液反应产生沉淀,A 经 $KMnO_4$ 热溶液氧化得 CO_2 和 $(CH_3)_2CHCOOH$。B 不与银氨溶液反应,与 1 mol Br_2 反应可得到六种产物。请写出 A 与 B 的结构式及有关反应的反应式。

习题 9-26 从指定原料合成指定化合物:

(i) 从 2-戊炔合成

$$H \cdots \underset{CH_3}{\overset{O}{\triangle}} \cdots \underset{H}{\overset{}{C_2H_5}} \quad (\pm)$$ 和 $$H_3C \cdots \overset{O}{\triangle} \cdots \underset{H}{\overset{}{C_2H_5}} \quad (\pm)$$

(ii) 从 1,2-二苯基乙烷合成内消旋 1,2-二苯基-1,2-二溴乙烷。

(iii) 从 1,2-二苯基乙烷合成外消旋 1,2-二苯基-1,2-二溴乙烷。

习题 9-27 化合物 $A(C_{10}H_{16})$ 具有旋光性,将 A 用铂进行催化氢化生成 $B(C_{10}H_{22})$,不旋光,将 A 用 Lindlar 催化剂小心催化氢化生成 $C(C_{10}H_{18})$,也不旋光,但如将 A 置液氨中与金属钠反应,生成 $D(C_{10}H_{18})$,却有旋光。试推测 A,B,C,D 的结构。

复习本章的指导提纲

基本概念和基本知识

炔烃,炔烃的官能团,炔烃的结构特征;轨道杂化对电负性、键长的影响;甲基负离子,乙烯基负离子,乙炔基负离子;炔烃物理性质的一般规律;含碳酸及酸性强弱的判断;Lindlar 催化剂;自由基负离子,自由基正离子,离子基;烯醇式,乙烯醇;马氏规则;甲基酮;烷氧负离子。

基本反应和重要反应机理

末端炔烃的酸碱反应,末端炔烃的卤化反应,末端炔烃作为亲核试剂与醛酮的亲核加成反应;Favorski 反应;炔烃的催化氢化,炔烃的硼氢化-还原,炔烃用碱金属和液氨还原炔烃用氢化锂铝还原;炔烃的亲电加成:与卤素的加成,和氢卤酸的加成,和水的加成;炔烃的自由基加成;炔烃的亲核加成:与氢氰酸的加成,与含活泼氢有机物的反应;炔烃被臭氧氧化,被高锰酸钾氧化,炔烃的硼氢化-氧化反应;乙炔的聚合。

重要合成方法

乙炔的工业生产:碳化钙法,甲烷法,等离子法;用二元卤代烃制炔烃;用末端炔烃制更高级的炔烃;重要单体丙烯腈,醋酸乙烯酯,乙烯基乙醚的制备;合成尼龙的单体之一———己二胺的制备。

重要鉴别和结构测定方法

用银氨溶液鉴别及提纯末端炔烃,用铜氨溶液鉴别及提纯末端炔烃,用高锰酸钾溶液鉴别炔烃,用臭氧氧化测定炔烃的结构。

英汉对照词汇

acetylenyl anion （乙炔基负离子）

alkenol （烯醇）

alkoxyl anion （烷氧负离子）

alkyne （炔烃）

alkynol （炔醇）

alkynyl carbanion （炔碳负离子）

alkynyl compound （炔化物）

carbonaceous acid （含碳酸）

Favorski reaction （法沃斯基反应）

ionization （电离）

Lindlar catalyst （林德拉催化剂）

methyl anion （甲基负离子）

methyl ketone （甲基酮）

naphtha （石脑油）

pyrolysis gas （裂解气）

radical anion （自由基负离子）

radical cation （自由基正离子）

terminal alkene （末端烯烃）

terminal alkyne （末端炔烃）

vinyl anion （乙烯基负离子）

第 **10** 章

醇 和 醚

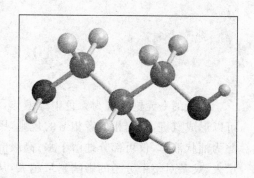

（一）醇

脂肪烃分子中的氢原子或芳香烃侧链上的氢原子被羟基取代后的化合物称为醇。羟基是醇的官能团。

10.1 醇 的 分 类

醇可以根据分子中所含羟基的数目来分类。含一个羟基的称为一元醇（monohydric alcohol），含两个羟基的称为二元醇（dihydric alcohol），二元以上的醇统称为多元醇（polyhydric alcohol）。醇也可以根据羟基所连接的碳原子的级来分类，羟基连在一级碳原子上的醇称为一级醇（primary alcohol），也称为伯醇；羟基连在二级碳原子上的醇则称为二级醇（secondary alcohol）或仲醇；羟基连在三级碳原子上的醇称为三级醇（tertiary alcohol）或叔醇。

$$R-CH_2 \qquad R-CH-R' \qquad R-\overset{\displaystyle R'}{\underset{\displaystyle OH}{\overset{|}{\underset{|}{C}}}-R''}$$

$$\overset{|}{OH} \qquad\qquad \overset{|}{OH}$$

一级醇 二级醇 三级醇

羟基与不饱和的碳原子相连，如 $RCH=CHOH$，称为烯醇（enol），这种醇很不稳定，很容易异构化为醛、酮。

本章主要讨论饱和一元醇，其通式为 $C_nH_{2n+1}OH$，多元醇的性质与一元醇类似，也作简单介绍。

10.2　醇的物理性质

　　低级的一元饱和醇为无色中性液体，具有特殊的气味和辛辣味道。水与醇均具有羟基，彼此可以形成氢键，根据相似者相溶的规则，甲醇、乙醇和丙醇可与水以任何比例相溶；4～11 个碳的醇为油状液体，仅可部分地溶于水；高级醇为无臭、无味的固体，不溶于水。随着相对分子质量的增大，烷基对整个分子的影响越来越大，从而使高级醇的物理性质与烷烃近似。一元饱和醇的密度虽比相应的烷烃密度大，但仍比水轻。醇的沸点随相对分子质量的增大而升高，在同系列中，少于 10 个碳原子的相邻两个醇的沸点差为 18～20 ℃，高于 10 个碳原子者，沸点差较小。叉链醇的沸点总比相同碳原子数的直链醇的沸点低，如表 10-1 所示。

表 10-1　一些常见醇的名称及物理常数

化　合　物	普通命名法	IUPAC 命名法	熔点/℃	沸点/℃	相对密度
甲醇 CH_3OH	methyl alcohol	methanol	−97	64.7	0.792
乙醇 CH_3CH_2OH	ethyl alcohol	ethanol	−115	78.4	0.789
正丙醇 $CH_3(CH_2)_2OH$	n−propyl alcohol	1−propanol	−126	97.2	0.804
正丁醇 $CH_3(CH_2)_3OH$	n−butyl alcohol	1−butanol	−90	117.8	0.810
正戊醇 $CH_3(CH_2)_4OH$	n−pentyl alcohol (n−amyl alcohol)	1−pentanol	−79	138.0	0.817
正己醇 $CH_3(CH_2)_5OH$	n−hexyl alcohol	1−hexanol	−52	155.8	0.820
正庚醇 $CH_3(CH_2)_6OH$	n−heptyl alcohol	1−heptanol	−34	176	
异丙醇 $(CH_3)_2CHOH$	isopropyl alcohol	2−propanol	−88.5	82.3	0.786
异丁醇 $(CH_3)_2CHCH_2OH$	isobutyl alcohol	2−methyl−1−propanol	−108	107.9	0.802
异戊醇 $(CH_3)_2CH(CH_2)_2OH$	isopentyl alcohol	3−methyl−1−butanol	−117	131.5	0.812
二级丁醇 $CH_3CH_2CH(CH_3)OH$	sec-butyl alcohol	2−butanol	−114	99.5	0.808
三级丁醇 $(CH_3)_3COH$	tert-butyl alcohol	2−methyl−2−propanol	26	82.5	0.789
环戊醇 环−C_5H_9OH	cyclopentyl alcohol	cyclopentanol		140	0.949
环己醇 环−$C_6H_{11}OH$	cyclohexyl alcohol	cyclohexanol	24	161.5	0.962
烯丙醇 $H_2C{=}CHCH_2OH$	allyl alcohol	2−propen−1−ol	−129	97	0.855
苯甲醇 $C_6H_5CH_2OH$ （苄醇）	benzyl alcohol	phenylmethanol benzenemethanol(CA)	−15	205	1.046
二苯甲醇 $(C_6H_5)_2CHOH$	diphenyl carbinol *	diphenylmethanol α−phenylbenzenemethanol(CA)	69	298	
三苯甲醇 $(C_6H_5)_3COH$	triphenyl carbinol	triphenylmethanol α,α−diphenylbenzenemethanol(CA)	162.5		
乙二醇 $CH_2{-}CH_2$ 　　　　　　OH　OH （甘醇）	glycol	1,2−ethanediol	−16	197	1.113
1,3−丙二醇 $CH_2CH_2CH_2$ 　　　　　　OH　　OH	trimethylene glycol	1,3−propanediol		215	1.060
1,2,3−丙三醇 $CH_2{-}CH{-}CH_2$ 　　　　　OH　OH　OH （甘油）	glycerol	1,2,3−propanetriol	18	290	1.261

* carbinol 称为甲醇，现在逐渐不用。

　　低级醇的熔点和沸点比碳原子数相同的碳氢化合物的熔点和沸点高得多，这是由于醇分子间有氢键缔合作用（association）的结果。实验结果显示，氢键的断裂约需要能量 21～3 kJ·mol^{-1}，这表明它比原子键弱得多（105～418 kJ·mol^{-1}）。醇在固态时，缔合较为牢固；液态时，氢键断开后，还会再形成；但在气相或非极性溶剂的稀溶液中，醇分子彼此相距甚远，各个醇分子可以单独存在。多元醇分子中有两个以上位置可以形成氢键，因此沸点更高，如乙二醇沸点197℃。分子间的氢键随着浓度增高而增加，分子内氢键（intramolecular hydyogen bond）却不受浓度的影响。

习题 10-1 低级醇的熔点和沸点比碳原子数相同的烷烃的熔点和沸点高得多，请加以解释。

习题 10-2 (i) 比较正丙醇、正丁醇和正戊醇的沸点高低，并对实验数据加以解释。

(ii) 比较正戊醇、异戊醇、环戊醇和新戊醇的沸点高低，并对实验数据加以解释。

(iii) 比较正戊烷、正丙基氯、正丁醇和 1,3-丙二醇的沸点高低，并对实验数据加以解释。

(iv) 结合(i)(ii)(iii)归纳影响沸点的因素有哪些？

10.3　醇 的 结 构

　　醇羟基中的氧是 sp^3 杂化，两对孤对电子分占两根 sp^3 杂化轨道，另外两根 sp^3 杂化轨道一根与氢形成 σ 键，另一根与碳的 sp^3 杂化轨道形成 σ 键。甲醇的键长、键角以及甲醇和乙醇的球棍模型如下所示。

甲醇　　　　　　　　乙醇

但当羟基与双键或三键碳相连时，氧的 sp^3 杂化轨道则与碳的 sp^2 杂化轨道或碳的 sp 杂化轨道形成 σ 键。

　　由于碳和氧的电负性不同，所以碳氧键（carbon-oxygen bond）是极性键，醇是一个极性分子。一般情况下，醇的偶极矩在 6.667×10^{-30} C·m 左右。甲醇的偶极矩为 5.70×10^{-30} C·m。

　　一般条件下，相邻两个碳原子上最大的两个基团处于对交叉构象最为稳定，是优势构象，但当这两个基团可能以氢键缔合时，由于形成氢键可以增加分子的稳定性（氢键的键能大约为21～30 kJ·mol^{-1}）。两个基团处于邻交叉构象成为优势构象，如

乙二醇　　　　　　　　　　β-氯乙醇

习题 10-3　请分别用伞形式、锯架式、纽曼式画出(S,S)-2,3-丁二醇的各稳定构象式,判断其中哪个构象为优势构象(以 C(2)—C(3)键为旋转轴),并阐明确定优势构象的理由。

醇 的 反 应

10.4　醇的酸性和碱性

10.4.1　醇的酸碱性分析

醇羟基的氧上有两对孤对电子,氧利用孤对电子与质子结合形成锌盐(oxonium salt)。所以醇具有碱性。在醇羟基中,由于氧的电负性大于氢的电负性,因此氧和氢共用的电子对偏向于氧,氢表现出一定的活性,所以醇也具有酸性。醇的酸性和碱性与和氧相连的烃基的电子效应相关,烃基的吸电子能力越强,醇的碱性越弱,酸性越强。相反,烃基的给电子能力越强,醇的碱性越强,酸性越弱。烃基的空间位阻对醇的酸碱性也有影响,因此分析烃基的电子效应和空间位阻影响是十分重要的。

10.4.2　烃基的电子效应和空间效应

在气相下研究一系列醇的酸性次序,其排列情况如下:

$$(CH_3)_3CCH_2OH > (CH_3)_3COH > (CH_3)_2CHOH > CH_3CH_2OH > CH_3OH > H_2O$$

这说明烷基是吸电子基团。醇在气态时,分子处于隔离状态。因此烷基吸电子反映了分子内在的本质。但在液相中测定醇的酸性次序正好相反:

$$CH_3OH > RCH_2OH > R_2CHOH > R_3COH$$

这是因为在液相中有溶剂化作用,R_3CO^- 由于 R_3C 体积大,溶剂化作用小,负电荷不易被分散,稳定性差,因此 R_3COH 中的质子不易解离,酸性小。而 RCH_2O^- 体积小,溶剂化作用大。因此 RCH_2OH 中的质子易于解离,酸性大。一般 pK_a 值是在液相测定的,很多反应也是在液相中进行的。因此根据液相中各类醇酸性的大小顺序,认为烷基是给电子的。

各类醇的共轭酸(conjugate acid RO^+H_2)在水中酸性的强弱,也由它们的共轭酸在水中的稳定性来决定,共轭酸的空间位阻小,与水形成氢键而溶剂化(solvation)的程度愈大,这个共轭酸就稳定,质子不易离去,酸性就较低。如空间位阻大,溶剂化作用小,质子易离去,酸性强。

习题 10-4　将下列化合物按酸性由大到小排列成序,并阐明按此排列的理由。

(i) $(CH_3)_2CHO\overset{+}{H}_2$，$C_2H_5\overset{+}{O}H_2$，$(CH_3)_3CO\overset{+}{H}_2$，$CH_3CH_2CH_2\overset{+}{O}H_2$，$(CH_3)_2CHCH_2\overset{+}{O}H_2$

(ii) $CH_3CH_2CH_2OH$，$CH_3C\equiv CH$，$CH_3CH_2CH_3$，$CH_3CH=CH_2$，FCH_2CH_2OH，

$BrCH_2CH_2OH$，⬡—CH_2OH，⬡—OH，⬡$\overset{C_2H_5}{\underset{OH}{}}$

习题 10-5　将下列化合物按碱性由大到小排列成序,并阐明按此排列的理由。

$(CH_3)_2CHO^-$，$(CH_3)_3CO^-$，$CH_3CH_2O^-$，NC—⬡—O^-，⬡—O^-，CH_3O—⬡—O^-

10.4.3　醇羟基中氢的反应

由于醇羟基中的氢具有一定的活性,因此醇可以和金属钠反应,氢氧键断裂,形成醇钠和放出氢气。

$$2RCH_2OH + 2Na \longrightarrow 2RCH_2ONa + H_2\uparrow$$
$$\text{醇钠}$$

由于在液相中,水的酸性比醇强,所以醇与金属钠的反应没有水和金属钠的反应强烈。若将醇钠放入水中,醇钠会全部水解,生成醇和氢氧化钠。虽然如此,在工业上制甲醇钠或乙醇钠还是用醇与氢氧化钠反应,然后设法把水除去,使平衡有利于醇钠一方。常用的方法是利用形成共沸混合物(azeotropic mixture)将水带走转移平衡。所谓共沸混合物是指几种沸点不同而又完全互溶的液体混合物,由于分子间的作用力,它们在蒸馏过程中因气相和液相组成相同而不能分开,得到具最低沸点(比所有组分沸点都低)或最高沸点(比所有组分沸点都高)的馏出物。这些馏出物的组成与溶液的组成相同,直到蒸完沸点一直恒定,如乙醇–苯–水组成三元共沸混合物,其沸点为 $64.9℃$(乙醇 18.5%,苯 74%,水 7.5%),苯–乙醇组成二元共沸混合物,其沸点为 $68.3℃$(乙醇 32.4%,苯 67.6%)。由于乙醇–水形成共沸混合物,其沸点为 $78℃$(乙醇 95.57%,水 4.43%),所以乙醇中含有少量的水不能通过蒸馏方法除去,可计算加入比形成乙醇–苯–水三元共沸混合物稍过量的苯,先将水除去,然后过量苯与乙醇形成二元共沸混合物除去,剩下为无水乙醇。醇钠的醇溶液,可通过上述去水方法得到。醇钠及其类似物在有机合成中是一类重要的试剂,并常作为碱使用。

习题 10-6　完成并配平下面的反应方程式,实验室中,经常将这两个反应结合使用来制备什么试剂?

$$C_2H_5OH + Mg \longrightarrow A + H_2\uparrow$$

$$A + H_2O \longrightarrow B + MgO$$

习题 10-7　完成下面的方程式,查阅相关资料,为产物提供合适的用处。

(1) $(CH_3)_3COH + K \longrightarrow$ _____ $+ H_2\uparrow$

(2) $(CH_3)_2CHOH + Al \longrightarrow$ _____ $+ H_2\uparrow$

10.5 醇与含氧无机酸的反应

醇与含氧无机酸(oxo inorganic acid)反应失去一分子水,生成无机酸酯。例如:

$$CH_3OH + HONO_2 \xrightarrow{H^+} CH_3ONO_2 + H_2O$$
硝酸甲酯

$$CH_3OH + HONO \xrightarrow{H^+} CH_3ONO + H_2O$$
亚硝酸甲酯

$$CH_3OH + HOSO_2OH \xrightarrow{H^+} CH_3OSO_2OH \xrightarrow{减压蒸馏} CH_3OSO_2OCH_3$$
硫酸氢甲酯   硫酸二甲酯

醇与硝酸的反应过程如下:醇分子作为亲核试剂进攻酸或其衍生物的带正电荷部分,氮氧双键打开,而后醇分子的氢氧键断裂,硝酸部分失去一分子水重新形成氮氧双键,例如:

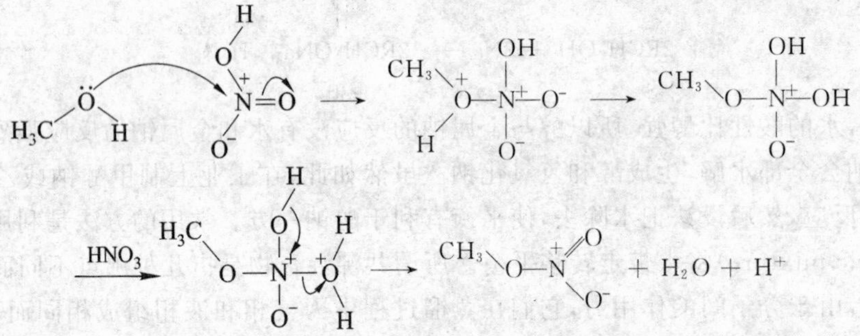

该类反应主要用于无机酸一级醇酯的制备。无机酸三级醇酯的制备不宜用此法,因为三级醇与无机酸反应时易发生消除反应。

习题 10-8 请为甲醇与亚硝酸反应生成亚硝酸酯提出一个合理的反应机理。

醇与含氧无机酸的酰氯和酸酐反应,也能生成无机酸酯。例如:

$$CH_3OH + HOSO_2Cl \longrightarrow CH_3OSO_2OH + HCl$$

$$CH_3OH + SO_3 \longrightarrow CH_3OSO_2OH$$

$$3CH_3OH + POCl_3 \longrightarrow (CH_3O)_3PO + 3HCl$$
磷酸三甲酯

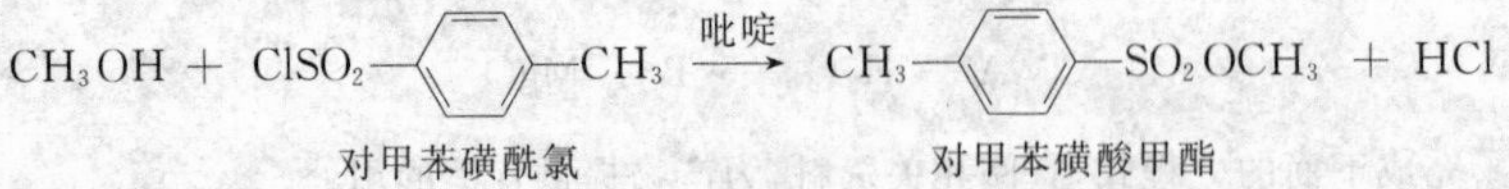

对甲苯磺酰氯   对甲苯磺酸甲酯

含氧无机酸酯有许多用途。乙二醇二硝酸酯和甘油三硝酸酯(俗称硝化甘油)都是烈性炸药。硝化甘油还能用于血管舒张、治疗心绞痛和胆绞痛。科学家发现:硝化甘油能治疗心脏病的原因是它能释放出信使分子"NO",并阐明了"NO"在生命活动中的作用机理。为此,他们荣获了

1998 年诺贝尔生理学和医学奖。

生命体的核苷酸中有磷酸酯,例如甘油磷酸酯与钙离子的反应可用来控制体内钙离子的浓度,如果这个反应失调,会导致佝偻病。

$$
\begin{array}{l}
\underset{|}{CH_2O\boxed{H}} \\
\underset{|}{CHOH} \\
CH_2OH
\end{array}
\;+\;
\begin{array}{c}
O \\
\| \\
HO-P-OH \\
| \\
OH
\end{array}
\longrightarrow
\begin{array}{l}
\underset{|}{CH_2O-\overset{\overset{O}{\|}}{P}-OH} \\
\underset{|}{CHOH\;\;OH} \\
CH_2OH
\end{array}
\xrightarrow{Ca^{2+}}
\begin{array}{l}
\underset{|}{CH_2O-\overset{\overset{O}{\|}}{P}-O} \\
\underset{|}{CHOH\;\;O-Ca} \\
CH_2OH
\end{array}
$$

甘油磷酸酯　　　　　　甘油磷酸钙

有机酸酯的制备参见 13.6。

习题 10-9 用苯、甲苯以及必要的有机及无机试剂合成:

(i) ⬡—SO₂OCH₂CH₂CH₃

(ii) CH₃—⬡—SO₂OCH(CH₃)₂

(iii) CH₃—⬡—CH₂—⬡—SO₂OCH₃

(iv) C₂H₅OSO₂—⬡—CH₂—⬡—SO₂OC₂H₅

习题 10-10 1°醇与硫酸可以发生三种反应,请以乙醇为例,写出这三种反应的反应机理。

$$
C_2H_5OH + HOSO_2OH \;\underset{98\%}{\longrightarrow}\;
\begin{cases}
\xrightarrow{<100℃} CH_3CH_2OSO_3H \\
\xrightarrow{140℃} CH_3CH_2OCH_2CH_3 \\
\xrightarrow{>160℃} CH_2{=}CH_2
\end{cases}
$$

10.6 醇羟基的置换反应

醇中,碳氧键是极性共价键,由于氧的电负性大于碳,所以其共用电子对偏向于氧,当亲核试剂进攻正性碳时,碳氧键异裂,羟基被亲核试剂取代。其中最重要的一个亲核取代反应是羟基被卤原子取代。常采用的方法如下:

10.6.1 与氢卤酸的反应

1. 一般情况

氢卤酸与醇反应生成卤代烷,反应中醇羟基被卤原子取代。

$$ROH + HX \longrightarrow RX + H_2O$$

醇羟基不是一个好的离去基团,需要酸的帮助,使羟基质子化后以水的形式离去。各种醇的反应性为 3°>2°>1°,三级醇易反应,只需浓盐酸在室温振荡即可反应,氢溴酸在低温也能与三级醇进行反应。如用氯化氢、溴化氢气体在 0℃ 通过三级醇,反应在几分钟内就可完成,这是制三级卤代烷的常用方法。

$$(CH_3)_3COH + HCl(36\%) \xrightarrow{\text{室温}} (CH_3)_3CCl + H_2O$$

在氢卤酸中，氢碘酸酸性最强，氢溴酸其次，浓盐酸相对最弱，而卤离子的亲核能力又是 $I^->Br^-$ $>Cl^-$，故氢卤酸的反应性为 $HI>HBr>HCl$。若用一级醇分别与这三种氢卤酸反应，氢碘酸可直接反应，氢溴酸需用硫酸来增强酸性，而浓盐酸需与无水氯化锌混合使用，才能发生反应。氯化锌是强的路易斯酸，在反应中的作用与质子酸类似。

$$CH_3(CH_2)_3OH + HI(57\%) \longrightarrow CH_3(CH_2)_3I + H_2O$$

$$CH_3(CH_2)_3OH + HBr(48\%) \xrightarrow[\triangle]{H_2SO_4} CH_3(CH_2)_3Br + H_2O$$

$$CH_3(CH_2)_3OH + HCl(36\%) \xrightarrow[\triangle]{ZnCl_2} CH_3(CH_2)_3Cl + H_2O$$

用 Lucas 试剂鉴别一级醇、二级醇、三级醇

浓盐酸和无水氯化锌的混合物称为 Lucas(卢卡斯)试剂。可用来鉴别六碳和六碳以下的一级、二级、三级醇，将三种醇分别加入盛有 Lucas 试剂的试管中，经振荡后可发现，三级醇立刻反应，生成油状氯代烷，它不溶于酸中，溶液呈混浊后分两层，反应放热；二级醇 2～5 min 反应，放热不明显，溶液分两层；一级醇经室温放置 1h 仍无反应，必须加热才能反应。

在使用 Lucas 试剂时须注意，有些一级醇如烯丙型醇(allylicalcohol)及苯甲型醇(benzylic alcohol)，也可以很快地发生反应，这是因为 p-π 共轭，很容易形成碳正离子进行 S_N1 反应：

$$H_2C=CHCH_2OH + ZnCl_2 \longrightarrow H_2C=CHCH_2\overset{H}{O}\cdots ZnCl_2 \longrightarrow H_2C=CH\overset{+}{C}H_2 + [HOZnCl_2]^-$$

$$\downarrow Cl^-$$

$$H_2C=CHCH_2Cl$$

各类醇与 Lucas 试剂的反应速率为

烯丙型醇，苯甲型醇，三级醇 ＞ 二级醇 ＞ 一级醇

氢卤酸与大多数一级醇按 S_N2 机理进行反应：

$$RCH_2OH + HX \rightleftharpoons RCH_2\overset{+}{O}H_2 + X^-$$

$$X^- + RCH_2\overset{+}{O}H_2 \longrightarrow RCH_2X + H_2O$$

氢卤酸与大多数二级、三级醇和空阻特别大的一级醇按 S_N1 机理进行反应：

$$ROH + HX \rightleftharpoons R\overset{+}{O}H_2 + X^-$$

$$R\overset{+}{O}H_2 \rightleftharpoons R^+ + H_2O$$

$$R^+ + X^- \longrightarrow RX$$

如果按 S_N1 机理反应，就有重排产物产生，如 2-戊醇与溴氢酸反应有 86％ 2-溴戊烷与 14％ 3-溴戊烷；异丁醇在氢溴酸与硫酸中加热反应，有 80％异丁基溴与 20％三级丁基溴，新戊

醇由于 β 位位阻太大,得到的是重排产物 2-甲基-2-溴丁烷。三级醇与氢卤酸的反应一般不会发生重排,但三级醇易发生消除反应,所以取代反应需在低温时进行。

习题 10-11 请写出下列反应的产物和相应的反应机理。

(i) $CH_3CH_2CH_2CH_2OH + HCl(浓) \xrightarrow{ZnCl_2}$

(ii) $(CH_3)_3COH + HCl(浓) \xrightarrow{ZnCl_2}$

---

2. 邻基参与效应

光活性的赤型的 α-溴代醇(i)用浓氢溴酸处理,得内消旋的二溴化物(ii),如光活性的苏型 α-溴代醇(iii)用浓氢溴酸处理,得外消旋体二溴化物(iv)、(v):

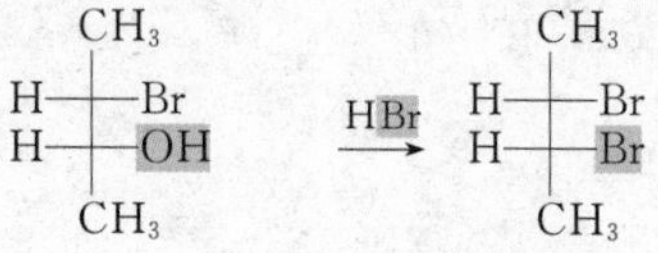

(i) 赤型
(2R,3S)-3-溴-2-丁醇

(ii) 内消旋

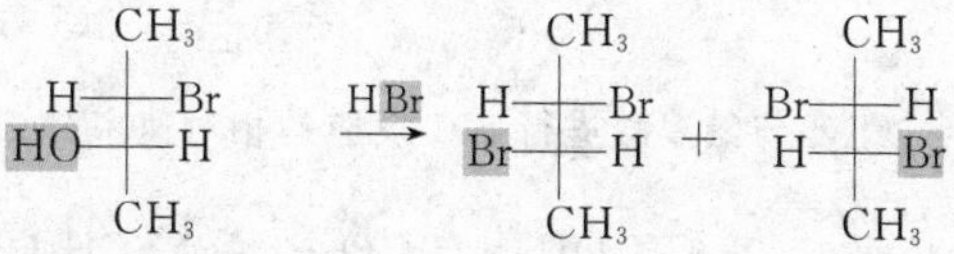

(iii) 苏型
(2S,3S)-3-溴-2-丁醇

(iv)　(v)

外消旋

当(iii)形成(iv)时,两个手性碳构型均不变,而(iii)变成(v)时,两个手性碳构型均发生转化。这是因为 β 位的溴参与了醇羟基离去的反应而引起的,这种相邻基团在排除离去基团时所作的帮助,称为邻基参与效应(neighboring group effect)。当分子内要形成一个缺电子的碳正离子(除碳外,还可包括氧与氮)时,相邻基团作为一个内部的亲核试剂向这个反应中心的碳进攻,帮助离去基团离去,这样形成了中间体环正离子,然后外部的亲核试剂进攻,形成产物,相邻基团可以通过环正离子迁移到离去基团的碳上,这时两个手性碳的构型均转化,如相邻基团仍回到原来位置,两个手性碳的构型均不变:

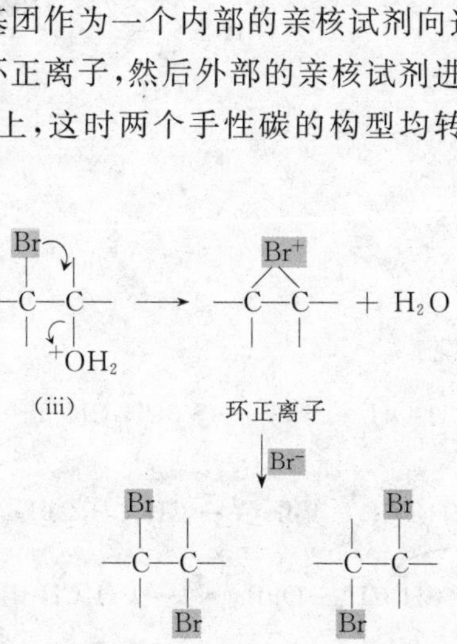

(iii)　　　　环正离子

(iv)　　　　(v)

邻基参与效应,不仅可以从上述立体化学中表现出来,也可以从反应速率(特别快)表现出来,因为相邻基团的空间位置合适,而且是分子内的反应(intramolecular reaction),因此比分子间的反应速率快。

习题 10-12 请用反应式描述有光活性的赤-3-溴-2-戊醇和氢溴酸反应的立体化学过程。

习题 10-13 完成下列反应,并写出相应的反应机理。

(i) $(CH_3)_3CCH_2OH \xrightarrow[H_2SO_4,\triangle]{HBr}$

(ii) $\xrightarrow[\triangle]{浓\ H_2SO_4}$

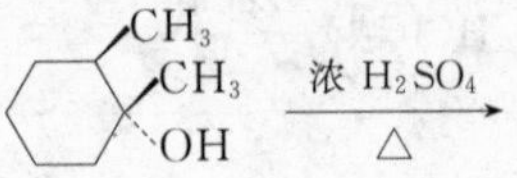

(iii) $\xrightarrow[H_2O]{H_2SO_4}$

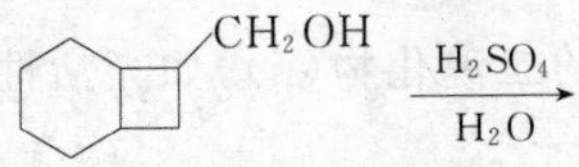

(iv) $\xrightarrow[0℃]{HBr}$

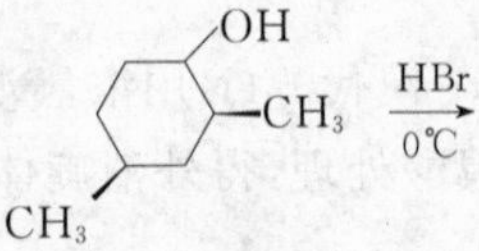

(v) $\xrightarrow{HCl}$

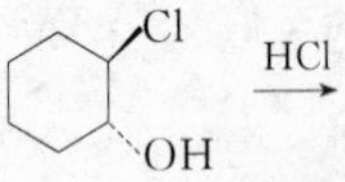

习题 10-14 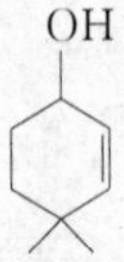 与氢溴酸反应,得 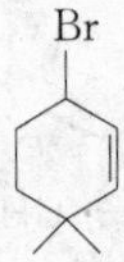 和 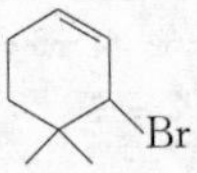 混合物,请提出一个合理的解释。

习题 10-15 预测下列二组醇与氢溴酸进行 S_N1 反应的相对速率:

(i)

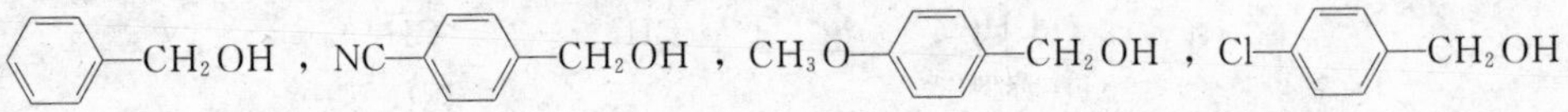

(ii)

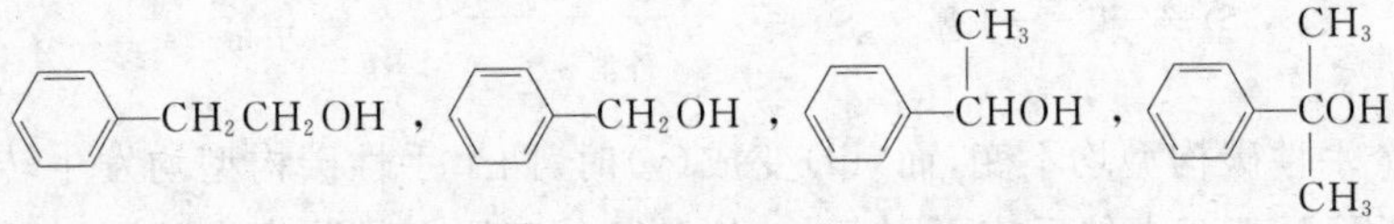

习题 10-16 完成下列反应,并为它们提供可能的合理的反应机理和画出相应的反应势能图。

(i) $(CH_3)_2C$ $\xrightarrow{HBr}$

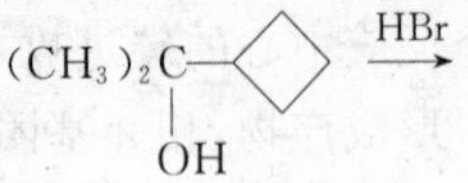

(ii) $(CH_3)_2C$ $\xrightarrow{HBr}$

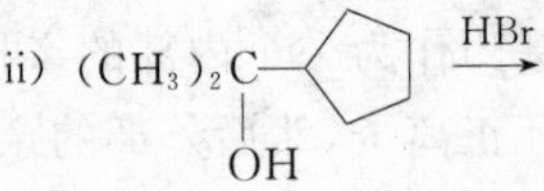

10.6.2 与卤化磷反应

醇与卤化磷反应生成卤代烷:

$$3CH_3CH_2OH + PBr_3 \longrightarrow 3CH_3CH_2Br + H_3PO_3$$

反应过程如下:

$$CH_3CH_2OH + PBr_3 \longrightarrow CH_3CH_2OPBr_2 + HBr$$

$$Br^- + CH_3CH_2 \overset{\frown}{-} OPBr_2 \longrightarrow CH_3CH_2Br + {}^-OPBr_2$$

醇羟基是一个不好的离去基团,与三溴化磷作用形成 $CH_3CH_2OPBr_2$,Br^- 进攻烷基的碳原子,

$^-$OPBr$_2$作为离去基团离去。$^-$OPBr$_2$中还有两个溴原子,可继续与醇发生反应。

　　碘代烷可由三碘化磷与醇制备,但通常三碘化磷是用红磷与碘代替,将醇、红磷和碘放在一起加热,先生成三碘化磷,再与醇进行反应:

$$CH_3CH_2OH \xrightarrow{P+I_2} CH_3CH_2I$$

氯代烷常用五氯化磷与醇反应制备:

$$CH_3CH_2OH + PCl_5 \longrightarrow CH_3CH_2Cl + HCl + POCl_3$$

　　上述方法中,最常用的是三溴化磷与一级醇、二级醇生成相应溴代烷,在用二级醇及 β 位有支链的、易发生重排反应的一级醇时温度须低于 0℃,以避免重排。红磷与碘常用于一级醇制相应碘代烷。

习题 10-17　请写明下列醇转化为相应卤代烷的试剂及反应条件:

(i) $CH_3(CH_2)_2CH_2OH \longrightarrow CH_3(CH_2)_2CH_2I$

(ii) $CH_3CH_2CHCH_2OH \longrightarrow CH_3C(CH_2CH_3)_2$ 带有 CH_2CH_3 支链,产物带 Br

(iii) $CH_3CH_2\overset{OH}{\underset{CH_3}{C}}CH_3 \longrightarrow CH_3CH_2\overset{Br}{\underset{CH_3}{C}}CH_3$

(iv) 环戊基 CH_2OH (带 H) $\longrightarrow$ 环戊基 CH_2Br (带 H)

10.6.3　与亚硫酰氯反应

　　若用亚硫酰氯和醇反应,可直接得到氯代烷,同时生成二氧化硫和氯化氢两种气体,在反应过程中这些气体都离开了反应体系,这有利于反应向生成产物的方向进行,该反应不仅速率快,反应条件温和,产率高,而且不生成其它副产物。一般用过量的亚硫酰氯并保持微沸,是一个很好的制氯代烷的方法:

$$ROH + \underset{\substack{\text{亚硫酰氯}\\ \text{bp 79℃}}}{SOCl_2} \xrightarrow{\triangle} RCl + SO_2\uparrow + HCl\uparrow$$

反应机理如下:

氯代亚硫酸酯　　　　　　紧密离子对

从上式可以看出反应过程中先生成氯代亚硫酸酯,然后分解为紧密离子对,Cl⁻作为离去基团(⁻OSOCl)中的一部分,向碳正离子正面进攻,即"内返",得到构型保持的产物氯代烷。在低温时,可以分离出该中间产物氯代亚硫酸酯,经加热分解成氯代烷和二氧化硫。这说明上述反应机制与实际相符,而且取代犹如在分子内进行的,所以叫它分子内亲核取代,以 S$_N$i 表示(intramolecular nucleophilic substitution),不过这种取代较少。经过反应,原羟基所在的碳原子仍然保持着原来的构型,只是氯原子占据了羟基所在的位置。但在醇和亚硫酰氯的混合液中加入弱亲核试剂吡啶,即会发生构型的转化,因为中间产物氯代亚硫酸酯以及反应中生成的氯化氢均可和吡啶反应分别生成下列产物:

$$\underset{\underset{R'}{|}}{RCHOSCl} + \text{吡啶} \longrightarrow \underset{\underset{R'}{|}}{RCHOS}\overset{+}{N}\text{吡啶}\ \ Cl^-$$

$$HCl + \text{吡啶} \longrightarrow \underset{H^+}{\overset{+}{N}}\ \ Cl^-$$

上述二产物都含有"自由"的氯负离子,它可从碳氧键的背面向碳原子进攻,从而使该碳原子的构型发生转化:

三级胺(R₃N)和吡啶一样可对此反应起催化作用,因为有利于氯离子的形成:

$$R_3N + HCl \rightleftharpoons R_3\overset{+}{N}H + Cl^-$$

亚硫酰氯和吡啶,常用于一级醇及二级醇制相应的氯代烷,此试剂有很多优点,因此是常用的方法。亚硫酰溴由于不稳定而很难得到,故不用它制溴代烷。

习题 10−18   完成下列反应,写出主要产物:

(i) $\quad \underset{\underset{H}{|}}{\overset{\overset{\displaystyle CH_3CH_2CH_2}{|}}{\underset{}{C}}}\text{—OH} + SOCl_2 \xrightarrow{\text{吡啶}}$

(ii) $\quad CH_3CH_2CH_2\underset{\underset{H}{|}}{\overset{\overset{\displaystyle CH_3CH_2}{|}}{C}}\text{—OH} + SOCl_2 \longrightarrow$

10.6.4 经醇与磺酰氯反应为中间阶段来制备卤代烃

醇羟基必须在质子酸或路易斯酸催化下才可进行取代反应,而苯磺酸酯中酸根部分是很好的离去基团,因此这类酯比醇容易进行亲核取代反应,如

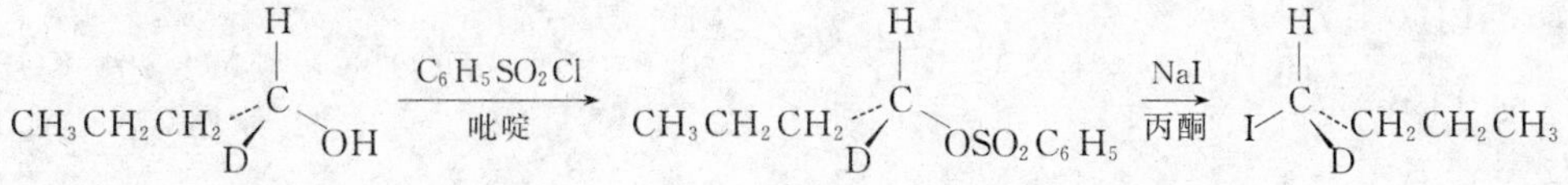

（R）-1-丁醇-1-d   构型不变   （S）-1-碘丁烷-1-d
                                              构型翻转

这样将一级或二级醇通过与苯磺酰氯反应形成磺酸酯,再转为卤代烷,纯度很好。磺酰氯可以由相应的磺酸与五氯化磷反应来制备,例如:

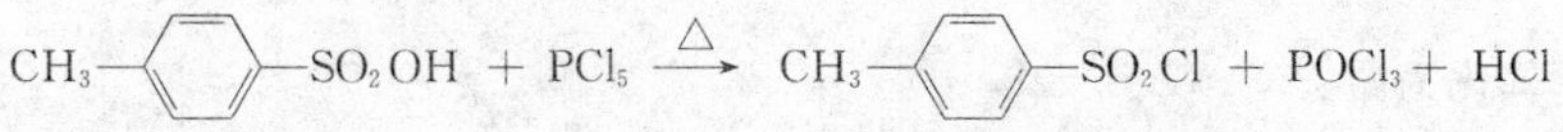

对甲苯磺酸(TsOH)   对甲苯磺酰氯(TsCl)

上述反应中的醇羟基与手性碳原子相连时,磺化一步构型不变,与卤离子反应一步构型翻转,二步反应最终得到构型翻转的产物。1-丁醇-1-d 中由于 H 与 D 的差别很小,所以光活性也很小,$[\alpha]_D = 0.5°$。

习题 10-19 由苯、甲苯、四个碳以下的有机物以及必要的无机试剂合成:

(i) 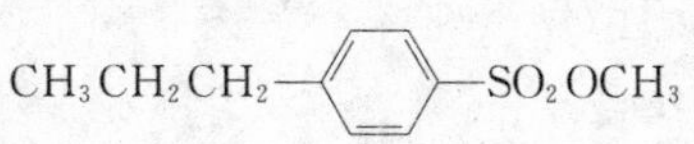 $CH_3CH_2CH_2$—⬡—SO_2OCH_3 (ii)

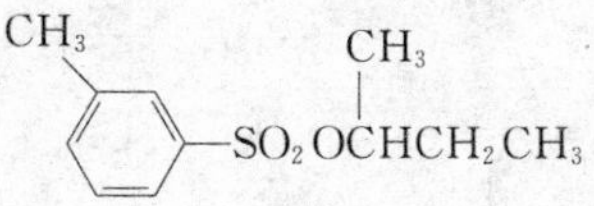

(iii)

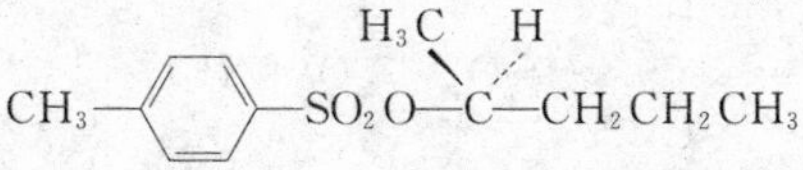

习题 10-20 设计合适的路线,完成下列转换,写出反应机理,并绘制相应的反应势能图。

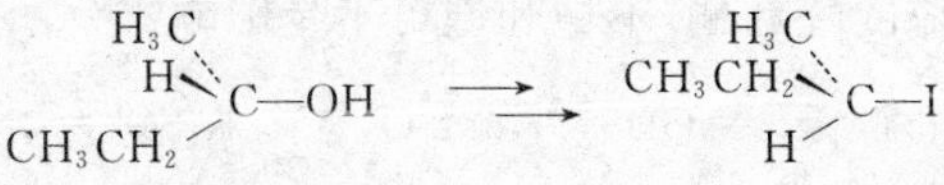

10.7 醇 的 氧 化

一级醇及二级醇与醇羟基相连的碳原子上有氢,可以被氧化成醛、酮或酸;三级醇与醇羟基相连的碳原子上没有氢,不易被氧化,如在酸性条件下,易脱水成烯,然后碳碳键氧化断裂,形成小分子化合物。

10.7.1　用高锰酸钾或二氧化锰氧化

醇不为冷、稀、中性的高锰酸钾的水溶液所氧化,一级醇、二级醇在比较强烈的条件下(如加热)可被氧化。一级醇生成羧酸钾盐,溶于水,并有二氧化锰沉淀析出,中和后可得羧酸:

$$
\begin{array}{c}
CH_3(CH_2)_3 \\
\diagdown \\
\diagup \\
CH_3CH_2
\end{array}
CHCH_2OH + KMnO_4 \xrightarrow{H_2O,OH^-}
\begin{array}{c}
CH_3(CH_2)_3 \\
\diagdown \\
\diagup \\
CH_3CH_2
\end{array}
CHCOOK + MnO_2\downarrow + KOH
$$

褐色

$$\downarrow H^+$$

$$
\begin{array}{c}
CH_3(CH_2)_3 \\
\diagdown \\
\diagup \\
CH_3CH_2
\end{array}
CHCOOH
$$

74%

二级醇可氧化为酮:

$$
\begin{array}{c}
R \\
\diagdown \\
\diagup \\
R
\end{array}
CHOH \xrightarrow{[O]}
\begin{array}{c}
R \\
\diagdown \\
\diagup \\
R
\end{array}
C=O
$$

但由于二级醇用高锰酸钾氧化为酮时,易进一步氧化使碳碳键断裂,故很少用于合成酮。

三级醇在中性、碱性条件下不易为高锰酸钾氧化,在酸性条件下,则能脱水成烯,再发生碳碳键断裂,生成小分子化合物,如

$$
\begin{array}{c}
CH_3 \\
| \\
H_3C-C-OH \\
| \\
CH_3
\end{array}
\xrightarrow[H^+]{KMnO_4}
\left[
\begin{array}{c}
H_3C \\
\diagdown \\
\diagup \\
H_3C
\end{array}
C=CH_2
\right] + H_2O
$$

$$
\xrightarrow{[O]}
\begin{array}{c}
H_3C \\
\diagdown \\
\diagup \\
H_3C
\end{array}
C=O + CO_2 + H_2O
$$

高锰酸钾与硫酸锰在碱性条件下可制得二氧化锰,新制的二氧化锰可将 β 碳上为不饱和键的一级醇、二级醇氧化为相应的醛和酮,不饱和键可不受影响:

$$2KMnO_4 + 3MnSO_4 + 4NaOH \longrightarrow 5MnO_2\downarrow + K_2SO_4 + 2Na_2SO_4 + 2H_2O$$

$$CH_2=CHCH_2OH \xrightarrow[25℃]{MnO_2} CH_2=CHCHO$$

丙烯醛

$$HOCH_2CH_2CH=CHCH_2OH \xrightarrow{MnO_2} HOCH_2CH_2CH=CHCHO$$

10.7.2 用铬酸氧化

铬酸可作为氧化剂的形式有：$Na_2Cr_2O_7$ 与 $40\%\sim50\%$ 硫酸混合液、CrO_3 的冰醋酸溶液、CrO_3 与吡啶的络合物等。

一级醇常用 $Na_2Cr_2O_7$ 与 $40\%\sim50\%$ 硫酸混合液氧化，先得醛，醛进一步氧化为酸，如

$$CH_3CH_2CH_2OH \xrightarrow[H_2SO_4]{Na_2Cr_2O_7} CH_3CH_2COOH$$
$$65\%$$

如控制合适的氧化条件，在氧化成醛后立即将其从反应体系中蒸出，可避免醛进一步被氧化为酸，反应需在低于醇的沸点，高于醛的沸点温度下进行，如

$$CH_3CH_2CH_2OH \xrightarrow[75℃]{Na_2Cr_2O_7,H_2SO_4,H_2O} CH_3CH_2CHO$$
$$\text{bp 97℃} \qquad\qquad\qquad\qquad\qquad\qquad \text{bp 49℃ 50\%}$$

将丙醇滴加到温度为 $\sim75℃$ 的 $Na_2Cr_2O_7$，H_2SO_4，H_2O 的溶液中，一旦生成丙醛，就被蒸馏出来。这种反应产率不高，因为总有一部分醛氧化为酸。醛的沸点低于100℃才能用此法，因此它的用途是非常有限的。

二级醇常用上述几种铬酸氧化剂氧化，酮在此条件下比较稳定。因此是比较有用的方法。

$$\begin{matrix} R \\ | \\ R' \end{matrix}CHOH \xrightarrow{K_2Cr_2O_7 \text{ 或 } CrO_3} \begin{matrix} R \\ | \\ R' \end{matrix}C{=}O$$

用铬酐（CrO_3）与吡啶反应形成的铬酐－双吡啶络合物是吸潮性红色结晶，称 Sarrett（沙瑞特）试剂，可使一级醇氧化为醛，二级醇氧化为酮，产率很高，因为吡啶是碱性的，对在酸中不稳定的醇是一种很好的氧化剂，反应一般在二氯甲烷中于25℃左右进行。如

$$CrO_3 + 2 \underset{N}{\bigcirc} \xrightarrow[CH_2Cl_2]{25℃} CrO_3 \cdot \left(\underset{N}{\bigcirc} \right)_2 \text{ 或写成}(C_5H_5N)_2 \cdot CrO_3$$
$$\text{Sarrett 试剂}$$

$$CH_3(CH_2)_5CH_2OH \xrightarrow[CH_2Cl_2,25℃]{(C_5H_5N)_2 \cdot CrO_3} CH_3(CH_2)_5CHO$$

$$CH_3(CH_2)_4C{\equiv}CCH_2OH \xrightarrow[CH_2Cl_2,25℃]{(C_5H_5N)_2 \cdot CrO_3} CH_3(CH_2)_4C{\equiv}CCHO$$
$$84\%$$

分子中如有双键、三键，氧化时不受影响。

二级醇还可以被 Jones（琼斯）试剂氧化成相应的酮，若反应物是不饱和的二级醇，用 Jones 试剂氧化时生成相应的酮而双键不受影响，该试剂是把铬酐溶于稀硫酸中，然后滴加到要被氧化的醇的丙酮溶液中，反应在 $15\sim20℃$ 进行，可得较高产率的酮，如

醇与铬酸的反应机理如下所示：

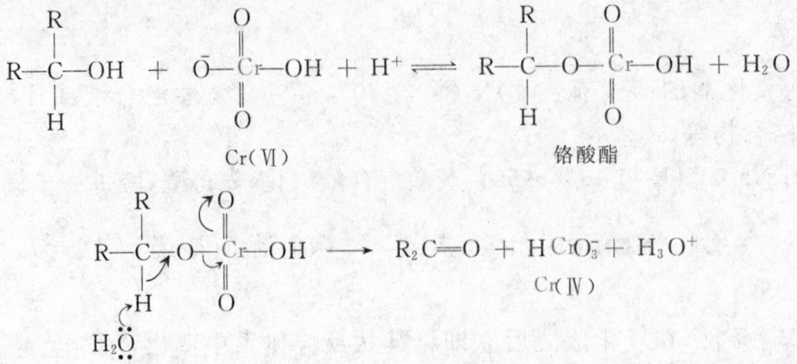

Cr(Ⅵ)　　　　　　铬酸酯

上述的水作为碱。也可以不是外来的碱，而是通过环状机制，把一个 H⁺ 传给氧的；最终将 Cr(Ⅵ)还原为 Cr(Ⅲ)。

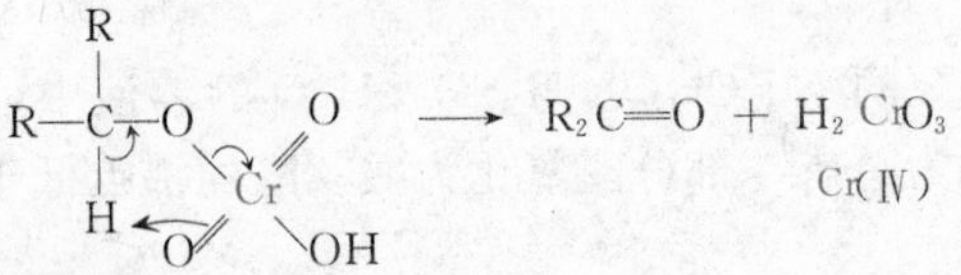

如用过量铬酸并反应条件强烈，双键也被氧化成酮或酸。

用铬酐的硫酸水溶液鉴别一级醇、二级醇

一级醇、二级醇可使清澈的铬酐的硫酸水溶液由橙色变为不透明的蓝绿色。三级醇无此反应。烯烃、炔烃也无此反应。上述反应的原因是一级醇与二级醇起了氧化作用。

10.7.3　用硝酸氧化

一级醇能在稀硝酸中氧化为酸。二级醇、三级醇需在较浓的硝酸中氧化，同时碳碳键断裂，成为小分子的酸。环醇氧化，碳碳键断裂成为二元酸：

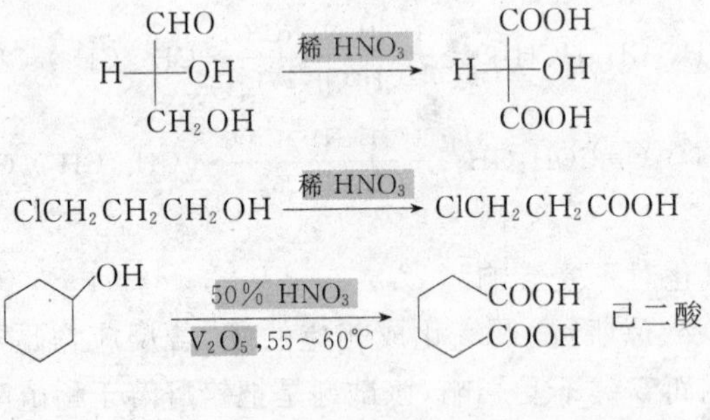

10.7.4　Oppenauer 氧化法

另一种有选择性的氧化醇的方法叫做 Oppenauer（欧芬脑尔）氧化法（oxidation methods），即在碱如三级丁醇铝或异丙醇铝的存在下，二级醇和丙酮（或甲乙酮、环己酮）一起反应（有时需加入苯或甲苯做溶剂),醇把两个氢原子转移给丙酮,醇变成酮,丙酮被还原成异丙醇。该反应的特点是,只在醇和酮之间发生氢原子的转移,而不涉及分子的其它部分。所以在分子中含有碳碳双键或其它对酸不稳定的基团时,利用此法较为适宜。因此该法也是由一个不饱和二级醇制备不饱和酮的有效方法。

醇铝可用下法制备:

$$6(CH_3)_3COH + 2Al \xrightarrow{HgCl_2} 2[(CH_3)_3CO]_3Al + 3H_2$$

反应举例如下:

该反应是通过一个环状中间体进行的。

这是一个可逆反应,故也可由酮制醇(参看 12.6.2/4)。为使上一反应向生成酮的方向进行,须加入大量的丙酮。使(i)尽可能与丙酮络合,将丙酮还原为异丙醇;而其逆反应则须加大量异丙醇,同时把产生的丙酮从反应体系中移走。

使用上述氧化法,一级醇虽也可氧化成相应的醛,但效果并不太好,因在碱存在下,生成的醛常易进行羟醛缩合反应。

10.7.5　用 Pfitzner-Moffatt 试剂氧化

一级醇在 Pfitzner(费兹纳)-Moffatt(莫发特)试剂的作用下,可以得到产率非常高的醛。

这个试剂是由二甲亚砜和二环己基碳二亚胺组成。二环己基碳二亚胺英文名叫 dicyclohexyl carbodiimide,简称为 DCC,是二取代脲的失水产物。

$$C_6H_{11}NHCNHC_6H_{11} \xrightarrow[(C_2H_5)_3N]{C_6H_5SO_2Cl} C_6H_{11}N=C=NC_6H_{11} + H_2O$$

这是一个非常重要的失水剂(dehydrating agent)。如对硝基苯甲醇在磷酸和这个试剂的作用下,得到 92% 产率的对硝基苯甲醛:

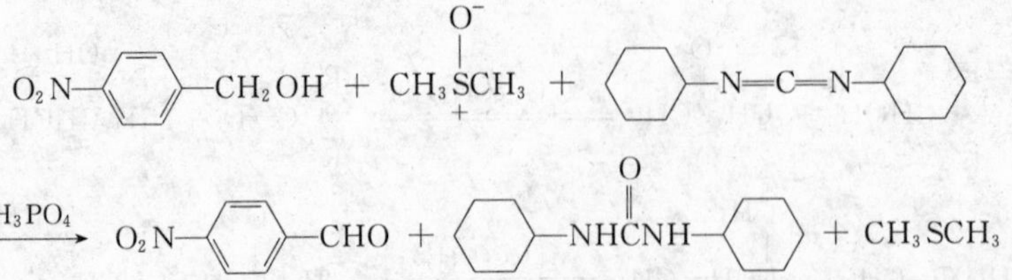

$$O_2N-\!\!\!\!\bigcirc\!\!\!\!-CH_2OH + CH_3\overset{O^-}{\underset{}{S}}CH_3 + \bigcirc-N=C=N-\bigcirc$$

$$\xrightarrow{H_3PO_4} O_2N-\!\!\!\!\bigcirc\!\!\!\!-CHO + \bigcirc-NHCNH-\bigcirc + CH_3SCH_3$$

反应过程如下:

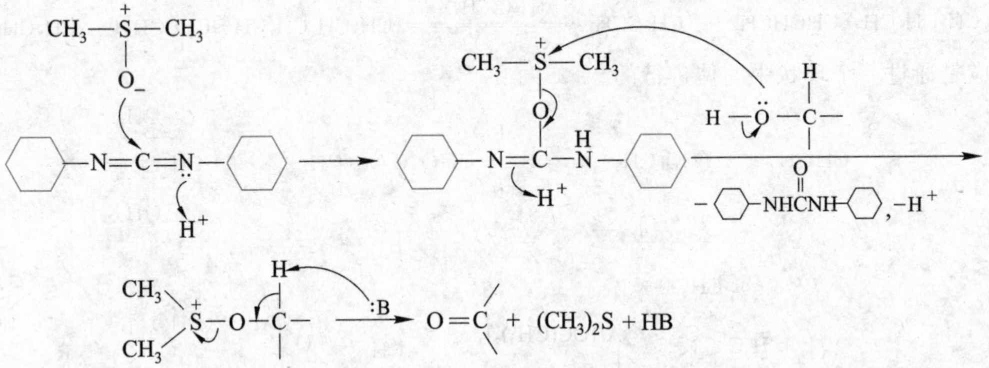

在这个反应中,二环己基碳二亚胺接受一分子水,变为脲的衍生物,而二甲亚砜变为二甲硫醚。这个氧化剂也可用于氧化二级醇。

　　在进行氧化反应时必须注意:许多有机物与强氧化剂接触会发生强烈的爆炸,因此在使用高锰酸钾、高氯酸以及类似氧化剂时,一定要在溶剂中进行反应,因为溶剂可使放出的大量热消散,减缓反应速率。

习题 10-21 完成下列反应,写出主要产物。

(i) 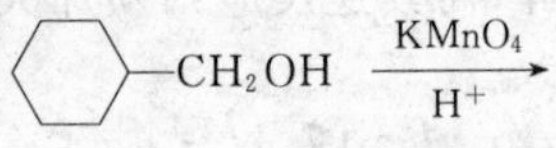 $\bigcirc-CH_2OH \xrightarrow[H^+]{KMnO_4}$

(ii) 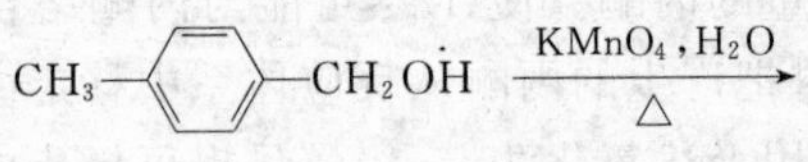 $CH_3-\!\!\!\!\bigcirc\!\!\!\!-CH_2OH \xrightarrow[\triangle]{KMnO_4, H_2O}$

(iii) $CH_3CH=CHC\overset{CH_3}{\underset{CH_3}{C}}CH_2OH \xrightarrow[\text{戊烷},25℃]{\text{新制 } MnO_2}$

(iv) $CH_2=C\overset{CH_3}{\underset{}{}}CHCH_3 \xrightarrow[\text{戊烷},25℃]{\text{新制 } MnO_2}$（含 OH）

(v) 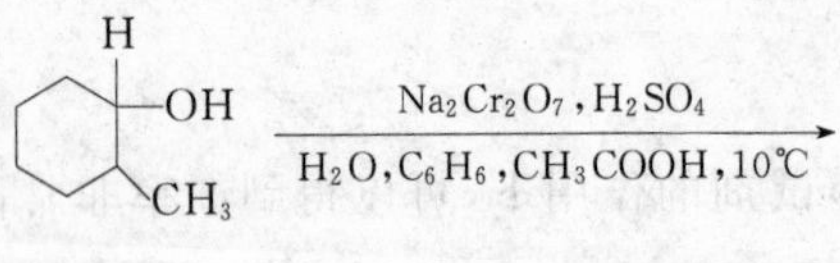 $\overset{H}{\underset{CH_3}{\bigcirc}}$ OH $\xrightarrow[H_2O, C_6H_6, CH_3COOH, 10℃]{Na_2Cr_2O_7, H_2SO_4}$

(vi) 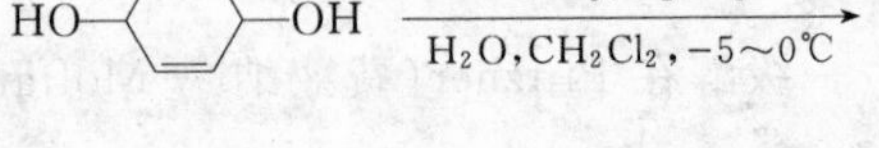 $HO-\bigcirc-OH \xrightarrow[H_2O, CH_2Cl_2, -5\sim0℃]{CrO_3, H_2SO_4}$

(vii) $CH_3C{\equiv}CCH_2OH \xrightarrow[H_2O,75℃]{CrO_3,H_2SO_4}$

(viii) $\underset{}{\bigcirc}{-}CH_2OH \xrightarrow[CH_2Cl_2,25℃]{(C_5H_5N)_2{\cdot}CrO_3}$

(ix) $\xrightarrow[H_2O,CH_3COCH_3]{CrO_3,H_2SO_4}$

(x) $C_6H_5\ \underset{}{\bigtriangleup}\ \overset{OH}{\underset{}{CH}}C_6H_5 \xrightarrow[CH_2Cl_2,25℃]{(C_5H_5N)_2{\cdot}CrO_3}$

(xi) $CH_2{=}CHCH_2\overset{OH}{\underset{}{CH}}CH_3\ +\ CH_3\overset{O}{\underset{}{C}}CH_3 \xrightarrow{[(CH_3)_3CO]_3Al}$

（过量）

(xii) $\underset{}{\bigcirc}{-}\overset{OH}{\underset{}{CH}}CH_2CH_3 \xrightarrow[H_3PO_4]{DCC,DMSO}$

10.8 醇 的 脱 氢

　　一级醇、二级醇可以在脱氢试剂(dehydrogenating agent)的作用下,失去氢形成羰基化合物,醇的脱氢一般用于工业生产,常用铜或铜铬氧化物等作脱氢剂,在300℃下使醇蒸气通过催化剂即可生成醛或酮。

$$CH_3CH_2CH_2CH_2OH \xrightarrow[300\sim345℃]{CuCrO_4} CH_3CH_2CH_2CHO$$

$$\overset{OH}{\underset{}{\bigcirc}} \xrightarrow[250\sim300℃]{CuCrO_4} \overset{O}{\underset{}{\bigcirc}}$$

此外 Pd 等也可作脱氢试剂,如

$$CH_3CH_2OH \xrightarrow{Pd} CH_3\overset{O}{\underset{}{C}}H$$

10.9 多元醇的特殊反应

　　多元醇除具有一般醇所有的共性外,还有下列特性。

10.9.1 邻二醇用高碘酸或四醋酸铅氧化

1. 邻二醇用高碘酸氧化
高碘酸(H_5IO_6)、偏高碘酸钾(KIO_4)、偏高碘酸钠($NaIO_4$)的水溶液可以使 1,2-二醇的碳碳键断裂,醇羟基转化为相应的醛、酮,并且能定量地反应,因此,根据高碘酸的消耗量,可推知多元醇中所含相邻醇羟基的数目,根据产物可推知原化合物的结构。如

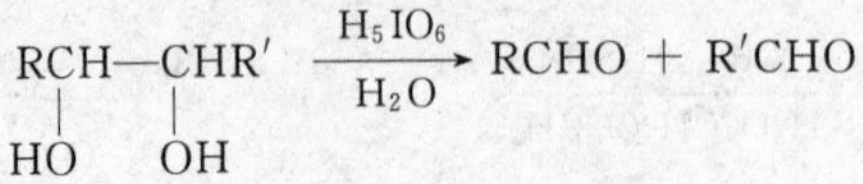

$$\underset{\substack{|\ \ \ \ \ \ \ |\\ HO\ \ \ \ OH}}{RCH-CHR'} \xrightarrow[H_2O]{H_5IO_6} RCHO + R'CHO$$

反应过程通过环状酯的中间体,如下所示:

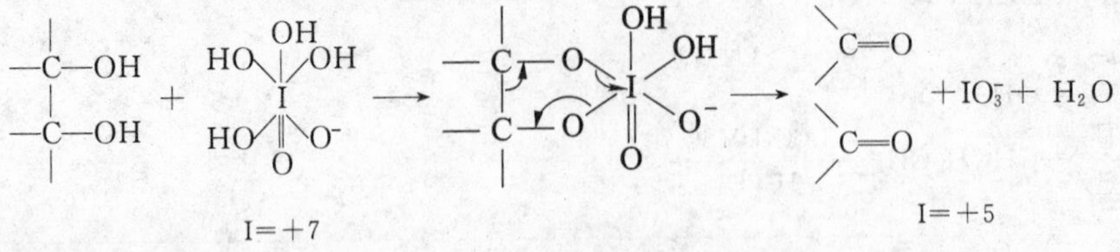

多元醇如其羟基均处于相邻位置,在与一分子高碘酸反应后得到 α-羟基醛或酮,可进一步与高碘酸反应,其过程也与 1,2-二醇类似,形成环状酯中间体:

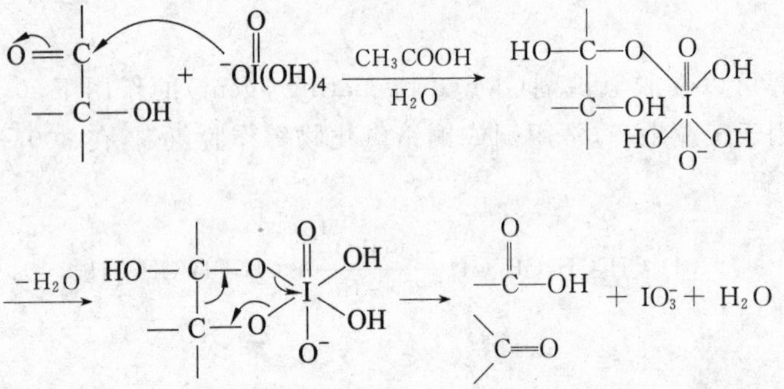

对于多羟基化合物的氧化产物,可以简单地看做是醇羟基所连接的碳原子之间的键断裂,断裂部分各与一个羟基结合,然后失水。这样可方便地推测到最终的氧化产物,如

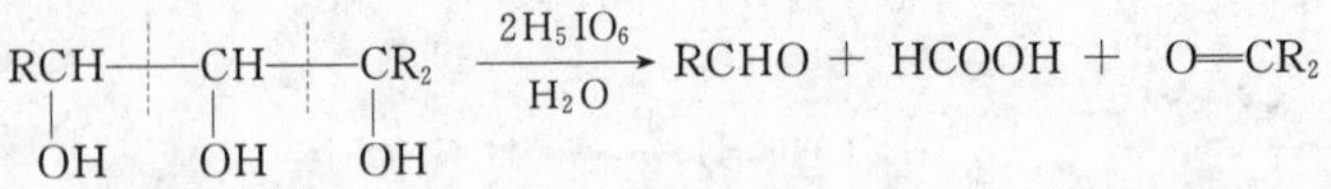

$$\underset{\substack{|\ \ \ \ \ \ \ |\ \ \ \ \ \ \ |\\ OH\ \ \ \ OH\ \ \ \ OH}}{RCH-CH-CR_2} \xrightarrow[H_2O]{2H_5IO_6} RCHO + HCOOH + O=CR_2$$

另一方面,也可以根据 H_5IO_6 消耗数量及氧化产物来推测原化合物的结构。

α-羟基酸、1,2-二酮(α-二酮)、α-氨基酮、1-氨基-2-羟基化合物也能进行类似的反应。

习题 10-22 用高碘酸的水溶液与下列化合物反应,请写出试剂消耗量及氧化产物的结构:

(i) 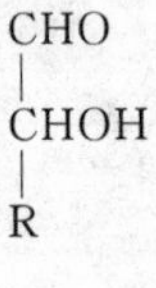
$$\begin{array}{c} CHO \\ | \\ CHOH \\ | \\ R \end{array}$$

(ii) 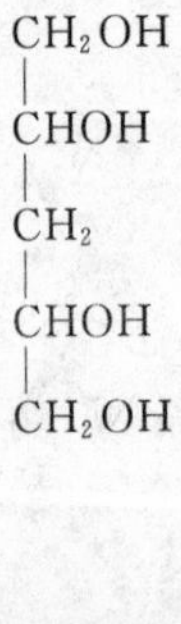
$$\begin{array}{c} CH_2OH \\ | \\ CHOH \\ | \\ CH_2 \\ | \\ CHOH \\ | \\ CH_2OH \end{array}$$

(iii) 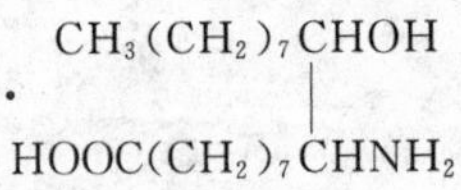
$$\begin{array}{c} CH_3(CH_2)_7CHOH \\ | \\ HOOC(CH_2)_7CHNH_2 \end{array}$$

(iv) 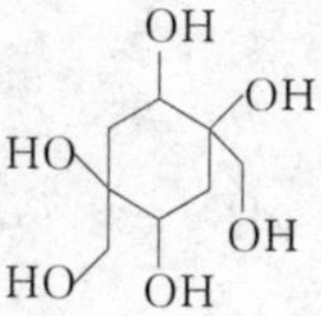 结构式   (v) 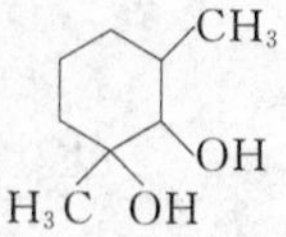 结构式   (vi) 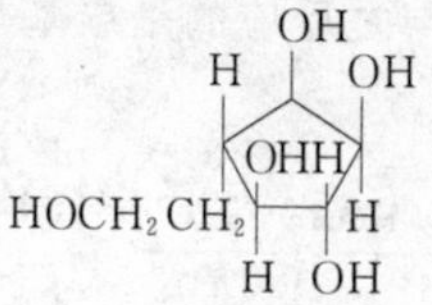 结构式

习题 10−23 (1R,2S,4R)−4−甲基−1,2−环己二醇和(1R,2R,4R)−4−甲基−1,2−环己二醇分别与高碘酸发生氧化反应,哪个反应速率快? 为什么?

---

2. 邻二醇用四醋酸铅氧化

1,2−二醇可以被四醋酸铅[Pb(OAc)$_4$]氧化,通常在醋酸或苯溶液中进行,反应是定量的,因此也用于1,2−二醇的定量分析。但此试剂能与其它含羟基的分子反应,因此不能用水或醇作溶剂,但少量水,特别是醋酸,对氧化反应并无妨碍。此方法与在高碘酸水溶液中氧化的方法可以互相补充。

1,2−二醇与四醋酸铅的反应结果与高碘酸、偏碘酸钾、偏碘酸钠是一样的,其氧化过程也是经过环状酯中间体,例如:

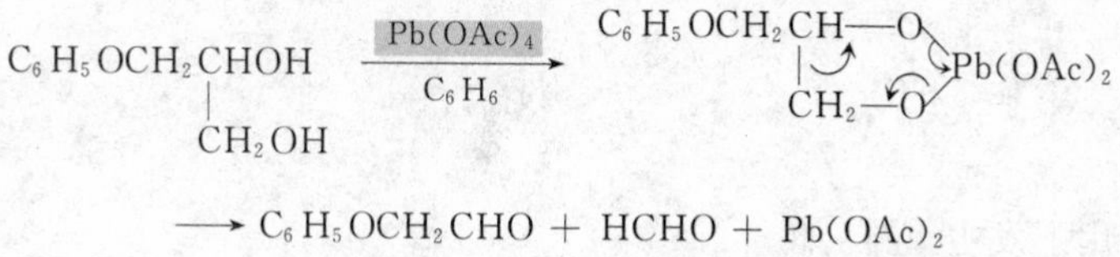

$$C_6H_5OCH_2CHOH \xrightarrow[\text{C}_6\text{H}_6]{Pb(OAc)_4} C_6H_5OCH_2CH—O\cdots Pb(OAc)_2$$
$$\underset{CH_2OH}{} \quad CH_2—O$$

$$\longrightarrow C_6H_5OCH_2CHO + HCHO + Pb(OAc)_2$$

顺型的1,2−二醇比反型的相对速率大得多,这与形成环状酯中间体有关,反型的环状酯因五元环的扭曲不易形成:

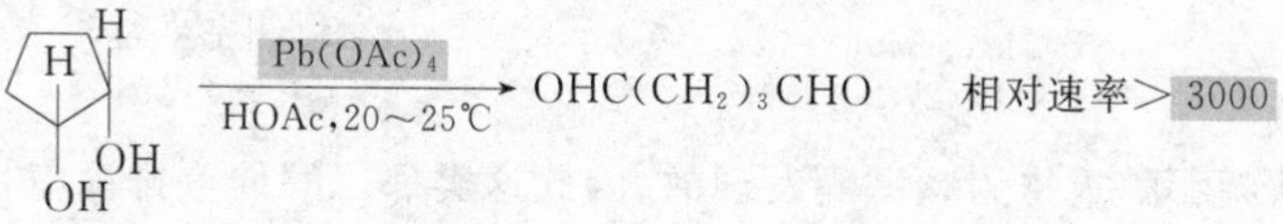

结构式 $\xrightarrow[\text{HOAc},20\sim25℃]{Pb(OAc)_4}$ OHC(CH$_2$)$_3$CHO   相对速率＞3000

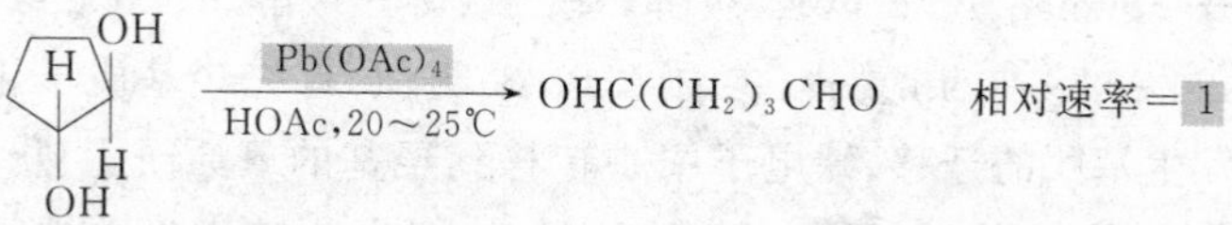

结构式 $\xrightarrow[\text{HOAc},20\sim25℃]{Pb(OAc)_4}$ OHC(CH$_2$)$_3$CHO   相对速率＝1

但如用吡啶作反应溶剂,会加快反−1,2−二醇的反应速率,可能在吡啶中不需经过环状酯中间体:

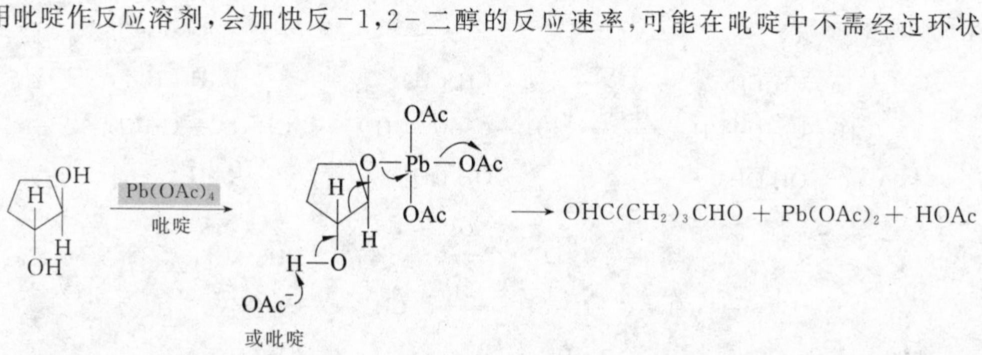

结构式 $\xrightarrow[\text{吡啶}]{Pb(OAc)_4}$ 结构式 $\longrightarrow$ OHC(CH$_2$)$_3$CHO + Pb(OAc)$_2$ + HOAc

或吡啶

α−羟基醛或酮、1,2−二酮以及 α−羟基酸需要有少量水或醇存在时,才能发生氧化断裂反

应,即四醋酸铅与之反应的是羰基与水或醇的加成物。如

$$
\begin{array}{c}
| \\
-C=O \\
| \\
-C-OH \\
|
\end{array}
\xrightarrow[\text{少量 } H_2O(\text{或 } ROH)]{HOAc}
\text{(R)}HO-\overset{|}{\underset{|}{C}}-OH \xrightarrow{Pb(OAc)_4}
\text{(R)}HO-C-O\diagdown Pb \diagup OAc \diagdown OAc \longrightarrow
\begin{array}{c}
O \\
\parallel \\
-C-OH(R) \\
+ \\
-C=O
\end{array}
$$

习题 10-24　写出下列化合物与四醋酸铅在醋酸或苯中反应的主要产物:

(i)　CH₃CH=CH(CH₂)₃CHCH₂OH
            |
            OH

(ii)

(iii)　C₂H₅O—⟨ ⟩—C—CH—⟨ ⟩—OC₂H₅　(少量 H₂O)　(iv) C₆H₅COCH₂OH　(少量 C₂H₅OH)
                 ‖ |
                 O   OH

10.9.2　邻二醇的重排反应——频哪醇重排

邻二醇在酸作用下发生重排,如

$$
(CH_3)_2C-C(CH_3)_2 \xrightarrow[\triangle]{H_2SO_4(\text{或 } HCl)} CH_3CC(CH_3)_3
$$
$$
\begin{array}{cc} OH & OH \end{array} \qquad\qquad \begin{array}{c} \parallel \\ O \end{array}
$$

频哪醇(pinacol)　　　　　　　　　频哪酮(pinacolone)
2,3-二甲基-2,3-丁二醇　　　　　　甲基三级丁基酮

这类反应最初是从频哪醇重排为频哪酮发现的,因此这类邻二醇的重排反应,即被称为频哪醇重排反应(pinacol rearrangement)。α-双二级醇,α-二级醇三级醇、α-双三级醇均能发生此反应。此重排反应与 Wagner-Meerwein 重排(参看 6.10.3)类似,首先羟基质子化形成(i),(i)失水成碳正离子(ii),相继发生基团的迁移,缺电子中心转移到羟基的氧原子上(iii),(ii)中带正电荷的碳为 6 电子,(iii)中锌盐的氧为 8 电子,(iii)比(ii)稳定,这是促使发生重排反应的原因,(iii)失去质子生成频哪酮:

$$
\begin{array}{ccc}
\underset{OH\ OH}{\overset{CH_3\ CH_3}{CH_3-\overset{|}{\underset{|}{C}}-\overset{|}{\underset{|}{C}}-CH_3}}
& \xrightarrow{H_2SO_4} &
\underset{\underset{+}{OH}\ OH}{\overset{CH_3\ CH_3}{CH_3-\overset{|}{\underset{|}{C}}-\overset{|}{\underset{|}{C}}-CH_3}}
& \rightleftharpoons &
\underset{:\overset{\cdot}{O}H}{\overset{CH_3\ CH_3}{CH_3-\overset{|}{\underset{|}{C}}-\overset{+}{\underset{|}{C}}-CH_3}} \\
& & (i) & & (ii)
\end{array}
$$

$$
\rightleftharpoons
\underset{+OH\ CH_3}{\overset{CH_3}{CH_3-\overset{|}{\underset{|}{C}}-\overset{|}{\underset{|}{C}}-CH_3}}
\xrightarrow{-H^+}
\underset{O\ \ CH_3}{\overset{CH_3}{CH_3-\overset{|}{\underset{\parallel}{C}}-\overset{|}{\underset{|}{C}}-CH_3}}
$$

$$
(iii)
$$

Wagner-Meerwein 重排是从一个碳正离子重排为另一个更稳定的碳正离子,而频哪醇重排是从一个碳正离子重排为另一个更加稳定的锌盐离子。

讨论频哪醇重排反应中的几个问题:

(1) 在不对称取代的乙二醇中,哪一个羟基先被质子化后离去,这与羟基离去后形成碳正离子的稳定性有关,一般能形成比较稳定的碳正离子的碳上的羟基易被质子化,如下式中,苯环与碳正离子共轭比较稳定,因此 C-1 易形成碳正离子,由 C-2 上的氢重排,生成主要产物:

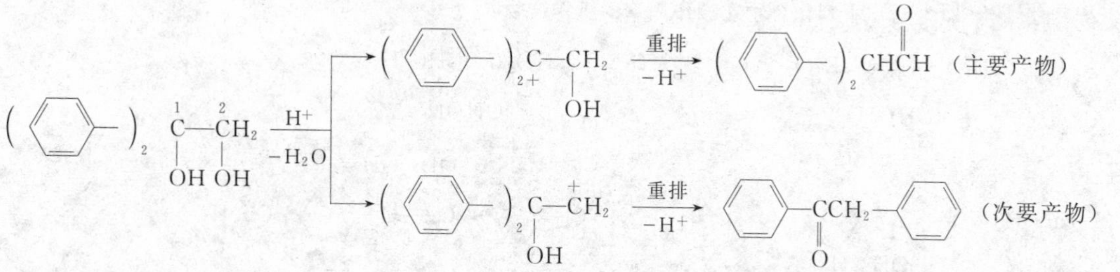

(2) 当形成的碳正离子相邻碳上两个基团不同时,哪一个基团优先转移? 通常是能提供电子、稳定正电荷较多的基团优先迁移(precedence migration),但经常得到两种重排产物,因此最好相邻碳上两个基团是相同的。

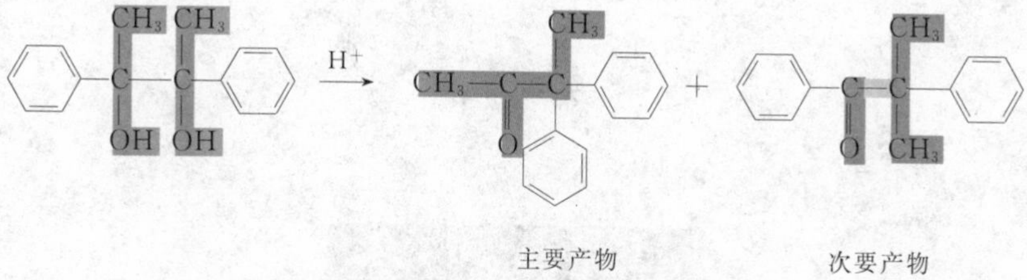

主要产物　　　　　次要产物

当碳正离子的相邻碳上有两个不同芳基时,在重排时迁移的相对速率如下:

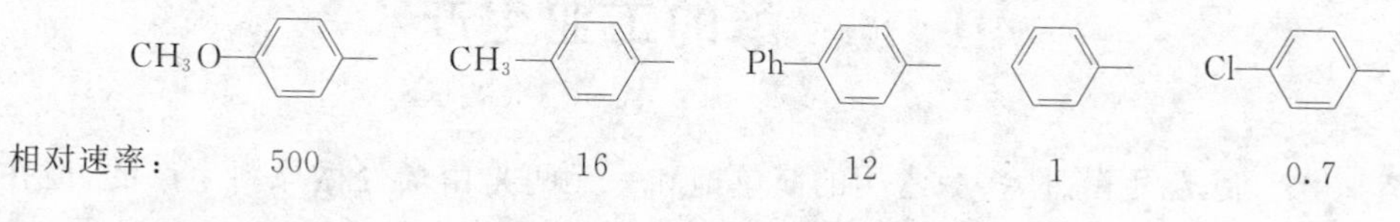

相对速率:　　500　　　　　16　　　　　12　　　　　1　　　　　0.7

(3) 迁移基团与离去基团处于反式位置时重排速率快,如顺-1,2-二甲基-1,2-环己二醇在稀硫酸作用下能迅速重排,甲基迁移得到环己酮,而反-1,2-二甲基-1,2-环己二醇在相同条件下,由于迁移基团与离去基团不处于反式位置,反应很慢,并导致环缩小。

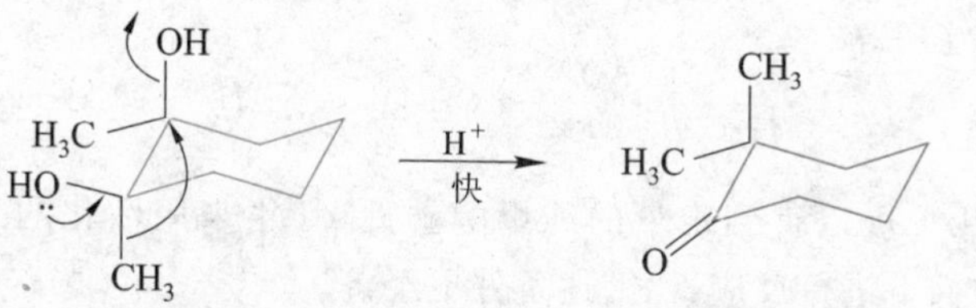

顺-1,2-二甲基-1,2-环己二醇

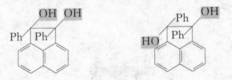

反-1,2-二甲基-1,2-环己二醇

习题 10-25 写出下列化合物在酸作用下的重排产物:

(i) $(C_6H_{11})_2C-C(C_6H_{11})_2$
    | |
    OH OH

(ii) $(C_6H_5)_2C-CHC_6H_5$
    | |
    OH OH

(iii)

(iv)

习题 10-26 比较下列两个化合物在酸作用下发生重排反应,哪一个化合物反应快,为什么?

醇 的 制 备

10.10 醇的工业生产

在工业生产上,除甲醇外,多数常用的简单饱和一元醇是由烯烃做原料生产的,但在石油工业尚未兴起之前,有些醇是靠发酵的方法生产的。

1. 甲醇

最早是用木材干馏法生产甲醇,故甲醇也叫木醇,1920 年以后逐渐停止使用这个方法。现在几乎所有的甲醇均用合成气(synthesis gas)——一氧化碳和氢气——催化转化生产,即

$$CO + 2H_2 \xrightarrow[400℃,20\sim30\ MPa]{ZnO/Cr_2O_3} CH_3OH \qquad \Delta H = -92\ kJ\cdot mol^{-1}$$

这是一个放热反应,几乎可以得到定量的纯甲醇。近 20 年来用活化的氧化铜做催化剂,可在250℃,5~10 MPa 条件下进行反应,比上述条件更经济。

甲醇是可燃的无色液体,可与有机溶剂完全混溶。从水中分馏甲醇,纯度可以达到 99%左

右,要除去其中近 1% 的水,可加入适量的镁,甲醇和镁反应,生成甲醇镁,它和水反应生成不溶的氧化镁和甲醇,经蒸馏得无水甲醇(99.9% 以上)。反应如下:

$$2CH_3OH + Mg \xrightarrow{-H_2} (CH_3O)_2Mg \xrightarrow{H_2O} 2CH_3OH + MgO$$

即便小量的甲醇对有机体也是有毒的,甚至会造成严重的永久性损伤,例如失明。含有甲醇的酒精称为变性酒精。饮用这种酒精有致盲的危险。在酒精中加入甲醇为的是防止奸商利用便宜的工业酒精勾兑假酒。

甲醇有多种用途,主要用于制备甲醛,做溶剂及甲基化试剂;另外,也可混入汽油中或单独用做汽车或喷气式飞机的燃料。

2. 乙醇

工业上大量生产乙醇是用石油裂解气(petroleum pyrolysis gas)中的乙烯做原料。一种方法是把乙烯在 100℃ 吸收于浓硫酸中,然后水解。反应如下:

$$CH_2{=}CH_2 + HOSO_3H \longrightarrow CH_3CH_2OSO_3H \xrightarrow{CH_2=CH_2} (CH_3CH_2O)_2SO_2$$
$$\qquad\qquad\qquad\qquad\quad \text{硫酸氢乙酯} \qquad\qquad\qquad\qquad\qquad \text{硫酸二乙酯}$$

$$CH_3CH_2OSO_3H + H_2O \longrightarrow CH_3CH_2OH + H_2SO_4$$
$$(CH_3CH_2O)_2SO_2 + 2H_2O \longrightarrow 2CH_3CH_2OH + H_2SO_4$$

此法优点是乙醇产率高,但要用大量硫酸,对设备有强烈的腐蚀作用,还存在对废酸的回收利用问题。

另一种方法在烯烃酸催化下加水时已提过(参见 8.4.4),用磷酸做催化剂,在 300℃ 和 7 MPa 压力下,把水蒸气通入乙烯中,反应式如下:

$$CH_2{=}CH_2 + H_2O \xrightarrow{H_3PO_4} CH_3CH_2OH$$

此法步骤简单,没有硫酸腐蚀及废酸的回收利用问题,但需用高浓度的乙烯,且在高压下操作,生产设备要求很高,且一次转化成乙醇的量很少,要反复循环,消耗能量较大。

上述两法,成本差别不是很大,由于乙烯可大量地从石油加工得到,受到各国重视。

生产乙醇的第三种方法叫做发酵法(fermentation method),这是与上述方法完全不同的,是通过微生物进行的一种生物化学方法。饮用的酒就是用这种方法生产的。我国的乙醇发酵是用干薯、马铃薯及其它含淀粉的物质做主要原料,这些原料先和黑曲霉作用进行糖化,即把淀粉转变成单糖,然后,加入培养的酵母发酵,把糖变为酒和二氧化碳。二氧化碳是副产品,产率均为 95%,可将之降温,压缩装入钢瓶中,并成为固体,叫做干冰,在常压下即成为二氧化碳气体。在酵母的作用下把糖变为酒是一个很复杂的过程,现在对这个过程已经有了很清楚的了解,它是许多专一反应共同作用的结果,不过各专一反应都是由特殊作用的酶进行的。目前,从酵母复合酶中已分离出 12 种酶。酶是一种专一而又活性极高的有机催化剂。在制酒的发酵过程中,还产生少量戊醇的两个异构体及少量丁二酸(HOOCCH$_2$CH$_2$COOH),这些产物不是来自淀粉,而是由原料中所含蛋白质的发酵产生的。戊醇的两个异构体结构如下:

$$CH_3CHCH_2CH_2OH \qquad\qquad CH_3CH_2CHCH_2OH$$
$$\quad | \qquad\qquad\qquad\qquad\qquad\qquad\qquad | $$
$$\quad CH_3 \qquad\qquad\qquad\qquad\qquad\qquad\quad CH_3$$
$$\text{3-甲基-1-丁醇(异戊醇)} \qquad\qquad \text{2-甲基-1-丁醇}$$

乙醇和甲醇不同,它和水形成共沸混合物,不能用蒸馏的方法把它们完全分开。因此,工业上制无水乙醇是在普通乙醇中加入一定量的苯,先通过蒸出乙醇-苯-水三元共沸混合物除去水,再通过蒸出乙醇-苯二元共沸混合物除去多余的苯,剩下的为无水乙醇。(参看 10.4.3)。

为了去掉乙醇中的少量水(如 1%),也可以用金属镁处理。

乙醇为无色液体,具有特殊气味,易燃,火焰呈淡蓝色。乙醇在染料、香料、医药等工业中都很有用,实验室中常用它做试剂,是目前最重要的溶剂之一。

小量乙醇对人体的作用是先兴奋、后麻醉;大量的乙醇对人体有毒。

3. 正丙醇

工业上生产正丙醇是用乙烯、一氧化碳和氢在高压及加热下,用钴为催化剂进行反应得到醛,此反应称羰基合成(oxo synthesis),醛进一步在催化剂作用下还原为醇,这是在工业上生产醛和醇的极为重要的方法:

$$CH_2=CH_2 + CO + H_2 \xrightarrow[\text{15 MPa,100～115℃}]{\text{钴催化剂}} \underset{72\%}{CH_3CH_2CHO} \xrightarrow{H_2} CH_3CH_2CH_2OH$$

上法也可用于生产高级醛,不过常生成两种异构体,醛可进一步还原为醇:

$$RCH=CH_2 + CO + H_2 \xrightarrow[\text{15 MPa,130℃}]{\text{钴催化剂}} \xrightarrow{H_2} \underset{\text{主要}}{RCH_2CH_2CH_2OH} + \underset{\text{次要}}{\underset{|}{\overset{}{RCHCH_2OH}}}$$
$$\underset{}{CH_3}$$

这种高级醇($C_{12}～C_{18}$)是制洗涤剂(detergent)$[CH_3(CH_2)_nCH_2OSO_3^-Na^+]$的一种原料。

4. 乙二醇

最重要的二元醇是乙二醇,构造式为 $HOCH_2CH_2OH$,或称 1,2-乙二醇,俗名甘醇。乙二醇是无色具有甜味的黏稠液体,由于分子中有两个羟基,氢键缔合,其熔点与沸点比一般碳原子数相同碳氢化合物的高得多,如乙二醇熔点为-16℃,沸点 197℃。在乙醚中几乎不溶,但能与水混溶。乙二醇能降低水的冰点,如 40%(体积)的乙二醇水溶液,冰点-25℃,60%的乙二醇水溶液冰点为-49℃,因此可用于制取抗冻剂,如用做汽车发动机的防冻剂,使在低温下工作而不结冰。由于乙二醇的吸水性能好,还可用于染色等。乙二醇也是合成树脂(synthetic resin)、合成纤维(synthetic fibre)的重要原料,如制聚对苯二酸乙二醇酯。乙二醇的一甲醚、二甲醚,乙二醇的一乙醚、二乙醚等均是很有用的溶剂。

乙二醇的工业生产方法是由环氧乙烷加压水合或酸催化下水合制得:

$$\underset{O}{\triangle} + H_2O \xrightarrow[\text{或 0.5\% H}_2\text{SO}_4\text{,50～70℃}]{\text{190～220℃,2.2 MPa}} \underset{\underset{OH \quad OH}{|\qquad|}}{CH_2-CH_2}$$

加压水合要求用加压设备及高温,但后处理方便,因此用得很广泛;而酸催化水合虽然不需要压力设备,反应温度也较低,但从产品中除去硫酸是相当麻烦的。用上述二法制取乙二醇,总产率均超过 90%(按环氧乙烷计),同时都有副产品一缩二乙二醇和二缩三乙二醇,前者可作为溶剂,液压制动设备的工作液体,织物的修饰和染色,后者可作为溶剂及增塑剂。

$$HOCH_2CH_2OH + \boxed{\triangle O} \longrightarrow HOCH_2CH_2OCH_2CH_2OH \xrightarrow{\boxed{\triangle O}} HOCH_2CH_2OCH_2CH_2OCH_2CH_2OH$$

一缩二乙二醇   二缩三乙二醇
二甘醇   三甘醇

此外,相对分子质量高的聚乙二醇以及用环氧乙烷改性的许多化合物在工业上都有广泛的用途。

5. 甘油

最重要的三元醇是构造式为 $HOCH_2CHOHCH_2OH$ 的 1,2,3-丙三醇,俗名甘油。甘油是无色具有甜味的黏稠性液体,分子中有三个羟基的缔合作用,沸点更高,为 290℃。能与水混溶,在纺织、医药、化妆品工业及日常生活中用途很广。与浓硝酸、浓硫酸作用,形成硝酸甘油酯,俗称硝化甘油,是无烟火药中的主要成分,是在严格冷却条件下,将甘油滴入浓硝酸与浓硫酸的混合酸中反应形成的。

$$\begin{matrix} CH_2OH \\ | \\ CHOH \\ | \\ CH_2OH \end{matrix} + 3HONO_2 \xrightarrow{H_2SO_4} \begin{matrix} CH_2ONO_2 \\ | \\ CHONO_2 \\ | \\ CH_2ONO_2 \end{matrix}$$
硝酸甘油酯

硝酸甘油酯为无色、有毒的油状液体,经加热或撞击立即发生强烈爆炸反应,顷刻间产生大量气体。

$$4\begin{matrix} CH_2ONO_2 \\ | \\ CHONO_2 \\ | \\ CH_2ONO_2 \end{matrix} \xrightarrow{\triangle} 6N_2 + 12CO_2 + 10H_2O + O_2$$

由于大量气体迅速膨胀,而产生极大的爆炸力。将硝酸甘油酯吸入硅藻土中,即可避免因撞击而爆炸,只有用引爆剂才能使之爆炸。硝酸甘油酯中溶入 10% 的硝化纤维,可形成爆炸力更强的炸药,称爆炸胶,20%~30% 的硝酸甘油酯与 70%~80% 的硝化纤维混合物,称为硝酸甘油火药,能做枪弹的弹药。

甘油的工业生产方法是用丙烯在高温下氯化,得 3-氯丙烯,然后与次氯酸反应,得 1,3-二氯-2-丙醇及 2,3-二氯-1-丙醇的混合物,在碱性条件下,经环化得 3-氯-1,2-环氧丙烷,再水解得甘油:

$$CH_3CH\!=\!CH_2 \xrightarrow[500℃]{Cl_2} ClCH_2CH\!=\!CH_2 \xrightarrow{HOCl} \begin{matrix} CH_2ClCHOHCH_2Cl \\ + \\ CH_2ClCHClCH_2OH \end{matrix}$$

$$\xrightarrow[-HCl]{Ca(OH)_2} ClCH_2\boxed{\triangle O} \xrightarrow{NaOH, H_2O} \begin{matrix} CH_2\!-\!CH\!-\!CH_2 \\ | \quad | \quad | \\ OH \quad OH \quad OH \end{matrix}$$
3-氯-1,2-环氧丙烷

10.11   卤代烷的水解

卤代烃和稀氢氧化钠水溶液进行亲核取代反应,可以得到相应的醇。例如

$$CH_2=CHCH_2Cl + NaOH \xrightarrow{\triangle} CH_2=CHCH_2OH + NaCl$$

$$C_5H_{11}Cl + NaOH \xrightarrow{\triangle} C_5H_{11}OH + NaCl$$

卤代烃在 NaOH 碱性溶液中易发生消除反应,为避免发生消除反应,可用氢氧化银代替氢氧化钠。如

$$RX \xrightarrow{Ag_2O, H_2O} ROH + AgX\downarrow$$

10.12　烯烃的水合和羟汞化

1. 烯烃的水合(hydration)和硼氢化-氧化(参见 8.7.2 和 8.7.3)

$$CH_2=CH_2 + H_2O \xrightarrow{H^+} CH_3CH_2OH$$

$$CH_3-CH=CH_2 \xrightarrow{BH_3} \xrightarrow[HO^-]{H_2O_2} CH_3CH_2CH_2OH$$

2. 烯烃的羟汞化(hydroxy-mercury reaction)

醋酸汞水溶液和烯烃经环汞化、反式开环两步反应,生成有机金属化合物(i)

(i)与硼氢化钠反应,金属化合物中的碳汞键(C—Hg)被还原为碳氢键(C—H)。该反应条件温和,产率高。

若原料烯烃是不对称烯烃,主要生成符合马氏规则的产物。例如:

90%

10.13 羰基化合物的还原

醛、酮经催化氢化，或在氢化铝锂、硼氢化钠、乙硼烷、异丙醇铝和活泼金属等还原剂的作用下可生成醇。关于这部分的详细内容将在 12.6.2 和 12.6.3 中介绍。羧酸衍生物经催化氢化或用氢化铝锂、硼氢化钠、乙硼烷、活泼金属等还原剂还原也能生成醇。关于这部分将在 14.5 中详细讨论。

10.14 用格氏试剂与环氧化合物或羰基化合物反应制备

1. 格氏试剂与环氧乙烷及其衍生物的反应

格氏试剂与环氧乙烷反应时，格氏试剂中的烃基作为亲核试剂进攻环氧乙烷的带部分正电性的碳原子，环打开，生成比格氏试剂的烃基多两个碳的一级醇的盐，酸化后生成醇。

$$\text{RMgX} + \underset{\substack{\delta+\\ \text{环氧乙烷}}}{\overset{\delta+\quad\delta+}{\triangle_{\delta-}}} \longrightarrow \text{RCH}_2\text{CH}_2\text{O}^- \text{ Mg}^{2+} \text{ X}^- \xrightarrow{\text{H}^+} \underset{\text{一级醇}}{\text{RCH}_2\text{CH}_2\text{OH}}$$

如果格氏试剂与取代的环氧乙烷反应，具有亲核性的烃基首先进攻空阻小的环碳原子，最终生成二级醇或三级醇。

$$\text{RMgX} + \overset{R'}{\underset{O}{\triangle}} \longrightarrow \underset{\substack{|\\ \text{OMgX}}}{\text{RCH}_2\text{CHR}'} \xrightarrow{\text{H}^+} \underset{\substack{|\\ \text{OH}\\ \text{二级醇}}}{\text{RCH}_2\text{CHR}'}$$

$$\text{RMgX} + \overset{R'}{\underset{O}{\underset{R''}{\triangle}}} \longrightarrow \underset{\substack{|\\ \text{OMgX}}}{\text{RCH}_2\overset{R'}{\underset{|}{\text{C}}}-\text{R}''} \xrightarrow{\text{H}^+} \underset{\substack{|\\ \text{OH}\\ \text{三级醇}}}{\text{RCH}_2\overset{R'}{\underset{|}{\text{C}}}-\text{R}''}$$

若要逆向分析某种醇化合物是用哪种格氏试剂和哪种环氧乙烷衍生物来制备的，只需将产物醇的 β 碳和 γ 碳之间的键切断，不含氧的一部分来自于格氏试剂，含氧的一部分来自环氧乙烷或环氧乙烷的衍生物。例如：

$$(\text{CH}_3)_2\text{CH}\underset{\gamma}{\vphantom{|}}\!-\!\underset{\beta}{\text{CH}_2}\!-\!\underset{\alpha}{\text{CH}_2}\!-\!\text{OH}$$

来自于格氏试剂   来自于环氧乙烷

来自于格氏试剂   来自于环氧乙烷

有时切断的位置不是唯一的。例如：

$$\underset{\text{切断①}}{\overset{\gamma}{\text{(苯基)}}} \overset{\beta}{CH_2} - \overset{\alpha}{CH} - \overset{\beta}{CH_2} \underset{\text{切断②}}{\overset{\gamma}{\mid}} CH_2 - CH_3$$
（带 OH）

按照①的切断，原料应该是 $\text{(苯基)}-MgBr + \overset{O}{\triangle} CH_2CH_2CH_3$ ；按照②的切断，原料应该是

$CH_3CH_2MgBr + \text{(苯基)}-CH_2\overset{O}{\triangle}$ 。选用哪一种组合，可以根据原料是否易得和具体情况来定。

2. 格氏试剂与醛、酮的反应

格氏试剂与醛、酮反应时，格氏试剂的烃基进攻羰基碳，羰基上的一对 π 电子向氧原子偏移，最后异裂，生成卤化烃氧基镁，酸化后得到醇。

$$\overset{\delta-}{R}\overset{\delta+}{MgX} + \overset{\mid}{\underset{\mid}{C}}=O \longrightarrow R\overset{\mid}{\underset{\mid}{C}}O^- Mg^{2+} X^- \overset{H^+}{\longrightarrow} R-\overset{\mid}{\underset{\mid}{C}}-OH$$
格氏试剂　　醛或酮　　　卤化烃氧基镁　　　　　　醇

格氏试剂与甲醛反应，最终得到比格氏试剂的烃基多一个碳的一级醇；与多于一个碳的醛反应，生成二级醇；与酮反应，生成三级醇。例如：

$$\text{(苯基)}-MgBr + CH_2O \overset{H_3O^+}{\longrightarrow} \text{(苯基)}-CH_2OH$$

$$\text{(苯基)}-MgBr + CH_3CHO \overset{H_3O^+}{\longrightarrow} \text{(苯基)}-\overset{OH}{\underset{\mid}{CH}}CH_3$$

$$\text{(苯基)}-MgBr + CH_3\overset{O}{\overset{\|}{C}}CH_3 \overset{NH_4Cl}{\longrightarrow} \text{(苯基)}-\overset{CH_3}{\underset{CH_3}{\overset{\mid}{C}}}-OH$$

三级醇在酸催化下很容易脱水生成烯，所以常用 NH_4Cl 的水溶液来酸化，因为它既具有足够的酸性将卤化烃氧基镁转化为相应的醇，又不造成醇的脱水。

若要逆向分析某种醇化合物是用哪种格氏试剂和哪种醛、酮来制备的，只需将产物醇的 α 碳和 β 碳之间的键切断，不含氧的一部分来自于格氏试剂，含氧的一部分来自于醛或酮。例如：

$$\overset{\beta}{\text{(环己基)}}\overset{\alpha}{CH_2}-OH$$
来自于 $\text{(环己基)}-MgBr$　　　来自于甲醛

有时合成同一种醇，有两种或多种组合可供选择，例如要合成 4-甲基-2-戊醇，有以下两种组合可供选择。

$$(1)\ CH_3MgI + (CH_3)_2CHCH_2CHO$$
$$(2)\ (CH_3)_2CHCH_2MgBr + CH_3CHO \Big] \longrightarrow (CH_3)_2CHCH_2\overset{OMgBr}{\underset{}{C}}HCH_3$$

$$\xrightarrow{H^+,H_2O} (CH_3)_2CHCH_2\overset{OH}{\underset{}{C}}HCH_3$$

选择哪一种方法,视原料来源、成本、产率等因素而定。

3. 格氏试剂与羧酸衍生物的反应

格氏试剂与酯反应制备醇的过程如下:

$$RMgX + \overset{O}{\underset{}{HCOC_2H_5}} \xrightarrow{醚} \left[\underset{R-CH-OC_2H_5}{\overset{O-MgX}{}} \right] \longrightarrow RCHO$$
$$\text{(i)}$$

$$\xrightarrow{RMgX} \underset{RCHR}{\overset{OMgX}{}} \xrightarrow{H^+,H_2O} \underset{RCHR}{\overset{OH}{}}$$

一个化合物中,若在同一个碳上含有两个羟基或羟基的衍生物,一般不稳定,如(i),会马上脱去 $Mg(OC_2H_5)X$ 形成醛。醛羰基比酯羰基活泼,更易与格氏试剂反应,形成带有两个烷基的对称的二级醇。所以用格氏试剂和酯反应来制备醇,原料的投料比应为 2 mol 格氏试剂:1 mol 酯。如只用 1 mol 格氏试剂,反应不完全,得到混合物。

格氏试剂与甲酸酯反应,最终得到一个对称的二级醇;格氏试剂与其它羧酸酯反应,最终生成具有两个相同烃基的三级醇。例如,苯甲酸酯与碘化甲基镁反应,最终得到二甲基苯基甲醇。

$$\text{Ph}-\overset{O}{\underset{}{C}}-OCH_3 + 2CH_3MgI \longrightarrow \text{Ph}-\underset{CH_3}{\overset{OMgX}{\underset{}{C}-CH_3}} \xrightarrow{H^+,H_2O} \text{Ph}-\underset{CH_3}{\overset{OH}{\underset{}{C}-CH_3}}$$

显然,两个甲基都来自于格氏试剂。

用格氏试剂和酰卤反应来制备醇,反应过程与格氏试剂和酯反应的情况类似。

$$RMgX + \overset{O}{\underset{}{R'CCl}} \xrightarrow{醚} \left[\underset{R}{\overset{O-MgX}{\underset{}{R'-C-Cl}}} \right] \xrightarrow{-MgXCl} R'-\overset{O}{\underset{}{C}}-R$$
$$\text{(i)}$$

$$\xrightarrow{RMgX} \underset{R}{\overset{OMgX}{\underset{}{R'-C-R}}} \xrightarrow{H^+,H_2O} \underset{R}{\overset{OH}{\underset{}{R'-C-R}}}$$

同样,最初生成的加成物(i)是不稳定的,会马上脱去二卤化镁生成酮。酮再与格氏试剂反应得到三级醇。由于酰卤的羰基比醛、酮的羰基更活泼,因此,当生成的酮空阻很大时,通过控制反应的投料比和反应条件,可以将反应控制在生成酮的阶段。格氏试剂可以从卤代烷制备,而卤代烷可以从醇得到,醛、酮、酸等化合物也可由醇得到,因此,从格氏试剂合成醇,实际上是由简单醇合成较为复杂的醇,再由醇转化为其它化合物的良好途径。

习题 10-27 请总结一下,用格氏试剂制备 1°ROH,2°ROH,3°ROH 时各有哪几种组合方式。

习题 10-28 欲用格氏试剂与含氧有机化合物为原料来制备 2-甲基-4-庚醇。请问,共有多少种组合方式? 哪一种组合最好? 为什么?

习题 10-29 欲用格氏试剂与酮反应来制备 2-苯基-2-丁醇,共有几种方法可供选择? 哪种方法最好? 为什么?

习题 10-30 用不超过四个碳原子的有机化合物为原料,设计四条不同的合成路线合成 3-甲基-3-己烯,并对这些路线的优劣作出分析和评价。

习题 10-31 用苯、环己烷、不超过三个碳原子的醇及其它必要的试剂合成下列化合物:

(i) $CH_3CHCH_2CH_2CH_2OH$
          | CH_3

(ii) $CH_3CH_2CHCH_2CH_3$
            | OH

(iii) $CH_3CH_2\overset{OH}{\underset{C_2H_5}{\underset{|}{\overset{|}{C}}}}$ 环己基

(iv) $(CH_3)_2CHCH_2\overset{Br}{\underset{|}{C}}HCH(CH_3)_2$

(v) $CH_3CH_2\overset{CH_3}{\underset{|}{C}}=CHCH_2CH_3$

(vi) 苯—$CH=CH$—苯

(vii) $(CH_3)_2CHCH_2\overset{O}{\overset{\|}{C}}CH(CH_3)_2$

习题 10-32 完成下列反应式:

(i) H_2N—苯—$\overset{O}{\overset{\|}{C}}$—$CH_3$ + CH_3CH_2MgBr ⟶

(ii) $HC\!\equiv\!CCH_2CH_2CH_2\overset{O}{\overset{\|}{C}}CH_3$ + 苯—$MgBr$ ⟶

(iii) $CH_3\overset{O}{\overset{\|}{C}}OCH_2CH_2OH$ + CH_3MgI ⟶

(iv) $CH_3\overset{O}{\overset{\|}{C}}OCCH_2CH_2\overset{O}{\overset{\|}{C}}OH$ + $CH_3CH_2CH_2CH_2MgBr$ ⟶

（二）醚

水分子中的两个氢原子均被烃基取代的化合物称为醚。醚类化合物都含有醚键（ether bond）（C—O—C）。

10.15 醚 的 分 类

两个烃基相同的醚称为对称醚,也叫简单醚(simple ether)。两个烃基不相同的醚称为不对称醚,也叫混合醚(complex ether)。

$$CH_3OCH_3 \qquad CH_3OCH_2CH_3$$

对称醚 　　　　　　不对称醚

根据两个烃基的类别,醚还可以分为脂肪醚(aliphatic ethers)和芳香醚(aromatic ether)。

$$CH_3CH_2OCH_2CH_3$$

脂肪醚 　　　　　　芳香醚 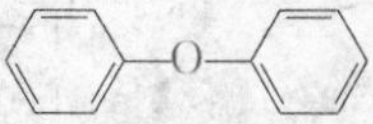 　　　　　　芳香醚

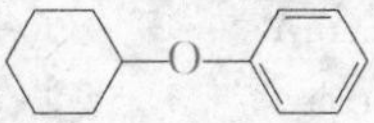

在脂肪醚中,分子中没有环的醚称为无环醚(acyclic ether)。还可细分为饱和醚(saturated ether)和不饱和醚(unsaturated ether)。烃基成环的醚称为环醚(cyclic ether)。环上含氧的醚称为内醚(inner ether)或环氧化合物(epoxy compound)。含有多个氧的大环醚因形如皇冠称之为冠醚(crown ether)。例如:

$$CH_3CH_2OCH(CH_3)_2 \qquad CH_2{=}CH{-}O{-}CH_3$$

饱和醚(无环醚) 　　　　　　不饱和醚(无环醚)

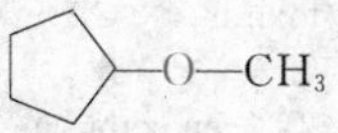

环醚 　　　　　　环氧化合物 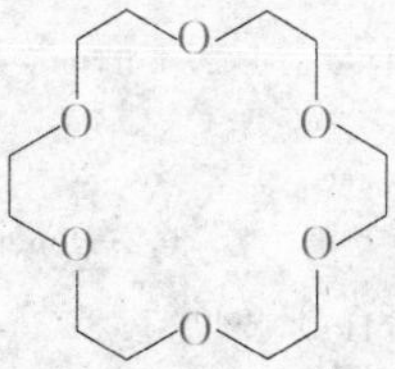 　　　　　　冠醚

10.16 醚的物理性质

多数醚是易挥发、易燃的液体。与醇不同,醚分子间不能形成氢键,所以沸点比同组分醇的沸点低得多,如乙醇的沸点为 78.4℃,甲醚的沸点为 −24.9℃;正丁醇的沸点为 117.8℃,乙醚的沸点为 34.6℃。常用醚的物理常数如表 10−2 所示。

多数醚不溶于水,但常用的四氢呋喃和 1,4−二氧六环却能和水完全互溶,这是由于二者容易和水形成氢键。乙醚的碳氧原子数虽和四氢呋喃的相同,但因后者氧和碳架共同形成环,氧原子突出在外,容易和水形成氢键,而乙醚中的氧原子"被包围"在分子之中,难以和水形成氢键,所以乙醚只能稍溶于水。在室温下,乙醚中可溶有 1%~1.5% 的水;水中可溶解 7.5% 的乙醚。由于二者相互溶解很少,而多数有机物易溶于乙醚,故常用乙醚从水溶液中提取易溶于乙醚的物质。但醚提取液中会含有少量水,在蒸除乙醚之前,需经过干燥去水,同时,在提取过程中也会损

表 10-2　一些常见醚的名称及物理性质

化 合 物	普通命名法	IUPAC 命名法	沸点/℃	相对密度
甲醚 CH_3OCH_3	dimethyl ether	methoxymethane	−24.9	0.661
		1,1'−oxybismethane(CA)		
甲乙醚 $CH_3OCH_2CH_3$	ethyl methyl ether	methoxyethane	7.9	0.697
乙醚 $(CH_3CH_2)_2O$	diethyl ether	ethoxyethane	34.6	0.714
		1,1'−oxybisethane(CA)		
正丙醚 $(CH_3CH_2CH_2)_2O$	dipropyl ether	propoxypropane	90.5	0.736
		1,1'−oxybispropane(CA)		
正丁醚 $[CH_3(CH_2)_3]_2O$	dibutyl ether	butoxybutane,	143	0.769
		1,1'−oxybisbutane(CA)		
甲丁醚 $CH_3O(CH_2)_3CH_3$	butyl methyl ether	1−methoxybutane	70.3	0.744
乙丁醚 $CH_3CH_2O(CH_2)_3CH_3$	butyl ethyl ether	1−ethoxybutane	92	0.752
乙二醇二甲醚 $CH_3OCH_2CH_2OCH_3$	glycol dimethyl ether	1,2−dimethoxyethane	83	0.862
四氢呋喃	tetrahydrofuran	tetrahydrofuran	65.4	0.888
1,4−二氧六环	1,4−dioxane	1,4−dioxane	101.3	
环氧乙烷 $H_2C\!-\!\!-\!CH_2$	ethylene oxide	epoxyethane	11	
		oxirane（CA)		
1,2−环氧丙烷 $CH_3CH\!-\!\!-\!CH_2$	propylene oxide	1,2−epoxypropane	34	
		methyloxirane（CA)		
1,2−环氧丁烷 $CH_3CH_2CH\!-\!\!-\!CH_2$	1,2−butylene oxide	1,2−epoxybutane	63	
		ethyloxirane（CA)		
顺−2,3−环氧丁烷	cis−1,2−dimethylethyene oxide	cis−2,3−epoxybutane	59	
		cis−2,3−dimethyloxirane(CA)		
反−2,3−环氧丁烷	trans−1,2−dimethylethylene oxide	trans−2,3−epoxybutane	54	
		trans−2,3−dimethyloxirane(CA)		

失一部分乙醚。乙醚是实验室中常用的溶剂,而盐类化合物在其中不溶,故于盐类化合物的乙醇溶液中加入乙醚,可从中析出沉淀物——盐类化合物。乙醚极易挥发、着火,乙醚气体和空气可形成爆炸性混合气体,一个电火花即会引起剧烈爆炸。

乙醚是在外科手术中常用的麻醉剂,其作用不是化学性质的,而是溶于神经组织脂肪中引起的生理变化。这种麻醉作用决定于醚在脂肪相和水相中的分配系数。乙烯基醚也是一种麻醉剂,其麻醉性能比乙醚约强 7 倍,而且作用极快,但有迅速达到麻醉程度过深的危险,因而限制了它在这方面的实际应用。

习题 10-33　某有机物的乙醚提取液为无色透明的液体,设计一种方法来证明该提取液中是否含有少量水。

10.17　醚　的　结　构

脂肪醚的醚键中的氧原子取 sp^3 杂化状态,两对孤对电子分占两根 sp^3 杂化轨道,另外两根 sp^3 杂化轨道分别与两个烃基碳的 sp^3 杂化轨道形成 σ 键。其 $\angle COC$ 的键角接近 $111°$。例如:二甲醚的 $\angle COC$ 为 $111.7°$。

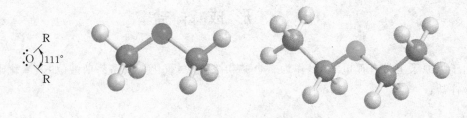

醚　的　反　应

10.18　醚的自动氧化

乙醚及其它的醚如果常与空气接触或经光照,可生成不易挥发的过氧化物(peroxide),例如:

$$CH_3CH_2OCH_2CH_3 \xrightarrow{O_2} \underset{\underset{OOH}{|}}{CH_3CHOCH_2CH_3}$$

氢过氧化乙醚

多数自动氧化是通过自由基机理进行的。

引发:　　$R\cdot + O_2 \longrightarrow ROO\cdot$

$ROO\cdot + (CH_3)_2CHOCH_3 \longrightarrow ROOH + (CH_3)_2\overset{\cdot}{C}OCH_3$

链增长:　$(CH_3)_2\overset{\cdot}{C}OCH_3 + O_2 \longrightarrow \underset{\underset{OO\cdot}{|}}{(CH_3)_2COCH_3}$

$\underset{\underset{OO\cdot}{|}}{(CH_3)_2COCH_3} + (CH_3)_2CHOCH_3 \longrightarrow \underset{\underset{OOH}{|}}{(CH_3)_2COCH_3} + (CH_3)_2\overset{\cdot}{C}OCH_3$

过氧化醚是爆炸性极强的高聚物,蒸馏含有该化合物的醚时,过氧化醚残留在容器中,继续加热即会爆炸。为了避免意外,在使用存放时间较长的乙醚或其它醚如四氢呋喃等之前应进行检查,如果含有过氧化物,加入等体积 2% 碘化钾醋酸溶液,会游离出碘,使淀粉溶液(starch solution)变紫色或蓝色。三价硫酸钛和 50％硫酸配制的溶液或新配制的硫酸亚铁溶液,约加入体积的 1/5,并剧烈振荡,可破坏过氧化物。也可用氢化锂铝等还原过氧化物。为了防止过氧化物的形成,市售无水乙醚中加有 0.05 μg·g^{-1}二乙基氨基二硫代甲酸钠 $\left[(CH_3CH_2)_2 \overset{\overset{\displaystyle S}{\|}}{N}CS^- Na^+\right]$ 做抗氧剂(antioxidant)。即使乙醚中不含过氧化物,由于乙醚高度挥发及其蒸气易燃,也常有爆炸和着火的危险,使用时一定要注意及要有预防措施。

10.19　形成锌盐

醚由于氧原子上带有孤电子对,作为一个碱和浓硫酸、氯化氢或路易斯酸(如三氟化硼)等可形成二级锌盐:

$$R\overset{..}{\underset{..}{O}}R + H_2SO_4 \rightleftharpoons R_2\overset{+}{O}H + HSO_4^-$$

$$R\overset{..}{\underset{..}{O}}R + HCl \rightleftharpoons R_2\overset{+}{O}H + Cl^-$$

$$R\overset{..}{\underset{..}{O}}R + BF_3 \longrightarrow R_2\overset{+}{O}{-}\overset{-}{B}F_3$$

乙醚能吸收相当量的盐酸气、形成锌盐,如果把它与有机碱如胺的乙醚溶液放在一起,即可析出胺的盐酸盐,这是制备铵盐的一个方法。

如将醚与三氟化硼形成的二级锌盐和氟代烷反应,还可以形成三级锌盐,如下式所示:

$$\begin{array}{c} R \\ \diagdown \\ O{-}\overset{-}{B}F_3 \\ \diagup \\ R' \end{array}{}^{+} + R'F \longrightarrow \begin{array}{c} R \\ \diagdown \\ O{-}R' BF_4^- \\ \diagup \\ R' \end{array}{}^{+}$$

$$\qquad\qquad\text{二级锌盐} \qquad\qquad\qquad\qquad \text{三级锌盐}$$

这种三级锌盐极易分解出烷基正离子,并与亲核试剂反应,所以,是一种很有用的烷基化试剂(alkylating agent),例如:

$$ROH + (CH_3CH_2)_3O^+ BF_4^- \longrightarrow ROCH_2CH_3 + CH_3CH_2OCH_2CH_3 + HBF_4$$

这种三级锌盐也可以用下述反应制成:

$$CH_3CH_2I + AgBF_4 + CH_3CH_2OCH_2CH_3 \longrightarrow (CH_3CH_2)_3O^+ BF_4^- + AgI\downarrow$$

10.20　醚的碳氧键断裂反应

醚与氢碘酸一起加热,发生碳氧键的断裂,这种断裂是酸与醚先形成锌盐,然后,随烷基性质的不同,而发生 S_N1 或 S_N2 反应。一级烷基发生 S_N2 反应,三级烷基容易发生 S_N1 反应,生成碘代烷和醇。在过量的酸存在下,所产生的醇也转变成碘代烷,例如:

$$CH_3OCH_3 + HI \longrightarrow (CH_3)_2\overset{+}{O}H + I^-$$

$$I^- + (CH_3)_2\overset{+}{O}H \xrightarrow{S_N2} CH_3I + CH_3OH$$

$$\Big\downarrow \text{过量 HI}$$
$$CH_3I + H_2O$$

$$(CH_3)_3COCH_3 + HI \longrightarrow (CH_3)_3C\overset{\overset{H}{+}}{O}CH_3 + I^-$$

$$\Big\downarrow S_N1$$

$$(CH_3)_3C^+ + CH_3OH$$

$$(CH_3)_3CI \xleftarrow{I^-} \qquad \xrightarrow{\text{过量 HI}} CH_3I + H_2O$$

氢溴酸和盐酸也可以进行上述反应,但因两者没有氢碘酸活泼,需用浓酸和较高的反应温度。

对于混合醚,碳氧键断裂的顺序是:三级烷基＞二级烷基＞一级烷基＞芳基。如

$$\text{〇}-OCH_3 + HI \longrightarrow \text{〇}-OH + CH_3I$$

芳基与氧的孤电子对共轭,具有某些双键性质,因此难于断裂。Zeisel S(蔡塞尔)的甲氧基(—OCH₃)定量测量法,就是以上面的反应为基础而进行的。天然的复杂有机物的分子内,常含有甲氧基。取一定量的含有甲氧基的化合物和过量的氢碘酸同热,把生成的碘甲烷蒸馏到硝酸银的酒精溶液里,按照所生成的碘化银的含量,就可计算出原来分子中的甲氧基含量。

环醚与酸反应,使醚环打开,生成卤代醇,酸过量时,生成二卤代烷,如

$$\text{〇}_O + HBr \longrightarrow BrCH_2CH_2CH_2CH_2OH$$

$$\xrightarrow{HBr} BrCH_2CH_2CH_2CH_2Br$$

不对称的环醚开环,生成两种产物的混合物,例如:

$$\underset{O}{RCHCH_2CH_2} \xrightarrow{HBr} \underset{Br}{RCHCH_2CH_2OH} + \underset{OH}{RCHCH_2CH_2Br}$$

盐酸与四氢呋喃反应时,需加入无水氯化锌,在过量酸存在下,生成 1,4-二氯丁烷,该化合物是制尼龙的重要中间体原料。

习题 10-34 写出下列反应的产物、反应机理和画出相应的反应势能图。

(i) $CH_3CH_2OCH_2CH\!=\!CH_2 + HBr \longrightarrow$ (ii) $CH_3CH_2OCH_2CH_2CH_3 + HBr(过量) \longrightarrow$

(iii) $(CH_3CH_2)_3COCH_2CH_2CH_3 + HBr \longrightarrow$ (iv) $\text{〇}-OCH_2-\text{〇} + HBr \longrightarrow$

(v) $CH_3-\text{〇}-OCH_2CH_3 + HBr \longrightarrow$ (vi) $(CH_3)_3COC(CH_3)_3 \xrightarrow[\triangle]{H_2SO_4}$

10. 21　1,2-环氧化合物的开环反应

　　一般的醚是较稳定的化合物,故常用作溶剂。醚对碱很稳定,例如,醚与氢氧化钠水溶液、醇钠的醇溶液以及氨基钠的液氨溶液都无反应。但环氧乙烷这类化合物和一般醚完全不同,它不仅可与酸反应,而且反应条件温和、速率快,同时还能与不同的碱反应。原因是它的三元环结构使各原子的轨道不能正面充分重叠,而是以弯曲键相互连接。由于这种关系,分子中存在一种张力,极易与多种试剂反应,把环打开,这在有机合成中非常有用,通过它可以合成多种化合物。

10. 21. 1　酸催化的开环反应

　　例如:

$$
CH_3CH{-}CH_2 + \begin{cases}
H_2O \xrightarrow{H^+} CH_3CH{-}CH_2 \\
\quad\quad\quad\quad\quad OH\ \ OH \\
CH_3OH \xrightarrow{H^+} CH_3OCH{-}CH_2 \\
\quad\quad\quad\quad\quad\quad CH_3\ \ OH \\
\text{(C}_6\text{H}_5)OH \xrightarrow{H^+} (C_6H_5)OCH{-}CH_2 \\
\quad\quad\quad\quad\quad\quad\quad CH_3\ \ OH \\
HX \longrightarrow CH_3CH{-}CH_2 \quad (X=卤素) \\
\quad\quad\quad\quad\quad X\ \ \ OH \\
HCN \longrightarrow CH_3CH{-}CH_2 \\
\quad\quad\quad\quad\quad CN\ \ OH \\
B_2H_6 \longrightarrow (CH_3CH_2CH_2O)_3B \xrightarrow{H_2O} CH_3CH_2CH_2OH
\end{cases}
$$

此外羧酸等也能进行这种反应。

　　当所用的试剂亲核能力较弱时,需要用酸性催化剂来帮助开环,酸的作用是使环氧化物的氧原子质子化,氧上带有正电荷,需要向相邻的环碳原子吸引电子,这样削弱了 C—O 键,并使环碳原子带有部分正电荷,增加了与亲核试剂结合的能力,亲核试剂就向 C—O 键的碳原子的背后进攻,发生了 S_N2 反应。那么亲核试剂进攻哪一个环碳原子? 哪一个 C—O 键容易断裂? 在酸性条件下,亲核试剂进攻取代基较多的环碳原子,这个环碳原子的 C—O 键断裂,因为这个环碳原子由于取代基(一般为烷基)的给电子效应使正电荷分散而稳定,例如环氧丙烷与亲核试剂反应:

（i）二级碳原子带部分正电荷　　　　　　（ii）一级碳原子带部分正电荷
　　CH₃能分散正电荷而稳定　　　　　　　　　　　较不稳定

（i）比（ii）稳定，（i）易形成，亲核试剂进攻（i）的二级碳原子。在这个反应中，C—O 键的断裂超过亲核试剂与环碳原子之间的键的形成，这是一个 S_N2 反应，但具有 S_N1 的性质，电子效应控制了产物，空间因素不重要。用同位素方法也可以证明：

如果进攻的环碳原子是手性碳，就导致构型转化：

（S）-1，2-环氧丁烷　　　　　　　　　　　　　　　　（R）-2-甲氧基-1-丁醇

乙硼烷与环氧化物开环反应也是酸催化开环，乙硼烷可以看做是甲硼烷的二聚体，硼外层 6 电子构型，可以与环氧化物中的氧络合，其作用与质子酸类似，因此硼烷中的负氢转移到取代基较多的环碳原子上。

10.21.2　碱性开环反应

例如：

碱性开环时,所用试剂活泼,亲核能力强,环氧化合物上没有带正电荷或负电荷,这是一个 S_N2 反应,C—O 键的断裂与亲核试剂和环碳原子之间键的形成几乎同时进行,这时试剂选择进攻取代基较少的环碳原子,因为这个碳的空间位阻较小。

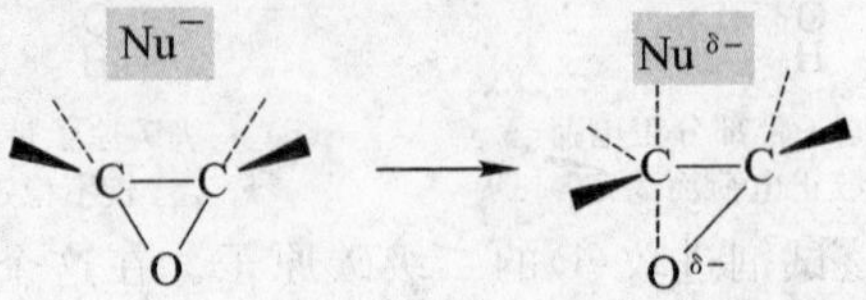

断键与成键同时进行
(S_N2反应)

例如:

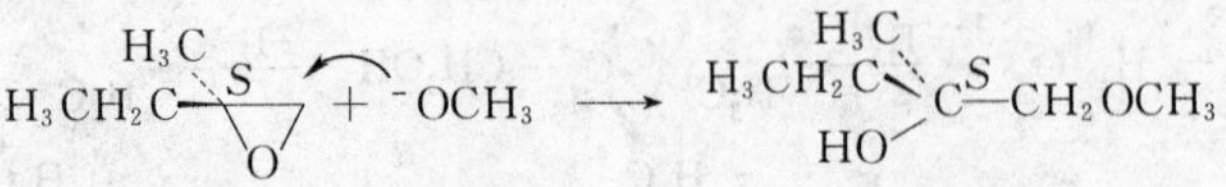

(S)-2-甲基-1,2-环氧丁烷   (S)-2-甲基-1-甲氧基-2-丁醇

上述例子,因试剂进攻未涉及手性碳,因此不涉及构型问题。若受进攻的碳是手性碳,则反应后,构型翻转。

习题 10-35 完成下列反应,写出主要产物:

(i) 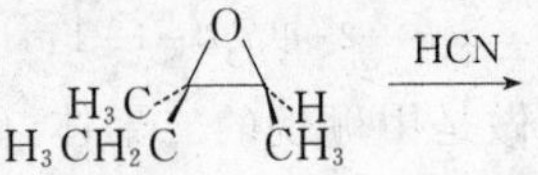 $\xrightarrow{\text{HCN}}$

(ii) 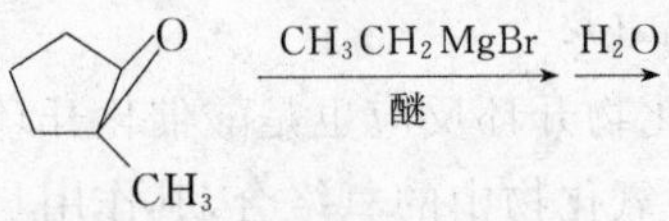 $\xrightarrow[\text{醚}]{\text{CH}_3\text{CH}_2\text{MgBr} \quad \text{H}_2\text{O}}$

(iii) 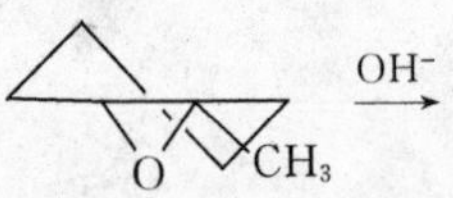 $\xrightarrow{\text{OH}^-}$

(iv)  $(CH_3)_3C$ $\xrightarrow{\text{LiAlH}_4 \quad \text{H}_2\text{O}}$

(v) 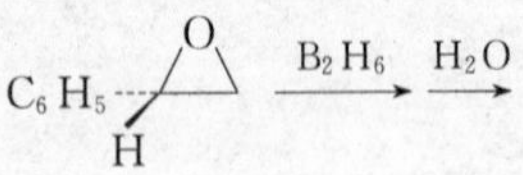 C_6H_5 $\xrightarrow{\text{B}_2\text{H}_6 \quad \text{H}_2\text{O}}$

(vi) 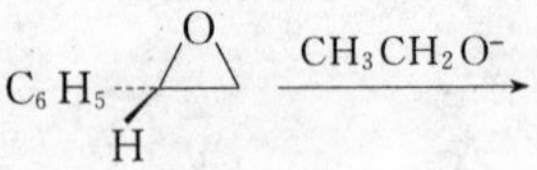 C_6H_5 $\xrightarrow{\text{CH}_3\text{CH}_2\text{O}^-}$

(vii) 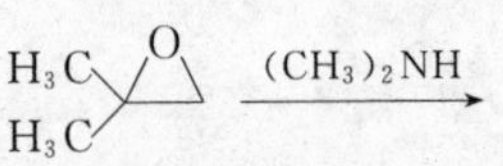 $\xrightarrow{(CH_3)_2NH}$

(viii) $\xrightarrow[\text{CH}_3\text{OH}]{\text{CH}_3\text{O}^-}$

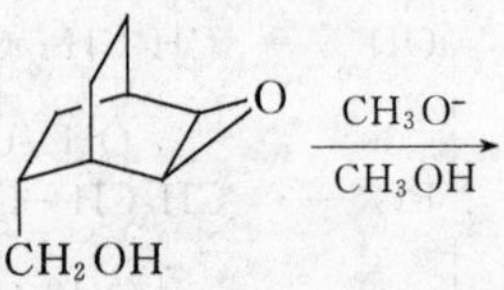

习题 10-36 用不超过三个碳原子的有机化合物及其它必要的试剂合成下列化合物:

(i) $(CH_3\overset{\text{Cl}}{\underset{|}{C}}HCH_2)_2O$

(ii)

(iii) $CH_3O(CH_2CH_2O)_3CH_3$

(iv)

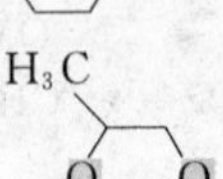

醚 的 制 备

10.22 **Williamson 合成法**

Williamson(威廉森)合成法(synthesis)是用醇钠和卤代烷在无水条件下的反应:

$$RONa + R'X \longrightarrow ROR' + NaX$$

这个方法既可合成对称醚,也可合成不对称醚。该反应是 S_N2 反应,两个试剂中的烷基结构对反应很有影响,例如:

$$(CH_3)_3CO^- Na^+ + CH_3I \xrightarrow{S_N2} (CH_3)_3COCH_3 + NaI$$

$$(CH_3)_3CBr + CH_3ONa \xrightarrow{E2} (CH_3)_2C{=\!=}CH_2 \ + CH_3OH + NaBr$$

前一反应三级丁氧负离子虽然位阻很大,但碘甲烷中碳原子位阻又极小,故能顺利进行 S_N2 反应得到醚。后一反应由于三级溴丁烷位阻很大,不利于进行 S_N2,而有利于 E2 消除反应,得到烯烃。因此如欲得醚,最好用一级卤代烷。

除用卤代烷外,磺酸酯(sulfonate)、硫酸酯(sulfate)也可用于合成醚:

$$(CH_3)_3CCH_2ONa + CH_3OSO_2{-}\langle\bigcirc\rangle \longrightarrow (CH_3)_3CCH_2OCH_3 + NaOSO_2{-}\langle\bigcirc\rangle$$

芳香醚可用苯酚与卤代烷或硫酸酯在氢氧化钠的水溶液中制备:

$$\langle\bigcirc\rangle{-}OH \ + CH_3OSO_2OCH_3 \xrightarrow{NaOH, H_2O} \langle\bigcirc\rangle{-}OCH_3$$

苯甲醚(茴香醚)

环氧化合物除用烯烃环氧化(参看 8.6.1)合成外,另一重要方法就是 Williamson 合成法。即在一个分子内同时存在卤原子和烷氧负离子,且又处于相邻两个碳上的反式位置时,即符合分子内 S_N2 反应的立体化学要求时,可发生分子内的 S_N2 反应,例如下列化合物可生成环氧化合物:

反-2,3-环氧丁烷

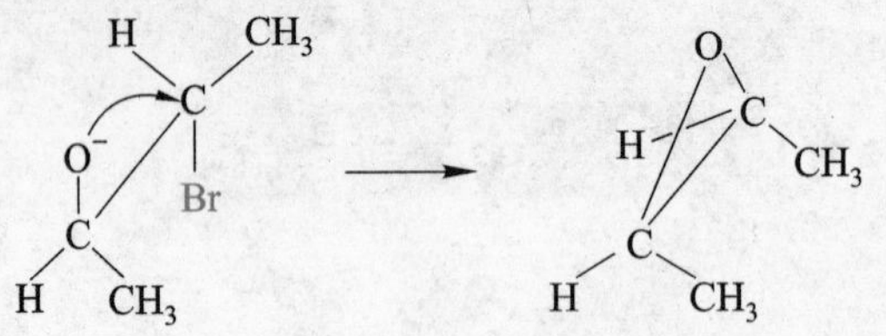

顺-2,3-环氧丁烷

由于负离子必须从溴原子的背面进攻,所以第一式得到反型产物,第二式得到顺型产物。这是分子内的 S_N2 反应,由于空间位置合适,分子内的 S_N2 反应的反应速率快,反应更易进行,醇只需在氢氧化钠存在下就可以进行反应,不必做成醇钠。(分子间反应时必须做成醇钠。)又如环己烯与次氯酸加成,产物中—Cl 与—OH 处于反型,此时在氢氧化钠的作用下,¯OH 部分地形成 RO¯,RO¯从背后进攻 C—Cl 键的碳原子,得到环氧化物,反应符合 S_N2 的立体化学要求:

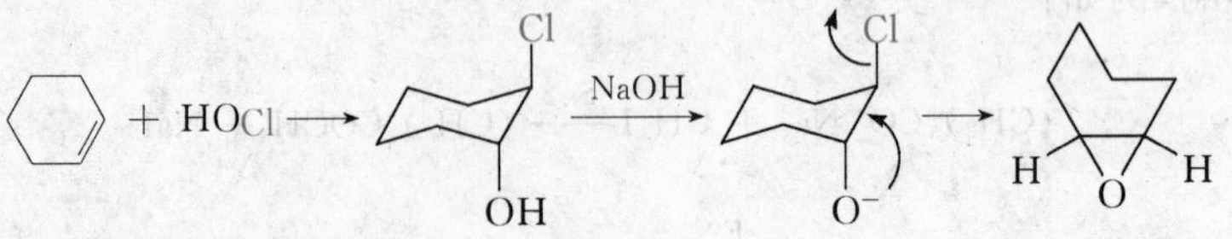

如—OH 与—Cl 处于顺型,不符合发生 S_N2 反应的立体化学要求,则不能生成环氧化物,只能发生 E2 消除反应,然后互变异构,得到羰基化合物:

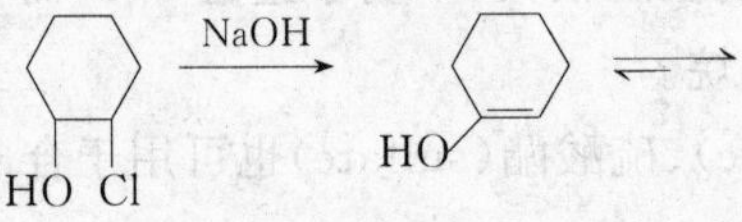

又如(2R,3S)-3-溴-2-戊醇在碱的作用下发生反应得(2R,3R)-2,3-环氧戊烷,说明 RO¯从背后进攻 C—Br 键的碳原子:

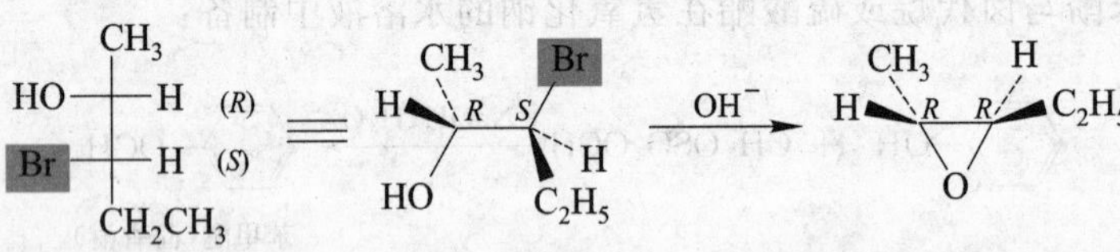

(2R,3S)-3-溴-2-戊醇   (2R,3R)-2,3-环氧戊烷

冠醚的一个常用制备方法,也是通过 Williamson 反应,如

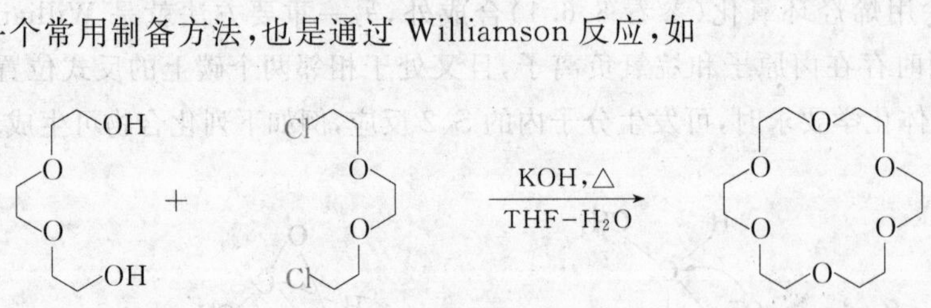

二缩三乙二醇   1,2-二(2-氯乙氧基)乙烷   18-冠-6(mp 36.5~38℃)

1,2-二(2-氯乙氧基)乙烷可由二缩三乙二醇与亚硫酰氯反应得到。18-冠-6 是一个在合成上很有用的冠醚,反应中钾离子起模板作用,即两个反应物首先发生 S_N2 反应,失去氯化氢,生成

含有 6 个氧原子的化合物(i)，这 6 个氧原子与钾离子络合，使—O⁻ 与氯原子互相接近，再发生 S_N2 反应生成 18-冠-6，如下所示：

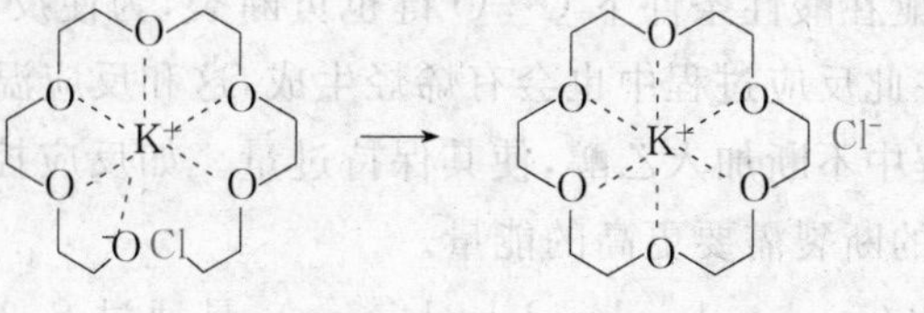

(i)

　　K^+ 直径为 266 pm，18-冠-6 空穴大小为 260～320 pm，正好容纳钾离子，因此可以络合，并在合成时起模板作用；Na^+ 直径为 180 pm，15-冠-5 空穴大小为 170～220 pm，可容纳钠离子；Li^+ 直径为 120 pm，12-冠-4 空穴为 120～150 pm，可以容纳锂离子。它们均可起类似模板的作用。

习题 10-37　下列化合物发生分子内的 Williamson 反应，请写出反应过程及产物，并标明构型。

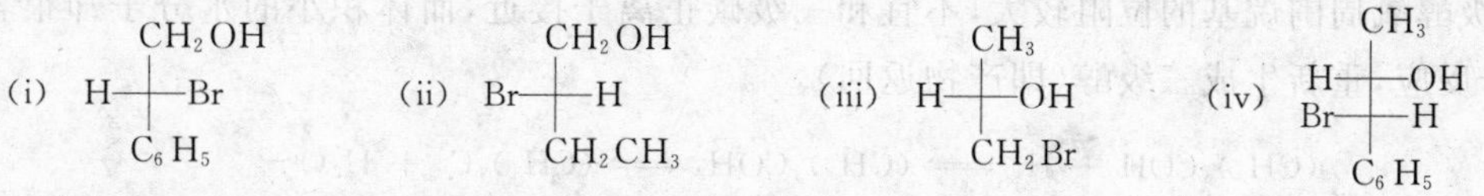

(i) 　　(ii)　　(iii)　　(iv)

习题 10-38　为什么用 Williamson 合成法合成脂肪醚须在醇钠及无水条件下进行，而合成芳醚则可以在氢氧化钠的水溶液中进行？

习题 10-39　为合成指定的目标化合物选择合适的原料组合，并阐明理由。

(i) 目标化合物 ，

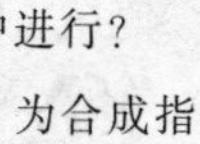

原料组合

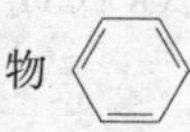

(ii) 目标化合物 $(CH_3)_3COCH_2CH_3$，原料组合 $(CH_3)_3CO^- + CH_3CH_2Br$ 或 $(CH_3)_3CBr + CH_3CH_2O^-$

10.23　醇分子间失水

在浓硫酸作用下，由醇可制对称醚，如

$$2ROH \xrightarrow{\text{浓 } H_2SO_4} ROR + H_2O$$

反应是通过醇羟基质子化，形成锌盐(i)，使烷基中的碳原子带有部分正电荷，与另一分子醇中的氧结合，同时质子化的羟基以水的形式离去，生成二烷基锌盐(ii)，然后再失去质子得醚，反应如下：

$$ROH \overset{H^+}{\rightleftharpoons} R\overset{+}{O}H_2 \underset{-H_2O}{\overset{ROH}{\rightleftharpoons}} R_2\overset{+}{O}H \overset{-H^+}{\rightleftharpoons} ROR$$
$$\text{(i)} \qquad\qquad \text{(ii)}$$

这是一个平衡反应,因为醚在酸性条件下 C—O 键也可断裂,为使反应向右进行,最好的办法是在反应过程中蒸出醚。在此反应过程中也会有烯烃生成,这和反应温度很有关系,如制乙醚宜在 130℃反应,且在反应过程中不断加入乙醇,使其保持过量。如反应控制在 170℃,多数产物为乙烯,因为 β 碳上的碳氢键的断裂需要更高的能量。

　　一级醇的分子间失水(intermolecular dehydration),是通过 S_N2 反应机理进行的。二级醇分子间失水按 S_N1 反应机理进行反应,即醇在质子作用下,先失去一分子水,形成稳定的碳正离子,然后与另一分子醇迅速反应,再失去质子得醚,如

$$(CH_3)_2CHOH \overset{H^+}{\rightleftharpoons} (CH_3)_2CH\overset{+}{O}H_2 \overset{-H_2O}{\rightleftharpoons} (CH_3)_2\overset{+}{CH} + H_2O$$

$$(CH_3)_2\overset{+}{CH} + HOCH(CH_3)_2 \rightleftharpoons (CH_3)_2CH\overset{\overset{H}{\underset{+}{}}}{O}CH(CH_3)_2 \rightleftharpoons (CH_3)_2CHOCH(CH_3)_2 + H^+$$

　　在酸作用下,三级醇比二级醇更易失水生成三级碳正离子,但当三级碳正离子和三级醇作用时,由于三级醇氧周围烷基的位阻较大,不宜和三级碳正离子接近,而体积小的水分子却很容易和碳正离子反应,重新生成三级醇(即产物返回)。

$$(CH_3)_3COH + H^+ \rightleftharpoons (CH_3)_3C\overset{+}{O}H_2 \rightleftharpoons (CH_3)_3\overset{+}{C} + H_2O$$

三级丁醇和三级丁基碳正离子虽然也可以形成醚,但在质子存在下,很不稳定,因而平衡向左移动,不能分离出醚,如下所示:

$$(CH_3)_3\overset{+}{C} + HOC(CH_3)_3 \rightleftharpoons (CH_3)_3C\overset{\overset{H}{\underset{+}{}}}{O}C(CH_3)_3 \overset{-H^+}{\rightleftharpoons} (CH_3)_3COC(CH_3)_3$$

三级碳正离子将采取另一途径,即失去一个质子生成烯:

$$(CH_3)_3\overset{+}{C} \overset{-H^+}{\rightleftharpoons} \begin{array}{c} H_3C \\ \diagdown \\ C=CH_2 \\ \diagup \\ H_3C \end{array}$$

综上所述,三级醇在浓硫酸作用下,不能制得醚,而得烯。但可利用三级丁醇在酸作用下形成三级碳正离子的速率比一级醇形成一级碳正离子快得多的事实,让三级醇与一级醇混合可制得产率较好的混合醚,例如:

$$(CH_3)_3COH \underset{-H_2O}{\overset{H^+}{\rightleftharpoons}} (CH_3)_3\overset{+}{C} \overset{CH_3CH_2OH}{\rightleftharpoons} (CH_3)_3C\overset{\overset{H}{\underset{+}{}}}{O}CH_2CH_3 \overset{-H^+}{\rightleftharpoons} (CH_3)_3COCH_2CH_3$$

　　两种不同的一级醇、不同的二级醇或一级醇与二级醇的混合物在酸作用下,生成的也是醚的混合物。

　　1,5-,1,4-二醇在酸作用下,通过控制醇的浓度,可以在分子内失水成环,形成六元或五元环醚,如

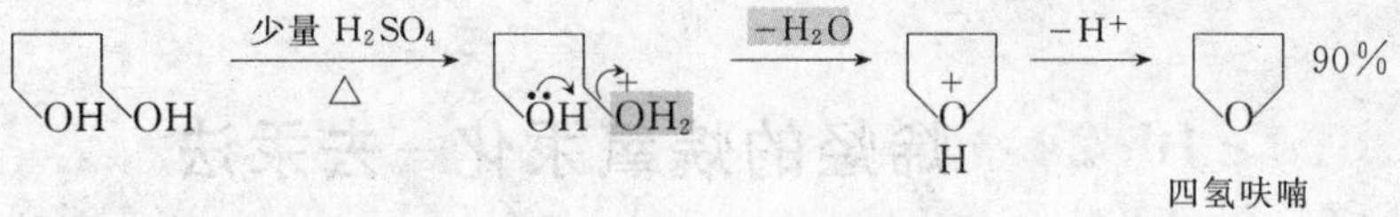

工业上用乙二醇与磷酸一起加热得到1,4-二氧六环：

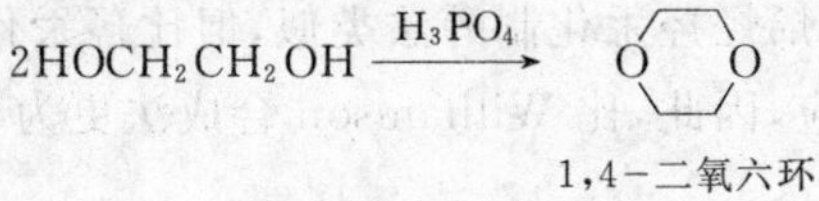

1,4-二氧六环也可以用环氧乙烷在酸作用下制得

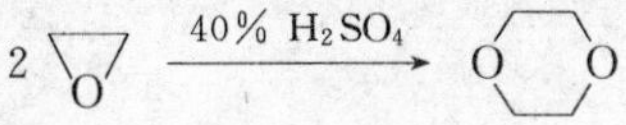

其过程如下：

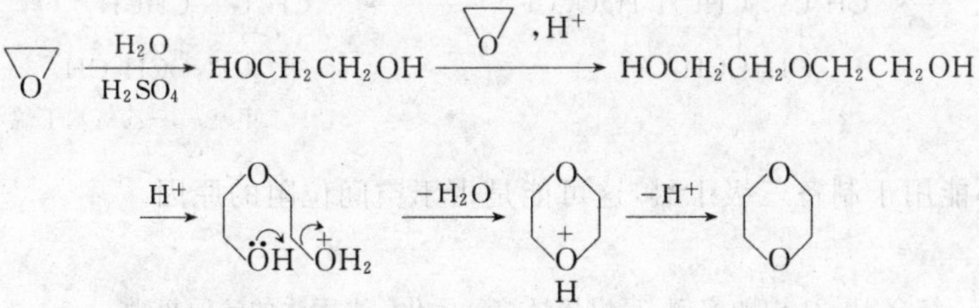

1,3-二醇不易在分子内失水形成四元氧环,因四元环张力大。

习题 10-40 写出下面化合物的立体异构体以及它们的优势构象,并指出哪一个立体异构体可以失水成醚,用反应式表达成醚反应。

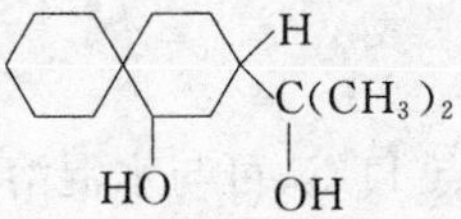

习题 10-41 写出下列化合物在浓硫酸作用下脱水成醚的可能产物：

(i) $CH_3CH_2OH + CH_3OH$

(ii) $CH_3CH_2OH + CH_3CH_2CH_2OH$

(iii) $(CH_3)_2CHOH + CH_3CH_2OH$

(iv) $(CH_3)_3COH + (CH_3)_2CHOH$

使醇失去水的酸性催化剂,除硫酸、磷酸外,还有对甲(基)苯磺酸、固体的硅胶及氧化铝,也可以使用路易斯酸,如氯化锌、三氟化硼等。

工业上制乙醚是用氧化铝做催化剂,在300℃下,使醇分子间失水,如

$$2CH_3CH_2OH \xrightarrow[-H_2O]{Al_2O_3,300℃} CH_3CH_2OCH_2CH_3$$

这个方法也可以用于制备难以制得的高级醚。但2,3-二甲基-2,3-丁二醇(频哪醇)在氧化铝作用下,于450℃催化失水,却得到2,3-二甲基-1,3-丁二烯。

10.24 烯烃的烷氧汞化–去汞法

这是一个相当于烯烃加醇的制醚方法。反应遵循马氏规则,但中间要经过加汞盐(三氟乙酸汞)、再还原去汞的步骤。这和烯烃羟汞化制醇法类似,但比羟汞化更容易进行,是一个有用的制醚方法,而且不会发生消除反应,因此,比 Williamson 合成法更为有用。如

$$
\underset{\overset{|}{CH_3}}{\overset{\overset{|}{CH_3}}{CH_3-CH}}=CH_2 \ + \ Hg(O\overset{\overset{O}{\parallel}}{C}CF_3)_2 \ + \ CH_3CH_2OH
$$

$$
\longrightarrow \ \underset{\overset{|}{CH_3}\ \overset{|}{OCH_2CH_3}}{CH_3C-CHCH_2HgO\overset{\overset{O}{\parallel}}{C}CF_3} \ \xrightarrow{NaBH_4} \ \underset{\overset{|}{CH_3}\ \overset{|}{OCH_2CH_3}}{\overset{\overset{|}{CH_3}}{CH_3C}-CHCH_3}
$$

2,2–二甲基–3–乙氧基丁烷

不过这个方法不能用于制备三级丁醚,这可能是由于空间位阻的原因。

习题 10–42 结合 10.21 中的实例,写出烯烃烷氧汞化–去汞法的还原机理。

10.25 醚类化合物的应用

1. 环氧乙烷的应用

环氧乙烷为无色、有毒的气体,沸点 11℃,可与水混溶,可与空气形成爆炸混合物,爆炸范围 3%~8%,它本身也可用做杀虫剂。在工业上,它是用乙烯在银催化下用空气氧化得到的。

$$
CH_2=CH_2 \xrightarrow[250℃]{O_2,Ag} \underset{O}{CH_2-CH_2}
$$

环氧乙烷的用途是:

(1) 环氧乙烷绝大多数(~70%)用做生产乙二醇的原料,其方法是在加压或酸催化下与水一起加热:

$$
\triangle{O} +H_2O \xrightarrow[\text{或加压}]{H^+} HOCH_2CH_2OH
$$

乙二醇是制涤纶——聚对苯二甲酸乙二醇酯的原料。

(2) 环氧乙烷在催化剂如四氯化锡及少量水存在下,聚合成聚乙二醇(或称聚环氧乙烷),聚乙二醇是水溶性的。

$$n \; \underset{O}{\triangle} \xrightarrow{SnCl_4} \xrightarrow{\text{少量 } H_2O} HO(CH_2CH_2O)_nH$$

聚乙二醇

聚乙二醇可用做聚氨酯的原料,聚氨酯可制人造革、泡沫塑料,医用高分子材料等。

(3) 如果用油溶的 R—⟨ ⟩—OH ,ROH,RCOOH,RCONH₂ 等将环氧乙烷引发开环聚合,如

$$R—\langle \; \rangle—ONa + n \; \underset{O}{\triangle} \longrightarrow R—\langle \; \rangle—O(CH_2CH_2O)_nH \qquad R=C_9 \sim C_{12}$$

这样得到的是非离子性的表面活性剂,可用做洗涤剂、乳化剂、分散剂、溶剂,纺织工业的润湿剂、匀染剂等。

(4) 环氧乙烷可用作有机合成试剂,或用它合成多种溶剂如一缩二乙二醇二甲醚等。

2. 环氧丙烷的应用

环氧丙烷是无色具有醚味的液体,沸点 34℃,在空气中的爆炸极限的体积分数为 2.1% ~ 21.5%,在水中溶解度为 40.5%(20℃)。环氧丙烷的生产方法主要用丙烯与次氯酸加成再失水成环:

$$CH_3CH{=}CH_2 + HOCl \longrightarrow \underset{\underset{OH \; Cl}{}}{CH_3CH{-}CH_2} \xrightarrow{Ca(OH)_2} CH_3\underset{O}{\triangle}$$

也可以用下法生产:

$$\langle \; \rangle{-}CH_2CH_3 \xrightarrow{O_2} \langle \; \rangle{-}\underset{OOH}{CHCH_3} \xrightarrow{CH_3CH{=}CH_2} \langle \; \rangle{-}\underset{OH}{CHCH_3} + CH_3\underset{O}{\triangle}$$

乙苯过氧化氢

$$\Big\downarrow {-}H_2O$$

$$\langle \; \rangle{-}CH{=}CH_2$$

用此法生产,可同时得到两个有用的产品,即环氧丙烷与苯乙烯。

环氧丙烷的性质与环氧乙烷类似,但反应性稍低,在很多情况下可代替环氧乙烷使用,其主要用途:

(1) 生产 1,2-丙二醇

$$CH_3\underset{O}{\triangle} + H_2O \longrightarrow CH_3\underset{\underset{OHOH}{}}{CHCH_2}$$

(2) 与顺丁烯二酸酐反应生成不饱和聚酯:

$$n \, CH_3\underset{O}{\triangle} + n \underset{O}{\overset{O}{\bigcirc}} \longrightarrow \underset{\underset{CH_3 \; O \qquad O}{}}{\big(OCH_2CHOCCH{=}CHC\big)_n}$$

不饱和聚酯

不饱和聚酯可用苯乙烯固化,用于制塑料(如玻璃钢)、涂料等。

（3）用于合成聚 1,2-丙二醇（或称聚环氧丙烷）:聚 1,2-丙二醇与聚乙二醇类似,也可用作聚氨酯的原料,但其硬度较用聚乙二醇的大。

3. 环氧氯丙烷的应用

3-氯-1,2-环氧丙烷也称为环氧氯丙烷,是无色液体,沸点 116.5℃,其合成方法可参看甘油的合成(10.10.5)。3-氯-1,2-环氧丙烷可用于制造环氧树脂:

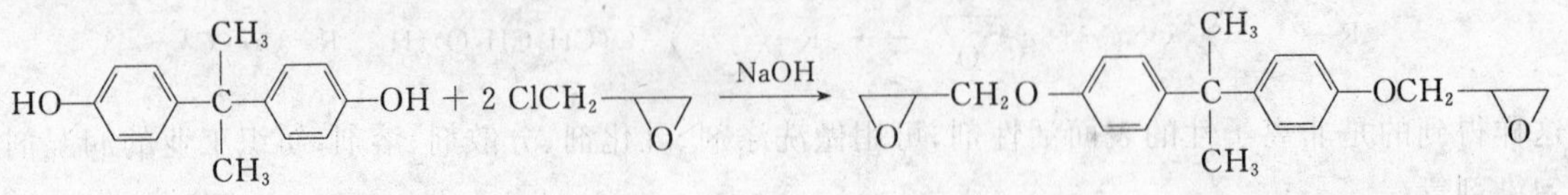

双酚A　　　　　　　　　　　　　　　　　　双酚A双失水甘油醚

其中间过程是酚氧负离子使环氧化物开环,然后再关环:

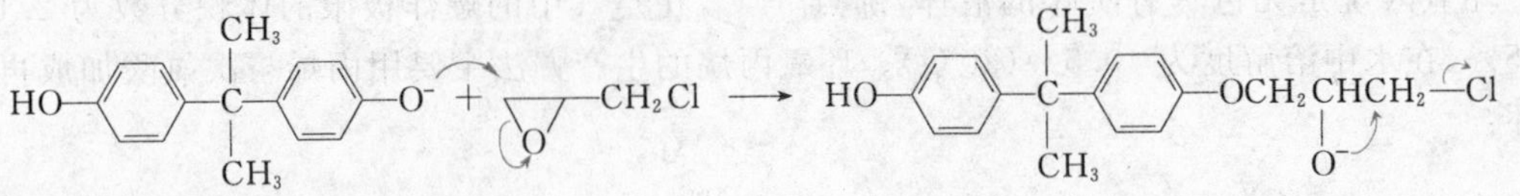

双酚 A 的名称为 $4,4'-$（亚异丙基）双苯酚, $-CH_2OH$ 也称失水甘油。环氧树脂可用作黏合剂、塑料与涂料。

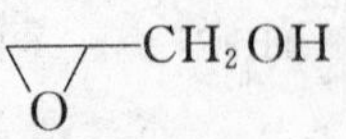

习题 10-43　用甲苯、对甲苯酚和不超过 4 个碳原子的有机化合物合成下列化合物:

(i) $CH_3CH_2CH_2OC(CH_3)_3$

(ii) $CH_3CH_2OCH(CH_3)_2$

(iii)

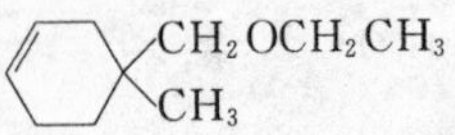

(iv)

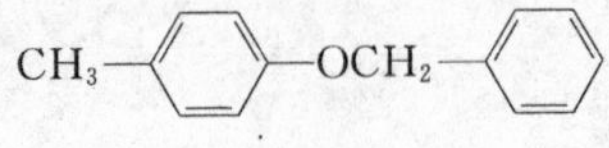

习题 10-44　用合适的原料合成下列化合物:

(i) $N(CH_2CH_2OH)_3$

(ii) $C_6H_{11}O\text{-}(CH_2CHO)_{\overline{n}}H$

(iii)

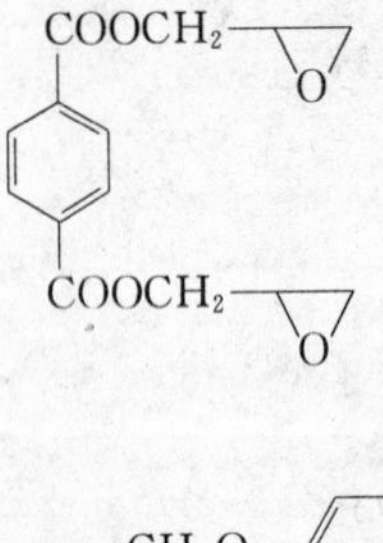

(iv) $S(CH_2CHOH)_2$

(v)

10.26 相转移催化作用及其原理

相转移催化(作用)是 Starks C M(施达克)于 1966 年首次提出的,并于 1971 年正式使用这个名词。

1. 相转移催化原理

许多无机盐易溶于水、不溶或难溶于有机溶剂,相反,大多数有机物可溶于有机溶剂而难溶于水,因此,如果想使无机盐(例如:$KMnO_4$、KCN 等)与有机物发生均相反应,就得求助于一些特别的能溶解两种反应物的溶剂,例如二甲亚砜(DMSO)、二甲基甲酰胺(DMF)或六甲基磷酸三酰胺(HMPT)(参看 7.6.4)。这些溶剂的缺点是价格高,不易回收,而且一旦混入一点水,对反应很不利。

如果有一种催化剂可穿过两相之间的界面并能把反应实体(如 CN^-)从水相转移到有机相中,使它与底物迅速反应,并把反应中的另一种负离子带入水相中,而在转移反应实体时催化剂没有损耗,只是重复地起"转送"负离子的作用。这种催化剂即称为相转移催化剂(phase-transfer catalyst)。描述这种现象和过程的名词即相转移催化作用(PTC,phasetransfer catalysis)。

采用 PTC 最典型的实例是固体盐或其水溶液与溶于非极性溶剂中的有机物的反应,例如:

$$RX \ + \ NaCN \ \xrightarrow{Q^+X^-} \ RCN + NaX$$

有机相　　水相　催化剂　有机相　　水相

反应过程如下:

$$Na^+CN^- + \quad Q^+X^- \quad \Longleftrightarrow \ [Q^+CN^-] + Na^+X^- \qquad 水相$$

反应物　　相转移催化剂

传递 X^- ↑　↓传递 CN^-　　界面

$$RCN \ + \ [Q^+X^-] \ \Longleftrightarrow \ Q^+CN^- \ + \ RX \qquad 有机相$$

产物　　　　　　　　　　反应物

在有机相和水相中都能溶解的相转移催化剂,于水中与氰化钠交换负离子,而后该交换了负离子的催化剂以离子对的形式(用方括号表示)转移到有机相中,即油溶性的催化剂正离子 Q^+ 把负离子 CN^- 带入有机相中,此负离子在有机相中溶剂化程度大为减小,因而反应活性很高,能迅速地和底物发生反应。随后,催化剂正离子带着负离子 X^- 返回水相,如此连续不断地来回穿过界面转送负离子。不过也有些研究者,如 Landini D(兰德尼)等认为,一般所用催化剂亲油性很高,它的正离子在水相中的浓度甚低,绝大多数是停留在有机相中,只是在界面处交换负离子。如

$$Na^+ \ CN^- \qquad\qquad\qquad\qquad 水相$$
$$\qquad\qquad\qquad\qquad\qquad\qquad\qquad 界面$$
$$[Q^+CN^-] \ + \ RX \longrightarrow \ [Q^+X^-] \ + \ RCN \qquad 有机相$$

以上情况只表明负离子的交换地点有所不同,而实际进行的取代反应的反应机理是一致的,而且上述反应机理已得到证实。一些具体实例的动力学测定显示,在非极性或极性很低的溶剂中,如二氯甲烷、氯仿、苯等,上述的取代反应主要是通过离子对进行的,只有在介电常数较高的溶剂中,才有一部分离子对解离成负离子参与反应。PTC 反应的反应速率与催化剂正离子把所需负离子带入有机相中的能力有关,但并不成比例。因为负离子的溶剂化以及离子对在有机相中正负离子间的作用等因素对反应速率也有影响。

2. 相转移催化剂

多数 PTC 反应要求催化剂把负离子转移到有机相中,除此外,还有些催化剂是把正离子或中性分子从一相中转移到另一相中。常用的相转移催化剂有下列几种:

(1) 𬪩盐　这是一类使用范围广、价格也便宜的催化剂,其中最常用的是四级铵盐(参看下册 17.4.3),和该盐同属于一种类型的还有:𬭩盐、𬭸盐和砷盐,不过后几种盐使用得少些。

(2) 冠醚　前面已简略介绍过这一类化合物,它们的重要用途之一是络合金属离子。在相转移反应中,也正是利用这个特性。冠醚因其可与碱金属离子络合形成伪有机正离子,它与四级铵盐的正离子很相像,因此也能使有机的和无机的碱金属盐溶于非极性有机溶剂中。不过由于它的价格比四级铵盐等其它催化剂昂贵,并且毒性较大,因而未能得到广泛应用,在工业中就更不宜使用,故除已介绍过的 18-冠-6(i)、15-冠-5(ii)、二苯并-18-冠-6(iii)外,至今只限于使用下列几种:

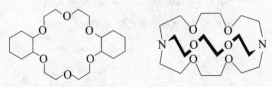

二环己烷并-18-冠-6 (iv)　　　隐烷[2.2.2](或叫穴醚)(v)

(i),(iii),(iv),(v)都与钾离子形成稳定的络合物,(ii)与钠离子形成稳定的络合物。冠醚和隐烷在强碱溶液中极为稳定,因此是在强碱溶液中进行相转移催化反应时的重要催化剂。(v)是含有氮原子的双环大环醚,由于它不仅和环醚一样能和碱金属离子络合,而且分子形状犹如有一个洞穴可把反应物藏在里面,故称隐烷(或穴醚)。隐烷用作相转移催化剂时与冠醚很相似,但目前隐烷和冠醚的共同特点是价格昂贵,限制了它们的应用。因此,近些年来也采用非环的即开链聚乙二醇或聚乙二醇醚[或称聚环氧乙烷二甲醚 $CH_3O(CH_2CH_2O)_{\overline{n}}CH_3$]与碱金属离子、碱土金属离子以及有机正离子络合的方法。实验结果显示,开链聚醚和冠醚相似,可以和上述离子络合,只是效果不如冠醚好。它的络合能力大小与所络合的正离子的性质有关系,聚醚链的长短也有一定的限度。

(3) 三相催化剂　三相催化剂是用于近期发展起来的三相催化(作用)(TC,triphase-catalysis)中的催化剂。这是一种不溶的固体催化剂,用于加速水-有机两相体系的反应,而其本身为固体,所以形成一个三相体系,称为三相催化剂。使用这种催化剂的优点是:操作简便,反应后容易分离,催化剂可定量地回收。这种方法虽刚兴起,但在化学工业界引起了极大的兴趣,因采用这种方法,所需能源和资本都低,并适于自动化连续生产,所以此方法的发展潜力很大。

三相催化剂是前述四级铵盐、鏻盐、冠醚或开链多聚醚连接于高聚物(例如聚苯乙烯)上的固体不溶物。例如:

$$ \text{聚合物} - \Big\langle \text{C}_6\text{H}_4 \Big\rangle - \text{CH}_2 - \overset{\overset{\displaystyle CH_3}{|}}{\underset{\underset{\displaystyle CH_3}{|}}{\text{N}^+}} - n\text{-}C_4H_9 \quad Cl^- $$

此催化剂的高分子部分是苯乙烯与 20% 的二乙烯基苯交联的聚苯乙烯聚合物,大约分子中 10% 的苯环被四级氨基取代。高分子载体和四级氨盐基之间也可以用一长链连接,这样的催化剂可明显地提高产率。

3. 冠醚在有机合成中的应用

冠醚的一个重要特点是和金属正离子形成络合物,并且随环的大小不同,而与不同的金属正离子络合,如 12-冠-4 与锂离子络合,15-冠-5 与钠离子络合,18-冠-6 与钾离子络合。这种络合物都有一定的熔点,因此可以利用它分离金属正离子混合物。但更重要的用途是在有机合成中使难以进行的反应迅速进行。

(1) 亲核取代反应 脂肪族的亲核取代反应是研究得最多的一类反应,最有代表性的是卤代烷与氰化物发生亲核取代反应。例如,固体氰化钾和卤代烷在有机溶剂中很难反应,如加入 18-冠-6 反应即可迅速进行,因该醚可以和 K^+ 离子络合,也可以说从晶格中把 K^+ “拉”出来,而 CN^- 也随之形成。这种络合物通常以 $\text{K}^+ \text{CN}^-$ 表示,结构如下:

$$ \text{(18-冠-6 络合 } K^+ \text{)} \quad CN^- $$

K^+ 称为亲油阳离子,可溶入有机溶剂中,与它成离子对的阴离子 CN^- 也随之溶入有机溶剂中,由于 CN^- 是游离的自由负离子,没有溶剂化的影响,可直接作为亲核试剂进攻底物,因此很容易和溴代烷反应。反应是在固液两相中进行的。通常把这种反应称为裸阴离子反应,冠醚是相转移催化剂。

$$ RBr + \text{(K}^+\text{)}CN^- \xrightarrow{\text{有机溶剂}} RCN + \text{(K}^+\text{)}Br^- $$

在液-液两相中,冠醚也有同样的作用,例如溴代烷和氰化钾水溶液不相溶,成为两相,因此难以反应。如加入冠醚,氰化钾即可由水相进入有机相中,与溴代烷相遇而迅速反应。进行上述反应多数只需摩尔分数 1%~5% 的亲油阳离子即可。固-液两相反应一般只用于憎水的试剂,通常多采用液-液两相的方法,即相转移或叫催化两相法。亲油阳离子除了用冠醚外,还常用四级铵盐、鏻盐($R_4P^+ X^-$)及隐烷等。

　　利用这些化合物作为相转移剂,可使许多反应比在惯用条件下容易进行,反应选择性强,产品纯度高,在降低温度及缩短反应时间等方面比传统方法有明显的优越性,因而在有机合成中很有用。在工业上这种催化两相法容易自动化,而且,产生的工业废物也少。如

$$\text{C}_6\text{H}_5-\text{CH}_2\text{Cl} + \text{KCN} \xrightarrow[25℃,72\,h]{\text{CH}_3\text{CN}} \text{C}_6\text{H}_5-\text{CH}_2\text{CN}$$
20%

$$\text{C}_6\text{H}_5-\text{CH}_2\text{Cl} + \text{KCN} \xrightarrow[25℃,0.4\,h]{18-冠-6,\text{CH}_3\text{CN}} \text{C}_6\text{H}_5-\text{CH}_2\text{CN}$$
100%

芳香亲核取代反应(参看 18.3.2)也有同样效果:

$$\text{O}_2\text{N}-\text{C}_6\text{H}_3(\text{NO}_2)-\text{Cl} + \text{KF} \xrightarrow[25℃,5\,h]{\text{CH}_3\text{CN}} \text{O}_2\text{N}-\text{C}_6\text{H}_3(\text{NO}_2)-\text{F}$$
<5%

$$\text{O}_2\text{N}-\text{C}_6\text{H}_3(\text{NO}_2)-\text{Cl} + \text{KF} \xrightarrow[25℃,5\,h]{18-冠-6,\text{CH}_3\text{CN}} \text{O}_2\text{N}-\text{C}_6\text{H}_3(\text{NO}_2)-\text{F}$$
100%

　　脂肪族亲核取代反应在固-液两相体系进行反应时,现在较多地使用聚乙二醇醚代替冠醚。虽然这种链形的多元醚催化能力不如冠醚,而且用量一般比冠醚多,但价格便宜,容易得到,同时具有一定平均相对分子质量的工业产品即可使用,这在应用上是很有利的。例如在聚乙二醇醚催化下,溴化苄与不同钾盐能顺利地发生取代反应:

$$\text{C}_6\text{H}_5-\text{CH}_2\text{Br} + \text{K}^+\text{Y}^- \xrightarrow[聚乙二醇醚]{\text{C}_6\text{H}_6 \text{ 或 CH}_3\text{CN}} \text{C}_6\text{H}_5-\text{CH}_2\text{Y} + \text{KBr}$$
90%~100%

Y 所代表的不同负离子的反应活性如下所示:

$$\text{HS}^- > \text{SCN}^- > \text{N}_3^- > \text{CH}_3\text{COO}^- > \text{CN}^- > \text{F}^-$$

实验表明,平均相对分子质量分别为 400,1000,2000 的聚乙二醇二甲醚做催化剂效果均很好。
　　(2)氧化反应　冠醚可做催化剂。使烯、醇、醛被氧化为相应的酮、酸,如

$$\alpha-蒎烯 \xrightarrow[二环己烷并-18-冠-6]{\text{KMnO}_4,\text{C}_6\text{H}_6} 顺蒎酮酸$$

甲苯或二甲苯可分别被氧化为苯甲酸或甲基苯甲酸,产率各为 100%,78%。冠醚在这里的作用是使水溶性的高锰酸钾溶于苯内。

习题 10-45 用中英文命名下列化合物：

(i)
$$CH_3C\equiv CCH_2$$

(ii)
（含 OCH_3、OH、H）

(iii) H_3C—
（含 OCH_2OCH_3）

(iv) CH_3O—
—CH_2OH

习题 10-46 将下列化合物按沸点由大到小排列成序。

$$CH_2{-}CH_2 , CH_3OCH_2CH_2OH, CH_3CH_2OH, CH_3CH_2OCH_3$$
$$\ \ |\quad\ \ |$$
$$OH\ \ OH$$

习题 10-47 完成下列反应，写出主要产物。

(i) $(CH_3)_3CCl + CH_3ONa \longrightarrow$

(ii)
$$\xrightarrow[CH_3COCH_3,\triangle]{[(CH_3)_3CO]_3Al}$$

(iii) $(CH_3)_3COCH_3 + O_2 \longrightarrow$

(iv)
$$CH_2OH \xrightarrow[\triangle]{H^+}$$

(v)
$$\xrightarrow{I_2,NaOH}$$

(vi) $C_6H_5CH_2C(CH_3)_2 \xrightarrow[\triangle]{H^+}$ （含 OH）

(vii)
$$CH_3 \xrightarrow[\triangle]{HI(过量)}$$

(viii) $BrCH_2CH_2CH_2CH_2OH \xrightarrow{CH_3ONa}$

(ix) $CH_3CH{=}CHCH_2OH \xrightarrow{HI(过量)}$

(x) $CH_2{=}CHCH_2CH{=}CH_2 \xrightarrow[H_2O]{2Hg(OAc)_2} \xrightarrow{NaBH_4}$

(xi) $CH_3CH{=}CHCH_2CH_2OH \xrightarrow{H^+}$

(xii)
$$\xrightarrow[吡啶]{CH_3{-}\bigcirc{-}SO_2Cl} \xrightarrow[丙酮]{NaI} ?$$

习题 10-48 选择适当的原料，完成下列反应。

(i) $? \xrightarrow{MnO_2} CH_3CH_2CH{=}CHCHO$

(ii) $? \xrightarrow{CrO_3\cdot吡啶}$

(iii) $? \xrightarrow[(2)\ H_2O]{(1)\ LiAlH_4}$
$$CH_3{-}\underset{C_2H_5}{\overset{OH}{\underset{|}{\overset{|}{C}}}}{-}CH_3$$

(iv) $? \xrightarrow[(2)\ H_2O]{(1)\ B_2H_6} (CH_3)_2CHCHCH_3$ （含 OH）

习题 10-49 从苯、甲苯、环戊烷、不超过三个碳原子的化合物及必要的无机试剂合成下列化合物。

(i)
—CH_3

(ii)

(iii) $CH_3-\!\!\!\!\!\!\!\!\!\bigcirc\!\!\!\!\!\!-\!\!\underset{\underset{OCH_2CH_3}{|}}{CH}\!\!-\!\!\bigcirc$

(iv) $C_6H_5C(CH_2CH_3)_2$
$\quad\quad\quad\underset{OC_2H_5}{|}$

(v) $CH_2\!=\!CHOCH_2CH\!=\!CH_2$

(vi) $\underset{O}{\triangle}$

(vii) $CH_3\!-\!\!\underset{O}{\overset{\triangle}{}}\!\!-\!C_2H_5$

(viii) $C_2H_5\!\overset{O}{\underset{\parallel}{C}}\!\!-\!\!\underset{O}{\overset{\triangle}{}}$

(ix) (结构式：四氢呋喃环，2位CH₃，3位CH₃)

(x) $(CH_3)_2CHOCH_2\underset{\underset{OH}{|}}{CH}CH_2OCH_3$

习题 10−50 用乙烯为起始原料合成下列化合物：

(i) $CH_3CH_2CH_2CH_2OH$

(ii) $(CH_3CH_2)_2\underset{\underset{OH}{|}}{\overset{\overset{CH_3}{|}}{C}}$

(iii) $CH_3(CH_2)_3\underset{\underset{CH_3}{|}}{CH}OCH_2CH_3$

(iv) $CH_3(CH_2)_3\underset{\underset{CH_3}{|}}{CH}OCH_2CH_2O\underset{\underset{CH_3}{|}}{CH}(CH_2)_3CH_3$

习题 10−51 完成下列反应式，并描述各反应的反应机理。

(i) $n\!-\!C_4H_9\!\!-\!\!\overset{\overset{CH_3}{|}}{\underset{\underset{CH_2OH}{|}}{C}}\!\!\cdot\!\!H \xrightarrow{HBr}$

(ii) $n\!-\!C_5H_{11}\!\!-\!\!\overset{\overset{H}{|}}{\underset{\underset{CH_3}{|}}{C}}\!\!\cdot\!\!OH \xrightarrow{HBr}$

(iii) $CH_3CH_2CH_2\underset{\underset{CH_2CH_3}{|}}{\overset{\overset{CH_3}{|}}{C}}\!\!\cdot\!\!OH \xrightarrow{HBr}$

习题 10−52 完成反应式，为下列反应提供可能的、合理的、分步的反应机理。

(i) $CH_3CH_2\underset{\underset{CH_3}{|}}{CH}CH_2OH \xrightarrow[HCl]{ZnCl_2}$

(ii) $(CH_3)_2\overset{\overset{I}{|}}{C}\!\!-\!\!\overset{\overset{OH}{|}}{C}(CH_3)_2 \xrightarrow{Ag^+}$

(iii) $(S)\!-\!CH_3CH_2CH_2CHDOH \xrightarrow{SOCl_2}$

(iv) $(CH_3)_2\overset{\overset{OH}{|}}{C}CH_2OH \xrightarrow{H^+}$

(v) (结构式：H—C(CH₃)(OH)—C(Br)(CH₃)—H Fischer投影) $\xrightarrow{HBr}$

习题 10-53 写出分子式为 $C_4H_{10}O$ 的所有异构体及其名称,并绘制它们的 ^1H NMR 的大致图谱。

习题 10-54 请用简单化合物为起始原料,设计合成 18-冠-6。

习题 10-55 化合物 A 和 B 的分子式均为 $C_5H_{10}O$,均不溶于水,与溴的四氯化碳溶液或金属钠均无反应。A 和稀盐酸或稀氢氧化钠溶液反应得化合物 $(R)-C_5H_{12}O_2(C)$。B 和稀盐酸或稀氢氧化钠溶液反应得化合物 $(S)-C_5H_{12}O_2(D)$。C 或 D 与等物质的量的高碘酸的水溶液反应都得甲醛和化合物 $C_4H_8O(E)$,E 可进行碘仿反应。请写出化合物 A,B,C,D,E 的构造式及各步反应。

习题 10-56 某有光活性的化合物 $A(C_4H_9OBr)$,在氢氧化钠的乙醇溶液中反应,得光活性的环氧化合物 B,B 用氢氧化钾的水溶液处理,得一无光活性的邻二醇化合物 C。请写出 A 的所有可能的结构式及相应的各步反应。

习题 10-57 化合物 A,B,C,D 均是分子式为 $C_6H_{13}OCl$ 的直链有机化合物,且互为旋光异构体。它们的 ^1H NMR 均有 9 组峰,各组峰的氢原子数之比为 3:3:1:1:1:1:1:1:1:1。其中有一宽峰在重水交换下消失。将 A,B,C,D 分别在氢氧化钾的乙醇溶液中反应,A、B 得到相同的产物 E,无光活性。C 得到产物 F,有光活性,D 得到产物 G,也有光活性。E,F,G 均为分子式为 $C_6H_{12}O$ 的五元环状化合物。请写出 A,B,C,D,E,F,G 的结构式和相应的反应方程式。

习题 10-58 $(S)-2-$甲基$-1-$溴$-2-$丁醇用稀氢氧化钠溶液处理转为有光活性的环氧化物 A,A 分别用碱或酸处理得到两个取代的邻二醇 B 和 C,请写出 A,B,C 的结构式、中英文名称及上述各步的反应机理。

复习本章的指导提纲

基本概念和基本知识

醇,一元醇,二元醇,三元醇,多元醇,一级醇,二级醇,三级醇,烯醇,烯丙型醇,苯甲型醇;醇物理性质的特点;氢键;醇的结构特征;醇的酸性和碱性以及影响醇酸、碱性强弱的因素;烃基的电子效应;共沸混合物;乙二醇,甘油,邻基参与效应;紧密离子对;醚,对称醚(单醚),不对称醚(混合醚),脂肪醚,芳香醚,无环醚,饱和醚,不饱和醚,环醚,内醚,环氧化合物,冠醚;醚物理性质的特点;醚的结构特征;过氧化物;锌盐,一级锌盐,二级锌盐,三级锌盐;相转移催化作用的原理,相转移催化剂。

基本反应和重要反应机理

醇与金属的反应;醇和含氧无机酸及其酰氯和酸酐的反应;醇羟基被卤原子取代的各种反应及相应的反应机理和规则;S_Ni 反应;一级醇、二级醇、三级醇氧化的特点,各种氧化剂氧化醇的反应及异同点;高碘酸和四醋酸铅氧化邻二醇的反应;醇的脱氢反应;频哪醇的重排反应及机理。醚的碳氧键断裂反应,1,2-环氧化合物的酸性或碱性开环反应,相关的规律和反应机理;醚的自动氧化及其机理。

重要的合成方法

甲醇、乙醇、正丙醇、乙二醇和甘油的工业制备方法；烯烃直接水合和间接水合制醇；卤代烷水解制醇；用格氏试剂制备醇及各种逆向切断途径的比较；烯烃的羟汞化制醇；1,2-环氧化合物制二醇；Williamson 合成法制醚、制环氧化合物、制冠醚；分子间失水制醚、烯烃烷氧汞化-去汞法制醚。

重要鉴别方法

用 Lucas 试剂鉴别一级醇、二级醇、三级醇；用铬酐的硫酸水溶液鉴别一级醇、二级醇。

英汉对照词汇

acyclic ether　（无环醚）

aliphatic ether　（脂肪醚）

alkylating agent　（烷基化试剂）

allylic alcohol　（烯丙型醇）

antioxidant　（抗氧剂）

aromatic ether　（芳香醚）

association　（缔合作用）

azeotropic mixture　（共沸混合物）

benzylic alcohol　（苯甲型醇）

carbon-oxygen bond　（碳氧键）

complex ether　（混合醚，不对称醚）

conjugate acid　（共轭酸）

crown ether　（冠醚）

cyclic ether　（环醚）

dehydrating agent　（失水剂）

dehydrogenating agent　（脱氢试剂）

detergent　（洗涤剂）

dicyclohexyl carbodiimide　（二环己基碳二亚胺）

dihydric alcohol　（二元醇）

enol　（烯醇）

ether bond　（醚键）

epoxy compoud　（环氧化合物）

fermentation method　（发酵法）

hydration　（水合）

hydroxy-mercury reaction　（羟汞化反应）

inner ether　（内醚）

intermolecular dehydration　（分子间失水）

intermolecular hydrogen bond　（分子间氢键）

intramolecular hydrogen bond　（分子内氢键）

intramolecular reaction　（分子内反应）

Jones reagent　（琼斯试剂）

Lucas reagent　（卢卡斯试剂）

monohydric alcohol　（一元醇）

neighboring group effect　（邻基效应）

Oppenauer oxidation method　（欧芬脑尔氧化法）

oxo inorganic acid　（含氧无机酸）

oxonium ion　（锌盐离子）

oxonium salt　（锌盐）

petroleum pyrolysis gas　（石油裂解气）

peroxide　（过氧化物）

Pfitzner-Moffatt reagent　（费兹纳-莫发特试剂）

phasetransfer catalysis　（相转移催化作用）

phasetransfer catalyst　（相转移催化剂）

pinacol　（频哪醇）

pinacolone　（频哪酮）

pinacol rearrangement　（频哪醇重排反应）

polyhydric alcohol　（多元醇）

precedence migration　（优先迁移）

primary alcohol　（一级醇）

saturated ether　（饱和醚）

Sarrett reagent　（沙瑞特试剂）

secondary alcohol　（二级醇）

simple ether （简单醚，对称醚）

solvation （溶剂化）

solvent effect （溶剂效应）

sulfate （硫酸酯）

sulfonate （磺酸酯）

synthesis gas （合成气）

synthetic fibre （合成纤维）

synthetic resin （合成树脂）

tertiary alcohol （三级醇）

triphase catalysis （三相催化作用）

unsaturated ether （不饱和醚）

Williamson synthesis （威廉森合成法）

Zeisel S （蔡塞尔）

第 **11** 章

苯和芳香烃　芳香亲电取代反应

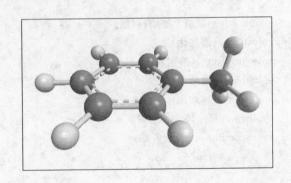

在有机化学发展的初期,化学家把化合物分为脂肪族及芳香族两大类,前者是指开链化合物,后者是指一类从植物胶里取得的具有芳香气味的物质。在研究这些芳香化合物时发现:它们往往都含有一个 C_6H_n($n<6$)的结构单元,后来把它称为"苯环"。于是人们将苯(C_6H_6)及含有苯环结构的化合物统称为芳香化合物。随着研究的深入,芳香化合物这一名称的含义又有了新的发展,现在人们将具有特殊稳定性的不饱和环状化合物称为芳香化合物。从结构上看,芳香化合物一般都具有平面或接近平面的环状结构,键长趋于平均化,并有较高的 C/H 比值;从性质上看,芳香化合物的芳环一般都难以氧化、加成,而易于发生亲电取代反应,它们还具有一些特殊的光谱特征,如芳环环外氢的化学位移处于核磁共振的低场,而环内氢处于高场。上述这些特点,就是人们经常说的芳香性(aromaticity)。具有芳香性的碳氢化合物称为芳香烃(aromatic hydrocarbon)。

11.1　芳香烃的结构

11.1.1　苯的结构和表达

苯是芳香化合物最典型的代表。

(1) 苯的结构　近代物理方法证明:苯分子的六个碳原子和六个氢原子都在一个平面内,因此它是一个平面分子,六个碳原子组成一个正六边形,碳碳键长是均等的,约为 140 pm,介于单键和双键之间。碳氢键键长为 108 pm,所有的键角都为 120°(图 11-1)。

(2) 苯的芳香性　从结构上看,苯具有平面的环状结构,键长完全平均化,碳氢比为 1。从性质上看,苯具有特殊的稳定性:环己烯的氢化热 $\Delta H = -120$ kJ·mol^{-1},1,3-环己二烯的氢化热

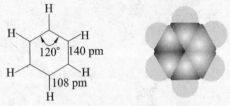

图 11-1　苯的结构图

$\Delta H = -232$ kJ·mol^{-1}(由于其共轭双键增加了其稳定性)。而苯的氢化热 $\Delta H = -208$ kJ·mol^{-1}。1,3-环己二烯失去两个氢变成苯时,不但不吸热,反而放出少量的热量。这说明:苯比相应的环

己三烯类要稳定得多,从1,3-环己二烯变成苯时,分子结构已发生了根本的变化,并导致了一个稳定体系的形成。

苯难于氧化和加成,而易于发生亲电取代反应,与普通烯烃的性质有明显的区别。

苯还具有特殊的光谱特征。苯环上的氢处于核磁共振的低场。

上述特点说明了苯具有典型的芳香特征。

(3)苯的表达 怎样来表达苯的结构?自1825年英国物理学家和化学家 Farady M(法拉第)首先从照明气中分离出苯后,人们一直在探索苯结构的表达式。科学家们提出了各种有关苯结构式的假设;其中比较有代表性的苯的结构式有:

Kekulé 式	双环结构式	棱形结构式
Kekulé(凯库勒)	Dewar(杜瓦)	Ladenburg(拉敦保格)
1865 年提出	1866—1867 年提出	1869 年提出
向心结构式	对位键结构式	余价结构式
Armstrong(阿姆斯特朗)	Claus(克劳斯)	Thiele(悌勒)
Baeyer(拜耳)1887—1888 年提出	1888 年提出	1899 年提出

双环结构式是 Dewar 提出的,历史上称为 Dewar 苯,现在已知 Dewar 苯是一个十分活泼的环烯烃,即二环[2.2.0]-2,5-己二烯。棱形结构式也称为棱晶烷,性质也十分活泼。从 Kekulé 结构式出发,通过改变价键的位置,可以得到 Dewar 苯和棱晶烷。化学上,将这种由于价键转移产生出来的异构体称为价键异构体,因此 Dewar 苯和棱晶烷都是苯的价键异构体,它们不能代表苯的结构。实验证明:苯在光的激发下,可以变为 Dewar 苯和棱晶烷。

棱晶烷   Dewar 苯

Armstrong 和 Baeyer 提出了向心结构式,认为在苯分子中,每个碳原子的第四价都指向环的中心,并不和其它原子相连,这叫做中心键,六个中心键之间互相平衡,使每一根键的化合能变为一种潜在的力量。中心键在脂肪族化合物中是不存在的,因此芳香化合物的特性就可以看做是碳原子的第四价在环中的特殊对称排列引起的。Thiele 的余价学说认为余价结构式中的双键结合不能用去全部的一价,因此剩下的一部分未用去的价叫做余价,余价彼此结合成为一种新的键。按照这种构想,苯环中碳碳键大致是均等的,没有单双键的区别,六个碳原子中每两个相邻的碳原子的余价都彼此结合,成为一种新的体系。余价或中心键学说为苯的结构式提出了新的解决办法,从本质上看,它们与苯的结构式的近代描述方法大体是一致的,但在那时,由于不可能阐明“中心键”和“余价”的本质,也没有合适的实验方法去作进一步的证实工作,因此这两种违背经典价键理论的结构未能被化学家普遍接受。

　　1857 年,德国化学家 Kekulé 提出了碳四价学说,第二年,他又提出了一个天才的设想:苯分子具有环状结构。他假定苯分子的六碳链,头尾相接连成一个环,每个碳上连有一个氢,六个氢所占的地位相等。按照 Kekulé 的设想,苯只能有一种一元取代物,三种二元取代物。

一元取代物	邻位取代物 1,2-取代物	间位取代物 1,3-取代物	对位取代物 1,4-取代物

经过多次研究,取代产物的异构体数目总是毫无例外地和 Kekulé 的环状结构相符合,所以苯要用一个六元碳环,每个碳上带有一个氢的结构式来表示,这已是毫无疑义的了。苯六边形的环状结构,虽然解决了取代异构体的数目问题,但按照这种结构,每个碳只用去三价,剩下的一价应当如何安排? Kekulé 主张每个碳未用去的一价,彼此结合,成为三个双键,每隔一个单键有一个双键,也就是说苯分子中具有一个连续不断的共轭体系,或一个没有头尾的共轭体系,这样每个碳就都成为四价:

但这和已知的化学经验或“感觉”不相符合。它有两个主要的缺点:第一,它不能解释苯分子内既然有双键,为什么在一般情况下不能和与不饱和烃加成的试剂发生加成反应;第二,按照这样一个结构,苯的邻位二元取代产物应有两种异构体存在:

(i)	(ii)

式(i)中,X 与 X 之间是一个单键,式(ii)中是一个双键。但这和经验不符,多种实验证明邻位二元取代物只有一种。然后 Kekulé 提出一个很聪明但是不正确的解释,那就是假定苯里的双键位置是不固定的,而是可以以很快速度往返移动,这就是所谓的摆动双键学说。

于是苯的邻位二元取代产物不是一个，而是(i)及(ii)两个互变很快的一个平衡体系。由于(i)和(ii)转变得很快，在单位时间内，就分辨不出单双键的区别了。

有些实验似乎给 Kekulé 的摆动双键学说提供了一定的支持，在激烈的条件下，双键的转位不是不可能的。例如，苯和臭氧在合适的反应条件下反应可生成三臭氧化物，水解后生成和预料符合的三分子乙二醛。若用邻二甲苯代替苯和臭氧发生作用，生成三种化合物：丁二酮、丙酮醛和乙二醛。这说明苯和苯的衍生物可能正如 Kekulé 所建议的那样，有两种双键排列不同的结构，因为若只有一种结构，无论哪种都只生成两个化合物：

近二三十年来，一些化学家对苯的结构进行了更深入的研究，根据价键法和分子轨道理论的计算结果对"苯的 π 电子离域"和"苯中 π 电子的离域使苯稳定"等观点提出了疑问，新的看法认为：苯的对称六边形结构只决定于 σ 电子，从本质上看，苯的 π 体系不倾向于一个离域的"芳香六隅体"，而是倾向于具有三个定域的 π 键结构。Copper(科柏)等在 1986 年发表的"苯分子的电子结构"一文中提出了自旋偶合价键理论，该理论认为：两种定域的 Kekulé 结构是一对"电子互变异构体"，电子互变异构体代表化合物分子的微观结构，不可析离。从微观角度看，化合物可以是多结构的，即一种化合物可能有几种微观结构。我们通常说的分子结构是分子的宏观结构，一种化合物分子只能有一种宏观结构，因此，宏观结构是多种微观结构混合的平衡结构。苯实际上是两种微观结构(Kekulé 结构)混合的平衡结构。按电子自旋价键理论，苯可以用下面的式子来表示：

符号 ⟷ 表示一个化合物分子的两个电子分布不同的微观结构之间的互变，既不同于 ⇌，也不同于 ↔。

关于苯的结构及它的表达方式已经讨论了 140 多年了，虽然提出了各种看法，但还没有得到满意的结果，需要作近一步讨论。文献和书刊中常见的苯的表达式如下面的(Ⅰ)、(Ⅱ)和(Ⅲ)：

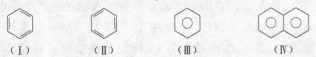

（Ⅰ）　　　　（Ⅱ）　　　　（Ⅲ）　　　　（Ⅳ）

（Ⅰ）、（Ⅱ）是 Kekulé 结构式，目前它是书籍和文献中应用最多的苯表达式。（Ⅲ）用内部带有一个圆圈的正六边形来表示苯，圆圈强调了 π 电子的离域作用和电子云的均匀分布，它很好地说明了碳碳键长的均等性和苯环的完全对称性,但是这种方式用来表示其它芳香体系时就不合适了,如用(Ⅳ)表示两个稠合的苯环——萘时很容易造成误解,因为萘不是完全对称的分子,萘分子的碳碳键长也不是完全均等的,另外,圆圈没有说明 π 电子的数目,萘分子的 10 个 π 电子用两个圆圈表示易误解成每个环有 6 个 π 电子而造成混淆。

（4）共振论对苯的结构和芳香性的描述   共振论认为苯共振于两个 Kekulé 结构（Ⅰ）和（Ⅱ）之间。

$$(\text{Ⅰ}) \qquad\qquad (\text{Ⅱ})$$

（Ⅰ）与（Ⅱ）是两个能量很低、稳定性等同的极限结构,它们之间的共振引起的稳定作用是很大的,因此杂化体苯的能量比极限结构低得多,共振论将极限结构的能量与杂化体的能量之差称为共振能,计算公式如下:

$$共振能＝极限结构的能量－杂化体的能量$$

实际上,苯的共振能也可借助氢化热来估算,苯的极限结构与环己三烯相当,环己三烯实际上是不存在的,它的氢化热用环己烯氢化热的三倍代替,其值是 3×119.3 kJ·mol^{-1}＝357.9 kJ·mol^{-1},杂化体苯的氢化热是 208.5 kJ·mol^{-1},所以苯的共振能为 149.4 kJ·mol^{-1}。两个等同的极限结构对苯的贡献是相同的,因此导致了碳碳键长的平均化和电子云的均匀分布。杂化体苯的正六边形结构及 π 电子云的均匀分布是环电流产生的原因。加成反应会破坏极限结构的共振,使稳定的苯转变为不稳定的 1,3-环己二烯,因此难以进行;π 电子云利于亲电试剂的进攻,取代反应最终不会破坏极限结构的共振而易于进行。

（5）分子轨道理论对苯的结构和芳香性的描述   分子轨道理论把苯描述为一种离域的结构,它认为:苯分子的 6 个碳原子均为 sp^2 杂化的碳原子,相邻碳原子之间以 sp^2 杂化轨道互相重叠,形成 6 个均等的碳碳 σ 键,每个碳原子又各用一个 sp^2 杂化轨道与氢原子的 1s 轨道重叠,形成碳氢 σ 键。所有轨道之间的键角都为 120°,由于 sp^2 杂化轨道都处在同一平面内,所以苯的 6 个氢原子和 6 个碳原子共平面,每个碳原子还剩下一个未参与杂化的垂直于分子平面的 p 轨道,6 个 p 原子轨道彼此作用形成 6 个 π 分子轨道,它们的形状及相应能级如图 11-2 所示。苯有 6 个 π 分子轨道,ψ_1, ψ_2, ψ_3 是能量较低的成键轨道,ψ_4, ψ_5, ψ_6 是能量较高的反键轨道。在三个成键轨道中,ψ_1 没有节面,能量最低,ψ_2, ψ_3 各有一个节面,它们的能量相等,但都比 ψ_1 高。分子轨道理论将两个能量相等的轨道称为简并轨道,ψ_2, ψ_3 是一对简并轨道。同样,反键的 ψ_4, ψ_5 也是一对简并轨道,它们各有两个节面,能量比 ψ_2, ψ_3 高。反键的 ψ_6 能量最高,它有三个节面。基态时,6 个 π 电子占据三个成键轨道,所以苯的 π 电子云是由三个成键轨道叠加而成的,叠加的最后结果是 π 电子云在苯环上下对称均匀分布,又由于碳碳 σ 键也是均等的,所以碳碳键长完全相等,形成一个正六边形的碳架。闭合的电子云是苯分子在磁场中产生环电流的根源,环电流可以看做是没有尽头的,因此离域范围很广,实验表明:苯的 E_π 为 $6\alpha+8\beta$,与 6 个 π 电子处在三个孤立的 π 轨道中的能量 $6\alpha+6\beta$ 相比,离域能是 2β,所以苯很稳定。加成反应会导致苯封闭共轭体系的破坏,所以难以发生。取代反应最终不会破坏这种稳定结构,又由于环形离域 π 电子的流动性较大,能够向亲电试剂提供电子,因此苯易发生亲电取代反应。

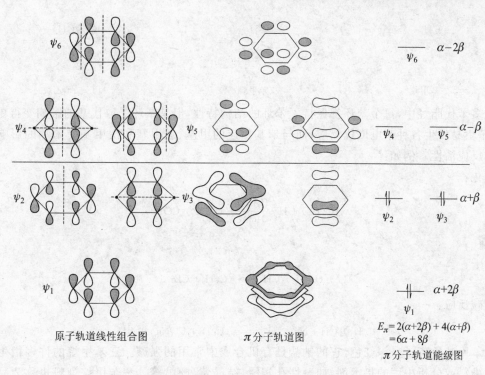

原子轨道线性组合图   π分子轨道图

$$E_\pi = 2(\alpha+2\beta) + 4(\alpha+\beta)$$
$$= 6\alpha + 8\beta$$

π分子轨道能级图

图 11-2   苯的 π 分子轨道和轨道能级示意图

习题 11-1   苯有哪几种有代表性的表达式？

习题 11-2   苯为什么只有一种一元取代物？

习题 11-3   阐明苯环具有特殊稳定性的原因。

习题 11-4   苯和环己三烯有什么区别？

习题 11-5   从分子式分析，苯环是一个高度不饱和的体系，为什么它易发生取代反应而不易发生加成反应？

习题 11-6   推测邻甲基乙苯经臭氧化-分解反应后会生成哪几种化合物？

11.1.2   联苯的结构

最简单的联苯是二联苯。在二联苯中，每个苯环都保持了苯的结构特性。连接两个苯环之间的单键可以自由旋转，但当二联苯的四个邻位氢原子都被相当大的基团取代时，单键的旋转将会受到阻碍，并产生出一对光活性异构体。（参见 3.7.2）

11.1.3   多苯代脂烃的结构

二苯甲烷、三苯甲烷、1,2-二苯乙烷都是比较简单的多苯代脂烃。

二苯甲烷　　　　　　　　　三苯甲烷　　　　　　　1,2-二苯乙烷

在多苯代脂烃中,每个苯环都保持了苯环的结构特性,但是苯环受取代基的影响变得更为活泼,比苯更易发生各种亲电取代反应;而与苯基相连的甲基、亚甲基和次甲基受苯环的影响也有很好的反应活性。例如:

氧化:

$$(C_6H_5)_3CH \xrightarrow[\text{HOAc}]{H_2CrO_4} (C_6H_5)_3COH$$

取代:

$$(C_6H_5)_3CH \xrightarrow{Br_2} (C_6H_5)_3CBr$$

酸碱反应:

$$(C_6H_5)_3CH + Na^+NH_2^- \rightleftharpoons (C_6H_5)_3C^-Na^+ + NH_3$$

三苯甲基负离子呈深红色,它的钠盐是有机合成中常用的强碱。三苯甲烷的许多衍生物是有用的染料或分析中用的指示剂,如碱性孔雀绿、结晶紫、酚酞等。三苯甲烷染料也称为品红染料。它色泽鲜艳,着色力强,色谱范围广。

与其它碳正离子、碳自由基、碳负离子相比,三苯甲基正离子、自由基、负离子都是最稳定的。如将各类碳正离子、碳自由基按稳定性大小排列,可得如下的次序:

碳正离子的稳定性比较:

$$(C_6H_5)_3\overset{+}{C} > (C_6H_5)_2\overset{+}{C}H > R_3\overset{+}{C} > R_2\overset{+}{C}H \approx C_6H_5\overset{+}{C}H_2 \approx CH_2{=}CH\overset{+}{C}H_2 > R\overset{+}{C}H_2 > \overset{+}{C}H_3$$

碳自由基的稳定性比较:

$$(C_6H_5)_3\dot{C} > (C_6H_5)_2\dot{C}H > C_6H_5\dot{C}H_2 \approx H_2C{=}CH\dot{C}H_2 > R_3\dot{C} > R_2\dot{C}H > R\dot{C}H_2 > \dot{C}H_3$$

为什么三苯甲基正离子、自由基、负离子具有很好的稳定性? 这是因为它们都能同时和几个苯环发生离域作用,从而把这些不稳定的基团稳定下来。用共振论来解释,它们都是多个极限结构的杂化体。

三苯甲基自由基是最早被发现的自由基。1900 年,Gomberg M(刚伯格)试图用氯代三苯甲烷通过 Wurtz 反应合成六苯乙烷。

$$2(C_6H_5)_3CCl \xrightarrow{Ag} (C_6H_5)_3C{-}C(C_6H_5)_3$$

但他得到的是一个黄色的溶液,如果在氧的存在下,得到的是一个无色的二(三苯甲基)过氧化物。

$$2(C_6H_5)_3\dot{C} + O_2 \longrightarrow (C_6H_5)_3C{-}O{-}O{-}C(C_6H_5)_3$$

但在无氧的条件下,将黄色溶液蒸发,得到一个三苯甲基的二聚体。长期以来,认为这就是 Gomberg 期望得到的六苯乙烷,但是近来的研究证明,该二聚体是一个环己二烯的衍生物。

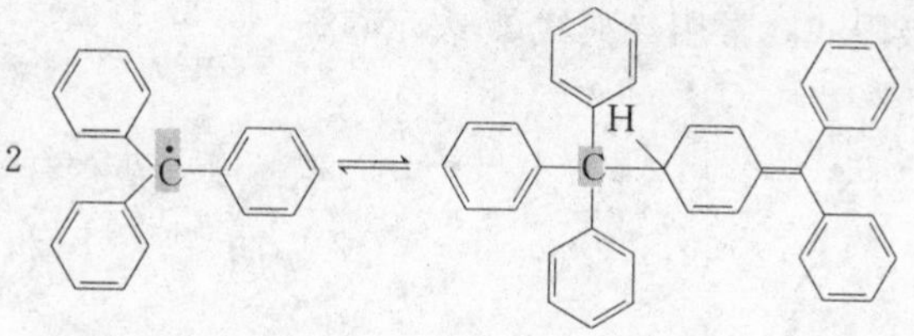

2 ⇌

三苯甲基自由基 　　　　　　　　　　二聚体

11.1.4 稠环芳烃的结构和表达

1. 萘的结构和表达

萘是一个白色闪光的晶体,它的分子式是 $C_{10}H_8$,X 射线衍射实验揭示,萘是一个平面分子,10 个碳原子成为两个并联的双环,分子骨架及键长如下:

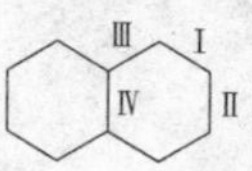

	I	II	III	IV
测定值 / pm:	136.3	142.3	141.8	142.1
计算值 / pm:	137.3	141.5	140.3	142.8

实测结果与计算结果大体相符。上述数据说明:萘的键长是长短交替出现的,也即萘的 π 电子云和键长不像苯那样完全平均化,但它的键长与标准的单双键仍有较大的区别。找不到一个十分完美的式子来表示萘的结构。共振论认为,如用经典结构式表示,萘可写成多种极限式的杂化体,主要的极限式有以下三种:

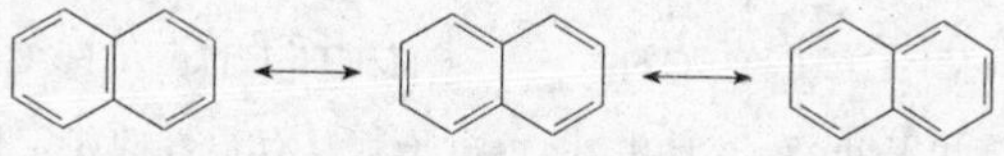

上面三个式子,式(i)的实测数据及计算数据比式(ii),式(iii)符合得更好,因此能较好地代表萘。式(i)中每个环都有一个完整的苯的结构,分子是对称的。式(ii),式(iii)都有如下式所示的醌型结构。

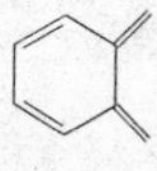

分子轨道理论认为:萘分子中的碳原子都以 sp^2 杂化轨道形成 σ 键,各碳原子上还剩一个 p 轨道彼此平行重叠,因此不仅每个六元环都有一个完整的六电子体系,而且整个 π 电子体系可以贯穿到 10 个碳原子的环系。

2. 蒽的结构和表达

蒽是无色的单斜片状晶体,有蓝紫色的荧光。它的分子式是 $C_{14}H_{10}$,是含三个环的稠环体系。三个环以线形方式结合。X 射线衍射的测定表明:蒽也是一个平面分子,但分子中的键长是不等的。骨架如下:

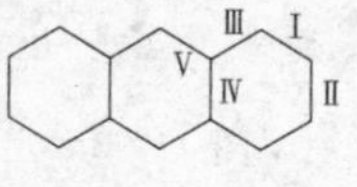

	I	II	III	IV	V
测定值 / pm:	136.6	141.9	143.4	142.8	139.9
计算值 / pm:	136.5	143.4	144.0	141.6	140.2

蒽主要有四个较稳定的极限式。常用经典式(i)表示蒽。

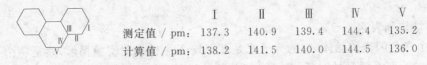

(i)　　　　　(ii)　　　　　(iii)　　　　　(iv)

3. 菲的结构和表达

菲是无色有荧光的单斜形片状晶体，为蒽的异构体。它也是一个三环稠环体系，但三个环以角形方式结合，分子骨架如下：

	I	II	III	IV	V
测定值 / pm:	137.3	140.9	139.4	144.4	135.2
计算值 / pm:	138.2	141.5	140.0	144.5	136.0

菲有五个主要的极限式，常用的表示菲的极限式如下列所示：

习题 11-7　将下列碳正离子按稳定性从强到弱的次序排列。

$(C_6H_5)_2\overset{+}{C}H$　$(p\text{-}CH_3\text{-}C_6H_4)_3\overset{+}{C}$　$\overset{+}{C}H_3$　$C_6H_5\overset{+}{C}H_2$　$O_2N\text{-}CH\text{=}CH\overset{+}{C}H_2$

习题 11-8　按稳定性从强到弱将下列自由基排序。

$(C_6H_5)_3\overset{\cdot}{C}$　$C_6H_5\overset{\cdot}{C}H_2$　$CH_3CH_2\overset{\cdot}{C}H_2$　$CH_3\overset{\cdot}{C}H_2$

习题 11-9　为什么三苯甲基正离子、自由基、负离子都具有很好的稳定性？请用极限式和离域式表达它们。

习题 11-10　写出菲的 5 个主要的极限式，其中哪个极限式最稳定？阐明理由。

习题 11-11　写出所有一硝基菲的结构简式和它们的中英文名称。

习题 11-12　应用分子轨道理论分析苯的稳定性。

11.1.5　足球烯

足球烯(footballene)是单纯由 C 元素结合形成的稳定分子，分子式为 C_{60}，它具有 60 个顶点和 32 个面，60 个顶点均被碳原子占据。32 个面中，12 个面为正五边形，20 个面为正六边形，整个分子形似足球，因此得名。其结构如图 11-3 所示：

在足球烯中处于顶点的碳原子与相邻顶点的碳原子各用 sp^2 杂化轨道重叠形成 σ 键，每个碳原子的三根 σ 键分别为一个五边形的边和两个六边形的边。碳原子的三根 σ 键不是共平面的，键角约为 108° 或 120°，因此整个分子为球状。每个碳原子用剩下的

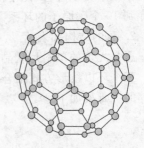

图 11-3　足球烯

一个 p 轨道互相重叠形成一个含 60 个 π 电子的闭壳层电子结构,因此在近似球形的笼内和笼外都围绕着 π 电子云。分子轨道计算表明:足球烯具有较大的离域能。足球烯的共振结构数高达 12 500 个,按每个碳原子的平均共振能比较,共振稳定性约为苯的两倍。因此足球烯是一个具有芳香性的稳定体系。

 阅读材料

富勒烯的发现和应用

众所周知,碳元素有两种同素异形体——金刚石,石墨。1970 年,日本科学家小泽预言,自然界中碳元素还应该有第三种同素异形体存在。经过世界上各国科学家 15 年的不懈努力和艰苦探索,1985 年,英国科学家 Kroto H W 和他的合作者在美国 Rice 大学研究期间采用质谱仪研究激光蒸发石墨电极粉末,发现在不同数量碳原子形成的碳簇结构中含 60 个和 70 个碳原子的团簇具有更高的稳定性。于是他们将由 60 个碳原子构成的稳定球形结构称为 C_{60}。其半径为 0.71 nm,具有笼形结构特点。从物理及化学性质上分析,C_{60} 可看做是三维的芳香化合物,分子立体构型具 D_{5h} 点群对称性。已经证实 C_{60} 属于碳的第三种同素异形体,命名为 Fullerene(富勒烯)。Fuller 是美国一著名工程师,他于 1967 年设计了蒙特利尔博览会美国展馆,这个展馆外形看上去像个四分之三球面,球顶完全由六边形构成。这种设计给 C_{60} 的发现者极大的启发,所以他们把发现的这些碳结构以他的名字命名。以后又相继发现了 C_{44},C_{50},C_{76},C_{80},C_{84},C_{90},C_{94},C_{120},C_{180},C_{540} 等纯碳组成的分子,它们均属于富勒烯家族,其中 C_{60} 的丰度约为 50%。

1990 年,Kratschmer W 等采用石墨棒作为电极,在直流电作用下发生电弧放电,石墨电极中碳蒸发得到了大量灰状产物,其中包含了大量的 C_{60},特别是发现 C_{60} 比较容易溶解于苯中,通过苯处理灰状产物可以得到大量高纯的 C_{60},从而进一步推动了富勒烯研究的深入开展。Kroto H W,Smalley R E,Curl R F 因在这一领域的突出贡献而荣获了 1996 年的诺贝尔化学奖。

由于特殊的结构和性质,C_{60} 在超导、磁性、光学、催化、材料及生物等方面表现出优异的性能,得到广泛的应用。特别是 1990 年以来 Kratschmer 和 Huffman 等人制备出克量级的 C_{60},使 C_{60} 的应用研究更加全面、活跃。

1. 超导体

C_{60} 分子本身是不导电的绝缘体,但当碱金属嵌入 C_{60} 分子之间的空隙后,C_{60} 与碱金属的系列化合物将转变为超导体。与氧化物超导体比较,C_{60} 系列超导体具有完美的三维超导性,电流密度大,稳定性高,易于展成线材等优点,是一类极具价值的新型超导材料。

2. 有机软铁磁体

在 C_{60} 的甲苯溶液中加入过量的强供电子有机物四(二甲氨基)乙烯(TDAE),得到了 $C_{60}(TDAE)_{0.86}$ 的黑色微晶沉淀,经磁性研究后表明是一种不含金属的软铁磁性材料。居里温度为 16.1 K,高于迄今报道的其它有机分子铁磁体的居里温度。由于有机铁磁体在磁性记忆材料中有重要应用价值,因此研究和开发 C_{60} 有机铁磁体,特别是以廉价的碳材料制成磁铁替代价格昂贵的金属磁体具有非常重要的意义。

3. 光学材料

由于 C_{60} 分子中存在的三维高度非定域电子共轭结构使得它具有良好的光学及非线性光学性能。如在实际应用中可作为光学限幅器。C_{60} 还具有较大的非线性光学系数和高稳定性等特点，作为新型非线性光学材料具有重要的研究价值，有望在光计算、光记忆、光信号处理及控制和有机太阳能电池等方面有所应用。

4. 功能高分子材料

将 C_{60} 作为新型功能基团引入高分子体系，得到具有优异导电、光学性质的新型功能高分子材料。从原则上讲，C_{60} 可以引入高分子的主链、侧链或与其它高分子进行共混，首次报道了 C_{60} 的有机高分子 $C_{60} Pd_n$，并从实验和理论上研究了它具有的催化二苯乙炔加氢的性能，将 C_{60}/C_{70} 的混合物渗入发光高分子材料聚乙烯咔唑中，可得到新型高分子光电导体，其光导性能可与某些最好的光导材料相媲美。这种光电导材料在静电复印、静电成像以及光探测等技术中有广泛应用。

5. 生物活性材料

有报道称 C_{60} 对田鼠表皮具有潜在的肿瘤毒性，认为 C_{60} 与超氧阴离子之间存在相互作用。一种水溶性 C_{60} 羧酸衍生物在可见光照射下具有抑制毒性细胞生长和使 DNA 开裂的性能，为 C_{60} 衍生物应用于光动力疗法开辟了广阔的前景。1994 年报道了一种水溶性 C_{60}——多肽衍生物，可能在人类单核白细胞趋药性和抑制 HIV-1 蛋白酶两方面具有潜在的应用。有人发现水溶性 C_{60} 脂质体，其对癌细胞具有很强的杀伤效应。多羟基 C_{60} 衍生物具有吞噬黄嘌呤/黄嘌呤氧化酶产生的超氧阴离子自由基的功效，还对破坏能力很强的羟基自由基具有优良的清除作用。

6. 其它应用

C_{60} 的衍生物 $C_{60}F_{60}$ 俗称"特氟隆"，可作为"分子滚珠"和"分子润滑剂"在高技术发展中起重要作用。将锂原子嵌入碳笼内有望制成高效能锂电池。碳笼内嵌入稀土元素铕可望成为新型稀土发光材料。水溶性钆的 C_{60} 衍生物有望作为新型核磁造影剂。高压下 C_{60} 可转变为金刚石，开辟了金刚石的新来源。C_{60} 及其衍生物可能成为新型催化剂和新型纳米级的分子导电线、分子吸管和各种增强复合材料。C_{60} 与环糊精、杯芳烃形成的水溶性主客体复合物将在超分子化学、仿生化学领域发挥重要作用。

11.2　芳香烃的物理性质

芳香烃不溶于水，但溶于有机溶剂，如乙醚、四氯化碳、石油醚等非极性溶剂。一般芳香烃均比水轻；沸点随相对分子质量升高而升高；熔点除与相对分子质量有关外，还与其结构有关，通常对位异构体由于分子对称，熔点较高。一些常见芳香烃的物理性质列于表 11-1。

表 11-1　一些常见芳香烃的名称及物理性质

化合物	普通命名法	IUPAC 命名法	熔点/℃	沸点/℃	相对密度 $d_{20}^{\frac{t}{20}}$
苯	benzene	benzene	5.5	80	0.879
甲苯	toluene	methylbenzene	−95	111	0.866
邻二甲苯	o−xylene	1,2−dimethylbenzene	−25	144	0.881
间二甲苯	m−xylene	1,3−dimethylbenzene	−48	139	0.864
对二甲苯	p−xylene	1,4−dimethylbenzene	13	138	0.861
六甲基苯	mellithene	hexamethylbenzene	165	264	
乙苯	ethylbenzene	ethylbenzene	−95	136	0.8669
正丙苯	propylbenzene	n−propylbenzene	−99	159	0.8621
异丙苯	cumene	isopropylbenzene	−96	152	0.864
联苯	biphenyl	biphenyl	70	255	1.041
二苯甲烷	diphenylmethane	diphenylmethane	26	263	1.3421(d_{10})
三苯甲烷	triphenylmethane	triphenylmethane	93	360	1.014(d_{90})
苯乙烯	styrene	phenylethene	−31	145	0.9074
苯乙炔	phenylacetylene	phenylethyne	−45	142	0.9295
萘	naphthalene	naphthalene	80	218	1.162
四氢化萘	tetralin	1,2,3,4−tetrahydronaphthalene	−30	208	0.971
蒽	anthracene	anthracene	2.7	354	1.147
菲	phenanthrene	phenanthrene	101	340	1.179(d_{25})

习题 11−13 　写出表 11−1 中所有化合物的结构简式:

习题 11−14 　请解释以下问题:

(i) 为什么邻二甲苯的沸点比间二甲苯和对二甲苯的沸点高?

(ii) 为什么对二甲苯的熔点比邻二甲苯、间二甲苯的熔点高?

芳香烃的反应

11.3　芳香烃的加成反应

11.3.1　苯的加成反应

苯具有特殊的稳定性(参见 11.1.1),一般不易发生加成反应。但在特殊情况下,芳烃也能发生加成反应,而且总是三个双键同时发生反应,形成一个环己烷体系。如苯和氯在阳光下反应,生成六氯代环己烷。

只在个别情况下,一个双键或两个双键可以单独发生反应。

11.3.2　萘、蒽和菲的加成反应

萘比苯容易发生加成反应,例如:在不受光的作用下,萘和一分子氯气加成得 1,4-二氯化萘,后者可继续加氯气得 1,2,3,4-四氯化萘,反应在这一步即停止,因为四氯化后的分子剩下一个完整的苯环,须在催化剂作用下才能进一步和氯气反应。1,4-二氯化萘和 1,2,3,4-四氯化萘加热可以失去氯化氢而分别得 1-氯代萘和 1,4-二氯代萘。

由于稠环化合物的环十分活泼,因此一般不发生侧链的卤化。如

蒽和菲的 9、10 位化学活性较高,与卤素的加成反应优先在 9、10 位发生。

11.4 芳香烃的还原反应

11.4.1 Birch 还原反应

碱金属(钠、钾或锂)在液氨与醇(乙醇、异丙醇或二级丁醇)的混合液中,与芳香化合物反应,苯环可被还原成 1,4-环己二烯类化合物,这种反应叫做 Birch(伯奇)还原。例如,苯可被还原成 1,4-环己二烯。

$$\text{苯} \xrightarrow[\text{NH}_3(\text{l}),\text{C}_2\text{H}_5\text{OH}]{\text{Na}} \text{环己二烯}$$

Birch 还原的反应机理如下所示:

$$\text{Na} + \text{NH}_3(\text{l}) \longrightarrow \text{Na}^+ + \text{e}^-(\text{NH}_3)$$
(溶剂化电子)

$$\text{苯} \xrightarrow{\text{e}^-(\text{NH}_3)} [\text{(I)}] \xrightarrow{\text{C}_2\text{H}_5\text{OH}} \text{(II)} \xrightarrow{\text{e}^-(\text{NH}_3)} \text{(III)} \xrightarrow{\text{C}_2\text{H}_5\text{OH}} \text{1,4-环己二烯}$$

(I) (II) (III)

首先是钠和液氨作用生成溶剂化电子,此时体系为一蓝色溶液。然后,苯环得到一个电子生成(I),(I)仍是环状共轭体系,但有一个单电子处在反键轨道上,(I)从乙醇中夺取一个质子生成(II)。(II)再取得一个溶剂化电子转变成(III),(III)是一个强碱,可以再从乙醇中夺取一个质子生成 1,4-环己二烯。

苯的同系物也能发生 Birch 还原,一取代烃基苯经 Birch 还原生成 1-烃基-1,4-环己二烯。例如:

$$\text{甲苯} \xrightarrow[\text{ROH}]{\text{Na}/\text{NH}_3(\text{l})} \text{产物} \quad (88\%)$$

若取代基上有与苯环共轭的双键,Birch 还原首先在共轭双键处发生。

$$\xrightarrow[\text{ROH}]{\text{Na}/\text{NH}_3(\text{l})} \xrightarrow[\text{ROH}]{\text{Na}/\text{NH}_3(\text{l})} \quad (90\%)$$

不与苯环共轭的双键不能发生 Birch 还原。

$$\xrightarrow[\text{ROH}]{\text{Na}/\text{NH}_3(\text{l})}$$

Birch 还原反应与苯环的催化氢化不同,它可使芳环部分还原生成环己二烯类化合物,因此 Birch 还原有它的独到之处,在合成上十分有用。

萘同样可以进行 Birch 还原。萘发生 Birch 还原时,可以得到 1,4-二氢化萘和 1,4,5,8-四氢化萘。

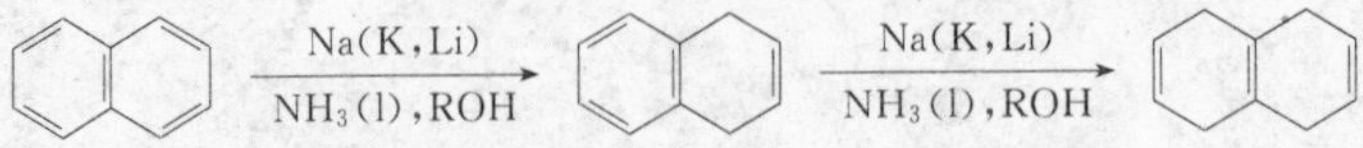

11.4.2 催化氢化反应

苯在催化氢化(catalytic hydrogenation)反应中一步生成环己烷体系:

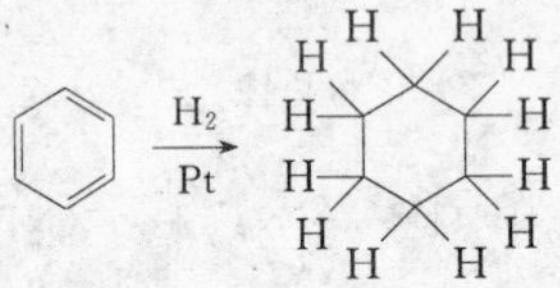

萘在发生催化加氢反应时,使用不同的催化剂和不同的反应条件,可分别得到不同的加氢产物。

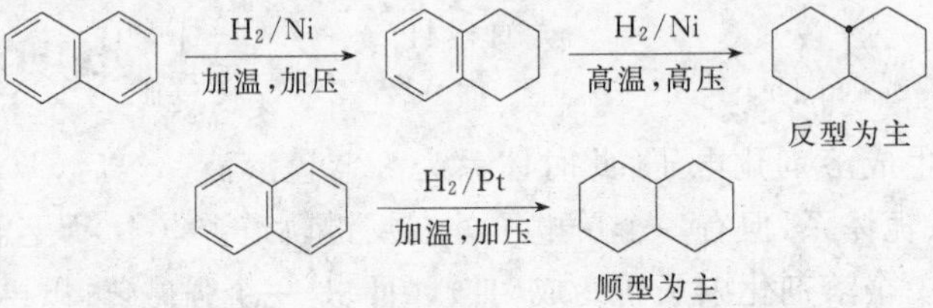

蒽和菲的 9、10 位化学活性较高,与氢气加成反应优先在 9、10 位发生。

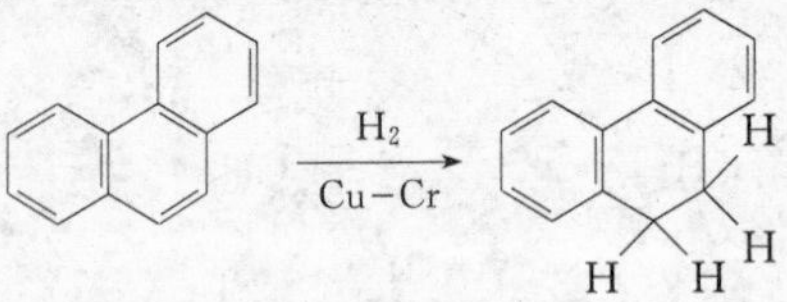

11.4.3 用金属还原

用醇和钠也可以还原萘,温度稍低时得 1,4-二氢化萘,温度高时得 1,2,3,4-四氢化萘。

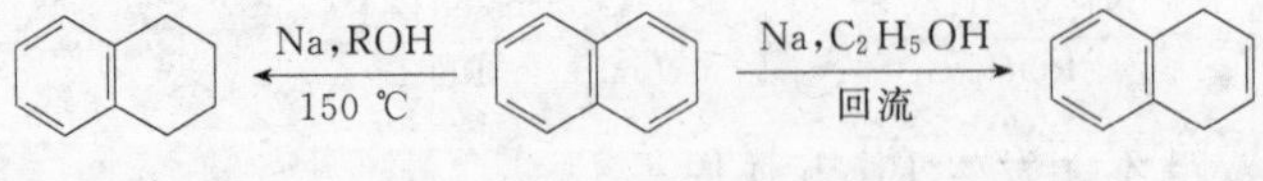

习题 11-15 写出 α-烯丙基萘与下列试剂反应的反应方程式。

(i) 2 mol Br$_2$ (ii) 3 mol H$_2$(有催化剂存在)

(iii) Na,C$_2$H$_5$OH(试剂足量) (iv) Na,NH$_3$(l),C$_2$H$_5$OH(试剂足量)

习题 11-16 在苯的 Birch 还原反应中,有几个活泼中间体?哪个活泼中间体保持了封闭的共轭体系?在该中间体的反键轨道上有没有电子?(若判断有电子,要写出有几个电子?)

习题 11-17 写出异丙烯基苯经 Birch 还原生成 1-异丙基-1,4-环己二烯的反应机理。

11.5 芳香烃的氧化反应

11.5.1 苯及其衍生物的氧化

烯、炔在室温下可迅速地被高锰酸钾氧化(oxidation),但苯即使在高温下与高锰酸钾、铬酸等强氧化剂同煮,也不会被氧化。只有在五氧化二钒的催化作用下,苯才能在高温被氧化成顺丁烯二酸酐。

$$\text{苯} + O_2 \xrightarrow[400\,℃]{V_2O_5} \text{顺丁烯二酸酐} \quad 55\%$$

烷基取代的苯易被氧化,但一般情况下,氧化时苯环仍保持不变,只是和苯环相连的烷基被氧化成羧基。

$$\text{C}_6\text{H}_5\text{CH}_3 \xrightarrow{KMnO_4} \text{C}_6\text{H}_5\text{—COOH}$$

而且,不管侧链多长,只要和苯环相连的碳上有氢,氧化的最终结果都是侧链变成只有一个碳的羧基,如果苯环上有两个不等长的侧链,通常是长的侧链先被氧化。

$$\text{C}_6\text{H}_5\text{—CH}_2\text{CH}_2\text{CH}_3 \xrightarrow{KMnO_4} \text{C}_6\text{H}_5\text{—COOH}$$

只有苯环和一个三级碳原子相连或与一个极稳定的侧链相连时,在强烈的氧化条件下,侧链才得以保持,苯环被氧化成羧基。

$$\text{C}_6\text{H}_5\text{—C(CH}_3)_3 \xrightarrow[\text{强烈氧化}]{[O]} (H_3C)_3CCOOH$$

$$\text{C}_6\text{H}_5\text{—CF}_3 \xrightarrow[\text{强烈氧化}]{[O]} F_3CCOOH$$

11.5.2 萘、蒽和菲的氧化

萘比苯易氧化,在室温用三氧化铬的醋酸溶液处理得 1,4-萘醌。若在高温和五氧化二钒的催化下被空气氧化,则得重要的有机化工原料邻苯二甲酸酐。

当萘环上有取代基时,活化基团常常使氧化反应在同环发生,而钝化基团使氧化反应在异环发生。例如:

由于萘环比侧链更易氧化,所以不能应用侧链氧化法来制备萘甲酸。

蒽和菲的氧化反应首先在 9、10 位发生。蒽用硝酸或三氧化铬的醋酸溶液或重铬酸钾的硫酸溶液氧化生成 9,10-蒽醌,9,10-蒽醌是合成蒽醌染料的重要中间体。菲用上述氧化剂氧化生成 9,10-菲醌。

习题 11-18   以常用的芳烃为原料,选用合适的氧化剂制备下列化合物。

(i) 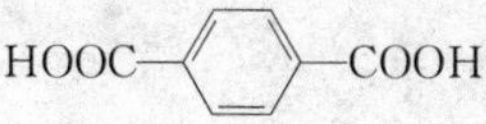 HOOC—⬡—COOH

(ii) 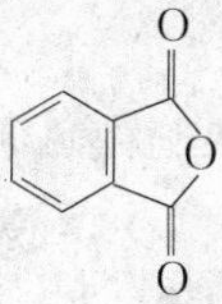 (邻苯二甲酸酐结构图)

(iii) 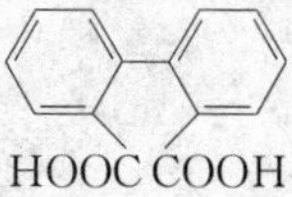 (联苯二甲酸结构图)
HOOC COOH

(iv) 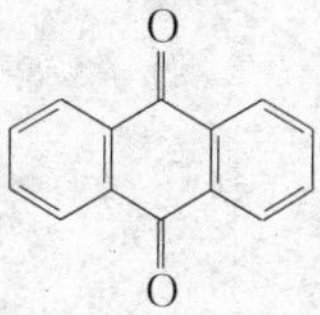 (蒽醌结构图)

(v) 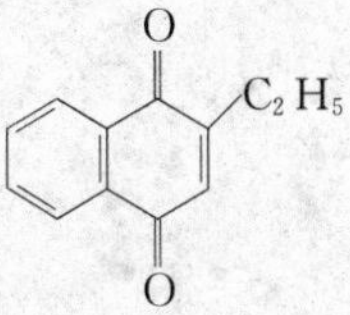 (萘醌乙基结构图) C₂H₅

(vi) (CH₃)₃C—COOH

苯环上的芳香亲电取代反应

芳香族化合物芳核上的取代反应从机理上讲包括亲电、亲核以及自由基取代三种类型。本章介绍芳香亲电取代反应。所谓芳香亲电取代(aromatic electrophilic substitution)是指亲电试剂取代芳核上的氢。苯的亲电取代称为苯的一元亲电取代,一元取代苯再在苯环上发生亲电取代称为苯的二元亲电取代。典型的芳香亲电取代有苯环的硝化、卤化、磺化、烷基化和酰基化。这些反应的反应机理大体是相似的,如下所示:

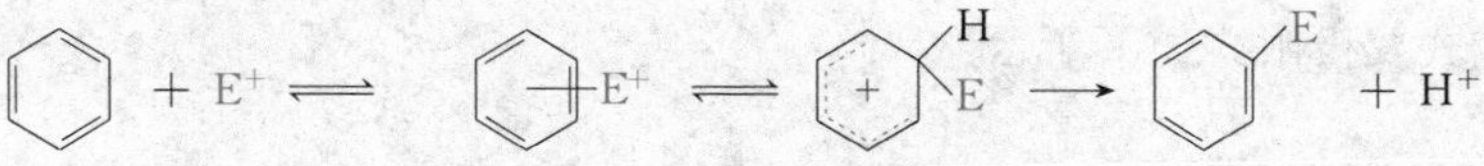

(反应机理示意图)

亲电试剂　　　π络合物　　　中间体碳正离子　　一元取代苯
　　　　　　　　　　　　　(也称σ络合物或σ正离子)

σ 正离子是一个活泼中间体,它的形成必须经过一个势能很高的过渡态,整个反应的反应速率主要取决于这一步。下面分别讨论这些反应及有关问题。

11.6 硝化反应

有机化合物分子中的氢被硝基($—NO_2$)取代的反应称为硝化(nitration)反应。苯在浓硝酸和浓硫酸的混合酸作用下,能发生硝化反应,反应的结果是苯环上的氢被硝基取代。

(苯 + 浓 HNO_3 + 浓 H_2SO_4 $\xrightarrow{55\sim60\,℃}$ 硝基苯 NO_2) (98%)

　　　　1　　:　　2

硝化反应机理如下所示:

(i) $HONO_2 + 2H_2SO_4 \rightleftharpoons H_3^+O + 2HSO_4^- + {}^+NO_2$

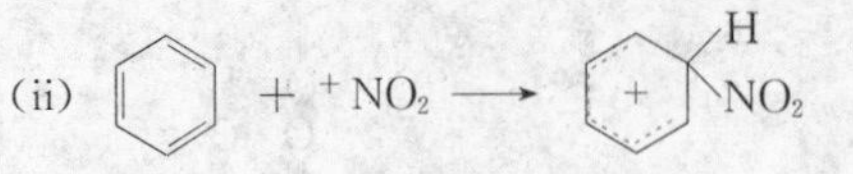

(ii) 中间体碳正离子

(iii)

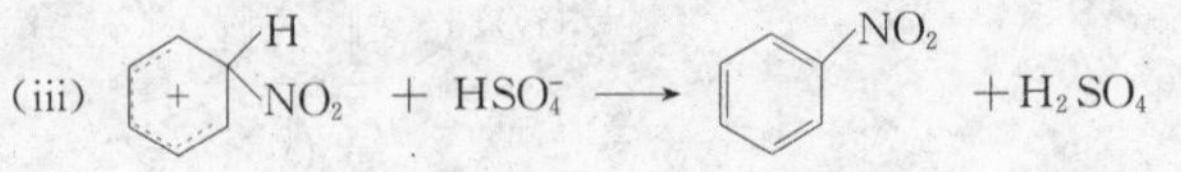

(i) 硝酸(作为碱)在强酸(浓硫酸)作用下,先被质子化,然后失水产生硝基正离子:

$$HNO_3 + H_2SO_4 \rightleftharpoons HSO_4^- + H_2O^+NO_2$$

$$H_2O^+NO_2 \rightleftharpoons H_2O + {}^+NO_2$$

$$\underline{H_2SO_4 + H_2O \rightleftharpoons H_3O^+ + HSO_4^-}$$

$$HONO_2 + 2H_2SO_4 \rightleftharpoons H_3O^+ + 2HSO_4^- + {}^+NO_2$$

硝基正离子的存在已为硝酸的硫酸溶液的冰点降低实验及该溶液的拉曼光谱所证实,同时还可以制得并分离出含有硝基正离子的盐,如 $NO_2^+BF_4^-$。

(ii) 硝基正离子进攻苯环生成中间体碳正离子。硝基正离子的结构是直线形的 $O\!=\!\overset{+}{N}\!=\!O$,它是一个强的亲电试剂,苯环上的 π 电子由于受六个碳原子核的吸引,与一般烯键的 π 电子相比,它们与碳结合较紧密,但与定域的 σ 键相比,它们与碳的结合仍然是松弛的,容易受亲电试剂的进攻。亲电试剂与苯接近,然后与苯环上的一个碳原子相连,该碳原子由原来的 sp^2 杂化转变为 sp^3 杂化,并与亲电试剂以 σ 键相结合,形成一个带正电荷的环状的活性中间体,即中间体碳正离子(由于该中间体碳正离子形成了一个新的 σ 键,又称之为 σ 络合物或 σ 正离子)。中间体碳正离子的离域式及极限式如下所示:

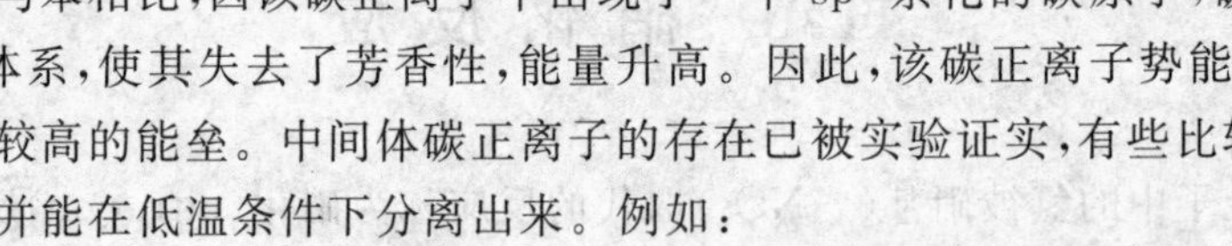

离域式表明:中间体碳正离子的正电荷分散在五个碳原子上。显然,这比正电荷定域在一个碳原子上更为稳定,但与苯相比,因该碳正离子中出现了一个 sp^3 杂化的碳原子,破坏了苯环原有的封闭的环状共轭体系,使其失去了芳香性,能量升高。因此,该碳正离子势能很高,由苯转变成它,必须跨越一个较高的能垒。中间体碳正离子的存在已被实验证实,有些比较稳定的中间体碳正离子可以制备,并能在低温条件下分离出来。例如:

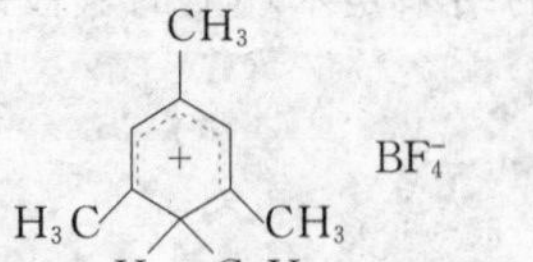

橙色固体,mp −15 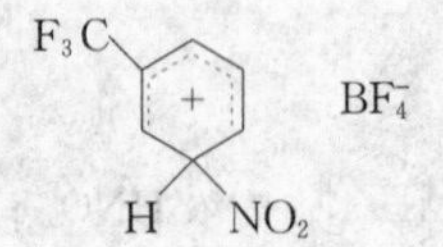 ℃   固体

(iii) 碱(负离子)从碳正离子的 sp³ 杂化的碳原子上夺取一个质子,使其生成硝基苯。此时产物恢复了苯环的封闭共轭体系结构。显然,该步反应只需要较少的能量。如果碱不去夺取质子,而去进攻环上的正电荷,则反应与碳碳双键的加成相像,应得到加成产物。实验结果证明:只有取代苯生成。其原因是,发生取代反应的过渡态势能较低,且产物的能量比原料的低;如果生成加成物,过渡态势能较高,且产物的能量比苯的能量高,整个反应是吸热的,因此无论从动力学还是从热力学的观点考虑,进行加成反应都是不利的。上述关系的能量变化如图 11-4 所示,它表示了苯容易进行亲电取代反应,难进行亲电加成反应,也表示了亲电取代反应是分两步进行的,形成中间体碳正离子这一步是决定反应速率的一步。

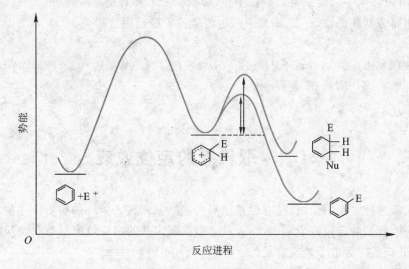

图 11-4 苯进行亲电取代反应和亲电加成反应的能量变化示意图

芳香族化合物的硝化反应是一个十分有用的取代反应。例如:苯甲醛的硝化产物间硝基苯甲醛是生产强心急救药阿拉明的重要原料。

$$\text{CHO} + 发烟 HNO_3 + 浓 H_2SO_4 \xrightarrow{0\ ℃}$$

1 : 20

88% 10%

因为醛基易氧化,因此反应必须在低温(0 ℃)进行,操作时,先在浓硫酸中加入少量发烟硝酸,冷却至 0 ℃,然后慢慢滴加苯甲醛和发烟硝酸,反应完成后,立即将产物倾倒在冰中。

许多硝基化合物是炸药。广泛使用的强烈炸药 TNT 是 2,4,6-三硝基甲苯,它是甲苯经分阶段硝化制备的,即三个硝基是在多次硝化反应中逐步引入的。

$$\text{CH}_3 + 浓 HNO_3 + H_2SO_4 \xrightarrow{55\ ℃}$$

1 : 1.5

40% 58%

$$\xrightarrow[\text{80 ℃}]{\text{发烟 HNO}_3/\text{浓 H}_2\text{SO}_4}$$

主要产物

三次硝化的硝化试剂(即混合酸)浓度逐渐增高,在生产中,为节约成本,可把第三阶段硝化后的混合酸用于第二阶段硝化,第二阶段硝化后的混合酸用于第一阶段硝化。如果需要得到中间产物,反应可以在第一阶段或第二阶段中止,邻硝基甲苯和对硝基甲苯可以通过减压蒸馏或重结晶分离提纯而分别获得,2,4-二硝基甲苯也能通过重结晶提纯得到。

习题 11-19 硝基是一个吸电子基团还是一个给电子基团?它在硝基丙烷和硝基苯两个化合物的电子效应是否相同?说出它们的异同点并解释原因。

11.7 取代基的定位效应

一元取代苯进行二元硝化时,已有的基团对后进入基团进入苯环的位置产生制约作用,这种制约作用即为取代基的定位效应(directing effect)。取代基的定位效应是与取代基的诱导效应、共轭效应、超共轭效应等电子效应有关的。

11.7.1 取代基的诱导效应和共轭效应

诱导效应(参见 6.11)与原子的电负性有关。比碳电负性强的原子或基团能使苯环上的电子通过 σ 键向取代基移动,即具有吸电子的诱导效应。电负性比碳弱的原子或基团使取代基上的电子通过 σ 键向苯环移动,即具有给电子的诱导效应。

共轭效应(参见 6.1.2)是取代基的 p(或 π)轨道上的电子云与苯环碳原子的 p 轨道上的电子云互相重叠,从而使 p(或 π)电子发生较大范围的离域引起的,离域的结果如使取代基的 p 电子向苯环迁移则发生了给电子的共轭效应,如使苯环上的 π 电子向取代基迁移则发生了吸电子的共轭效应。产生给电子共轭效应的取代基有:

$$-NR_2 > -OR > -F, \quad -O^- > -OR, \quad -F > -Cl > -Br > -I$$

产生吸电子共轭效应的取代基有:

$$\underset{\displaystyle -CR}{\overset{O}{\parallel}} > \underset{\displaystyle -CR}{\overset{NR}{\parallel}} > \underset{\displaystyle -CH}{\overset{O}{\parallel}}, \quad \underset{\displaystyle -CR}{\overset{O}{\parallel}} > \underset{\displaystyle -COR}{\overset{O}{\parallel}} > \underset{\displaystyle -CNR_2}{\overset{O}{\parallel}} > \underset{\displaystyle -CO^-}{\overset{O}{\parallel}}$$

绝大多数取代基既可与苯环发生诱导效应,也可发生共轭效应,最终的表现是两者综合的结果。大部分取代基的诱导效应与共轭效应方向是一致的,但有的原子或基团的诱导效应与共轭效应方向不一致。例如,卤素的电负性比较大,它具有吸电子诱导效应,卤苯的卤原子的 p 轨道与苯环碳上的 p 轨道平行重叠,卤原子的孤电子对离域到苯环上,发生给电子的共轭效应,但总的结果是吸电子的诱导效应大于给电子的共轭效应,因此卤素是吸电子基,它使苯环的电子云密度降低。取代基的综合电子效应可以从取代苯的偶极矩大小和方向上表现出来。

在烷基苯中,烷基与苯环不发生共轭作用,但烷基的 C—H 中 σ 电子与苯的 π 电子能发生 σ-π 超共轭作用,烷基的超共轭作用(参见 6.1.3)有微弱的给电子能力。

习题 11-20 分别列出 4 个具有产生给电子共轭效应或吸电子共轭效应的取代基。

11.7.2 硝基苯的硝化

硝基苯硝化的反应式及实验数据如下所示:

将上面的式子与苯的硝化对比,可以得出下述结论:

(1)硝基苯比苯难硝化得多,需要用比较强的条件,例如提高反应温度、增加酸的浓度等来实现。

(2)硝基苯硝化时,主要得到间位产物,邻、对位产物极少。

硝基苯比苯难硝化的原因是:苯环的硝化是一个亲电取代反应,硝化反应的机理表明:整个反应的关键一步是硝基正离子进攻苯环形成中间体碳正离子。在硝基苯中,因氧、氮的电负性均大于碳,因此硝基有吸电子的诱导效应,又因为硝基的 π 轨道与苯环的离域 π 轨道形成一个 π-π 共轭体系,使苯环的 π 电子云也向硝基迁移,所以硝基是一个具有强吸电子诱导效应和吸电子共轭效应的取代基。它使苯环的电子云密度有较大程度的下降,这一方面增加了硝基正离子进攻苯环的难度,同时也降低了反应过程中产生的中间体碳正离子的稳定性,所以硝基苯比苯难硝化。

硝基苯硝化主要得间位产物,这可以从共振理论中得到满意的解释。下面首先分析硝基正离子从硝基的邻位、间位、对位进攻苯环时可能生成的中间体碳正离子的极限式:

邻位进攻:

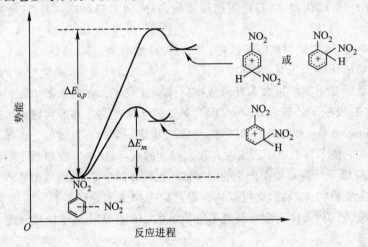

对位进攻：

间位进攻：

亲电试剂从硝基的邻位或对位进攻苯环时，各有一个特别不稳定的极限结构(i)或(iv)参与形成中间体碳正离子的共振。导致(i),(iv)不稳定是因为：(i),(iv)中各有一个带正电荷的碳原子直接和吸电子的带正电荷的氮原子相连，正电荷集中在两个相邻原子上的极限结构能量必然很高，很不稳定，由它参与形成的碳正离子的相应的过渡态势能一定也很高。如果亲电试剂在间

图 11-5 硝基苯硝化形成邻、间、对中间体碳正离子的相对能量关系示意图

位进攻,参与形成中间体碳正离子的极限结构中,电荷分布没有特别不稳定的,因此杂化体碳正离子的能量相对较低,相应的过渡态势能较低,活化能低,反应容易进行,所以优先生成间位产物。生成各中间体碳正离子的能量关系如图 11-5 所示。能量图表明:硝基苯硝化时,优先生成的是间二硝基苯,而邻、对位二硝基苯难以形成。

硝基苯的吸电子效应也指示了硝基苯硝化时主要生成间位硝基产物。

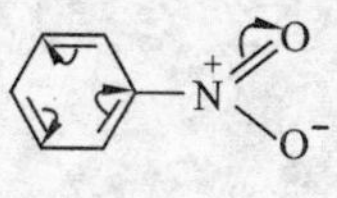

习题 11-21 苯甲酸酯和苯哪一个更易硝化?为什么?

习题 11-22 苯甲酸硝化的主要产物是什么?写出该硝化反应过程中产生的中间体碳正离子的极限式和离域式。

11.7.3 甲苯的硝化

甲苯硝化的反应式及实验数据如下所示:

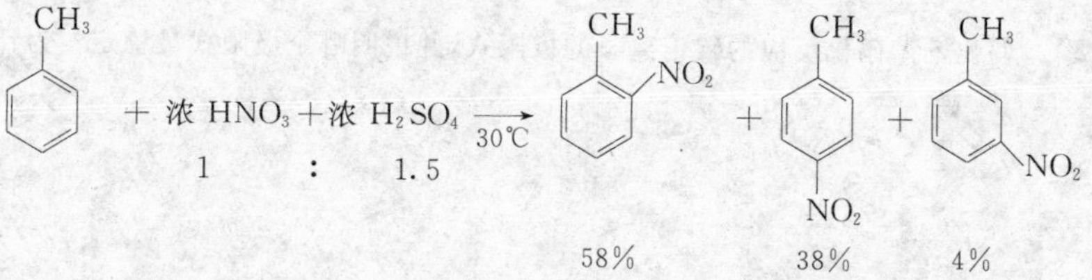

实验结果表明:① 甲苯比苯容易硝化;② 甲苯硝化时,主要得到邻位和对位产物。

甲苯比苯容易硝化的原因是:甲基具有微弱的给电子超共轭效应,这种超共轭效应使苯环上的电子云密度有所增加,这一方面使硝基正离子更容易进攻苯环,同时也使反应过程中产生的中间体碳正离子的电荷得到分散而稳定。所以甲苯比苯更易硝化。但甲基的给电子能力是很弱的,因此它对苯环的活泼性影响较弱。

甲苯硝化主要得邻、对位产物,这同样可以从反应中间体碳正离子的极限式来分析:

邻位进攻:

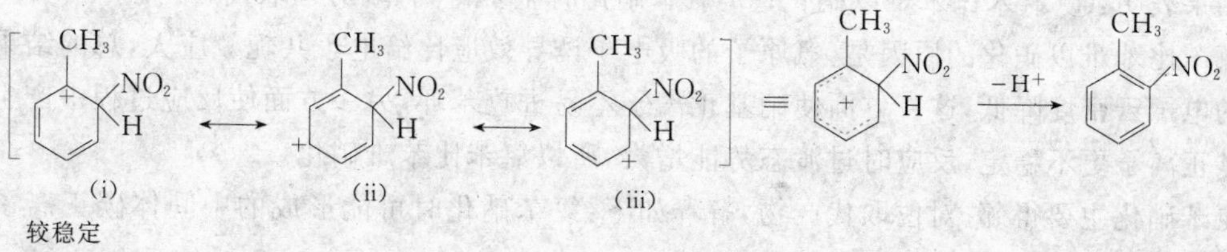

对位进攻:

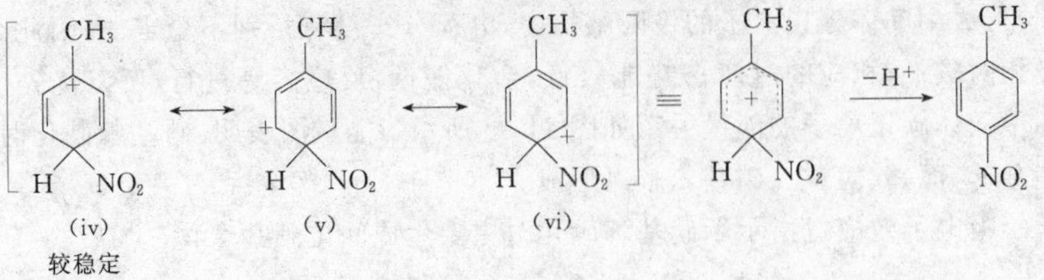

（iv）　　　　　（v）　　　　　（vi）
较稳定

间位进攻：

（vii）　　　　　（viii）　　　　　（ix）

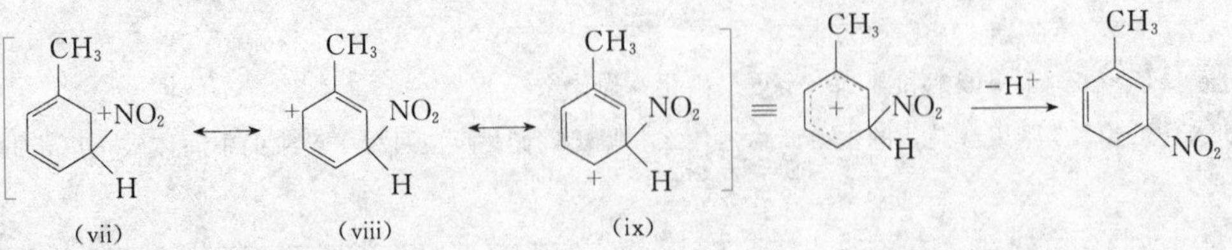

硝基正离子从甲基的邻、对位进攻苯环时，参与形成中间体碳正离子的极限结构（i），（iv）中，正电荷位于与甲基相连的碳原子上，甲基的给电子能力可使正电荷分散，因此该极限结构能量相对较低，形成相应的碳正离子杂化体所需的过渡态势能也较低。而间位进攻时，没有这样的极限结构参与形成中间体碳正离子的共振，所以甲苯硝化时优先生成邻、对位取代产物。

习题 11-23　写出乙苯硝化反应的碳正离子的极限式，并说明哪个极限式最稳定？为什么？

11.7.4　氯苯的硝化

氯苯硝化的反应式及实验数据如下所示：

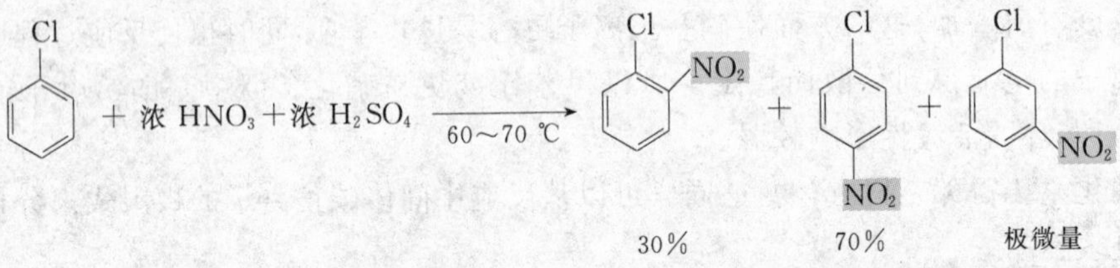

30%　　　　70%　　　　极微量

实验结果表明：① 氯苯比苯难以硝化；② 氯苯硝化时主要得到邻、对位取代产物。

氯苯比苯难以硝化的原因是：氯原子的吸电子诱导效应比给电子共轭效应大，总的结果使苯环上的电子云密度降低，这一方面使硝基正离子不易进攻苯环，另一方面使反应过程中产生的中间体碳正离子更不稳定，反应时过渡态势能增大，所以氯苯比苯难硝化。

氯苯硝化主要得邻、对位取代产物，解释如下：氯苯硝化时可能形成的中间体碳正离子的极限式及产物是：

邻位进攻：

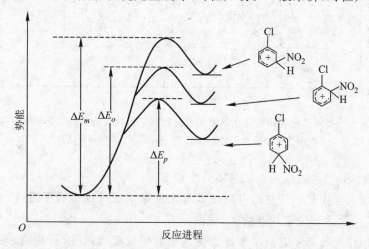

对位进攻：

间位进攻：

硝基从氯的邻、对位进攻苯环时，参与形成中间体碳正离子的极限结构(i)、(v)中，正电荷位于与氯原子相连的碳原子上，这是不稳定的，但氯原子可通过共轭效应供给电子，形成氯鎓离子(ii)、(vi)，氯鎓离子中的每个原子最外层均有 8 个电子，比较稳定。另外，参与形成邻、对位中间体碳正离子的极限结构有四个，而间位只有三个，根据参与杂化的极限结构愈多愈稳定的规则可知：硝基正离子从邻、对位进攻时，形成的中间体碳正离子能量较低，相应的过渡态势能也较低，因此氯苯硝化时，容易形成邻、对位硝基氯苯。反应时，生成各中间体碳正离子的能量关系如图 11-6 所示。该图表明：氯苯硝化时，优先生成邻、对位产物。一般来讲，对位产物的产率高于邻

图 11-6　氯苯硝化形成邻、间、对中间体碳正离子的相对能量关系示意图

位产物。

习题 11−24　写出苯甲醚发生硝化反应时的极限式,并说明哪些极限式最稳定。为什么?

11.7.5　取代基的定位效应

硝基苯、甲苯、氯苯硝化的实验事实说明:苯环上已有的取代基会对后进入基团进入苯环的位置产生定位效应。定位效应可结合下面的式子来说明:

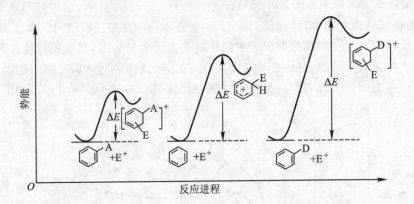

式中 G 为苯环上已有的基团,E 为后进入基团。在反应时,E 优先在 G 的邻、对位反应,称 G 为邻对位定位基,若 E 优先在 G 的间位反应,称 G 为间位定位基。一取代苯有两个邻位,一个对位和两个间位,每个位置的平均反应概率为 20%,因此邻对位取代产物超过 60% 的为邻对位定位基(orthc -para directing group),间位产物超过 40% 的为间位定位基(meta directing group)。G 对 E 进入苯环的难易也有影响,若使 E 进入苯环变得容易,称 G 为活化基团(activation group),若使 E 进入苯环变得困难,称 G 为钝化基团(deactivation group)。带有活化基团的苯环发生亲电取代反应时,所需活化能比苯反应时低,而带有钝化基团的苯环发生亲电取代反应时,所需活化能比苯反应时高。这种关系可用图 11−7 表示。

图 11−7　苯及带有活化基团或钝化基团的苯进行亲电取代反应的活化能相对大小示意图

图中 A 和 D 分别代表活化基团和钝化基团,E^+ 为亲电试剂

综合上面两种影响,可以把所有的基团分成三类:

(1) 致活的邻对位定位基　它们可以使苯环上的亲电取代反应易于进行,并使后进入取代基进入苯环时,主要进入到原取代基的邻、对位。

(2) 致钝的间位定位基　它们使苯环上的亲电取代反应难以进行,并使后进入基团进入苯环时,主要进入到原取代基的间位。

（3）致钝的邻对位定位基 它们使苯环上的亲电取代反应难以进行，但使后进入取代基进入苯环时，主要进入到原取代基的邻、对位。

各种基团的归类情况见表11-2。

表 11-2 邻对位和间位定位基团

性能	邻对位定位基					间位定位基	
强度	最强	强	中	弱	弱	强	最强
取代基	—O$^-$	—NR$_2$ —NHR —NH$_2$ —OH —OR	—OCOR —NHCOR	—NHCHO —C$_6$H$_5$ —CH$_3$ —CR$_3$	—F —Cl，—Br，—I —CH$_2$Cl —CH=CHCO$_2$H —CH=CHNO$_2$	—COR，—CHO —CO$_2$R，—CONH$_2$ —CO$_2$H，—SO$_3$H —CN，—NO$_2$ —CF$_3$，—CCl$_3$	—R$_3$N$^+$
基团的电子效应	具有给电子诱导效应和给电子共轭效应	—CH$_3$给电子超共轭效应，—CR$_3$只有给电子诱导效应，其余基团的吸电子诱导效应小于给电子共轭效应			各基团的吸电子诱导效应大于给电子共轭效应	—CF$_3$，—CCl$_3$只有吸电子诱导效应，其余基团具有吸电子诱导效应和吸电子共轭效应	只有吸电子诱导效应
性质	活 化 基					钝 化 基	

表11-2中—CH$_3$为弱活化基团，若甲基上的氢逐步被氯取代，成为 —CH$_2$Cl，—CHCl$_2$，—CCl$_3$基团，就由原来的给电子效应转为逐步增强的吸电子效应，由原来的弱活化基团转为钝化基团。随着甲基中氢被氯原子逐步取代，取代基与苯的超共轭作用逐渐减小，最后消失，因此它们的邻对位定位作用也逐渐减弱，最后完全转化为间位定位基。

弱活化	微弱钝化	中等钝化	强钝化
硝化，间位产物： 4%	14%	34%	64%

取代基对苯环活性的影响及对后进入取代基进入苯环位置的影响实则都是对苯环亲电取代反应速率常数的影响。活化基团使苯环的亲电取代反应的速率常数比苯大，钝化基团使苯环的亲电取代反应的速率常数比苯小。活性影响是针对整个苯环而言的，它反映了带不同取代基的苯环的亲电取代反应的速率常数差别。定位则是对同一苯环中的不同位置而言的，邻对位定位基是在同一苯环上，邻、对位的亲电取代反应速率常数比间位的亲电取代反应速率常数大；间位定位基则是在同一苯环上，邻、对位的亲电取代反应速率常数比间位的亲电取代反应速率常数小。甲苯、苯、硝基苯的亲电取代反应的速率常数比较如下：

$$k_{甲苯的邻、对位亲电取代} > k_{甲苯的间位亲电取代} > k_{苯的亲电取代} > k_{硝基苯的间位亲电取代} > k_{硝基苯的邻、对位亲电取代}$$

取代基的上述分类只不过是大致的、定性的区分，便于确定反应中什么是主要产物。事实上，多数化合物是三种异构体都同时生成，而仅在数量上各有较大的差别。产生这种现象是因为在反应过程中，总有一些反应物分子和试剂分子的碰撞比其它大多数反应物分子和试剂分子的碰撞更强有力,这种强有力的碰撞所产生的能量也较其它碰撞高,可以形成能量较高的中间体碳正离子,一旦这种中间体碳正离子生成,它就会很快地转变成产物,故产物中会有三种异构体。

习题 11-25　比较下列各组中反应速率常数的大小:
(ⅰ) 乙苯的间位硝化　溴苯的邻位硝化
(ⅱ) 苯甲醚的对位硝化　苯的硝化
(ⅲ) 苯甲腈的硝化　间苯二甲腈的硝化
(ⅳ) N,N-二甲基苯胺的硝化　甲苯的硝化

习题 11-26　用箭头表示发生下列硝化反应时硝基进入苯环的位置。

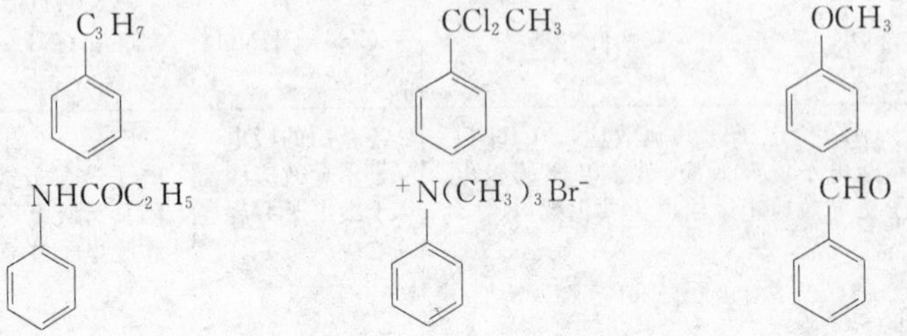

11.8　卤化反应

有机化合物分子中的氢被卤素(—X)取代的反应称为卤化反应。苯在 Lewis 酸如三氯化铁、三氯化铝等的催化作用下能与氯或溴发生苯环上的卤化反应生成氯苯或溴苯。

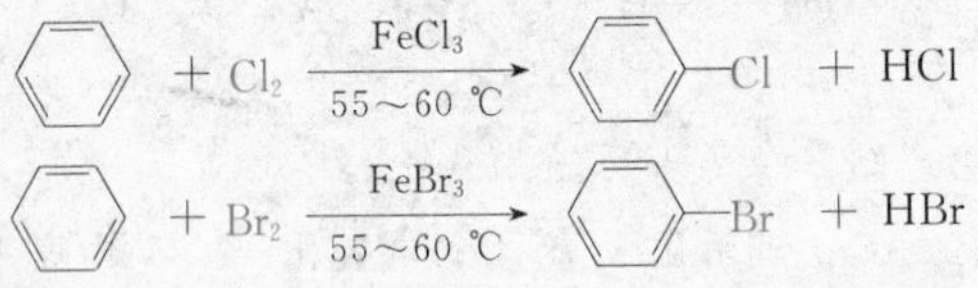

铁粉与氯气或溴反应可生成三氯化铁或三溴化铁,因此也可以用铁粉代替三氯化铁、三溴化铁做催化剂。反应时,首先是卤素与苯形成 π 络合物,光谱和 X 射线衍射法都已证明了 π 络合物的存在。在形成 π 络合物时,氯分子的键没有异裂,然后在缺电子的 Lewis 酸的作用下,氯分子键极化,进而发生键的异裂,生成活性中间体碳正离子,然后失去氢生成氯苯。上述卤化反应的机理如下式所示:

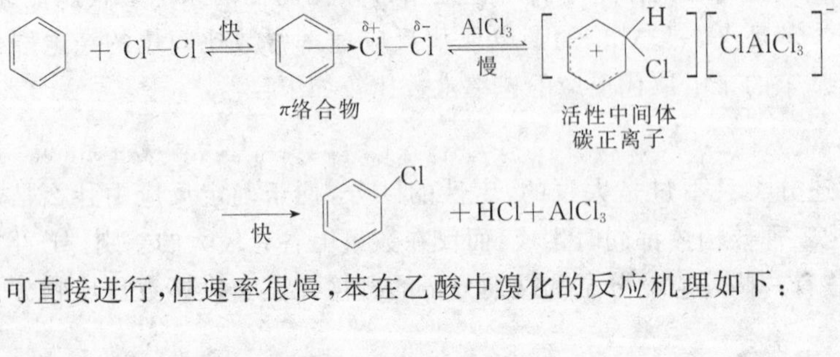

苯的溴化也可直接进行,但速率很慢,苯在乙酸中溴化的反应机理如下:

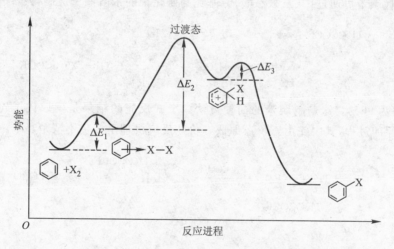

首先是溴分子与苯形成 π 络合物,此时溴分子的键没有断裂,然后在另一分子溴的作用下,发生键的异裂,生成活性中间体碳正离子,最后失去氢离子生成溴苯。若在反应液中加入碘,可增加反应速率,因为 I_2Br^- 比 Br_3^- 更容易形成。

上面两种反应机理大体是一致的,差别仅在于直接卤化时,是由一分子卤素使另一分子卤素极化,进而异裂。使用 Lewis 酸催化时,卤素分子的极化、异裂是在 Lewis 酸的作用下发生的。是否使用催化剂取决于苯环的活性和反应条件,活性强的苯环可直接反应,活性弱的苯环则需用 Lewis 酸催化剂。显然能直接产生卤正离子的化合物不需要催化剂就能反应,例如:

$$ICl, \quad CH_3\overset{O}{\overset{\|}{C}}OI, \quad F_3C\overset{O}{\overset{\|}{C}}OI, \quad HOBr, \quad CH_3\overset{O}{\overset{\|}{C}}OBr, \quad F_3C\overset{O}{\overset{\|}{C}}OBr, \quad HOCl, \quad CH_3\overset{O}{\overset{\|}{C}}OCl$$

卤化反应的能量变化情况如图 11-8 所示。

图 11-8 苯进行卤化反应的势能变化示意图

图 11-8 表明:π 络合物的生成和解离都很快,因此对反应和产物都没有多大影响。形成活性中间体碳正离子的过渡态势能较高,是决定反应速率的一步。碳正离子在碱(负离子)的作用下,很快失去质子,重新形成环形共轭体系。这只需要较少的能量,是快的一步。

卤素由于活泼性不同,发生卤化反应时,反应性也不同。最大的差别是氟太活泼,不宜与苯直接反应,因直接反应时,只生成非芳香性的氟化物与焦油的混合物。大量的苯在四氯化碳溶液中,与含有催化量氟化氢的二氟化氙反应,可制得产率为 68% 的氟苯:

但反应机理与前面叙述的不同,不是亲电取代反应,而是自由基型取代反应。

氙的氟化物是 Claasen H H(克拉森)等人于 1962 年制成的,首先否定了惰性气体不能发生化学反应的看法。氙的氟化物共有三种:二氟化氙(XeF_2)、四氟化氙(XeF_4)、六氟化氙(XeF_6),室温时皆为无色晶体,都是很好的氟化试剂。与有机物反应,三者的反应活性随着它们所含氟原子数的增多而增强。二氟化氙需要在氟化氢催化下才能与苯作用生成氟苯,而四氟化氙可直接与苯反应生成氟苯。但四氟化氙与湿气易生成有爆炸性的(对碰撞极敏感)氧化氙(XeO_3),故使用二氟化氙比较安全,但其中也常混有少量四氟化氙,用时仍需有安全措施。

碘很不活泼,只有在 HNO_3 等氧化剂的作用下才能与苯发生碘化反应,氧化剂可以将反应产生的 HI 氧化成碘,接着将 I_2 继续氧化成 I^+ 而有利于反应进行。

$$\text{苯} + I_2 + HNO_3 \longrightarrow \text{碘苯}(I) + HI + HNO_3$$

$$4HI + 2HNO_3 \longrightarrow 2I_2 + N_2O_3 + 3H_2O$$

将过量的苯、碘和硝酸一起加热回流,碘苯的产率可达 87%。但易被氧化和硝化的活泼芳香化合物不易用此法碘化。

碘苯或取代碘苯可通过二(三氟乙酸)芳基铊与碘化钾的水溶液反应制得:

$$\text{Tl(OCOCF}_3)_2\text{-C}_6H_4R + 2KI + H_2O \longrightarrow \text{I-C}_6H_4R + TlI + 2F_3CCOOK$$

R＝H 时,产率为 96%。这是制碘苯的简便方法。上式反应的结果是碘取代了铊,反应经过了一个氧化-还原的过程,其中铊由三价还原成一价。反应机理至今仍不清楚。

$$\text{苯} + Tl(OCOCF_3)_3 \xrightarrow{F_3CCOOH} [\text{C}_6H_5\text{-Tl(OCOCF}_3)_3/H]^+ + F_3CCOO^-$$

$$\longrightarrow \text{C}_6H_5\text{-Tl(OCOCF}_3)_2 + F_3CCOOH$$

上式中的三氟乙酸铊很容易制备,将氧化铊(Tl_2O_3)悬浮于含有 10%～20% 水的三氟乙酸中经加热即可,产率为 90%～100%。反应液可直接用于下一步反应。三氟乙酸铊在合成上是一个很有用的试剂。

将理论用量的氯气通入固体碘中得到氯化碘(ICl),这是常用的碘化试剂。碘化时,碘正离子进攻苯环,氯负离子与取代下来的氢正离子结合生成氯化氢。

$$\text{苯} + ICl \longrightarrow \text{碘苯}(I) + HCl$$

另外,通过重氮盐也可以制卤苯,尤其是制备氟苯更为方便,这在以后的章节中学习。

多元卤化时,后进入基团进入苯环的位置也遵循定位效应的规则。

苯酚的鉴别

羟基是一个强的活化基团,这从下面的实验事实可以看出:在盛有少量苯酚(phenol)溶液的试管里滴加过量的浓溴水,很快就有三溴苯酚的白色沉淀产生(参见 19.6.1)。这个反应可用来鉴别苯酚。

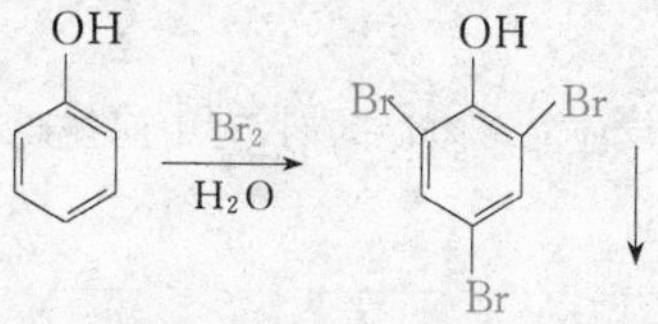

因此制备一溴苯酚通常要在惰性溶剂中进行,惰性溶剂在这里起稀释作用,使反应易于控制在一元阶段。例如对溴苯酚通常是在二硫化碳溶剂中进行的。

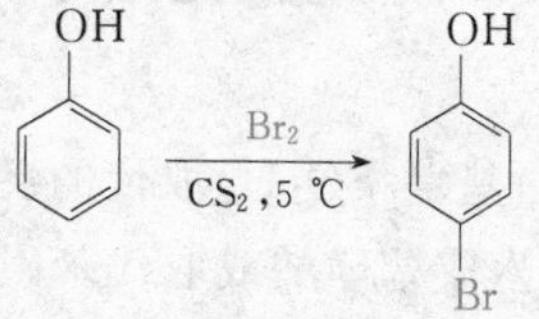

制备对溴苯胺一般都先将苯胺乙酰化,这一方面可以降低氨基对苯环的活化能力,同时因乙酰氨基的空间位阻较大,可以阻止后进入基团进入氨基的邻位,而得到对位产物,反应完成后,乙酰基可以水解除去。

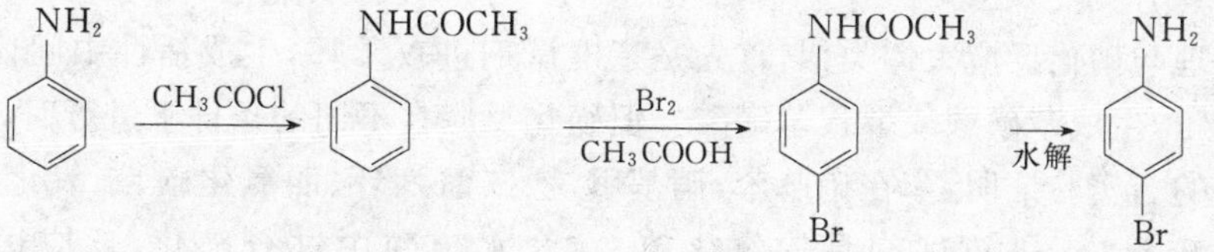

在光或能产生自由基的物质的作用下,甲苯的卤化不发生在芳环上而是在侧链上,甲苯的三个氢可以被逐个取代,反应机理与丙烯中的 α 氢卤化一样,是自由基型的取代反应(参见 8.10)。

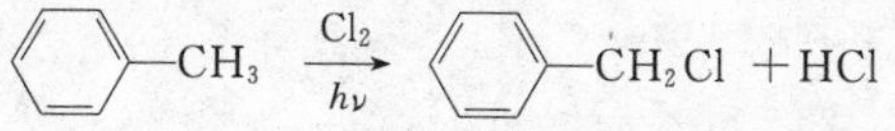

如果是较长的侧链,卤化反应也可以在别的位置发生,但是 α 位的选择性最高,这是因为苯甲型自由基最稳定的缘故。

习题 11-27 在下列化合物中,哪些不需要 Lewis 酸催化就能与苯发生卤化反应?
(i) I_2 (ii) HOBr (iii) ICl (iv) HBr (v) NaCl (vi) CH_3COOBr (vii) CH_3I

习题 11-28 以苯或甲苯为起始原料合成下列化合物:
(i) 间二氯苯 (ii) 氟苯 (iii) 对二碘苯 (iv) 间溴苯甲酸
(v) 对氯苯甲酸 (vi) 对硝基苯甲酸 (vii) 对溴碘苯

习题 11-29 写出下列反应的主要产物:

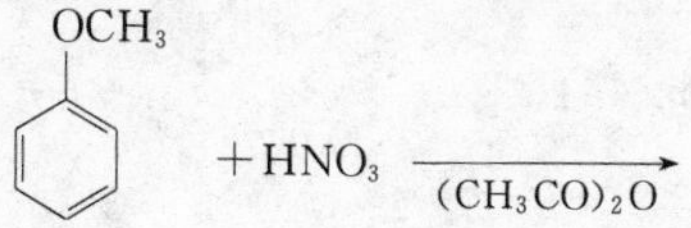

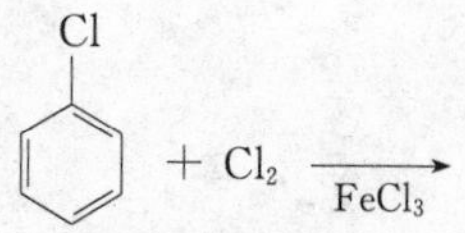

(iii) [结构式：苯环带 OCH₃] + Br₂ ⟶

(iv) [结构式：苯环带 CH(CH₃)₂] + Cl₂ $\xrightarrow{h\nu}$

(v) [结构式：苯酚] $\xrightarrow[\text{H}_2\text{O}]{\text{Br}_2}$

习题 11−30　画出苯酚在氯化反应时,形成邻、间、对中间体碳正离子的极限式,哪一个极限式最不稳定? 简述理由。

11.9　磺 化 反 应

有机化合物分子中的氢被磺(酸)基(—SO₃H)取代的反应称为磺化(sulfonation)反应,苯及其衍生物几乎都可以进行磺化反应,生成苯磺酸或取代苯磺酸。

$$[苯] + H_2SO_4(10\% \ SO_3) \xrightarrow{40\,℃} [苯]—SO_3H + H_2O$$

$$[苯] + 浓 H_2SO_4 \xrightarrow{110\,℃} [苯]—SO_3H + H_2O$$

磺化反应的机理与硝化反应大体类似,首先是亲电试剂进攻苯环,生成活性中间体碳正离子,然后失去一个质子,生成苯磺酸或取代苯磺酸。但磺化反应在不同的条件下进行时,进攻苯环的亲电试剂是不同的。实验证明:苯在硝基苯、硝基甲烷、二氧六环、四氯化碳、二氧化硫等非质子溶剂中与三氧化硫反应,进攻试剂是三氧化硫,在含水硫酸中进行磺化,反应试剂为 $H_3SO_4^+$ ($H_3O^+ + SO_3$),在发烟硫酸中反应,反应试剂为 $H_3S_2O_7^+$(质子化的焦硫酸)和 $H_2S_4O_{13}$($H_2SO_4 + 3SO_3$)。因此,在不同条件下磺化,其反应机理是有些微小差别的。最常见的反应机理如下所示:

$$[苯] + {}^+S(\text{O})(\text{O})\text{O}^- \rightleftharpoons [\text{中间体 } SO_3^-, H]^+ \xrightarrow{H_2SO_4} [\text{中间体 } SO_3H, H]^+ \xrightarrow{HSO_4^-} [苯]—SO_3H + H_2SO_4$$

反应机理表明:磺化反应是可逆的。苯磺酸在加热下与稀硫酸或盐酸反应,可失去磺基,生成苯,这是苯的磺化反应的逆反应。

$$[苯]—SO_3H \xrightarrow[100\sim170\,℃]{稀 H_2SO_4} [苯] + H_2SO_4$$

芳烃磺酸在稀硫酸中所以能发生逆向的磺化反应,是因为在高温或大量水存在下,—SO₃H 能解离成—SO₃⁻ 和 H⁺,例如:

$$[苯]—SO_3H \underset{}{\overset{H_2O}{\rightleftharpoons}} [苯]—SO_3^- + H^+$$

(i)

（i）中的芳环电子云密度增大，所以可以加上 H^+，最后失去 SO_3 生成苯。

$$\text{苯}-SO_3^- + H^+ \rightleftharpoons \text{苯}\begin{smallmatrix}+\\SO_3^-\\H\end{smallmatrix} \rightleftharpoons \text{苯} + SO_3$$

制备苯磺酸时，常使用过量的苯，反应时不断蒸出苯－水共沸物，以利于正反应的进行。苯环上带有活化基团时，逆反应较易进行，带有钝化基团时，逆反应较难进行。正逆磺化反应在反应进程中的能量变化情况如图 11－9 所示。从图示可知：活性碳正离子中间体向正逆方向反应时，活化能十分接近。

磺化反应的可逆性在有机合成中十分有用，在合成时可通过磺化反应保护芳核上的某一位置，待进一步发生某一反应后，再通过稀硫酸或盐酸将磺基除去，即可得到所需的化合物。例如：用甲苯制邻氯甲苯时，利用磺化反应来保护对位。

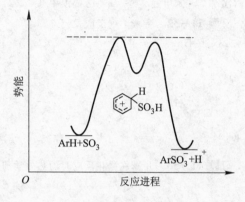

图 11－9　正逆磺化反应的能量变化示意图

$$H_3C-\text{苯} \xrightarrow{\text{浓 } H_2SO_4} H_3C-\text{苯}-SO_3H \xrightarrow[Fe]{Cl_2} H_3C-\text{苯}(Cl)-SO_3H \xrightarrow[150\ ℃]{H_3^+O} H_3C-\text{苯}(Cl)$$

2,4,6－三硝基苯酚（俗称苦味酸）是一个很猛烈的炸药。制备苦味酸若直接用苯酚硝化，因酚极易被硝酸氧化，产量很低，间接生产法也利用了磺化反应的可逆性。

$$\text{苯酚} \xrightarrow[-10\ ℃]{H_2SO_4} \text{（带 SO_3H 的苯酚）} \xrightarrow{HNO_3} \text{（2,4,6-三硝基苯酚）}$$

苯磺酸还可以继续磺化，但由于磺基是致钝的间位定位基，所以苯磺酸的磺化比苯困难，主要得到间位产物。烷基苯比苯易磺化，苯用发烟硫酸磺化时，在室温振荡 20～30 min 可完成反应，甲苯用发烟硫酸磺化，只需振荡 1～2 min 即可完成反应，甲苯磺化主要得到邻、对位产物。实验证明：高温有利于对位产物的生成。这是因为磺基体积较大，处于邻位时空间位阻大，位能较高，磺化反应又是可逆反应，在高温下，已生成的邻位产物也会逐渐转向于位能较低的对位产物。

$$H_3C-\text{苯} + H_2SO_4（浓） \longrightarrow H_3C-\text{苯}-SO_3H + H_3C-\text{苯}(HO_3S)$$

	邻对位	邻位
0 ℃	53%	43%
100 ℃	79%	13%

苯磺酸是有机强酸，在水中溶解度很大，有机分子中引入磺基后可增加在水中的溶解度。合成洗涤剂是烷基苯磺酸的钠盐，烷基是亲油部分，磺基是亲水部分，其合成路线如下：

$$H_{25}C_{12} \text{—} \underset{\triangle}{\xrightarrow{H_2SO_4}} H_{25}C_{12} \text{—} SO_3H \xrightarrow{NaOH} H_{25}C_{12} \text{—} SO_3Na$$

亲油   亲水

习题 11−31 以甲苯为原料合成下列化合物：

(i) 邻硝基苯甲酸　　　(ii) 邻溴甲苯　　　(iii) 2,6−二溴甲苯

习题 11−32 完成下列反应式：

(i) $\underset{\text{110 ℃}}{\xrightarrow{\text{(浓)}H_2SO_4}}$ (C₂H₅)

(ii) $\underset{\text{110 ℃}}{\xrightarrow{\text{(浓)}H_2SO_4}}$ (NO₂)

(iii) $\xrightarrow{H_2SO_4}$ (OCH₃)

(iv) $\xrightarrow{\text{(浓)}H_2SO_4}$ (C(CH₃)₃)

习题 11−33 甲苯在磺化反应时的热力学和动力学产物分别是什么？请对此做出分析。

11.10　傅−克反应

Friedel(傅瑞德尔)−Crafts(克拉夫兹)反应,简称傅−克反应。有机化合物分子中的氢被烷基(—R)取代的反应称为烷基化反应,被酰基取代的反应称为酰基化反应。苯环上的烷基化反应和酰基化反应统称为傅−克反应。

$$\bigcirc + RCl \xrightarrow{AlCl_3(0.2\ mol)} \bigcirc\text{—}R + HCl$$

$$\bigcirc + RCOCl \xrightarrow{AlCl_3(1.2\ mol)} \bigcirc\text{—}COR + HCl$$

11.10.1　傅−克烷基化反应

傅−克烷基化反应(Friedel-Crafts alkylation)的反应机理与磺化、硝化类似,首先在催化剂的作用下产生烷基碳正离子,它作为亲电试剂向苯环进攻,形成碳正离子,然后失去一个质子生成烷基苯。

$$\bigcirc + R^+ \rightleftharpoons \overset{H\ \ R}{\bigoplus} \xrightarrow{AlCl_4^-} \bigcirc\text{—}R + AlCl_3 + HCl$$

卤代烷、烯烃、醇、环氧乙烷等在适当催化剂的作用下都能产生烷基碳正离子,卤代烷、烯烃、醇是常用的烷基化试剂。最初用的催化剂是三氯化铝,后经证明,许多 Lewis 酸同样可以起催化作用,现在常用的 Lewis 酸催化剂的催化活性顺序大致如下：

$$AlCl_3 > FeCl_3 > SbCl_5 > SnCl_4 > BF_3 > TiCl_4 > ZnCl_2$$

其中三氯化铝是效力最强、也是最常用的,但催化剂的活性常因反应物和反应条件的改变而发生变化,效力最强的催化剂并不一定在所有情况下都是最合适的催化剂,操作者应根据被取代氢的活性、烷基化试剂的类别和反应条件来选择合适的催化剂。

卤代烷产生碳正离子的过程是:催化剂如三氯化铝先和卤代烷生成一个络合物 $RCl \cdot AlCl_3$,使卤原子和烷基之间的键变弱,然后成为 R^+ 及 $AlCl_4^-$ 离子。这种 Lewis 酸和卤代烷的络合物在一定的条件下是可以分离出来的。例如三氟化硼和氟乙烷在低温下可以形成稳定的络合物: $C_2H_5F \cdot BF_3$。有的烷基化反应不是碳正离子,而是解离以前的络合物去进攻苯环,例如:

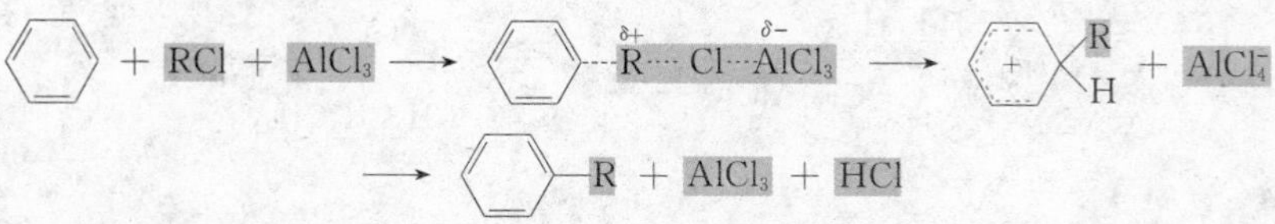

是烷基正离子进攻苯环还是络合物进攻苯环要取决于卤代烷的极化程度和 Lewis 酸的催化活性,但这两种情况的实质是相同的。以卤代烷为烷基化试剂时,卤代烷的结构直接影响烷基化的难易,通常三级卤代烷最活泼,一级卤代烷最不活泼。若烷基相同时,以氟化物最活泼,碘化物最不活泼;与卤代烷一般反应性能恰恰相反。例如:

$$C_6H_6 \ + \ ClCH_2CH_2CH_2F \ \xrightarrow[-10\ ℃]{AlBr_3} \ C_6H_5CH_2CH_2CH_2Cl$$

芳烃还可以和多元卤代烷进行烷基化反应,得到多核的取代烷烃。

$$2C_6H_6 \ + \ CH_2Cl_2 \ \xrightarrow{AlCl_3} \ C_6H_5CH_2C_6H_5$$

$$3C_6H_6 \ + \ CHCl_3 \ \xrightarrow{AlCl_3} \ (C_6H_5)_3CH$$

$$3C_6H_6 \ + \ CCl_4 \ \xrightarrow{AlCl_3} \ (C_6H_5)_3CCl$$

$$2C_6H_6 \ + \ Cl(CH_2)_nCl \ \xrightarrow{AlCl_3} \ C_6H_5(CH_2)_nC_6H_5$$

四氯化碳与苯反应只有三个氯被芳基取代,第四个氯未能被芳基取代可能是由于空间位阻的关系。

Lewis 酸使烯烃、醇、环氧乙烷产生烷基正离子的过程如下所示:

烯烃:

$$AlCl_3 \ + \ H_2O \ \Longrightarrow \ AlCl_3(OH)^- \ + \ H^+$$

$$CH_2 \!=\! CH_2 \ \Longrightarrow \ CH_3\overset{+}{C}H_2$$

醇:

$$CH_3CH_2OH \ + \ AlCl_3 \ \xrightarrow{-HCl} \ CH_3CH_2OAlCl_2 \ \longrightarrow \ CH_3\overset{+}{C}H_2 \ + \ ^-OAlCl_2$$

环氧乙烷:

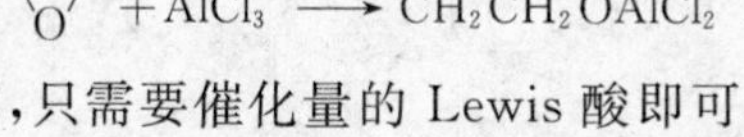

$$\overset{\triangle}{O} \ + AlCl_3 \ \longrightarrow \ \overset{+}{C}H_2CH_2OAlCl_2$$

当卤代烷或烯烃为烷基化试剂时,只需要催化量的 Lewis 酸即可,若用醇、环氧乙烷为烷基化试剂,至少要用等物质的量的 Lewis 酸催化剂才行。

质子酸也能使烯烃和醇产生烷基碳正离子,因此也能做催化剂。常用的质子酸有 HF, H_2SO_4,H_3PO_4 等。用质子酸做催化剂,催化量即可。

下面是几个烷基化反应的实例:

产物中 30% 是正丙苯,70% 是异丙苯。正丙苯是按下列反应机理得到的:

异丙苯是按下列机理得到的:

反应体系中两种机理并存,因此得到的是两种产物的混合物。

苯与 2-甲基-1-氯丙烷反应全部得到重排产物三级丁基苯,这是因为一级碳正离子极易重排成三级碳正离子,重排后的碳正离子去进攻苯环,所以产物全部为三级丁基苯。烷基化反应中的重排现象是十分普遍的。除烷基的结构外,催化剂的种类及反应温度,也会影响重排产物的多少。反应温度越低,重排产物越少。

$$C_6H_6 + (CH_3)_2CHCH_2Cl \xrightarrow{\text{AlCl}_3} C_6H_5C(CH_3)_3$$
唯一产物

乙苯、异丙苯都是工业上的重要中间体,它们都可以通过烷基化反应来制备。

$$C_6H_6 + CH_2{=\!=}CH_2 \xrightarrow[95\ ℃]{\text{AlCl}_3/\text{HCl(浓)}} C_6H_5CH_2CH_3$$

$$C_6H_6 + CH_2{=\!=}CHCH_3 \xrightarrow{\text{H}_2\text{SO}_4} C_6H_5CH(CH_3)_2$$

傅-克烷基化反应是可逆的,在强活性催化剂的作用下,烷基苯既可以发生失烷基化反应,也可以发生再烷基化反应。例如:

烷基是一个活化基团,所以傅－克烷基化往往不能停留在一元取代的阶段上,反应产物常常是一元、二元、多元取代苯的混合物,因此该反应一般不适用于合成。通过严格控制反应条件、原料加入方式及配比等,可以改善这种情况。例如,利用傅－克反应的可逆性,使苯大大过量,可以提高一元取代产物的产量。

进行多元取代反应时,反应温度、溶剂及催化剂的选择等都对产物的结构有影响。例如:

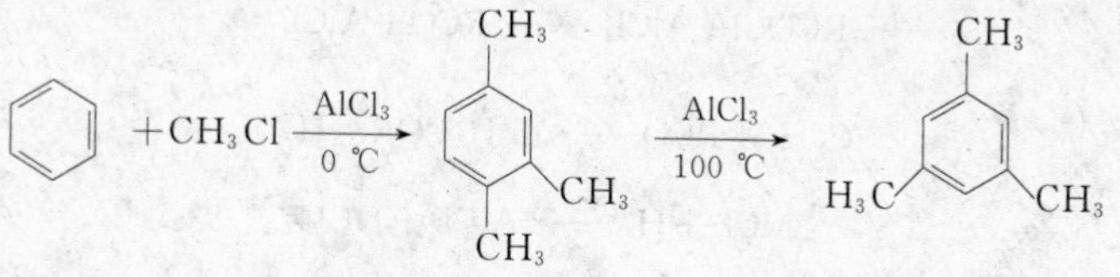

速率控制　　　　平衡控制

由 1,2,4-三甲苯转变为 1,3,5-三甲苯的反应过程如下:

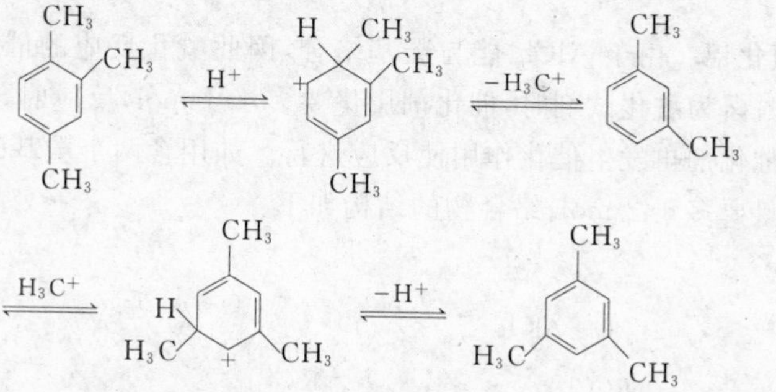

反应体系中只要有 AlCl$_3$ 存在,就有 H$^+$ 产生。反应式表明:处于邻、对位的多烷基苯在高活性催化剂或高温下能转化为间位的多烷基苯,这是因为烷基是一个邻对位定位基,它能提高邻、对位的电子云密度,从而使邻、对位的烷基更易发生去烷基化反应,而互为间位的烷基则相对较稳定。

许多含间位定位基的芳香族化合物往往不能发生傅－克反应。硝基是一个很强的间位定位基,所以硝基苯常作为傅－克反应的溶剂,它对反应有以下的优点:① 沸点高,可使反应在较高的温度下进行;② 对一般有机物的溶解度很大;③ 不受三氯化铝作用发生其它反应。

习题 11-34　下列哪些化合物能在通常情况下发生傅－克反应,哪些不能发生傅－克反应?

(i) C$_6$H$_5$NO$_2$　　　　　(ii) C$_6$H$_5$CH$_3$　　　　　(iii) C$_6$H$_5$CHCl$_2$

(iv) C$_6$H$_5$OCH$_3$　　　　(v) C$_6$H$_5$COC$_2$H$_5$　　　(vi) C$_6$H$_5$COOH

习题 11-35　完成下列反应式:

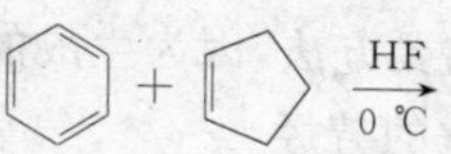

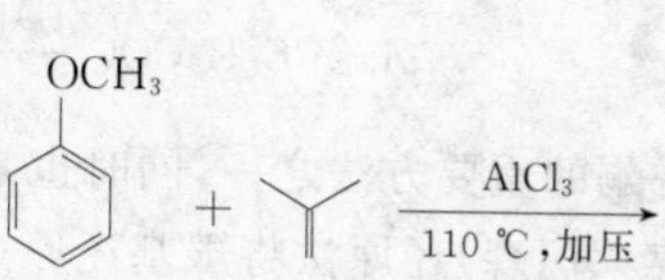

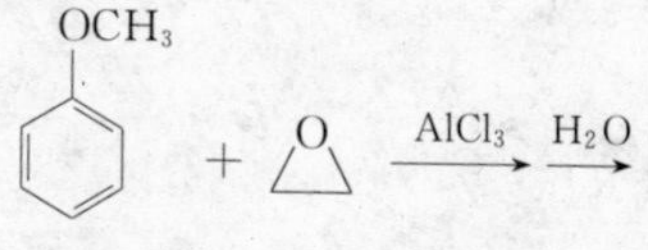

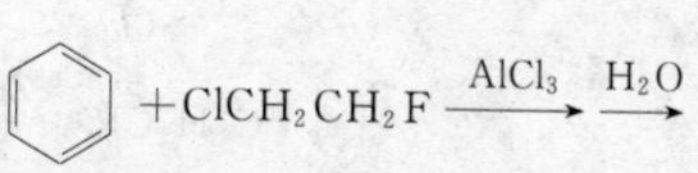

11.10.2　傅-克酰基化反应

傅-克酰基化反应(Friedel-Crafts acylation)的反应机理和烷基化是类似的,也是在催化剂的作用下,首先生成酰基正离子,然后和芳环发生亲电取代。

$$RCOCl + AlCl_3 \longrightarrow \overset{+}{R}CO + AlCl_4^-$$

$$C_6H_6 + \overset{+}{R}CO \longrightarrow C_6H_5COR + H^+$$

$$AlCl_4^- + H^+ \longrightarrow AlCl_3 + HCl$$

常用的酰基化试剂是酰卤(主要是酰氯和酰溴)和酸酐。酰卤的反应活性顺序为

$$RCOI > RCOBr > RCOCl > RCOF$$

常用的催化剂是三氯化铝。由于 $AlCl_3$ 能与羰基络合,因此酰化反应的催化剂用量比烷基化反应多,含一个羰基的酰卤为酰化试剂时,催化剂用量要多于 1 mol,反应时,酰卤先与催化剂生成络合物,少许过量的催化剂再发生催化作用使反应进行。如用含两个羰基的酸酐为酰化试剂,因同样原因,催化剂用量要多于 2 mol,络合物的结构如下:

$$\underset{RCCl}{\overset{O \rightarrow AlCl_3}{\|}} \qquad \underset{R}{\overset{}{\underset{}{}}} \begin{matrix} O \rightarrow AlCl_3 \\ \\ O \rightarrow AlCl_3 \end{matrix}$$

酰基是一个间位定位基,当一个酰基取代苯环的氢后,苯环的活性就降低了,控制合适的反应条件,反应可停止在这一步,不会生成多元取代物的混合物,因此芳烃的酰基化反应产率一般较好。例如:

$$C_6H_6 + (CH_3CO)_2O \xrightarrow{AlCl_3(>2 \text{ mol})} \underset{85\%}{C_6H_5COCH_3 + CH_3COOH}$$

傅-克酰基化反应是不可逆的,不会发生取代基的转移反应。鉴于以上两个特点,傅-克酰基化反应在制备上很有价值,工业生产及实验室常用它来制备芳香酮。例如:

$$C_6H_6 + CH_3COCl \xrightarrow{AlCl_3} C_6H_5COCH_3 + HCl$$

$$C_6H_6 + C_6H_5COCl \xrightarrow{AlCl_3} C_6H_5COC_6H_5 + HCl$$

这不但是合成芳香酮的重要方法之一,同时也是芳环烷基化的一个重要方法,因为生成的酮可以用 Clemmensen(克莱门森)还原法将羰基还原成亚甲基而得到烷基化的芳烃。

$$C_6H_5\overset{O}{\overset{\|}{C}}R \xrightarrow[HCl]{Zn-Hg} C_6H_5CH_2R$$

与傅-克烷基化反应类似,有间位定位基的芳烃极难发生傅-克酰基化反应,因此在强酸性条件

下苯胺的傅－克酰基化反应很难进行,因为氨基会与酸成盐而转变为间位定位基,为此可通过乙酰化将氨基保护起来,反应结束后,再水解除去乙酰基。

羟基和烷氧基都是强活性的邻对位定位基,因此酚和芳香醚类化合物反应时可以选用比较弱的催化剂如 $ZnCl_2$、多磷酸(PPA)等。例如:

$$H_3CO-\langle\!\!\!\bigcirc\!\!\!\rangle +(CH_3CO)_2O \xrightarrow{PPA,50\ ℃} H_3CO-\langle\!\!\!\bigcirc\!\!\!\rangle-COCH_3$$

习题 11–36 选用合适的原料合成下列化合物:

(i) $\langle\!\!\!\bigcirc\!\!\!\rangle-CH_2CH_3$

(ii) $Br-\langle\!\!\!\bigcirc\!\!\!\rangle-\overset{\displaystyle O}{\overset{\|}{C}}CH_2CH_3$

(iii) $CH_3\overset{\displaystyle O}{\overset{\|}{C}}NH-\langle\!\!\!\bigcirc\!\!\!\rangle-\overset{\displaystyle O}{\overset{\|}{C}}CH_3$

(iv) $H_5C_2O-\langle\!\!\!\bigcirc\!\!\!\rangle-\overset{\displaystyle O}{\overset{\|}{C}}CHCH_2COOH$

11.11　氯甲基化反应与 Gattermann–Koch 反应

11.11.1　氯甲基化反应

氯化苄(benzyl chloride)也称为苄氯,可通过苯与甲醛、氯化氢在无水氯化锌作用下反应制得,此反应称为氯甲基化(chloromethylation)反应:

$$\langle\!\!\!\bigcirc\!\!\!\rangle +HCHO+HCl \xrightarrow[60\ ℃]{ZnCl_2} \overset{CH_2OH}{\langle\!\!\!\bigcirc\!\!\!\rangle} \xrightarrow{HCl} \underset{79\%}{\overset{CH_2Cl}{\langle\!\!\!\bigcirc\!\!\!\rangle}}$$

首先,甲醛与氯化氢作用,形成极限式如下的中间体:

$$[H_2C=\overset{+}{O}H]Cl^- \longleftrightarrow [\overset{+}{H_2C}-OH]Cl^-$$

中间体与苯发生亲电取代,生成苯甲醇。它与体系中的氯化氢作用很快形成氯化苄。取代苯也可以进行氯甲基化反应,如

$$\underset{H_3CO}{\overset{H_3CO}{\langle\!\!\!\bigcirc\!\!\!\rangle}} +HCHO+HCl \xrightarrow[60\ ℃]{ZnCl_2} \underset{H_3CO}{\overset{H_3CO}{\langle\!\!\!\bigcirc\!\!\!\rangle}}-CH_2Cl$$

苄氯上的氯十分活泼,可以转化为各种有用的化合物。例如:

$$C_6H_5CH_2Cl \longrightarrow
\begin{cases}
\xrightarrow{NaOH} C_6H_5CH_2OH \xrightarrow{[O]} C_6H_5CHO \\
\xrightarrow{KCN} C_6H_5CH_2CN \xrightarrow{H_3O^+} C_6H_5CH_2COOH \\
\xrightarrow{NH_3} C_6H_5CH_2NH_2 \\
\xrightarrow{(C_2H_5)_3N} C_6H_5CH_2\overset{+}{N}(C_2H_5)_3Cl^- \\
\xrightarrow[Pd/C]{H_2} C_6H_5CH_3
\end{cases}$$

11.11.2 Gattermann–Koch 反应

在 Lewis 酸及加压情况下,芳香化合物与等物质的量的一氧化碳和氯化氢的混合气体发生作用可以生成相应的芳香醛。在实验室中则用加入氯化亚铜来代替工业生产的加压方法。因氯化亚铜可与一氧化碳络合,使之活性增高而易于发生反应:

$$\text{苯} + CO + HCl \xrightarrow[\triangle]{AlCl_3,CuCl} \text{苯甲醛(CHO)}\ 90\%$$

在反应中,一氧化碳与氯化氢作用,生成亲电的中间体[HC$^+$=O]AlCl$_4^-$,其碳正离子与苯反应,生成苯甲醛,即在苯环上引入一个甲酰基。此反应叫 Gattermann–Koch(加特曼–科赫)反应。甲苯也能发生此反应,甲酰基进入甲基的对位。其它的烷基苯、酚、酚醚等易发生副反应,不宜进行此反应,含有强钝化基的化合物也不发生此反应。上述化合物另有其它在芳核上引入甲酰基的方法。

习题 11-37   以苯或甲苯为起始原料合成下列化合物:

(i) Br—C$_6$H$_4$—CH(NH$_2$)CH$_3$

(ii) H$_3$CO—C$_6$H$_4$—CH$_2$OH

(iii) H$_3$CO—C$_6$H$_4$—CH$_2$COOH

(iv) H$_3$C—C$_6$H$_4$—COOH

11.12 苯环上多元亲电取代的经验规律

苯的多元亲电取代是指二元取代苯或含有更多取代基的苯衍生物进行亲电取代反应,其中最简单的是二元取代苯的进一步取代。和苯的二元取代一样,苯环上已有的取代基对新进入苯环的取代基也有定位作用。二元或多元取代苯的定位问题比一元取代苯复杂。总的来说,最终反映出来的定位作用实际上是苯环上已有取代基的综合作用,若已有取代基的定位作用一致,则它们的作用可以互相加强。例如:

但两个取代基中间的位置一般不易进入新基团,例如:

当已有取代基的定位作用不一致时,可参照下列经验规则。

(1) 多数情况下,活化基团的作用超过钝化基团的作用,例如:

(2) 强活化基团的影响比弱活化基团的影响大,例如:

(3) 两个基团的定位能力没有太大差别时,主要得到混合物。

巧妙地利用取代基的定位效应,合理地确定取代基进入苯环的先后次序可以有效地合成芳香族化合物。例如,由苯合成邻硝基氯苯要先氯化后硝化,而合成间硝基氯苯则要先硝化而后氯化。

又如,用甲苯制备 3-硝基-5-溴苯甲酸时,因为三个取代基互为间位,因此要优先引入间位定位基,即要先氧化,再硝化,最后溴化。

而用甲苯制备 2,4-二硝基苯甲酸,则要先硝化再氧化。

除取代基的定位效应外,反应温度、溶剂、催化剂、新进入取代基的极性、体积等众多因素对取代基进入苯环的位置也都有影响。例如,甲苯在不同温度下进行磺化,所得产物中各异构体的产率如下所示:

反应温度/℃	邻/%	对/%	间/%
100	13	79	8
0	50	43	4

又如溴苯分别用三氯化铝和三氯化铁做催化剂进行溴化,所得异构体的产率分别为

催化剂	邻/%	对/%	间/%
$AlCl_3$	8	62	30
$FeCl_3$	13	85	2

再如溴苯氯化,产物中邻、对、间位异构体分别为:42%,51%,7%;随着进入基团体积的增大,邻位异构体产量减少,对位异构体增多,这主要是空间效应的结果。因此在进行反应和合成时,要全面考虑问题。

习题 11-38　用箭头表示发生芳香亲电取代反应时,新进入的基团主要进入苯环的哪个位置?

(i) 间硝基甲苯

(ii) 间硝基苯甲醚 (OCH₃)

(iii) 3-甲基-N,N-二甲基苯胺

(iv) 间二硝基苯

(v) 对甲基苯甲酸 (CH₃ / COOH)

(vi) 对乙基苯酚 (OH / CH₂CH₃)

(vii) 对氯甲苯 (Cl / CH₃)

(viii) CH₂CH₃ / CHO / NO₂

11.13 萘、蒽和菲的亲电取代反应

在正常情况下,萘比苯更易发生典型的芳香亲电取代反应,硝化和卤化反应主要发生在 α 位上。

由于萘十分活泼,溴化反应不用催化剂就可进行,氯化反应也只需在弱催化剂作用下就能发生。

为什么取代反应主要发生在 α 位上?共振理论认为:取代基进攻 α 位形成的碳正离子中间体有两个稳定的含有完整苯环结构的极限式,而进攻 β 位形成的碳正离子中间体只有一个稳定的含有完整苯环结构的极限式,所以前者比后者稳定。显然,稳定碳正离子相对应的过渡态势能也相对较低,所以进攻 α 位,反应活化能较小,反应速率快。

进攻 α 位形成的碳正离子   进攻 β 位形成的碳正离子

在发生可逆的磺化反应时,进入的位置和外界的条件很有关系。低温时,α 氢先被取代,当温度升高后,再转移到较稳定的 β 位上,这结果表明 α-萘磺酸的生成是受动力学控制的,而 β-萘磺酸的生成是受热力学控制的。

上述现象表明:与萘的硝化、卤化反应一样,生成 α-萘磺酸比生成 β-萘磺酸活化能低,低温条件下提供能量较少,所以主要生成 α-萘磺酸。但磺化反应是可逆的,由于,α-磺基与异环的 α-H 处于平行位置,空阻较大,不稳定,随着反应温度升高,α-萘磺酸的增多,α-磺化反应的逆向速率将逐渐增加;另外,温度升高也有利于提供 β-磺化反应所需的活化能,使其反应速率也加大,β-

磺基与邻近的氢距离较大,稳定性好,其逆向反应速率很慢,所以 α-萘磺酸逐渐转变成 β-萘磺酸。

　　萘的酰化反应既可以在 α 位发生,也可以在 β 位发生,反应产物与温度很有关系。如

　　一取代萘进行亲电反应时,第一取代基(G)也有定位效应,卤素以外的邻对位取代基使环活化,因此取代反应主要在同环发生。

如果第一取代基(G)在 β 位时,有时 6 位也能发生取代反应,因为 6 位也可以被认为是 G 的对位。

间位取代基使环钝化,因此取代反应主要发生在异环的 α 位。

但是,磺化和傅-克反应常在 6,7 位发生,生成热力学稳定产物。

　　蒽比苯、萘更易发生亲电取代反应,除磺化反应在 1 位发生外,硝化、卤化、酰化时均得 9-取代蒽,取代产物中常伴随有加成产物。例如:

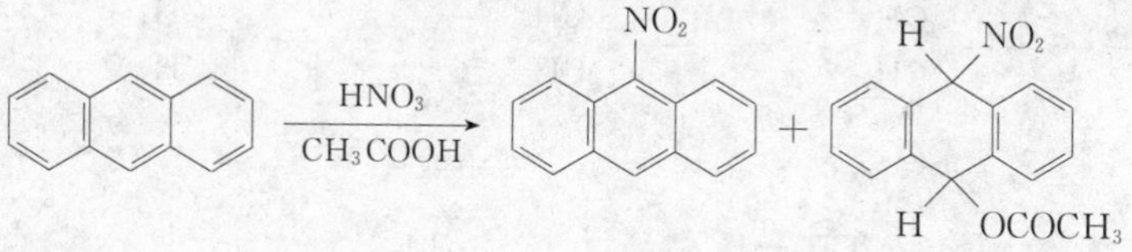

（取代产物）　　　　　（加成产物）

菲的 9,10 位的化学活性很高,取代首先在 9,10 位发生。

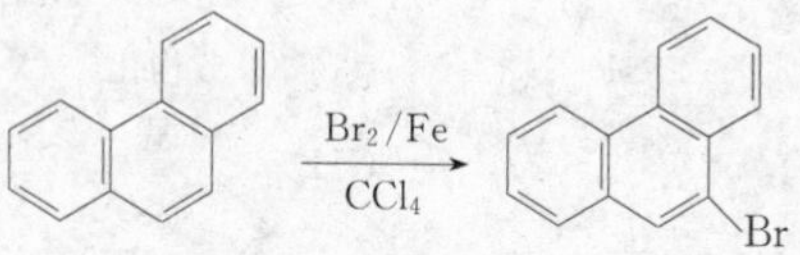

此外菲的 1,2,3,4,10 和 5,6,7,8,9 是对应的,所以应有五种一元取代产物。

习题 11-39 分别写出 1-甲基萘、1,8-二甲基蒽、4,5-二甲基菲与下列试剂反应时的反应方程式。

(i) HNO$_3$,CH$_3$COOH

(ii) CH$_3$CCl,AlCl$_3$,200 ℃

(iii) 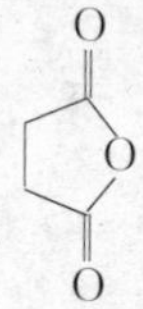 ,AlCl$_3$,C$_6$H$_5$NO$_2$

(iv) Br$_2$,Fe

芳香烃的制备

11.14　芳香烃的来源

　　煤和石油是制备一些简单芳香烃如苯、甲苯等的原料。而这些简单芳香烃又是制备其它高级芳香族化合物的基本原料。当煤在无氧条件下加热至 1 000 ℃,煤分子通过热分馏产生煤焦油。而从煤焦油中可以产生苯、甲苯、二甲苯、萘和其它芳香化合物。与煤不同,石油中含有大量的烷烃和少量芳香化合物。石油馏分中主要含有环烷烃和链烃,将它们转化为芳香烃的主要方法是重整和芳构化。芳构化是指含六元环的脂环族化合物在铂、钯、镍等催化剂存在下,加热脱氢生成芳香族化合物的过程。重整包括链烃裂解、异构化、关环、扩环、氢转移、烯烃吸氢等过程。重整一般都是在催化剂作用下进行的,常用的催化剂有铂、钼等。石油工业化学中一个重要的反应称临氢重整(或称铂重整),就是在氢存在下,以铂为催化剂使分子结构重新安排。例如在 Pt,SiO$_2$/Al$_2$O$_3$,500 ℃,1~4 MPa 及 H$_2$ 存在的反应条件下进行反应。临氢重整反应过程很复杂,因为反应体系是混合物,现以异庚烷为例来说明:

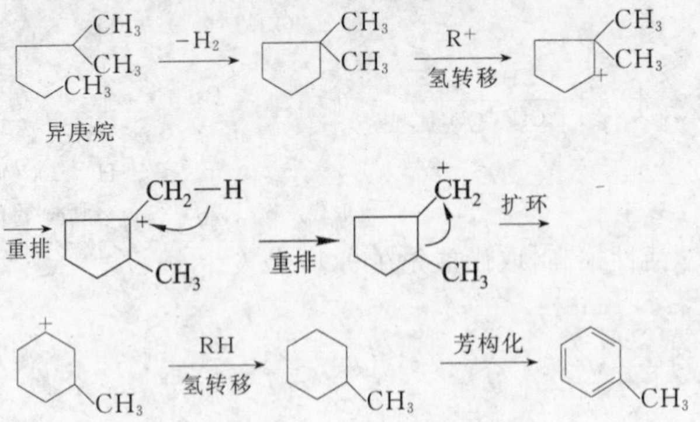

其它链烃和环烃也能转变为相应的芳香族化合物。

11. 15　傅－克酰基化反应和脱氢反应在合成稠环体系时的作用

傅－克酰基化反应和脱氢反应在合成稠环体系时起着很大的作用。下面以萘、蒽和菲的合成来说明这些反应的普遍性。由苯制萘的合成过程如下：

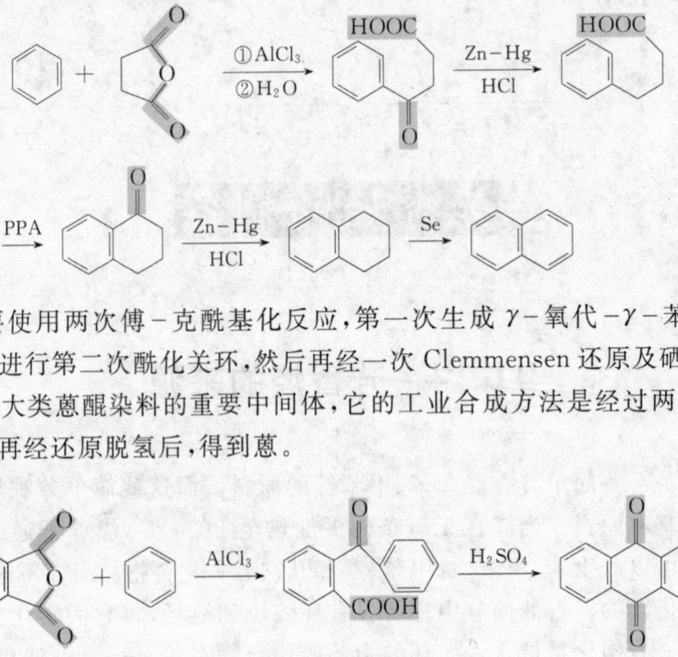

合成过程中要使用两次傅－克酰基化反应，第一次生成 γ－氧代－γ－苯基丁酸，经 Clemmensen 还原后，再进行第二次酰化关环，然后再经一次 Clemmensen 还原及硒脱氢后得萘。

蒽醌是合成一大类蒽醌染料的重要中间体，它的工业合成方法是经过两次傅－克酰基化反应得到蒽醌。蒽醌再经还原脱氢后，得到蒽。

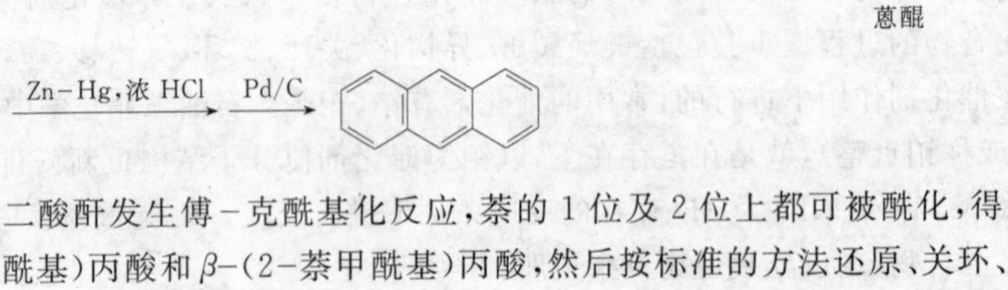

蒽醌

用萘和丁二酸酐发生傅－克酰基化反应，萘的 1 位及 2 位上都可被酰化，得到两个异构体，即 β－(1-萘甲酰基)丙酸和 β－(2-萘甲酰基)丙酸，然后按标准的方法还原、关环、还原、脱氢就得到菲。

γ-芳基丁酸在多磷酸(或 85% H_2SO_4)作用下,加热环化成六元环酮,环酮用锌汞齐、盐酸还原后,再用硒加热脱氢得到多环芳香族化合物。这个合成多环化合物的重要方法称为 Haworth(哈沃斯)反应。用苯合成萘、由萘合成菲的反应实例说明,Haworth 反应在合成稠环化合物中十分有用。

在芳香族化合物的合成中,我们当然不会去合成萘这一类基本原料,这里只是想通过这两个实例介绍合成稠环化合物经常用的一种手段。

11. 16　蔻和六苯并蔻体系的合成方法

蔻(coronene)在自然界中不存在,现在可用多种方法合成。其中一个方法是利用傅-克反应及硒脱氢反应而实现的。用 2,7-二甲萘通过 N-溴代丁二酰亚胺进行苯甲型的溴化,两个甲基的氢各被一个溴取代,然后用 Wurtz 反应将两分子缩合,即得到一个十四元的环状化合物。在三氯化铝的作用下即行关环。这步反应的过程和芳香烃被烯烃烷基化类似。最后用硒脱氢即得到蔻。

蔻

六苯并蒄(hexabenzocoronene)是目前在有机材料中应用十分广泛的一个中间体,利用二苯乙炔与 2,3,4,5-四苯基环戊二烯酮的 Diels-Alder 反应,再脱酮生成六苯基苯,此化合物经 $FeCl_3$ 氧化即可生成六苯并蒄。反应式如下:

六苯并蒄

习题 11-40　利用合适的原料合成下列化合物:

习题 11-41　利用合适的原料合成下列化合物:

Hückel 规则和非苯芳香体系

11.17 Hückel 规则和非苯芳香体系

Kekulé 认为苯是一个单双键更迭的闭环体系,虽然这与事实不符,但引起了对"苯的共轭同系物"的一系列研究,通过对这些化合物的化学性质的研究,可以对"芳香性"的概念有更深入的了解。

11.17.1 环丁二烯、环辛四烯和 Hückel 规则

环丁二烯、苯和环辛四烯(cyclooctatetraene)虽然都具有闭环的共轭体系,但是其化学性质差别很大,例如,1965 年 Pettit(彼提特)及其同事合成了环丁二烯的三羰基铁的络合物,并发现该络合物在适当的条件下可以释放出环丁二烯,但是游离的环丁二烯十分活泼,可以立刻发生二聚反应。

若分解时存在炔类化合物,环丁二烯也可以与炔类化合物反应生成 Dewar 苯的衍生物:

这些事实说明环丁二烯比开链的 1,3-丁二烯活泼得多。

环辛四烯在合成和理论研究方面具有很大的重要性。远在 1911 年,著名的有机化学家 Willstätter(魏尔斯泰)从非常稀有的原料石榴皮碱,经过十余步,合成得到了环辛四烯,它与 1,3,5,7-辛四烯的反应活性相当,能发生典型的烯烃反应。它不但可以和亲双烯试剂反应,还可以发生分子中的周环反应,形成一个二环体系:

以上的实验结果表明,环丁二烯、苯以及环辛四烯虽然都具有闭环共轭体系,但其化学性质相差很大,因此具有闭环共轭体系不能成为判别化合物是否具有芳香性的依据。为了判别一个化合物是否具有芳香性,Hückel 提出了一个简单的判别规则:含有 $4n+2(n=0,1,2,\cdots)$ 电子的单环封闭平面共轭多烯化合物具有芳香性,这就是休克尔规则(Hückel $4n+2$ rule)。

根据 Hückel 规则,我们可以判断环丁二烯和环辛四烯都没有芳香性。实际上,环辛四烯分子不是一个平面体系,而是呈澡盆型。

但是在金属钾的作用下,环辛四烯可转变成二价负离子,分子的形状也由澡盆型转变成平面型,体系的电子数变为 10,符合了 Hückel 规则,变成了芳香体系。

11.17.2　环戊二烯负离子

环戊二烯是一个很活泼的化合物,表现出一切烯烃的性质。它的饱和碳上的氢具有酸性,$pK_a \approx 16$,酸性与水、醇相当。和苯基锂反应,很容易形成锂盐。

按 Hückel 规则,反应形成的环戊二烯负离子(cyclopentadienyl anion)应具有芳香性,判断与实际相符。它是环状负离子体系中最稳定的一个成员,能与亲电试剂发生反应,但生成物极易发生二聚。例如:

核磁共振谱显示环戊二烯负离子只有一个单峰,化学位移值为 $\delta = 5.84$,这说明负离子具有很好的对称性,五个氢等同,环外氢向低场移动,证明了这个负离子具有芳香性。

环戊二烯负离子可以与过渡金属形成一类非常重要的化合物,在理论及结构上都具有很大的意义。最简单的就是二环戊二烯铁,也称二茂铁(ferrocene)。它具有一个夹心面包的结构(图 11-10),环平面的间距为 340 pm,碳碳键长为 144 pm,Fe—C

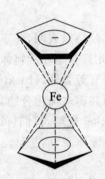

图 11-10　二环戊二烯铁的夹心面包的结构

键的键长均相等,从电子结构来看,两个环都有 6 个 π 电子,符合 $4n+2$ 规则,具有芳香性。两个环的 π 电子和中心铁原子结合,铁离子本身有 6 个电子,又共享两个环戊二烯负离子的 12 个 π 电子,形成一个惰性气体氪的电子结构。由于铁和环戊二烯环都具有闭壳结构,因此二茂铁非常稳定,具有芳香性。它可以发生磺化、烷基化、酰基化等亲电取代反应。例如:

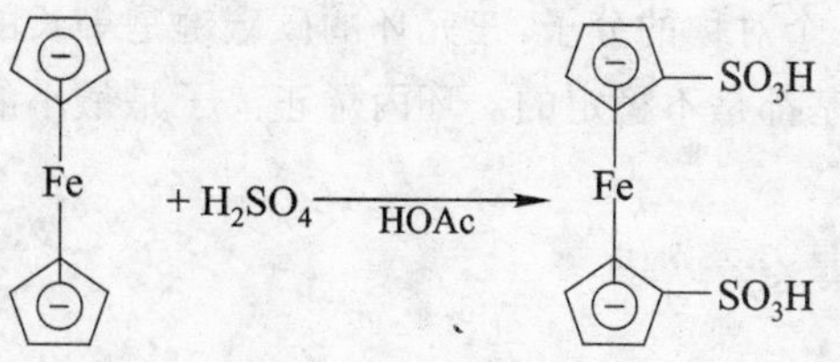

11. 17. 3　环庚三烯正离子

环庚三烯负离子(cycloheptatrienyl anion)有 8 个 π 电子具有双自由基结构,是不稳定的。但环庚三烯正离子(cycloheptatrienyl cation)具有 6 个 π 电子,具有闭壳结构,应具有芳香性,该正离子现已被制备出来,经各种物理方法证明,它是对称的,如图 11-11 所示。

环庚三烯负离子的电子构型　　环庚三烯正离子的电子构型

图 11-11　环庚三烯负离子和环庚三烯正离子的电子构型

另一个重要化合物叫做草酚酮,它具有下列的结构:

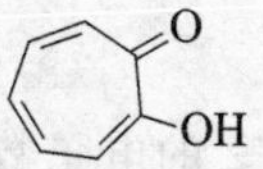

该化合物在化学性能上,有许多和苯酚相似之处,也可以发生多种亲电取代反应。如溴化、羟甲基化(hydroxymethylation)等,取代基团主要进入 3,5,7 位。按照共振理论,它可以有多种极限式,现在只写两个来表示这一概念:

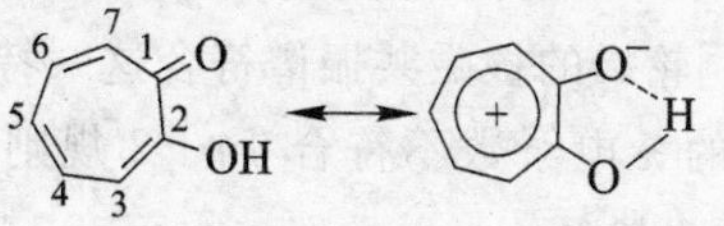

11. 17. 4　环丙烯正离子

根据推想,环丙烯应当形成稳定的正离子。这一预言也为后来的实验所证实。现在已经合成了很多的环丙烯正离子(cyclopropenyl cation)类型的化合物:

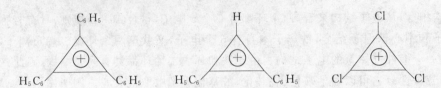

三苯环丙烯正离子是一个对称的分子,三元环的碳碳键是等长的,具有一定的稳定性。和它相反,相应的负离子及自由基都是不稳定的。环丙烯正离子是最小的具有芳香性的环系。

11.17.5   环多次甲基(轮烯)

科学家一直想合成并研究比苯更大的芳香体系,但长期以来,除环辛四烯外,在自然界或用合成的方法一直不能得到比环辛四烯具有更大环的共轭体系。在 20 世纪 60 年代,Sondheimer F(松德海穆)发现了合成轮烯(annulene)的简便方法,例如,[18]轮烯是经过下列步骤得到的:

$$3CH \equiv C-CH_2-CH_2-C \equiv CH \xrightarrow[\text{吡啶}]{O_2}$$

$$\xrightarrow[\text{异构化}]{(CH_3)_3COK}$$

$$\xrightarrow{H_2}$$

[18]轮烯

[18]轮烯具有 18 个 π 电子,符合 $4n+2$ 的电子数,因此应具有芳香性。事实证明[18]轮烯确实是一个稳定的晶体。X 射线衍射的测定指出:[18]轮烯具有一个中心对 称,基本上是一个平面分子,两个氢在双键同一面的顺式键和两个氢在双键两面的反式键的键长仅差 3.7 pm,接近于等长。因此不具有交替的双键、单键结构。化合物具有芳香性的一个重要特点是分子内存在环电流,存在环电流的化合物,其环外质子在低场核磁共振吸收(参见第 5 章),环内质子在高场核磁共振吸收(参见 5.3),[18]轮烯的核磁共振谱符合这一特征。

[16]轮烯具有下列结构,它的 π 电子数不符合 $4n+2$ 规则,因此不具有芳香性,实践证明:[16]轮烯是一个没有芳香性的环多烯烃。

[10]轮烯具有下列结构：

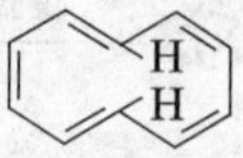

由于 1,6 两个碳原子上的"内氢"的重叠,使碳原子不能共处在一个平面上,因此这个化合物很不稳定,没有芳香性。

11.17.6　周边共轭体系化合物

在环状共轭多烯的环内引入一个或若干个原子,使环内原子与若干个成环的碳原子以单键相连,这样的化合物称为周边共轭体系化合物。例如：

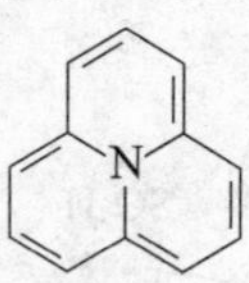

Ⅱ 可以看做是[10]轮烯中的两个 H 被 CH_2 取代,中心原子的引入排除了两个氢之间的排斥,利于将环拉紧,使其成为平面结构。可以应用 $4n+2$ 规则来判断该类化合物的芳香性,Ⅰ 的 π 电子是 12,没有芳香性。Ⅱ,Ⅲ 都符合 $4n+2$ 规则,具有芳香性。这些结论已获得实验的支持。Ⅱ 的化学性质也十分稳定,与马来酸酐一起在苯中回流,没有加成物生成。

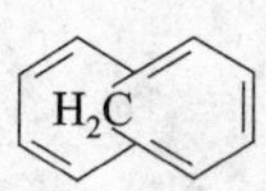

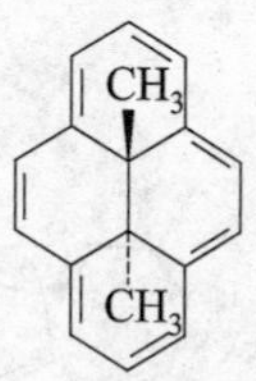

11.17.7　茚和薁

茚(indene)是由一个苯环和环戊二烯并合而成的,因此也可称为苯并环戊二烯。它是煤焦油的产物,沸点 182 ℃,茚不具有芳香性,在空气中放置就变黑,茚分子中的环戊二烯含有一个活泼亚甲基,可以发生各种反应。例如,亚甲基中的氢可以被金属钠取代,形成一稳定的负离子。

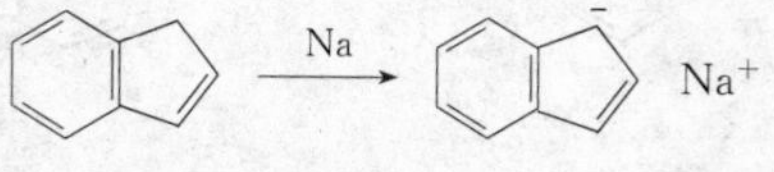

茚负离子有 10 个 π 电子,其中一个双键为两个环共有,因此每个环都有 6 个 π 电子,符合 $4n+2$ 规则,所以茚负离子和茚不同,是有芳香性的。

薁(azulene)是一个青蓝色的片状物质,熔点 90 ℃,是一个七元环的环庚三烯和五元环的环戊二烯并合而成的。如果不考虑桥键,它有 10 个 π 电子,符合 $4n+2$ 规则。可以预料它是有芳香性的。实验证明:它确实可以发生某些芳香的亲电取代反应。反应时,亲电试剂主要进攻 1,3 位。

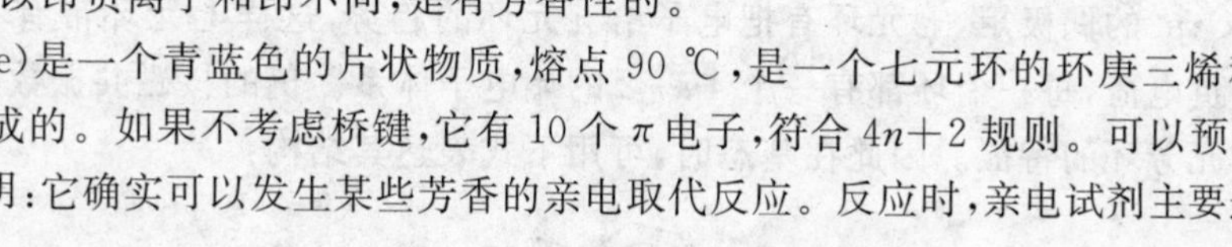

用比较强的硝化试剂,常常生成1-硝基薁和1,3-二硝基薁的混合物,用温和的硝化试剂可以得到高产率的1-硝基薁。

卤化反应:

磺化反应:

如用硫酸铜代替硫酸,可得到1-薁磺酸。

酰基化:

烷基化:

薁的傅-克反应产率很低。

但薁又可显示很突出的不饱和性质,例如和氢发生加成反应很容易生成十氢薁等。薁具有 3.335×10^{-30} C·m 的偶极矩,七元环有把电子给五元环的趋势,这样七元环带有一个正电荷,而五元环带一个负电荷,每一个环都有一个 $4n+2$ 的 π 电子体系。薁的核磁共振数据表明,它具有五元芳环和七元芳环的特征。因此在基态时,可用下式表达其结构:

习题 11-42   根据 Hückel 规则,判别下列化合物哪些具有芳香性?

(i)

(ii) [oxazole structure with N, O]

(iii) [4-methylpyridine structure]

(iv) [diphenylcyclopropenyl cation structure, Ph, Ph]

(v) [acenaphthylene derivative with Ph, CH₃, H₃C, Ph]

(vi) [spirobifluorene structure]

(vii) [fluorenyl anion with CH₃, ⊖]

(viii) [fluorenyl cation with CH₃, ⊕]

(ix) Ph [structure] Ph

(x) [cyclopentadiene with =CH—Ph]

(xi) [benzocycloheptene structure]

(xii) [N-methylpyrazole structure, N, N, CH₃]

习题 11－43 写出下列化合物的各种异构体及其名称：

(i) [benzene ring with H₅C₂, Cl, I]

(ii) [naphthalene with NO₂, Cl]

(iii) [structure with Br]

习题 11－44 完成下列反应式(补充反应条件，写出反应产物)：

(i) [toluene CH₃] + ClC(C₂H₅)₃ —→

(ii) [benzene] + [cyclohexene] —→

(iii) [anthracene] + [maleic anhydride, O, O] —→

(iv) [benzene] + [maleic anhydride, O, O] —→

习题 11－45 完成下列反应式：

(i) [naphthalene] + HOCl $\xrightarrow[H_2O]{H^+}$

(ii) [anthracene] + ICl $\xrightarrow[HOAc]{ZnCl_2}$

（iii）
$$\text{(苯环-OCH}_3\text{)} + NO_2BF_4 \xrightarrow{CH_3NO_2}$$

（iv）
$$\text{(苯环-OCH}_3\text{)} + CH_3COONO_2 \xrightarrow[H^+]{CH_3CN}$$

（v）
$$\text{(苯环-C}_2H_5\text{)} + (CH_3)_2C\!=\!CH_2 \xrightarrow{AlCl_3}$$

（vi）
$$\text{(苯环-C}_2H_5\text{)} + \text{(苯环-CH}_2Cl,\ OCH_3\text{)} \xrightarrow{TiCl_4}$$

（vii）
$$CH_2CH_2CHCH_2C(CH_3)_2 \xrightarrow{H_2SO_4}$$
（带 OH，苯环上有 CH₃）

（viii）
$$\text{(苯环)-CH}_2CH_2CHCH_2CH\!=\!CHCH_3 \xrightarrow{H_2SO_4}$$
（下方苯环带 OCH₃）

习题 11-46　分别指出下列化合物硝化时，硝基进入的位置：

（i）萘环，取代基 CH₂CH₃（1-位）

（ii）萘环，取代基 CH₂CH₂CH₃（2-位）

（iii）芴

（iv）萘环，取代基 NHCOCH₃ 及 Cl

（v）萘环，取代基 NHCOOCH₃ 及 CH₃CH₂

（vi）萘环，取代基 NO₂（2-位）

习题 11-47　应用反应机理解释下列实验事实。

（i）
$$\text{(苯环)-COOCH}_2CH_3 \xrightarrow[H_2O]{Tl(OCOCH_3)_3\ \ KI} \text{(苯环)-COOCH}_2CH_3,\ I(邻位)$$

（ii）
$$\text{(苯环)-CH}_3 \xrightarrow[H_2O]{Tl(OCOCF_3)_3\ \ KI} \text{(苯环)-CH}_3,\ I(对位)$$

习题 11-48　写出苯乙醚硝化的反应机理以及关键中间体 σ 络合物的极限式，并阐明乙氧基是邻对位定位基的原因。

习题 11-49　为下述反应提出合理的可能的反应机理。

$$\text{(苯)} + \text{(四甲基四氢吡喃环带 O)} \xrightarrow{H_2SO_4} \text{(四甲基四氢萘)}$$

习题 11-50　用苯为起始原料合成下列化合物。

(i) 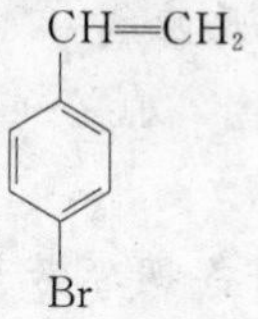 　　　　　　(ii) 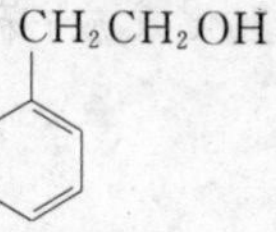 　　　　　　(iii)

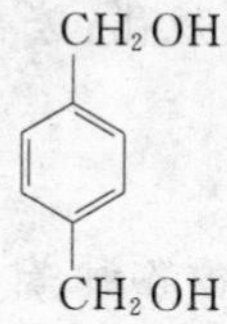

CH=CH₂ ... Br　　　CH₂CH₂OH　　　CH₂OH ... CH₂OH

(iv) 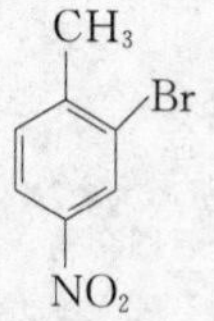 　　　　　　(v)

CH₃ ... Br ... NO₂　　　CH₂CH(CH₃)₂ ... SO₃H ... Cl

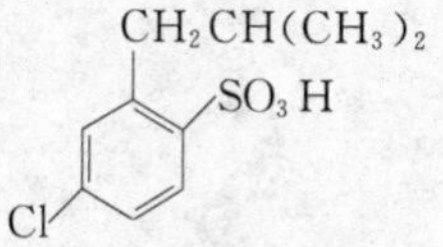

习题 11-51　为下述反应提出合理的可能的反应机理。

$$\xrightarrow[\text{CuCl/AlCl}_3]{\text{CO/HCl}}$$

CH₃ → CH₃ ... CHO

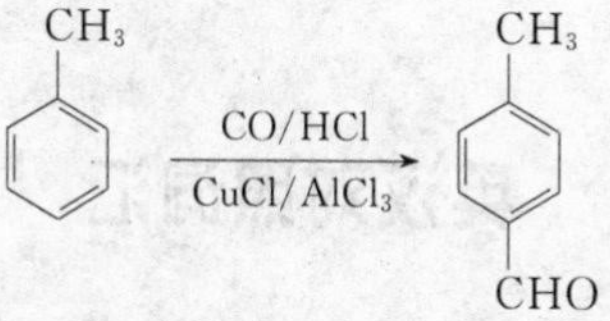

习题 11-52　判断下面两个化合物哪个与 HBr 的加成速率快,并解释原因。

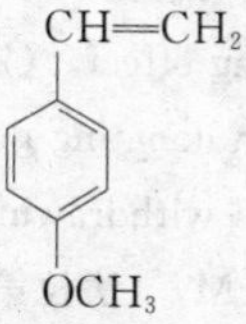

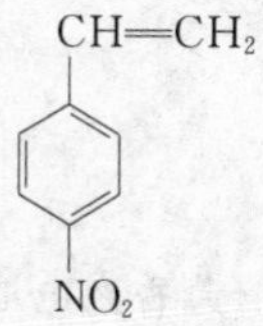

CH=CH₂ ... OCH₃　　　　　CH=CH₂ ... NO₂

习题 11-53　写出下面反应的中间体,并为整个反应提出合理的、可能的反应机理。

CH₂Br + CH₃—S⁺—CH₃ (O⁻) $\xrightarrow{S_N 2}$ [?] $\xrightarrow{E2}$ CHO

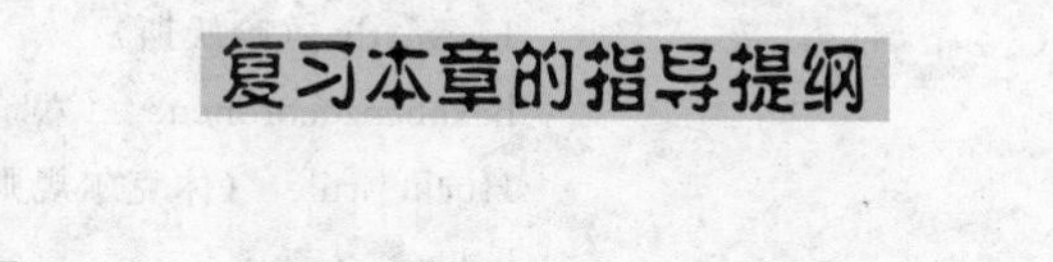

复习本章的指导提纲

基本概念和基本知识

芳香化合物,芳香性,芳香体系和非苯芳香体系;苯、联苯和稠环芳烃的结构和表示方式;苯的稳定性的原因以及芳香性的定义;共振论和分子轨道理论对苯、萘、蒽和菲芳香性的解释;取代基的定位效应,吸电子基团,给电子基团,邻对位定位基和间位定位基,芳香多元取代反应的定位规律;共振论对芳香亲电取代反应的解释;碳正离子中间体(σ络合物)。

基本反应和重要的反应机理

芳香亲电取代反应:定义、反应式和反应机理;硝化反应、卤化反应、磺化反应、傅－克反应、氯甲基化反应和 Gattermenn−Koch 反应；苯、萘、蒽和菲及其衍生物的加成反应；Birch 还原反应的定义、反应式，反应机理和相关规律；芳香烃的催化氢化反应；芳香烃的氧化反应。

重要的合成方法

利用芳香亲电取代反应制备各种芳香化合物；利用 Haworth 合成法制备稠环芳烃；利用 Birch 还原将芳烃转变为环状烯烃。

基本理论

Hückel 规则。

英汉对照词汇

activating group （活化基团）

annulene （轮烯）

anthracence （蒽）

Armstrong （阿姆斯特朗）

aromatic electrophilic substitution （芳香亲电取代反应）

aromatic hydrocarbon （芳香烃）

aromaticity （芳香性）

azulene （薁）

Birch reduction （伯奇还原）

catalytic hydrogenation （催化氢化）

chloromethylation （氯甲基化）

Claasen H H （克拉森）

Claus （克劳斯）

Clemmensen E （克莱门森）

Copper （科柏）

coronene （蔻）

Crafts J M （克拉夫兹）

cyclic structure （闭壳结构）

cycloheptatrienyl anion （环庚三烯负离子）

cycloheptatrienyl cation （环庚三烯正离子）

cyclopentadienyl anion （环戊二烯负离子）

cyclopropenyl cation （环丙烯正离子）

cyclooctatetraene （环辛四烯）

deactivation group （钝化基团）

Dewar （杜瓦）

Directing effect （定位效应）

electron-donating group （给电子基团）

electron-withdrawing group （吸电子基团）

Farady M （法拉第）

Ferrocene （二茂铁）

Friedel C （傅瑞德尔）

Friedel−Crafts alkylation （傅−克烷基化反应）

Friedel−Crafts acylation （傅−克酰基化反应）

footballene （足球烯）

Fullerene （富勒烯）

Gattermann−Koch reaction （加特曼−科赫反应）

Gomberg M （刚伯格）

Haworth （哈沃斯）

hexabenzocoronene （六苯并蔻）

Hückel rule （休克尔规则）

indene （茚）

Ladenburg （拉敦保格）

meta directing group （间位定位基）

naphthalene （萘）

nitration （硝化）

Kekulé proposal （凯库勒设想）

ortho-para directing group （邻对位定位基）

Pettit （彼提特）

phenanthrene （菲）

Sondheimer F （松德海穆）

Sulfonation （磺化）

Thiele （悌勒）

Willstätter R （魏尔斯泰）

第 12 章

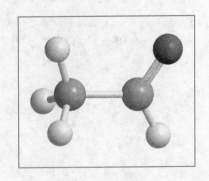

醛和酮　亲核加成　共轭加成

碳原子与氧原子用双键相连的基团称为羰基(carbonyl group)。羰基碳与氢和烃基相连的化合物称为醛(RCHO),结构中的—CHO 称为醛基。羰基碳与两个烃基相连的化合物称为酮(R_2C=O),酮分子中的羰基也称为酮基。

12.1　醛、酮的定义和分类

根据与羰基碳相连的烃基是脂肪族的、芳香族的、饱和的和不饱和的,醛、酮分别称为脂肪族醛、酮(aliphatic aldehyde and ketone)、芳香族醛、酮(aromatic aldehyde and ketone)、饱和(saturated)醛、酮和不饱和(unsaturated)醛、酮。根据分子中所含羰基的数目,醛、酮又可分为一元醛、酮、二元醛、酮等等。羰基与两个相同的烃基相连,称为简单酮(simple ketone)或对称酮,与两个不相同的烃基相连则称为混合酮(mixture ketone)或不对称酮。

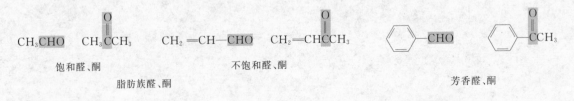

习题 12-1　指出下列化合物各属于哪类醛、酮,并写出它们的中英文系统名称。

(i) 　(ii) OHC—CH=CH—CHO　(iii) 环己酮　(iv) 环己烯酮

(v) CH_3—⟨⟩—CHO　(vi) Ph—CO—CH₂CH₃　(vii) 萘甲醛 CHO　(viii) 二环己基酮

12. 2　醛、酮的结构

羰基中,碳和氧以双键相结合,成键的情形和乙烯有些相似,碳原子以三个 sp² 杂化轨道形成三个 σ 键,其中一个是和氧形成一个 σ 键,这三个键在同一平面上,彼此间相距的角度～120°,如图 12-1(i)、(ii)所示,碳原子的一个 p 轨道和氧的一个 p 轨道彼此重叠起来形成一个 π 键,与这三个 σ 键所成的平面垂直,因此羰基的碳氧双键是由一个 σ 键和一个 π 键形成的,如图 12-1(iii)所示:

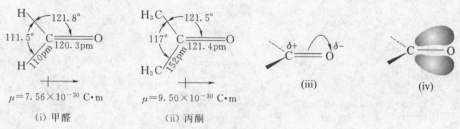

图 12-1　羰基的结构及其电子云分布示意图

但是由于氧的电负性比碳大,所以羰基是一个极性基团(polar group),具有偶极矩,负极在氧的一边,正极在碳的一边,电子云分布的示意图如图 12-1(iv)所示。

当羰基的 α 位有羟基或氨基时,羰基氧原子可以与羟基或氨基的氢原子以氢键缔合,倾向于以重叠型为优势构象形式存在,如

羟基乙醛

12. 3　醛、酮的物理性质

由于羰基的偶极矩增加了分子间的吸引力,因此醛、酮的沸点比相应相对分子质量的烷烃高,但比醇低。醛、酮的氧原子可以与水形成氢键,因此低级醛、酮可以与水混溶,随着相对分子质量的增加,在水中溶解度或微溶或不溶。脂肪族醛、酮相对密度小于 1,芳香族醛、酮大于 1。表 12-1 为一些常见醛、酮的物理性质。

表 12-1　一些常见醛、酮的名称及物理性质

化 合 物	普通命名法	IUPAC命名法	熔点/℃	沸点/℃	溶解度 g·(100 g H₂O)⁻¹
甲醛 HCHO	formaldehyde	formaldehyde	−92	−21	易溶
乙醛 CH₃CHO	acetaldehyde	acetaldehyde	−121	21	16
丙醛 CH₃CH₂CHO	propionaldehyde	propanal	−81	49	7
丁醛 CH₃(CH₂)₂CHO	*n*−butyraldehyde	butanal	−99	76	微溶
戊醛 CH₃(CH₂)₃CHO	*n*−valeraldehyde	pentanal	−92	103	微溶
苯甲醛 ⬡—CHO	benzaldehyde	benzaldehyde	−26	178	0.3
丙酮 CH₃CCH₃ (O)	acetone	propanone 2−propanone(CA)	−95	56	∞
丁酮 CH₃CCH₂CH₃ (O)	ethyl methyl ketone	butanone 2−butanone(CA)	−86	80	26
2−戊酮 CH₃C(CH₂)₂CH₃ (O)	methyl propyl ketone	2−pentanone	−78	102	6.3
3−戊酮 CH₃CH₂CCH₂CH₃ (O)	diethyl ketone	3−pentanone	−40	102	5
环己酮 ⬡=O	cyclohexanone	cyclohexanone	−45	155	2.4
苯乙酮 ⬡—CCH₃ (O) （乙酰苯）	methyl phenyl ketone (acetophenone)	1−phenyl−1−ethanone	21	202	不溶
苯丙酮 ⬡—CCH₂CH₃ (O)	ethyl phenyl ketone	1 − phenyl − 1 − propa-none	21	218	不溶
二苯酮 ⬡—C—⬡ (O)	diphenyl ketone	diphenyl methanone	48	306	不溶

醛、酮的反应

　　羰基是醛、酮的官能团，也是醛酮类化合物的反应中心。

12.4　羰基的亲核加成

12.4.1　总述

　　羰基是一个具有极性的官能团，由于氧原子的电负性比碳原子的大，因此氧带有负电性，碳带有正电性，亲核试剂容易向带正电性的碳进攻，导致 π 键异裂，两个 σ 键形成。这就是羰基的

亲核加成(nucleophilic addition)。

亲核加成反应可以在碱性条件下进行,反应机理如下:

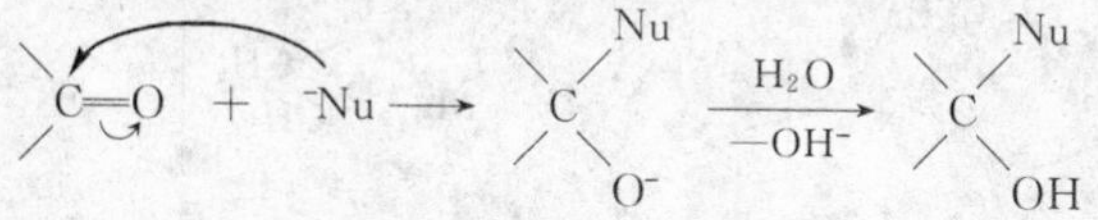

也可以在酸性条件下进行,反应机理如下:

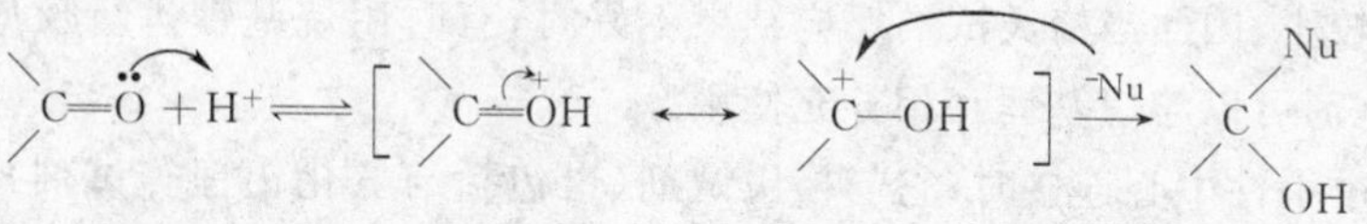

在亲核加成反应中,由于电子效应和空间位阻的原因,醛比酮表现得更加活泼。反应可选用的亲核试剂是多种多样的,可以是极性很强的带负电性的碳原子、氮原子和氧原子等。下面将分别结合各种最具有代表性的亲核试剂来讨论羰基的亲核加成反应。

12.4.2　和含碳亲核试剂的加成

1. 和有机金属化合物的加成

前面已经提到过,有机锂试剂、格氏试剂等和羰基加成,是制备醇的一个重要手段。除甲醛产生一级醇外,其它的醛都产生二级醇;酮产生三级醇(参看 10.14)。这里要进一步讲清楚的是只要羰基两旁的两个基团不太大,空间位阻不很突出时,一般都可发生正常的亲核加成反应,但当羰基两旁的基团太大时,这类酮就不能正常地反应,例如下式当 R 为 C_2H_5 时是正常的加成,产率为 80%:

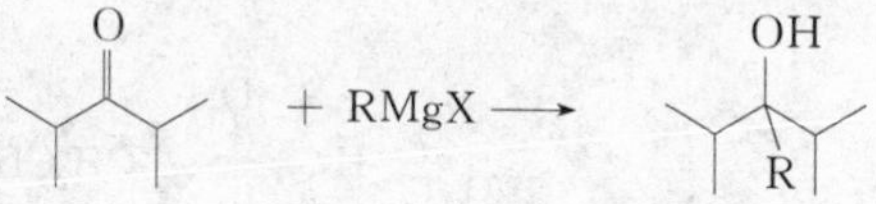

当 R 分别为正丙基、异丙基时,加成产物的产率相应为 30%、0%。原因是空间位阻很大的酮,再遇有位阻的试剂时,发生了其它两种反应,一种经下列步骤生成烯醇盐,因此称为烯醇化(enolization)反应。

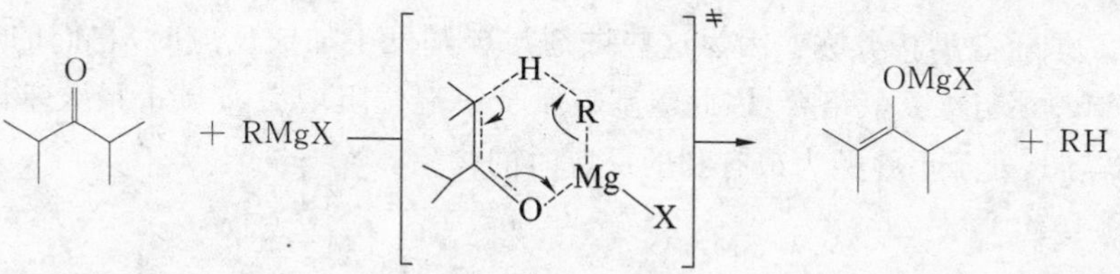

另一种反应的方式是酮被还原,格氏试剂中的烃基失去氢变为烯烃;格氏试剂中烷基上的氢以氢负离子的形式转移到羰基碳原子上。

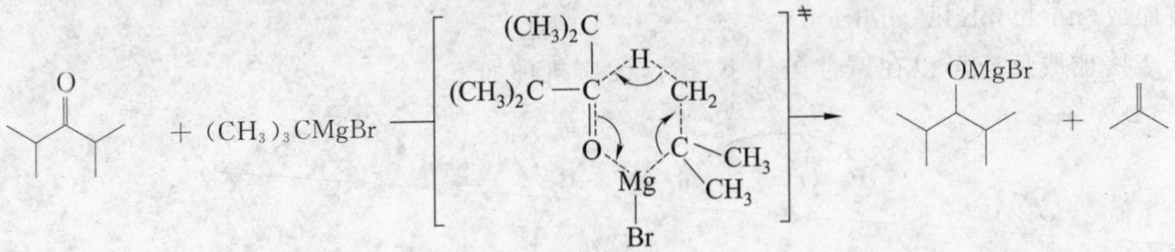

上面的两个反应都是经过一个环状过渡态完成的。

烷基锂体积较小,因此当格氏试剂反应结果不好时,有时用烷基锂进行反应,可以得到较好的结果,故格氏试剂可以与烷基锂互相补充使用。

当羰基与一个手性中心连接时,它与格氏试剂(也包括与氢化铝锂等试剂)反应就是一个手性诱导反应(chiral induction reaction),Cram D J(克拉穆)提出一个规则,称为 Cram 规则一,经常可以预言主要产物,这个规则可以用下式表示:

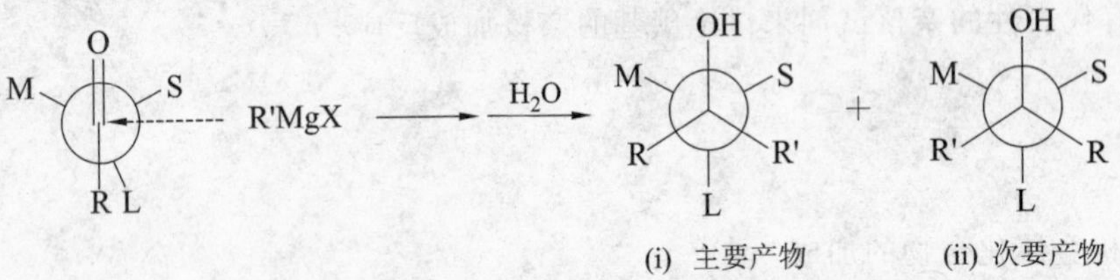

(i) 主要产物   (ii) 次要产物

上式中表示一个羰基和一个手性碳原子相连,手性碳上有大小不同的三个基团,用大(L)、中(M)、小(S)表示。Cram 规则规定,大的基团(L)与 R 呈重叠型,两个较小的基团在羰基两旁呈邻交叉型,与试剂反应时,试剂从羰基旁空间位阻较小的基团(S)一边接近分子,因此(i)是主要产物,(ii)是格氏试剂从中等大小的基团(M)一边接近分子,由于位阻较大,是次要产物。例如(S)-2-苯基丁醛与 CH_3MgI 反应:

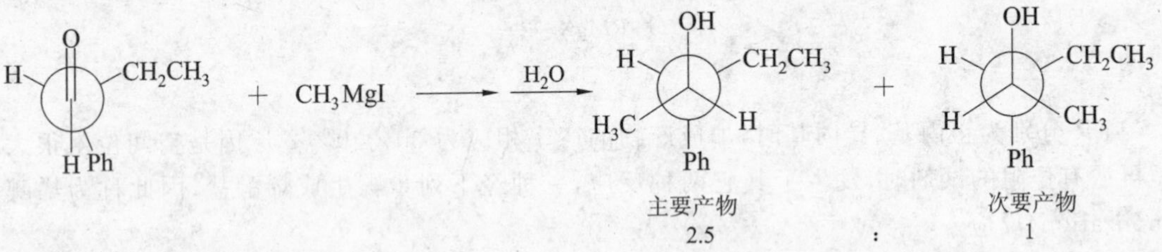

主要产物   次要产物
2.5   :   1

为什么 R 与 L 取重叠型构象呢?因为这些试剂与羰基发生加成反应时,它们的金属部分(如格氏试剂中的 Mg)须与羰基氧络合,因此羰基氧原子一端位阻增大,α碳上最大基团(L)与羰基处于反式,故 R 与 L 处于重叠型为最有利的反应时的构象。

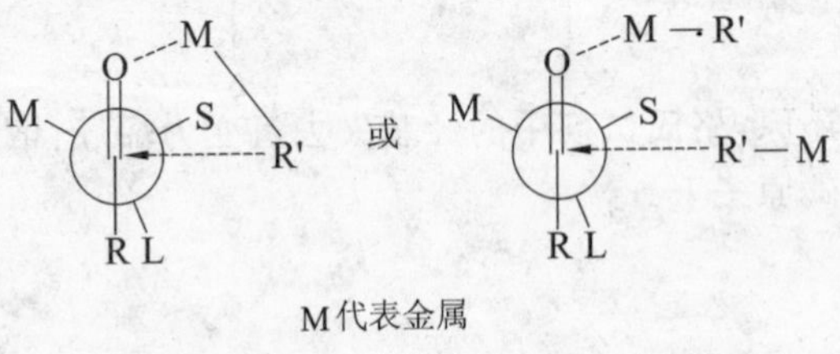

M 代表金属

习题 12-2 预测下列反应的主要产物：

(i) (S)-2-甲基戊醛与溴化苄基镁

(ii) (S)-2-乙基环己酮与溴化乙基镁

(iii)

$$\underset{\overset{|}{\underset{\overset{|}{CH_3}}{H-C-NMe_2}}}{\overset{Ph}{\underset{}{C=O}}} \quad 与\ p\text{-}ClC_6H_4MgBr$$

(iv)

$$\underset{\overset{|}{CH_2OCH_3}}{\overset{CHO}{\underset{}{H-C-OH}}} \quad 与\ HCN$$

(v)

$$\underset{\overset{|}{CHO}}{\overset{CH_3}{\underset{}{H-C-C_2H_5}}} \quad 与\ CH_3MgI$$

2. 和氢氰酸的加成

氰基负离子的碳也可以和醛及多种活泼的酮发生亲核加成，产生 α-羟基腈（α-hydroxynitrile），它是制备 α-羟基酸的原料。

$$C=O + HCN \longrightarrow \underset{\underset{\alpha-羟基腈}{}}{\overset{OH}{\underset{CN}{C}}} \xrightarrow[H^+\ 或\ OH^-]{H_2O} \underset{\underset{\alpha-羟基酸}{}}{\overset{OH}{\underset{COOH}{C}}}$$

羟基酸还可进一步失水，变为 α,β-不饱和酸（α,β-unsaturated acid）。例如有机玻璃，是聚甲基丙烯酸甲酯，工业上就是利用这个反应步骤合成的。用丙酮和氢氰酸在氢氧化钠的水溶液中反应，首先得到丙酮的羟腈，然后和甲醇在硫酸的作用下，即发生失水及腈的醇解反应，氰基即变为甲氧羰基（—COOCH₃），其反应可用下式表示：

$$\overset{O}{\underset{}{\diagup\!\!\diagdown}} + HCN \longrightarrow \underset{CN}{\overset{OH}{\diagup\!\!\diagdown}} \xrightarrow[H_2SO_4]{CH_3OH} \diagup\!\!\diagdown COOCH_3$$

丙酮羟腈 78%　　　　甲基丙烯酸甲酯 90%

这一反应具有普遍应用价值，但是当酮的两个基团太大时，由于空间位阻的关系，产率大大地下降。

研究这个反应的机理是很有启发的。氢氰酸是弱酸 HCN ⇌ H⁺ + CN⁻，解离很少，当丙酮和氢氰酸反应时，如加入氢氧化钠，速率就大大增加，OH⁻ 在这里所起的作用显然是增加 CN⁻ 的浓度：

$$HCN + OH^- \longrightarrow CN^- + HOH$$

如加酸，氢离子和羰基发生质子化作用，增加了羰基碳原子的亲电性能，这对反应是有利的；但氢离子浓度升高，降低了 CN⁻ 的浓度，降低了亲核加成的速率，反应很难发生。这两种关系可用下式表示：

$$\underset{R}{\overset{R}{\underset{}{C=O}}} + H^+ \longrightarrow \underset{R}{\overset{R}{\underset{}{\overset{\delta+}{C}=\overset{+}{O}H}}} \quad 增加羰基的亲电性$$

$$HCN \Longrightarrow H^+ + CN^-　增加氢离子浓度,使反应向左方进行$$

总的来说,反应需要微量的碱,使有少量的 CN^-,进行亲核加成,但碱性不能太强,因为最后需要 H^+ 才能完成反应:

醛、酮与 HCN 的加成也符合 Cram 规则一。但当醛、酮的 $\alpha\text{-C}$ 上有 —OH、—NHR 时,由于这些基团能与羰基氧形成氢键,反应物主要取重叠型构象,若发生亲核加成反应,亲核试剂主要从重叠构象的 S 基团一侧进攻。这称为 Cram 规则二。

与此类似的一个反应称 Strecker(斯瑞克)反应,是羰基化合物与氯化铵、氰化钠反应,形成 α-氨基腈,经水解可以制备 α-氨基酸:

反应过程如下:

习题 12-3　用苯及不超过三个碳原子的有机物及必要的有机、无机试剂合成:

(i) Ph—CH(OH)—COOH　　(ii) 　COOH (带 NH_2)　　(iii) Ph—　—COOH (带 NH_2)

3. 和炔化物的加成

炔化物也是一个很强的亲核试剂,能和羰基发生加成作用(参见 9.3.3)。炔化锂及炔化钠是比较常用的,例如下列反应,就在羰基的碳原子上引入一个 —C≡CH 基团,在工业上具有很大的意义。

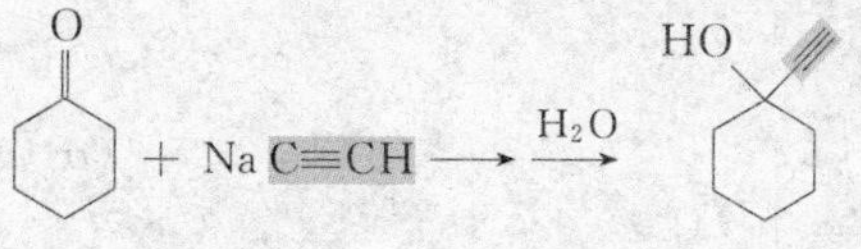

异戊二烯的一种合成方法，就是用丙酮在 β,β'-二甲氧基乙醚悬浮的氢氧化钾中和炔化钾反应，将生成的2-甲基-3-丁炔-2-醇氢化得到2-甲基-3-丁烯-2-醇，然后在氧化铝作用下失水，得到异戊二烯：

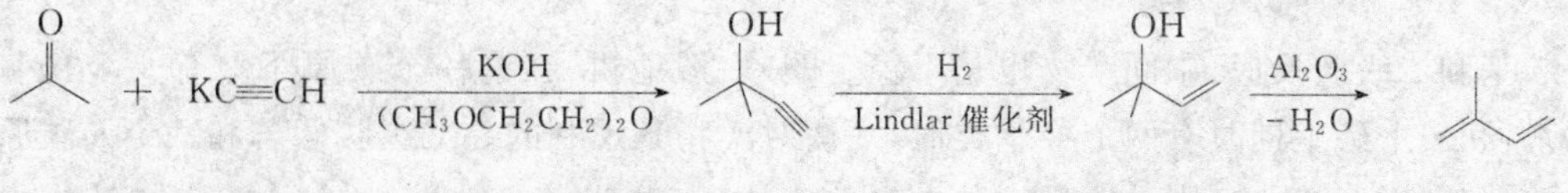

2-甲基-3-丁炔-2-醇　　2-甲基-3-丁烯-2-醇

这一反应，不需用制好的炔化物进行反应，用炔烃本身和一个强碱性催化剂如氢氧化钾、氨基钠等即可使反应发生。如乙烯乙炔在氢氧化钾作用下，容易和许多酮类缩合生成乙烯乙炔基醇：

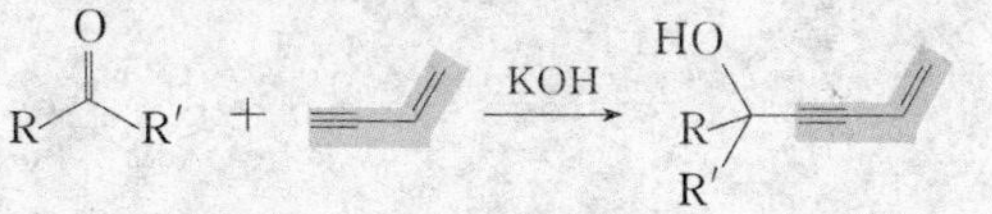

这类醇经聚合后，产生性能良好的黏合剂(adhesive)。

工业上将乙炔在加压下和甲醛反应，并在炔化亚铜催化作用下，产生丙炔醇及丁炔-1,4-二醇，后者经氢化、失水，可以变为1,3-丁二烯：

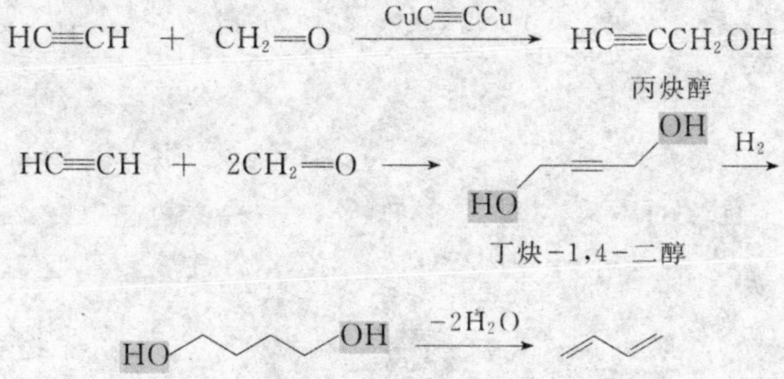

12.4.3 和含氮亲核试剂的加成

1. 与氨或胺的加成

氨和胺均可与醛和酮的羰基发生亲核加成，但加成产物一般很不稳定，会马上进行下一步反应，羰基与一级胺反应，加成产物的氮上还有氢，失去一分子水，变为亚胺(又称西佛碱，Schiff base)。亚胺也不稳定，特别是脂肪族的亚胺，很容易分解。芳香族的亚胺比较稳定，可以分离出来。例如：

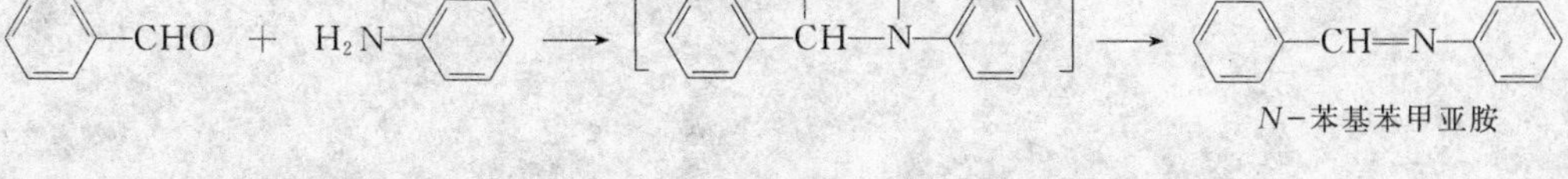

N-苯基苯甲亚胺

反应过程如下：

$$\diagdown C=O + H_2\ddot{N}R \ \Longrightarrow \ \left[\begin{array}{c} O^- \\ | \\ C \\ | \\ \overset{+}{N}H_2R \end{array} \right] \ \xrightarrow{\ H^+ 转移\ } \ \begin{array}{c} OH \\ | \\ C \\ | \\ NHR \end{array} \ \xrightleftharpoons{\ -H_2O\ } \ C=NR$$

亚胺

亚胺在稀酸中水解，又得回原来的羰基化合物及胺，因此这也是保护羰基化合物的一种方法。

羰基和二级胺反应，中间产物也是不稳定的，一般地讲，在同一个碳原子上有一个羟基及一个氨基，和一个碳上同时有两个羟基类似，平衡对产物是不利的。二级胺假若和一个 α 碳原子上有氢的羰基化合物反应，则采取另一种失水的方式，产物叫做烯胺（enamine）。它的结构中和氮相连的碳原子上有一个双键，和相应的含氧化合物烯醇很相像，例如：

$$\text{环己酮} \ + \ \overset{}{\underset{H}{\underset{|}{N}}}\text{(吡咯烷)} \ \xrightarrow[\text{苯,}\triangle]{CH_3\!-\!\!\!\!\bigcirc\!\!\!\!-SO_3H} \ \text{N-(1-环己烯基)} \ + \ H_2O$$

N-(1-环己烯基)四氢吡咯

反应过程如下：

$$\begin{array}{c} H \\ | \\ -C-C=O \end{array} \ \xrightleftharpoons{H^+} \ \begin{array}{c} H \\ | \\ -C-C=\overset{+}{O}H \end{array} \ \xrightleftharpoons{H\,\ddot{N}R_2} \ \begin{array}{c} H\ OH \\ |\ \ | \\ -C-C-\overset{+}{N}HR_2 \end{array} \ \xrightleftharpoons{-H^+} \ \begin{array}{c} H\ OH \\ |\ \ | \\ -C-C-NR_2 \end{array}$$

$$\xrightleftharpoons{H^+} \ \begin{array}{c} H\ \overset{+}{O}H_2 \\ |\ \ | \\ -C-C-NR_2 \end{array} \ \xrightleftharpoons{-H_2O} \ \begin{array}{c} H \\ | \\ -C-C-\overset{+}{N}R_2 \end{array} \ \xrightleftharpoons{-H^+} \ \begin{array}{c} NR_2 \\ | \\ C=C \end{array}$$

烯胺

要使反应完全，需要将水从反应体系中分离出去，例如用苯带水等方法。此反应也是一个可逆反应，在稀酸水溶液中，可将烯胺水解，又得到羰基化合物及二级胺。

烯胺可以看做是一个"氮烯醇式"，和烯醇类似，既可以在氮上也可以在双键的碳上发生反应。利用这一类型反应，可分别在氮原子上、氧原子上和碳原子上引入各种基团，在有机合成上是极为重要的一种类型的反应（参见 15.10.2）。这两类化合物的关系以及反应性能可用下列的一般式表示：

$$\text{烯醇：} \ \begin{array}{c} OH \\ | \\ C=C \\ | \\ H \end{array} \ \Longrightarrow \ \begin{array}{c} \\ | \\ -C-C=O \\ | \\ H \end{array} \ \xrightarrow{RX} \ \begin{cases} \begin{array}{c} OR \\ | \\ C=C \\ | \\ H \end{array} & \text{氧烷基化} \\[3ex] \begin{array}{c} \\ | \\ R-C-C=O \\ | \\ H \end{array} & \text{碳烷基化} \end{cases}$$

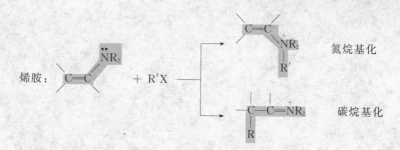

$$烯胺: \quad C=C \overset{\overset{\displaystyle ..}{NR_2}}{} \quad + R'X \longrightarrow$$ 氮烷基化 碳烷基化

醛、酮和氨反应,很难得到稳定的产物。个别的可以分离出来,如乙醛和氨反应,可以得到不稳定的(i):

$$CH_3CHO + NH_3 \rightleftharpoons CH_3\underset{H}{\overset{O^-}{\underset{|}{\overset{|}{C}}}}\overset{+}{N}H_3 \rightleftharpoons CH_3\underset{H}{\overset{OH}{\underset{|}{\overset{|}{C}}}}NH_2$$

(i)

甲醛和氨反应,首先产生极不稳定的(ii),然后再失水聚合,生成一个特殊的笼状化合物,叫做乌洛托品(urotropine)或称六亚甲基四胺(hexamethylene tetramine)。它是树脂及炸药不可缺少的一种原料,本身有消毒作用。它的产生大致经过下列的几个步骤:

$$CH_2{=}O + NH_3 \rightleftharpoons \left[\underset{H}{\overset{OH}{\underset{|}{\overset{|}{C}}}}NH_2 \right] \overset{-H_2O}{\longrightarrow} [CH_2{=}NH]$$

(ii)

$$3CH_2{=}NH \rightleftharpoons \quad \overset{3CH_2O}{\underset{NH_3}{\longrightarrow}} \quad \equiv$$

六亚甲基四胺,mp 260 ℃
乌洛托品

这个笼状结构具有金刚烷的骨架:

金刚烷具有相当的对称性,熔点很高,因此得名。

六亚甲基四胺用硝酸硝化,产生爆炸性极强的所谓旋风炸药,又简称 RDX。这个反应产生三分子的甲醛和一分子的氨,可以反复使用。实际上是把环中的"桥"打断,同时在氮原子上发生硝化作用:

$$\text{（structure）} + 3HNO_3 \longrightarrow \text{RDX} + 3HCHO + NH_3$$

RDX

2. 与氨衍生物的加成

氨的衍生物可用一般式 H_2N-X 表示。最常用的氨衍生物有下列几种：H_2N-NH_2（联氨或称肼 hydrazine）、H_2N-OH（羟胺 hydroxylamine）、$H_2N-NHC_6H_5$（苯肼 phenylhydrazine）、$H_2N-NH\text{（2,4-二硝基苯肼）}-NO_2$（2,4-二硝基苯肼）、$H_2N-NHCNH_2$（氨基脲 semicarbazide）、

$H_2N-NHCCH_2\overset{+}{N}(CH_3)_3Cl^-$（吉拉德试剂，Girard reagent）等。

氨的衍生物都能和醛、酮发生亲核加成、然后失水，形成含有碳氮双键（C＝N）的化合物。反应可以用下列通式表示：

$$\underset{(R)H}{\overset{R}{\diagdown}}C=O \ + \ H_2N-X \ \xrightarrow{-H_2O} \ \underset{(R)H}{\overset{R}{\diagdown}}C=N\diagdown X$$

产物分别称为某醛或某酮的腙（hydrazone）、肟（oxime）、苯腙（phenylhydrazone）、2,4-二硝基苯腙（2,4-dinitrophenylhydrazone）、缩氨脲（semicarbazone）等。例如：

$CH_3CH=NNH_2$

乙醛腙

环己酮-2,4-二硝基苯腙

丙酮肟

2-丁酮缩氨脲

苯甲醛苯腙

所有的这些试剂都是碱性物质，一般都是把它们制成盐酸盐的形式保存。在反应时，用一个弱碱，如醋酸钠将盐分解，把碱游离出来，然后和醛、酮反应。很多这一类型的亲核加成，是一个酸性催化反应。但是不能用强酸，因为氢离子固然可以和羰基结合成𨦡盐而增加羰基的亲电性能，但另一方面，氢离子和氨基结合，形成铵离子的衍生物，这样就丧失了胺的亲核能力。

$$\diagup C=O \ + \ H^+ \ \Longrightarrow \ \diagup C=\overset{+}{O}H$$

$$H_2N-X \ + \ H^+ \ \Longrightarrow \ H_3\overset{+}{N}-X$$

在这些催化反应中，并不仅是氢离子发生作用，因为反应在非水溶剂内进行时，氢离子的浓度很

小,实际上,主要是整个弱酸分子在发生作用。经常使用的弱酸是乙酸。由于它的弱酸性,不能把所有亲核的氨基都变为不活泼的铵离子。反应可能是由于羰基先和整个酸分子以氢键的方式结合,从而增加了羰基的亲电性能,促进了它和游离的氨基衍生物进行亲核加成:

$$\underset{弱酸催化剂}{\diagdown C=O \;+\; H-A \;\rightleftharpoons\; \diagdown \overset{\delta+}{C}-O\overset{\delta-}{\cdots}H-A \;\xrightarrow{\ddot{H_2}\ddot{N}-X}\; \diagdown \underset{O^-\cdots H-A}{\overset{NH_2X}{C}}}$$

$$\rightleftharpoons \; \diagdown \underset{\underset{H-A}{OH}}{\overset{\ddot{N}HX}{C}} \;\rightleftharpoons\; \diagdown C=\overset{+}{N}HX \;\xrightarrow{-H^+}\; \diagdown C=NX$$

醛、酮的提纯和鉴定

上面所讲的醛和酮的含氮衍生物有着很重要的实际用途,例如用于提纯和鉴定。很多醛、酮在提纯时比较困难,在实验室中常把醛和酮制成上述的一种衍生物。因为这些衍生物多半是固体,很容易结晶,并具有一定的熔点,所以经常用来鉴别醛、酮。经提纯后,再进行酸性水解,就得回原来的醛和酮。Girard(吉拉德)试剂的特点是含有一个极性很强的四级铵盐基团,和醛、酮生成的衍生物溶于水,可以和其它杂质分开。

3. 肟

醛或酮与羟胺反应形成肟(英文名称肟为 oxime,如苯甲醛肟称 benzaldoxime,丙酮肟称 acetoxime)。下面就肟的性质作进一步介绍。

肟与亚硝基化合物能互变异构,存在下列平衡:

$$\underset{亚硝基化合物}{\overset{R}{\underset{R}{\diagup}}CHNO} \;\longrightarrow\; \underset{肟}{\overset{R}{\underset{R}{\diagup}}C=N\overset{OH}{\diagup}}$$

亚硝基化合物只在没有 α 氢时是稳定的,如果有 α 氢,平衡有利于肟。

肟有 Z、E 异构体,但经常得到一种异构体。Z 构型一般不稳定,容易变为 E 构型,例如苯甲醛肟,有两种异构体,Z 构型异构体的熔点为 35 ℃,将其溶于醇后加一点酸,就可变为 E 构型异构体,熔点 132 ℃。

$$\text{⟨苯环⟩—CHO} \;\xrightarrow[Na_2CO_3]{NH_2OH\cdot HCl}\; \underset{\substack{(Z)-苯甲醛肟\\ mp\ 35\,℃}}{\overset{Ph\quad H}{\underset{HO}{\diagdown C \diagup}} \atop \underset{N}{\parallel}} \;\underset{\substack{苯,h\nu}}{\overset{HCl}{\rightleftharpoons}}\; \underset{\substack{(E)-苯甲醛肟\\ mp\ 132\,℃}}{\overset{Ph\quad H}{\underset{OH}{\diagdown C \diagup}} \atop \underset{N}{\parallel}}$$

(E)-苯甲醛肟不能用化学试剂转为 Z 构型的,只有在光的作用下,才能转为(Z)-苯甲醛肟。

4. Beckmann 重排

　　酮肟在酸性催化剂中如硫酸、多聚磷酸以及能产生强酸的五氯化磷、三氯化磷、苯磺酰氯和亚硫酰氯等作用下重排成酰胺的反应称为 Beckmann 重排((贝克曼)rearrangment)。

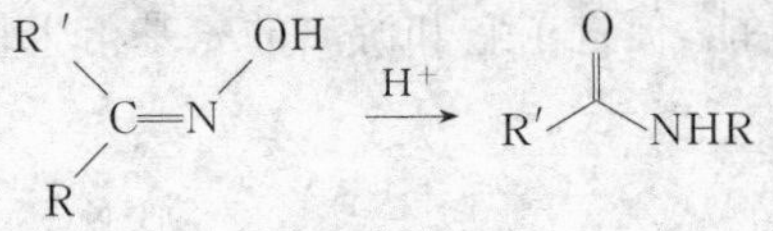

反应机理如下：

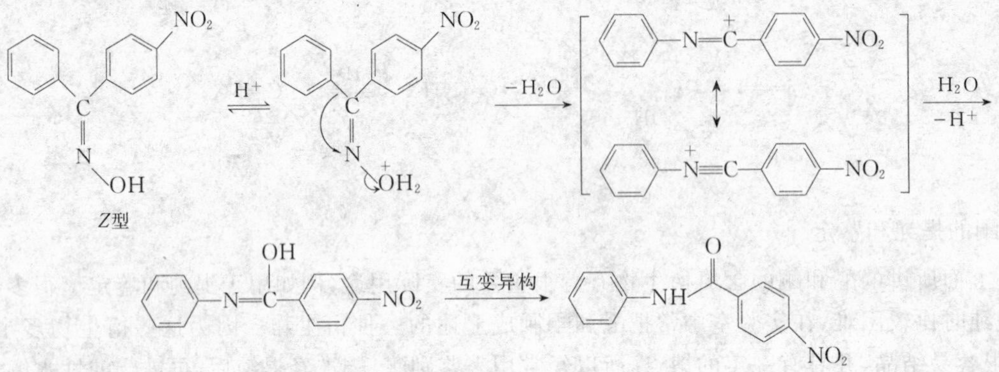

反应机理表明：酸的催化作用是帮助羟基离去。Beckmann 反应的特点是：① 离去基团与迁移基团处于反式，这是根据产物推断的，② 基团的离去与基团的迁移是同步的，如果不是同步，羟基以水的形式先离开，形成氮正离子，这时相邻碳上两个基团均可迁移，得到混合物，但实验结果只有一种产物，因此反应是同步的，③ 迁移基团在迁移前后构型不变，例如：

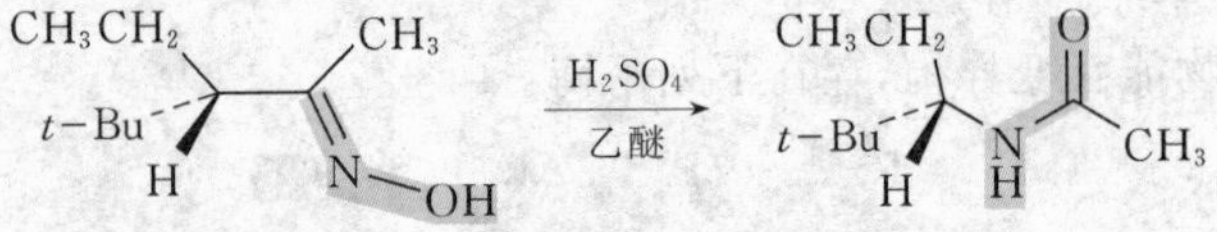

Beckmann 重排的一个重要用途是能方便地由酮来制备酰胺。

　　在工业上的一个重要应用是从环己酮肟重排为己内酰胺，其过程如下：

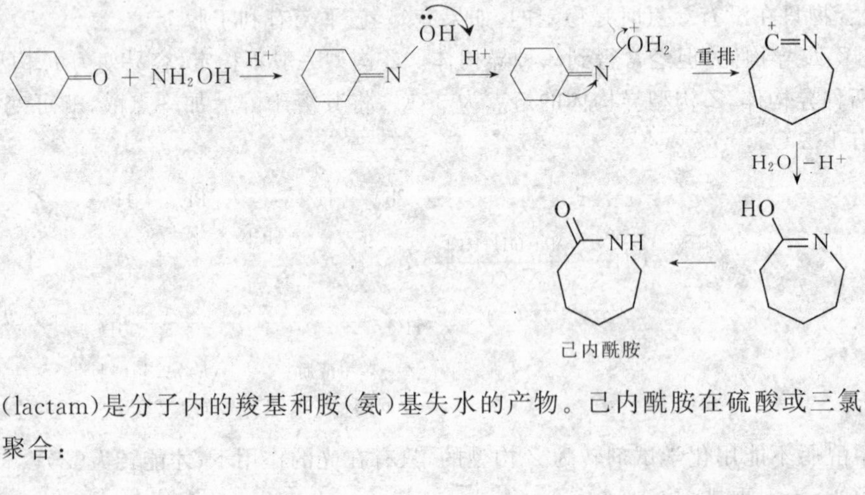

己内酰胺

　　内酰胺(lactam)是分子内的羧基和胺(氨)基失水的产物。己内酰胺在硫酸或三氯化磷等作用下可开环聚合：

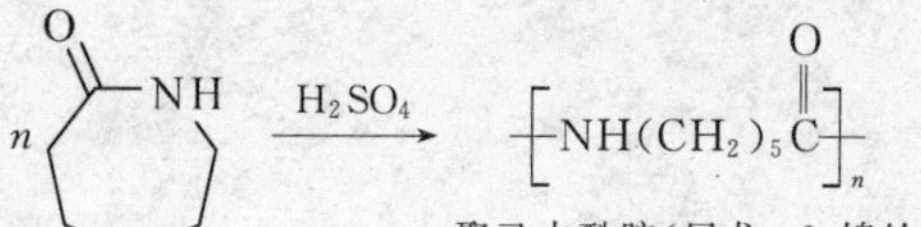

$$n \underset{\text{O}}{\overset{\text{}}{\bigcirc}}\text{NH} \xrightarrow{H_2SO_4} \left[NH(CH_2)_5\overset{O}{\overset{\|}{C}} \right]_n$$

聚己内酰胺(尼龙-6,锦纶)

现在环己酮肟是从环己烷合成的。

由于酰胺水解可以得到羧酸和胺,所以该重排反应也提供了一条由酮来制备羧酸和胺的途径。由于只有与羟基处于反位的基团才能迁移,因此总是处于羟基反位的基团最后生成胺,处于羟基顺位的基团最后生成羧酸。例如:

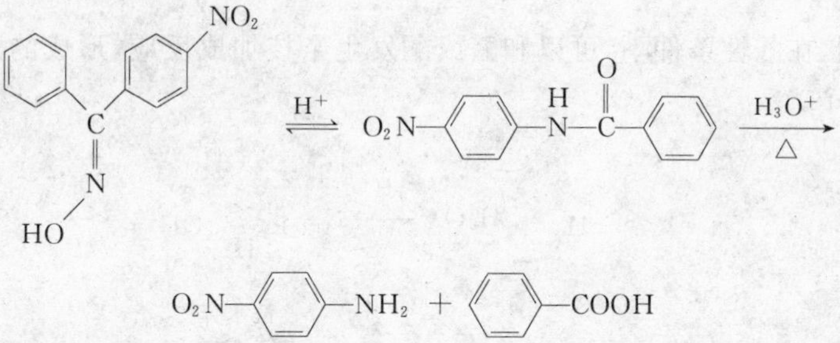

因此根据水解产物可以推断原料肟的构型。

习题 12-4 完成下列反应,写出主要产物。

(i) 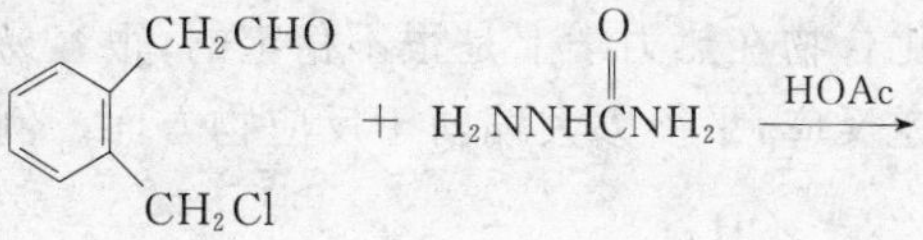 + $H_2NNHCNH_2$ $\xrightarrow{HOAc}$

(ii) 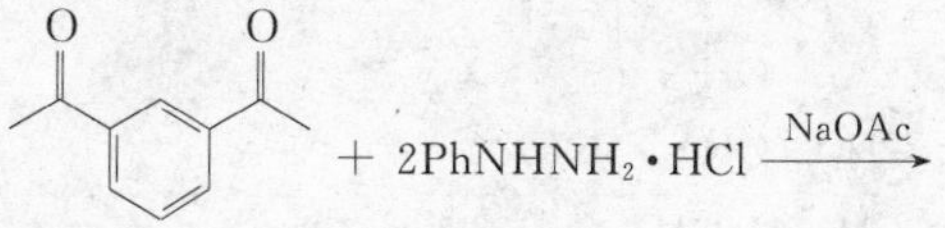 + $2PhNHNH_2 \cdot HCl$ $\xrightarrow{NaOAc}$

(iii) 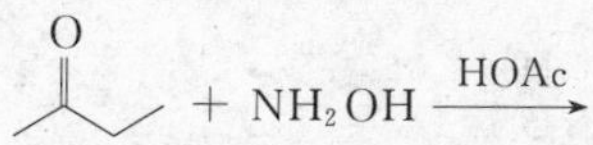 + NH_2OH $\xrightarrow{HOAc}$

(iv) 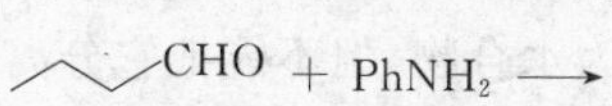 $\diagdown\diagup CHO$ + $PhNH_2$ $\longrightarrow$

(v) 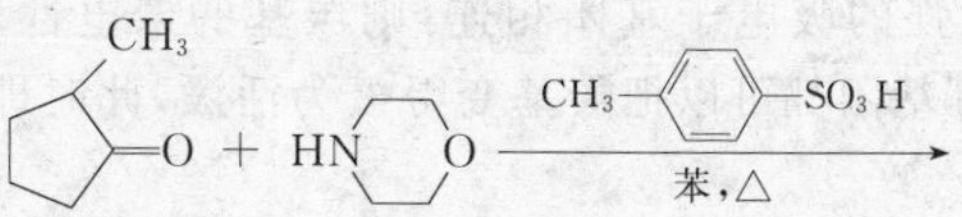 + $HN\overset{}{\underset{}{\bigcirc}}O$ $\xrightarrow[\text{苯},\triangle]{CH_3-\langle\rangle-SO_3H}$

(vi) 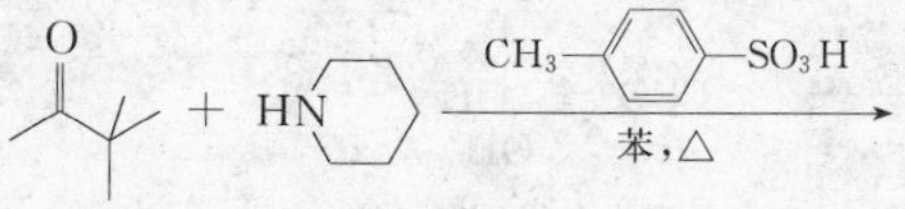 + $HN\overset{}{\underset{}{\bigcirc}}$ $\xrightarrow[\text{苯},\triangle]{CH_3-\langle\rangle-SO_3H}$

(vii) 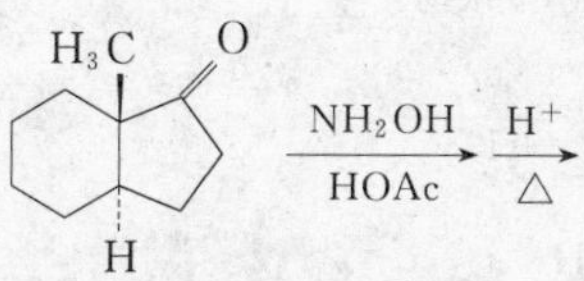 $\xrightarrow[HOAc]{NH_2OH} \xrightarrow[\triangle]{H^+}$

（viii）

$$\text{（结构式）} \xrightarrow[\triangle]{H^+}$$

12.4.4 和含氧亲核试剂的加成

1. 与水的加成

水是亲核试剂,在酸性条件下,可以和醛或酮发生亲核加成反应,形成的加成产物称为醛或酮的水合物(hydrate)。

$$\underset{R}{\overset{O}{\parallel}}\!\!\!\!-\!\!H + H_2O \underset{\longleftarrow}{\overset{H^+}{\longrightarrow}} R-\underset{H}{\overset{OH}{\underset{|}{C}}}-OH$$

醛水合物

$$\underset{R}{\overset{O}{\parallel}}\!\!\!\!-\!\!R' + H_2O \underset{\longleftarrow}{\overset{H^+}{\longrightarrow}} R-\underset{R'}{\overset{OH}{\underset{|}{C}}}-OH$$

酮水合物

由于水合物中两个羟基连在同一个碳上,这样的化合物在热力学上是很不稳定的,很容易失水重新转变为醛和酮。也即水和醛、酮的加成是一可逆反应,平衡大大偏向于反应物方面。例如:

$$\overset{}{\underset{}{C}}=O + H_2O \Longrightarrow \overset{}{\underset{}{C}}\overset{OH}{\underset{OH}{}} \quad 偕二醇$$

$$HCHO + H_2O \Longleftrightarrow H_2C(OH)_2 \quad 100\%$$

$$CH_3CHO + H_2O \Longleftrightarrow CH_3CH(OH)_2 \quad \sim58\%$$

$$CH_3COCH_3 + H_2O \Longleftrightarrow (CH_3)_2C(OH)_2 \quad 0\%$$

可以看出,生成偕二醇(gem-diol)的量逐步下降,这是因为空间位阻增大及羰基的亲电性下降的缘故。只有个别的醛,如甲醛,在水溶液中几乎全部都变为水合物,但不能把它分离出来,原因是它在分离过程中很容易失水。假若羰基和强的吸电子基团相连,则羰基的亲电性增强,如 Cl_3C-,$RCO-$,$-CHO$,$-COOH$,FCH_2- 等基团都可以把羰基变得极为活泼,此时即可形成稳定的水合物:

$$\underset{Cl}{\overset{Cl}{\underset{|}{\overset{|}{C}}}}-CHO + H_2O \longrightarrow \underset{Cl}{\overset{Cl}{\underset{|}{\overset{|}{C}}}}-\underset{OH}{\overset{H}{\underset{|}{\overset{|}{C}}}}-OH$$

三氯乙醛水合物(安眠药)

$$\underset{R}{\overset{O}{\parallel}}\!\!\!\!-\!\!CHO + H_2O \longrightarrow R-\underset{}{\overset{O}{\parallel}}-\underset{OH}{\overset{H}{\underset{|}{\overset{|}{C}}}}-OH$$

在三氯乙醛化合物中,IR 清楚地说明分子中不含有羰基。

2. 与醇加成

醇也具有亲核性,在酸性催化剂如对甲苯磺酸、氯化氢的作用下,很容易和醛、酮发生亲核加成,先生成半缩醛(hemiacetal)或半缩酮(hemiketal),进一步反应生成缩醛(acetal)和缩酮(ketal)。

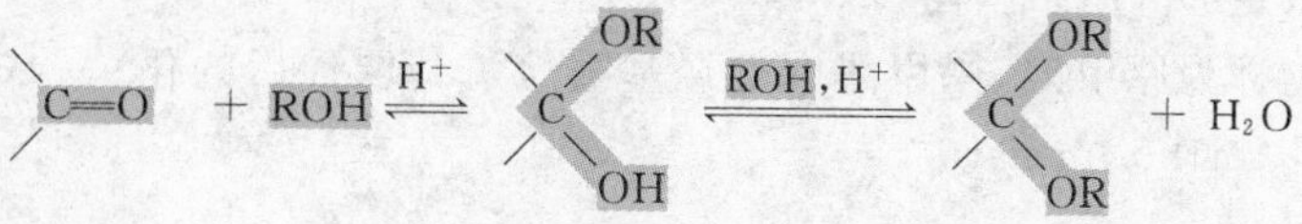

$$\underset{\text{醛或酮}}{\overset{}{\text{C}=\text{O}}} + \text{ROH} \overset{\text{H}^+}{\rightleftharpoons} \underset{\underset{\text{某醛(酮)缩一某醇}}{\text{半缩醛(酮)}}}{\overset{}{\text{C}\overset{\text{OR}}{\underset{\text{OH}}{<}}}} \overset{\text{ROH,H}^+}{\rightleftharpoons} \underset{\underset{\text{某醛(酮)缩二某醇}}{\text{缩醛(酮)}}}{\overset{}{\text{C}\overset{\text{OR}}{\underset{\text{OR}}{<}}}} + \text{H}_2\text{O}$$

总的情况是一分子醛或酮和两分子醇反应,失去一分子水后生成缩醛或缩酮。例如:

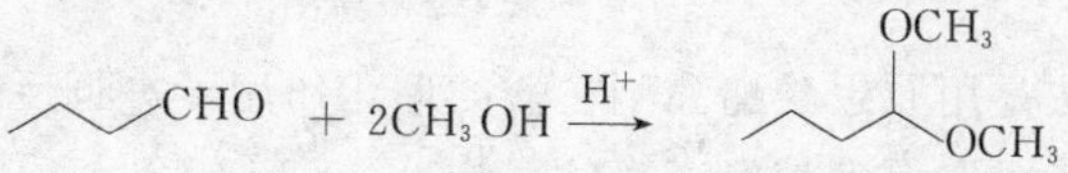

$$\text{CHO} + 2\text{CH}_3\text{OH} \overset{\text{H}^+}{\longrightarrow} \underset{\text{丁醛缩二甲醇}}{\overset{\text{OCH}_3}{\underset{\text{OCH}_3}{}}}$$

反应过程如下:首先是羰基和催化剂氢离子形成鋶盐(i),增加羰基碳原子的亲电性,然后和一分子醇发生加成,失去氢离子后,产生不稳定的半缩醛(酮)(ii)。(ii)再与氢离子结合形成鋶盐,如失去醇就变成原来的醛(酮)(i);但如失水,就变为(iii),(iii)再和一分子醇反应,失去氢离子,最后得到缩醛(酮)(iv):

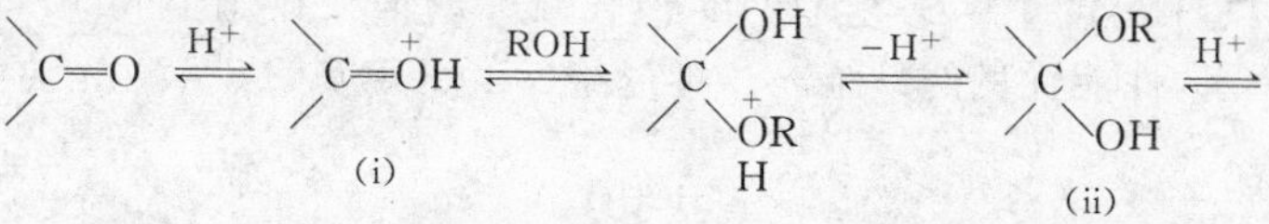

$$\overset{}{\text{C}=\text{O}} \overset{\text{H}^+}{\rightleftharpoons} \underset{\text{(i)}}{\overset{}{\text{C}=\overset{+}{\text{OH}}}} \overset{\text{ROH}}{\rightleftharpoons} \overset{}{\text{C}\overset{\text{OH}}{\underset{\overset{+}{\text{O}}\text{R H}}{<}}} \overset{-\text{H}^+}{\rightleftharpoons} \underset{\underset{\text{(不稳定)}}{\underset{\text{半缩醛(酮)}}{\text{(ii)}}}}{\overset{}{\text{C}\overset{\text{OR}}{\underset{\text{OH}}{<}}}} \overset{\text{H}^+}{\rightleftharpoons}$$

$$\overset{}{\text{C}\overset{\text{OR}}{\underset{\overset{+}{\text{OH}_2}}{<}}} \overset{-\text{H}_2\text{O}}{\rightleftharpoons} \underset{\text{(iii)}}{\overset{}{\text{C}=\overset{+}{\text{OR}}}} \overset{\text{ROH}}{\rightleftharpoons} \overset{}{\text{C}\overset{\text{OR}}{\underset{\overset{+}{\text{O}}\text{R H}}{<}}} \overset{-\text{H}^+}{\rightleftharpoons} \underset{\underset{\text{缩醛(酮)}}{\text{(iv)}}}{\overset{}{\text{C}\overset{\text{OR}}{\underset{\text{OR}}{<}}}}$$

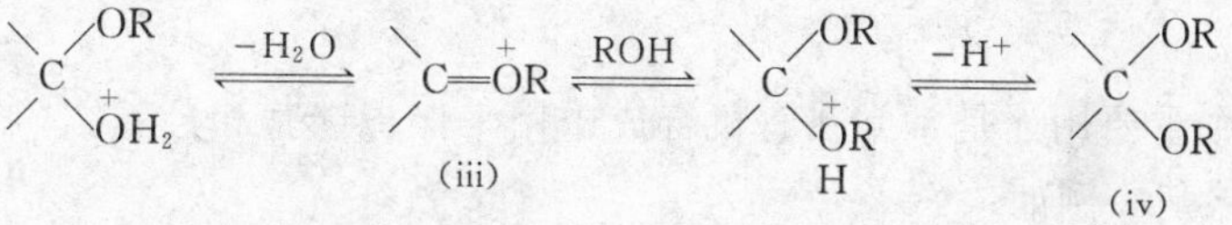

上述的一系列反应都是可逆反应。半缩醛(酮)在酸性或碱性溶液中都是不稳定的,而缩醛(酮)在酸性水溶液中是不稳定的,但对碱及氧化剂是稳定的。所以缩醛(酮)须在无水的酸性条件下形成,但能被稀酸分解成原来的醛(酮)和醇(即逆向反应)。

醛和醇的反应正向平衡常数较大。酮在上述条件下,平衡反应偏向于反应物方面,但在特殊装置中操作(如图 12-2 所示),不断把反应产生的水除去,使平衡移向右方,也可以制备缩酮。例如:

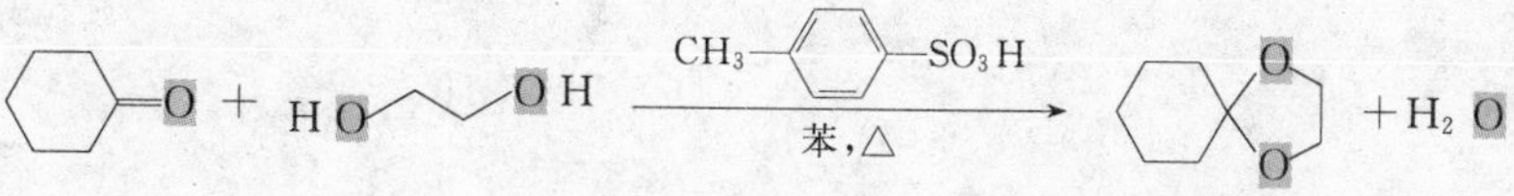

$$\underset{}{\overset{}{\bigcirc}\!\!=\!\!\text{O}} + \text{HO} \qquad \text{OH} \overset{\text{CH}_3-\!\!\bigcirc\!\!-\text{SO}_3\text{H}}{\underset{\text{苯,}\triangle}{\longrightarrow}} \underset{\text{环己酮缩乙二醇}}{\overset{}{\bigcirc\!\!\overset{\text{O}}{\underset{\text{O}}{<}}}} + \text{H}_2\text{O}$$

这个特殊装置是分水器(water separater)，反应时圆底烧瓶中加入适量苯，加热反应物时，苯与反应中产生的水形成共沸混合物(在 69 ℃沸腾，含 91％苯与 9％水)，冷凝后滴入带有旋塞的管中，苯与水分为二层，如图 12-2 所示。苯装满管后，可以返回反应器，水可通过旋塞放出，根据水的体积及分出水的情况，就可以大致了解反应进行的程度。当平衡反应中有水产生并且反应的速率常数足够大时，这种技术可以使反应达到完全。

甲酸的水合物称为原甲酸，原甲酸中的羟基被烷氧基取代后的化合物称为原甲酸酯(ortho formate)。

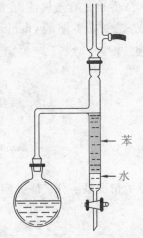

图 12-2　分水器

另一制备缩酮的方法是用原甲酸酯和酮在酸的催化作用下进行反应，由于反应中不生成水，可以得到较好产率的产物：

醛或酮和二醇缩合，在工业上占有很重要的位置。如乙烯醇的聚合体是不稳定的，它是一个溶于水的高分子(v)，当然不能作为纤维使用，但在硫酸的催化作用下和 10％甲醛反应，生成缩醛后，就变为不溶于水，性能优良的纤维——维尼纶(vinylon)(vi)：

(v) 聚乙烯醇　　　　　　(vi)

该反应的另一个重要用途是常常在有机合成中用来保护羰基和羟基。

(1) 用于保护羰基　例如：

欲从　　　　　　　合成　　　　　　　，可采用酯与格氏试剂反应成三级醇的方法，但酮更活泼，因此先将酮转变成缩酮(酯羰基不反应)。由于酯与格氏试剂是在碱性条件下反应的，这时缩酮是稳定的，反应完后用稀酸水解，再恢复酮的结构。反应方程式如下：

又如，欲从 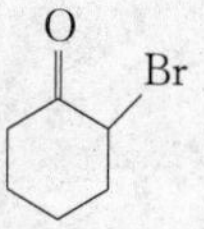 合成 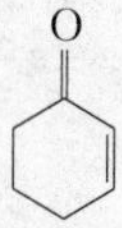 ，可采用消除 HBr 的方法。但 α-卤代酮在碱性条件下会发生 Favorski(法沃斯基)重排反应(参见 12.8)，所以消除前须先将羰基保护起来。反应过程如下所示：

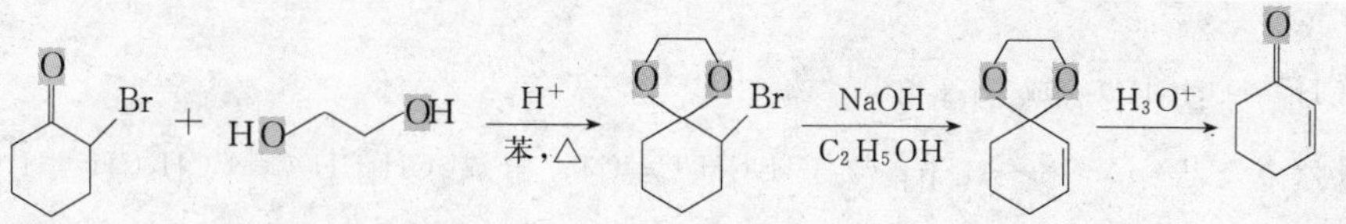

（2）用于保护羟基化合物　从 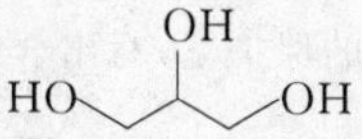 合成 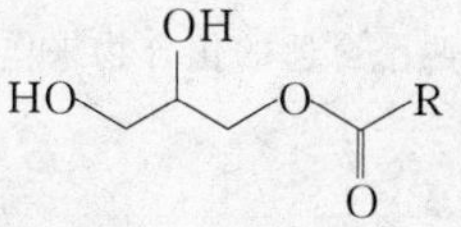 ，如只需一元酯而不要多元酯化合物，有两个羟基需要保护。可用羰基将羟基保护，形成五元环缩醛或缩酮的反应速率比六元环的快（前者速率控制，后者平衡控制，在一定条件下，放置若干时间，五元环缩醛、酮会逐渐转为六元环），因此相邻两羟基保护后，再通过酰氯醇解制备酯，然后水解，被保护的羟基又游离出来，得甘油一羧酸酯。反应式如下：

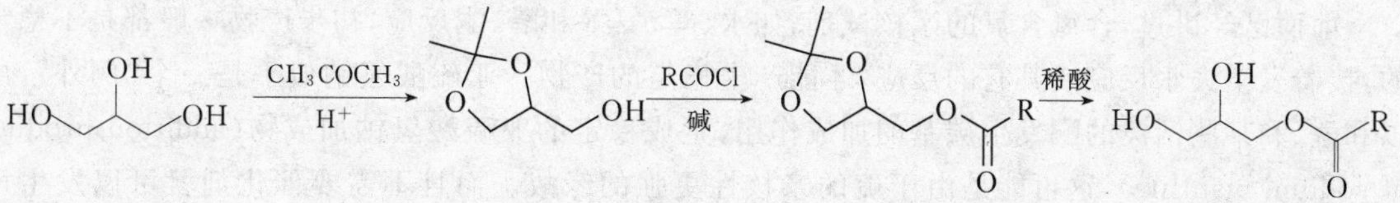

甘油一羧酸酯

习题 12-5　写出下列反应的反应机理：

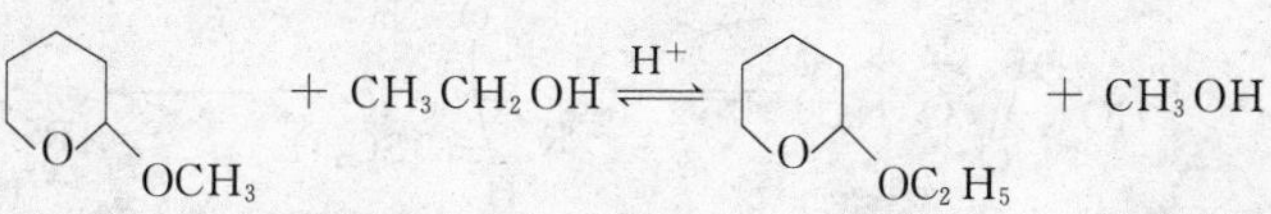

习题 12-6　指出下列化合物中半缩醛、缩醛、半缩酮、缩酮的碳原子，并说明属于哪一种。

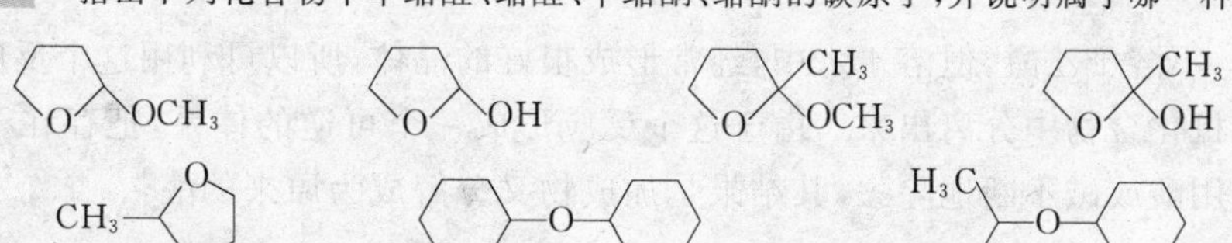

习题 12-7　从指定原料出发，用四个碳以下的有机物及合适的无机试剂合成：

(i) 从 $Br(CH_2)_5CH_2OH$ 合成

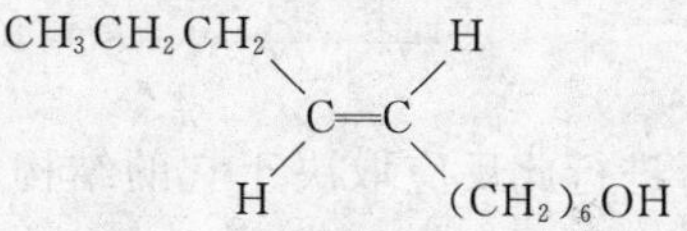

(ii) 从 $Br(CH_2)_5CH_2OH$ 合成

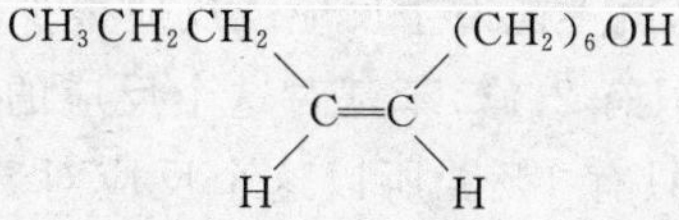

(iii) 从 [结构式：O、Br] 合成 [结构式：O、OH]

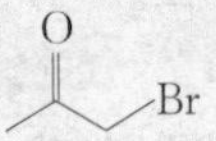

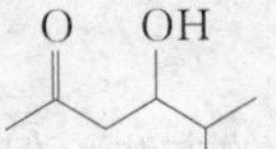

(iv) 从 [结构式：烯基 Br] 合成 [结构式：HO、O]

(v) 从 CH_2＝$CHCHO$ 合成 [结构式：HO、CHO]

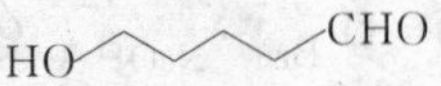

习题 12-8 从 [结构式：Br、OH] 与 $CH_3CH_2C≡CNa$ 合成 $CH_3CH_2C≡CCH_2CH_2CH_2OH$ 时，需要保护醇羟基。请选用两个合适的化合物来作醇羟基的保护基，写出合成的每一个步骤，并阐明这两个化合物能做保护基的理由。

12.4.5　和含硫亲核试剂的加成

1. 与亚硫酸氢钠的加成

前面已经讲过，含氮含氧的亲核试剂，如水、醇、氨等和醛、酮反应，初步产物一般都是不稳定的，接着发生失水反应或其它的反应，才能产生稳定的产物。亚硫酸氢钠似乎是一个"例外"，可以和醛、和某些活泼的酮发生羰基的加成作用，生成稳定的亚硫酸氢钠加成物(addition product of sodium bisulfite)，这可能是由于硫的亲核性更强的缘故。而且不需要催化剂就可以发生反应，反应时用过量的饱和亚硫酸氢钠溶液和醛一同振荡，使平衡尽量地向右移动，把全部的醛变为加成物：

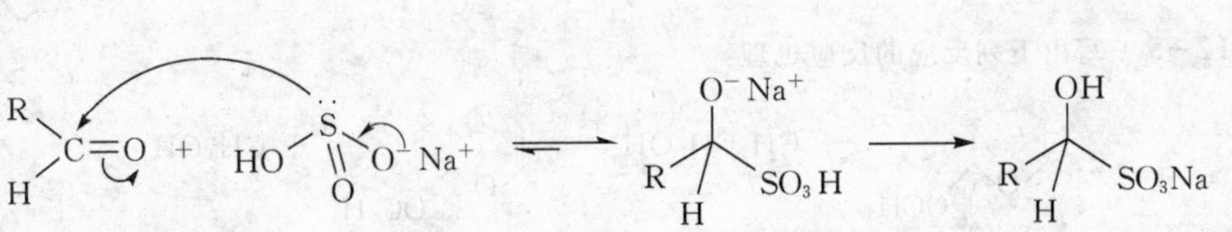

[反应式]

某醛亚硫酸氢钠加成物

产物是一个盐，不溶于乙醚，但溶于水中，经常形成很好的晶体，所以可利用这个反应把醛从其它不溶于水的有机化合物中分离出来。由于这个反应形成一个可逆的体系，把存在于体系中微量的亚硫酸氢钠用酸或碱不断地除去，其结果是加成物又分解成为原来的醛：

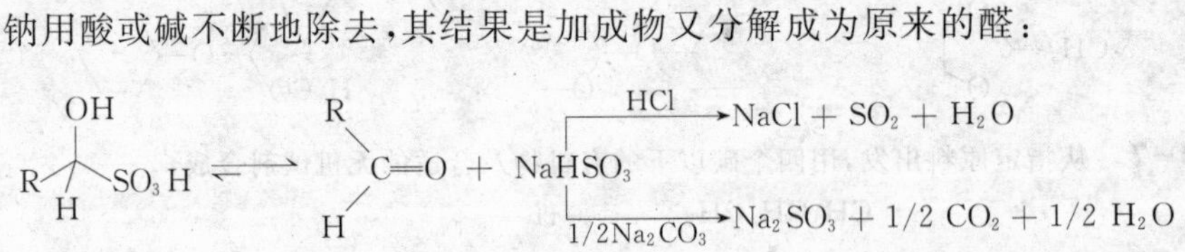

[反应式：
$$\begin{array}{l} \text{HCl} \rightarrow NaCl + SO_2 + H_2O \\ 1/2 Na_2CO_3 \rightarrow Na_2SO_3 + 1/2 CO_2 + 1/2 H_2O \end{array}$$]

醛能顺利进行上述反应，酮能否进行此反应取决于它的结构，一般来说，甲基酮能发生此加成反应。但只要把甲基换成乙基后，就不能发生反应或反应很少。例如丙酮在一小时内，产率是56.2%，丁酮 36.4%，而 3-戊酮就只有 2%。苯基对这个反应的空间位阻作用很大，如苯乙酮，虽有一个小的 CH_3 基团，但产率也只有 1%。所以这个反应对芳香族的酮没有什么用途，但可以用来分离醛和某些酮。

比较 3-戊酮和环己酮与亚硫酸氢钠的加成反应,发现一个很有意思的问题,就是一经成环后,加成物的产率大大增加:

3-戊酮　　　　　　环己酮
产率 2%　　　　　产率 35%

这是由于成环后,羰基上的两个基团的自由运动受到限制,因此空间位阻减小,而使产量增加。这两者的关系和乙醚与四氢呋喃的关系类似,后者是一个更强的金属络合剂。这个反应是一个放热反应。环酮的反应性:三元环>四元环>五元环,这是由于张力大,有利于反应,但六元环又快于五元环。

在 12.4.2/2 中曾讨论 C=O 与 HCN 加成可得 α-羟腈,但使用 HCN 毒性较大,欲避免直接使用,一个变通的方法,就是用 C=O 与 $NaHSO_3$ 加成,然后加入 NaCN(等物质的量)。例如:

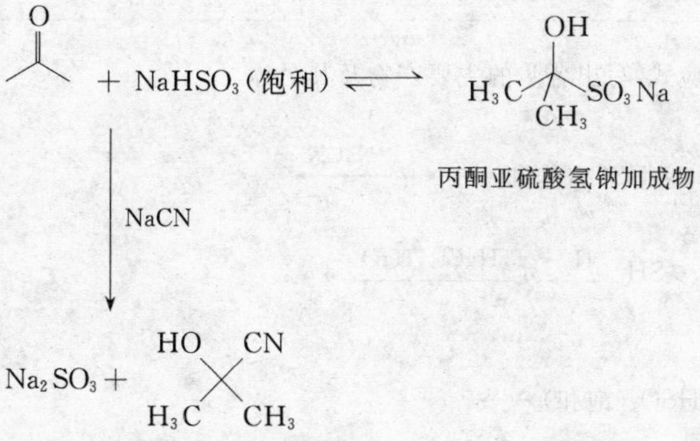

丙酮亚硫酸氢钠加成物

NaCN

Na_2SO_3 +

2-甲基-2-羟基丙腈

这是由于 NaCN 与平衡体系中未反应的 $NaHSO_3$ 发生反应,使反应平衡向左,同时产生 HCN,HCN 再与丙酮发生反应而得到 2-甲基-2-羟基丙腈。

2. 与硫醇(RSH)加成

硫醇性质与醇类似,可用卤代烷与硫氢化钠作用得到:

$$RX + NaSH \longrightarrow RSH + NaX$$

硫醇比相应的醇活泼,加成的能力更强。乙二硫醇和醛、酮在室温下就可反应,生成缩硫醛、缩硫酮:

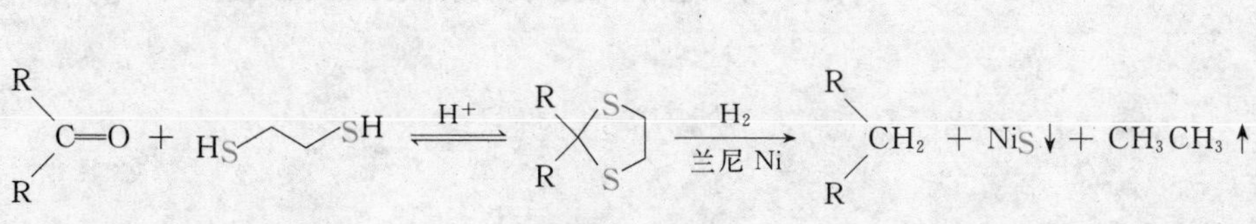

乙二硫醇　　　　　　缩硫酮

缩硫醛、缩硫酮很难分解变为原来的醛和酮,因此作为保护羰基使用,没有什么价值。但它有一个很重要的用途,就是在吸附了氢的兰尼镍作用下,很容易把两个硫去掉,总的结果是原来羰基氧原子被两个氢原子取代,因此,这是一个经常使用的将羰基还原成亚甲基的简便方法。一般硫醇中用相对分子质量较小的烷基,使烷成为气体逸出。

如需将缩硫醛或缩硫酮恢复羰基结构,须用下列方法:

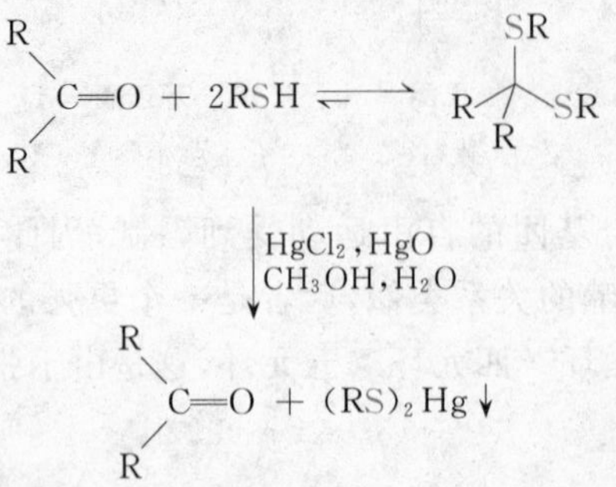

$$\begin{array}{c} R \\ \diagdown \\ C=O \ + \ 2RSH \ \Longrightarrow \ R-\overset{\displaystyle SR}{\underset{\displaystyle R}{C}}-SR \\ \diagup \\ R \end{array}$$

$$\Bigg\downarrow \begin{array}{l} HgCl_2, HgO \\ CH_3OH, H_2O \end{array}$$

$$\begin{array}{c} R \\ \diagdown \\ C=O \ + \ (RS)_2Hg\!\downarrow \\ \diagup \\ R \end{array}$$

因为羰基化合物和硫醇形成缩硫醛(酮)的反应也是平衡反应,但平衡有利于缩硫醛(酮)。Hg^{2+} 能与反应体系中极微量的硫醇反应,形成 $(RS)_2Hg$ 沉淀,这样才移动了平衡,又恢复为羰基化合物。

习题 12-9　完成反应式,写出各步的主要产物及其名称。

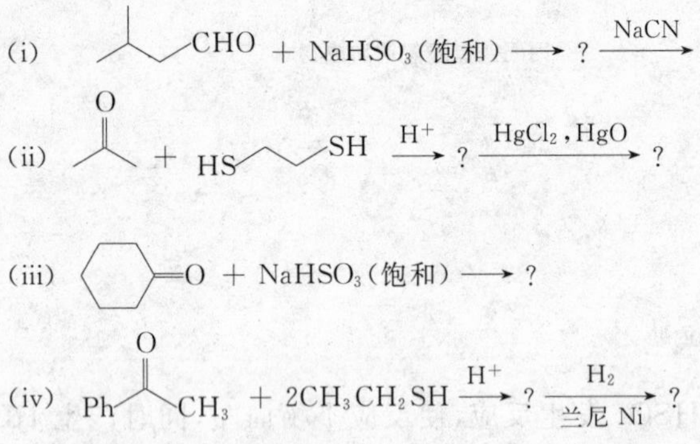

(i)　　∨∨CHO + NaHSO₃(饱和) ⟶ ? $\xrightarrow{NaCN}$

(ii)　　（丙酮）+ HS⌒SH $\xrightarrow{H^+}$? $\xrightarrow{HgCl_2, HgO}$?

(iii)　（环己酮）O + NaHSO₃(饱和) ⟶ ?

(iv)　Ph—CO—CH₃ + 2CH₃CH₂SH $\xrightarrow{H^+}$? $\xrightarrow[\text{兰尼 Ni}]{H_2}$?

习题 12-10　查阅下列化合物的沸点并提出分离提纯这些化合物的合理方案。

$CH_3(CH_2)_3CHO, CH_3CH_2OH, CH_3(CH_2)_2CH\!=\!CH_2, CH_3CH_2CH_2CH_2Cl$

12.5　α, β-不饱和醛、酮的加成反应

12.5.1　α, β-不饱和醛、酮加成反应的分类

共轭不饱和醛、酮(conjugated unsaturated aldehyde and ketone)在结构上有一个特点,就是

1，2－之间的碳氧双键和 3，4－之间的碳碳双键形成一个 1，4－共轭体系，如 5，6－之间还有双键，就形成一个 1，6－共轭体系。试剂和 α、β－不饱和醛、酮发生加成反应时，可以发生碳碳双键上的亲电加成（1，2－加成）、碳氧双键上的亲核加成（1，2－加成）和 1，4－共轭体系加成三种不同的反应。

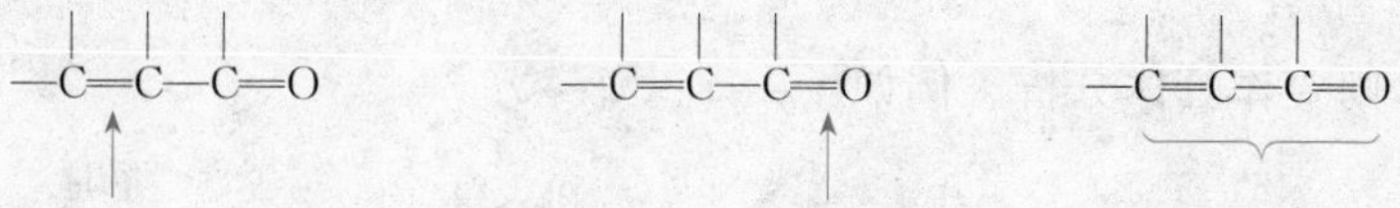

碳碳双键上的亲电加成　　　碳氧双键上的亲核加成　　　1，4－共轭加成

一般来讲，卤素和次卤酸与 α、β－不饱和醛、酮反应时，只在碳碳双键上发生亲电加成（参见 8.4.2，8.4.5），如：

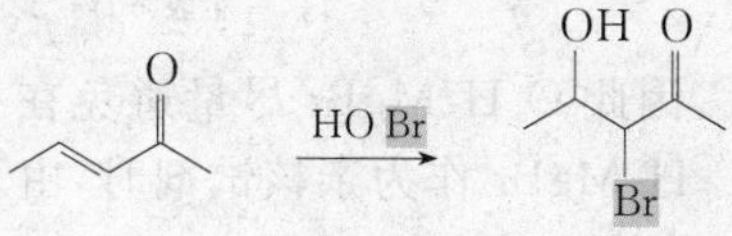

而氨和氨的衍生物，HX、H_2SO_4、HCN 等质子酸，H_2O 或 ROH 在酸催化下与 α、β－不饱和醛、酮的加成反应通常以 1，4－共轭加成为主。例如：

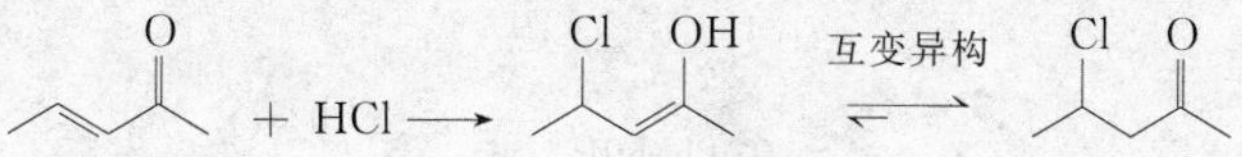

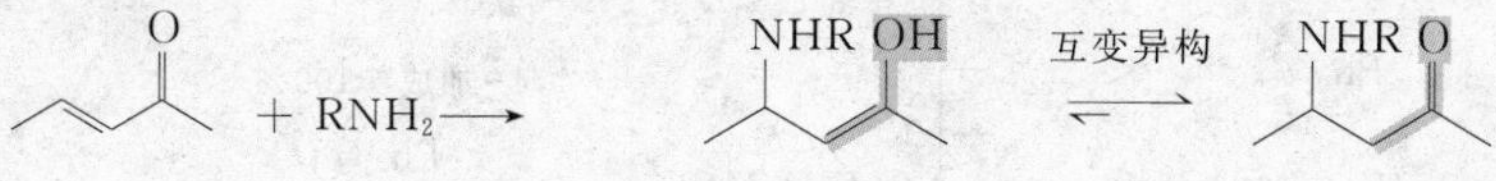

有机金属化合物与 α，β－不饱和醛、酮反应时，既可以发生 1，2－亲核加成，也可以发生 1，4－亲核加成，到底以什么反应为主，这与羰基旁的基团大小有关，也与试剂的空间位阻大小有关。醛羰基旁的空阻很小，因此它与烃基锂、格氏试剂反应时主要以 1，2－亲核加成为主。例如：

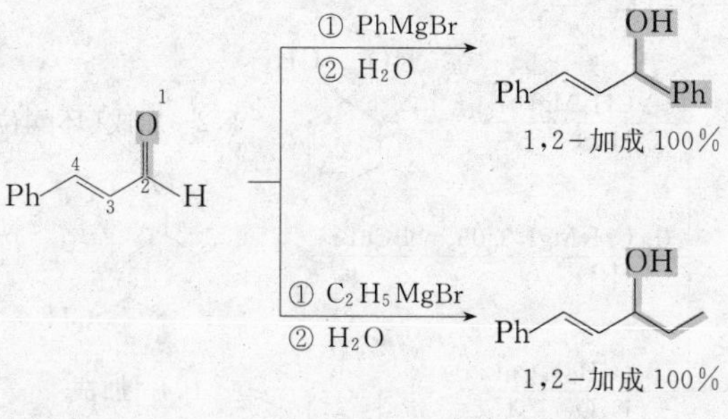

而空阻大的二烃基铜锂则与醛发生 1，4－共轭加成。

α,β-不饱和酮与有机锂试剂反应,主要得 1,2-亲核加成产物。例如:

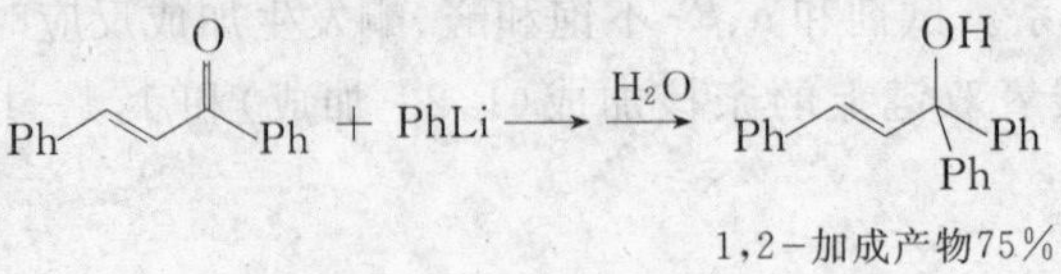

1,2-加成产物 75%

与格氏试剂反应,则要作具体分析。例如:

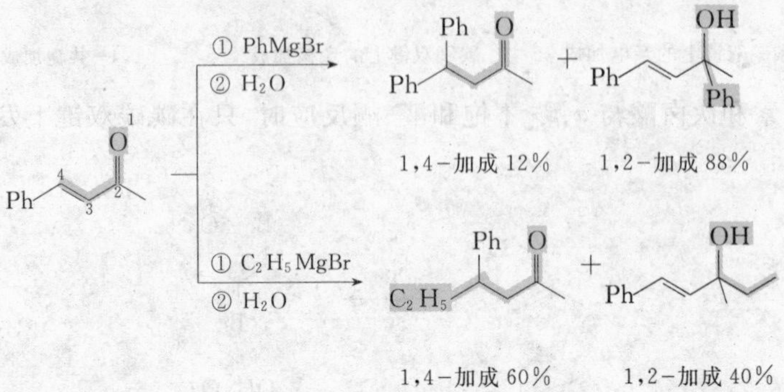

1,4-加成 12%　　1,2-加成 88%

1,4-加成 60%　　1,2-加成 40%

试剂 C_6H_5— 的位阻比 —C_2H_5 大,因此 C_6H_5MgBr 尽量避免在有大的基团的 4 位上反应,所以 1,2-加成产物是主要产物。而 C_2H_5MgBr 作为亲核试剂时,由于 C_2H_5 的空阻比 C_6H_5 小,结果 1,4-加成产物是主要产物。

　　如果一个 α,β-不饱和酮的羰基和一个很大的基团如三级丁基相连,无论用哪一种格氏试剂,都得到 1,4-加成产物:

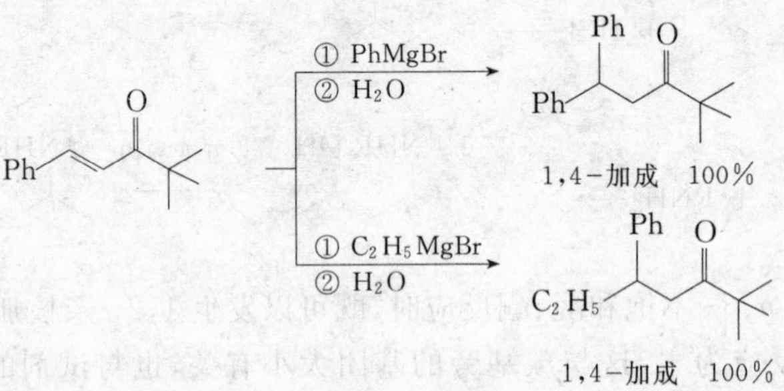

1,4-加成　100%

1,4-加成　100%

　　为了得到 1,4-加成产物,有一种常用的方法是在与格氏试剂的加成反应中加入 ~0.05 mol 卤化亚铜,或用二烃基铜锂进行反应:

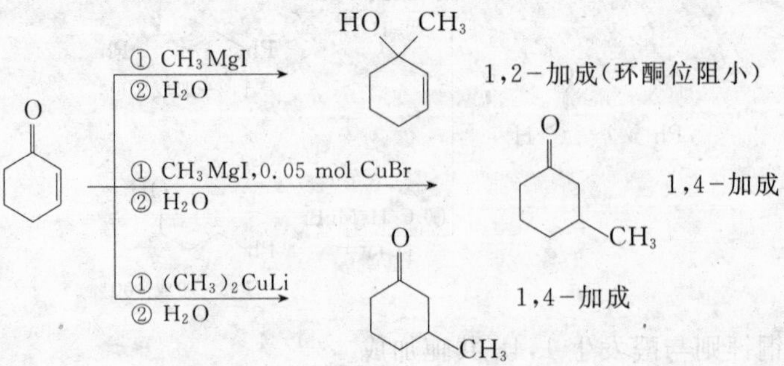

1,2-加成(环酮位阻小)

1,4-加成

1,4-加成

在有机合成中,往往希望得到产率较高的某一种产物,而不是混合物,因此需要选择合适的试剂。

12.5.2 1,4-共轭加成的反应机理

1. 酸性条件下共轭加成的反应机理

1,4-共轭加成可以在酸催化下进行,也可以在碱性条件下进行。在酸催化下的反应机理如下:

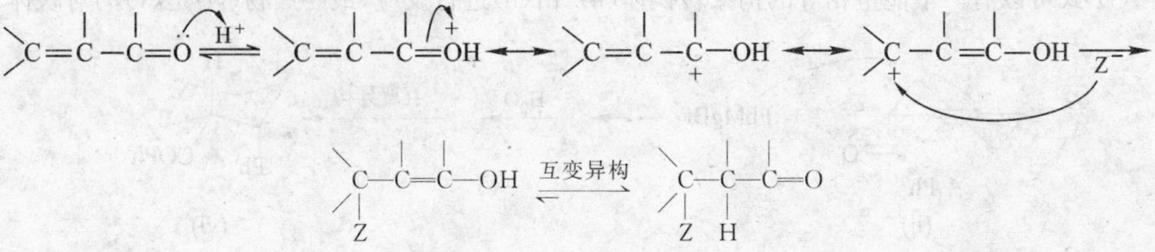

1,4-加成产物

首先质子与羰基氧结合,C＝O π 键异裂,产生一个烯丙基型的碳正离子离域体系,然后亲核试剂与带正电荷的 β 碳原子结合形成 1,4-加成产物。产物烯醇不稳定,互变异构为酮式(ketone form)结构。

2. 碱性条件下共轭加成的反应机理

在碱性条件下的反应机理如下:

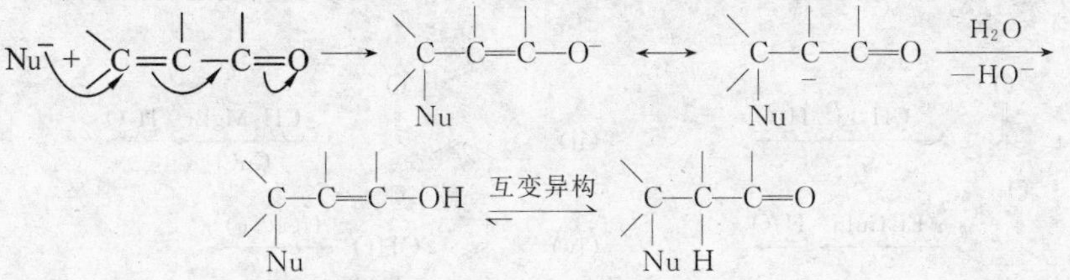

1,4-加成产物

由于羰基的吸电子作用,β 碳上带有正电性。首先亲核试剂进攻 β 碳,α,β 碳之间的双键异裂,产生一个烯丙基型的烯醇负离子(enolate ion)离域体系,一个正性基团与负氧原子结合,形成 1,4-加成产物。若正性基团是质子,则 1,4-加成产物同样可以由烯醇式(enol form)转变成酮式。

3. 1,4-共轭加成的立体化学

若羰基与环己烯的碳碳双键共轭,则加成时还应考虑构象稳定性。例如:

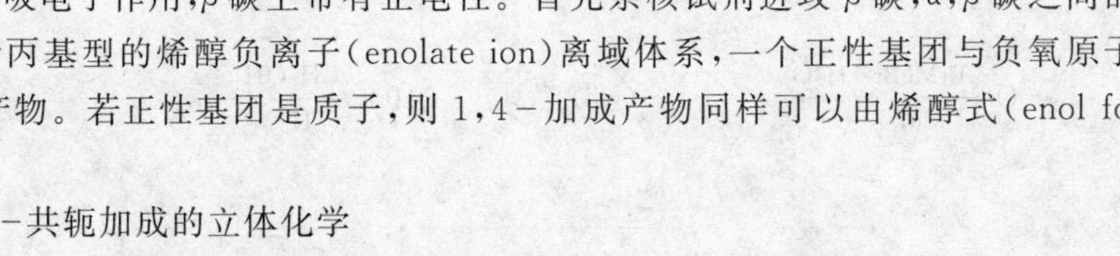

首先是 PhMgBr 中的 Ph⁻进行亲核的共轭加成,然后 ⁺MgBr 与共轭体系中的氧负原子结合。水解后形成烯醇,再互变异构得酮式结构。最终的结果,Ph 与 H 总是处于反式,这是因为在互变异构时,H 取直立键方向进攻可以得到热力学稳定的产物。

(i) 式可以有一个能量相等的构象转换体(ii),由(ii)进行反应,最终产物(vi)是(v)的对映体。

所以该反应得到一对外消旋的反式加成产物。

习题 12-11　完成下列反应,写出主要产物,并指出此反应是亲核加成还是亲电加成,1,2-加成还是 1,4-加成。

12.5.3　Michael 加成反应

一个能提供亲核碳负离子的化合物(称为给体)与一个能提供亲电共轭体系的化合物,如 α, β-不饱和醛、酮、酯、腈、硝基化合物等(称为受体)在碱性催化剂作用下,发生亲核 1,4-共轭加成反应,称为 Michael(麦克尔)加成反应。Michael 加成反应的一般式如下:

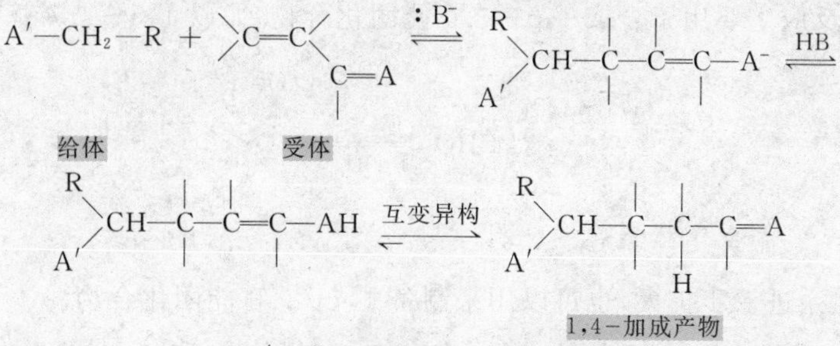

$$A'-CH_2-R + \begin{array}{c} \\ \end{array} C=C \begin{array}{c} \\ \\ C=A \end{array} \xrightarrow{:B^-} \begin{array}{c} R \\ \\ A' \end{array} CH-\begin{array}{c} | \\ C \\ | \end{array}-\begin{array}{c} | \\ C \\ | \end{array}=C-A^- \xrightleftharpoons{HB}$$

给体　　　　　　　受体

$$\begin{array}{c} R \\ \\ A' \end{array} CH-\begin{array}{c} | \\ C \\ | \end{array}-\begin{array}{c} | \\ C \\ | \end{array}=C-AH \xrightleftharpoons{互变异构} \begin{array}{c} R \\ \\ A' \end{array} CH-\begin{array}{c} | \\ C \\ | \end{array}-\begin{array}{c} | \\ C \\ | \end{array}-\begin{array}{c} | \\ C \\ | H \end{array}=A$$

1,4-加成产物

A，A'＝醛基，酮基，酯基，硝基，氰基等

常用的催化量的碱有三乙胺、六氢吡啶、氢氧化钠（钾）、乙醇钠、三级丁醇钾、氨基钠及四级铵碱等。反应是可逆的，提高温度对逆反应有利。

　　Michael 加成反应的机理以丙二酸二乙酯与甲基乙烯基酮在乙醇钠的作用下的反应为例表述如下：

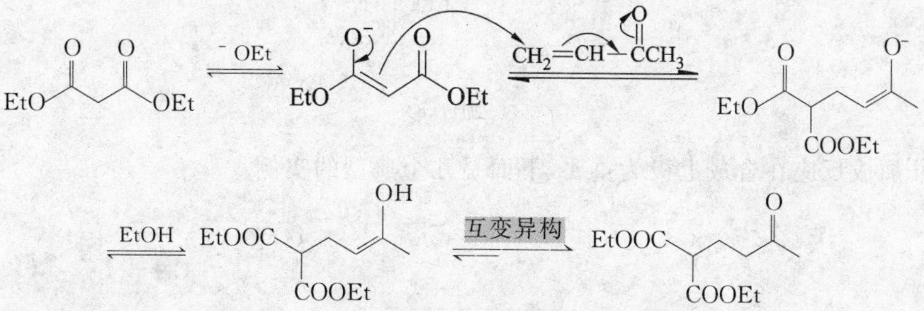

首先是碱夺取碳上的活泼氢，生成一个碳负离子，然后碳负离子与受体发生 1,4-共轭加成，形成的加成物从溶剂中夺取一个质子形成烯醇，再互变异构形成最终产物。

　　不对称酮在进行 Michael 加成反应时，反应主要在多取代的 α 碳上发生。

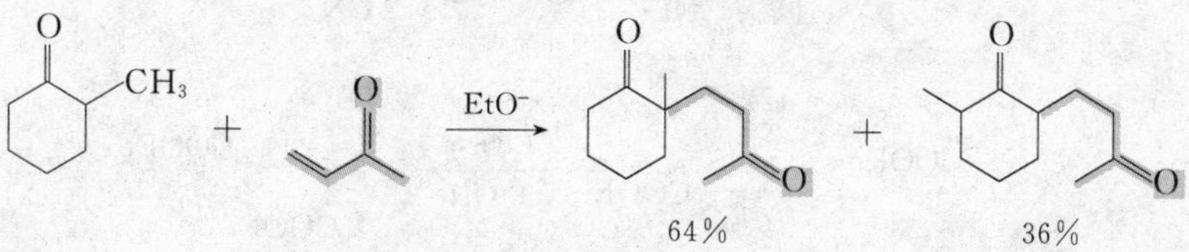

用 β-卤代乙烯酮或 β-卤代乙烯酸酯作为 Michael 反应的受体时，反应后，双键保持原来的构型。

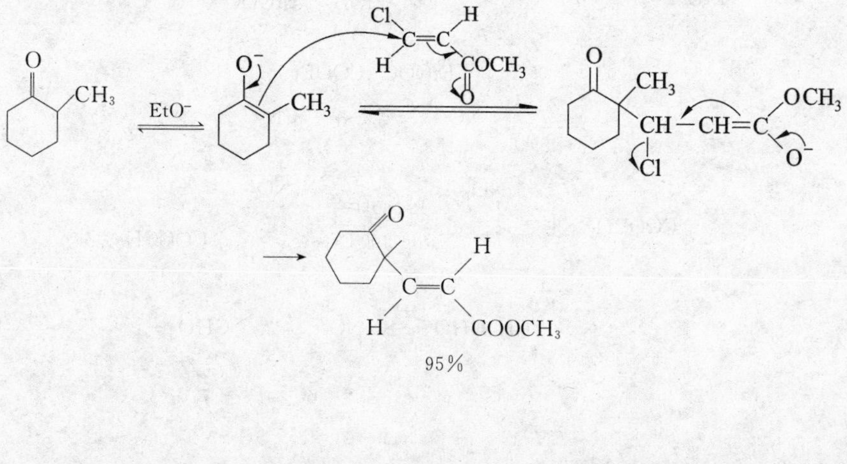

95%

Michael 加成反应主要用于合成 1,5-二官能团化合物,尤以 1,5-二羰基化合物为多。

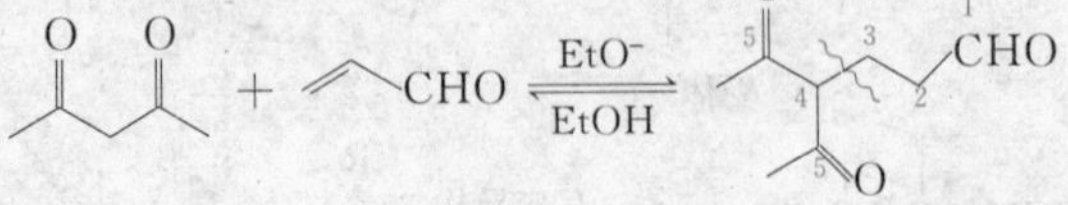

给体　　　　　　受体　　　　　　　　　1,5-二羰基化合物

但若受体的共轭体系进一步扩大,也可以用来制备 1,7-二官能团化合物。

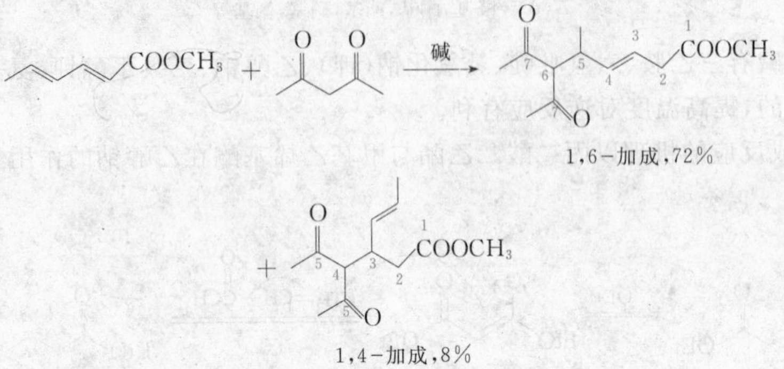

1,6-加成,72%

1,4-加成,8%

Michael 加成反应在合成上极为重要,下面是几个典型的实例:

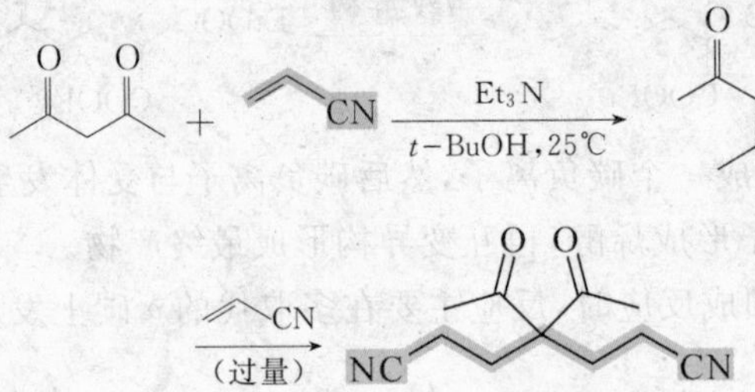

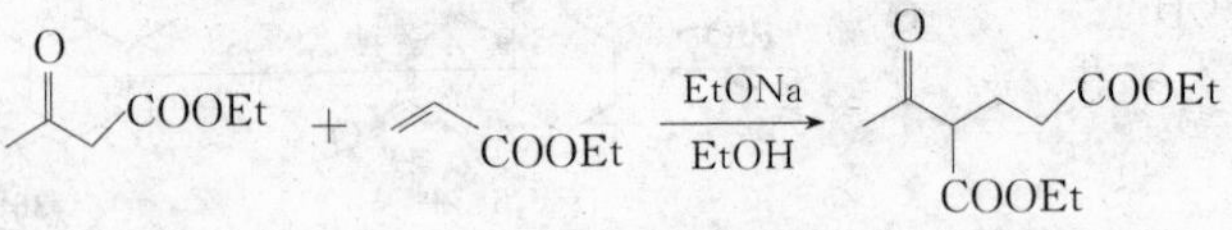

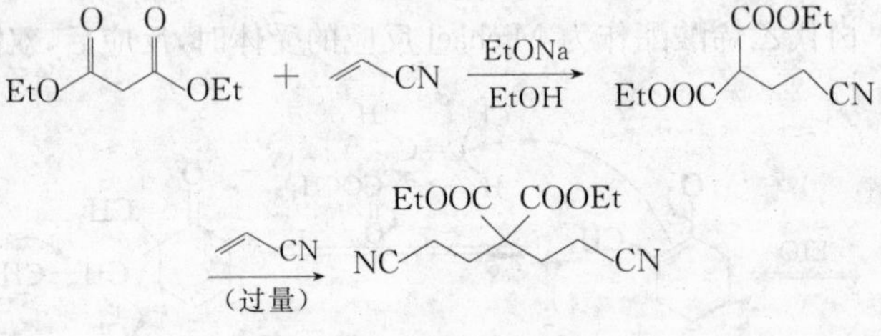

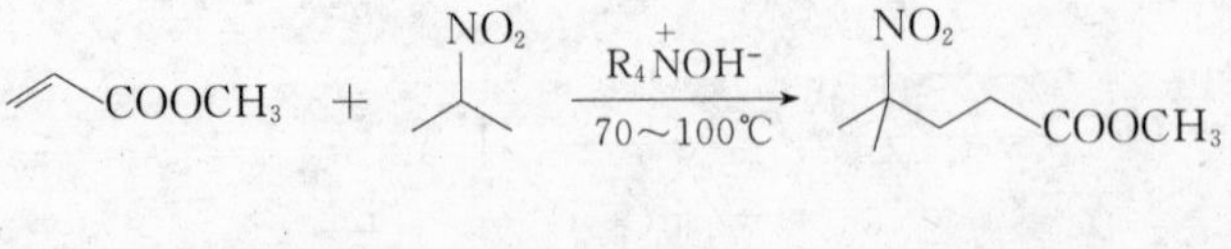

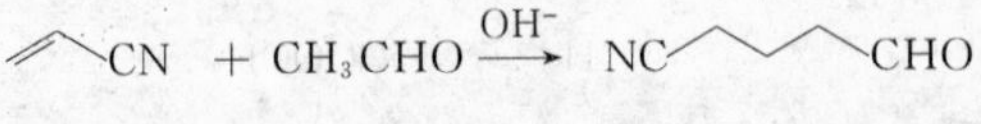

习题 12−12 写出下列反应的主要产物及相应的反应机理。

(i)

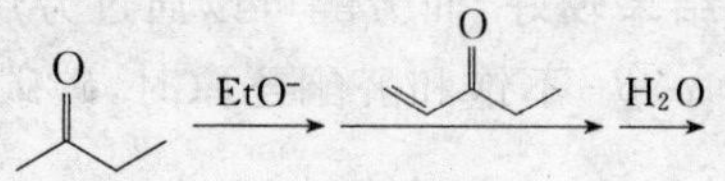

$$\text{CH}_3\text{COCH}_2\text{CH}_3 \xrightarrow{\text{EtO}^-} \qquad \xrightarrow{\text{H}_2\text{O}}$$

(ii)

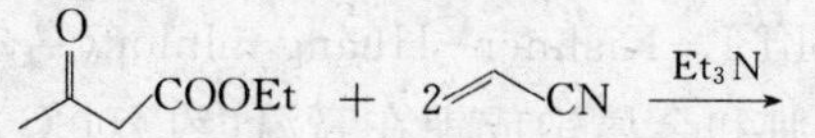

$$\text{CH}_3\text{CO}\text{CH}_2\text{COOEt} \;+\; 2 \;\diagdown\!\!\diagup\text{CN} \xrightarrow{\text{Et}_3\text{N}}$$

(iii) 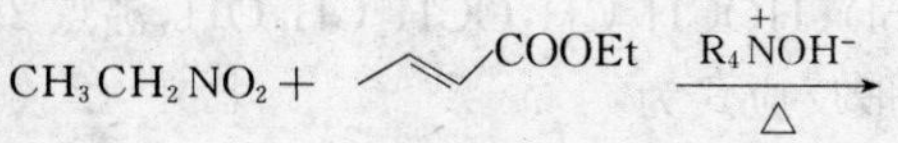 $\text{CH}_3\text{CH}_2\text{NO}_2 +$

$$\diagup\!\!\diagdown\text{COOEt} \xrightarrow[\triangle]{\text{R}_4\overset{+}{\text{N}}\text{OH}^-}$$

(iv)

$$\xrightarrow[\text{CH}_3\text{OH}]{\text{CH}_3\text{O}^-}$$

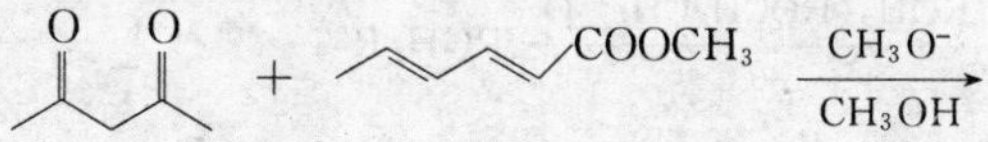

12.6 羰基的还原

醛、酮的羰基可以还原成亚甲基、CHOH 或双分子偶联还原生成频哪醇，下面分别讨论。

12.6.1 将羰基还原成亚甲基的反应

1. Clemmensen 还原法

醛或酮与锌汞齐和浓盐酸一起回流反应。醛或酮的羰基被还原成亚甲基，这个方法称为 Clemmensen 还原法。反应的一般式为：

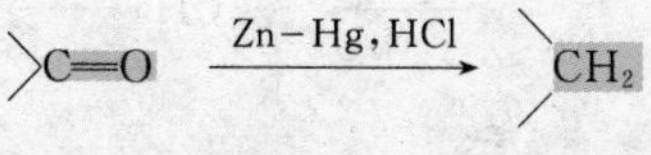

$$\diagup\!\!\diagup\text{C}=\text{O} \xrightarrow{\text{Zn}-\text{Hg, HCl}} \diagup\!\!\diagup\text{CH}_2$$

下面是两个实例：

$$\text{Ph}\text{COCH}_3 \xrightarrow[\triangle]{\text{Zn}-\text{Hg, HCl}} \text{PhCH}_2\text{CH}_3$$

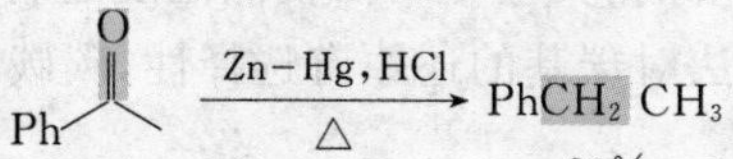

80%

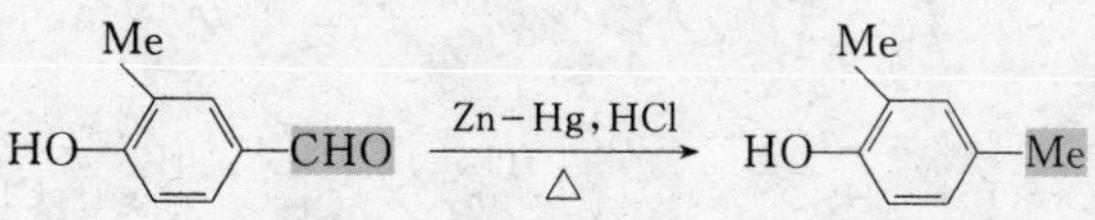

65%

锌汞齐(Zn-Hg)用锌粒与汞盐(HgCl₂)在稀盐酸溶液中反应制得,锌可以把 Hg²⁺ 还原为 Hg,然后 Hg 与锌在锌的表面上形成锌汞齐。还原反应是在被活化了的锌的表面上进行,这个反应的机理不是很简单的,还在进行研究。此法对于还原芳酮结果较好,而芳酮可以通过芳烃的傅-克酰基化反应制得。但此法只适用于对酸稳定的化合物。α、β-不饱和醛酮还原时,碳碳双键一起被还原。除 α、β-不饱和键外,一般对碳碳双键无影响。

2. Wolff L-Kishner-Huang minlon 还原法

对酸不稳定而对碱稳定的羰基化合物可以用 Wolff L-Kishner-Huang minlon(乌尔夫-凯惜纳-黄鸣龙)方法还原。原来的方法是将醛或酮与肼和金属钠或钾在高温(约 200℃)加热反应,缺点是由于高温,需要在高压或封管中进行,操作不方便,黄鸣龙将此法改进为不用封管而在一高沸点的溶剂如一缩二乙二醇(diethylene glycol)(HOCH₂CH₂OCH₂CH₂OH,沸点 245℃)中进行,用氢氧化钾代替金属钠,一同加热反应。一般反应式为

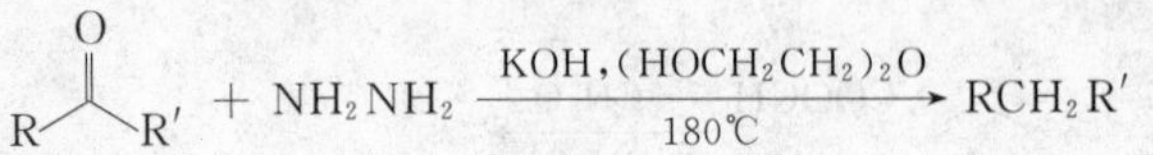

$$R-\underset{\underset{O}{\|}}{C}-R' + NH_2NH_2 \xrightarrow[180℃]{KOH,(HOCH_2CH_2)_2O} RCH_2R'$$

例如:

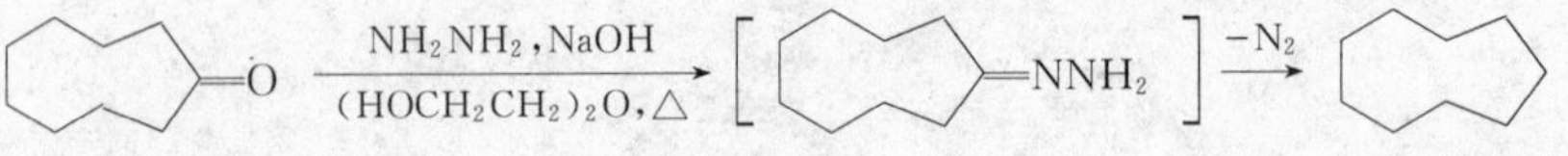

环壬烷 47%

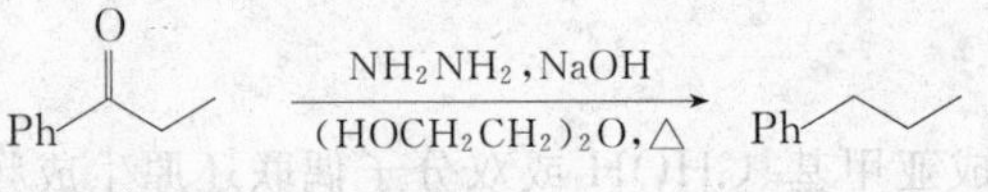

82%

反应机理如下:

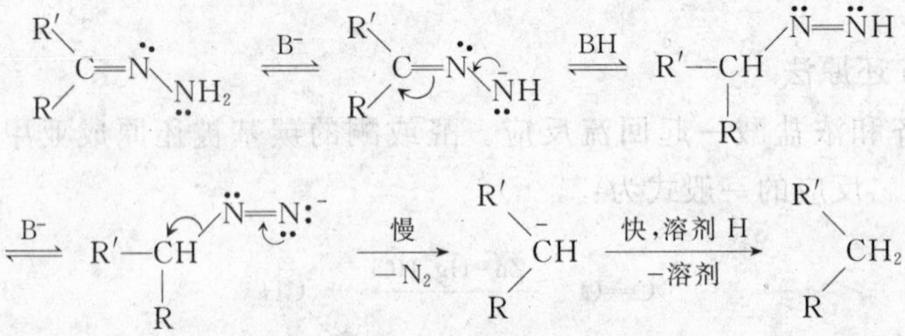

首先酮与肼反应成腙,然后在碱的作用下,双键位移,氮离去,碳负离子从溶剂中夺取质子。常用二甲亚砜(dimthyl sulfoxide)为溶剂,反应可以在较低温度进行。这一改进,可以大规模地进行还原,在工业上也很有价值。此法对羰基的还原有选择性,碳碳双键不受影响。

3. 缩硫酮氢解法

缩硫酮(dithioketal)氢解是在中性条件下将羰基还原成亚甲基的方法。

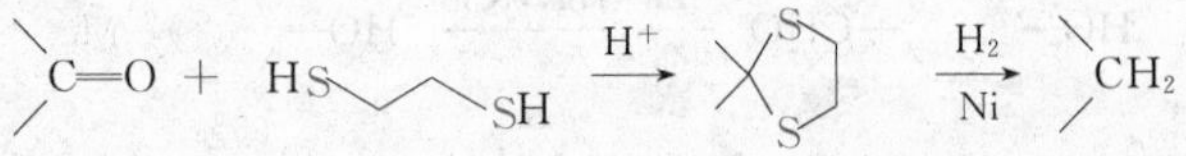

习题 12-13 完成下列反应,写出主要产物:

(i) $Ph\,CH=CH\,CHO$ $\xrightarrow[\triangle]{Zn-Hg,HCl}$

(ii) O_2N—C$_6$H$_4$—CO—CH$_3$ $\xrightarrow[\triangle]{Zn-Hg,HCl}$

(iii) $Ph-CO-CH_2CH_2-COOH$ $+\ NH_2NH_2$ $\xrightarrow[\sim 200℃]{NaOH,(HOCH_2)_2O}$ $\xrightarrow{H^+}$

(iv) $CH_3O-CH_2-C_6H_4-CO-CH_2CH_3$ $+\ NH_2NH_2$ $\xrightarrow[\sim 200℃]{NaOH,(HOCH_2)_2O}$

习题 12-14 从指定原料出发,用必要的有机及无机试剂合成:

(i) 由 苯—OEt 合成 EtO—C$_6$H$_4$—CH$_2$CH$_2$CH$_3$

(ii) 由 PhNMe$_2$ 合成 Me$_2$N—C$_6$H$_4$—CH$_2$CH(CH$_3$)$_2$

(iii) 由甲苯合成 CH$_3$—C$_6$H$_4$—CH$_2$CH$_2$CH$_2$—COOH

(iv) 由 PhCH$_2$Cl 合成 MeO—CH$_2$—C$_6$H$_4$—CH$_2$CH$_2$—OH

12.6.2　将羰基还原成 CHOH 的反应

1. 催化氢化

醛、酮在铂、钯、镍等催化剂作用下,很容易加氢还原。产物为相应的一级醇或二级醇:

$$R-CHO \xrightarrow[Pt,0.3\ MPa,25℃]{H_2} R-CH_2-OH$$

$$R-CO-R \xrightarrow[Pt,0.3\ MPa,25℃]{H_2} R-CH(OH)-R$$

有些反应需加温、加压,或用特殊催化剂进行,最常用的溶剂为醇、酸等。

羰基两旁的环境不同,如下列化合物,羰基的内型方向与大的基团 C(4)-C(5)靠近,位阻较大;羰基的外型方向位阻较小。催化剂从位阻较小的一侧接近羰基,被吸附后顺式加氢,形成羟基直立取向的异构体:

习题 12-15 完成下列反应,写出主要产物(注意立体构型)。

用催化氢化法还原不饱和醛、酮时,当碳碳双键与羰基不共轭时,基团的还原活性为 RCHO $>$ C=C $>$ R$_2$C=O ,当两者共轭时,通常是先还原碳碳双键,再还原羰基。例如:

2. 用氢化金属化合物还原

最常用的有氢化铝锂和硼氢化钠。

(1)用氢化铝锂还原 氢化铝锂能产生氢负离子,并与羰基碳原子结合,形成醇盐(alcoholate),经水解得醇。氢化铝锂在水中会分解,在醚中稳定,所以反应一般在醚中进行。

该还原反应的机理如下:

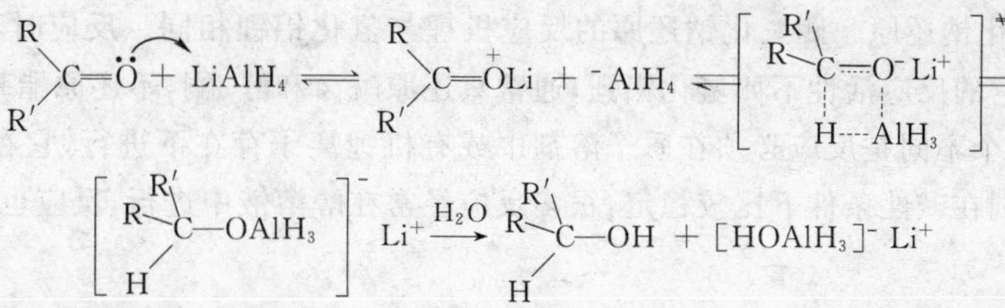

$$R \atop R \!\!\diagdown\!\! C\!\!=\!\!\ddot{O} + LiAlH_4 \rightleftharpoons {R \atop R}\!\!\diagdown\!\! C\!\!=\!\!^+OLi + {}^-AlH_4 \rightleftharpoons \left[{R' \atop R}\!\!\diagdown\!\! {C\!\!-\!\!O^-Li^+ \atop H\cdots AlH_3} \right]^*$$

$$\left[{R' \atop R}\!\!\diagdown\!\! {C\!\!-\!\!OAlH_3 \atop H} \right]^- Li^+ \xrightarrow{H_2O} {R' \atop R}\!\!\diagdown\!\! {C\!\!-\!\!OH \atop H} + [HOAlH_3]^- Li^+$$

首先,试剂与羰基络合,然后 AlH_4^- 作为唯一的进攻试剂,经过一个四元环状过渡态将一个氢负离子转移到碳上形成醇盐,醇盐经水解得醇。氢化铝锂分子中的每一个氢都能进行反应。

如果羰基两旁的立体环境不同时,还原有两种方式,如

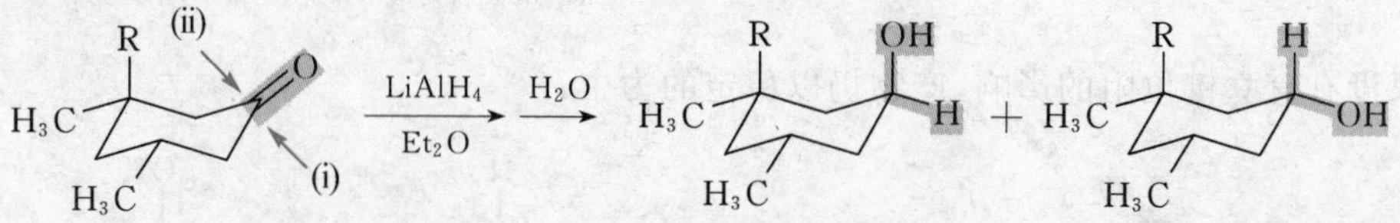

(i)
位阻较小,对试剂接近有利

(ii)
产物稳定

如按(i)的方式进行反应,位阻较小,对试剂接近有利,但产物中羟基占直立键;如按(ii)的方式进行反应,有一个直立键 R,位阻较大,不利于试剂接近,但产物是具有平伏键的醇,比较稳定。总的来说,环上取代基 R 愈大,按(i)方式反应就较多,当羰基两旁的立体环境差不多时,主要为较稳定的产物。如

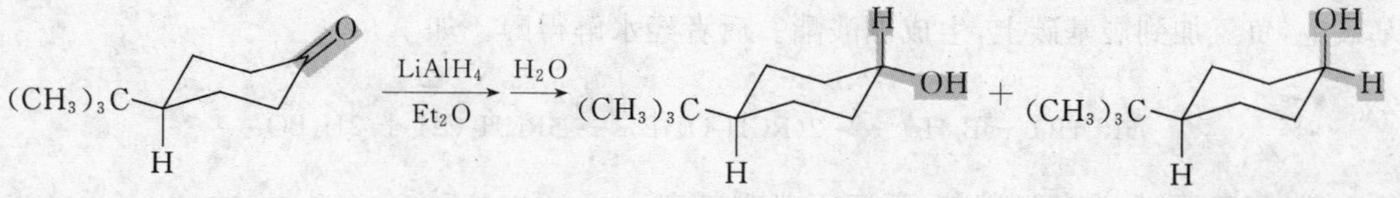

88%   12%

当羰基和一个手性中心连接时,反应符合 Cram 规则,如(S)-3-苯基-2-丁酮与氢化铝锂反应时:

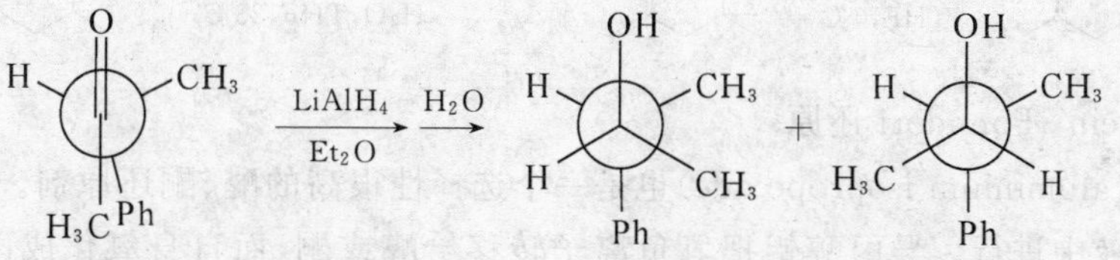

(S)-3-苯基-2-丁酮

2.5
主要产物

1
次要产物

氢化铝锂能还原很多其它基团(参看 14.5.2),用烷氧基取代的氢化铝锂,由于降低了反应活性,可以选择性地进行还原,能被氢化铝锂还原的酯基,如用三(三级丁氧基)氢化铝锂则不被还原(参看 14.5.2)。例如下列反应中能选择性地还原酮羰基而不还原酯基:

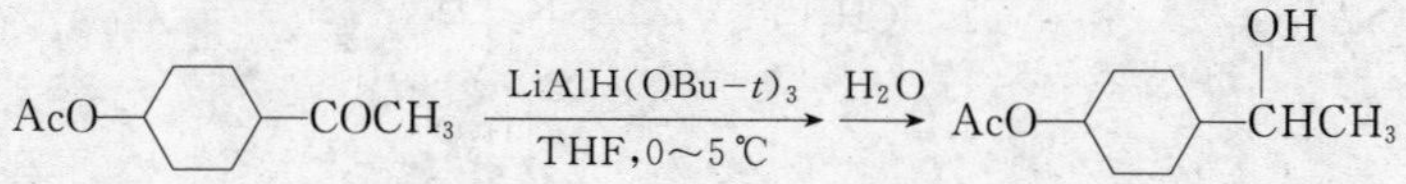

　　（2）用硼氢化钠还原　　硼氢化钠还原的反应机理与氢化铝锂相同。反应时，BH_4^- 也是唯一的进攻试剂，但它的反应活性不如氢化铝锂，通常只还原酰卤和醛、酮，不还原酯基及其它易还原的化合物。另一个不同是反应必须在质子溶剂中或有机锂离子存在下进行，它在水及醇中有一定的稳定性，特别在碱性条件下比较稳定，很多反应经常在醇溶液中进行，反应也有立体选择性，如

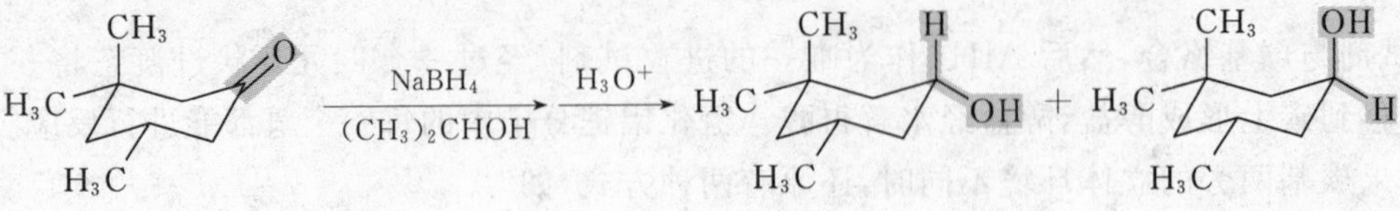

（i）36%　　　　　（ii）64%

如果没有直立键位阻的影响，产物仍以稳定的为主：

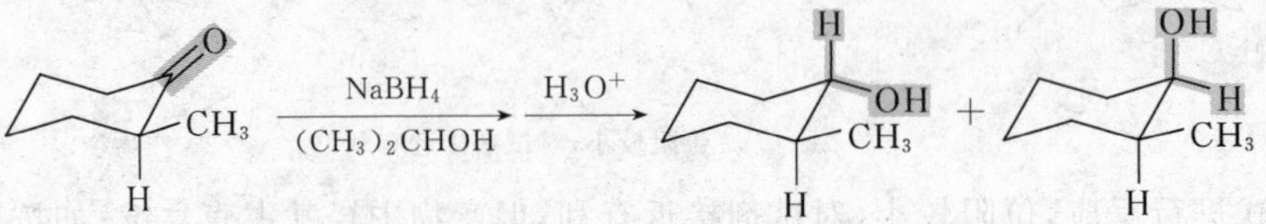

69%　　　　　31%
羟基为平伏键，稳定

3. 用乙硼烷还原

　　乙硼烷与醛、酮的反应机理与乙硼烷同碳碳双键加成的机理相似，反应的结果是硼原子加到羰基氧上，负氢加到羰基碳上，生成硼酸酯。后者经水解得醇。如

$$6RCHO + B_2H_6 \longrightarrow 2(RCH_2O)_3B \xrightarrow{H_2O} 6RCH_2OH + 2H_3BO_3$$

不饱和醛、酮还原时，先还原羰基，再还原碳碳双键。

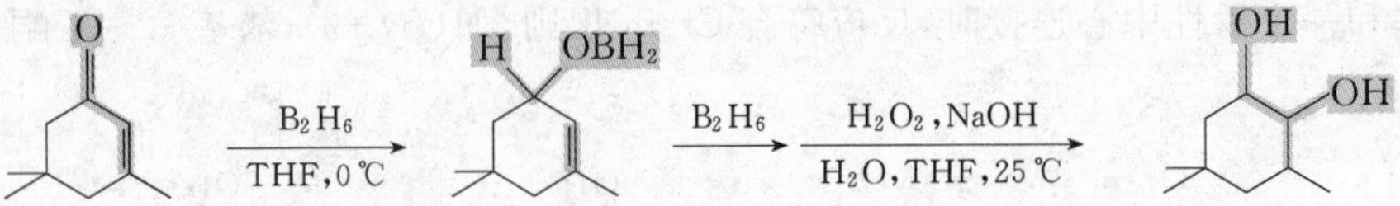

4. Meerwein-Ponndorf 还原

　　异丙醇铝（aluminium isopropoxide）也是一个选择性很高的醛、酮还原剂。这个反应一般是在苯或甲苯溶液中进行。异丙醇铝把氢负离子转移给醛或酮，而自身氧化成丙酮，随着反应进行，把丙酮蒸出来，使反应朝产物方面进行。这相当于前面讨论过的 Oppenauer 醇的氧化（参看 10.7.4）的逆向反应，叫做 Meerwein-Ponndorf（麦尔外因—彭杜尔夫）反应。

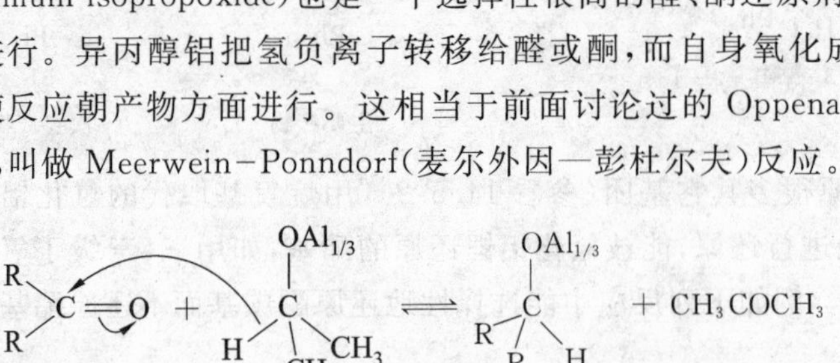

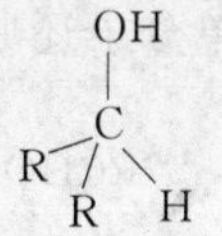

假如在反应中加入过量的异丙醇，新生成的醇铝可以和异丙醇交换，再生成异丙醇铝，进行还原。因此只要使用催化量的异丙醇铝就可完成反应。某些其它的醇铝也可进行同样的反应，但是用异丙醇铝有一个优点，就是产生出来的丙酮容易蒸出，同时也比较稳定，不容易发生其它的反应。这个还原剂的优点就是在还原不饱和羰基化合物时，特别顺利，例如巴豆醛用此法还原，可以得到60%产量的巴豆醇；另一个优点是易被还原的硝基可以在反应中不发生变化，例如在生产氯霉素时，只把羰基还原成二级醇，而苯环上的硝基保持不变：

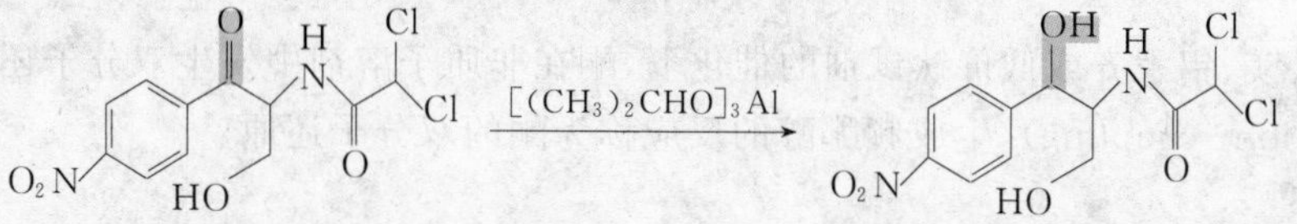

异丙醇铝在高温下，经过两次氢负离子的转移，可以将羰基还原成为亚甲基。实验证明下列的化合物可以用此法还原，得到产量很高的产物：

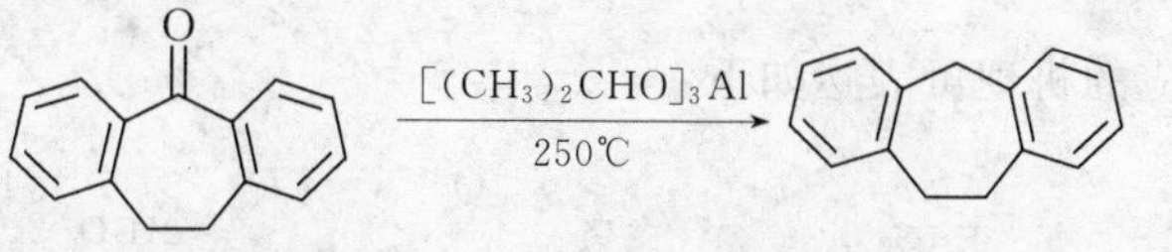

习题 12-16 预测下列反应的主要产物：

(i) 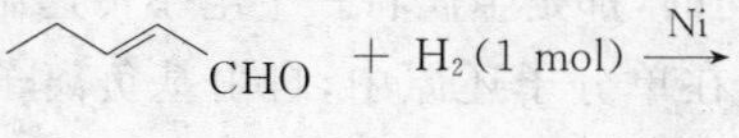

(ii) 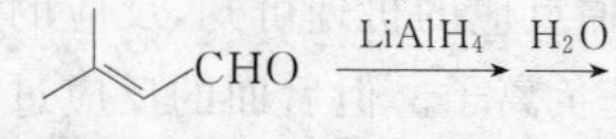

(iii) 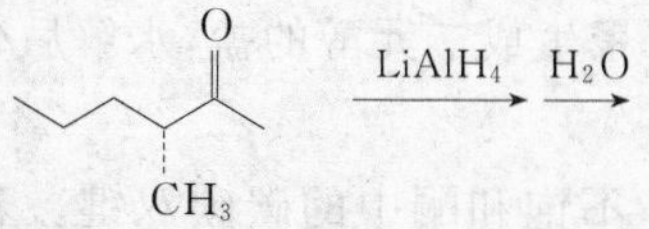

(iv) 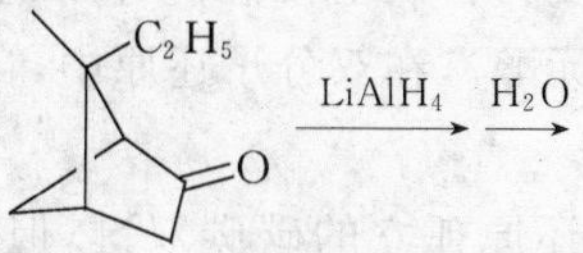

(v) 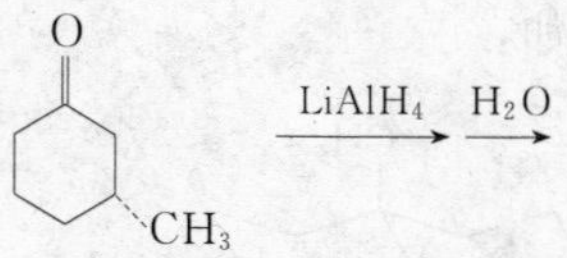

(vi) 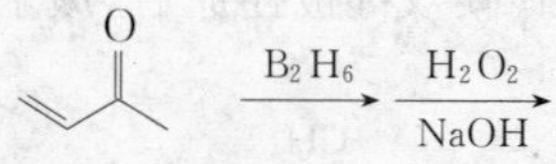

(vii) 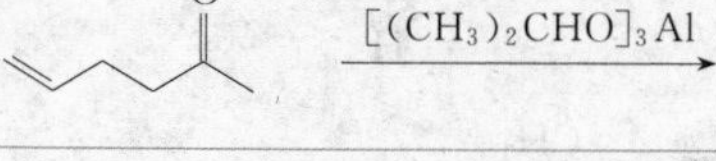

12.6.3 用活泼金属的单分子还原和双分子还原

用活泼金属如钠、铝、镁和酸、碱、水、醇等作用，可以顺利地将醛还原为一级醇，将酮还原为二级醇。这是醛、酮用活泼金属的单分子还原(unimolecular reduction)。

$$RCHO \xrightarrow[HA]{M} RCH_2OH$$

反应机理可表述如下：

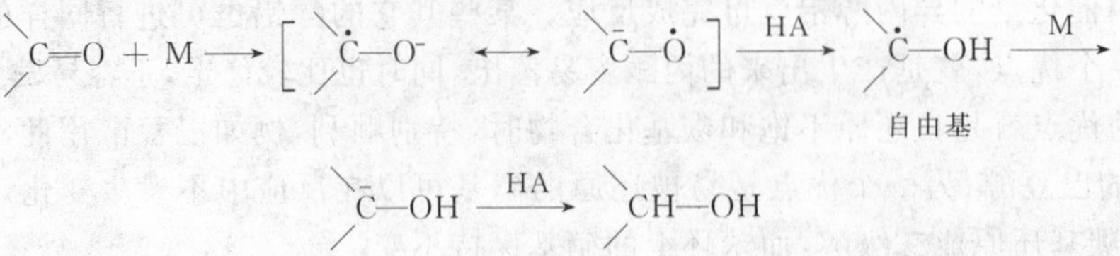

自由基

负离子

在钠、铝、镁、铝汞齐或低价钛试剂的催化下，酮在非质子溶剂中发生双分子还原偶联(bimolecular reduction-coupling)，生成频哪醇的反应称为酮的双分子还原。

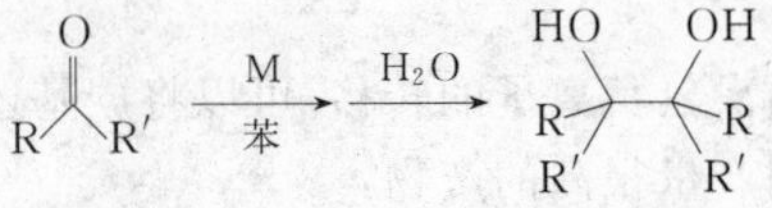

频哪醇

酮双分子还原反应的机理可表达如下：

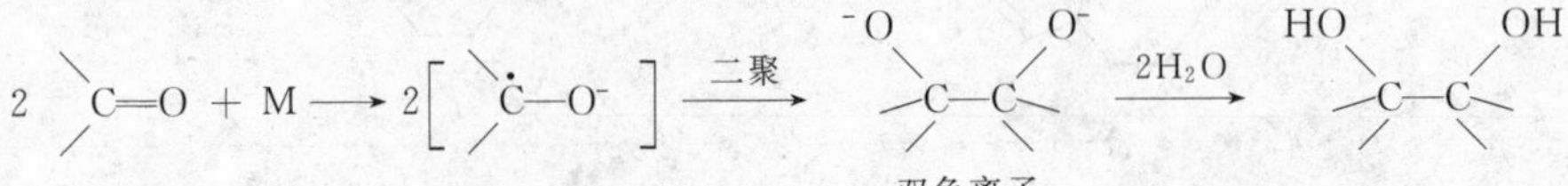

自由基负离子

双负离子

对比两种还原反应的机理可知，反应的第一步是相同的，都是金属将一个电子传递给被还原的酮，生成自由基负离子。但后面的反应过程是不同的，在单分子还原中，自由基负离子从质子溶剂中夺取质子转变为自由基，自由基再从金属处得到一个电子转变为负离子，后者再次从溶剂中夺取质子生成一元醇。在双分子还原中，自由基负离子二聚生成二元醇的盐，水解后得到乙二醇的衍生物。

活泼金属不能还原孤立的碳碳双键，但可以还原 α,β-不饱和酮中的碳碳双键。若试剂过量，继共轭体系中的碳碳双键被还原后，羰基能继续被还原。例如：

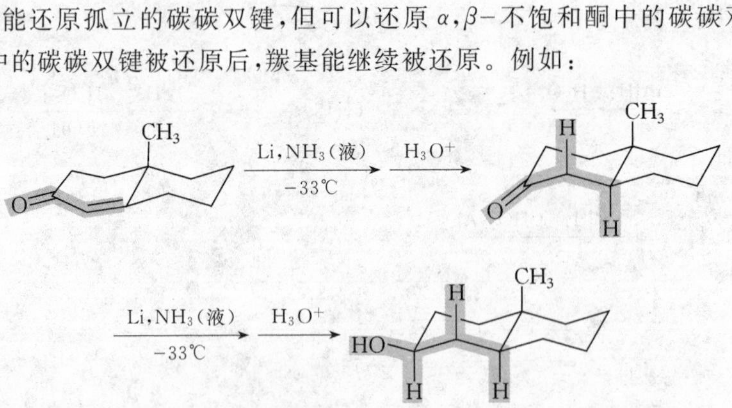

共轭体系中碳碳双键被还原的过程如下：

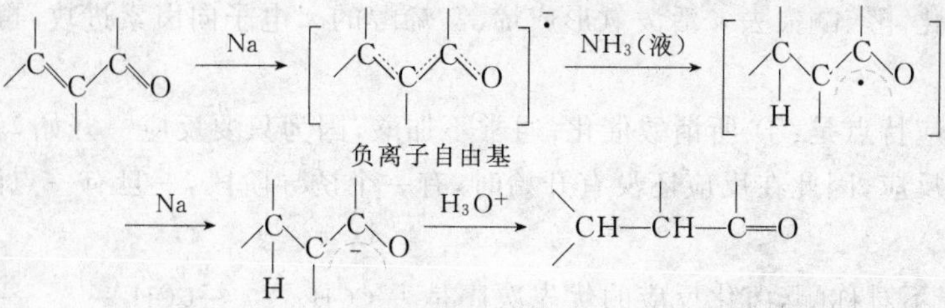

负离子自由基

Na 提供电子,形成负离子自由基,再从 NH_3 得到质子,如此反复二次,与 C=O 共轭的 C=C 被还原。

习题 12-17 写出 3-甲基-2-环己烯酮与下列试剂反应的主要产物:

(i) H_2,Pd-C,C_2H_5OH (ii) $LiAlH_4$,乙醚,然后 H_2O

(iii) Mg 惰性溶剂,然后 H_3O^+ (iv) $NaBH_4$,C_2H_5OH 然后 H_2O

习题 12-18 完成下列反应,写出主要产物:

(i)

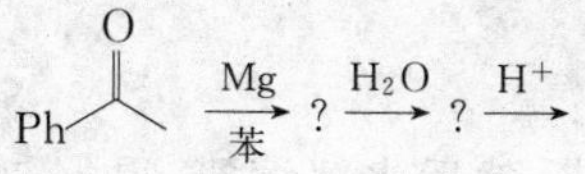

(ii)

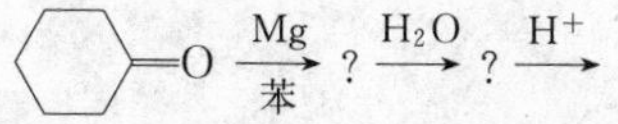

12.7 α活泼氢的反应

12.7.1 α-H 的卤化

在酸或碱的催化作用下,醛、酮的 α-H 被卤素取代的反应称为醛、酮 α 氢的卤化。

酸催化的反应机理如下:

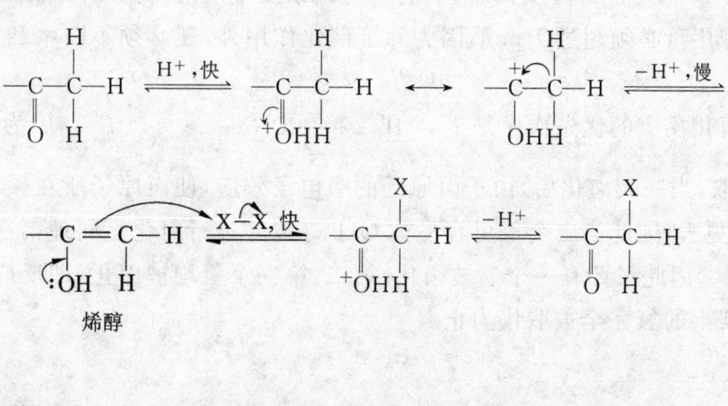

烯醇

首先是羰基质子化,醛、酮失去 α 活泼氢形成烯醇,烯醇的 π 电子向卤素进攻,再失去氧上的质子完成卤化反应。

酸催化的反应特点是:① 所谓酸催化,通常不加酸,因为只要反应一开始,就产生酸,此酸就可自动发生催化反应,因此在反应还没有开始时,有一个诱导阶段,一旦有一点酸产生,反应就很快进行。② 对于不对称酮,卤化反应的优先次序是 $—\overset{\overset{\displaystyle O}{\|}}{C}CH<$ > $—\overset{\overset{\displaystyle O}{\|}}{C}CH_2—$ > $—\overset{\overset{\displaystyle O}{\|}}{C}CH_3$,这是因为 α 碳上取代基愈多,超共轭效应愈大,形成的烯醇愈稳定,因此,这个碳上的氢就易于离开而进行卤化反应。酸催化卤化反应可以控制在一元、二元、三元等阶段,在合成反应中,大多希望控制在一元阶段。能控制的原因是一元卤化后,由于引入的卤原子的吸电子效应,使羰基氧上电子云密度降低,再质子化形成烯醇要比未卤代时困难一些,因此小心控制卤素可以使反应停留在一元阶段。例如:

醛类直接卤化,常被氧化成酸,可以将醛形成缩醛后再卤化,然后水解缩醛,得 α-卤代醛,如:

碱催化的反应机理如下:

首先是 OH⁻ 夺取质子,形成烯醇负离子,然后再与卤素发生反应,得 α-卤代酮。

碱催化时,碱用量必须超过 1 mol,因为除了催化作用外,还必须不断中和反应中产生的酸。

对于不对称酮,卤化反应的优先次序是 $—\overset{\overset{\displaystyle O}{\|}}{C}CH_3$ > $—\overset{\overset{\displaystyle O}{\|}}{C}CH_2—$ > $—\overset{\overset{\displaystyle O}{\|}}{C}CH<$,因为 CH₃ 上的氢酸性大,易被 OH⁻ 夺取,当一元卤化后,由于卤原子的吸电子效应,使卤原子所在碳上的氢,酸性比未被卤原子取代前更大,因此第二个氢更容易被 OH⁻ 夺取并进行卤化。同理第三个氢比第二个氢更易被 OH⁻ 夺取。因此只要有一个氢被卤化,第二、第三个氢均被卤化,即反应不停留在一元阶段,一直到这个碳上的氢完全被取代为止。

12.7.2 卤仿反应

甲基酮类化合物或能被次卤酸钠氧化成甲基酮的化合物，在碱性条件下与氯、溴、碘作用分别生成氯仿、溴仿、碘仿（统称卤仿）的反应称为卤仿反应（haloform reaction）。

$$\mathrm{R\overset{O}{\overset{\|}{C}}CH_3 + NaOH + X_2 \longrightarrow RCOONa + \underset{卤仿}{CHX_3}}$$

卤仿反应的机理如下：

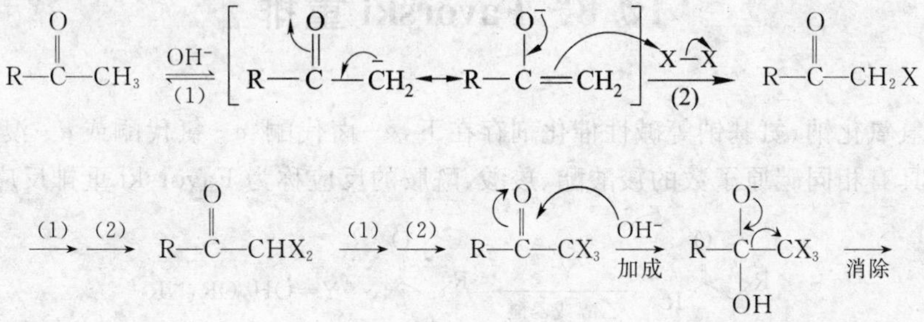

$$\mathrm{RCOOH + {}^{-}CX_3 \xrightarrow[酸碱反应]{} RCOO^- + HCX_3}$$

首先是甲基酮在碱性条件下发生 α-卤代反应，重复三次，得三卤甲基酮，再经加成-消除反应，得羧酸和三卤甲基负离子，最后通过酸碱反应得卤仿。

鉴别甲基酮

由于碘仿是一个不溶于 NaOH 溶液的黄色沉淀物，所以实验室中，常用碘仿反应来鉴别甲基酮类化合物或能在反应条件下氧化成甲基酮类的化合物。例如通过碘仿反应可以鉴定乙醇。

$$\mathrm{CH_3CH_2OH + I_2 + KOH \longrightarrow CHI_3\downarrow + HCOOH + KI + H_2O}$$

在该反应中，碘起两种作用，一是先使乙醇脱氢，形成乙醛；随后进行取代反应，使乙醛成为三碘乙醛，该化合物在氢氧化钾的作用下，生成碘仿和甲酸盐，甲酸盐与碘化氢反应转变为甲酸。

习题 12-19 请写出乙醇发生碘仿反应的反应机理。

习题 12-20 完成下列反应，写出主要产物：

(i) 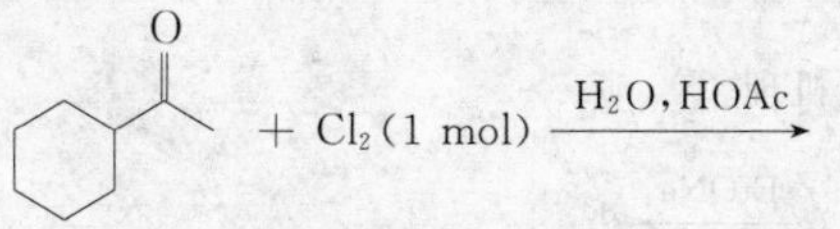

(ii) 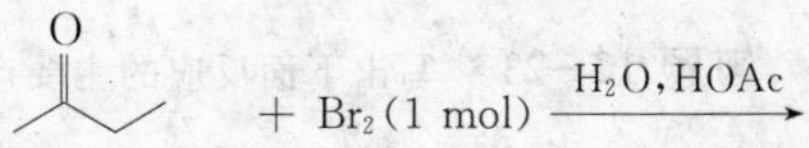

(iii) 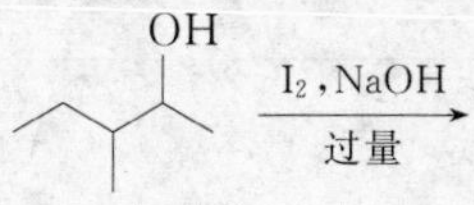

(iv) 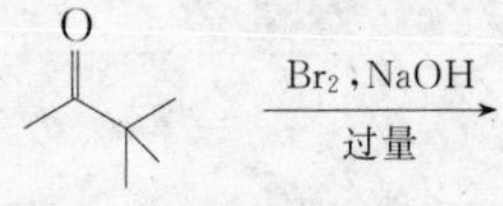

(v) 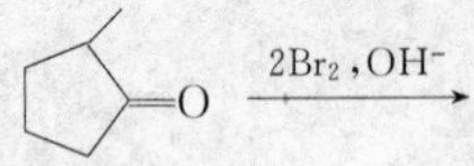

12.7.3 羟醛缩合反应

有 α-活泼氢的醛或酮在酸或碱的作用下，缩合生成 β-羟基醛或 β-羟基酮的反应称为羟醛缩合反应。这类反应在有机合成中十分重要，将在 15.6 中进行详细的讨论。

12.8 Favorski 重排

在醇钠、氢氧化钠、氨基钠等碱性催化剂存在下，α-卤代酮（α-氯代酮或 α-溴代酮）失去卤原子，重排成具有相同碳原子数的羧酸酯、羧酸、酰胺的反应称为 Favorski 重排反应：

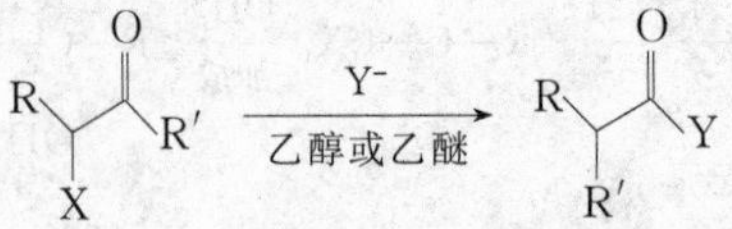

$Y=OH, OR, NR_2$

环状的 α-卤代酮在醇钠的作用下发生 Favorski 重排时，发生缩环反应，生成比反应物少一个环碳原子的环烷甲酸酯。

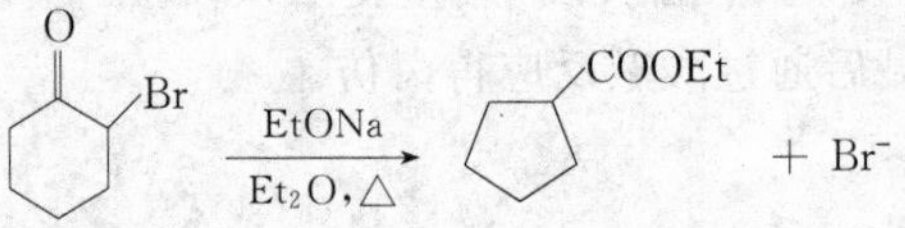

具体的反应机理如下：

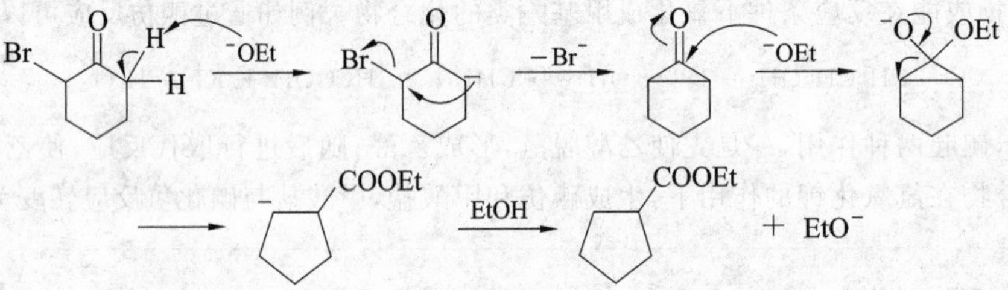

用此法可合成张力较大的四元环。

习题 12-21 写出下面反应的主要产物及相应的反应机理。

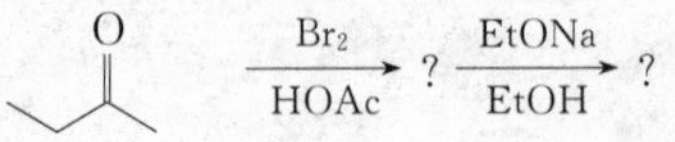

12.9　二苯乙醇酸重排

二苯乙二酮在约 70% 氢氧化钠溶液中加热,重排成二苯乙醇酸的反应称为二苯乙醇酸重排(benzilic acid rearrangement)。

$$Ph-\underset{\underset{O}{\|}}{\overset{\overset{O}{\|}}{C}}-Ph \xrightarrow[140℃]{OH^-} Ph\underset{Ph}{\overset{OH}{\underset{|}{C}}}COO^- \xrightarrow{H^+} Ph\underset{Ph}{\overset{OH}{\underset{|}{C}}}COOH$$

反应机理如下:

$$Ph-\underset{\underset{O}{\|}}{\overset{\overset{O}{\|}}{C}}-Ph \xrightarrow[140\,℃]{^-OH} \left[\cdots \longrightarrow Ph\underset{O^-}{\overset{O}{\underset{|}{C}}}\overset{Ph}{\underset{OH}{C}} \right] \xrightarrow{\text{分子内的酸碱反应}}$$

$$Ph\underset{OH}{\overset{Ph}{\underset{|}{C}}}\overset{O}{\underset{|}{C}}O^- \xrightarrow{H^+} Ph\underset{Ph}{\overset{OH}{\underset{|}{C}}}COOH$$

二苯乙醇酸

如在氢氧化钾的甲醇或三级丁醇溶液中加热反应,则得产率很好的相应的二苯乙醇酸酯。

习题 12-22　完成下列反应,写出主要产物:

(i)

$$\underset{\underset{OH}{|}}{CH_3CH_2-\overset{\overset{O}{\|}}{C}-CH-CH_3} \xrightarrow[\text{吡啶}]{CuSO_4} \xrightarrow[\triangle]{\text{浓 KOH}} \xrightarrow{H^+} ?$$

(ii)

$$EtOOC-CH_2-\overset{\overset{O}{\|}}{C}-CH_2-\overset{\overset{O}{\|}}{C}-CH_2-COOEt \xrightarrow[\triangle]{\text{浓 KOH}} \xrightarrow{H^+} ?$$

(iii)

$$\xrightarrow[\triangle]{EtONa} \xrightarrow{H^+} ?$$

(iv)

$$H_3CO-\text{（菲醌结构）}-OCH_3 \xrightarrow[\triangle]{\text{浓 KOH}} \xrightarrow{H^+} ?$$

12. 10　叶立德的反应

12. 10. 1　叶立德的定义

　　周期表第三周期的元素,特别是硫和磷,与碳结合时,碳带负电荷,硫或磷带正电荷,碳和硫或磷彼此相邻,并同时保持着完整的电子隅(碳是 8,磷、硫可以超过 8),这叫做叶立德(ylide,或译为邻位两性离子),由磷形成的叶立德称磷叶立德(phosphorus ylide),其结构可用下式表示:

$$\overset{+}{Ph_3P}\!-\!\overset{-}{CH_2} \longleftrightarrow Ph_3P\!=\!CH_2$$
$$\text{(i)} \qquad\qquad\qquad \text{(ii)}$$

ylide 这个字是从两个西文字中取来的,yl 是有机基团的字尾,ide 是盐的字尾,如甲基 methyl,氯化物 chloride,上面化合物中含有一个有机基团,并具有很强的类似盐的极性,所以就得到这个名字。除磷叶立德、硫叶立德(sulfur ylide)外,还有氮叶立德及砷叶立德。

12. 10. 2　Wittig 反应

　　磷叶立德是德国化学家 Wittig(魏悌息)于 1953 年发现的,所以也称为 Wittig 试剂。Wittig 试剂可用四级鏻盐在强碱作用下失去一分子卤化氢制得。例如三苯膦和溴代甲烷形成稳定的鏻盐溴化三苯基甲基鏻(iii),(iii)在干燥的乙醚中和氮气流下,用强碱苯基锂处理,即得到磷叶立德(i):

$$Ph_3P + CH_3Br \longrightarrow \overset{+}{Ph_3P}\!-\!CH_3 \cdot Br^- \xrightarrow[\text{干燥乙醚}]{PhLi} \overset{+}{Ph_3P}\!-\!\overset{-}{CH_2}$$
$$\text{(iii)} \qquad\qquad\qquad\qquad \text{(i)}$$

(i)是一个黄色固体,对水或空气都不稳定,因此在合成时一般不将它分离出来,直接进行下一步的反应。

　　在制备磷叶立德时,对于活泼卤代烷形成的鏻盐,可用比较弱的碱,如碳酸钠、氢氧化钠、醇钠等将质子夺去,形成磷叶立德。对于不活泼卤代烷形成的鏻盐,则需用强碱,如烷基锂等处理。磷可以利用其 3d 轨道,与碳 p 轨道重叠成 pd−π 键。这个 π 键具有很强的极性,可以和酮或醛的羰基进行亲核加成,形成烯烃,这个反应称 Wittig 反应:

$$\underset{Ph}{\overset{O}{\underset{\displaystyle Ph}{\|}}} + \overset{-}{H_2C}\!-\!\overset{+}{PPh_3} \longrightarrow \underset{Ph}{\overset{}{\underset{\displaystyle Ph}{\|}}} + Ph_3P\!=\!O$$
$$\text{三苯氧磷}$$

Wittig 反应的机理如下:

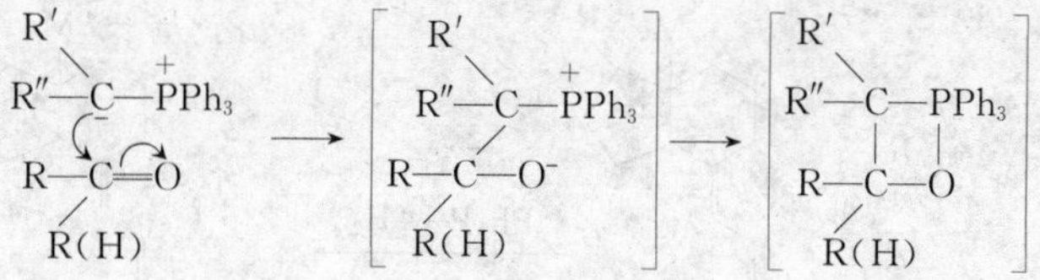

（iv）

偶极中间体

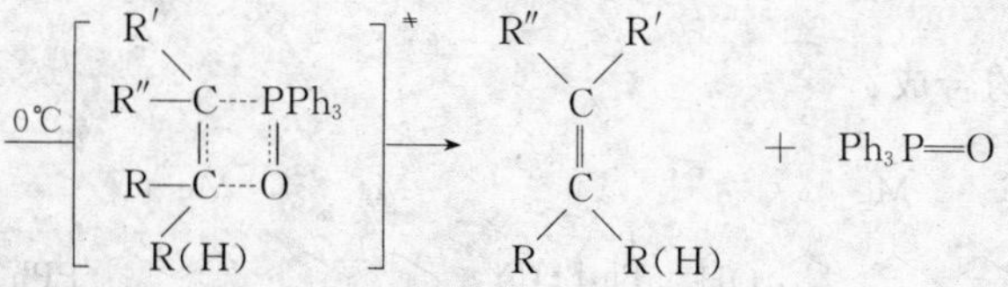

磷叶立德试剂与醛、酮发生亲核加成，形成偶极中间体（dipole intermediate）（iv），这个偶极中间体在 $-78℃$ 时比较稳定，当温度升至 $0℃$ 时，即分解得到烯烃。

磷叶立德与羰基化合物发生亲核反应时，与醛反应最快，酮其次，酯最慢。利用羰基不同的活性，可以进行选择性的反应。例如一个羰基酸酯和磷叶立德反应，首先是酮的羰基反应，变成一个碳碳双键：

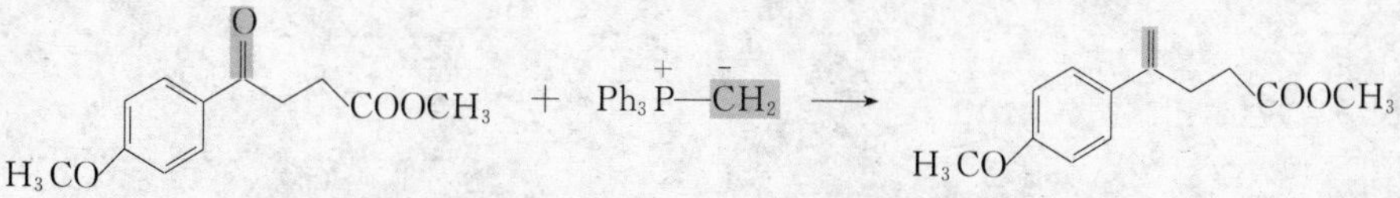

利用 Wittig 反应合成的烯烃类化合物，产物中碳碳双键的位置总是相当于原来碳氧双键的位置，没有双键位置不同的其它异构体，但是产物立体化学不能准确地预先判定。一般地讲，产物烯烃的构型取决于磷叶立德的活性，当磷叶立德很活泼时，总是产生顺反异构体的混合物：

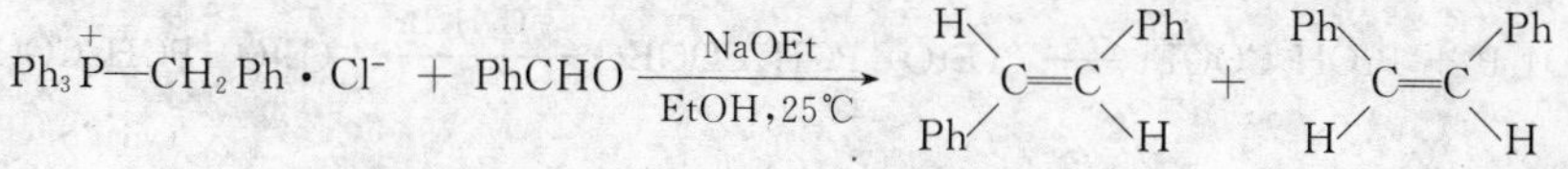

35%　41%

用比较稳定的磷叶立德，如 α 碳上有一个羰基时，产物的取向则有一定的立体选择性，往往是含羰基的基团和 β 碳原子上较大的基团位于反式的位置。例如乙醛和磷叶立德（v）反应，（vi）是主要的产物：

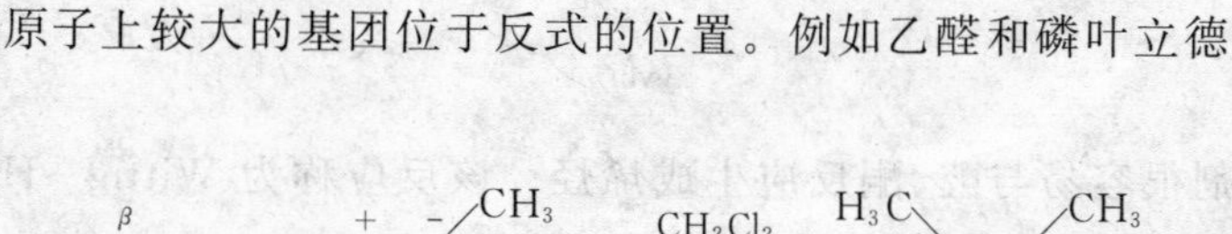

（v）　　　（vi）96%

下面举例说明 Wittig 反应在合成多烯类天然产物时的用途。

维生素 D_2 的合成：

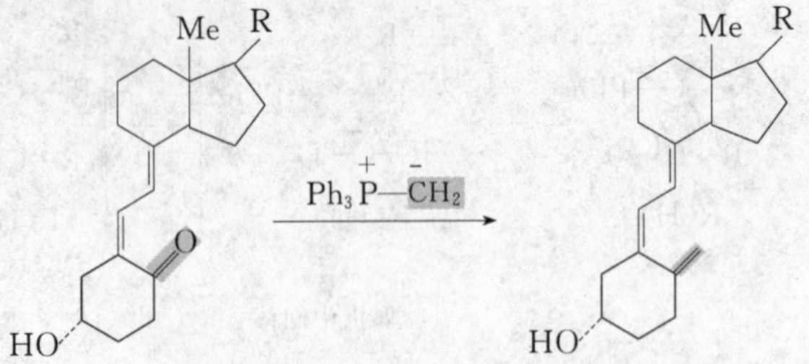

维生素 A_1 乙酸酯的合成：

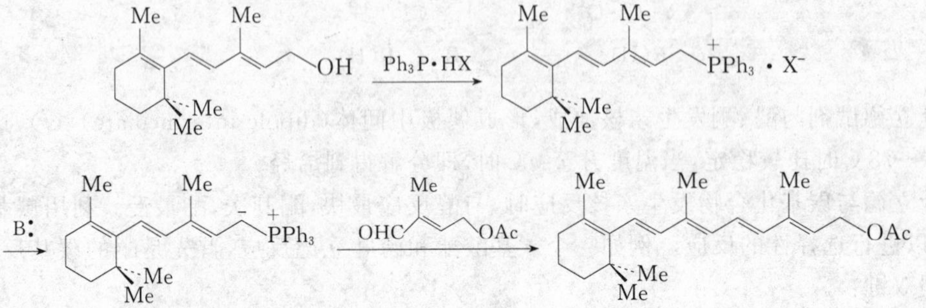

12.10.3　Wittig–Horner 反应

用亚磷酸酯代替三苯膦制备的磷叶立德称为 Wittig–Horner(霍纳尔)试剂。例如亚磷酸乙酯和溴代乙酸乙酯反应得到膦酸酯(vii)，(vii)在氢化钠的作用下放出一分子氢形成 Wittig–Horner 试剂(viii)。

$$(EtO)_3P + BrCH_2COOEt \longrightarrow (EtO)_2^+ \overset{OEt}{\underset{Br^-}{P}}CH_2COOEt \xrightarrow{-C_2H_5Br} (EtO)_2 \overset{O}{\overset{\|}{P}}CH_2COOEt$$
(vii)

$$\xrightarrow{NaH} (EtO)_2 \overset{O}{\overset{\|}{P}}CHCOOEt + H_2$$
(viii)

Wittig–Horner 试剂很容易与醛、酮反应生成烯烃。该反应称为 Wittig–Horner 反应。例如(viii)与丙酮反应，生成 α,β-不饱和酸酯。

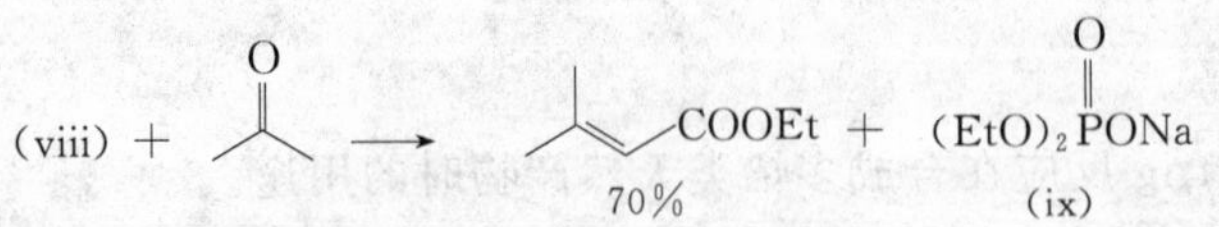

反应中另一个生成物 O,O-二乙基磷酸钠(ix)溶于水，很容易与生成的不饱和酸酯分离。

Wittig–Horner 反应的机理如下所示：

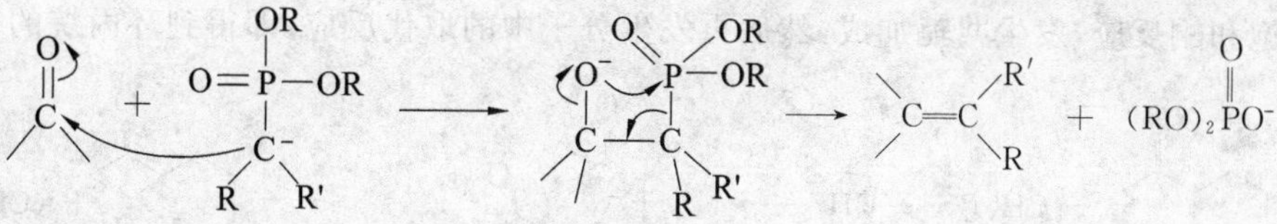

Wittig-Horner 试剂的立体选择性很强,产物主要是 E 构型的。下面是用此反应合成多烯类化合物的实例。

制备丙二烯衍生物:

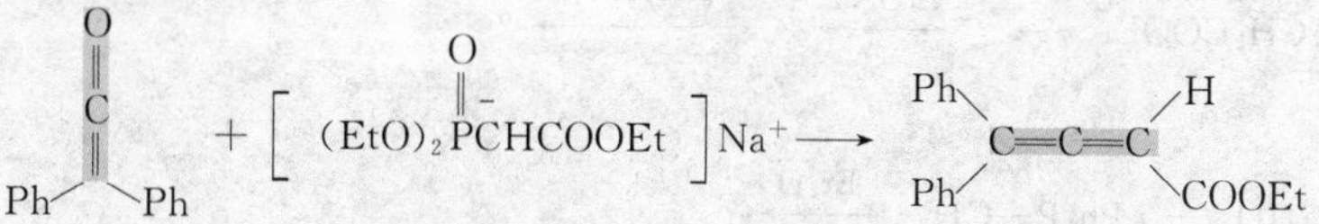

32%

合成多烯类天然产物:

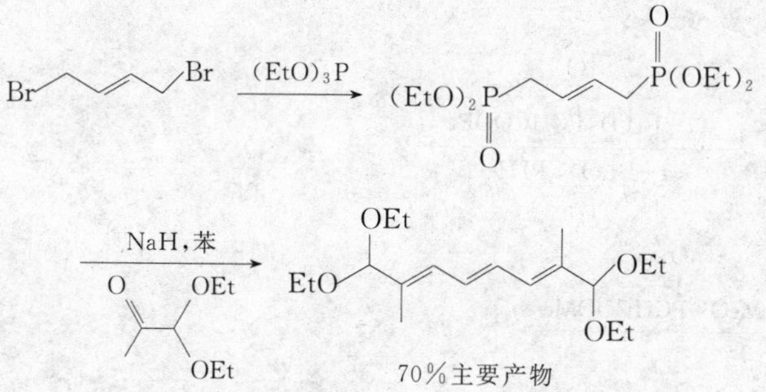

70%主要产物

12.10.4 硫叶立德的反应

最常用的硫叶立德,可由二甲亚砜或二甲硫醚与碘甲烷制备:

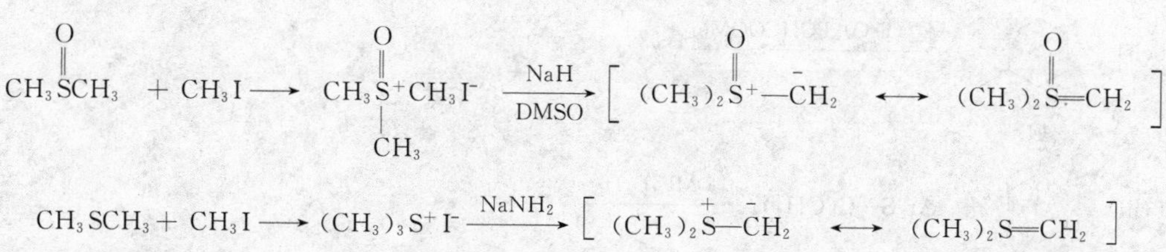

硫叶立德同样可以作为亲核试剂和羰基化合物发生反应。和非共轭的醛、酮反应,得到环氧化合物。反应首先是亲核加成,然后再发生分子中的取代反应。例如:

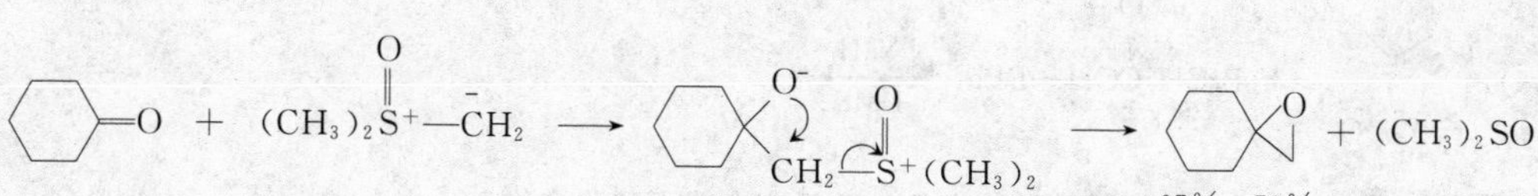

67%~76%

与 α,β-不饱和酮反应,发生共轭加成,然后再发生分子中的取代反应,即得到环丙烷的衍生物:

$$\text{（环己烯基甲基酮）} + (CH_3)_2S^{+}-CH_2^{-} \longrightarrow \text{（中间体）} \longrightarrow \text{（双环酮）} + (CH_3)_2SO$$

习题 12-23　完成下列反应,写出主要产物:

(i) $Ph_3P + BrCH_2COOEt \longrightarrow$? $\xrightarrow{EtONa}$? $\xrightarrow{\text{（环己烯酮）}}$?

(ii) （δ-戊内酯-α-甲醛） $+ Ph_3\overset{+}{P}-\overset{-}{C}H_2 \xrightarrow[25\,℃]{Et_2O}$?

(iii) （2-甲基四氢吡喃-2-醇） $\xrightarrow{Ph_3\overset{+}{P}-\overset{-}{C}HCOOMe}$?

(iv) （3-乙氧基-2-庚酮） $\xrightarrow[t\text{-}BuO^-,\ THF]{(i\text{-}PrO)_2\overset{O}{P}\overset{-}{C}HCOOEt}$?

(v) （四氢吡喃-4-基乙醛） $\xrightarrow{(MeO)_2\overset{O}{P}\overset{-}{C}HCOOMe}$?

(vi) （3-(3-丁烯氧基)环己-2-烯酮） $\xrightarrow{Et_2\overset{O}{P}\overset{-}{C}HCN}$?

(vii) （2,6,6-三甲基环己烯基甲基酮） $\xrightarrow{(EtO)_2\overset{O}{P}\overset{-}{C}HCOOMe}$?

(viii) （5-甲基环己-2-烯酮） $+ Ar_2\overset{+}{S}-\overset{-}{C}(CH_3)_2 \xrightarrow{DMF,\ C_6H_6}$?

(ix) $MeO-\!\!\!\left\langle\!\!\bigcirc\!\!\right\rangle\!\!-CHO + {}^{-}CH_2-\overset{+}{S}(CH_3)_2 \xrightarrow[25\,℃]{DMSO}$?

(x) （2-甲基环己-1,3-二酮） $+ BrCH_2\overset{O}{C}\overset{-}{C}H-\overset{+}{P}Ph_3 \xrightarrow[DMF]{NaH}$?

习题 12-24　选用合适的原料经一步 Wittig 反应合成下列化合物。

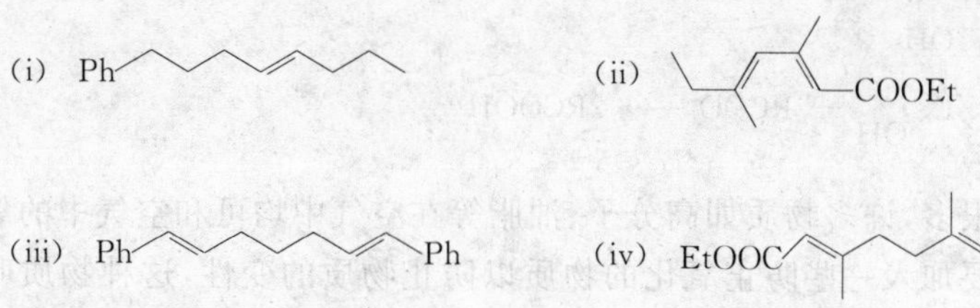

(i) Ph〜〜〜〜〜　　　(ii) 〜〜〜COOEt

(iii) Ph〜〜〜〜Ph　　　(iv) EtOOC〜〜〜COOEt

12.11　醛、酮的氧化

12.11.1　醛的氧化

1. 一般情况

醛极易被氧化。$KMnO_4$，$K_2Cr_2O_7$，H_2CrO_4，过酸，双氧水，氧化银和溴等许多氧化剂都能将醛氧化成酸。铬酸和高锰酸钾是最常用的氧化剂。例如：

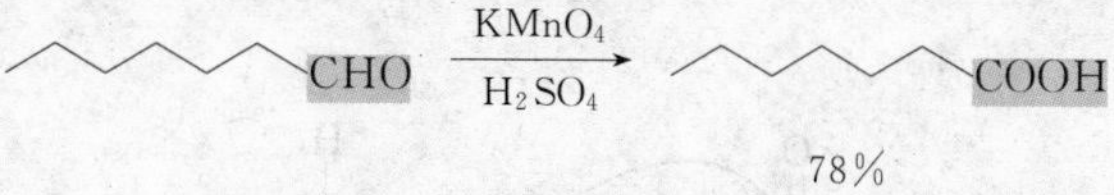

$$\text{〜〜〜CHO} \xrightarrow[\text{H}_2\text{SO}_4]{\text{KMnO}_4} \text{〜〜〜COOH}$$

78%

$$\text{PhCH}_2\text{CHO} \xrightarrow[\text{或 KMnO}_4\text{ 冷的稀溶液}]{\text{CrO}_3\text{, H}^+} \text{PhCH}_2\text{COOH}$$

氧化芳香醛时，反应条件不能强烈，如反应条件强烈，芳环的侧链断裂，得到苯甲酸。

2. 自氧化反应

许多醛如乙醛、苯甲醛等在空气中可被氧化，这叫做自氧化作用(autoxidation)，如苯甲醛在瓶中保存很久，在瓶中或瓶口出现白色固体，就是已部分地被氧化成苯甲酸。醛被空气氧化，最初产物是过酸：

$$\underset{\text{RCH}}{\overset{\text{O}}{\|}} + O_2 \longrightarrow \underset{\text{RCOOH}}{\overset{\text{O}}{\|}} \xrightarrow{\text{RCHO}} \underset{\text{RCOH}}{\overset{\text{O}}{\|}}$$

自氧化是自由基机理，其过程可能如下：

引发：　$\underset{\text{RCH}}{\overset{\text{O}}{\|}} + Y\cdot \longrightarrow \underset{\text{RC}\cdot}{\overset{\text{O}}{\|}} + HY$

增长：　$\underset{\text{RC}\cdot}{\overset{\text{O}}{\|}} + O_2 \longrightarrow \underset{\text{RCOO}\cdot}{\overset{\text{O}}{\|}} \xrightarrow{\text{RCHO}} \underset{\text{RCOOH}}{\overset{\text{O}}{\|}} + \underset{\text{RC}\cdot}{\overset{\text{O}}{\|}}$

过酸再与醛反应：

$$\underset{\text{RCH}}{\overset{\text{O}}{\|}} + \text{HOOCR} \longrightarrow \underset{\text{H}}{\overset{:\text{OH}}{\underset{|}{\text{R}-\text{C}-\text{O}-\text{O}-\text{C}-\text{R}}}} \longrightarrow$$

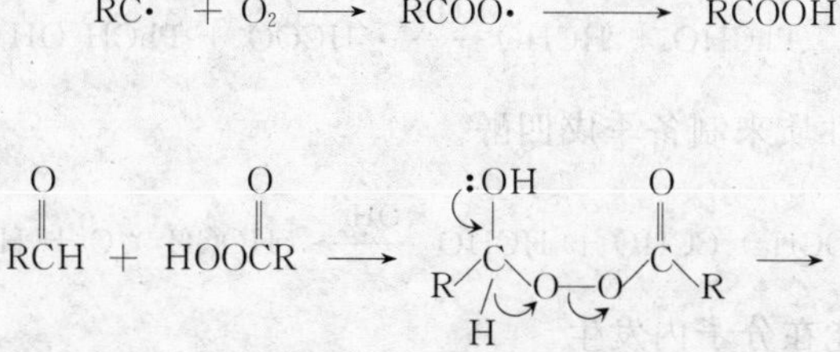

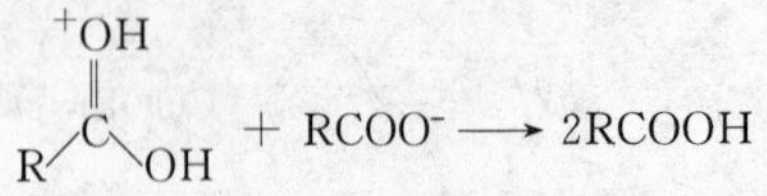

$$\underset{R}{\overset{\overset{\displaystyle +OH}{\underset{\displaystyle |}{C}}}{\underset{\displaystyle OH}{|}}} + RCOO^- \longrightarrow 2RCOOH$$

自氧化反应在实际生活中的例子很多,许多物质如高分子、油脂等在空气中均可和空气中的氧结合,从而改变了物质的性能,因此要加入一些防止氧化的物质以防止物质的变性,这种物质叫作抗氧剂。自氧化反应是由少量的自由基引起的链反应,抗氧剂实质上是一种自由基的抑制剂(inhibitor)。

　　3. Cannizzaro 反应

　　无 α 活泼氢的醛在浓氢氧化钠溶液的作用下发生分子间的氧化还原,结果一分子醛被氧化成酸,另一分子的醛被还原成醇。这是一个歧化反应(dismutation reaction),称之为 Cannizzaro 反应(康尼查罗)。例如苯甲醛在浓氢氧化钠溶液的作用下,得到等分子的苯甲醇、苯甲酸,甲醛则得到甲醇和甲酸:

$$2PhCHO \xrightarrow{OH^-} PhCH_2OH + PhCOO^-$$

$$2HCHO \xrightarrow{OH^-} CH_3OH + HCOO^-$$

反应机理如下:

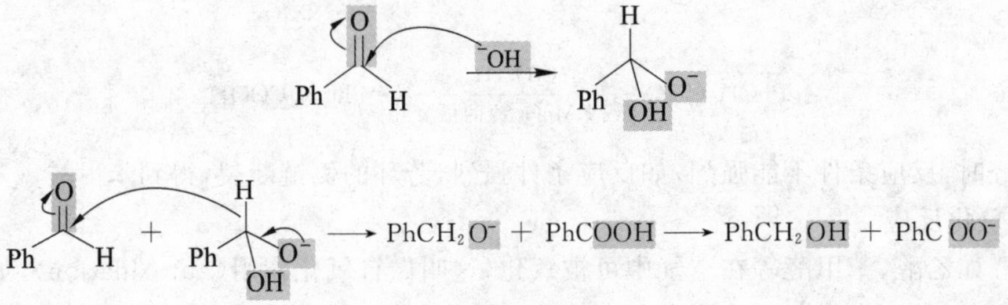

首先 OH⁻ 和羰基进行亲核加成,由于氧原子带有负电荷,致使邻位碳原子排斥电子的能力大大加强,使碳上的氢带着一对电子以氢负离子的形式转移到另一分子醛的羰基碳原子上。在上述过程中给出氢负离子的叫做授体,接受氢的叫做受体。

　　有的实验表明该反应的动力学表达式对[OH]是二级:速率 $= k[\text{醛}]^2[HO^-]^2$,所以,该反应有时也可能按其它的机理进行。

　　歧化反应在生产及生理的氧化还原反应中都很重要。例如将两个没有 α 活泼氢的甲醛和苯甲醛混合在一起,由于甲醛在醛类中还原性最强,所以总是自身被氧化成甲酸,苯甲醛被还原成苯甲醇。

$$PhCHO + HCHO \xrightarrow{OH^-} HCOO^- + PhCH_2OH$$

工业上利用甲醛的这一性质来制备季戊四醇。

$$(HOCH_2)_3CCHO + HCHO \xrightarrow{OH^-} (HOCH_2)_4C + HCOO^-$$

Cannizzaro 反应也能在分子内发生。

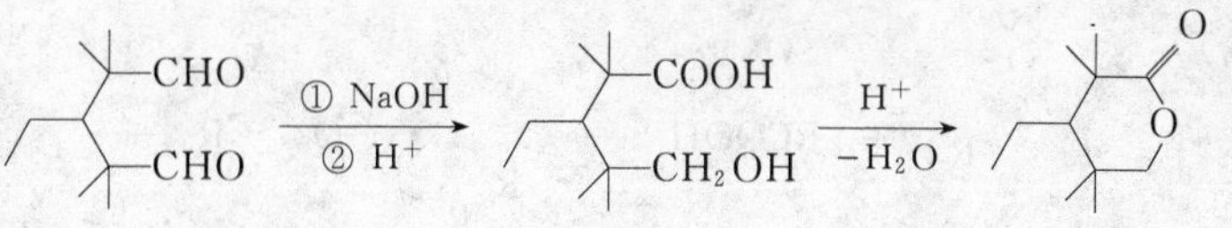

羟基酸   内酯

习题 12−25 写出下列反应的主要产物及相应的反应机理。

$$(CH_3)_3CCHO + CH_2O \xrightarrow{\text{浓 } OH^-}$$

12.11.2 酮的氧化

1. 一般情况

酮一般不易被氧化,但遇强烈的氧化剂,羰基与 α 碳之间的碳链断裂,形成酸。

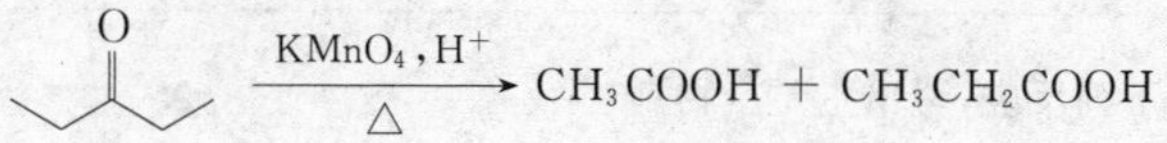

$$\xrightarrow[\triangle]{KMnO_4,H^+} CH_3COOH + CH_3CH_2COOH$$

不对称的酮由于羰基两侧的碳链都有可能断裂,产物往往是多种酸的混合物。

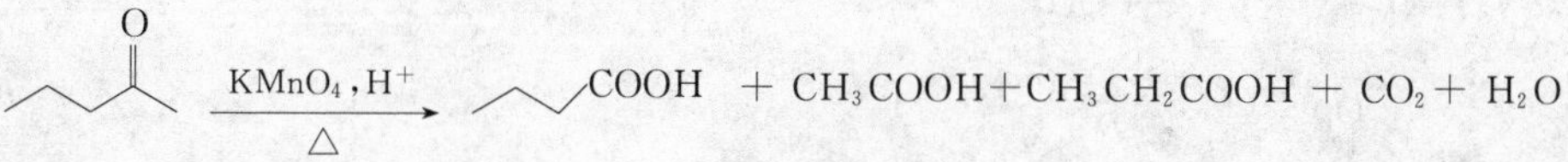

$$\xrightarrow[\triangle]{KMnO_4,H^+} \quad COOH + CH_3COOH + CH_3CH_2COOH + CO_2 + H_2O$$

酮的氧化在生产上占有很重要的位置。生产尼龙−66 所需的己二酸可以用下法制备:苯加氢得环己烷,环己烷氧化成环己酮,环己酮再氧化成己二酸。

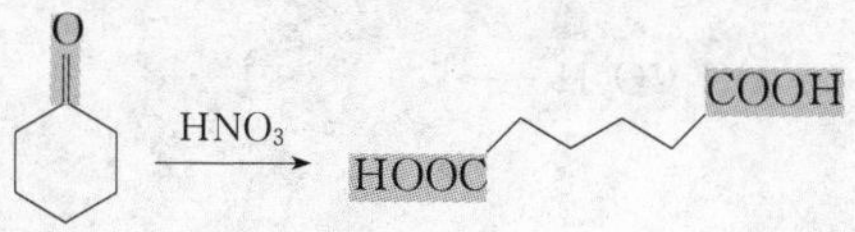

$$\xrightarrow{HNO_3} HOOC \qquad COOH$$

2. Baeyer−Villiger 氧化重排

酮类化合物被过酸氧化,与羰基直接相连的碳链断裂,插入一个氧形成酯的反应称为 Baeyer(拜耳)−Villiger(魏立格)氧化重排:

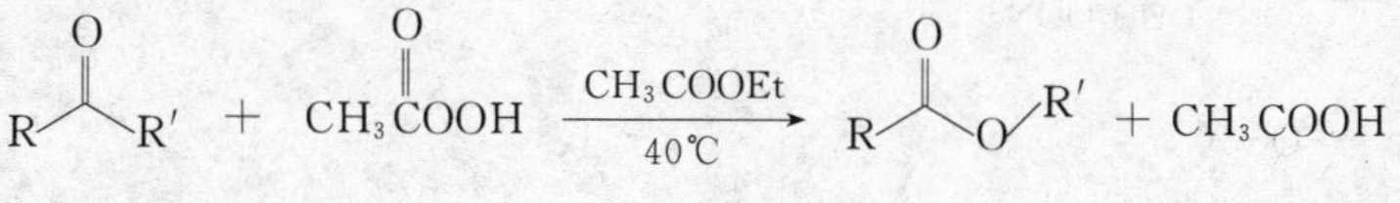

常用的过酸有过乙酸、过苯甲酸、间氯过苯甲酸或三氟过乙酸等。

其中三氟过乙酸是最好的氧化剂,这类氧化剂的特点是反应速率快,产率高。该反应的过程是首先酮羰基生成锌盐,然后过酸对羰基进行亲核加成。加成产物发生如下的重排得到产物。

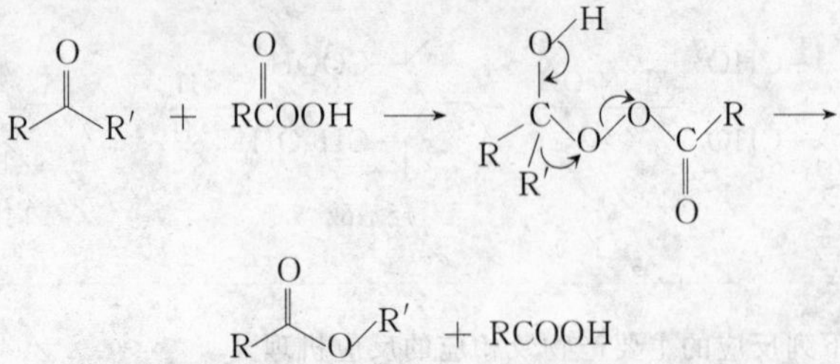

$$R-\overset{\overset{\displaystyle O}{\|}}{C}-R' + RCOOH \longrightarrow \overset{\overset{\displaystyle O\cdots H}{|}}{\underset{R'}{\underset{|}{\overset{|}{C}}}}-\overset{O}{\underset{\|}{O-C-R}} \longrightarrow$$

$$R-\overset{\overset{\displaystyle O}{\|}}{C}-O^{R'} + RCOOH$$

对于不对称酮,羰基两旁的基团不同,两个基团均可迁移,但有一定的选择性,迁移能力的顺序为

$$R_3C-\ >\ R_2CH-,\ \bigcirc\!\!\!- \ >\ PhCH_2-\ >\ Ph-\ >\ RCH_2-\ >\ CH_3-$$

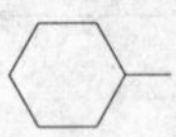

如迁移基团是手性碳,手性碳的构型保持不变。Baeyer－Williger 反应常用于由环酮来合成内酯。如

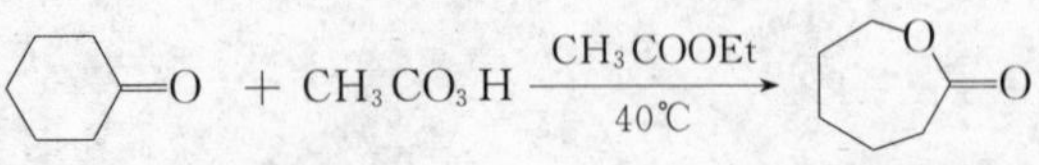

$$\bigcirc\!\!=\!O\ +\ CH_3CO_3H\ \xrightarrow[40℃]{CH_3COOEt}\ \text{（己内酯）}$$

己内酯90%

习题 12－26　完成下列反应,写出主要产物。

(i) 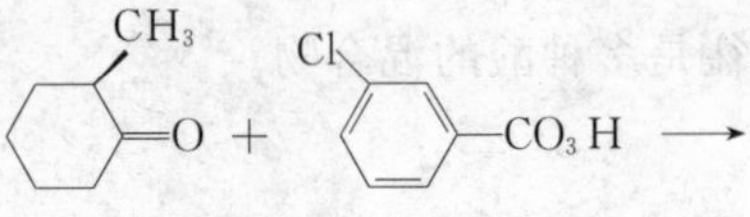 （2-甲基环己酮） + （3-氯苯甲酸 CO_2H） $\longrightarrow$

(ii) 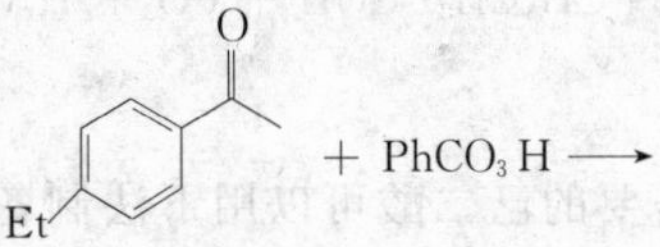 （对乙基苯乙酮，Et） + $PhCO_3H \longrightarrow$

(iii) 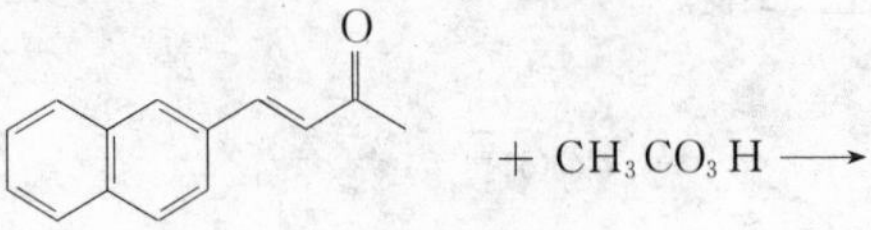 （萘基丁烯酮） + $CH_3CO_3H \longrightarrow$

(iv) 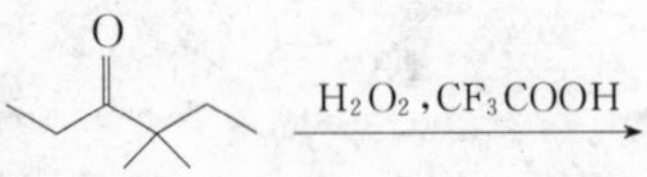 （3,3-二甲基戊-3-基酮结构） $\xrightarrow{H_2O_2,CF_3COOH}$

(v) 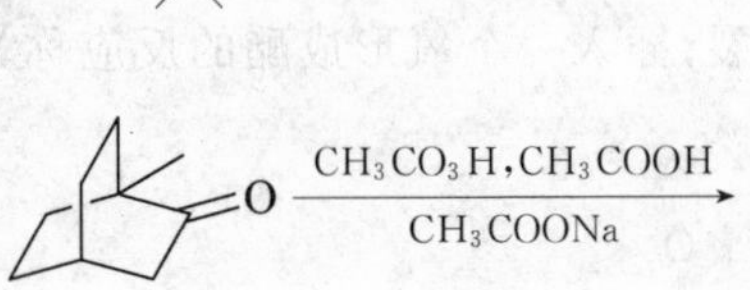 （甲基双环庚酮） $\xrightarrow[CH_3COONa]{CH_3CO_3H,CH_3COOH}$

(vi) 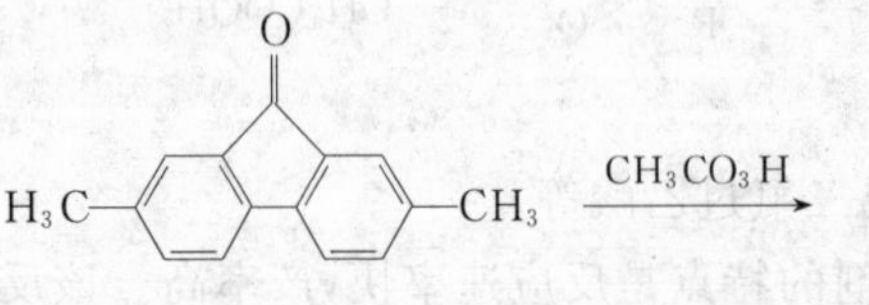 H_3C—（芴酮，二甲基）—CH_3 $\xrightarrow{CH_3CO_3H}$

醛、酮的鉴别

　　利用醛、酮氧化性能的区别,可以很迅速地鉴别醛和酮。经常用的有两个试剂:Fehling 试剂和 Tollens 试剂。Fehling 试剂是碱性铜络离子的溶液。硫酸铜的铜离子和碱性酒石酸钾钠成为一个深蓝色络离子溶液。在反应中,Cu^{2+} 络离子被还原成为红色的氧化亚铜,从溶液中沉淀出来,蓝色消失,而醛氧化成酸,Fehling 溶液和脂肪醛氧化速率较快。它不与简单酮反应,但可被 α-羟基酮、α-酮醛还原。Tollens 试剂是银氨离子 $Ag(NH_3)_2^+$(硝酸银的氨水溶液)。反应时,醛氧化成酸,银离子还原成银,形成一个银镜附着在管壁上,因此这个反应又称为银镜试验。酮与 Tollens 试剂不发生反应。

$$RCHO + Cu^{2+} + NaOH + H_2O \longrightarrow RCOONa + H^+ + Cu_2O\downarrow$$

$$RCHO + 2Ag(NH_3)_2^+OH^- \longrightarrow RCOONH_4 + NH_3 + H_2O + Ag\downarrow$$

葡萄糖是一个特殊的醛。患糖尿病的病人尿中含有多量的这种糖,在医院检查时,就是用铜络离子方法检查。

习题 12-27 请用简单的方法鉴别下列化合物。

(i) CH_3CH_2CHO (ii) $CH_3\overset{O}{\overset{\|}{C}}CH_3$ (iii) $CH_3\overset{OH}{\overset{|}{C}H}CH_3$ (iv) $CH_3CH_2CH_2Cl$

醛和酮的制备

12.12 醛、酮的工业制备

1. 甲醛

甲醛是产量很大的一种产品,可以利用甲醇的脱氢反应和甲醇的氧化反应来制备。甲醇脱氢变为甲醛,是一个吸热反应。

$$CH_3OH \longrightarrow CH_2O + H_2 \qquad \Delta H = +92 \text{ kJ·mol}^{-1}$$

甲醇的氧化是一个放热反应。

$$CH_3OH + 1/2\ O_2 \longrightarrow CH_2O + H_2O \qquad \Delta H = -154.8 \text{ kJ·mol}^{-1}$$

工业上采用以浮石为载体的银做脱氢催化剂,进行脱氢反应,同时又通入空气氧化,把这两个反应结合起来,在 700℃ 时进行。甲醇氧化时所放出的热,足以满足甲醇脱氢反应时所需的热。在生产上,开始时需要外部供给一部分热量,等反应正常进行后,就不需要外部供热。为了避免甲醇的进一步氧化,要使反应气体和催化剂接触的时间限制在 0.1 s 以下,反应后马上冷却下来。此外,在反应气体中还混入了水蒸气,利用它将一部分反应热带走,并防止爆炸。

用此法生产甲醛,甲醇的转化率为 85%,甲醛的产率为 75%,产品是甲醛水溶液,约含 40% 甲醛(福尔马林 formalin),甲醇含量约为 2%~12%。

2. 乙醛

乙醛也是一种最重要的工业产品,是生产乙酸、乙酸乙酯、乙酸酐的原料。长期以来是由乙炔制造。但是,由于石油工业的发展,乙烯已成为一种主要的原料,新的生产方法是用乙烯在水溶液中,在氯化铜及氯化钯的催化作用下,用空气直接氧化,称 Wacker(魏克尔)烯烃氧化:

$$CH_2{=}CH_2 + O_2 \xrightarrow[H_2O]{CuCl_2{-}PdCl_2} CH_3CHO$$

其过程是:首先烯烃与氯化钯络合,然后水亲核进攻,消除质子,接着消除 Pd,重排成羰基化合物:

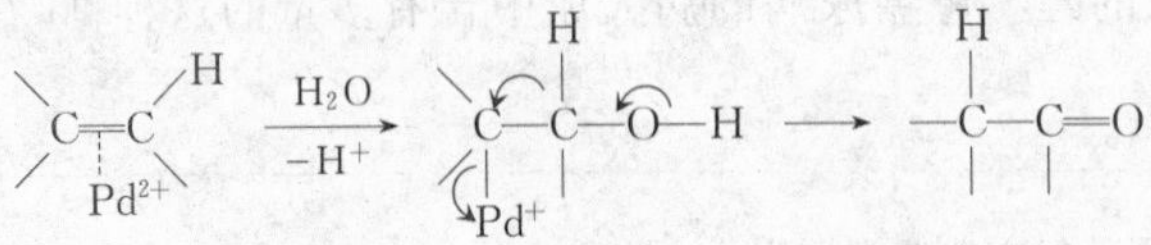

Pd 在氯化铜的作用下,可以再生为氯化钯:

$$Pd + 2CuCl_2 \longrightarrow PdCl_2 + Cu_2Cl_2$$

$$\xrightarrow{HCl,O_2} CuCl_2 + H_2O$$

因此不需用很多氯化钯,这是工业生产乙醛的最好方法。

乙醛是一个低沸点的液体,沸点 21℃,并且很容易氧化,所以一般都把它变为环状的三聚乙醛(trioxane)保存。三聚乙醛是一个液体,沸点 124℃,在硫酸的作用下,发生解聚。由于乙醛的沸点很低,可不断地蒸出,就会把三聚乙醛全部解聚:

$$3CH_3CHO \underset{}{\overset{H_2SO_4}{\rightleftharpoons}} (CH_3CHO)_3$$

三聚乙醛

3. 丙酮

以往是用淀粉或蔗糖蜜发酵制备,但这个方法很不经济。现在由石油裂解的丙烯制备,因此它也是一种石油工业化学产品。有两个方法可将丙烯转变为丙酮,一个方法是丙烯水合变为异丙醇,然后脱氢变为丙酮;另一方法是通过异丙苯的氧化重排(oxidation rearrangment of isopropyl benzene)来制备,该法以丙烯和苯为起始原料,首先苯和丙烯在三氯化铝的作用下,产生异丙苯(i),异丙苯三级碳原子上的氢比较活泼,在空气的直接作用下,氧化成过氧化物(ii),(ii)在酸的作用下,失去一分子水,形成一个氧正离子(iii),苯环带着一对电子转移到氧上,发生所谓的缺少电子的氧所引起的重排反应,得到"碳正"离子(iv),(iv)再和水结合,去质子分解成丙酮及苯酚:

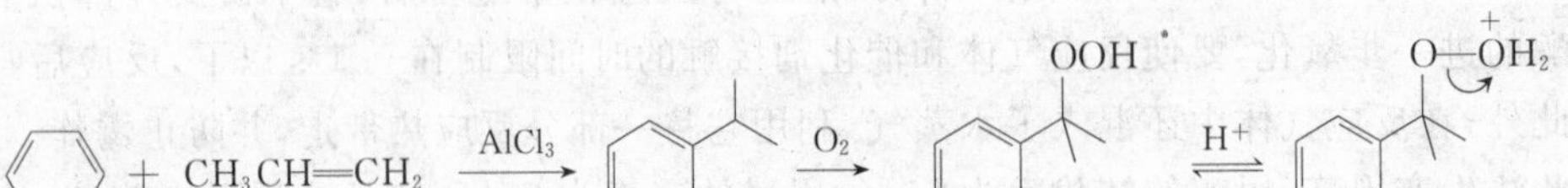

(i) 异丙苯　　(ii) 异丙苯过氧化氢

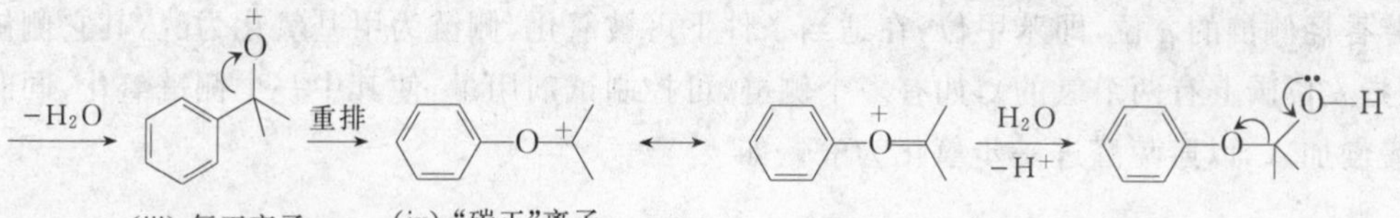

（iii）氧正离子　　（iv）"碳正"离子

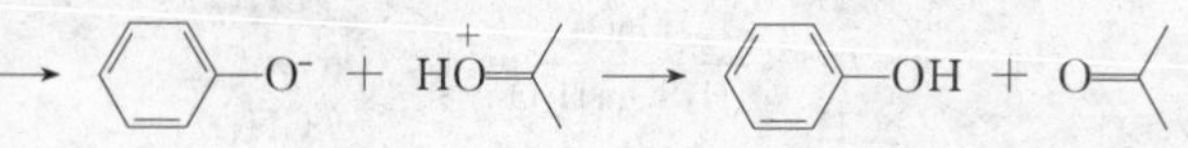

苯酚　　丙酮

丙酮是一个重要的溶剂,既溶于有机溶剂又溶于水。它是多种有机工业的基本原料,如有机玻璃及环氧树脂都是由它开始合成的。

4. 环己酮

苯在气相下氢化（4 MPa,170～230℃,Ni）生成环己烷,环己烷经空气氧化（0.8～1.2MPa, 140～165℃,Co 盐）得环己酮及环己醇的混合物,环己醇脱氢（200℃,CuCrO$_4$）也得环己酮。

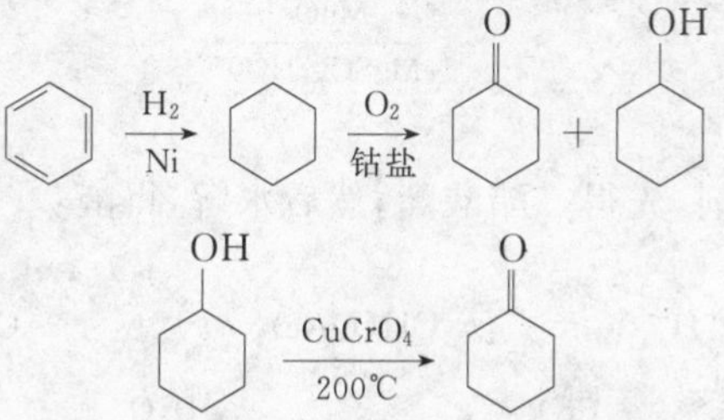

环己酮的氧化产物己二酸是制造尼龙-66 的原料。环己酮肟经 Beckmann 重排得到的己内酰胺是生产尼龙-6 的原料。现在生产环己酮肟的新方法是用环己烷和氯及一氧化氮进行光化学反应,首先得到 1-亚硝基-1-氯环己烷,然后用锌和盐酸还原,即得到环己酮肟的盐酸盐,产率 85%。

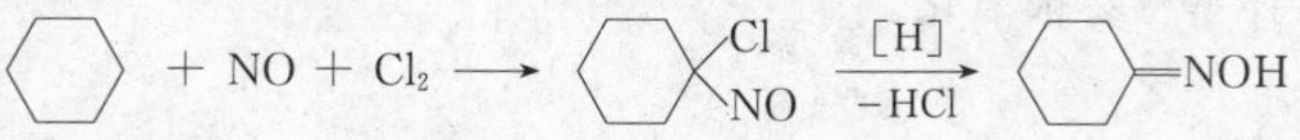

习题 12-28　请用苯和环戊烯为原料合成对苯二酚和环戊酮,并写出其反应机理。

习题 12-29　自煤和石油产品为原料合成:

(i)

(ii)

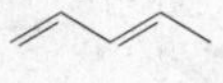

(iii) PhCHO

(iv) 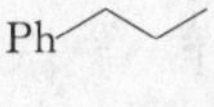 Ph

(v) CH$_3$CH$_2$C≡CH

(vi)

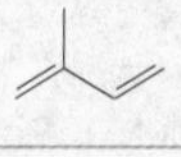

12.13　用芳烃制备

1. 氧化

　　芳香烃侧链的 α 位，即苯甲位，在适当条件下可被氧化，侧链为甲基氧化为醛，其它侧链氧化为酮（指 α 位碳上有两个氢的），如有多个侧链，可控制试剂用量，使其中一个侧链氧化，同时试剂必须慢慢加入，以避免醛进一步氧化为酸。如

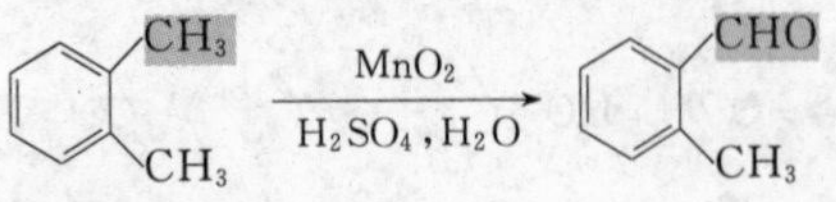

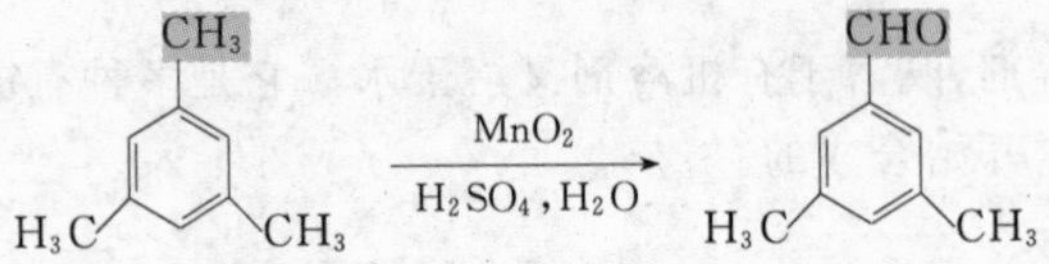

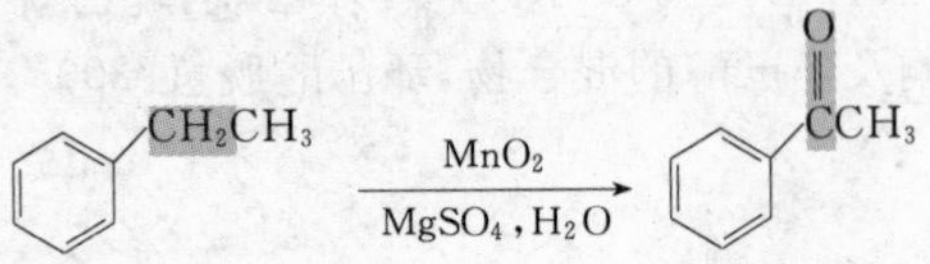

邻二甲苯 $\xrightarrow[\text{H}_2\text{SO}_4,\ \text{H}_2\text{O}]{\text{MnO}_2}$ 2-甲基苯甲醛（CHO, CH₃）

3,5-二甲基甲苯 $\xrightarrow[\text{H}_2\text{SO}_4,\ \text{H}_2\text{O}]{\text{MnO}_2}$ 3,5-二甲基苯甲醛（CHO）

乙苯 $\text{C}_6\text{H}_5\text{CH}_2\text{CH}_3 \xrightarrow[\text{MgSO}_4,\ \text{H}_2\text{O}]{\text{MnO}_2}$ 苯乙酮 $\text{C}_6\text{H}_5\text{COCH}_3$

　　如用铬酐和醋酐做氧化剂，先得二醋酸酯，然后水解，得醛：

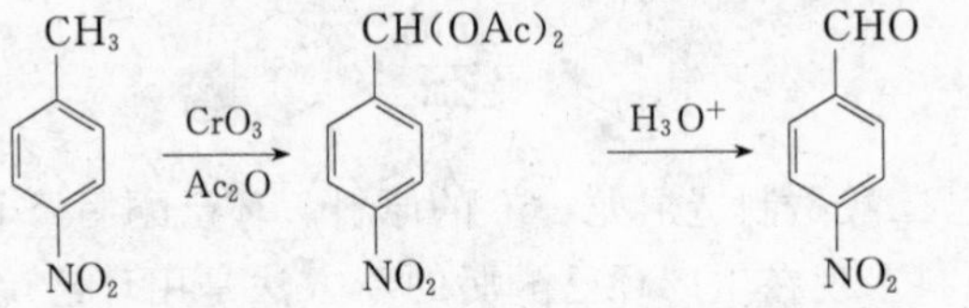

对硝基甲苯 $\xrightarrow[\text{Ac}_2\text{O}]{\text{CrO}_3}$ CH(OAc)_2 衍生物（NO_2） $\xrightarrow{\text{H}_3\text{O}^+}$ 对硝基苯甲醛（CHO, NO_2）

使用以上氧化剂时，芳环上有硝基、溴、氯等吸电子基团，芳环很稳定，不会被氧化；如有氨基、羟基等给电子基团，芳环本身易被氧化。

2. 卤化水解

在光或热的作用下，用卤素或 NBS 制得二卤取代物，水解后生成醛或酮。

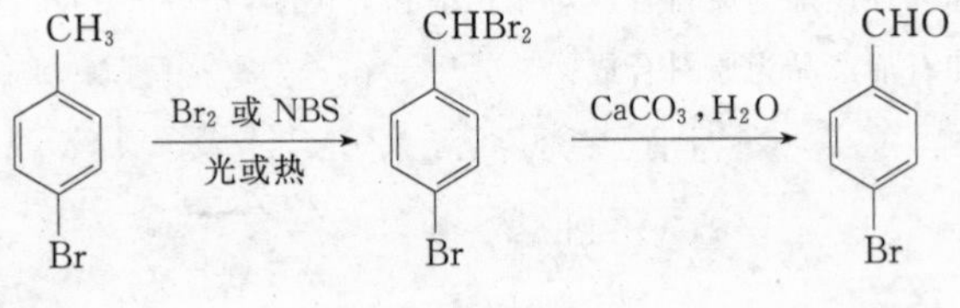

对溴甲苯 $\xrightarrow[\text{光或热}]{\text{Br}_2\ \text{或 NBS}}$ CHBr_2 衍生物（Br） $\xrightarrow{\text{CaCO}_3,\ \text{H}_2\text{O}}$ 对溴苯甲醛（CHO, Br）

3. 傅氏酰基化反应（参见 11.10.2）

习题 12-30　用甲苯、乙苯、1-甲基萘、1-乙基萘及其它必要的有机、无机试剂合成：

(i) 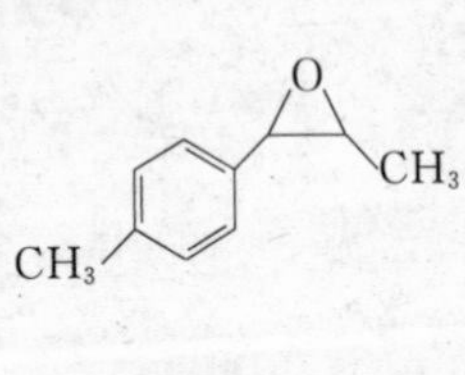 2-(4-甲基苯基)-3-甲基环氧乙烷（对甲苯基环氧丙烷，CH₃）

(ii) 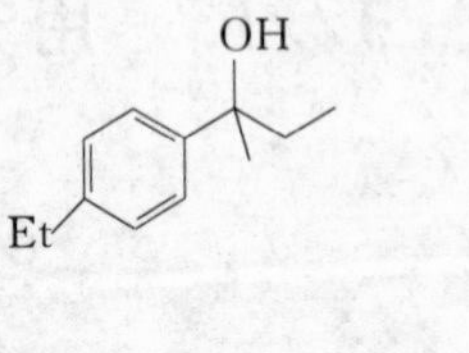 2-(4-乙基苯基)丁-2-醇（OH, Et）

(iii)

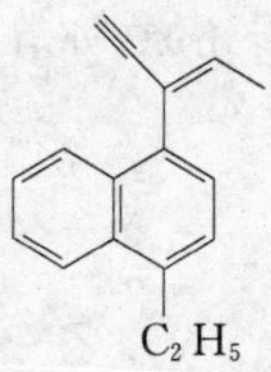

(iv)

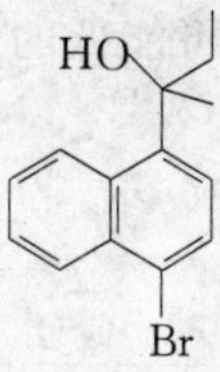

12.14 用烯烃、炔烃、醇制备

烯烃直接或间接加水得到醇,醇再氧化可制备醛酮(关于醇氧化制醛、酮的方法参见 10.7)。例如将丙烯通到浓硫酸内,然后水解,首先得到异丙醇,然后氧化得到丙酮。

烯烃在高压和钴催化剂的作用下,和氢及一氧化碳作用,在双键处加入一个醛基,这叫做羰基合成,在 10.10 中已进行了介绍:

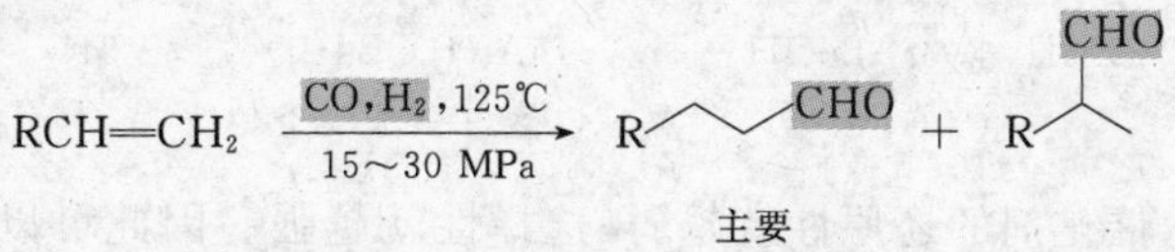

$$RCH{=\!=}CH_2 \xrightarrow[15\sim30\ MPa]{CO,H_2,125℃} R{-}CH_2CH_2{-}CHO + R{-}CH\big({\overset{CHO}{|}}\big)CH_3$$

主要

一般得到混合物,但主要产品是直链醛。由环戊烯制备甲酰环戊烷,得到 65% 的产物:

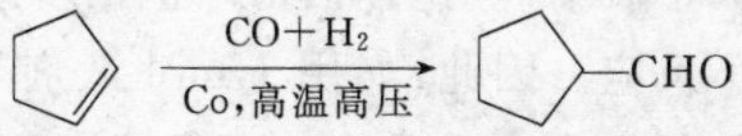

$$\xrightarrow[Co,高温高压]{CO+H_2} \quad {-}CHO$$

炔烃直接或间接加水得到烯醇,烯醇异构化即得醛或酮。例如:

$$CH_3C{\equiv}CH \xrightarrow[Hg^{2+},H^+]{H_2O} \Big[CH_3C\big({\overset{OH}{|}}\big){=}CH_2\Big] \longrightarrow CH_3\overset{O}{\overset{\|}{C}}CH_3$$

12.15 用羧酸衍生物制备

羧酸的衍生物如酰氯、酯、酰胺、腈均可通过各种方法成为醛或酮,下面仅介绍几种方法,有些将在以后介绍。

1. 用酰氯还原

酰氯用羧酸和亚硫酰氯或三卤化磷等试剂反应制备(参看 14.11)。如

$$RCOOH + SOCl_2 \longrightarrow RCOCl + SO_2{\uparrow} + HCl{\uparrow}$$

(1) Rosenmund(罗森孟)还原法 此还原法是用部分失活的钯催化剂使酰氯进行催化还原。钯催化剂中加入少量的硫-喹啉(图示)以减低它的活力,使产物醛不致再进一步还原

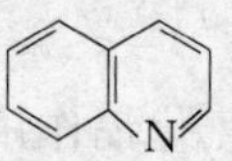

成醇。为了使反应顺利进行,反应须在尽可能低的温度下进行,以避免进一步还原,如 β-萘甲酰氯用此法还原,产率很好:

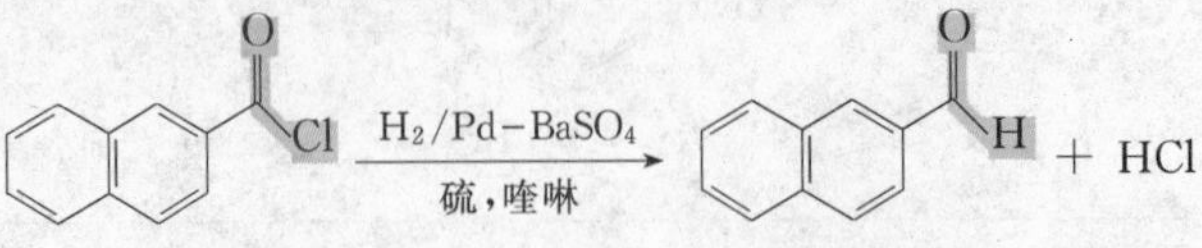

β-萘甲酰氯　　　　　　　　　　　　　　β-萘甲醛
　　　　　　　　　　　　　　　　　　　74%~81%

如反应物上有硝基、卤素、酯基等基团,均可保留,不被还原。

(2) 用被烷氧基取代的氢化锂铝还原　氢化锂铝中的负氢可以被一个、二个、三个烷氧基取代,如

$$LiAlH_4 + 2CH_3CH_2OH \xrightarrow{醚} LiAlH_2(OC_2H_5)_2 + 2H_2$$
二乙氧基氢化铝锂

$$LiAlH_4 + 3CH_3OH \xrightarrow{醚} LiAlH(OCH_3)_3 + 3H_2$$
三甲氧基氢化铝锂

$$LiAlH_4 + 3t\text{-}BuOH \xrightarrow{醚} LiAlH(OBu\text{-}t)_3 + 3H_2$$
三(三级丁氧基)氢化铝锂

烷氧基越大,取代越多,催化剂的还原性就越弱,选择性就越强。因此可以通过调节烷氧基的大小和取代程度的不同,提供一定范围内反应程度不同的还原剂。

Brown H C(勃朗)用三(三级丁氧基)氢化锂铝可以把很多羧酸衍生物还原为醛,它与醛、酮反应很慢而与氰基、硝基和酯基不反应。因此,如用 1 mol 试剂与酰氯反应,能得到产率很高的醛,是由间位或对位取代芳香酰氯制相应芳香醛的一个很好方法:

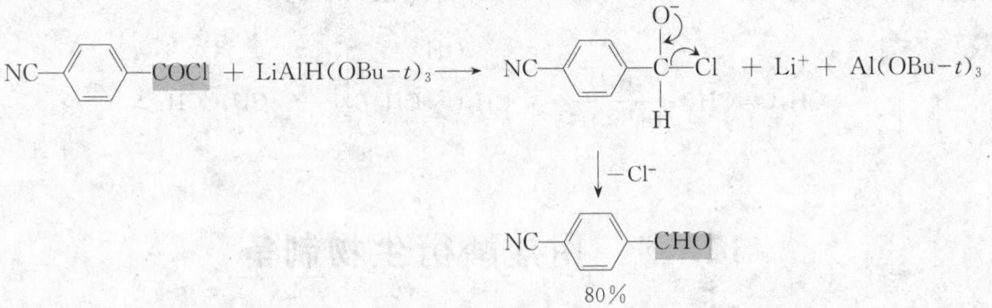

80%

当然试剂过量,可进一步还原为醇,但反应进行较慢:

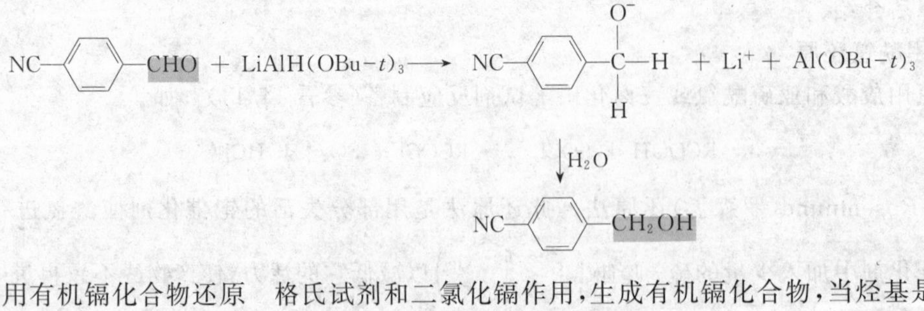

(3) 用有机镉化合物还原　格氏试剂和二氯化镉作用,生成有机镉化合物,当烃基是芳基或

一级烷基时,和酰氯反应,得到高产量的酮:

$$PhMgBr \xrightarrow{CdCl_2} PhCdCl \xrightarrow{CH_3COCl} \underset{83\%}{PhCCH_3} + CdCl_2$$

若用两分子的格氏试剂,则得二苯镉,和两分子酰氯反应,得到同样的酮:

$$2PhMgBr \xrightarrow{CdCl_2} Ph_2Cd + MgBr_2 + MgCl_2$$

$$\downarrow 2CH_3COCl$$

$$\underset{85\%}{2\ PhCCH_3} + CdCl_2$$

由于有机镉的反应性低,能与格氏试剂发生反应的基团如醛、酮、腈、酯、硝基等不与有机镉化合物发生反应,因此是很好的合成酮的方法。但镉试剂毒性太大,且易造成环境问题,一般尽量不用。

(4) 用二烃基铜锂还原 二烃基铜锂与酰氯反应得酮,在低温与酮反应很慢,与酯、腈、卤代烷不反应:

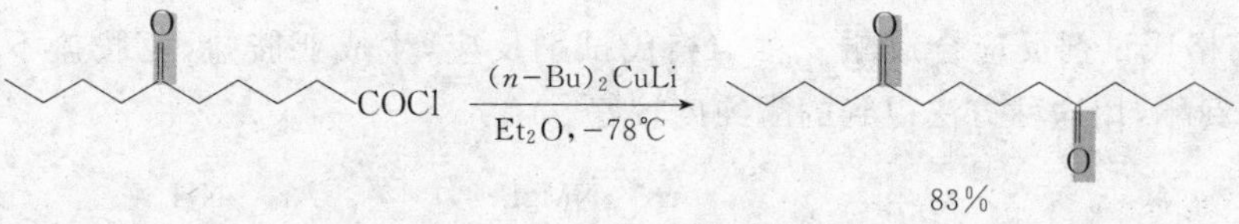

(5) 与不饱和烃反应 酰氯与烯烃在三氯化铝作用下可以发生下列反应得酮:

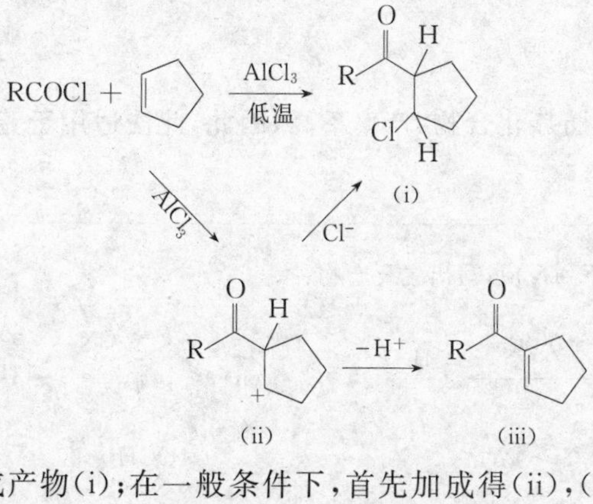

反应控制在低温,经(ii)得加成产物(i);在一般条件下,首先加成得(ii),(ii)羰基的 α 氢很活泼,消除质子得(iii)。这与芳烃发生的傅-克酰基化反应是类似的,被称为 Nenitshesku 反应。酰氯与炔反应得 β-卤乙烯基酮:

酰氯还可与炔化钠反应得炔酮:

$$\underset{RCCl}{\overset{O}{\|}} + CH \equiv CH \longrightarrow \underset{RC-CH=CHCl}{\overset{O}{\|}}$$

$$RCOCl + NaC \equiv CR' \longrightarrow \underset{R}{\overset{O}{\underset{}{\|}}}C - C \equiv C - R'$$

(6) 将芳香酰氯转化为酰胺还原　将芳香酰氯转变成酰胺,然后用五氯化磷处理,将酰胺变为亚胺氯,后者经氯化亚锡的还原,得到亚胺,最后水解,即得到芳香醛:

$$ArCOCl \xrightarrow{PhNH_2} \left[\underset{Ar}{\overset{O}{\underset{}{\|}}}C-NHPh \rightleftharpoons \underset{Ar}{\overset{OH}{\underset{}{|}}}C=NPh \right] \xrightarrow{PCl_5} \underset{Ar}{\overset{Cl}{\underset{}{|}}}C=NPh$$

亚胺氯

$$\xrightarrow{SnCl_2} ArCH=NPh \xrightarrow[H^+]{H_2O} ArCHO + PhNH_2$$

此法不适用于脂肪族化合物,因脂肪族的亚胺氯不稳定。

2. 用腈合成

(1) Stephen(斯蒂芬)还原　将氯化亚锡悬浮在乙醚溶液中,并用氯化氢气体饱和,将芳腈加入反应,水解后得到芳醛:

$$Ar—C \equiv N \xrightarrow{HCl} \left[\underset{Ar}{\overset{Cl}{\underset{}{|}}}C=NH \right] \xrightarrow[H^+]{SnCl_2} \left[ArCH=NH \right] \xrightarrow{H_2O} ArCHO$$

(2) 腈与格氏试剂反应合成酮　腈与格氏试剂反应,生成亚胺盐,亚胺盐不进一步发生加成,经水解得到酮,用这种方法得到的酮纯度较好。

亚胺盐　　　　亚胺
　　　　　　　87%

如果两个反应物均为脂肪族化合物,产率不高,因此,此法适用于芳香化合物。亚胺盐小心水解,有时可以得到亚胺。

习题 12−31 完成下列反应,写出主要产物:

(i) $PhBr \xrightarrow[THF]{Li} ?$ 　(结构式: 带CN的异丙基) 　$\xrightarrow{H_2O} ?$

(ii) （带CN和OCH₃的苯环） $+ CH_3CH_2MgBr \xrightarrow{醚} ? \xrightarrow[H_2O]{H^+} ?$

(iii) CH_3 （带CN和CH₃取代的苯环） $\xrightarrow{HCl, SnCl_2} ? \xrightarrow{H_2O} ?$

习题 12−32 从指定原料及必要的无机及有机试剂合成指定化合物:

（i）从环己烷合成 OHC～～～CHO   （ii）从环己烷合成

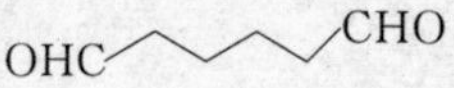

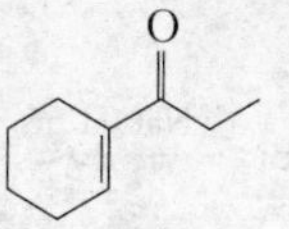

（iii）从甲苯合成 CH_3—⟨⟩—$\overset{\overset{OH}{|}}{C}(C_2H_5)_2$ （iv）从甲苯合成 O_2N—⟨⟩—CH_2OCH_2CHO

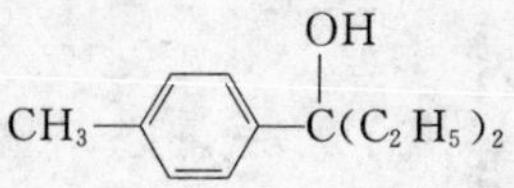

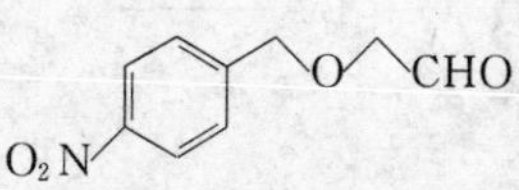

习题 12-33 写出所有分子式为 C_4H_8O 的醛和酮的构造式及其中英文系统命名。

习题 12-34 丙酮、丙烯醛与下列试剂有无反应，如有请写出反应式。

（i）乙硼烷   （ii）乙二醇+盐酸乙醚溶液   （iii）羟胺   （iv）氧气   （v）硼氢化钠

（vi）亚硫酸氢钠   （vii）锌汞齐,浓盐酸   （viii）肼,氢氧化钾   （ix）银氨络离子的碱性溶液

（x）异丙醇铝

习题 12-35 完成下列反应,写出主要产物:

（i） 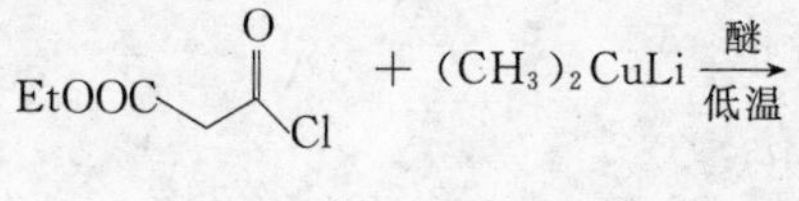 $EtOOC\overset{\overset{O}{||}}{C}Cl$ + $(CH_3)_2CuLi$ $\xrightarrow[\text{低温}]{\text{醚}}$

（ii） 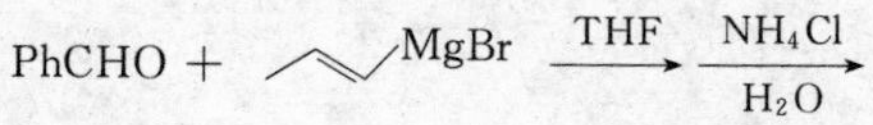 $PhCHO$ + ～～$MgBr$ $\xrightarrow[\text{THF}]{}$ $\xrightarrow[H_2O]{NH_4Cl}$

（iii） 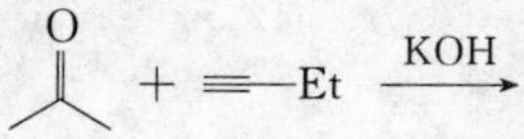 + ☰—Et $\xrightarrow{KOH}$

（iv） 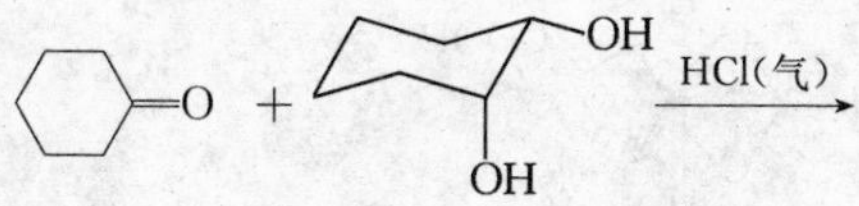 + $\xrightarrow{HCl(气)}$

（v） 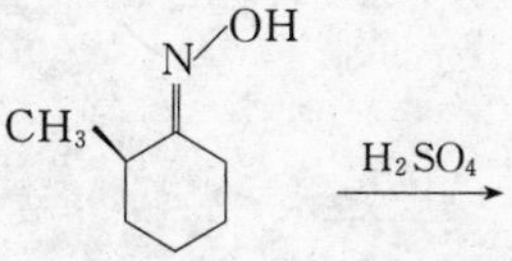 $\xrightarrow{H_2SO_4}$

（vi） 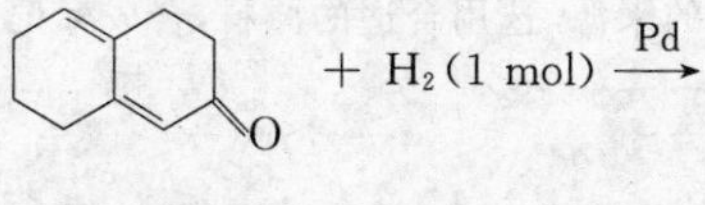 + $H_2(1\ mol)$ $\xrightarrow{Pd}$

（vii） 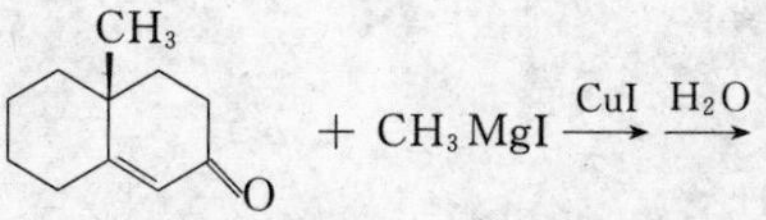 + CH_3MgI $\xrightarrow{CuI}$ $\xrightarrow{H_2O}$

（viii） + $(CH_3)_2CuLi$ $\xrightarrow[\text{低温}]{\text{醚}}$ $\xrightarrow{H_2O}$

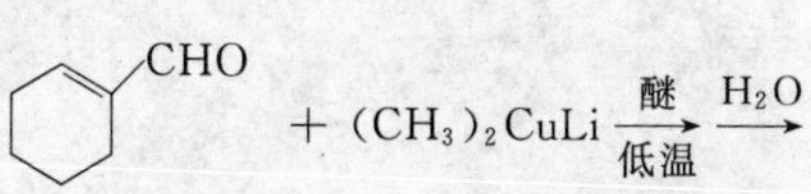

（ix） 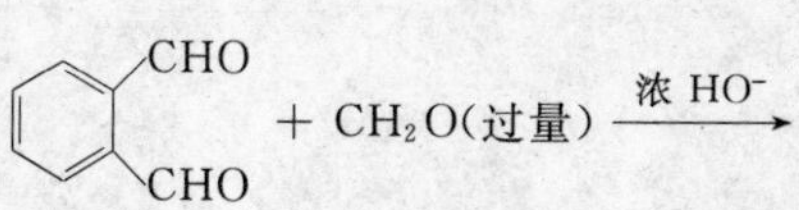 + CH_2O（过量） $\xrightarrow{\text{浓}\ HO^-}$

（x）

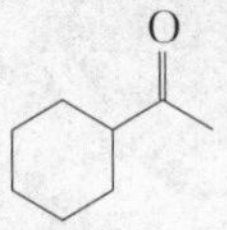

$$\text{(环己基甲基酮)} + Br_2 \xrightarrow{\text{NaOH}}$$

（xi）

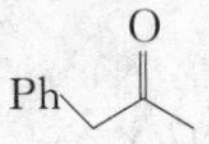

$$Ph\overset{O}{\underset{}{C}}CH_3 + Br_2 \xrightarrow{\text{HOAc}}$$

（xii）$(CH_3)_3CCHO + Ag(NH_3)_2^+ \longrightarrow$

（xiii）

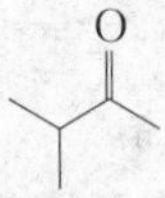

$$\xrightarrow{\ CF_3CO_2H, H_2O_2\ }$$

习题 12－36 用苯、甲苯、不超过三个碳的有机物和适当的无机试剂合成下列化合物。

(i) 正己醇   (ii) 2－甲基－4－庚醇

(iii) 3,3－二甲基－2－丁酮   (iv) 丁酮缩乙二醇

习题 12－37 由指定原料及必要的试剂合成下列化合物：

(i) 由苯及不超过四个碳原子的化合物合成 （1-萘基乙醛 CH$_2$CHO）

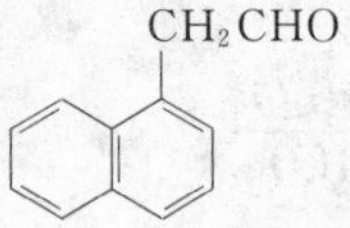

(ii) 由 BrCH$_2$CH$_2$CHO 和不超过三个碳原子的化合物合成 （庚-2,5-二酮）。

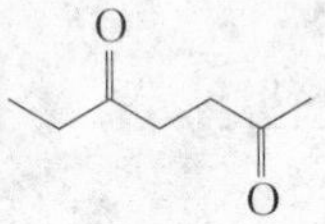

(iii) 由环戊二烯和不超过三个碳原子的化合物合成 Me（环状缩酮-COOEt）。

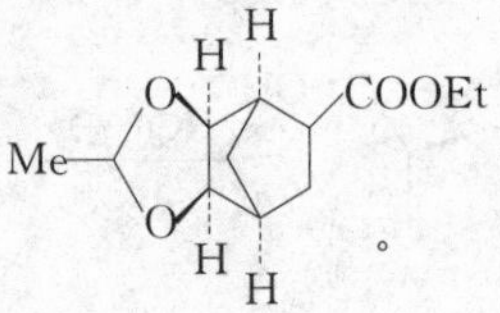

(iv) 用不超过三个碳原子的化合物合成 （OH, Et, Me, O, Me 取代四氢呋喃）

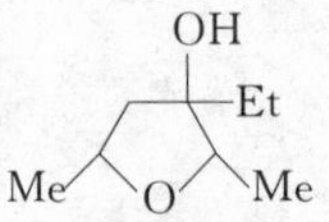

习题 12－38 利用 D_2，D_2O，$^{14}CH_3OH$，H_2O^{18} 为 D，^{14}C，^{18}O 的来源，选用合适的原料，合成标记化合物：

(i) $^{14}CH_3\overset{OH}{\underset{}{C}}HCH_2CH_3$ (ii) $^{14}CH_3\overset{OD}{\underset{}{C}}(CH_3)_2$

(iii) $CH_3CH_2\overset{^{18}OH}{\underset{}{C}}HCH_3$ (iv) $CH_3\overset{D}{\underset{}{C}}H\overset{D}{\underset{}{C}}HCH_3$

习题 12－39 选择简便的方法完成下列转换。

将 （戊-3-烯-2-酮） 转变成

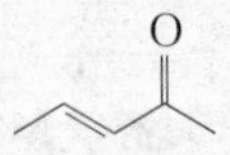

(i) [结构式 OH]　　(ii) [结构式 OH]　　(iii) [结构式]

(iv) [结构式 Cl O]　　(v) [结构式 O]　　(vi) [结构式 OH]

习题 12-40　写出丙醛和 1,2-环氧丙烷分别在合适的条件下与下列试剂反应的方程式和反应机理。

(i) C_2H_5MgBr,然后加水　　(ii) CH_3OH(足量),H^+　　(iii) NH_3　　(iv) HCN

习题 12-41　将下列各组化合物按羰基活性排列成序,并简单阐明理由。

(i) CH_3CH_2CHO　　　　PhCHO　　　　Cl_3CCH_2CHO

(ii) [结构式 O]　　[结构式 O]　　[结构式 O]　　[结构式 O CF₃]

(iii) [结构式 O]　　[结构式 O]　　[结构式 O]

习题 12-42　苯甲醛和环己酮的混合物与一分子氨基脲反应,最初得到的产物是什么? 最终得到的产物是什么? 为什么?

习题 12-43　A 和 B 的分子式均为 $C_5H_{14}O$,A 能发生碘仿反应,B 不能。B 能发生银镜反应,而 A 不能。A、B 分别用高锰酸钾氧化后均得到 2-丁酮和化合物 C,C 既能发生碘仿反应又能发生银镜反应。请推测 A、B、C 的构造式。

习题 12-44　有一光活性化合物 A,分子式为 $C_{14}H_{24}$,A 经催化氢化得到两个均具有光活性的同分异构体 B 和 C,A 经臭氧化-分解反应只得到一种光活性化合物 D,分子式为 $C_7H_{12}O$,D 能与羟胺反应生成 E,E 在酸性条件下会转变成化合物 F,F 的结构简式为

[结构式 HN O CH₃]

请推测 A,B,C,D,E 的结构简式,并写出上述各步的反应方程式。

复习本章的指导提纲

基本概念和基本知识

醛,醛基,酮,酮羰基,脂肪醛、酮,芳香醛、酮,饱和醛、酮,不饱和醛、酮,一元醛、酮,二元醛、酮,对称酮,不对称酮;醛、酮的结构特征,醛、酮的构象;醛、酮物理性质的一般规律;手性诱导作用,Cram 规则一,Cram 规则二;肼,羟胺,氨基脲,腙,肟,缩氨脲,内酰胺;维尼纶,尼龙-6;半缩醛,缩醛,半缩酮,缩酮;原甲酸,原甲酸乙酯;官能团的保护,羰基的保护,羟基的保护;α-羟腈;α 活泼氢,α 氢的卤代;氯仿,溴仿,碘仿,卤仿;亲核加成,1,4-共轭加成;叶立德,叶立德的结构特

征；Wittig 试剂，Wittig－Horner 试剂，硫叶立德；自氧化作用。

基本反应和重要反应机理

羰基亲核加成的定义、表达，反应机理和反应的立体选择性，亲核加成的类别：与有机金属化合物的加成，与氢氰酸的加成，与炔化物的加成，与氨及氨的衍生物的加成，与水的加成，与醇的加成，与亚硫酸氢钠的加成，与硫醇的加成，α,β－不饱和醛、酮加成反应的分类及规律，1,4－共轭加成的反应机理和反应的立体选择性，Michael 加成反应的定义、反应式、反应机理、区域选择性、立体选择性及其在合成中的应用；Beckmann 重排的定义、反应式、反应机理、立体化学的特点及其在合成和测定肟构型方面的应用；Favorski 重排反应的定义、反应式、反应机理和应用；二苯乙醇酸重排的定义、反应式、反应机理和应用；异丙苯氧化重排的定义、反应式、反应机理和应用；将羰基还原成亚甲基的三种方法：Clemmensen 还原法，Wolff－Kishner－Huang minlon 还原法，缩硫酮氢解法；将羰基还原成 CHOH 的几种方法及这些方法的特点：催化氢化，用氢化锂铝或硼氢化钠还原，用乙硼烷还原，Meerwein－Ponndorf 还原；用活泼金属的单分子还原和双分子还原在反应条件、反应机理和反应产物等方面的区别，各种还原方法应用于 α,β－不饱和醛、酮时的反应规律和反应选择性；醛、酮 α 氢卤化的酸催化反应机理和碱催化反应机理，这两种催化反应在催化剂用量，反应选择性及反应控制方面的区别。卤仿反应的定义、表达、机理及应用；Wittig 反应和 Wittig－Horner 反应的反应机理以及这两个反应在合成上的区别及应用，硫叶立德在合成上的应用；醛的氧化：一般性氧化，自氧化反应的定义和反应机理，Cannizzoro 反应的定义、反应式、反应机理及应用；酮的氧化：一般性氧化、Baeyer－Villiger 氧化重排的定义、反应式、反应机理、区域选择性、立体选择性及在合成中的应用。

重要合成方法

甲醛、乙醛、丙酮、环己酮的重要工业生产法；醛、酮的实验室制备方法：芳烃的氧化，二卤代烃的水解，醇的氧化，酰卤的还原，腈的还原水解。

重要鉴别方法

利用醛、酮与氨衍生物的反应提纯和鉴定醛、酮；利用卤仿反应鉴别甲基酮；利用 Tollens 试剂鉴别醛和酮；利用 Fehling 试剂鉴别醛和酮。

英汉对照词汇

acetal （缩醛）

acetoxime （丙酮肟）

addition product of sodium bisulfite （亚硫酸氢钠加成物）

adhesive （黏合剂）

alcoholate （醇化物）

aliphatic aldehyde and ketone （脂肪族醛酮）

aluminium isopropoxide （异丙醇铝）

aromatic aldehyde and ketone （芳香族醛酮）

Baeyer－Villiger oxidation rearrangement （拜耳－魏立格氧化重排）

Beckmann rearrangement （贝克曼重排）

benzaldoxime （苯甲醛肟）

benzilic acid rearrangement （二苯乙醇酸重排）

bimolecular reduction—coupling （双分子还原偶联）

Brown H C （勃朗）

Cannizzaro reaction （康尼查罗反应）

carbonyl group （羰基）

1,4－conjugated addition （1,4－共轭加成）

conjugated unsaturated aldehyde and ketone （共轭不饱和醛、酮）

Cram rule （克拉穆规则）

cyanohydrin （α－羟基腈）

diethylene glycol （一缩二乙二醇）

dimethyl sulfoxide （二甲亚砜）

2,4－dinitrophenylhydrazone （2,4－二硝基苯肼）

dipole intermediate （偶极中间体）

dismutation reaction （歧化反应）

dithioacetals （缩硫醛）

dithioketal （缩硫酮）

enamine （烯胺）

enolate ion （烯醇负离子）

enol form （烯醇式）

Favorski rearrangement （法沃斯基重排）

Fehling solution （斐林溶液）

formalin （福尔马林）

gem-diol （偕二醇）

Girard reagent （吉拉德试剂）

haloform reaction （卤仿反应）

hemiacetal （半缩醛）

hemiketal （半缩酮）

hydrate （水合物）

hydrazine （肼）

hydrazone （腙）

hydroxylamine （羟胺）

ketal （缩酮）

ketone form （酮式）

lactam （内酰胺）

Meerwein－Ponndorf reaction （麦尔外因－彭道夫反应）

methene (or methylene) 亚甲基

Michael addition reaction （麦克尔加成反应）

mixture ketone （混合酮）

nitrogen ylide （氮叶立德）

nucleophilic addition （亲核加成）

nylon－6 （尼龙－6）

nylon－66 （尼龙－66）

ortho formate （原甲酸酯）

oxidation rearrangement of isopropyl benzene （异丙苯氧化重排）

oxime （肟）

phenylhydrazine （苯肼）

phenylhydrazone （苯腙）

phosphorus ylide （磷叶立德）

polar group （极性基团）

Rosenmund reduction （罗森孟还原法）

saturated aldehyde and ketone （饱和醛酮）

Schiff base （西佛碱）

semicarbazide （氨基脲）

semicarbazone （缩氨脲）

simple ketone （单酮）

Stephen reduction （斯蒂芬还原）

Strecker reaction （斯瑞克反应）

sulfur ylide （硫叶立德）

Tollens reagent （士伦试剂）

trioxane （三聚乙醛）

unimolecular reduction （单分子还原）

α,β－unsaturated acid （α,β－不饱和酸）

unsaturated aldehyde and ketone （不饱和醛和酮）

urotropine （乌洛托品）

vinylon （维尼纶）

Wacker alkene oxidation （魏克尔烯烃氧化）

water separater （分水器）

Wittig reaction （魏悌息反应）

Wittig－Horner reaction （魏悌息－霍纳尔反应）

Wolff－Kishner－Huang minlon reduction （乌尔夫－恺惜纳－黄鸣龙还原）

ylide （叶立德）

第 13 章

羧 酸

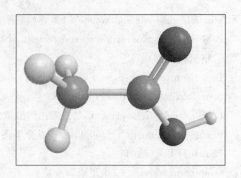

分子中具有羧基（—COOH, carboxy group）的化合物称为羧酸（carboxylic acid）。羧基是羧酸的官能团。

13.1 羧酸的分类

羧酸有不同的分类方法。根据与羧基相连的烃基的结构不同，可以分为脂肪酸（fatty acid）和芳香酸（aromatic acid），前者还可以分为饱和脂肪酸（saturated fatty acid）和不饱和脂肪酸（unsaturated fatty acid）。例如：

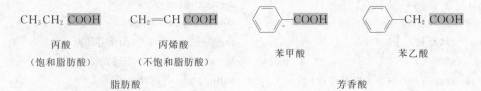

根据分子中所含羧基的数目不同，又可以分为一元酸（monocarboxylic acid）、二元酸（dicarboxylic acid）或多元酸（polycarboxylic acid）。例如：

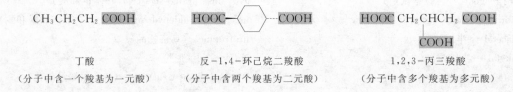

尽管有许多不同的类别，羧基的性质基本上是相同的。自然界存在的脂肪中，含有大量的高级的一元饱和羧酸，因此一元饱和羧酸亦称为脂肪酸。羧酸中和羟基相连的基团称酰基

（ $\overset{O}{\underset{\|}{RC}}$— , acyl group），羧基中的羰基可称为羧羰基。

羧酸在自然界广泛存在，而且对人类生活非常重要，如食用的醋，就是 2% 的醋酸；日常使用的肥皂，是高级脂肪酸的钠盐；食用的油，是羧酸甘油酯。羧酸也是一种非常重要的工业原料，例

如合成纤维[尼龙、涤纶(的确良)等]的重要原料之一就是羧酸。

习题 13-1 通过查阅资料,列举与人类生活密切相关的一元饱和脂肪酸、一元不饱和脂肪酸、芳香羧酸、二元羧酸、多元羧酸各一种,并简单阐明它们在人们日常生活中的用途。

13.2 羧酸的物理性质

低级脂肪酸是液体,可溶于水,具有刺鼻的气味;中级脂肪酸也是液体,部分地溶于水,具有难闻的气味;高级脂肪酸是蜡状固体,无味,不溶于水。芳香酸是结晶固体,在水中溶解度不大。

羧酸的沸点比相对分子质量相当的烷烃、卤代烷的沸点要高,甚至比相近相对分子质量的醇的沸点还高,这是因为羧羰基氧的电负性较强,使电子偏向氧,可以接近质子,形成二缔合体:

$$
\begin{array}{c}
\text{O}\cdots\text{H}-\text{O} \\
R-\text{C} \qquad\qquad \text{C}-R \\
\text{O}-\text{H}\cdots\text{O}
\end{array}
$$

二缔合体有较高的稳定性。在固态及液态时,羧酸以二缔合体的形式存在,甚至在气态时,相对分子质量较小的羧酸如甲酸、乙酸亦以二缔合体存在,这些均已被冰点降低法测定相对分子质量实验以及 X 射线衍射方法所证明。

所有二元酸都是结晶化合物,低级的溶于水,随相对分子质量增加,在水中的溶解度减小。在脂肪二元酸系列中有这样一个规律,单数碳原子的二元酸比少一个碳的双数碳原子的二元酸溶解度大、熔点低。

一些常见羧酸的物理性质见表 13-1。

表 13-1 一些常见羧酸的名称及物理性质

化 合 物	普通命名法	IUPAC 命名法	熔点/℃	沸点/℃	溶解度 $\text{g}\cdot(100\ \text{g H}_2\text{O})^{-1}$	pK_{a1}	pK_{a2}
甲酸 HCOOH	formic acid 蚁酸	methanoic acid	8.4	101	∞	3.77	
乙酸 CH_3COOH	acetic acid 醋酸	ethanoic acid	7	118	∞	4.74	
丙酸 CH_3CH_2COOH	propionic acid 初油酸	propanoic acid	−22	141	∞	4.88	
丁酸 $CH_3(CH_2)_2COOH$	butyric acid 酪酸	butanoic acid	−5	163	∞	4.82	
戊酸 $CH_3(CH_2)_3COOH$	valeric acid 缬草酸	pentanoic acid	−35	187	3.7	4.85	
十六酸 $CH_3(CH_2)_{14}COOH$	palmitic acid 软脂酸	hexadecanoic acid	62.9	269/ 0.01MPa	不溶		
十八酸 $CH_3(CH_2)_{16}COOH$	stearic acid 硬脂酸	octadecanoic acid	69.9	287/ 0.01MPa	不溶		

续表

化 合 物	普通命名法	IUPAC 命名法	熔点/℃	沸点/℃	溶解度 $\dfrac{}{\text{g} \cdot (100 \text{ g H}_2\text{O})^{-1}}$	pK_{a1}	pK_{a2}
苯甲酸 ⬡—COOH	benzoic acid 苯甲酸	benzoic acid	122	249	0.34	4.20	
2-甲苯甲酸 CH₃ ⬡—COOH	o−methylbenzoic acid 邻甲苯甲酸	2−methylbenzoic acid	106	259	0.12	3.91	
3-甲苯甲酸 H₃C—⬡—COOH	m−methylbenzoic acid 间甲苯甲酸	3−methylbenzoic acid	112	263	0.10	4.27	
4-甲苯甲酸 CH₃—⬡—COOH	p−methylbenzoic acid 对甲苯甲酸	4−methylbenzoic acid	180	275	0.30	4.38	
乙二酸 HOOCCOOH	oxalic acid 草酸	ethanedioic acid	189		8.6	1.27	4.27
丙二酸 HOOCCH₂COOH	malonic acid 缩苹果酸	propanedioic acid	136		73.5	2.85	5.70
丁二酸 HOOC(CH₂)₂COOH	succinic acid 琥珀酸	butanedioic acid	185		5.8	4.21	5.64
戊二酸 HOOC(CH₂)₃COOH	glutaric acid 胶酸	pentanedioic acid	98		63.9	4.34	5.41
己二酸 HOOC(CH₂)₄COOH	adipic acid 肥酸	hexanedioic acid	151		1.5	4.43	5.40
顺丁烯二酸 HOOC COOH ＼C=C／ H H	maleic acid 马来酸	cis−butenedioic acid (Z)−2−butenedioic acid(CA)	131		79	1.90	6.50
反丁烯二酸 HOOC H ＼C=C／ H COOH	fumaric acid 富马酸	trans−butenedioic acid (E)−2−butenedioic acid(CA)	302		0.7	3.00	4.20
1,2-苯二甲酸 COOH ⬡—COOH	o−phthalic acid 邻苯二甲酸	1,2−benzene− dicarboxylic acid	213		0.7	3.00	5.39
1,3-苯二甲酸 HOOC ⬡—COOH	m−phthalic acid 间苯二甲酸	1,3−benzene− dicarboxylic acid	349		0.01	3.28	4.60

续表

化 合 物	普通命名法	IUPAC命名法	熔点/℃	沸点/℃	溶解度 $g \cdot (100\ g\ H_2O)^{-1}$	pK_{a1}	pK_{a2}
1,4-苯二甲酸 HOOC—⬡—COOH	p-phthalic acid 对苯二甲酸	1,4-benzene-dicarboxylic acid	300 (升华)		0.002	3.82	4.45

习题 13-2 将下列化合物按沸点由大至小排列。讨论相对分子质量、结构和沸点的关系。

HCOOH   CH₃COOH   CH₃CH₂COOH

CH₃OH   CH₃CH₂OH   HOCH₂CH₂OH   CH₃CH₂CH₂OH   (CH₃)₂CHOH

13.3   羧酸及羧酸盐的结构

羧酸中,羧基碳呈 sp² 杂化,三根杂化轨道处于同一平面,键角大约为 120°,其中一根与羰基氧成 σ 键,一根与羟基氧成 σ 键,一根与氢或烃基碳成 σ 键。羧基碳上还剩有一根 p 轨道,与羰基氧上的 p 轨道经侧面重叠形成 π 键,因此羧基具有下列结构。

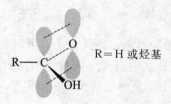

图 13-1   羧基的结构

X 射线衍射实验证明,在甲酸中, C=O 键长为 123 pm,C—O 为 136 pm,由此证明羧酸中的两个碳氧键是不一样的:

当羧羟基中的氢解离后,氧上带有一个负电荷,这样就更容易提供电子和原来羰基的 π 电子发生共轭作用,因此在羧基负离子中,两个氧原子和一个碳原子各提供一个 p 轨道,形成一个具有 4 电子三中心的离域 π 分子轨道:

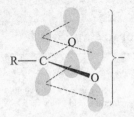

图13-2　羧基负离子的结构

在这样的离域体系中,负电荷不再集中在一个氧上,而是分散在两个氧上,X射线衍射及电子衍射实验证明,甲酸钠的两个C—O键的键长相等,均为127 pm,没有双键与单键的差别:

$$H-C \bigg[\begin{array}{c} \overset{127pm}{O} \\ \underset{127pm}{O} \end{array}\bigg]^- Na^+$$

羧酸的反应

13.4　酸　　性

羧酸都具有酸性。这是因为羧羟基氧上的孤电子对可以通过与碳氧双键的共轭,使氧上的电子云向碳氧双键转移。也即,这种共轭会产生两种影响:① 使氢氧键之间的电子云进一步向氧原子转移,使氢正离子更易离去;② 使形成的羧酸根负离子(carboxylate anion)因电荷分散而更加稳定。

$$R-C\overset{O}{\underset{O-H}{}} \bigg[R-C\overset{O}{\underset{O-}{}} \longleftrightarrow R-C\overset{O-}{\underset{O}{}} \bigg] \equiv R-C\overset{O}{\underset{O}{}} \bigg]^-$$

多数的羧酸是弱酸,pK_a一般在3～5之间,因此大部分羧酸是以未解离的分子形式存在的。例如乙酸在水中的解离常数$K_a = 1.75 \times 10^{-5}$,$pK_a = 4.74$,这就是说,$0.1\ mol \cdot L^{-1}$的乙酸仅有1.3%解离。表13-2列出了若干羧酸的pK_a值。

表13-2　羧酸的K_a与pK_a

	K_a	pK_a		K_a	pK_a
HCOOH	1.77×10^{-4}	3.77	$CH_3CH_2CH_2COOH$	1.52×10^{-5}	4.82
CH_3COOH	1.75×10^{-5}	4.74	C_6H_5COOH	6.3×10^{-5}	4.20
CH_3CH_2COOH	1.32×10^{-5}	4.88			

各种电子效应都将对羧酸的酸性产生影响。例如,当乙酸甲基上的氢被氯取代后,由于诱导效应,电子将沿着原子链向氯原子方向偏移,结果使羧酸负离子的负电荷分散而稳定,使氢离子更容易解离而增强酸性。如果乙酸甲基上的氢逐个被氯取代,酸性逐渐增强,三氯乙酸是个强酸。

	CH_3COOH	$ClCH_2COOH$	$Cl_2CHCOOH$	Cl_3CCOOH
pK_a 值	4.76	2.86	1.26	0.64

取代基的诱导效应随着距离的增加而迅速下降,如在 α 碳上作用很明显,β 碳上作用就明显下降,在 γ 碳上的作用已很小,一般在第四个碳上已没有什么作用,这从下列几个氯代酸就可以清楚地看出:

	$CH_3CH_2CHClCOOH$	$CH_3CHClCH_2COOH$	$ClCH_2CH_2CH_2COOH$	$CH_3CH_2CH_2COOH$
pK_a 值	2.82	4.41	4.70	4.82

二元酸中有两个可解离的氢:

$$HOOC(CH_2)_nCOOH \overset{K_1}{\rightleftharpoons} HOOC(CH_2)_nCOO^- + H^+$$

$$HOOC(CH_2)_nCOO^- \overset{K_2}{\rightleftharpoons} {}^-OOC(CH_2)_nCOO^- + H^+$$

表 13-3　二元酸的 pK_{a1} 与 pK_{a2}

	pK_{a1}	pK_{a2}		pK_{a1}	pK_{a2}
$HOOCCOOH$	1.27	4.27	$HOOC(CH_2)_2COOH$	4.21	5.64
$HOOCCH_2COOH$	2.85	5.70	$HOOC(CH_2)_3COOH$	4.34	5.41

因此二元酸有两个解离常数 K_1 及 K_2,K_1 比 K_2 大得多,这是由于羧基有强的吸电子效应,能对另一个羧基的解离产生影响,两个羧基愈近,影响愈大。如表 13-3 所列草酸 pK_{a1} 为 1.27,pK_{a2} 为 4.27,相差 3.0;丙二酸的 pK_{a1} 为 2.85,pK_{a2} 为 5.70,相差 2.85;而丁二酸以上的 pK_{a1} 和 pK_{a2} 之间的差值就明显地减小了,而且接近于一个不变的数值,但酸性均较乙酸为强。第一个羧基解离后,成为羧基负离子,有给电子诱导效应,使第二个羧基解离比较困难,因此丙二酸以上的二元酸的 pK_{a2} 均较乙酸的 pK_a 大。可以看出,诱导效应相隔一个碳原子后,彼此影响减弱很多,因此二元酸的酸性增强与酸性减弱效应,均与链的距离有关。

草酸的 pK_{a2} 为 4.27,比乙酸的 pK_a 小,这是个例外。从 X 射线衍射对草酸盐的测定,证明草酸盐具有一个平面的八电子的 π 体系,电子稳定性特别突出:

芳环上的取代基对于羧基的影响和在饱和碳链中传递的情形是完全不同的,因为苯环可以看做是一个连续不断的共轭体系,分子一端所受的作用可以沿着共轭体系交替地传递到另一端。

在考虑处于芳环邻位的取代基对羧基的影响时,还需要将诱导效应、共轭效应、超共轭效应及空间效应的影响综合起来分析,有时还需要考虑氢键作用。例如苯环上有一个硝基,硝基在苯环上有吸电子诱导效应,故在碳氮键上的一对电子偏向于氮,而在相邻的碳碳键上这种作用已很小。但硝基在苯环上还有吸电子的共轭效应,这是由于硝基上氮氧双键的 π 电子与苯环的 π 电子发生共轭作用而导致电子云向电负性很强的氧原子转移,这种电子转移可以传递很远,直接与硝基结合的碳原子电子云密度较高,带负电性,硝基的邻位与对位碳原子的电子云密度降低,带有正电性,电子云密度是一正一负交叠着的:

按照共振论的写法,硝基苯是由下列极限结构的叠加组成的:

因为共振杂化体在邻、对位电荷密度较小,所以邻、对位具有吸电子能力。

由于硝基苯在邻、间、对位上电子云密度不同,如分别带上羧基后,必然影响羧基的解离,所以邻、间、对三个硝基苯甲酸的解离稍有差别,这三个酸的 pK_a 值如下:

	COOH (邻-NO$_2$)	COOH (对-NO$_2$)	COOH (间-NO$_2$)
pK_a	2.21	3.42	3.49

邻位异构体的酸性最强,一个原因是由于硝基与苯环共轭,邻位碳原子的电子云密度较低,对羧基上的电子有吸引作用,增加了酸的解离;另一个原因是硝基与羧基距离很近,由于空间位阻关系,使得羧基碳氧双键上的 π 电子不能与苯环上的 π 电子很好的共轭,故共轭效应小(HCOOH pK_a 3.77,PhCOOH pK_a 4.20,苯环取代甲酸的氢后酸性降低,故没有硝基存在时,苯环起的是给电子作用);第三个原因是硝基的诱导效应,使苯环碳原子的电子云密度相应地降低,有利于羧基的解离,虽然这种效应很小,但邻位所受的影响比间位与对位大。

间位与对位异构体的诱导效应很微弱,对位主要是共轭效应,而间位碳原子的电子云密度高,对羧基上电子的吸引力小,羧酸的解离变弱,故酸性较对位稍低。表 13-4 是一些取代苯甲酸的 pK_a。

表 13-4　一些取代苯甲酸的 pK_a

	o	m	p
H	4.20	4.20	4.20
CH₃	3.91	4.27	4.38
F	3.27	3.86	4.14
Cl	2.92	3.83	3.97
Br	2.85	3.81	3.97
I	2.86	3.85	4.02
OH	2.98	4.08	4.57
OCH₃	4.09	4.09	4.47
NO₂	2.21	3.49	3.42

从取代苯甲酸的 pK_a 值可以看到,邻位取代苯甲酸的酸性,不管是给电子基团或吸电子基团,酸性均较间位与对位的强。当卤素、羟基、烷氧基等取代基处在羧基对位时,这些基团上的孤电子对可以与苯环共轭,例如对烷氧基苯甲酸具有下列的结构:

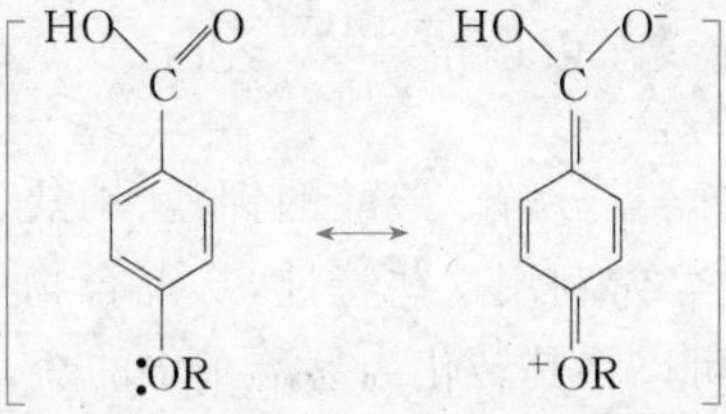

烷氧基氧上的电子通过苯环转向羧基,使质子不易于离去,因此酸性较间位低。

此外烷基与苯环相连时,有给电子的超共轭效应,超共轭效应使间位和对位烷基苯甲酸的酸性比苯甲酸略低。邻位烷基苯甲酸由于邻位效应其酸性比对位烷基苯甲酸的高。

习题 13-3　将下列各组化合物,按酸性从强到弱的顺序编号:

(i)　CH₃CHCH₂COOH ,　CH₃CH₂CHCOOH ,　FCH₂CH₂CH₂COOH
　　　　　|F　　　　　　　　　　　　　|F

(ii) BrCH₂COOH,　HC≡CCH₂COOH ,O₂NCH₂COOH,ClCH₂COOH,(CH₃)₃CCH₂COOH

(iii)

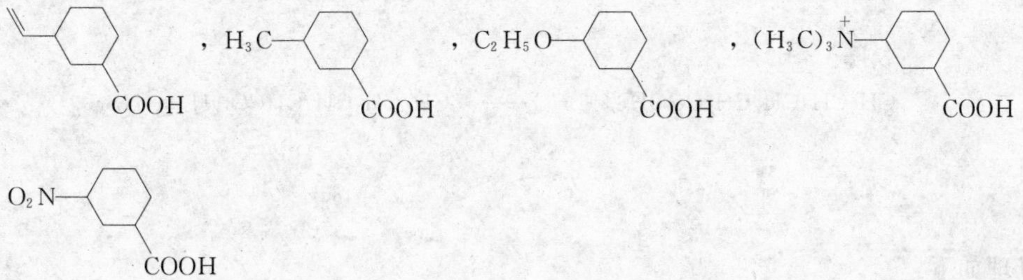

(iv)

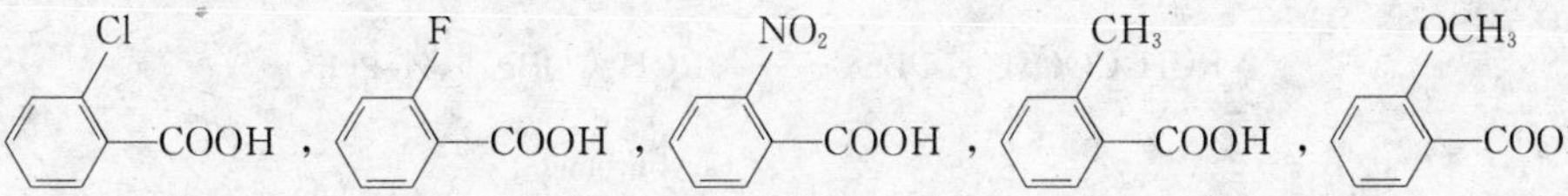

习题 13-4 将下列各组化合物,按碱性从强到弱的顺序编号:

(i) $CH_3CH_2CBr_2COO^-$, $CH_3CH_2CHBrCOO^-$, $CH_3CH_2CH(OCH_3)COO^-$

(ii) $(CH_3)_3C$—⟨　⟩—COO^-, CH_3O—⟨　⟩—COO^-, O_2N—⟨　⟩—COO^-

$Me_2\overset{+}{N}H$—⟨　⟩—COO^-

(iii) $CH_3CH_2CH_2O^-$, $(CH_3)_2CHCOO^-$, $(CH_3)_3CCOO^-$, $CH_3CHBrCOO^-$, $CH_3CBr_2COO^-$

$CH_3C\equiv C^-$, $CH_3CH_2\overset{-}{N}H$, $(CH_3)_2CH\overset{-}{N}H$, $CH_3CH_2CH_2^-$

习题 13-5 请解释邻、间、对 A 基苯甲酸的酸性大小顺序(参见表 13-4)。

(i) $A=CH_3$　　(ii) $A=Cl$　　(iii) $A=OCH_3$

羧酸的分离提纯

　　羧酸和碱(如氢氧化钠、碳酸钠、碳酸氢钠等)的水溶液反应能转化为羧酸盐,羧酸是一个弱酸,将羧酸盐用无机酸酸化,又可转为原来的羧酸:

$$RCOOH \underset{H^+}{\overset{OH^-}{\rightleftharpoons}} RCOO^-$$

羧酸盐是固体,熔点很高,常常在熔点分解。羧酸的钾盐、钠盐、铵盐可溶于水,这些盐除低级的外,一般均不溶于有机溶剂,因此常常利用这些特性,从混合物中分离提纯与鉴别羧酸盐。例如将羧酸与氢氧化钠水溶液作用,可以将其转化为易溶于水的盐,这样可以与很多不溶于氢氧化钠水溶液的有机化合物分离,然后再用无机酸将羧酸盐转回为原来的羧酸。如果此羧酸为固体,可用过滤法得到羧酸,如为液体,可用溶剂提取,再将溶剂蒸除,即可得羧酸。

　　羧酸的重金属盐不溶于水。

13.5　羧酸 $\alpha-H$ 的反应——Hell-Volhard-Zelinski 反应

　　Hell-Volhard-Zelinski(赫尔-乌尔哈-泽林斯基)反应是在催化量的三氯化磷、三溴化磷等作用下,卤素取代羧酸 $\alpha-H$ 的反应。反应进行很顺利,控制卤素用量,可分别得到一元或多元卤代酸:

$$CH_3CH_2CH_2CH_2COOH + Br_2 \xrightarrow[70\,℃]{PBr_3} CH_3CH_2CH_2\underset{\underset{Br}{|}}{C}HCOOH + HBr$$

$$80\%$$

反应机理如下:

$$3\,RCH_2COOH + PBr_3 \longrightarrow 3\,RCH_2COBr + H_3PO_3$$

$$\begin{array}{c}\text{酰溴}\\ \text{(acyl bromide)}\end{array}$$

$$RCH_2\overset{\overset{\displaystyle O}{\|}}{C}-Br \overset{H^+}{\Longleftrightarrow} RCH=\overset{\overset{\displaystyle OH}{|}}{C}Br \overset{Br-Br}{\longrightarrow} RCH-\overset{\overset{\displaystyle {}^+OH}{|}}{C}Br + Br^-$$

$$\Big\updownarrow^{-H^+}$$

$$RCH\overset{\overset{\displaystyle O}{\|}}{C}-Br$$
$$\overset{\displaystyle Br}{|}$$

α-溴代酰溴

$$\underset{\underset{\displaystyle \alpha-溴代羧酸}{}}{RCH}\overset{\overset{\displaystyle O}{\|}}{C}-Br + RCH_2COOH \longrightarrow RCHCOOH + RCH_2\overset{\overset{\displaystyle O}{\|}}{C}Br$$

三卤化磷的作用是将羧酸转化为酰卤。因为酰卤的 α-H 比羧酸的 α-H 活泼,更容易形成烯醇而加快了卤化反应。然后烯醇化的酰卤与卤素反应生成 α-卤代酰卤。后者与羧酸进行交换反应就得到了 α-卤代羧酸。在反应时,也可以用少量的红磷代替三卤化磷,因为红磷与卤素相遇,会立即生成三卤化磷。

$$2P + 3Br_2 \longrightarrow 2PBr_3$$

由于使用的红磷(或三卤化磷)是催化量的,因此产生的 α-卤代酰卤也是少量的,但它在与羧酸进行交换反应时会重新转变为酰卤,因此酰卤可以循环使用,直到反应完成。

常用的氯代乙酸就是用乙酸和氯气在微量碘的催化作用下制备的。可以得到一氯代、二氯代和三氯代乙酸。

$$CH_3COOH \xrightarrow[I_2]{Cl_2} ClCH_2COOH \xrightarrow{\triangle} Cl_2CHCOOH \xrightarrow{\triangle} Cl_3CCOOH$$

习题 13-6　回答下列问题:

(i) 为什么不采用自由基型的卤化反应来制备 α-卤代羧酸?

(ii) 如果不用红磷或三卤化磷作催化剂,可以采用什么方法使羧酸的 α-卤代反应顺利进行? 为什么?

(iii) 比较醛、酮和羧酸 α-卤代反应的难易并简单阐明理由。

13.6　酯 化 反 应

醇和酸的失水产物称为酯。醇和无机酸失水形成的产物称为无机酸酯,关于它们的制备参见 10.5。醇和有机酸失水形成的产物称为有机酸酯。本节讨论有机酸酯的制备。

13.6.1　概述

羧酸与醇在酸催化下生成酯的反应称为酯化反应(esterification)。

$$CH_3COOH + HOC_2H_5 \underset{}{\overset{H^+}{\rightleftharpoons}} CH_3COOC_2H_5 + H_2O$$

常用的催化剂是硫酸、氯化氢或苯磺酸等，这个反应进行得很慢，并且反应到一定程度时，即行停止，如用 1 mol 酸和 1 mol 醇发生反应，只能生成 2/3 mol 的酯，这是一个可逆反应，当达到平衡时，仍有 1/3 mol 的酸和醇没有发生反应，因此平衡常数可按下式求得：

$$K = \frac{\frac{2}{3} \times \frac{2}{3}}{\frac{1}{3} \times \frac{1}{3}} = 4$$

为提高产率，必须使反应尽量地向右方进行。一个方法是利用共沸混合物将水带走，或加合适的去水剂把反应中产生的水除去；另一方法是在反应时加过量的醇或酸，以改变反应达到平衡时反应物和产物的组成。表 13-5 所列为乙酸与乙醇以不同浓度反应达到平衡时的组成。从表中可以看出，用过量的醇可以把酸完全转变为酯，反过来，如用过量的酸亦能把醇完全酯化。在有机合成中，常常选择最适合的原料比例，以最经济的价格，来得到最好的产率。

表 13-5　乙酸与乙醇浓度不同时酯的产率

乙酸 / mol	乙醇 / mol	产物酯 / mol	
		观　察	计　算
1	0.1	0.098	0.098
1	0.5	0.41	0.42
1	1	0.66	0.67
1	2	0.86	0.85
1	8	0.97	0.97

13.6.2　酯化反应的机理

酯化反应可以按三种不同的机理来进行。

1. 加成-消除机理

当羧酸酯化时，羧酸是提供氢还是提供羟基？各种实验表明：在大多数情况下，是由羧酸提供羟基，醇提供氢。如用含有 ^{18}O 的醇和羧酸酯化时，形成含有 ^{18}O 的酯：

$$C_6H_5\overset{O}{\overset{\|}{C}}\text{---OH} + \text{H---}^{18}OCH_3 \overset{H^+}{\rightleftharpoons} C_6H_5\overset{O}{\overset{\|}{C}}\text{---}^{18}OCH_3 + H_2O$$

还有，当羧酸和有光活性的醇反应时，形成仍有光活性的酯，这也证明反应时羧酸提供的是羟基，因为，如果羧酸提供氢，醇提供羟基，当羧酸的氧与醇的不对称碳结合时，会引起消旋，即所得的酯为消旋体。

$$CH_3\overset{O}{\overset{\|}{C}}OH + HO\overset{*}{\underset{(CH_2)_5CH_3}{C}}\overset{CH_3}{\underset{H}{\diagdown}} \overset{H^+}{\rightleftharpoons} CH_3CO\overset{*}{\underset{(CH_2)_5CH_3}{C}}\overset{CH_3}{\underset{H}{\diagdown}} + H_2O$$

根据以上证据,可以认为酯化是由羧酸提供羟基,反应是经过形成四面体中间物(tetrahedral intermediate)的过程完成的。

$$CH_3C\overset{O:}{\underset{OH}{\parallel}} \xrightarrow[-H^+]{H^+} CH_3C\overset{\overset{+}{OH}}{\underset{OH}{\parallel}} \xrightarrow[-C_2H_5OH]{H\ddot{O}C_2H_5} CH_3\overset{OH}{\underset{HOC_2H_5}{\overset{|}{\underset{|}{C}}}} OH \xrightarrow[H^+ 转移]{H^+ 转移} CH_3\overset{:OH}{\underset{OC_2H_5}{\overset{|}{\underset{|}{C}}}}OH_2$$

$$(i) \qquad\qquad (ii) \qquad\qquad (iii)$$

$$\xrightarrow[+H_2O]{-H_2O} CH_3-\overset{+OH}{\underset{}{\overset{\parallel}{C}}}-OC_2H_5 \rightleftharpoons CH_3-\overset{O}{\underset{}{\overset{\parallel}{C}}}-OC_2H_5 + H^+$$

$$(iv) \qquad\qquad (v)$$

首先是把羧酸的羰基氧质子化(i),使羰基碳带有更多的正电性,醇就容易发生亲核进攻,碳氧之间的 π 键打开形成一个四面体中间物(ii),然后质子转移形成(iii),消除水得到(iv),再消除质子,形成酯(v)。这个反应过程,是羰基发生亲核加成,再消除,所以称为加成–消除机理(addition-elimination mechanism),总的结果是羧基碳上由一个亲核试剂置换了羰基碳上的羟基。

羧酸与一级、二级醇酯化时,绝大多数属于这个反应机理。且反应速率为

$$CH_3OH > RCH_2OH > R_2CHOH$$
$$HCOOH > CH_3COOH > RCH_2COOH > R_2CHCOOH > R_3CCOOH$$

2. 碳正离子机理

羧酸与 3° 醇发生酯化反应时,由于三级醇的体积较大,不易形成四面体中间体,而三级碳正离子又较易形成,可以认为这类酯化反应是经碳正离子中间体机理(carbocation intermediate mechanism)完成的。具体过程如下:

$$(CH_3)_3C\ddot{O}H \xrightarrow[-H^+]{H^+} (CH_3)_3C\overset{+}{O}H_2 \xrightarrow[+H_2O]{-H_2O} (CH_3)_3C^+ \xleftarrow{\overset{:OH}{O=\overset{|}{C}-R}}$$

$$R-\overset{+OH}{\underset{}{\overset{\parallel}{C}}}-OC(CH_3)_3 \xrightarrow[H^+]{-H^+} R-\overset{O}{\underset{}{\overset{\parallel}{C}}}-OC(CH_3)_3$$

这一反应机理已被同位素跟踪(isotope tracer)实验所证明。

$$CH_3C\overset{O}{\underset{}{\overset{\parallel}{C}}}{}^{18}OH + (CH_3)_3COH \xrightarrow{H^+} CH_3C\overset{{}^{18}O}{\underset{}{\overset{\parallel}{C}}}OC(CH_3)_3 + H_2O$$

酯化反应是一个可逆反应。由于中间体三级碳正离子 $(CH_3)_3C^+$ 在反应过程中易与碱性较强的水结合,不易与羧羰基氧结合,因此三级醇酯化反应的产率是很低的。

3. 酰基正离子机理

2,4,6–三甲基苯甲酸的酯化因有空间位阻,醇分子接近羧羰基的碳很困难,不能按上述机理进行。如将羧酸先溶于 100% 硫酸中,形成酰基正离子,然后将其倒入希望酯化的醇中,很顺利地得到了酯。反应是按形成酰基正离子的机理(acyl cation mechanism)进行的,仅仅少数的酯化反应属于这个机理。

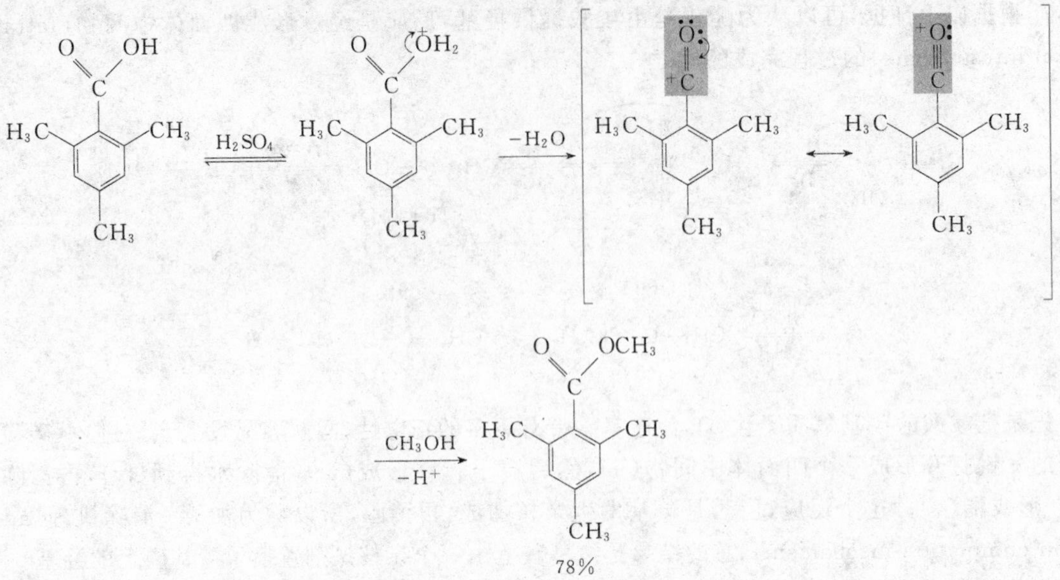

78%

酰基正离子的碳原子是 sp 杂化,为直线形的结构,并且与苯环共平面,醇分子可以从平面上方或下方进攻酰基碳,能很顺利得到 2,4,6-三甲基苯甲酸酯,产率很好,这是"空助效应"(steric assistance effect)反应的又一例证。同样,如果将这类酯水解,可将酯溶于浓硫酸中,然后倒入大量冰水中,能得到产率很高的酸。

习题 13-7 写出分子式为 $C_5H_{10}O_2$ 的羧酸的同分异构体。若这些羧酸与乙醇在酸催化下发生成酯反应。请将它们按反应速率从快到慢的顺序排列,并简单阐明原因。

13.6.3 羟基酸的分子内酯化和分子间酯化

羟基酸分子内具有羟基、羧基这两个可以互相反应的基团,因此可以发生分子间酯化(intermolecular esterification)或分子内酯化(intramolecular esterification)的反应。

(1) 形成交酯(lactide) 两分子 α-羟基酸受热失水形成交酯:

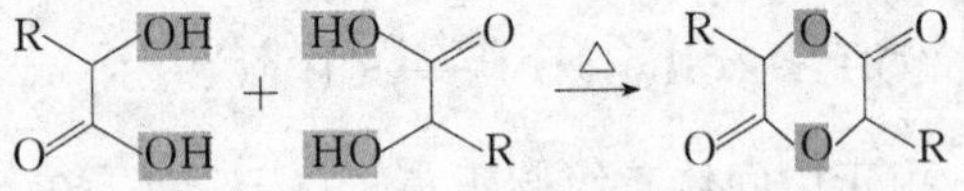

交酯

(2) 形成内酯(lactone):γ- 与 δ-羟基酸易形成内酯:

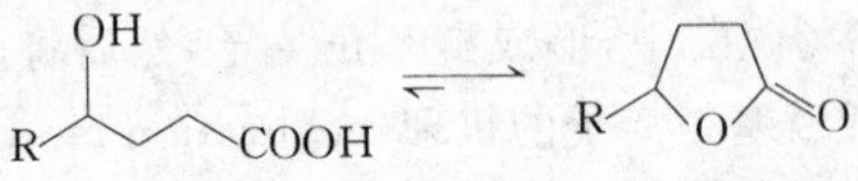

γ-羟基酸　　　　　　γ-内酯

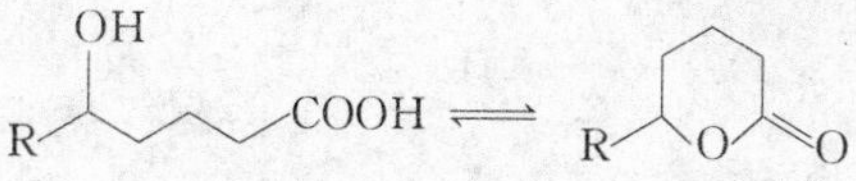

δ-羟基酸　　　δ-内酯

γ-羟基酸与δ-羟基酸在中性或酸性条件下成内酯，在碱性条件下可开环成羧酸盐，酸化后又成内酯。表13-6所示为内酯与相应羟基酸的平衡关系。

表13-6　内酯与羟基酸的平衡关系

内　酯	平衡时羟基酸/%	平衡时内酯/%
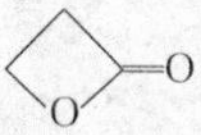	100	0
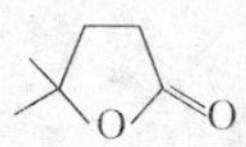	2	98
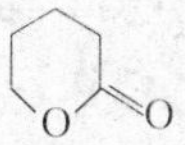	75	25
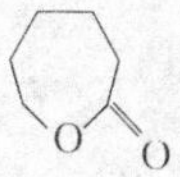	～100	～0

环烷烃中以环己烷张力最小，最稳定，但在内酯中以五元环张力最小，最稳定，这与γ-内酯键角大小有关。五元环与六元环的内酯易于形成，这是因为分子弯曲成类似五元环和六元环构象的概率很大，这样羟基与羧基接近的机会较多。因此反应速率很快，易形成内酯。

ω-羟基酸（碳数在9以上）在极稀的溶液中，可形成大环内酯。

(3) 聚合　除形成五元及六元环内酯倾向很大的羟基酸外，其它羟基酸在合适的酯化催化剂作用下，并在反应过程中不断将水除去，可得高相对分子质量的聚酯，催化剂常用质子酸或Lewis酸等，如需高温，为避免羟基脱水，常用Sb_2O_3，$Zn(OAc)_2$等碱性催化剂。

$$nHO(CH_2)_8COOH \xrightarrow[\triangle]{Sb_2O_3} HO(CH_2)_8\overset{O}{\overset{\|}{C}}\left[O(CH_2)_8\overset{O}{\overset{\|}{C}}\right]_{n-1}OH + (n-1)H_2O$$

内酯中除五元环内酯外，其它内酯在催化剂作用下，均可开环聚合，如

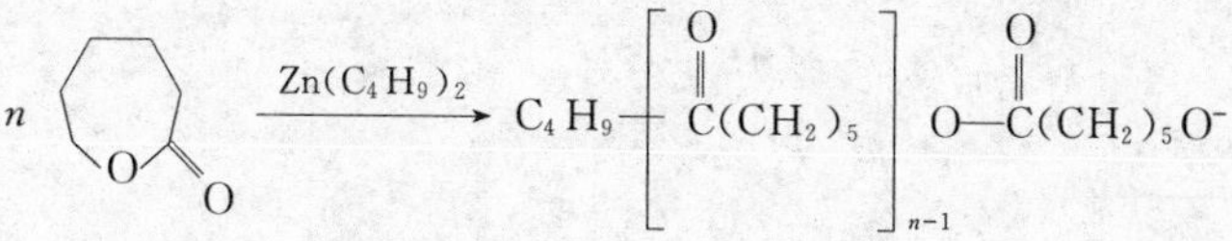

ε-己内酯　　　聚ε-己内酯

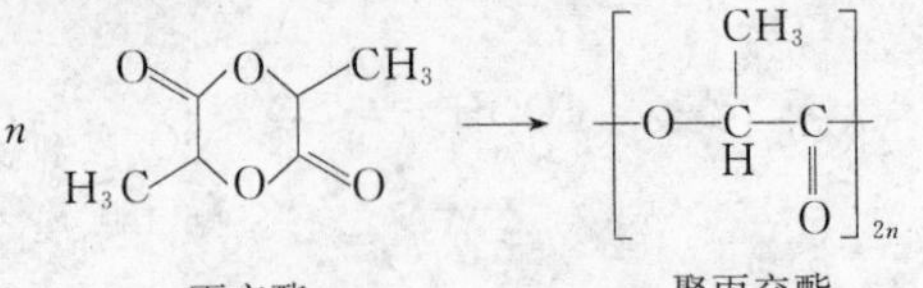

丙交酯   聚丙交酯

聚丙交酯可抽丝做外科手术缝线,在体内可自动溶化而不需拆除,因为这种聚合物在体内缓缓分解为乳酸,对人体无害。如果这种聚合物中混有某种药物,置入体内,在聚合物缓慢分解过程中,就具有均匀释放药物的功效。

习题 13-8 完成下列反应,写出主要产物:

(i) $HOCH_2CH_2CHO \xrightarrow{\text{HCN}} \xrightarrow[\triangle]{H_3^+O} \xrightarrow[-H_2O]{H^+,\triangle}$

(ii)  $\xrightarrow{\text{稀 } H_2SO_4}$

(iii) 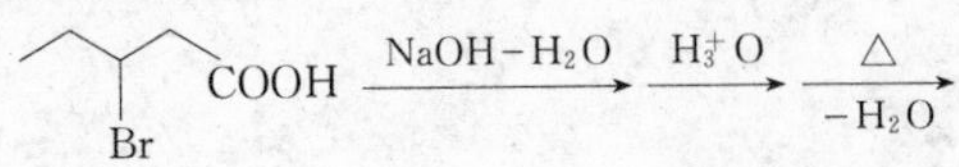 $\xrightarrow{\text{NaOH}-H_2O} \xrightarrow{H_3^+O} \xrightarrow[-H_2O]{\triangle}$

(iv) 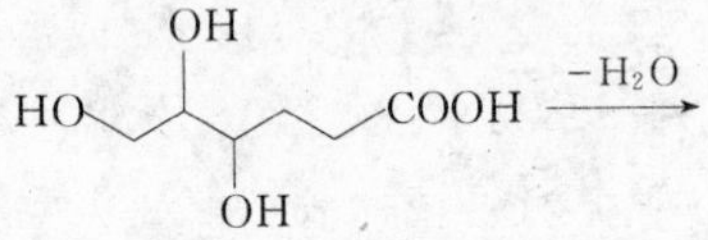 $\xrightarrow{-H_2O}$

(v) 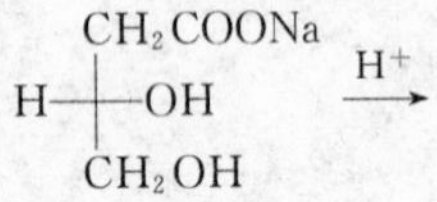 $\xrightarrow{H^+}$

(iv) 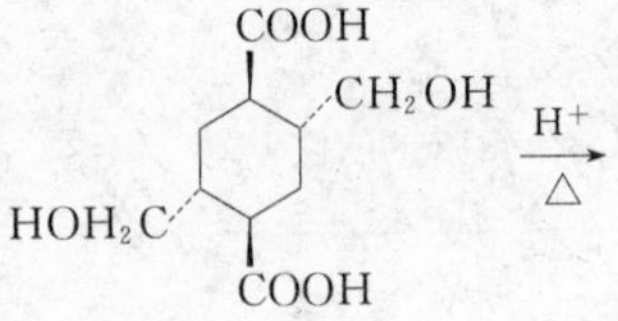 $\xrightarrow[\triangle]{H^+}$

习题 13-9 用指定原料及必要的试剂合成下列化合物:

(i) 从 $CH_3CH=CH_2$ 合成

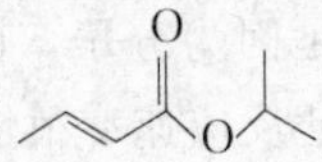

(ii) 从 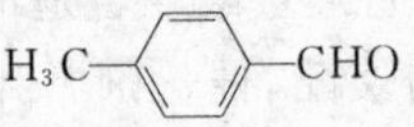 合成

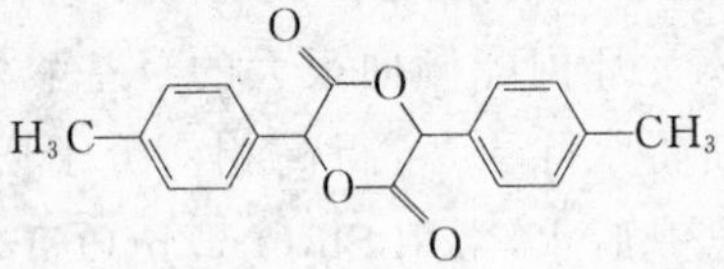

(iii) 从 CH_3CH_2CHO 合成

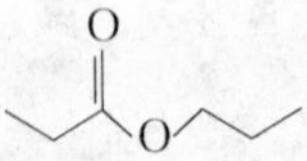

(iv) 从 $Br(CH_2)_8COOH$ 合成

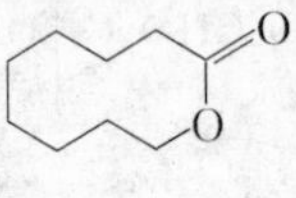

(v) 从 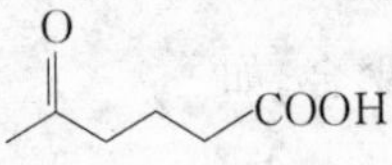 合成

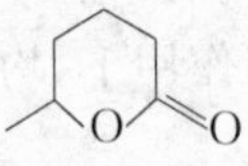

(vi) 从 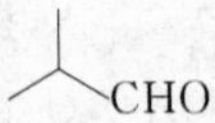 合成

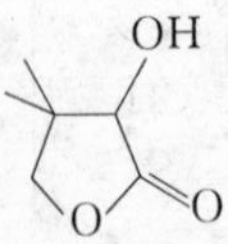

13.7 形成酰胺、腈、酰卤和酸酐的反应

羧酸与氨或胺可以形成铵盐。这是一个平衡反应,低温利于铵盐的形成,加热铵盐分解成羧酸和氨或胺。

$$R\text{—}\overset{\overset{\displaystyle O}{\|}}{C}\text{—OH} + R'NH_2 \rightleftharpoons RCOO^- \overset{+}{N}H_2R'$$

羧酸　　　　胺　　　　铵盐

在这个平衡体系中,氨或胺的氮上的孤对电子可以对羧基碳进行亲核进攻,通过与酯化反应的加成-消除机理相类似的过程,使羧酸脱去一分子水形成酰胺(amide)。

酰胺进一步加热,再失去一分子水形成腈(nitrile)。

羧酸铵盐高温分解成酰胺的反应是一个可逆反应。若在反应过程中不断将水蒸发,移动平衡,可获很好的产率。

$$CH_3COOH + NH_3 \longrightarrow CH_3COONH_4 \underset{100℃}{\rightleftharpoons} CH_3CONH_2 + H_2O$$

84%

这个反应的一个重要应用就是二元酸与二元胺作用,形成线形的聚酰胺。最重要的聚酰胺是尼龙-66,由六个碳的二元酸与六个碳的二元胺为原料聚合,因而得名:

$$HOOC(CH_2)_4COOH + H_2N(CH_2)_6NH_2 \longrightarrow {}^-OOC(CH_2)_4COO^- \overset{+}{N}H_3(CH_2)_6\overset{+}{N}H_3$$

尼龙盐

$$n[{}^-OOC(CH_2)_4COO^- \overset{+}{N}H_3(CH_2)_6\overset{+}{N}H_3] \xrightarrow[1\,MPa]{270℃} \left[\overset{\overset{\displaystyle O}{\|}}{C}(CH_2)_4\overset{\overset{\displaystyle O}{\|}}{C}NH(CH_2)_6NH\right]_n + 2n\,H_2O$$

尼龙-66

反应严格要求酸与胺的比例为1:1,因此先使它们形成盐,这样可以保证酸与胺的比例,然后将盐进行聚合反应。这个反应是一个可逆反应,为了使正反应顺利进行,要把产生出来的水除去,

一般是等聚合到一定程度后,在减压下把水除去。尼龙-66可以做合成纤维、工程塑料等。

由癸二酸及癸二胺缩聚而成的聚酰胺,称为尼龙-1010。这是一种性能良好的工程塑料,具有良好的耐磨性能,耐油性和绝缘性,可在-40～120℃范围内使用。

习题 13-10　环内含有酰胺键的化合物称为内酰胺。己内酰胺开环聚合可以得到尼龙-6。请写出该聚合反应的化学方程式。

酰卤是用羧酸和无机酰卤如硫酰氯、三卤化磷、五卤化磷等反应来制备。详细内容将在 14.11 中介绍。

酸酐可用干燥的羧酸盐与酰卤反应,羧酸失水、芳烃氧化、羧酸或丙酮的反应等方法来制备。以上内容将在 14.12 中详细讨论。

13.8　与有机金属化合物反应

格氏试剂与羧酸反应生成羧酸镁盐。羧酸镁盐不溶于有机溶剂,且成盐后的羧羰基活性降低,因此不再与格氏试剂进一步反应。

$$RCOOH + R'MgX \longrightarrow RCOOMgX\downarrow + R'H$$

羧酸与有机锂试剂反应先形成羧酸锂盐,羧酸锂盐的解离性能不是很高而溶解性能却很好,且易于接受亲核试剂对羧羰基的进攻,当第二分子有机锂试剂与羧酸锂盐反应时,首先是锂与氧接近,使羧羰基碳更具正电性,帮助烷基向羧羰基碳进攻,形成稳定的中间物,然后水解得酮。这也是合成酮的一般方法。α碳上取代基少,空间位阻小的羧酸易于发生加成反应。反应常用的溶剂有乙醚、苯、四氢呋喃等。

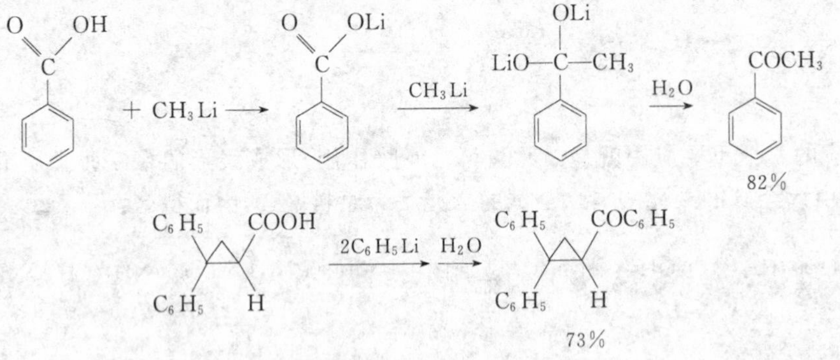

13.9　羧酸的还原

羧酸很难用催化氢化法还原,但氢化铝锂或乙硼烷能顺利地将羧酸还原成一级醇。

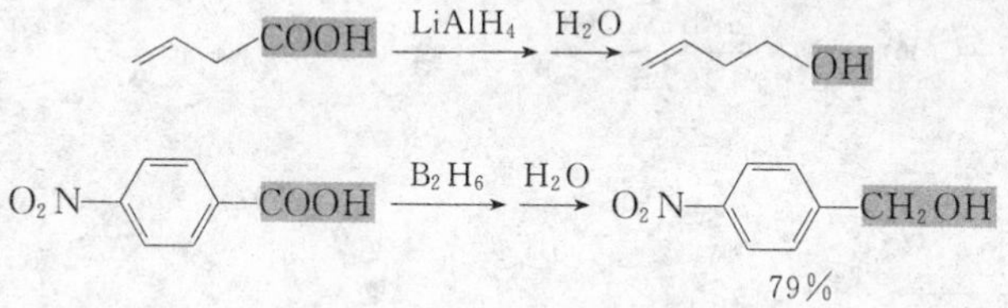

$$\text{CH}_2=\text{CH-CH}_2\text{-COOH} \xrightarrow[\text{H}_2\text{O}]{\text{LiAlH}_4} \text{CH}_2=\text{CH-CH}_2\text{-CH}_2\text{OH}$$

$$\text{O}_2\text{N}-\!\!\!\!\bigcirc\!\!\!\!-\text{COOH} \xrightarrow[\text{H}_2\text{O}]{\text{B}_2\text{H}_6} \text{O}_2\text{N}-\!\!\!\!\bigcirc\!\!\!\!-\text{CH}_2\text{OH}$$
$$79\%$$

氢化铝锂还原羧酸分两个阶段,第一阶段是将羧酸还原成醛。具体过程如下所示。

$$\text{RCOOH} + \text{LiAlH}_4 \longrightarrow \text{RCOOLi} + \text{H}_2 + \text{AlH}_3$$

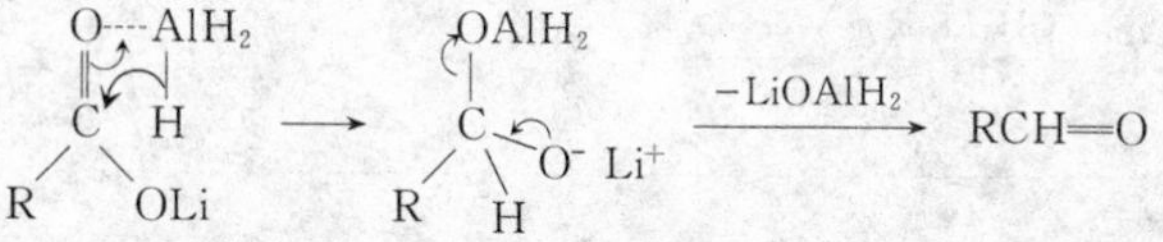

首先,羧酸转变成羧酸锂盐,然后,氢化铝(AlH$_3$)与羧酸锂盐接近,与羰基氧形成络合物,再将氢负离子从铝转移到羰基碳上,接着消除 LiOAlH$_2$ 形成醛。第二阶段是醛再与第二分子氢化铝锂反应,然后用稀酸水解得一级醇(参见 12.6.2/2)。虽然反应经过醛的阶段,但由于醛比酸更易被氢化铝锂还原,所以不能拿到中间产物醛。用氢化锂铝还原时,常用无水乙醚、四氢呋喃做溶剂。氢化锂铝能还原很多具有羰基结构的化合物,但不能还原孤立的碳碳双键。

乙硼烷还原羧酸的反应过程如下所示:

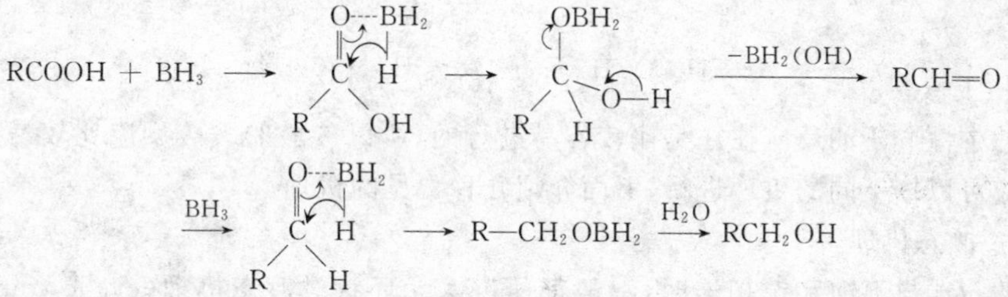

首先是缺电子的硼对羧羰基氧络合,然后将氢负离子从硼转移到碳上,再消除 BH$_2$OH 生成醛。醛再与一分子硼烷反应,最后水解得到一级醇。反应的关键在于硼烷与氧的络合,因此,羰基氧的碱性越强,反应越易进行。各种基团的反应性能如下列的次序:

$$-\text{COOH} > \!\!\!\!>\!\!\text{C}=\text{O} > -\text{C}\!\equiv\!\text{N} > -\text{COOR} > -\text{COCl}$$

习题 13-11 完成下列反应,写出主要产物:

(i) 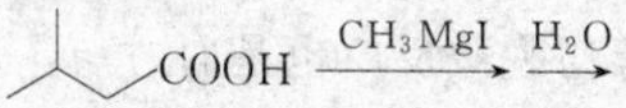
$$(\text{CH}_3)_2\text{CHCH}_2\text{-COOH} \xrightarrow[\text{H}_2\text{O}]{\text{CH}_3\text{MgI}}$$

(ii) 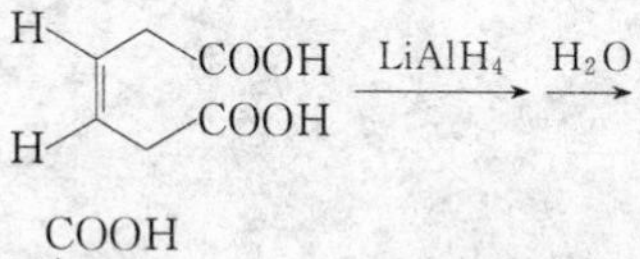
$$\xrightarrow[\text{H}_2\text{O}]{\text{LiAlH}_4}$$

(iii) 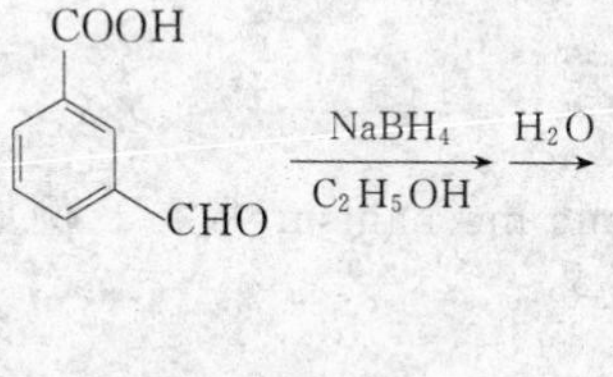
$$\xrightarrow[\text{C}_2\text{H}_5\text{OH}]{\text{NaBH}_4 \quad \text{H}_2\text{O}}$$

(iv) HOOC—⬡—COOC$_2$H$_5$ $\xrightarrow[\text{醚}]{\text{LiAlH}_4}$ $\xrightarrow{\text{H}_2\text{O}}$

(v) [结构式: 苯环上邻位有 C(=O)—Cl 和 COOH] $\xrightarrow{\text{B}_2\text{H}_6}$ $\xrightarrow{\text{H}_2\text{O}}$

(vi) Cl—C(=O)—CH$_2$CH$_2$—COOH $\xrightarrow{\text{CH}_3\text{Li(足量)}}$ $\xrightarrow{\text{H}_2\text{O}}$

13.10 脱 羧 反 应

13.10.1 脱羧反应的机理

在合适的条件下,羧酸一般都能发生失羧(失去 CO$_2$)反应(decarboxylation)。

$$\text{A—CH}_2\text{COOH} \xrightarrow{\triangle,\text{碱}} \text{A—CH}_3 + \text{CO}_2\uparrow$$

能消除稳定的中性分子的反应往往是比较容易进行的,所以羧酸的失羧反应比较易于进行。羧酸的脱羧反应可以按不同的机理进行,下面介绍几种常见的机理。

1. 环状过渡态机理

当羧酸的 α 碳与不饱和键相连时,一般都通过六元环状过渡态机理(cyclic transition state mechanism)失羧。例如,β-羰基酸的脱酸反应就是通过六中心过渡态进行的。

2,2-二甲基-3-氧代丁酸由于氢键螯合关系,首先形成螯合物,然后发生电子转移进行脱羧,先得烯醇,然后互变异构得酮,这个反应在合成上很重要,丙二酸型化合物及 α 位有吸电子基团如 α-硝基羧酸等脱羧一般属于这一类型。

α,β-不饱和酸通过互变异构形成 β,γ-不饱和酸后进行的脱羧反应也是通过与 β-羰基酸类似的过程进行的:

$$\text{R—CH=CH—CH}_2\text{COOH} \rightleftharpoons \text{R—CH}_2\text{—CH=CH—COOH} \xrightarrow{\triangle} \text{R—CH}_2\text{—CH=CH}_2$$

2. 负离子机理

当羧基和一个强吸电子基团相连时,按负离子机理(anionic mechanism)脱羧。例如三氯乙酸的脱羧反应。

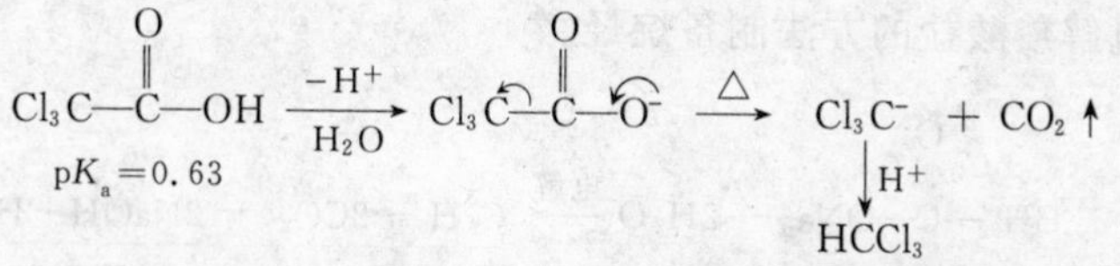

$$Cl_3C-\overset{\overset{O}{\|}}{C}-OH \xrightarrow[H_2O]{-H^+} Cl_3C-\overset{\overset{O}{\|}}{C}-O^- \xrightarrow{\triangle} Cl_3C^- + CO_2\uparrow$$

$$pK_a=0.63$$

$$\downarrow H^+$$

$$HCCl_3$$

三氯乙酸在水中完全解离成负离子,由于三个氯有强的吸电子能力,使碳碳之间的电子偏向于有氯取代的碳一边,随着羧基负离子上的电子转移到碳氧之间,碳碳键异裂,释放出 CO_2,同时形成较稳定的碳负离子,后者与水中的质子结合形成氯仿。这就是通过负离子机理进行的脱羧反应,反应很容易进行。

α-羰基羧酸(carbonyl carboxylic acid)的脱羧及邻、对位有给电子基团的芳香羧酸在强酸(如 H_2SO_4)作用下的脱羧反应也是按负离子机理进行的。

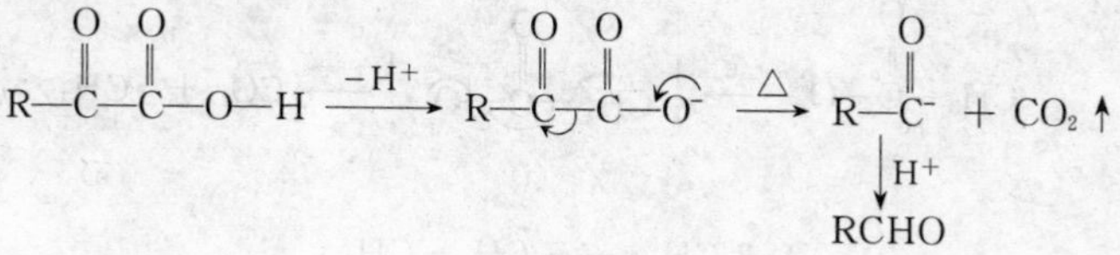

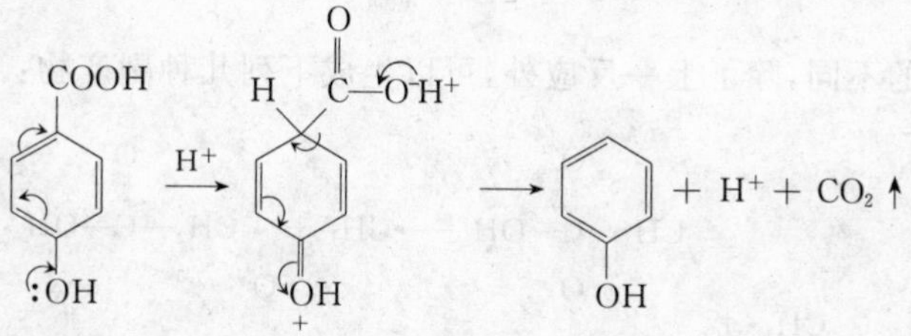

$$R-\overset{\overset{O}{\|}}{C}-\overset{\overset{O}{\|}}{C}-O-H \xrightarrow{-H^+} R-\overset{\overset{O}{\|}}{C}-\overset{\overset{O}{\|}}{C}-O^- \xrightarrow{\triangle} R-\overset{\overset{O}{\|}}{C}- + CO_2\uparrow$$

$$\downarrow H^+$$

$$RCHO$$

习题 13-12 回答下列问题。

(i) 为什么脱羧反应常常在加热和碱性条件下进行?

(ii) 芳香羧酸的邻、对位有羟基、烷氧基或氨基时,在强酸的作用下很容易发生脱羧反应。请写出该脱羧反应的机理并阐明理由。

(iii) 2,4,6-三硝基苯甲酸是按什么机理脱羧的? 为什么?

习题 13-13 写出下列化合物脱羧的反应机理:

(i)

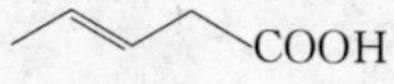

(ii)

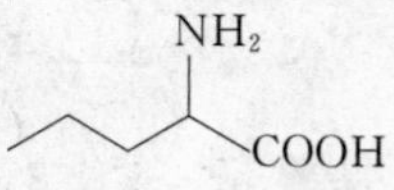

(iii) 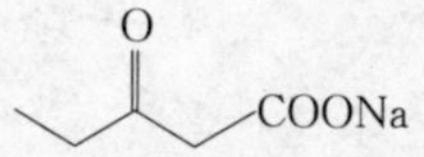 ,在水中加热

(iv)

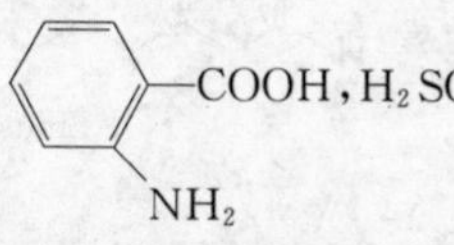

习题 13-14 解释 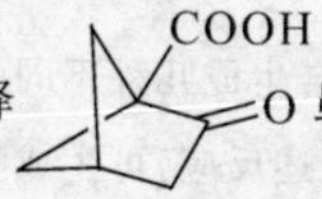 虽是 β-羰基羧酸,但不能按通常的脱羧机理脱羧的原因。

3. 自由基机理

Kolbe 法通过电解羧酸盐的方法制备烷烃。

$$2\ CH_3{-}\overset{\displaystyle O}{\overset{\|}{C}}{-}ONa + 2H_2O \xrightarrow{\text{电解}} \underbrace{C_2H_6+2CO_2}_{\text{阳极}} + \underbrace{2NaOH+H_2}_{\text{阴极}}$$

一般使用高浓度的羧酸钠盐,在中性或弱酸性溶液中进行电解,电极以铂制成,于较高的分解电压和较低的温度下进行反应。阳极处产生烷烃和二氧化碳;阴极处生成氢氧化钠和氢气。

该电解法中所用的羧酸,其碳原子数不宜太多或太少,最好在 10 个左右。

整个电解反应是通过自由基进行的,即羧酸根负离子移向阳极,失去一个电子,生成自由基 (i),(i) 很快失去二氧化碳,形成新的烷基自由基 (ii),两个自由基 (ii) 彼此结合生成烷烃。例如

$$CH_3{-}\overset{\displaystyle O}{\overset{\|}{C}}{-}O^- \xrightarrow{-e^-} \left[CH_3{-}\overset{\displaystyle O}{\overset{\|}{C}}{-}O\cdot \right] \longrightarrow CO_2 + \cdot CH_3$$
$$\qquad\qquad\qquad\qquad\text{(i)}\qquad\qquad\qquad\text{(ii)}$$

$$2\ CH_3\cdot \longrightarrow CH_3{-}CH_3$$

随着反应条件的不同,除了上一反应外,可以生成下列几种副产物:

$$CH_3\cdot + \begin{cases} CH_3{-}\overset{\displaystyle O}{\overset{\|}{C}}{-}OH \longrightarrow CH_4 + \cdot CH_2{-}\overset{\displaystyle O}{\overset{\|}{C}}{-}OH \\[2ex] CH_3{-}\overset{\displaystyle O}{\overset{\|}{C}}{-}O\cdot \longrightarrow CH_3{-}\overset{\displaystyle O}{\overset{\|}{C}}{-}O{-}CH_3 \\[2ex] HOH \longrightarrow CH_3OH + H\cdot \end{cases}$$

交叉的 Kolbe 反应在合成上非常有价值,因其产物是其它方法无法代替的,例如:家蝇的外信息素 muscaluve 的合成。

muscaluve

习题 13-15　用两种羧酸钠的混合溶液进行上述电解反应,会生成几种不同的烷烃?

习题 13-16　用一元羧酸盐和二元羧酸酯盐的混合物进行上述反应,可生成哪些产物?

习题 13-17　完成下面的反应方程式,并写出该反应的反应机理。

$$\text{（结构式：丙二酸单钠单酯 ONa/OR）} \xrightarrow{\text{电解}}$$

一个在合成上非常有用的脱羧反应，称为 Hunsdiecker（汉斯狄克）反应，是用羧酸的银盐在无水的惰性溶剂如四氯化碳中与一分子溴回流，失去二氧化碳并形成比羧酸少一个碳的溴代烷：

$$\text{（1-甲环己基）乙酸银} \xrightarrow[\text{CCl}_4]{\text{Br}_2} \text{1-甲基-1-溴甲基环己烷} \quad 94\%$$

这个反应广泛地用于制备脂肪族卤代烷，特别是从天然的含有双数碳原子的羧酸来制备单数碳的长链的卤代烷，产率以一级卤代烷最好，二级次之，三级最低，卤素中以溴反应最好。反应是按自由基机理进行的。

$$RCOOH \xrightarrow[\text{KOH}]{\text{AgNO}_3} RCOOAg \xrightarrow{\text{Br}_2} RCOOBr$$

RCOOBr 在受热的作用下均裂为 RCOO·，再进一步分解、结合：

$$RCOOBr \longrightarrow RCOO\cdot + Br\cdot$$
$$RCOO\cdot \longrightarrow R\cdot + CO_2$$
$$R\cdot + Br\cdot \longrightarrow RBr$$

这个方法在制备无水银盐时比较麻烦，产率也不太理想，因此有许多改进的方法，其中 Cristol S T（克利斯脱）的改进法是直接用羧酸与红色氧化汞、溴在四氯化碳中反应：

$$n\text{-}C_{17}H_{35}COOH + HgO + Br_2 \xrightarrow{\text{CCl}_4} n\text{-}C_{17}H_{35}Br + HgBr_2 + CO_2 + H_2O$$
$$93\%$$

反应过程可能是首先形成汞盐，然后形成 RCOOBr，再按上述均裂机理进行反应，产率也以一级卤代烷为好。

Kochi（柯齐）反应是用四乙酸铅、金属卤化物（锂、钾、钙的卤化物）和羧酸反应，脱羧卤化（decarboxylative halogenation）而得卤代烷：

$$\text{（COOH 结构式）} + Pb(OAc)_4 + LiCl \xrightarrow[\text{回流}]{\text{苯}} \text{（Cl 结构式）} + CO_2 + LiOAc + Pb(OAc)_2 + HOAc$$

此法便宜，对一级、二级和三级烷基卤代烷产率均很好，反应过程大致如下：

四乙酸铅分别与金属卤化物或羧酸反应，生成氯化三乙酸铅和铅盐：

$$Pb(OAc)_4 + LiCl \longrightarrow PbCl(OAc)_3 + LiOAc$$
$$Pb(OAc)_4 + RCOOH \longrightarrow RCOOPb(OAc)_3 + HOAc$$

铅盐均裂分解，形成 RCOO·，然后再裂解：

$$RCOOPb(OAc)_3 \longrightarrow RCOO\cdot + [\cdot Pb(OAc)_3]$$
$$RCOO\cdot \longrightarrow R\cdot + CO_2$$

R· 与 PbCl(OAc)₃ 中的氯原子很快地发生反应,结合成为卤代烷:

$$R\cdot + PbCl(OAc)_3 \longrightarrow RCl + [\cdot Pb(OAc)_3]$$

[·Pb(OAc)₃]可以形成 Pb(OAc)₄ 及 Pb(OAc)₂,其中 Pb(OAc)₄ 可进一步使用。

13. 10. 2　二元羧酸的存在及其受热后的变化

　　简单脂肪族的二元羧酸广泛存在于自然界,它们很容易从水溶液中结晶出来,因此很易分离,也是最早知道的有机物。最简单的二元酸是草酸,它存在于许多植物中,如菠菜等,通常以钾盐形式存在,草酸的钙盐是不溶的,它存在于植物细胞内,人体内有的结石就是草酸的钙盐。草酸是有毒的。丁二酸(琥珀酸)存在于琥珀、化石、真菌、苔藓中,首次从蒸馏琥珀分离得到。戊二酸存在于甜菜中,也发现在羊毛的水萃取液中。己二酸也可从甜菜中分离得到,但它通常是由环己烷合成的。

　　各种二元酸受热后,由于两个羧基的位置不同,而发生不同的作用,有的失水,有的失羧,有的同时失水失羧。例如:

$$HOOCCOOH \xrightarrow{160\sim180\,℃} HCOOH + CO_2$$
$$\hookrightarrow CO + H_2O$$

$$HOOCCH_2COOH \xrightarrow{140\sim160\,℃} CH_3COOH + CO_2$$

庚二酸以上的二元酸,在高温时发生分子间的失水作用,形成高分子的酸酐,不形成大于六元的环酮。根据以上反应,可以得出一个结论,在有机反应中有成环可能时,一般形成五元或六元环,这称为 Blanc(布朗克)规则,这是 Blanc 在用各种二元酸和乙酸酐加热时得到的结果。

有硫酸存在时,草酸在 100 ℃ 左右就可进行脱羧反应。丙二酸或一取代、二取代的丙二酸一般在水溶液中加热即可失羧,在合成上非常有用。丁二酸以上的二元酸进行失水反应时常与去水剂共热,反应比较顺利,常用的去水剂有乙酰氯、乙酸酐、五氯化磷、三氯氧磷、五氧化二磷等。

芳香二元酸也能进行上述反应:

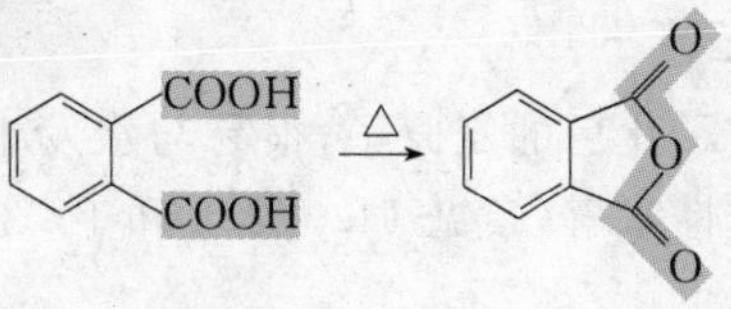

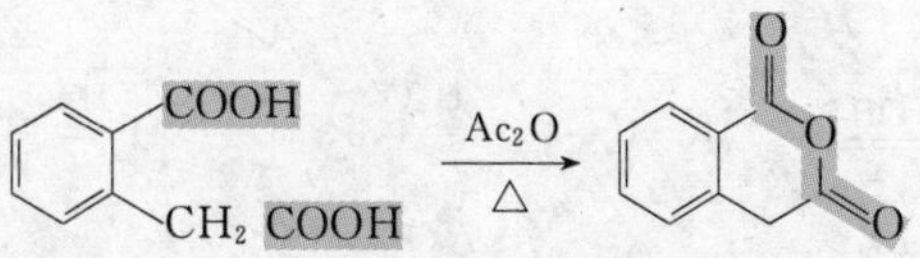

习题 13−18 完成下列反应,写出主要产物:

(i)

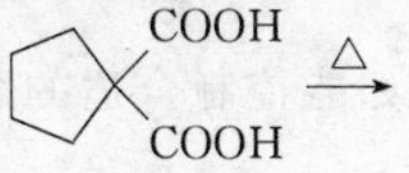

(ii)

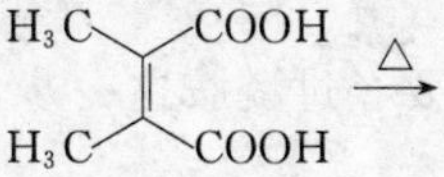

(iii)

(iv) $n\,HOOC(CH_2)_{10}COOH \xrightarrow{\triangle}$

羧酸的制备

前面已经介绍过,羧酸可用醇(参见 10.7)、醛(参见 12.11.1)、芳烃(参见 11.5)、烯(参见 8.6)、炔(参见 9.8)和酮(卤仿反应,参见 12.7.2)的氧化来制备。下面再介绍几种制备羧酸的常用方法。

13.11　羧酸衍生物、腈的水解制备

酰卤、酸酐、酯、酰胺水解均能得到羧酸,这部分内容将在 14.3.2 中详细介绍。
腈在酸性或碱性条件下回流水解,都可得到羧酸。

$$R-C\equiv N + H_2O \xrightarrow[\triangle]{\text{酸或碱}} RCOOH$$

腈在酸催化下的水解机理如下:

$$R-C \equiv N: \xrightarrow{H^+} \left[R-\overset{+}{C}=NH \leftrightarrow R-\overset{+}{C}=NH \right] \xrightarrow{\overset{..}{O}H_2} R-\overset{\overset{+}{O}H_2}{\underset{}{C}}=NH$$

$$\xrightarrow{-H^+} R-\overset{OH}{\underset{}{C}}=NH \xrightarrow{\text{互变异构}} R-\overset{O}{\underset{}{C}}-NH_2 \xrightarrow[H_2O]{H^+} RCOOH$$

酰胺的互变异构体   酰胺

氰基和羰基类似,可以质子化,质子化后的氮原子,很易与水发生亲核加成,然后再消除质子,得酰胺的互变异构体。酰胺继续酸性水解(参见 14.3.2/3 和 14.3.2/4)得羧酸。

腈在碱催化下的水解机理如下:

$$R-C \equiv N \underset{\xrightarrow{-OH}}{\rightleftharpoons} R-\overset{OH}{\underset{}{C}}=N^- \xrightarrow{H_2O} R-\overset{OH}{\underset{}{C}}=NH \rightleftharpoons R-\overset{O}{\underset{}{C}}-NH_2$$

$$\xrightarrow[H_2O]{OH^-} \xrightarrow{H^+} RCOOH$$

OH⁻ 是一强碱,进攻氰基的碳,然后从水中夺取质子,得酰胺的互变异构体。酰胺进一步碱性水解后,再酸化即得羧酸。

由于腈的酸性水解和碱性水解都要经过酰胺这一步,因此水解时,如能控制合适的条件,反应可以停留在酰胺这一步。

脂肪腈通常是由卤代烷与氰化钠反应制备的,水解后所得羧酸比相应卤代烷多一个碳原子。

异己酸82%

从一级卤代烷制备腈的产率很高,二级卤代烷制腈产率不太好,三级卤代烷因氰化钠碱性较强,往往失卤化氢成烯,因此从二级及三级卤代烷制羧酸最好还是用格氏试剂的方法。苯型卤代烃和乙烯型卤代烃中的卤原子因与不饱和体系共轭,不易被取代,不能用来制备相应的腈。但苯型腈化物可通过 Sandmeyer(桑德迈耳)反应制备(参见 18.8.2)。

如用卤代酸与氰化钠反应制二元酸,卤代酸必须首先制成羧酸盐,然后与氰化钠反应,否则羧基中的质子会首先与氰化钠反应释放出剧毒的 HCN。

$$ClCH_2COOH + NaHCO_3 \longrightarrow ClCH_2COONa \xrightarrow{NaCN} NCCH_2COONa$$

$$\xrightarrow[H_2O]{NaOH} \overset{H_3^+O}{\underset{\triangle}{\longrightarrow}} HOOCCH_2COOH$$

此法操作方便,副反应少,产率高,应用较广。

13.12 用羧酸的锂盐制备

比较复杂的羧酸可以通过羧酸的烷基化来制备。如

$$RCH_2COOH + 2\ LiN(i-C_3H_7)_2 \longrightarrow \overset{Li^+}{RCHCOO^-}\ Li^+ \xrightarrow{R'X} \xrightarrow{H_2O} \overset{R'}{\underset{|}{RCHCOOH}}$$

$$(CH_3)_2CHCOOH + 2\ LiN(i-C_3H_7)_2 \xrightarrow[0\text{℃}]{THF,C_6H_{14}} (CH_3)_2CLiCOOLi$$

$$\xrightarrow{CH_3(CH_2)_3Br}\ H_2O$$

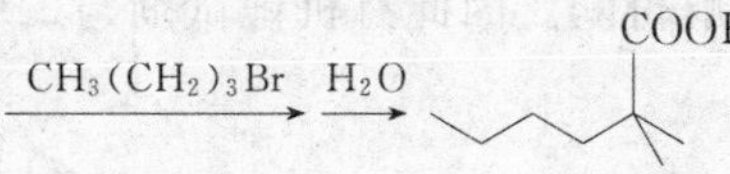

89%

此法用强碱二异丙基胺锂夺取羧酸的 α 氢,使成锂盐,再用卤代烷烷基化。如分子中其它碳上有活泼氢,也能发生类似的反应。如:

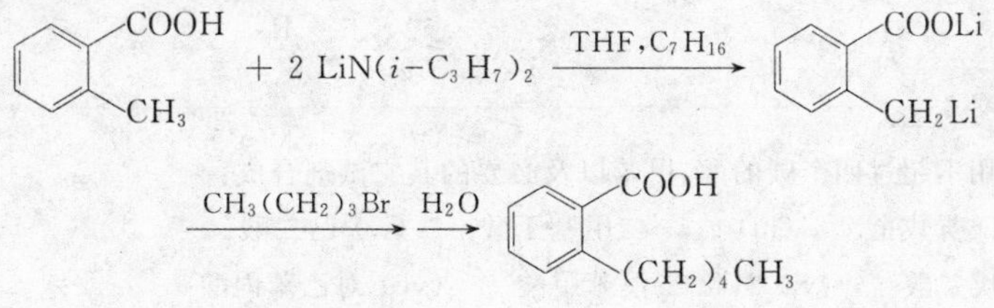

$$+ 2\ LiN(i-C_3H_7)_2 \xrightarrow{THF,C_7H_{16}}$$

$$\xrightarrow{CH_3(CH_2)_3Br}\ H_2O$$

69%~73%

二元羧酸也可以用与上述类似的方法制备。如

$$BrCH_2CH_2Br + NaCN \longrightarrow NCCH_2CH_2CN \xrightarrow[H_2O,\triangle]{H^+} HOOCCH_2CH_2COOH$$

$$2(CH_3)_2CLiCOOLi + Br(CH_2)_nBr \xrightarrow{H_2O} HOOC \underset{n}{\diagdown} COOH$$

13.13 由有机金属化合物制备

格氏试剂和二氧化碳发生作用(参看 7.9.4),经水解生成酸,此法可将一级、二级、三级和芳香卤代烷制备成多一个碳原子的羧酸。如

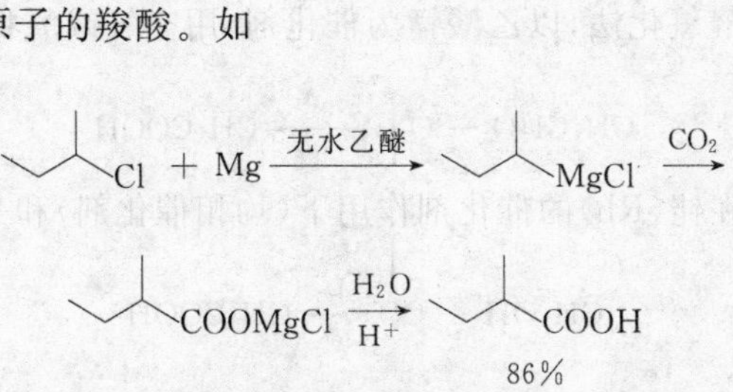

$$Cl + Mg \xrightarrow{无水乙醚} MgCl \xrightarrow{CO_2}$$

$$COOMgCl \xrightarrow[H^+]{H_2O} COOH$$

86%

$$Br + Mg \xrightarrow{无水乙醚} MgBr \xrightarrow{CO_2} COOMgBr \xrightarrow[H^+]{H_2O} COOH$$

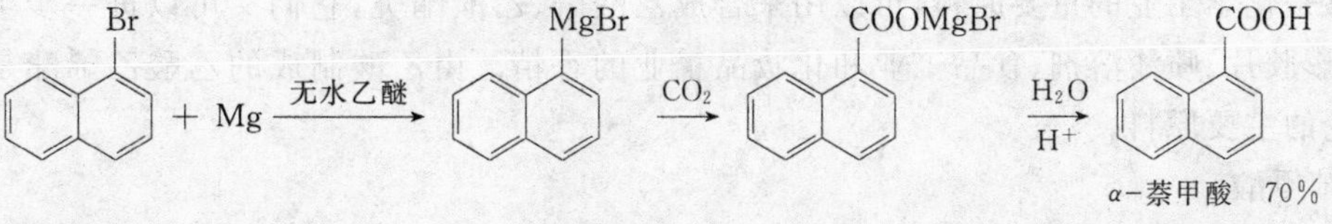

α-萘甲酸 70%

低温对反应有利，一般将反应温度控制在 $-10\sim10\,℃$ 左右。实验时，可将格氏试剂的乙醚溶液在冷却下通入二氧化碳，也可以将格氏试剂的乙醚溶液倒入过量的干冰中，这时的干冰既是反应试剂又是冷冻剂。

有机锂试剂与等摩尔的二氧化碳反应生成羧酸锂盐，再水解也生成羧酸。但由于羧酸锂盐也能与有机锂试剂反应，生成物水解得酮。因此有机锂试剂与二氧化碳的投料比将对生成哪一种产物起控制作用。

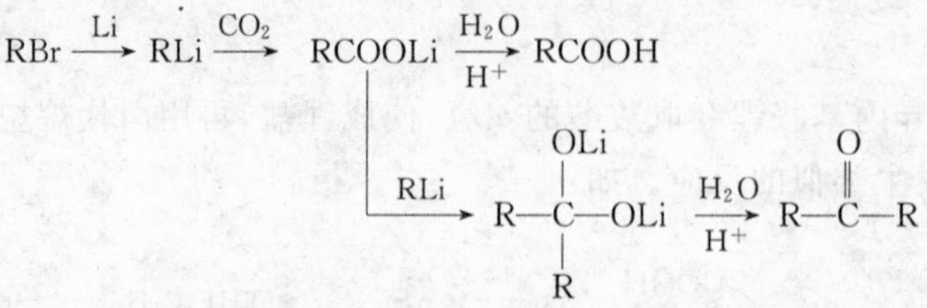

$$RBr \xrightarrow{Li} RLi \xrightarrow{CO_2} RCOOLi \xrightarrow[H^+]{H_2O} RCOOH$$

习题 13−19　用不超过四个碳的醇、甲苯以及必要的其它试剂合成：

(i) 异丁酸　　(ii) 异戊酸　　(iii) α,α−二甲基丁酸　　(iv) 己二酸

(v) α,α'−二甲基庚二酸　　(vi) 2,4−二溴苯甲酸　　(vii) 对乙苯丙酸

13.14　羧酸的工业生产

1. 甲酸

工业上是用一氧化碳和氢氧化钠溶液在高温高压下作用首先生成甲酸钠，然后再用浓硫酸分解把甲酸蒸馏出来：

$$NaOH + CO \longrightarrow HCOONa \xrightarrow{H_2SO_4} HCOOH$$

工业上甲酸可用作还原剂、防腐剂，或用在制备染料及橡胶生产上。

2. 乙酸

常用的工业方法是乙醛氧化法，以乙酸锰为催化剂，用空气或氧将乙醛氧化：

$$CH_3CHO + O_2 \xrightarrow{Mn^{2+}} CH_3COOH$$

另一个方法是用甲醇在铑(Rh)的催化剂作用下(均相催化剂)和一氧化碳直接结合成乙酸：

$$CH_3OH + CO \xrightarrow[Rh]{I_2} CH_3COOH$$

乙酸是化学工业的重要原料，可以用来合成乙酸酐、乙酸酯类，它们又可以进一步生产乙酸纤维、电影胶片、喷漆溶剂、食品工业和化妆品工业的香精。由乙酸制成的乙酸乙烯酯是合成纤维维尼纶的主要原料。

3. 苯甲酸

常用甲苯、邻二甲苯或萘为原料制备,这些原料来自煤焦油或石油:

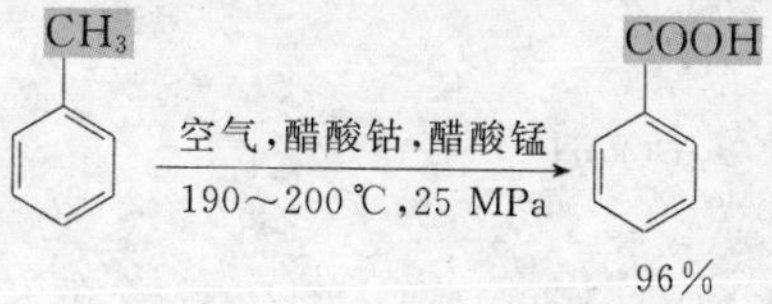

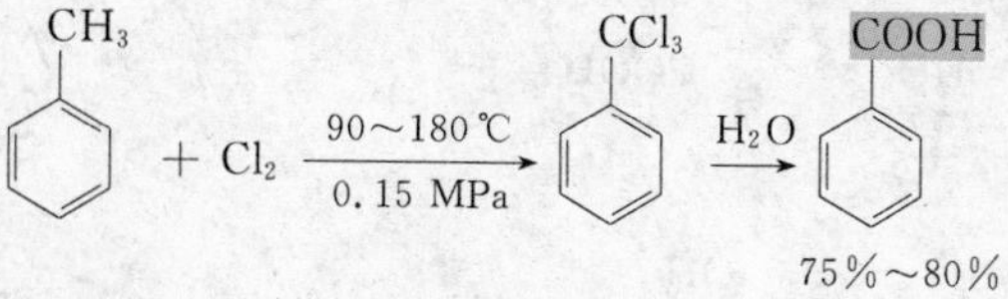

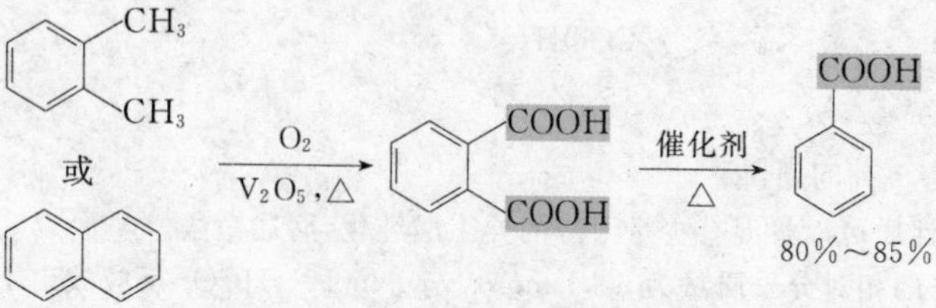

4. 己二酸

一种方法以苯为原料,还原后再氧化制得:

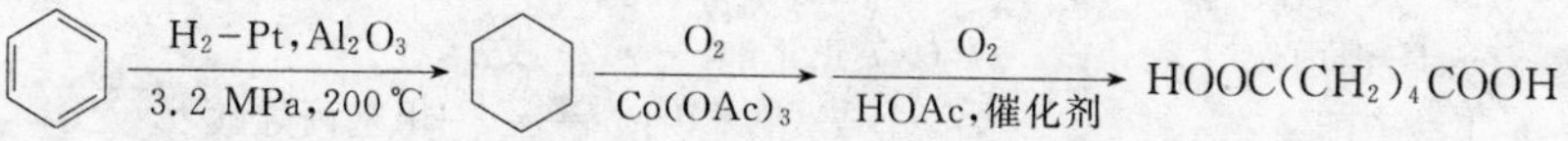

氧化时先产生环己酮及环己醇,然后进一步氧化为己二酸。

由于石油化学的发展,可用丁二烯为原料,与氯进行 1,4-加成,得 1,4-二氯-2-丁烯,然后与氰化钠反应,得二腈化物,水解、加氢,得己二酸:

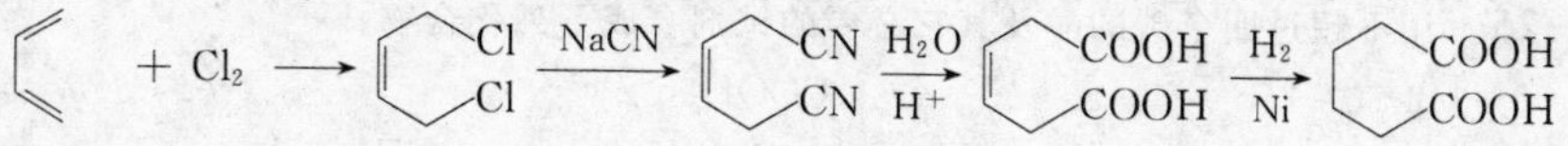

己二酸是合成尼龙-66 的原料。

5. 对苯二甲酸

以对二甲苯为原料,第一步氧化成对甲苯甲酸,然后进一步氧化为对苯二甲酸:

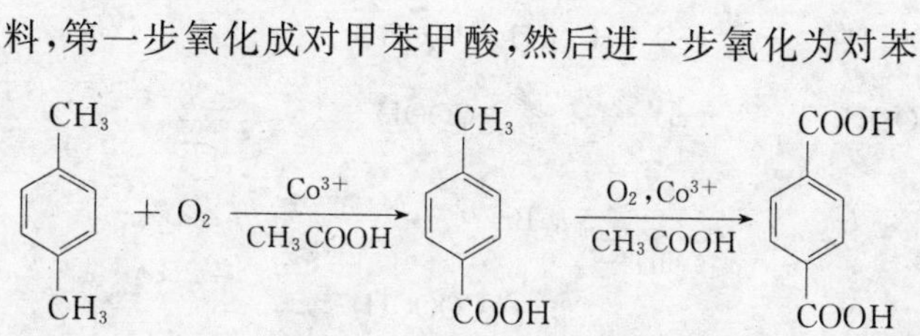

第一步氧化很容易,第二步较困难,需要在较高温度下进行,生产中的问题是乙酸的消耗及其对反应容器的腐蚀。对苯二甲酸在国内外大量生产,是合成纤维涤纶的原料之一。

习题 13-20 写出分子式为 $C_6H_{10}O_2$ 的羧酸类化合物的所有同分异构体,并写出这些化合物的中英文系统命名的名称。

习题 13-21 用合适方法完成下列转换：

(i) $(CH_3)_3COH \longrightarrow (CH_3)_3CCOOH$

(ii) 〔正丁醇结构〕$\longrightarrow$ 〔2-羟基戊酸结构〕

(iii) 〔3-溴丁醛结构〕$\longrightarrow$ 〔HO—...CH_3...COOH结构〕

(iv) 〔异戊酸结构〕COOH $\longrightarrow$ 〔异丁醇结构〕OH

(v) 〔环己基甲醇〕CH$_2$OH $\longrightarrow$ 〔环己基乙酸〕COOH

习题 13-22 回答下列问题：

(i) 利用羧酸的什么性质可以将混有少量丁醇的异丁酸纯化，简述做法。

(ii) 已知某有机物 A 的相对分子质量为 60，1 mol A 与 1 mol $NaHCO_3$ 反应放出 1 mol CO_2，则 A 与溴化乙基镁反应后，再用水处理得到什么？若 A 与足量丁基锂反应后，再用水处理得到什么？A 与氯化亚砜反应后得到 B，B 与溴化乙基镁反应后，再用水处理得到什么？B 与足量丁基锂反应后，再用水处理得到什么？

习题 13-23 写出实现下列转换的反应方程式：

(i) 异丁酸 $\longrightarrow$ α-溴代异丁酸　　　(ii) 异丁酸 $\longrightarrow$ 异丁醇

(iii) 正丁酸 $\longrightarrow$ 1-溴丙烷　　　　(iv) 正丁酸 $\longrightarrow$ 2-戊酮

(v) 丙酸 $\longrightarrow$ 丁酸乙酯　　　　(vi) 2-甲基丙酸 $\longrightarrow$ 2-甲基丙烯酸

习题 13-24 对二甲苯与下列试剂发生什么反应，用反应式表示：

(i) $KMnO_4$，然后用 Na_2CO_3 或 NaOH 处理。

(ii) 在足量 Cl_2 存在下光照，然后用 NaOH 水溶液加热，再用酸处理。

(iii) 与 $KMnO_4$ 反应后再用 CH_3CH_2Li 处理。

习题 13-25 用不超过四个碳的醇及其它必要的试剂合成下列化合物：

(i) 〔2,3-二溴结构〕

(ii) 〔2-甲基-2-...COOH结构〕

(iii) 〔异戊基酯〕COOC$_2$H$_5$　　　(iv) $CH_3(CH_2)_5\overset{14}{C}OOH$

(v) $HOOC(CH_2)_6COOH$　　　(vi) 〔2,4-二烯酸〕COOH

(vii) 〔γ-丁内酯结构〕O

(viii) 〔3-溴-2-甲氧基酯结构 COOCH$_3$，OCH$_3$〕

习题 13-26 由指定原料合成下列化合物：

(i) 由甲醇及乙醛合成 〔环状二酯结构〕

(ii) 由乙醛合成 β-氰基丁酸

(iii) 由苯与环戊醇合成 6-苯基己酸

(iv) 由苯及四个碳以下化合物合成　$CH_3(CH_2)_3$——$\underset{CH_3}{\overset{CH_3}{CH}}$——$CH_2COOH$

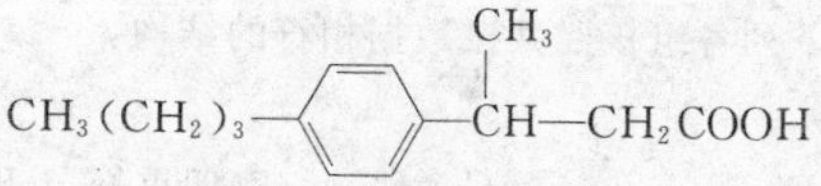

(v) 由四个碳以下化合物合成　$HOOC$——$\underset{\underset{COOH}{|}}{\overset{\overset{COOH}{|}}{}}$

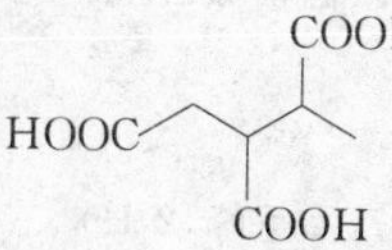

(vi) 由四个碳以下化合物合成

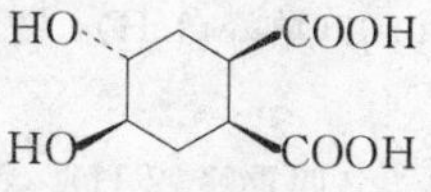

(vii) 由己二酸、苯甲腈及四个碳以下的有机物合成

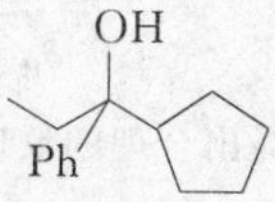

(viii) 由环己烷合成

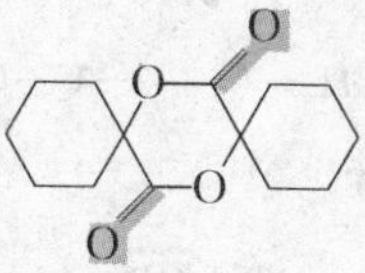

习题 13-27　乙醇中不含有 CH_3CO—基团,但能发生碘仿反应;乙酸中含有 CH_3CO—基团,但不发生碘仿反应,为什么?

习题 13-28　请完成下列转换:

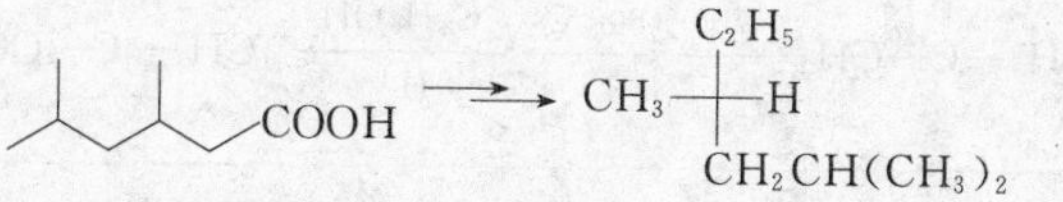

习题 13-29　解答下列问题:

(i) 写出符合下列要求的所有化合物:① 分子式为 $C_9H_{14}O_4$;② 分子中有两个甲基、两个羧基;③ 分子中含有五元碳环。

(ii) 上述化合物在 140~160℃加热会发生什么反应? 写出它们的反应方程式。

(iii) 上述化合物在 300℃加热会发生什么反应? 写出它们的反应方程式。

习题 13-30　有一个含有碳、氢、氧的芳香化合物 A,相对分子质量为 136,A 用高锰酸钾加热氧化成 B,B 熔点 212~214℃,相对分子质量为 166,当 A 与碱石灰共热,得到化合物 C,沸点 110~112℃,C 用高锰酸钾氧化转变为 D,熔点 121~122℃,相对分子质量为 122。(i)推测化合物 A～D 的可能结构;(ii)写出 A 的所有含苯环的同分异构体;(iii)以苯为起始原料,设计(ii)中含有羧基的同分异构体的合成路线。

习题 13-31　某含 C、H、O 的酸性化合物 A,与氢化铝锂反应后得到的产物在浓硫酸作用下加热,生成一个气体烯烃 B,B 的相对分子质量为 56,B 臭氧化后得到一个醛和一个酮。请推断 A 和 B 的结构,并根据下列图示写出 C,D,E,F 的结构。

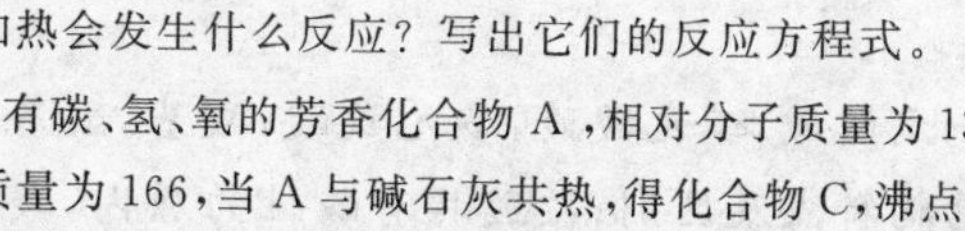

$$A+NH_3 \longrightarrow C \xrightarrow[-H_2O]{\triangle} D \xrightarrow[\triangle]{NaOH\ 溶液} E+F\uparrow$$

$$\underset{酸化}{\underbrace{\qquad\qquad\qquad\qquad\qquad\qquad}}$$

习题 13-32　某化合物 A 的分子式为 $C_8H_{14}O$,A 与 NaOI 在碱中反应产生大量黄色沉淀,母液酸化后得到一个酸 B,B 在红磷存在下加入溴时,只形成一个单溴化合物 C,C 用 NaOH 的醇溶液处理时能失去溴化氢

产生 D。D 能使溴水褪色，D 用过量的铬酸在硫酸中加热氧化后，只得到一个无支链的二元酸 E，E 相对分子质量为 140。试推测 A，B，C，D，E 的结构，并用反应式表示反应过程。

习题 13－33 给出与下列各组核磁共振数据相符的结构：

(i) $C_3H_5ClO_2$

(a) $\delta_H:1.73$(二重峰，3 H)　　　　　(b) $\delta_H:4.47$(四重峰，1 H)

(c) $\delta_H:11.22$(单峰，1 H)

(ii) $C_4H_7BrO_2$

(a) $\delta_H:1.08$(三重峰，3 H)　　　　　(b) $\delta_H:2.07$(多重峰，2 H)

(c) $\delta_H:4.23$(三重峰，1 H)　　　　　(d) $\delta_H:10.97$(单峰，1 H)

(iii) $C_4H_8O_3$

(a) $\delta_H:1.27$(三重峰，3 H)　　　　　(b) $\delta_H:3.36$(四重峰，2 H)

(c) $\delta_H:4.13$(单峰，2 H)　　　　　　(d) $\delta_H:10.95$(单峰，1 H)

习题 13－34 请为下面的反应提出合理的反应机理。(思考题 参见 14.3.3)

$$n\,HOCH_2CH_2OH + n\ CH_3O-\overset{O}{\overset{\|}{C}}-\text{（对位苯）}-CH_2-\text{（对位苯）}-\overset{O}{\overset{\|}{C}}-OCH_3$$

$$\xrightarrow[H^+]{\triangle}\ \left[O-\overset{O}{\overset{\|}{C}}-\text{（对位苯）}-CH_2-\text{（对位苯）}-\overset{O}{\overset{\|}{C}}-OCH_2CH_2O\right]_n$$

习题 13－35 请为下面的反应提出合理的反应机理。(思考题 参见 14.8 和 14.12.2)

$$CH_3-\overset{O}{\overset{\|}{C}}-CH_3 \xrightarrow{700\sim800\ ^\circ C} \xrightarrow[H^+]{C_2H_5OH} CH_3-\overset{O}{\overset{\|}{C}}-OC_2H_5$$

复习本章的指导提纲

基本概念和基本知识

羧酸，脂肪酸，芳香酸，一元羧酸，二元羧酸，多元羧酸；羧基，酰基，羧羰基；羧酸物理性质的一般规律；羧酸和羧酸盐的结构特点及区别；羧酸具有酸性的原因，羧酸酸性的强弱及影响酸性强弱的各种因素；酯化反应，分子内酯化，分子间酯化；酯，内酯，交酯，聚酯；铵盐，酰胺，腈；脱羧反应，Blanc 规则。

基本反应和重要反应机理

成盐反应，Hell-Volhard-Zelinski 反应及机理；酯化反应及酯化反应的三种反应机理；形成铵盐、酰胺和腈之间的转化及相应的机理；羧酸与格氏试剂的反应，羧酸与有机锂试剂的反应；羧酸被 $LiAlH_4$ 或 B_2H_6 还原及还原反应的机理；羧酸的脱羧反应，脱羧反应的环状过渡态机理，脱羧反应的负离子机理，脱羧反应的自由基机理；Kolbe 反应，Hunsdiecker 反应，Cristol 反应，Kochi 反应；二元羧酸的脱羧反应及规律。

重要合成方法

烯、炔、芳烃、醇、醛、酮氧化制羧酸；羧酸衍生物、腈水解制羧酸；格氏试剂、有机锂试剂与二氧化碳反应制羧酸；羧酸的工业生产；尼龙-66 和尼龙-1010 的合成。

重要鉴别方法

利用羧酸及其盐的酸碱性和溶解性能分离提纯和鉴别羧酸。

英汉对照词汇

acyl bromide （酰溴）

acyl cation mechanism （酰基正离子机理）

acyl group （酰基）

addition-elimination mechanism （加成-消除机理）

amide （酰胺）

anionic mechanism （负离子机理）

aromatic acid （芳香酸）

Blanc G （布朗克）

carbocation mechanism （碳正离子机理）

carbonyl carboxylic acid （羰基羧酸）

carboxy group （羧基）

carboxylate anion （羧酸盐负离子）

carboxylic acid （羧酸）

Cristol S T （克利斯脱）

cyclic transition state mechanism （环状过渡态机理）

decarboxylation （脱羧反应）

decarboxylative halogenation （脱羧卤化）

dicarboxylic acid （二元酸）

esterification （酯化反应）

fatty acid （脂肪酸）

Hell C-Volhard J-Zelinski N D （赫尔-乌尔哈-泽林斯基）

Hunsdiecker H （汉斯狄克）

hydrogen bond chelation （氢键螯合）

hydrolysis （水解）

intermolecular esterification （分子间酯化）

intramolecular esterification （分子内酯化）

isotope tracer （同位素示踪）

Kochi J K （柯齐）

lactide （交酯）

lactone （内酯）

monocarboxylic acid （一元羧酸）

polycarboxylic acid （多元羧酸）

Sandmeyer T （桑德迈耳）

saturated fatty acid （饱和脂肪酸）

steric effect （空间效应）

tetrahedral intermediate （四面体中间体）

unsaturated fatty acid （不饱和脂肪酸）

推荐参考书目

1. 《化学发展简史》编写组. 化学发展简史. 北京:科学出版社,1980

2. 袁翰青,应礼文. 化学重要史实. 北京:人民教育出版社,2000

3. Robert B Fox, Warren H Powell. Nomenelature of Organic Compounds PRINCIPLES AND PRACTICE,SECOND EDITION. American Chemical Society,2001

4. 中国化学会. 有机化学命名原则. 北京:科学出版社,1980

5. 林国强,陈耀全,陈新滋,李月明. 手性合成——不对称反应及其应用. 北京:科学出版社,2000

6. 尹玉英,刘春蕴编著. 有机化合物分子旋光性的螺旋理论. 北京:化学工业出版社,2000

7. 范康年主编. 谱学导论. 北京:高等教育出版社,2001

8. 胡青眉. 脂肪亲核取代反应和消除反应. 北京:高等教育出版社,1992

9. 邢其毅等编著. 共振论的回顾与瞻望. 北京:北京大学出版社,1980

10. 刘育亭. 共轭体系的简单分子轨道理论. 乌鲁木齐:新疆人民出版社,1980

11. Michael B Smith. Organic Synthesis. Second Edition. McGraw-Hill,2002

12. 黄宪. 有机合成 上册. 北京:高等教育出版社,1992

13. 裴伟伟,冯骏材. 有机化学例题与习题——题解及水平测试. 北京:高等教育出版社,2002

14. Estelle K Meislich, Herbert Meislich, Joseph Sharefkin. Schaum's 题解精粹,有机化学 ORGANIC CHEMISTRY. 影印版. 北京:高等教育出版社(HIGHER EDUCATION),麦格劳-希尔国际出版公司(McGraw-Hill Inc),2000

15. GRAHAM SOLOMONS CRAIG FRYHLE. Organic Chemistry. Seventh Edition. John Wiley & Sons,Inc,2000

16. Peter K, Vollhardt C, Neil E Schore. ORGANIC CHEMISTRY Structure and Function. Third Edition. W H Freeman and Company,1999

17. Francis A Carey. ORGANIC CHEMISTRY. Fourth Edition. The McGraw-Hill Companies,Inc,2000

18. John Mcmurry. Organic Chemistry. SIXTH EDITION(International Student Edition). Brooks Cole,2004

19. WADE L G,JR. 有机化学 Organic Chemistry. 第5版影印版. 北京:高等教育出版社,2004

郑 重 声 明

高等教育出版社依法对本书享有专有出版权。任何未经许可的复制、销售行为均违反《中华人民共和国著作权法》，其行为人将承担相应的民事责任和行政责任，构成犯罪的，将被依法追究刑事责任。为了维护市场秩序，保护读者的合法权益，避免读者误用盗版书造成不良后果，我社将配合行政执法部门和司法机关对违法犯罪的单位和个人给予严厉打击。社会各界人士如发现上述侵权行为，希望及时举报，本社将奖励举报有功人员。

反盗版举报电话：(010) 58581897/58581896/58581879

传　　真：(010) 82086060

E－mail：dd@hep.com.cn

通信地址：北京市西城区德外大街 4 号
　　　　　　高等教育出版社打击盗版办公室

邮　　编：100120

购书请拨打电话：(010)58581118

策划编辑	岳延陆
责任编辑	秦凤英
封面设计	于文燕
责任绘图	尹文军
版式设计	马静如
责任校对	康晓燕
责任印制	韩　刚